T5-AGK-921

Gerhard Schneider · Die Apostelgeschichte

II. Teil

HERDERS THEOLOGISCHER KOMMENTAR
ZUM NEUEN TESTAMENT

Herausgegeben von Alfred Wikenhauser †
Anton Vögtle, Rudolf Schnackenburg

BAND V

DIE APOSTELGESCHICHTE

ZWEITER TEIL

Kommentar zu Kap. 9,1 – 28,31
von
Gerhard Schneider

HERDER
FREIBURG · BASEL · WIEN

DIE APOSTELGESCHICHTE

II. TEIL

Kommentar zu Kap. 9,1 – 28,31

von

Gerhard Schneider

Professor an der
Abteilung für Katholische Theologie
der Ruhr-Universität Bochum

1982

HERDER
FREIBURG · BASEL · WIEN

Imprimatur. – Freiburg im Breisgau, den 7. Mai 1982
Der Generalvikar. Dr. Schlund
Herstellung: Freiburger Graphische Betriebe 1982
ISBN 3-451-19381-7

Vorwort

Der erste Band dieses Kommentars zur Apostelgeschichte erschien 1980. Nach zwei Jahren kann nun auch der zweite Band vorgelegt werden, der den „Paulus-Teil" der Acta erklärt. Die äußere Anlage entspricht der des vorausgehenden Teiles (siehe I 6). Da im ersten Band eine ausführliche Einleitung geboten wurde und auch in den Exkursen wesentliche theologische Grundlinien der Apostelgeschichte zur Sprache kamen, kann sich der zweite auf die Auslegung der Kapitel 9 bis 28 konzentrieren. Er enthält einen Exkurs über „Paulus" in der Sicht des Lukas und einen weiteren über „Apostelkonzil" und „Aposteldekret".

Neuere Literatur, soweit sie sich auf das Gesamtwerk der Apostelgeschichte bezieht, wurde nachgetragen (siehe S. 11–16). Literaturangaben zu einzelnen Textabschnitten und Versen stehen wie in Bd. I am Anfang der betreffenden Perikopen. Leider lagen mir bei Abschluß des Manuskripts (Ende Oktober 1981) die Acta-Kommentare von Alfons Weiser (Ökumenischer Taschenbuch-Kommentar) und Jürgen Roloff (Das Neue Testament Deutsch) noch nicht vor. Doch konnte auf sie in einigen Punkten noch nachträglich hingewiesen werden.

Am Ende dieses Bandes stehen wiederum Register der griechischen Vokabeln und der antiken Schriftsteller. Wie wichtig das Vokabular für die exegetische Arbeit am lukanischen Doppelwerk ist, haben Fachleute in der letzten Zeit immer wieder unterstrichen. Ich hoffe, mit diesen Registern nicht zuletzt der Erschließung der Sprache des Lukas zu dienen. In dem Register erscheinen nur „Schriftsteller" des Altertums; denn eine Zusammenfassung der Bibelstellen hätte den Kommentar zu stark anwachsen lassen. Aber es gibt noch einen anderen Grund: Ein Schriftsteller wie Lukas hatte durchaus literarische Ambitionen, und er wollte ohne Zweifel auch in die „Literatur" eingereiht werden. Für den Benutzer des Kommentars wird schließlich das Register aller in der Apostelgeschichte vorkommenden Eigennamen von Nutzen sein. Auf ein theologisch, historisch und literarisch ausgerichtetes Sachregister konnte im Hinblick auf die stark gegliederte „Einleitung" (I 65–186) und die insgesamt 12 Exkurse verzichtet werden.

Gegenüber den von mir in der „Einleitung" bezogenen Grundpositionen, vor allem in der Quellenfrage, hat sich während der Ausarbeitung von Bd. II keine Verschiebung ergeben. Um meinen Standpunkt zu verdeutlichen: Ich bin überzeugt, daß Lukas weitgehend auf Quellen (auch auf mündlichen Informationen und Überlieferungen) fußt, daß es uns jedoch nicht möglich ist oder nur selten gelingen will, die benutzten Quellen im Wortlaut zu rekonstruieren. Diesen Umstand mag man bedauern. Er kann aber auch den Ausleger auf seine ureigene Aufgabe hinlenken. Soll er doch herausarbeiten, was der Verfasser „zu sagen beabsichtigte" (*quid scriptor dicere intenderit:* Divino afflante Spiritu, unter Hinweis auf Athanasius, Contra Arianos I 54).

Beim Abschluß meines Acta-Kommentars, an dem ich mehr als sieben Jahre arbeitete, habe ich vielfach Dank abzustatten. Er richtet sich an alle, die das Werk durch Hinweise förderten oder die Last der Arbeit zu einem Teil mittrugen. Das sind an erster Stelle die beiden Herausgeber, meine verehrten Kollegen Anton Vögtle, Freiburg, und Rudolf Schnackenburg, Würzburg. Ihnen weiß ich mich im Ziel einer theologischen Exegese verbunden. Auch des ersten Herausgebers dieses Kommentar-Werkes, des 1960 verstorbenen Alfred Wikenhauser, sei an dieser Stelle gedacht. Er hat zu seiner Zeit die Erforschung der Apostelgeschichte entscheidend gefördert. Mein Dank gilt ferner den bewährten Bochumer Mitarbeitern, vor allem Herrn Privatdozent Dr. Walter Radl und Frau Marlies Heinzel. Ohne beider Hilfe könnte der zweite Kommentarband noch nicht erscheinen.

Dem Kommentar möchte ich eine Oratio aus paulinischem Geist mit auf seinen Weg geben, die zugleich jene Zuversicht zum Ausdruck bringt, mit der das lukanische Geschichtswerk endet:

ἵνα ὁ λόγος τοῦ κυρίου τρέχῃ καὶ δοξάζηται (2 Thess 3, 1).

Bochum, Ostern 1982 *Gerhard Schneider*

Inhalt

EXKURSE

REGISTER

TEXTE UND LITERATUR

Nachträge und Ergänzungen zur Bibliographie von Bd. I
(I 11–52)

I. Texte (Quellen und Übersetzungen)

Bibel

Nova Vulgata Bibliorum Sacrorum... auctoritate Ioannis Pauli PP. II promulgata (Rom 1979).

Novum Testamentum et Psalterium iuxta Novae Vulgatae editionis textum (Rom 1974).

Einheitsübersetzung der Heiligen Schrift, hrsg. im Auftrag der Bischöfe Deutschlands, Österreichs, der Schweiz..., des Rates der EKD und des Evangelischen Bibelwerks. Das Alte Testament (Stuttgart 1980). Das Neue Testament (Stuttgart 1979).

Quellensammlungen

Barrett, Ch. K., Die Umwelt des Neuen Testaments. Ausgewählte Quellen, hrsg. von C. Colpe (WUNT 4) (Tübingen 1959).

Galling, K. (Hrsg.), Textbuch zur Geschichte Israels (Tübingen 1950 [[3]1979]).

Kippenberg, H. G./Wewers, G. A. (Hrsg.), Textbuch zur neutestamentlichen Zeitgeschichte (Grundrisse zum NT [NTD Ergänzungsreihe] 8) (Göttingen 1979).

Pfohl, G. (Hrsg.). Griechische Inschriften als Zeugnisse des privaten und öffentlichen Lebens. Griechisch und deutsch (München o. J. [1965]).

Stern, M. (Hrsg.), Greek and Latin Authors on Jews and Judaism, 2 Bde. (Jerusalem 1974. 1980).

II. Literatur

A. Allgemeine Hilfsmittel

Arndt/Gingrich/Danker, A Greek-English Lexicon of the New Testament and Other Early Christian Literature. Second Edition (Chicago/London 1979).

Computer-Konkordanz zum Novum Testamentum Graece von Nestle/Aland, 26. Auflage, und zum Greek New Testament, 3rd Edition (Berlin 1980)

Moulton/Geden, A Concordance to the Greek Testament. Fifth Edition Revised by H. K. Moulton, with Supplement (Edinburgh 1978).

The Oxford Classical Dictionary, ed. by Hammond/Scullard, Second Edition (Oxford 1970, Repr. 1976).

A Patristic Greek Lexicon, ed. by G. W. H. Lampe (Oxford [1961] [4]1976).

Spicq, C., Notes de lexicographie Néo-Testamentaire, 2 Bde. (Fribourg/Göttingen 1978).

B. Kommentare

Ash, A. L., The Acts of the Apostles I [1,1 – 12,25] (The Living Word Commentary 6) (Austin, Tex., 1979).
Boles, H. L., A Commentary on Acts of the Apostles (NT Commentaries 5) (Neudruck der Ausgabe von 1941) (Nashville 1974).
Cantinat, J., Les Actes des Apôtres (Paris [2]1978).
Crowe, J., The Acts (NT Message 8) (Wilmington 1979).
Krodel, G., Acts (Proclamation Commentaries) (Philadelphia 1981).
Lindijer, C. H., Handelingen van de apostelen II [Kap. 13–28] (De prediking van het NT) (Nijkerk 1979).
Macaulay, J. C., Expository Commentary on Acts (Chicago 1978).
Mashall, I. H., The Acts of the Apostles (Tyndale NT Commentaries) (Leicester 1980).
Oster, R., The Acts of the Apostles II [13,1 – 28,31] (The Living Word Commentary 6) (Austin, Tex., 1979).
Papa, B., Atti degli Apostoli. Commento pastorale, I [Kap. 1–12] (Bologna 1981).
Roloff, J., Die Apostelgeschichte (NTD 5) (Göttingen 1981).
Weiser, A., Die Apostelgeschichte. Kapitel 1–12 (Ökumen. Taschenbuch-Komm. 5/1) (Gütersloh/Würzburg 1981).
Zedda, C., Gli Atti degli Apostoli, in: La Sacra Bibbia, a cura di S. Garofalo, III. Il Nuovo Testamento (Turin 1960; Neudruck 1964) 283–389.

C. Ausgewählte Literatur zur Apostelgeschichte

1. Forschungsberichte und Bibliographie

Bruners, W., Lukas – Literat und Theologe. Neue Literatur zum lukanischen Doppelwerk, in: BuK 35 (1980) 110–112. 141–151.
Guillet, J., Exégèse lucanienne, in: RechScR 69 (1981) 425–442.
Rese, M., Neuere Lukas-Arbeiten. Bemerkungen zur gegenwärtigen Forschungslage, in: ThLZ 106 (1981) 225–237.

2. Zum Text der Apostelgeschichte

Doignon, J., Versets additionnelles du Nouveau Testament perçus ou reçus par Hilaire de Poitiers, in: Vetera Christianorum 17 (1980) 29–47 [u. a. zu Apg 8,37].
Ellis, I. M., Codex Bezae at Acts 15, in: Irish Biblical Studies 2 (1980) 134–140.
Kilpatrick, G. D., Three Problems of New Testament Text, in: NT 21 (1979) 289–297 [u. a. zu Apg 3,14].
MacKenzie, R. S., The Latin Column in Codex Bezae, in: Journal for the Study of NT 6 (1980) 58–76.
Reader, W., Entdeckung von Fragmenten aus zwei zerstörten neutestamentlichen Minuskeln (338 und 612), in: Bibl 61 (1980) 407–411.
Royse, J. R., The Ethiopic Support for Codex Vaticanus in Acts, in: ZNW 71 (1980) 258–262.

3. Apostelgeschichte und lukanische Theologie

Adams, D. R., The Suffering of Paul and the Dynamics of Luke-Acts. Diss. Yale University (1979).
Adinolfi, M. / Maggioni, B., Gli Atti degli Apostoli, in: P. de Benedetti / G. Rinaldi (Hrsg.), Introduzione al Nuovo Testamento (Brescia 1971) 304–344.

C. Zu Apg (und Lk)

Bachmann, M., Jerusalem und der Tempel. Die geographisch-theologischen Elemente in der lukanischen Sicht des jüdischen Kultzentrums (BWANT 109) (Stuttgart 1980).
Bauernfeind, O., Kommentar und Studien zur Apostelgeschichte (WUNT 22) (Tübingen 1980), darin die Beiträge:
- Einleitung 283–310;
- Kommentar [zu Apg 1, 1–14] 310–350;
- Vorfragen zur Theologie des Lukas 383–422.
Beauduin, A., Histoire et théologie dans le Livre des Actes, in: La Foi et le Temps 7 (1977) 431–447.
Böcher, O., Lukas und Johannes der Täufer, in: Studien zum NT und seiner Umwelt (A) 4 (1979) 27–44.
Borse, U., Paulus in Jerusalem, in: Kontinuität und Einheit (Festschr. für F. Mußner) (Freiburg 1981) 43–64.
Bovon, F., La figure de Moïse dans l'œuvre de Luc, in: R. Martin-Achard u. a., La figure de Moïse (Genf 1978) 47–65.
–, Le Dieu de Luc, in: RechScR 69 (1981) 279–300.
Bruce, F. F., The Davidic Messiah in Luke-Acts, in: Biblical and Near Eastern Studies (Festschr. für W. S. LaSor) (Grand Rapids 1978) 7–17.
–, Men and Movements in the Primitive Church. Studies in Early Non-Pauline Christianity (Exeter 1979).
Burgos Núñez, M. de, Opción profética y pluralismo teológico en la eclesiología de los Hechos de los Apóstoles, in: Communio 13 (1980) 151–195.
Cassidy, R. J., Jesus, Politics, and Society. A Study of Luke's Gospel (Maryknoll, N. Y., 1978).
Chevallier, M.-A., „Pentecôtes" lucaniennes et „pentecôtes" johanniques, in: RechScR 69 (1981) 301–313.
Claasen, J. P., Lukas as kerkhistorikus, in: Ned. Geref. Teol. Tydskrif 21 (1980) 217–224.
Corsani, B., Atti degli Apostoli e lettere. Guida alla lettura della Bibbia (Turin 1978).
Decock, P. B., Isaiah in Luke-Acts. Diss. Gregoriana (Rom 1977).
Delebecque, E., Sur un hellénisme de Saint Luc, in: RB 87 (1980) 590–593.
Dillon, R. J., Previewing Luke's Project from His Prologue (Luke 1, 1–4), in: CBQ 43 (1981) 205–227.
Dockx, S., Luc a-t-il été le compagnon d'apostolat de Paul?, in: NRTh 103 (1981) 385–400.
Downing, F. G., Ethical Pagan Theism and the Speeches in Acts, in: NTS 27 (1980/81) 544–563.
Dupont, J., The Salvation of the Gentiles. Essays on the Acts of the Apostles (New York 1979).
–, L'apôtre comme intermédiaire du salut dans les Actes des Apôtres, in: RThPh 112 (1980) 342–358.
Dumais, M., Ministères, charismes et Esprit dans l' œuvre de Luc, in: Église et Théologie 9 (1978) 413–453.
Egelkraut, H., Die Apostelgeschichte: Antike Fiktion oder antike Geschichtsschreibung?, in: Theologische Beiträge 11 (1980) 133–136.
Elliott, J. H., Peter, Silvanus and Mark in I Peter and Acts, in: Wort Gottes in der Zeit (Festschr. für K. H. Rengstorf) (Leiden 1980) 250–267.
Enslin, M. S., Emphases and Silences, in: HThR 73 (1980) 219–225.
Ettmayer, L., Kirche als Sammlung Israels?, in: ZKTh 100 (1978) 127–139.
Fitzmyer, J. A., The Gospel According to Luke (I–IX) (The Anchor Bible 28) (Garden City, N. Y., 1981).
Flanagan, N. M., The Position of Women in the Writings of St. Luke, in: Marianum 40 (1978) 288–304.
Giesen, H., Der Heilige Geist als Ursprung und treibende Kraft des christlichen Le-

bens. Zu den Geistaussagen der Apostelgeschichte, in: Geist und Welt, hrsg. von A. Rotzetter (Zürich 1981) 17–40.
Hahn, F., Das apostolische und das nachapostolische Zeitalter als ökumenisches Problem, in: Ökumenische Rundschau 30 (1981) 146–164.
Hauser, H. J., Strukturen der Abschlußerzählung der Apostelgeschichte (Apg 28,16–31) (AnBibl 86) (Rom 1979).
Jervell, J., Die Zeichen des Apostels. Die Wunder beim lukanischen und paulinischen Paulus, in: Studien zum NT und seiner Umwelt (A) 4 (1979) 54–75.
Jovino, P., La Chiesa comunità di santi negli Atti degli Apostoli e nelle lettere di S. Paolo. Diss. Gregoriana [1965] (Palermo 1975).
Kaiser, W. C., The Promise to David in Psalm 16 and Its Application in Acts 2,25–33 and 13,32–37, in: Journal of the Evang. Theol. Soc. 23 (1980) 219–229.
Karimattam, M., Jesus the Prophet. A Study of the Prophet Motif in the Christology of Luke-Acts. Diss. Päpstl. Bibelinstitut (Rom 1979).
Kurichianil, J., The Speeches in the Acts and the Old Testament, in: Indian Theol. Studies 17 (1980) 181–186.
Kurz, W. S., The Function of Christological Proof from Prophecy for Luke and Justin. Diss. Yale University (1976).
–, Hellenistic Rhetoric in the Christological Proof of Luke-Acts, in: CBQ 42 (1980) 171–195.
Lohfink, G., Der Ablauf der Osterereignisse und die Anfänge der Urgemeinde, in: ThQ 160 (1980) 162–176.
Lyonnet, St., „La voie" dans les Actes des Apôtres, in: RechScR 69 (1981) 149–164.
Marx, W. G., Luke, the Physician, Re-examined, in: ET 91 (1979/80) 168–172.
Mínguez, D., Hechos de los Apóstoles. Comunidad de creyentes impulsados por el Espíritu, in: Sal Terrae 65 (1975) 106–113.
Mönning, B., Die Darstellung des urchristlichen Kommunismus nach der Apostelgeschichte. Diss. theol. Göttingen (1978).
Muhlack, G., Die Parallelen von Lukas-Evangelium und Apostelgeschichte (Frankfurt 1979).
Nützel, J. M., Jesus als Offenbarer Gottes nach den lukanischen Schriften (FzB 39) (Würzburg 1980).
O'Toole, R. F., Christian Baptism in Luke, in: Review for Religious 39 (1980) 855–866.
–, Activity of the Risen Jesus in Luke-Acts, in: Bibl 62 (1981) 471–498.
Perlewitz, L. A., A Christology of the Book of Acts: Modes of Presence. Diss. St. Louis University (1977).
Perrot, Ch., La tradition apostolique dans les actes des apôtres. Les décrets apostoliques, in: Anné Canonique 23 (1979) 25–35.
Pesch, R., Das Jerusalemer Abkommen und die Lösung des Antiochenischen Konflikts. Ein Versuch über Gal 2, Apg 10, 1 – 11, 18, Apg 11, 27–30; 12, 25 und Apg 15, 1–41, in: Kontinuität und Einheit (Festschr. für F. Mußner) (Freiburg 1981) 105–122.
Pfitzner, V. C., „Pneumatic" Apostleship? Apostle and Spirit in the Acts of the Apostles, in: Wort Gottes in der Zeit (Festschr. für K. H. Rengstorf) (Leiden 1980) 210–235.
Potterie, I. de la, Les deux noms de Jérusalem dans l'évangile de Luc, in: RechScR 69 (1981) 57–70.
Richard, E., The Old Testament in Acts: Wilcox's Semitisms in Retrospect, in: CBQ 42 (1980) 330–341.
Robbins, V. K., Prefaces in Greco-Roman Biography and Luke-Acts, in: Perspectives in Religious Studies 6 (1979) 94–108.
Rodríguez Molero, F. J., „Salvación" y „condenación" en los Hechos de los Apóstoles, in: Quaere Paulum (Festschr. für L. Turrado) (Salamanca 1981) 79–106.
Roloff, J., Die Paulus-Darstellung des Lukas. Ihre geschichtlichen Voraussetzungen und ihr theologisches Ziel, in: EvTh 39 (1979) 510–531.

Salas, A., El Espíritu Santo en los escritos lucanos, in: Est. Trinitarios 9 (1975) 3–22.
Schlier, H., Die Kirche in den lukanischen Schriften, in: Mysterium Salutis IV/1 (Einsiedeln/Zürich 1972) 116–135.
Schmitt, J., Les discours missionnaires des Actes et l'histoire des traditions prépauliniennes, in: RechScR 69 (1981) 165–180.
Schreckenberg, H., Flavius Josephus und die lukanischen Schriften, in: Wort Gottes in der Zeit (Festschr. für K. H. Rengstorf) (Leiden 1980) 179–209.
Schweizer, E., Plädoyer der Verteidigung in Sachen: Moderne Theologie versus Lukas, in: ThLZ 105 (1980) 241–252.
Seccombe, D., Luke and Isaiah, in: NTS 27 (1980/81) 252–259.
Stowers, S., The Synagogue in the Theology of Acts, in: Restoration Quarterly 17 (1974) 129–143.
Taeger, J.-W., Paulus und Lukas über den Menschen, in: ZNW 71 (1980) 96–108.
Tiede, D. L., Prophecy and History in Luke-Acts (Philadelphia 1980).
Vööbus, A., Entdeckung und Überreste des von Mōšē bar Kēphā verfaßten Kommentars zur Apostelgeschichte, in: Oriens Christianus 62 (1978) 18–23.
Weinert, F. D., The Meaning of the Temple in Luke-Acts, in: BThB 11 (1981) 85–89.
Wilch, J. R., Jüdische Schuld am Tode Jesu. Antijudaismus in der Apostelgeschichte?, in: Wort Gottes in der Zeit (Festschr. für K. H. Rengstorf) (Leiden 1980) 236–249.
Wolfe, K. R., The Chiastic Structure of Luke-Acts and Some Implications for Worship, in: Southwestern Journal of Theol. 22 (1980) 60–71.
Wurm, K., Rechtfertigung und Heil. Eine Untersuchung zur Theologie des Lukas unter dem Aspekt „Lukas und Paulus". Diss. theol. Heidelberg (1979).
Ziesler, J. A., The Name of Jesus in the Acts of the Apostles, in: Journal for the Study of NT 4 (1979) 28–41.
Zumstein, J., L'apôtre comme martyr dans les Actes de Luc, in: RThPh 112 (1980) 371–390.

D. Sonstige (abgekürzt zitierte) Literatur

Betz, H. D., Galatians: A Commentary on Paul's Letter to the Churches in Galatia (Hermeneia) (Philadelphia 1979).
Bouwman, G., Paulus und die anderen. Portrait eines Apostels (Düsseldorf 1980).
Bovon, F. / van Esbroeck, M., u.a., Les Actes Apocryphes des Apôtres. Christianisme et monde païen (Genf 1981).
Casson, L., Reisen in der Alten Welt (1974), deutsch von O. R. Deubner (München 1976).
Conzelmann, H., Heiden – Juden – Christen. Auseinandersetzungen in der Literatur der hellenistisch-römischen Zeit (BHTh 62) (Tübingen 1981).
Dassmann, E., Der Stachel im Fleisch. Paulus in der frühchristlichen Literatur bis Irenäus (Münster 1979).
De Lorenzi, L. (Hrsg.), Paul de Tarse, Apôtre du notre temps (Rom 1979).
Eger, O., Rechtsgeschichtliches im Neuen Testament (Basel 1919).
Elliger, W., Paulus in Griechenland. Philippi, Thessaloniki, Athen, Korinth (SBS 92/93) (Stuttgart 1978).
van der Horst, P. W., Aelius Aristides and the New Testament (Studia ad Corp. Hell. Novi Testamenti 6) (Leiden 1980) [zu Lk/Apg: 21–26.31–44].
Jones, A. H. M., The Cities of the Eastern Roman Provinces (Oxford [1937] [2]1971).
Kertelge, K. (Hrsg.), Paulus in den neutestamentlichen Spätschriften (Quaest. Disp. 89) (Freiburg 1981).
Kirsten, E. / Kraiker, W., Griechenlandkunde (Heidelberg 1957 [[5]1967]).
Köster, H., Einführung in das Neue Testament im Rahmen der Religionsgeschichte und Kulturgeschichte der hellenistischen und römischen Zeit (Berlin 1980) [zur

Behandlung der lukanischen Schriften siehe die Kritik von E. Plümacher in: GGA 233 (1981) 18–21].
Kraft, H., Die Entstehung des Christentums (Darmstadt 1981).
Lüdemann, G., Paulus, der Heidenapostel I. Studien zur Chronologie (FRLANT 123) (Göttingen 1980).
Magie, D., Roman Rule in Asia Minor to the End of the Third Century after Christ, 2 Bde. (Princeton 1950 [Neudruck 1966]).
Panikulam, G., Koinōnia in the New Testament (AnBibl 85) (Rom 1979) [u.a. zu Apg 2,42].
Pesch, R., Simon-Petrus. Geschichte und geschichtliche Bedeutung des ersten Jüngers Jesu Christi (Päpste und Papsttum 15) (Stuttgart 1980).
Plümacher, E., Apokryphe Apostelakten, in: Pauly/Wissowa Suppl XV (1978) 11–70.
–, Rezension: H. Köster, Einführung in das NT, in: GGA 233 (1981) 1–23.
Schelkle, K. H., Paulus (Erträge der Forschg. 152) (Darmstadt 1981).
Schneemelcher, W., Das Urchristentum (Urban-Taschenbücher 336) (Stuttgart 1981).
Schultze, V., Altchristliche Städte und Landschaften II. Kleinasien, 2 Bde. (Gütersloh 1922. 1926); III. Antiocheia (Gütersloh 1930).
Yamauchi, E. M., The Archaeology of New Testament Cities in Western Asia Minor (Grand Rapids 1980).

Auslegung
(Fortsetzung)

II. Das Christuszeugnis dringt über Jerusalem hinaus und nimmt seinen Weg zu den Heiden (6,1 – 15,35)

B. Die Anfänge der Heidenmission (9,1 – 15,35)

Nach der Mission in Samaria (8,5–25) und der Taufe eines äthiopischen Eunuchen durch Philippus (8,26–40) erzählt die Apostelgeschichte nunmehr von den Anfängen der eigentlichen Heidenmission. Ihr Beginn wird Petrus zugeschrieben, der zur Taufe des Kornelius durch gottgegebene Hinweise geführt wird (10,1 – 11,18). Doch bevor die Taufe des Kornelius erzählt wird, berichtet der Acta-Verfasser von der Berufung des Christenverfolgers Saulus (9,1–19a.19b–31). Der Leser erfährt bereits jetzt, daß Saulus der Heiden-Missionar schlechthin sein wird: „Geh nur, denn dieser ist mein auserwähltes Werkzeug, um meinen Namen zu tragen vor Völkern und Königen und den Söhnen Israels!" (9,15).

Gemäß 11,19–21 kamen jene Hellenisten, die im Zusammenhang mit der Ermordung des Stephanus Jerusalem verlassen mußten, bis Phönizien, Zypern und Antiochia. In Antiochia begannen einige von ihnen, auch den „Griechen" zu predigen – mit gutem Erfolg. Barnabas wurde daraufhin von der Jerusalemer Gemeinde nach Antiochia geschickt (11,22–24); er holte Saulus von Tarsus nach Antiochia, wirkte dort mit ihm zusammen erfolgreich (11,25–26) und wurde schließlich mit Saulus auf die „erste Missionsreise" entsandt (13,1–3). Der ein Jahr umfassende Aufenthalt des Paulus in Antiochia (11,26) wird durch eingeschaltete Begebenheiten (11,27–30 Hungersnot und Hilfe für Judäa; 12,1–19 Martyrium des Jakobus und Festnahme des Petrus; 12,20–23 Tod Agrippas I.) „überbrückt". Es ist indessen nicht ausgeschlossen, daß die Ereignisse von 11,27 – 12,25 erst auf das „ganze Jahr" des antiochenischen Aufenthalts (11,26) folgten. Die 11,27 – 12,25 berichteten Ereignisse sind durch eine Kollektenreise des Barnabas und Saulus nach Jerusalem „gerahmt" (11,29f; 12,24f).

Die Missionsreise führt Barnabas und Saulus als Abgesandte der antiochenischen Christengemeinde (13,3f) nach Zypern (13,4–12) und in das südliche Kleinasien (13,14–51 Antiochia in Pisidien; 13,51 – 14,6 Ikonium; 14,6–20 Lystra). Nach der Rückkehr in die Aussendungsgemeinde Antiochia berichten die Missionare, „welch große Dinge Gott ... getan hatte und daß er den Heiden eine Tür zum Glauben aufgetan habe" (14,27).

Der faktische Erfolg der Heidenmission, der als Zustimmung Gottes zur Aufnahme der Heiden gewertet wird, spielt endlich auf dem Apostelkonvent zu Jerusalem die entscheidende Rolle (15,1–35). Der Erfolg der Heidenmission des Paulus und des Barnabas findet freudige Zustimmung (15,3f.11). Auch Petrus tritt für die Heidenmission ein, indem er auf die göttliche Zustimmung zur Taufe des Kornelius verweist (15,7–9; vgl. VV 14–21). Das „Aposteldekret“, das an die Heidenchristen in Antiochia, Syrien und Kilikien gerichtet ist (15,23), entbindet diese (bei Wahrung der Klausel von V 29) von jeder „weiteren (Gesetzes-)Last“. Somit ist der Weg für eine Weiterführung der Heidenmission im Sinne des Paulus und des Barnabas freigegeben. Hinter dieser Freigabe der gesetzesfreien Heidenmission steht „der heilige Geist“ (V 28).

1) Die Berufung des Saulus (9,1–31)

Die Erzählung über die Berufung des Saulus ist durch 8,1a.3 vorbereitet. Gegenüber diesen kurzen Notizen (im Zusammenhang des Stephanus-Martyriums in Jerusalem) berichtet 9,1f, daß der Christenverfolger seine Verhaftungsaktionen bis nach Damaskus ausdehnen wollte. Vor Damaskus trifft ihn nun „Licht vom Himmel“ (V 3); es begegnet ihm „der Herr“ (VV 4f), den Saulus in dessen Jüngern (V 1) verfolgt.

Die einleitende Bekehrungsgeschichte 9,1–19a ist zweiteilig. *VV 1–9* berichten von der Christusbegegnung vor Damaskus. Gemäß der Anweisung des himmlischen Herrn Jesus (V 6) wird der geblendete Saulus in die Stadt Damaskus geführt (V 8). In einem zweiten Ansatz *(VV 10–19a)* erhält der Christ Hananias die Weisung, Saulus aufzusuchen und ihm die Hände aufzulegen (VV 11f). Ihm wird vom Herrn geoffenbart, daß Saulus zum universalen Missionar erwählt sei (V 16). Hananias führt den Auftrag aus, besucht Saulus und schenkt ihm die Sehkraft wieder; Saulus läßt sich taufen (VV 17f).

Das Folgende zeigt, daß Saulus nun zum christlichen Verkündiger wurde (VV 20.22), so daß die palästinische Kirche Frieden hatte und wuchs (V 31). Saulus predigt zuerst in den Synagogen von *Damaskus;* es kommt dazu, daß der ehemalige Christenverfolger von den Juden der Stadt verfolgt wird *(VV 19b–25).* Er entkommt nach *Jerusalem* und wird dort den Aposteln vorgestellt; er disputiert hier mit den hellenistischen Juden, die ihn bald töten wollen. Daher zieht er sich in seine Heimat Tarsus zurück *(VV 26–30).*

Der Bericht erreicht so einen Ruhepunkt, der durch das folgende Summarium *V 31* noch unterstrichen wird. Es entsteht gewissermaßen der „Raum“ für die folgenden Petrus-Geschichten (9,32–43; 10,1 – 11,18). 11,19–26 kann dann mit VV 25f an den Aufenthalt des Saulus in Tarsus anknüpfen: Er wird von dort nach Antiochia geholt.

21. BEKEHRUNG UND TAUFE DES SAULUS: 9,1–19a

LITERATUR: WIKENHAUSER, Die Apostelgeschichte und ihr Geschichtswert (1921) 160–164. – E. HIRSCH, Die drei Berichte der Apostelgeschichte über die Bekehrung des Paulus, in: ZNW 28(1929)305–312. – E. VON DOBSCHÜTZ, Die Berichte über die Bekehrung des Paulus, in: ZNW 29(1930)144–147. – H. WINDISCH, Die Christusepiphanie vor Damaskus (Act 9, 22 und 26) und ihre religionsgeschichtlichen Parallelen, in: ZNW 31(1932)1–23. – K. LAKE, The Conversion of Paul and the Events Immediately Following It, in: Beginnings V(1933)188–195. – E. PFAFF, Die Bekehrung des h. Paulus in der Exegese des 20. Jahrhunderts (Rom 1942). – J. MUNCK, La vocation de l'Apôtre Paul, in: StTh 1(1947)131–145. – A. WIKENHAUSER, Doppelträume, in: Bibl 29(1948)100–111. – E. BENZ, Paulus als Visionär. Eine vergleichende Untersuchung der Visionsberichte des Paulus in der Apostelgeschichte und in den paulinischen Briefen (AAMainz 1952, Nr. 2) (Wiesbaden 1952). – A. WIKENHAUSER, Die Wirkung der Christophanie vor Damaskus auf Paulus und seine Begleiter nach den Berichten der Apostelgeschichte, in: Bibl 33(1952)313–323. – D. M. STANLEY, Paul's Conversion in Acts: Why the Three Accounts?, in: CBQ 15(1953)315–338. – E. FASCHER, Zur Taufe des Paulus, in: ThLZ 80(1955)643–648 [zu 9,18]. – HAENCHEN, Tradition und Komposition (1955) 210–217. – W. PRENTICE, St. Paul's Journey to Damascus, in: ZNW 46(1955)250–255. – H. G. WOOD, The Conversion of St. Paul: Its Nature, Antecedents and Consequences, in: NTS 1(1954/55)276–282. – S. V. MCCASLAND, „The Way", in: JBL 77(1958)222–230 [zu 9,2]. – H. R. MOEHRING, The verb ἀκούειν in Acts IX 7 and XXII 9, in: NT 3 (1959) 80–99. – U. WILCKENS, Die Bekehrung des Paulus als religionsgeschichtliches Problem (erstm. 1959), in: ders., Rechtfertigung als Freiheit (Neukirchen 1974) 11–32. – R. G. BRATCHER, ἀκούω in Acts 9,7 and 22,9, in: ET 71(1959/60)243–245. – A. GIRLANDA, De Conversione Pauli in Actibus Apostolorum tripliciter narrata, in: VD 39(1961) 66–81.129–140.173–184. – W. PESCH, Die Bekehrung des Apostels Paulus nach dem Zeugnis seiner Briefe, in: BuK 16(1961)36–38. – E. REPO, Der „Weg" als Selbstbezeichnung des Urchristentums (Helsinki 1964) [zu 9,2]. – RIGAUX, Paulus und seine Briefe (1964) 64–93. – G. LOHFINK, Eine alttestamentliche Darstellungsform für Gotteserscheinungen in den Damaskusberichten (Apg 9; 22; 26), in: BZ 9(1965)246–257. – DERS., Paulus vor Damaskus (SBS 4) (Stuttgart 1965). – DERS., „Meinen Namen zu tragen ..." (Apg 9,15), in: BZ 10(1966)108–115. – K. H. SCHELKLE, Paulus vor Damaskus, in: BuL 8(1967)153–157. – P. JOVINO, L'Église, communauté des saints dans les „Actes des Apôtres" et dans les „Épîtres aux Thessaloniciens", in: RivB 16(1968)497–526 [zu 9,13]. – BURCHARD, Zeuge (1970) 51–136. – J. DUPONT, The Conversion of Paul, and Its Influence on His Understanding of Salvation by Faith, in: Apostolic History and the Gospel (Festschr. für F. F. Bruce) (Exeter 1970) 176–194. – P. W. VAN DER HORST, Drohung und Mord schnaubend (Acta IX 1), in: NT 12(1970)257–269. – S. LUNDGREN, Ananias and the Calling of Paul in Acts, in: StTh 25(1971)117–122. – O. MICHEL, Das Licht des Messias (erstm. 1972), in: Donum Gentilicium (Festschr. für D. Daube) (Oxford 1978) 40–50. – F. J. LEENHARDT, Abraham et la conversion de Saul de Tarse, suivi d'une note sur „Abraham dans Jean VIII", in: RHPhR 53(1973)331–351. – LÖNING, Saulustradition (1973) 26–43.48–164. – STOLLE, Zeuge (1973) 155–212. – WILSON, Gentiles (1973) 154–170. – D. GILL, The Structure of Acts 9, in: Bibl 55(1974)546–548. – X. LÉON-DUFOUR, L'apparition du Ressuscité à Paul, in: Resurrexit, hrsg. von E. Dhanis (Rom 1974) 266–294. – K. HAACKER, Die Berufung des Verfolgers und die Rechtfertigung des Gottlosen. Erwägungen zum Zusammenhang zwischen Biographie und Theologie des Apostels Paulus, in: Theol. Beiträge 6(1975)1–19. – OBERMEIER, Gestalt des Paulus (1975) 97–105. – RADL, Paulus und Jesus (1975) 69–81 [zu 9,15f]. – MULLINS, Commission Forms (1976). – S. SABUGAL, Análisis exegético sobre la conversión de San Pablo. El problema teológico e histórico (Barcelona 1976). – O. H. STECK, Formgeschichtliche Bemerkungen zur Darstellung des Damaskusgeschehens in der Apostelgeschichte, in: ZNW 67(1976)20–28. – BRUCE, Paul (1977) 74–82. – B. A. R. GAVENTA, Paul's Conversion. A Critical Sifting of the Epistolary Evidence. Diss. Duke University (1978). – R. H. FULLER, Was Paul Baptized?, in: Kremer (Hrsg.), Les Actes (1979) 505–508 [zu 9,18]. – HEN-

GEL, Geschichtsschreibung (1979) 65–68.70–78. – W. SCHMITHALS, Die Berichte der Apostelgeschichte über die Bekehrung des Paulus und die „Tendenz" des Lukas, in: ThViat 14(1977/78 [1979!] 145–165). – J. DOIGNON, Le dialogue de Jésus et de Paul *Actes 9, 4–6*. Sa „pointe" dans l'exégèse latine la plus ancienne (Hilaire, Ambroise, Augustin), in: RScPhTh 64(1980)477–489. – CH. W. HEDRICK, Paul's Conversion/Call: A Comparative Analysis of the Three Reports in Acts, in: JBL 100 (1981) 415–432. – S. SABUGAL, La conversión de san Pablo (Gál. 1, 1,11–17), in: Quaere Paulum (Festschr. für L. Turrado) (Salamanca 1981) 107–118.

1 Saulus aber wütete noch (immer) mit Drohung und Mord gegen die Jünger des Herrn; er ging zum Hohenpriester 2 und erbat sich von ihm Briefe an die Synagogen in Damaskus, um die [a]Anhänger der (neuen) Glaubensrichtung[a], Männer wie Frauen, die er dort finde, zu fesseln und nach Jerusalem zu bringen. 3 Während er aber dahinzog, geschah es, daß er in die Nähe von Damaskus kam, und plötzlich umstrahlte ihn ein Licht vom Himmel her; 4 er stürzte zu Boden und hörte eine Stimme, die zu ihm sprach: Saul, Saul, warum verfolgst du mich?[b] 5 Da fragte er: Wer bist du, Herr? Der aber (sprach): Ich bin Jesus[c], den du verfolgst. 6 [d]Doch steh auf und geh hinein in die Stadt, und es wird dir gesagt werden, was du tun sollst. 7 Die Männer aber, die mit ihm reisten, standen sprachlos da, weil sie zwar die Stimme hörten, aber niemand sahen. 8 [e]Da erhob sich Saulus vom Boden[e]; als er jedoch seine Augen öffnete, konnte er nichts[f] sehen. Man nahm ihn bei der Hand und führte ihn nach Damaskus hinein. 9 Und er war[g] drei Tage lang blind, und er aß nicht und trank nicht.

10 Es lebte aber in Damaskus ein Jünger mit Namen Hananias. Zu ihm sprach der Herr[h] in einem Gesicht: Hananias! Er antwortete: Siehe, (hier

---

[a] Statt der Wortfolge τῆς ὁδοῦ ὄντας (so B C E Ψ al) haben z. B. P⁷⁴ ℵ A die Folge ὄντας τ. ὁ. Einige Minuskeln lassen ὄντας weg (33. 1175. 1891 pc). Die schwierigere LA ist die erste, weil hier ὄντας weiter vom Bezugswort τινας entfernt steht; vgl. METZGERTC 361.

[b] E 431 sy[p.h**] mae fügen am Ende von V 4 an: σκληρόν σοι πρὸς κέντρα λακτίζειν. Es handelt sich um eine Angleichung an 26, 14. Siehe auch unten A. d.

[c] A C E 104 pc (auch h p t sy[p.h**]) fügen – gemäß Apg 22, 8 – hinter Ἰησοῦς an: ὁ Ναζωραῖος.

[d] Am Ende von V 5 bzw. am Anfang von V 6 wird von einem Teil der Textzeugen (h vg[cl]) in Anlehnung an 26, 14 (22, 10 a) eingefügt: „Es fällt dir schwer, gegen den Stachel auszuschlagen. (6) Zitternd und erstaunt sprach er: Herr, was soll ich tun? Der aber (sprach) zu ihm:" Den ersten Teil der Einschaltung haben auch 629 it, lediglich den zweiten – beginnend mit „Zitternd" – bezeugt sy[h**]. Siehe auch o. A. b. Vgl. METZGERTC 362; DOIGNON, Le dialogue (1980).

[e] h (p w) mae lesen am Anfang von V 8: *Sed ait ad eos: Levate me de terra. Et cum levassent illum* ... Wahrscheinlich will diese LA betonen, daß Paulus nicht stehen konnte, sondern (vgl. V 18) erst durch die Handauflegung des Hananias „aufstand".

[f] Statt οὐδέν (P⁷⁴ ℵ A* B al) lesen A[c] C E Ψ al οὐδένα, vielleicht an μηδένα (V 7) angleichend.

[g] Statt ἦν hat h: *sic mansit.*

[h] Vor κύριος läßt P⁷⁴ (im Unterschied von den übrigen Textzeugen) den Artikel weg.

bin) ich, Herr! 11 Der Herr aber (sprach) zu ihm: Mach dich auf[i] *und geh in die sogenannte Gerade Straße, und frag im Haus des Judas nach einem Mann aus Tarsus mit Namen Saulus. Denn siehe, er betet; 12* [k]*er hat einen Mann mit Namen Hananias gesehen*[l]*, wie er hereinkommt und ihm die Hände*[m] *auflegt, damit er wieder sehen kann*[k]*. 13 Hananias aber antwortete: Herr, ich habe von vielen gehört*[n]*, wieviel Böses dieser Mann deinen Heiligen in Jerusalem angetan hat. 14 Und er ist hier mit Vollmacht von den Hohenpriestern, alle, die deinen Namen anrufen, zu verhaften. 15 Aber der Herr sprach zu ihm: Geh nur, denn dieser ist mein auserwähltes Werkzeug, um meinen Namen zu tragen vor Völkern und Königen und den Söhnen Israels. 16 Ich werde ihm zeigen, wieviel er um meines Namens willen leiden muß. 17* [o]*Da ging Hananias hin*[o] *und trat in das Haus; er legte ihm die Hände auf und sprach: Bruder Saul, der Herr hat mich gesandt, Jesus*[p]*, der dir erschienen ist auf dem Weg, den du herkamst; du sollst wieder sehen und mit dem heiligen Geist erfüllt werden. 18 Und alsbald fiel es ihm von den Augen wie*[q] *Schuppen, und er konnte*[r] *wieder sehen; er stand auf und ließ sich taufen. 19a Und er nahm Speise zu sich und kam wieder zu Kräften*[s]*.*

Der Bericht über die Bekehrung des Saulus 9,1–19a wird in der Apostelgeschichte noch zweimal wiederholt: 22,3–21 in der Rede des in Jerusalem inhaftierten Paulus vor dem Volk und 26,4–23 in seiner Rede vor Agrip-

---

[i] Statt ἀναστάς lesen B pc den Imperativ ἀνάστα (vgl. 12,7; 11,7 v.l.).

[k] Der gesamte V 12 (k – k) fehlt in h. Zur möglichen Begründung des Fehlens siehe METZGER TC 362f (Lesefehler wegen des zweimaligen Vorkommens von „Hananias" VV 12.13).

[l] B C 1175 lesen εἶδεν ἄνδρα ἐν ὁράματι (außerdem umstellend εἶ. ἐν ὁ. ἄ.: E Koine pl). Wahrscheinlich ist die kürzere LA (P^{74} ℵ A 81 pc lat sa bo) ursprünglich, in der ἐν ὁ. fehlt. Denn mit ἐν ὁ. wird eine Wendung von V 10 aufgegriffen.

[m] Statt τὰς χεῖρας ℵ^{c} B E pc) lesen Ψ Koine it sy χεῖρα. χεῖρας ohne Artikel haben $P^{74 vid}$ ℵ* A C al. Bei Erwähnung einer Handauflegung hat das lukanische Werk sonst ausschließlich τὰς χ.: Lk 13,13; Apg 6,6; 8,17(18).19; 9,17; 13,3; 28,8. Ohne Artikel steht χεῖρας nur Apg 19,6, und zwar nach den Textzeugen P^{74} ℵ A B D al (dort wohl wegen der partizipialen Konstruktion wie 9,12).

[n] Während P^{74} ℵ A B C E al den Aorist(!) ἤκουσα bezeugen, lesen Ψ Koine das Perfekt ἀκήκοα – eine grammatische Korrektur.

[o] Der Anfang von V 17 (o – o) lautet nach 614 pc (h) p (sy^{p}) mae: τότε ἐγερθεὶς Ἀνανίας ἀπῆλθεν. Vielleicht soll damit unterstrichen werden, daß Hananias einen *Traum* hatte.

[p] Ἰησοῦς fehlt im Koine-Text, ferner sa^{ms}. Nicht auszuschließen ist, daß der Name durch Einfluß von V 5 eindrang; aber die gute äußere Bezeugung des Namens in V 17 legt die Ursprünglichkeit nahe.

[q] Statt ὡς ($P^{45.74}$ ℵ* A B Ψ al) lesen ℵ^{c} C E Koine ὡσεί – wohl im Sinne der für Lukas auch sonst bezeugten Verwendung bei Vergleichen (siehe Lk 22,44; 24,11; Apg 2,3; 6,15).

[r] Hinter ἀνέβλεψέν τε fügen C^{2} E L al παραχρῆμα ein, um das Wunder zu unterstreichen.

[s] Statt des intransitiven ἐνίσχυσεν „er kam zu Kräften" (P^{74} ℵ A C^{2} E Ψ Koine) haben B C* al das Passiv ἐνισχύθη.

pa II. in Cäsarea. Die beiden in der Ich-Form des Erlebnisberichts gehaltenen Wiederholungen verklammern den Schlußteil der Acta fest mit dem Beginn des Paulus-Teils 9,1–19a. Während der Bericht 9,1–19a eher eine *Bekehrungs*-Erzählung darstellt – die Berufung des Saulus wird nur Hananias mitgeteilt, 9,15f –, stellen die beiden Erlebnisberichte in den paulinischen Verteidigungsreden die *Berufung* des Paulus in den Vordergrund (22,10.14f; 26,16–18). Es gibt noch andere Unterschiede zwischen den drei Formen der Damaskusgeschichte. Die Rolle des Hananias und die Taufe des Saulus werden nur in den beiden ersten der drei Erzählungen erwähnt: 9,10–17; 22,12–16 beziehungsweise 9,18; 22,16. Es lassen sich auch Widersprüche registrieren: Während gemäß 9,7 die Begleiter des Saulus zwar die Stimme Jesu hörten, aber niemand sahen, erzählt 22,9, daß die Begleiter das Licht sahen, jedoch die Stimme dessen, der mit Saulus redete, nicht hörten. Nach 9,4.7 (22,7) stürzte nur Saulus zu Boden, nach 26,14 stürzten auch die Begleiter nieder. Diese Unausgeglichenheiten der drei Fassungen können im jetzigen Kontext als Nachlässigkeiten des Endredaktors beurteilt werden[1]. Aber sie lassen auch die Frage nach benutzten (voneinander abweichenden) Quellen aufwerfen.

Versuche, die Differenzen der drei Berichte untereinander durch Zuweisung an unterschiedliche Quellen zu erklären, sind heute weitgehend überwunden[2]. H. H. Wendt hielt den Bericht in Kapitel 22 für eine kurze Wiedergabe von 9,1–19, während Kapitel 26, wo Hananias nicht als Mittler fungiert, den eigenen Bericht des Paulus darstelle[3]. Auf diese „Zwei-Quellen-Hypothese" griff E. Hirsch zurück und modifizierte sie[4]. Kapitel 9 biete die Überlieferung der Christengemeinde von Damaskus, die vor allem an der Bewahrung vor der von Saulus drohenden Gefahr interessiert war und die Niederwerfung des Verfolgers durch Jesus erzählte[5]. Von der „Gnadenwahl" sei hier keine Rede[6], anders als Apg 26, wo der Bericht des Paulus selbst zugrunde liege, zumal hier weder Hananias noch die Taufe des Paulus erwähnt werden, was dem Befund der Paulusbriefe entspricht. Der zweite Bericht in Kapitel 22 biete die ausgleichende Darstellung des Acta-Verfassers.

Mit Recht stellte schon E. v. Dobschütz die weiterführende Frage, warum Lukas die Berufung des Paulus an drei Stellen seines Werkes er-

---

[1] Conzelmann, Apg 66: „die Differenzen lassen sich als literarische Varianten (und zT Unachtsamkeit) erklären; sie hängen mit der Anpassung an die jeweilige Situation zusammen". Die Textüberlieferung hat verschiedentlich Harmonisierungen versucht. Siehe oben Anmerkungen b.c.d, ferner die Textvarianten innerhalb von Apg 22,6–15; 26,12–18. Über Harmonisierungsversuche der älteren konservativen Exegese referiert Lohfink, Paulus vor Damaskus (1965) 28–34.

[2] Siehe dazu Lohfink, a.a.O. 36–40; Haenchen, Apg 314f.

[3] Wendt, Apg ([5]1913) 166–168.

[4] Hirsch, Die drei Berichte (1929).

[5] Hirsch, a.a.O. 307.

[6] Dagegen wendet Lohfink, a. a. O. 38f, mit Recht ein, daß schon 9,15 die Berufung des Paulus zu den Heiden anklinge und der Bericht somit kein reines Strafgericht über Saulus erzähle.

zähle; er hatte die Vermutung, hierbei sei eine literarische Stilregel der antiken Geschichtsschreibung im Spiel[7]. E. Haenchen greift diese Frage auf und erklärt: „Solche Wiederholungen wendet Lukas nur an, wenn er etwas für außerordentlich wichtig hält und dem Leser unvergeßlich einprägen will. Das ist hier der Fall.“[8] Die Sache, die Lukas für besonders wichtig hält, ist die Heidenmission des Paulus. Er will zeigen, daß Gott selbst durch Jesus Christus die Heidenmission auf den Weg brachte.

Wahrscheinlich hat Lukas für seine drei Berichte – auch in den Verteidigungsreden des Paulus spricht der Acta-Verfasser! – eine legendarische Gemeindeüberlieferung über die Bekehrung des Paulus benutzt[9]. In ihr kam wohl auch schon Hananias als Mittler vor. Wir können diese Tradition nicht wiederherstellen. Sie enthielt kaum schon die – eher schriftstellerische – Doppelung der „Gesichte“, die einander zugeordnet sind[10]. Hingegen paßt der Zug, daß Saulus geblendet und anschließend geheilt wird, durchaus in eine volkstümliche Überlieferung[11].

Apg 9 erzählt die Bekehrung des Saulus „spannender“ als die beiden Wiederholungen. Diese Beobachtung zeigt, wie sehr die Unterschiede der drei Berichte darauf beruhen, daß der Leser beim ersten Bericht stufenweise informiert werden soll. Saulus soll zunächst einmal nach Damaskus gehen, sich „blind“ der Weisung des „Herrn“ unterwerfen (9,6). Hananias sträubt sich zunächst (9,13f). Damit wird aber nicht die Angst der damaligen Gemeinde festgehalten. Vielmehr soll der Leser das Unerhörte der Bekehrung des Verfolgers empfinden. Hananias erfährt, wozu der Herr den Verfolger erwählte (9,15f)[12]. Der Bericht enthält also sehr wohl die „Gnadenwahl“, die Hirsch vermißte![13] Erst 22,14f wird erzählt, daß Hananias dem Saulus seine Erwählung und die Berufung zum „Zeugen“ auch mitteilte. Nach 26,16–18 hingegen bestellt der erhöhte Christus den überwundenen Verfolger unmittelbar zum Heidenapostel.

Da die Vorlage des Lukas oder die Traditionsgrundlage, die er benutzte, nicht mehr rekonstruiert werden kann, bleiben auch Versuche ihrer formgeschichtlichen und religionsgeschichtlichen Einordnung hypothetisch. Wahrscheinlich darf man davon ausgehen, daß in der vor-lukanischen

---

[7] v. Dobschütz, Die Berichte (1930).

[8] Haenchen, Apg 316.

[9] So Haenchen, Apg 317. Lohfink, Paulus vor Damaskus 40, denkt an „Einzeltraditionen verschiedener Herkunft“, z.B. über die Vision des Paulus im Tempel (Apg 22,17–21). Conzelmann, Apg 66, spricht von einer „Legende mit typischen Motiven“ und nennt dabei die Lichterscheinung sowie das Niederstürzen.

[10] Zum darstellerischen Motiv der Doppelträume bzw. Doppelvisionen, das Lukas außer Apg 9,10–16 auch 10,3–6.10–16.30–32 anwendet, siehe besonders Wikenhauser, Doppelträume (1948); vgl. auch Lohfink, a.a.O. 64–67. Das Motiv findet sich in der hellenistischen Literatur häufig, nicht aber im alttestamentlich-jüdischen Bereich.

[11] Haenchen, Apg 317: „sie liebt diese konkreten, anschaulichen Ereignisse“.

[12] V 15 σκεῦος ἐκλογῆς ἐστίν μοι οὗτος. Die nächste Parallele stellt wohl Polybius XIII 5,7 dar: Damokles war ein ὑπηρετικὸν σκεῦος.

[13] Siehe oben bei A. 6.

Tradition der *Bekehrungs*vorgang[14] herausgestellt wurde und es sich nicht um eine *Berufungs*geschichte nach Art der biblischen Prophetenberufungen handelte[15]. Eine Überwindung des Verfolgers wird z. B. 2 Makk 3,23–30 erzählt: Der geplante Tempelraub des Heliodor wird hier durch eine Erscheinung verhindert[16]. Eine Bekehrungserzählung liegt in der jüdisch-hellenistischen Erzählung von Josef und Asenet vor[17].

Zieht man die heutige Textebene von Apg 9,1–19a in Betracht, so kann daran gedacht werden, daß der Acta-Verfasser verschiedene Formelemente, wie das „Erscheinungsgespräch"[18], die Doppelvision[19] und Strukturelemente von Beauftragungs-Texten[20] zur Komposition der Damaskuserzählung benutzte. Die Zurückhaltung des Erzählers hinsichtlich einer explizit erwähnten „Berufung" des Saulus wird Apg 22 und 26 offensichtlich aufgegeben[21]. Dort liegen eher „Berufungsgeschichten" vor, wie auch die Anlehnung an entsprechende biblische Perikopen über Propheten-Berufungen nahelegt[22]. Dennoch muß beachtet werden, daß Lukas die Damaskusberichte nicht an die Berichte über österliche Erscheinungen ange-

---

[14] Vgl. Burchard, Zeuge (1970) 88.

[15] Siehe Steck, Formgeschichtliche Bemerkungen (1976), der sich vor allem gegen die Auffassung von W. Zimmerli, Ezechiel. I. Teilband: Ezechiel 1–24 (BK XIII/1) (Neukirchen 1969) 16–21, wendet. Steck kommt zu dem Ergebnis: „So wird man der Vermutung Zimmerlis einer formgeschichtlich gegebenen Verbindung zwischen der Acta-Darstellung des Damaskusgeschehens als ganzer und der Gattung alttestamentlicher Prophetenberufungen unter verschiedenen Hinsichten nicht zustimmen können" (27).

[16] Die Heliodor-Legende wurde mehrfach als religionsgeschichtliche und formale Analogie herangezogen, vgl. Haenchen, Apg 315. Die Studie von Windisch, Die Christusepiphanie (1932), sieht zwar in 2 Makk 3 keine Quelle des Lukas, wohl aber eine Parallele, die er vielleicht kannte. Löning, Saulustradition (1973) 64–70, zieht gleichfalls die Heliodor-Legende heran: „Motivgeschichtliche Beziehungen sind nicht zu bestreiten, wenn auch die Gattungsfrage noch einer weiteren Klärung bedarf" (69).

[17] Vgl. Lohfink, Paulus vor Damaskus 56f (zu JosAs 14), und Burchard, Zeuge 59–88 (zu JosAs 1–21), die Motiv- und Strukturparallelen in JosAs 1–21 und Apg 9 beobachten.

[18] Dieses Formelement hat Lohfink, a. a. O. 53–60, gut herausgearbeitet. Es findet sich Apg 9,4–6; 22,7–10; 26,14–16.

[19] Die Doppelung von korrespondierenden ὁράματα Apg 9 und 10 ist wohl nicht „traditionell", sondern „literarisch"; vgl. Lohfink, a. a. O. 66f.

[20] Vgl. Mullins, Commission Forms (1976) 605–609, der für die drei Damaskusberichte gleichbleibende Strukturelemente notiert. Die Commission-Form liege in den drei Berichten sechsmal vor: 9,1–8.9–18; 22,6–11.12–16.17–21; 26,12–20. Hier seien die einzelnen Strukturelemente für 9,1–18 aufgeführt: Einleitung 9,1–2.9–10a; Konfrontation 9,3–4.10b; Reaktion 9,5a.10c; Auftrag 9,5b–6a.11–12; Protest 9,13–14; wiederholte Zusicherung 9,6b.15–16; Schluß 9,7–8.17–18.

[21] Siehe die direkte Berufung und Beauftragung des Saulus Apg 22,14f; 26,16–18. 26,16–18 stellt eine förmliche Aussendungsrede dar.

[22] Apg 26,17.18 lehnt sich an Jer 1,7f und Jes 42,6f.16 an. Vgl. auch Apg 22,21 mit Jer 1,7. Die Wendung „Stell dich auf deine Füße!" Apg 26,16 ist wörtlich Ez 2,1 entnommen. Dazu Lohfink, a. a. O. 61–63. Auch Paulus selbst brachte sein Damaskuserlebnis in Zügen prophetischer Berufungsberichte zum Ausdruck: Gal 1,15f; 1 Kor 9,1; 15,7. Siehe W. Pesch, Die Bekehrung (1961); T. Holtz, Zum Selbstverständnis des Apostels Paulus, in: ThLZ 91(1966)321–330; Dupont, The Conversion (1970); K. Kertelge, Das Apostelamt des Paulus, sein Ursprung und seine Bedeutung, in: BZ 14(1970)161–181; Haacker, Die Berufung (1975).

glichen hat. „Er unterscheidet ja – anders als Paulus – diese Vision grundsätzlich von jenen. Paulus wird durch sie nicht Apostel."[23]

VV 1–2 Die einleitenden Verse berichten vom Christenverfolger Saulus, näherhin von der Vorbereitung seiner Aktion in Damaskus. Saulus[24] ist dem Leser von 7,58; 8,1.3 her bekannt. 8,3 berichtete, daß er „Männer und Frauen" in Gewahrsam brachte – gemeint ist: in Jerusalem (vgl. 22,4; 26,10). V 1a erwähnt zunächst in einer Partizipialkonstruktion das wütende[25] Vorgehen des Saulus gegen die „Jünger des Herrn"[26]. Dann (VV 1b.2a) wird das neue konkrete Vorhaben genannt, das die Verfolgertätigkeit bis nach Damaskus ausdehnen soll. Saulus erbittet vom Hohenpriester „Briefe nach Damaskus an die Synagogen". Das Ziel wird V 2b angegeben: Er will in den Synagogen von Damaskus[27] nach Christen fahnden, um sie gefesselt nach Jerusalem zu bringen[28]. Vorausgesetzt ist, daß die Christen – sie werden hier als τῆς ὁδοῦ ὄντες bezeichnet, während der Erzähler selbst von „Jüngern" spricht (9,1a.10a)[29] – noch im Verband der Synagoge leben, die mit Strafmaßnahmen gegen sie vorgehen kann. Die (Juden-)Christen von Damaskus – über ihre Herkunft sagt die Apostelge-

---

[23] CONZELMANN, Apg 67. Er fügt an: „Dahinter steht keine antipaulinische Tendenz. Lk folgt einfach dem Zwang seines heilsgeschichtlichen Schemas. Paulus ist *das* Bindeglied zwischen Apostelzeit und Gegenwart. Als solches wird er in die vorhandene Kirche (die durch Ananias repräsentiert wird) eingegliedert. Dieselbe Tendenz waltet dann V 26ff."
[24] Σαῦλος, die gräzisierte Form des Namens Saul, begegnet in der Apg bekanntlich bis 13,9, wo sie durch Παῦλος abgelöst wird. Vgl. oben I 477 A. 47.
[25] ἐμπνέων ἀπειλῆς καὶ φόνου wörtlich „schnaubend/atmend Drohung und Mord". Das erste wird durch 26,11, das zweite durch 26,10 erläutert; vgl. VAN DER HORST, Drohung und Mord schnaubend (1970); EWNT I s.v. ἐμπνέω.
[26] Da der Name „Christen" (Apg 11,26) noch nicht eingeführt ist, steht μαθηταί (τοῦ κυρίου); vgl. schon 6,1.2.7. Siehe oben I 422 A. 14.
[27] Δαμασκός/Damaskus kommt im NT nur im Zusammenhang mit Paulus vor: Gal 1,17; 2 Kor 11,32; Apg 9,2.3.8.10.19.22.27; 22,5.6.10.11; 26,12.20. Nach der Eroberung durch die Römer (64 v.Chr.) und der Eingliederung in den Verband der Dekapolis war Damaskus wohl vorübergehend im Besitz des nabatäischen Königs Aretas IV. Die Stadt hatte einen starken jüdischen Bevölkerungsanteil, s. JosBell II 561; VII 368. Vgl. G. SCHNEIDER, in: EWNT I s.v. (Lit.). SABUGAL, Análisis exegético (1976) und La conversión (1981) 113–118, bezieht das „Damaskus" der Paulus-Bekehrung auf Qumran; dazu kritisch: C. BERNAS in: CBQ 39(1977)157f; W. WIEFEL in: ThLZ 103(1978) 185–188.
[28] Apg 22,5 erläutert: ἵνα τιμωρηθῶσιν. Vgl. auch 26,10f.
[29] Das „Christentum" wird mit ἡ ὁδός bezeichnet, so neben Apg 9,2 auch 19,9.23; 22,4; 24,14.22. Neben dem absoluten Gebrauch im Sinne von „Richtung/Lehre" für die gesamte religiöse und sittliche Lebensart spricht im NT nur noch 2 Petr 2,2 vom „Weg der Wahrheit", womit das echte Christentum gemeint ist. Da sich der Terminus nur in der Apg findet und weil er zugleich mit der lukanischen Weg-Konzeption korrespondiert (vgl. MÜLLER, ΧΡΙΣΤΟΣ 332), kann man ihn als spezifisch „lukanische" Bezeichnung für das Christentum ansehen. Der Begriff ist dennoch kaum erst von Lukas geschaffen; vgl. FITZMYER, Luke I 242f. Siehe weiterhin W. MICHAELIS in: ThWNT V 42–101; REPO, Der „Weg" (1964); BROWN, Apostasy (1969) 131–145; LYONNET, „La voie" (1981). Zu Analogien in den Qumrantexten s. BRAUN, Qumran I 159. – Der Christ Hananias spricht Apg 9,13 von den Christen als den „Heiligen" (des Herrn). οἱ ἅγιοι werden die Christen

schichte nichts – unterstanden der synagogalen Gerichtsbarkeit[30]. In unserem Fall jedoch geht es darum, „daß Saulus in solchen Städten, die der Jurisdiktion des jerusalemischen Synedriums nicht unmittelbar unterstanden (wie das eigentliche Judäa), in dessen Auftrag Verhaftungen vornahm. Dieses übte tatsächlich eine gewisse Strafgewalt über die Judenschaft außerhalb Judäas aus, die auch von den römischen Behörden anerkannt war. Dabei war es allerdings auf den guten Willen der Synagogenvorstände angewiesen."[31] Darum brauchte Saulus die Briefe des Hohenpriesters[32].

VV 3–4 berichten von dem, was Saulus auf der Reise kurz vor Damaskus „vom Himmel her"[33] widerfuhr: Es umstrahlte ihn plötzlich ein Licht[34], er stürzte zu Boden und hörte eine Stimme, die ihn anredete. Die Konstruktion ἐν τῷ πορεύεσθαι αὐτόν steht hier im zeitlichen Sinn: „auf seiner Reise". αὐτόν ist gleichzeitig Subjekt des von ἐγένετο abhängigen Akkusativs mit Infinitiv: „es geschah, daß er sich Damaskus näherte"[35]. Der vom Himmel her plötzlich hereinbrechende Lichtglanz läßt Saulus niederstürzen[36]. Mit dem Lichteinbruch geht eine Anrede an den Verfolger einher (die auch von den Begleitern vernommen wird, V 7b): „Saul, Saul, warum verfolgst du mich?" Die Stimme vom Himmel redet Saulus auf hebräisch/aramäisch an[37]. Der Verfolger der Christen trifft mit seinem Unternehmen letztlich Christus selbst. Hinter diesem Vorwurf steht kaum die paulinische Leib-Christi-Ekklesiologie[38], sondern eine Vorstellung und Redeweise wie Mt 25,35–40.42–45. In der Frage[39] wird auch deutlich, daß

außer 9,13 auch 9,32.41 (hier durch den Erzähler) und 26,10 genannt. Es handelt sich um eine verbreitete christliche Selbstbezeichnung, siehe BAUERWb s.v. ἅγιος 2 d β; JOVINO, L'Église (1968).

30 Vgl. die Synagogenstrafen der Geißelung (2 Kor 11,24) und des Ausschlusses (Joh 9,22; 12,42).

31 WIKENHAUSER, Apg 108; zu den Rechtsverhältnissen vgl. auch CONZELMANN, Apg 65.

32 Wer der Hohepriester war, wird nicht gesagt. Siehe jedoch 4,6 (Hannas); dazu oben I 345. Die ἐπιστολαί stellte der Hohepriester im Namen des Synedriums aus, wie 22,5 erkennen läßt. Nach 9,14 (und 26,12) enthielten die Briefe eine „Bevollmächtigung (und Erlaubnis) von seiten der Hohenpriester".

33 ἐκ τοῦ οὐρανοῦ bezieht sich zwar nur auf φῶς, doch kommt auch die Stimme des Erhöhten vom Himmel her (vgl. 3,21; 7,56). Die Wendung „aus dem Himmel" steht im Zusammenhang mit wunderbaren Phänomenen auch 2,2; 11,5.9; 22,6.

34 περιήστραψεν φῶς. Das Verbum περιαστράπτω steht im NT nur Apg 9,3; 22,6, beidemal in Verbindung mit φῶς und ἐξαίφνης. ἐξαίφνης ist im NT neben Mk 13,36 (von der Parusie!) nur Lk 2,13; 9,39; Apg 9,3; 22,6 bezeugt.

35 Vgl. ZERWICK, Biblical Greek, Nr. 387.389.

36 Vgl. Ez 1,28; 43,3; 44,4; Dan 8,17; 10,9.

37 Σαούλ, Σαούλ begegnet 9,4; 22,7; 26,14 (hier mit der einführenden Notiz „in hebräischer Sprache"), ferner 9,17 und 22,13 (im Munde des Hananias: „Bruder Saul"), an den beiden letzteren Stellen nur einfach. Σαούλ ist 13,21 Name des ersten israelitischen Königs. Zur Verdoppelung von Namen bei Anrede vgl. Lk 8,24; 10,41; 22,31.

38 Gegen Augustinus, En. in Ps 30, II 3; Serm. 361,14; siehe dazu TH. SOIRON, Die Kirche als der Leib Christi (Düsseldorf 1951) 198f. In ähnlicher Weise wie Augustin versteht Apg 9,4f auch E. SCHWEIZER, Erniedrigung und Erhöhung bei Jesus und seinen Nachfolgern (AThANT 28) (Zürich ²1962) 163.

39 τί; im Sinne von διὰ τί; Die Frage will aber kaum das Motiv des Saulus erfragen.

Saulus nicht *nur* Menschen verfolgt, sondern sich gegen den erhöhten Herrn wendet. In „seinen Jüngern" verfolgt er deren Kyrios (vgl. V 1). Das „Erscheinungsgespräch", das in den VV 4–6 vorliegt, wiederholt sich ziemlich genau in den beiden späteren Wiederholungen der Damaskusgeschichte (22,7–10; 26,14–16); eine formale Parallele liegt auch 9,10f vor[40]. Das Gespräch endet in einem Auftrag an den Erscheinungsempfänger (V 6).

VV 5–6 Der himmlische κύριος gibt sich als Jesus zu erkennen (V 5) und erteilt Saulus seinen Auftrag (V 6). Saulus hat erkannt, daß ihm ein κύριος begegnete und den Vorwurf erhob. Auf seine Frage hin (V 5a) antwortet Jesus und gibt sich zu erkennen. Daß er sich „Jesus" nennt (und nicht etwa „der Herr Jesus" oder „Jesus Christus"), hängt wohl damit zusammen, daß Paulus die Identität des jetzt im Himmel weilenden mit dem „irdischen" Jesus erkennen soll. Wahrscheinlich läßt der Bericht aus dem gleichen Grund die himmlische Stimme „hebräisch" reden (V 4; vgl. 26,14). Während Paulus selbst bekennt, daß er „die Kirche *Gottes*" verfolgt habe (1 Kor 15,9), wird hier die Verfolgung auf *Jesus* bezogen. Die Stimme Jesu gibt nun einen vorläufigen Auftrag. Saulus soll „aufstehen und in die Stadt hineingehen"; erst in Damaskus soll ihm „gesagt werden" – von wem, bleibt vorerst offen –, was er „tun muß"[41] (V 6). Hananias teilt indessen, als er Saulus aufsucht (V 17), nicht mit, was er über die „Sendung" des Saulus erfahren hat (VV 15f)[42]. Jedoch begegnet das die von Gott her gegebene Notwendigkeit bezeichnende δεῖ sowohl in V 6b wie in V 16. Der *Leser* jedenfalls weiß, wozu Saulus erwählt ist.

V 7 Erst jetzt erfährt man, daß Saulus Reisebegleiter hatte[43]. Sie standen bei der wunderbaren Begebenheit sprachlos[44] da. Vor Verwunderung konnten sie nichts sagen (V 7a). Der mit ἀκούοντες beginnende V 7b soll das begründen: Sie hörten zwar die Stimme (Jesu), konnten aber niemand sehen. 22,9 berichtet, daß die Begleiter „das Licht" sehen konnten (was dem Objekt μηδένα, das sich 9,7b auf die Person bezieht, nicht widerspricht), hingegen die Stimme nicht hörten[45]. Die Erscheinung Jesu vor

---

[40] Alttestamentliche Analogien: Gen 31,11–13; 46,2f; Ex 3,2–10. Die kürzere Form Apg 9,10f gibt es ähnlich auch im AT: Gen 22,1f.

[41] Hierin liegt ein schriftstellerisches Kunstmittel, das die Aufmerksamkeit des Lesers wachhält. Was Saulus in Damaskus „gesagt wird", ist, daß der Herr Jesus Hananias zu Saulus sandte, um ihn wieder sehend zu machen und ihn „mit heiligem Geist zu erfüllen" (V 17).

[42] Gemäß 22,14–16 teilte Hananias dem Saulus vor dessen Taufe mit, wozu Gott ihn vorherbestimmt hatte.

[43] οἱ ἄνδρες οἱ συνοδεύοντες αὐτῷ meint kaum (bewaffnete) Helfer des Verfolgers; mit Wikenhauser und Haenchen gegen Zahn, Apg 321.

[44] ἐνεός „sprachlos/stumm" ist ntl. Hapaxlegomenon. Es steht z. B. in LXX; JosAnt IV 276.

[45] Ob Lukas zwischen ἀκούοντες τῆς φωνῆς 9,7 und τὴν φωνὴν ἤκουσαν 22,9 einen sachlichen Unterschied sah, muß bezweifelt werden. Der Akkusativ 22,9 ist wohl durch

Damaskus wird damit in ihrem objektiven Charakter hervorgehoben: Sie war keine subjektive Vision!

VV 8–9 Den Abschluß der ersten Szene (9, 1–9) bildet die Angabe, daß Saulus den Auftrag ausführte (V 8) und in Damaskus drei Tage verweilte, ohne zu essen und zu trinken (V 9). In beiden Versen wird – im Hinblick auf die spätere Heilung V 18 – erwähnt, daß Saulus nicht sehen konnte, also geblendet war[46]. Die Formulierung am Anfang von V 8 entspricht genau dem Anfang von V 4. Saulus wird, weil geblendet, von den Begleitern an der Hand nach Damaskus geführt[47]. Das Fasten des Saulus (V 9 b) wird erst nach der Taufe aufgegeben (V 19 a), ist also wohl dem Brauch eines Tauffastens (als Akt der Buße und zur Taufvorbereitung) entsprechend erzählt[48].

V 10 Die zweite Szene (9, 10–19 a) erzählt, wie Hananias in einem ὅραμα vom Herrn Jesus zu Saulus geschickt wird und diesem durch Handauflegung das Augenlicht wiedergibt. Die Erzählung endet mit der Taufe des Verfolgers Saulus. Zu Beginn wird Hananias als ein in Damaskus lebender „Jünger" vorgestellt[49]. Der „Herr" redet ihn ἐν ὁράματι[50] mit seinem Namen an, und Hananias bekundet mit ἰδοὺ ἐγώ, κύριε, seine Bereitschaft[51].

VV 11–12 bieten nach der knappen Einführungswendung ὁ δὲ κύριος πρὸς αὐτόν[52] den Auftrag des erhöhten Jesus an Hananias: Er soll in die „Gerade Straße"[53] gehen und dort im Hause des Judas einen Mann aus Tarsus namens Saulus suchen (V 11 b). Der Hinweis, daß Saulus bete (V 11 c) und „in einem Gesicht"[54] bereits gesehen habe, wie Hananias zu ihm kam und ihn heilte[55] (V 12), soll Hananias Mut machen, den Christen-

---

das von φωνήν abhängige τοῦ λαλοῦντός μοι bedingt. Siehe dazu auch MOEHRING, The Verb ἀκούειν (1959), und BRATCHER, ἀκούω (1959/60).

[46] V 8 οὐδὲν ἔβλεπεν, V 9 μὴ βλέπων. CONZELMANN: „Die Blendung ist nicht Strafe, sondern zeigt die Hilflosigkeit des Mächtigen (22, 11)."

[47] χειραγωγέω im NT nur Apg 9, 8 und 22, 11 (im gleichen Zusammenhang). Das entsprechende Substantiv χειραγωγός im NT nur Apg 13, 11.

[48] So z. B. CONZELMANN unter Hinweis auf Did 7, 4; JustApol I 61; Tertullian, De baptismo 20.

[49] Zur Konstruktion mit ὀνόματι siehe oben I 399 A. 118. Zu μαθητής s. oben A. 26.

[50] ὅραμα bezeichnet hier nicht (wie Mt 17, 9; Apg 7, 31; 10, 17.19; 11, 5; 12, 9; 16, 9.10) das Geschaute, sondern den Akt („Schauung/Gesicht"), der dem Schauenden ermöglicht wird, bzw. den Zustand, in dem er seine Vision empfängt (BAUERWb s. v. 2): so außer 9, 10 auch 9, 12 v. l.; 10, 3; 18, 9.

[51] Mit dieser Wendung meldet sich der Angerufene zur Stelle. Siehe 1 Kg 3, 4 (Samuel), was vielleicht als Vorbild diente; in diesem Fall wäre das Gesicht des Hananias wohl als Traum gedacht. Vgl. auch A. o.

[52] Vgl. Apg 2, 38; 5, 9; 10, 15; 19, 2 b; 25, 22; 26, 28; jeweils ohne verbum dicendi.

[53] ἐπὶ τὴν ῥύμην τὴν καλουμένην Εὐθεῖαν. Diese bekannte Straße verlief in west-östlicher Richtung durch Damaskus. Sie hatte zu beiden Seiten Säulenhallen und endete jeweils bei großen Toren; vgl. PREUSCHEN, HAENCHEN.

[54] Zur Textkritik dieser Wendung s. o. A. l.

[55] Das Stilmittel der Doppel-Vision gibt nicht nur Hananias Auskunft über seinen eige-

verfolger aufzusuchen. Aus dem, was Saulus gesehen hat, kann Hananias erschließen, was er selbst zu tun habe (vgl. V 17). Saulus fastet nicht nur, er betet auch[56]. Seine Umkehr ist echt. Der Leser erfährt nebenbei, daß Saulus aus Tarsus stammt[57].

V 13–14 Die Antwort des Hananias weist – als Einwand gegen den Auftrag – auf die Gefährlichkeit des Saulus hin. Jedoch will der Einwand nicht Hananias als widerspenstig charakterisieren. Er gilt für den Leser, der den Wandel bei Saulus mitempfinden soll. Dessen Gefährlichkeit war Hananias vom Hörensagen bekannt[58]: Er hat von vielen Leuten „über diesen Mann" gehört, was er den Heiligen des Herrn[59] in Jerusalem antat (V 13). Damit ist angespielt auf das, was der Leser von 8,3 und 9,1 her weiß. Erstaunlich ist demgegenüber, daß Hananias auch schon von der „Vollmacht" von seiten der Hohenpriester[60] weiß, mit der sich Saulus nach Damaskus aufgemacht hatte (V 14). Saulus ist nach Meinung des Hananias in der Stadt, um „alle, die deinen Namen anrufen"[61], zu inhaftieren. V 17 zeigt dann, daß Hananias auch schon von dem Erlebnis des Saulus vor drei Tagen weiß: Jesus ist Saulus „auf dem Wege erschienen".

VV 15–16 Der Herr spricht nun wieder zu Hananias. Der Befehl πορεύου steht im Vordergrund. Er wird V 15b mit der Erwählung[62] des Sau-

---

nen Auftrag; es macht ihm auch klar, daß Saulus auf den Besuch vorbereitet ist. Dem Leser wird – auch durch die genaue Angabe der Adresse des Saulus – klar, „wie die providentia specialissima ... bis zum Kleinsten mit am Werk ist" (HAENCHEN).

[56] V 11c προσεύχεται. Absolutes προσεύχομαι steht im NT auch Lk 1,10; 3,21; 5,16; 6,12; 9,18.28f u.ö.; Apg 6,6; 9,40; 10,9.30; 11,5; 12,12; 13,3; 14,23; 20,36 u.ö.; ferner Mt 6,5–7; 14,23; 26,36; Mk 1,35; 6,46; 1 Kor 11,4f; 14,14b; Jak 5,13–18.

[57] Ταρσεύς ist ein „Mann aus Tarsus". Das substantivierte Ortsadjektiv steht auch 21,39 in bezug auf Saulus/Paulus, der gemäß 22,3 aus Ταρσός stammte. Die Hauptstadt von Kilikien war als Sitz griechischer Bildung berühmt. Sie wird im NT nur Apg 9,30; 11,25; 21,39 D; 22,3 erwähnt, nicht aber in den Paulusbriefen (vgl. dazu oben I 117). Siehe H. BÖHLIG, Die Geisteskultur von Tarsos im augusteischen Zeitalter (Göttingen 1913); SCHULTZE, Städte und Landschaften II/2, 266–290; VAN UNNIK, Sparsa Collecta I 259–320.321–327; E. OLSHAUSEN, Tarsos, in: KlPauly V 529f; M. ADINOLFI, Tarso, patria di stoici, in: Bibbia e Oriente 19(1977)185–194; JOHNSON, Tarsus (1980; s.u. Exk. 11).

[58] Vgl. ἤκουσα ἀπὸ πολλῶν (V 13). Vielleicht ist an Jerusalem-Flüchtlinge gedacht, die den in Damaskus ansässigen Hananias informierten (HAENCHEN).

[59] Zu dieser Bezeichnung für die Christen s.o. A. 29.

[60] Daß die Vollmacht von *den* Hohenpriestern erteilt wurde, sagt auch 26,10.12. Saulus handelte im Auftrag des offiziellen Judentums. Nach 22,5 stammten die Briefe des Saulus vom Hohenpriester und „dem ganzen Ältestenrat".

[61] οἱ ἐπικαλούμενοι τὸ ὄνομα (κυρίου o.ä.) ist eine traditionelle Bezeichnung für die Christen: „die den Namen (des Herrn) für sich anrufen". Siehe Apg 2,21; 9,14.21; 22,16, ferner Röm 10,13; 1 Kor 1,2; vgl. Röm 10,14; Apg 7,59. – V 14 zeigt, daß es in Damaskus eine Mehrzahl von Christen gab; V 2 drückt eher nur eine Möglichkeit aus, mit der Saulus rechnete (HAENCHEN zu V 2).

[62] „Dieser ist mir ein σκεῦος ἐκλογῆς" enthält mit ἐκλογῆς einen „hebräischen" Genitiv; vgl. ZERWICK, Biblical Greek Nr. 40. Die Fortsetzung τοῦ βαστάσαι κτλ. ist final gemeint. Zu βαστάζω s. BAUERWb s.v. 2c.

lus (ὅτι-Satz) begründet. Der γάρ-Satz V 16 begründet wohl eher den vorausgehenden V 15b als den Befehl an Hananias: Das βαστάσαι des Namens Jesu[63] ist mit der Leidensnotwendigkeit zu begründen. Saulus als „auserwähltes Werkzeug" Christi wird „vor Heiden und Königen und Kindern Israels" den Namen Jesu bekennen. Das Auftreten vor den Heiden steht V 15b im Vordergrund; daß Saulus auch vor israelitischen Gerichten stehen wird, findet zuletzt Erwähnung, es leitet auch logisch zum Leidenmüssen des Saulus (V 16) über. Nicht Saulus wird die Christen verfolgen, sondern Gott wird ihn leiden lassen um des Namens Jesu willen! ἐγὼ γὰρ ὑποδείξω αὐτῷ zeigt an, daß der Leidensweg dem ehemaligen Verfolger in Stufen gezeigt werden wird[64]. Die VV 15–16 scheinen nicht zuletzt auch aus sprachlichen Gründen lukanischer Herkunft zu sein[65].

V 17 Hananias führt den Auftrag aus. Er geht weg und betritt das betreffende Haus[66] (V 17a). Dort legt er dem Saulus die Hände auf[67] (V 17b) und teilt mit, was „der Herr" ihm auftrug (V 17c–e). Die Handauflegung erfolgt laut V 12, „damit er wieder sehend werde"[68]. Saulus wird mit „Bruder Saul!" angeredet. Es ist vorausgesetzt, daß Hananias „hebräisch" spricht[69] und in Saulus bereits den christlichen „Bruder" sieht[70]. Was Hananias an Saulus vollzieht, erfolgt kraft seiner Sendung durch den „Herrn Jesus"[71]. Handauflegung und Heilung von der Blendung sind gemäß V 17e nicht das letzte Ziel dieses Sendungsauftrags. Vielmehr soll Saulus

---

[63] Lohfink, „Meinen Namen zu tragen ..." (1966), hat gezeigt, daß ἐνώπιον ἔθνων κτλ. nicht die Richtung angibt (wohin?), sondern den Ort bezeichnet, *wo* Saulus den Namen Jesu bezeugen wird. Bei diesem Sinn kann V 16 dann begründend angeschlossen werden. Vgl. auch Lk 21,12f diff Mk. Radl, Paulus und Jesus (1975) 76: Schon in V 15 klingt das Leidensthema an. Es geht „um das mit dem Zeugnis verbundene Leiden" (ebd. 79). Schmithals, Die Berichte 146, sieht die lukanische Tendenz „nicht primär in der göttlichen Begründung der Heidenmission – dies Motiv beherrscht vor allem 9,32 – 11,18 –, sondern in der Darstellung des Paulus *(auch) als Judenmissionar.*" Vgl. 9,15 „... und Söhnen Israels".

[64] ὑποδείκνυμι ist lukanisches Vorzugswort: Lk 3,7 (par Mt 3,7); 6,47; 12,5; Apg 9,16; 20,35. Vgl. besonders ὑποδείξω ὑμῖν im Munde *Jesu* Lk 6,47 und 12,5 (diff Mt).

[65] Radl, Paulus und Jesus 70f.

[66] Nach V 11 das Haus des Judas in der „Geraden Straße".

[67] ἐπιτίθημι τὰς χεῖρας (VV 12.17b) begegnet als therapeutischer Gestus bei Lukas auch Lk 4,40; 13,13; Apg 28,8, in anderem Zusammenhang: Apg 6,6; 8,17.19; 13,3; 19,6. Vgl. auch oben I 428f A. 70.

[68] Dem ὅπως ἀναβλέψῃ von V 12 entsprechen ὅπως ἀναβλέψῃς V 17e und ἀνέβλεψεν V 18. Das Verbum ἀναβλέπω bezeichnet sonst die Erlangung der Sehfähigkeit bei Blinden: Mt 11,5 par Lk 7,22; Mt 20,34; Mk 10,51.52; Lk 18,41.42.43. – Auffallend ist, daß ἀναβλέπω im Parallelbericht Apg 22,13 a.b nur „aufblicken/die Augen aufschlagen" bedeutet; vgl. BauerWb s.v. 1.

[69] Auch 22,13 redet Hananias den Saulus mit „Bruder Saul" an. Möglicherweise ist vorausgesetzt, daß der Herr auch zu Hananias hebräisch redete. V 11 würde dann die gräzisierte Form des Namens („Saulus") verwenden, um den Akkusativ zu kennzeichnen.

[70] Mit Haenchen. Vgl. 1,16; 6,3; 15,7.13. Die Anrede „Bruder/Brüder" wird aber auch von Juden-Christen an *Juden* gerichtet: 2,29; 7,2; 13,26.38; 22,1; 23,1.5.6; 28,17.

[71] Ἰησοῦς steht als Apposition zu ὁ κύριος und setzt die Wendung „der Herr Jesus" voraus. Sie kommt in der Apg 16mal vor; siehe Schneider, Gott und Christus als ΚΥΡΙΟΣ

„mit heiligem Geist erfüllt werden". Letzteres wird sich bei der Taufe des ehemaligen Verfolgers ereignen. Wahrscheinlich sieht der Erzähler einen Kontrast zwischen ἐμπνέων ἀπειλῆς κτλ. in V 1 und dem Geistempfang V 17.

VV 18–19a Die Wirkung der Handauflegung (und Mitteilung) an Saulus tritt sogleich ein[72]. „Von seinen Augen fielen sie[73] wie Schuppen[74]" (V 18a) meint: Was das Sehen behinderte, wird wunderbar entfernt, und der Geblendete kann wieder sehen. Er erhebt sich und läßt sich taufen (V 18b). ἀναστάς drückt hier das selbständige Aufstehen aus (im Unterschied von ἠγέρθη V 8?). Es ist wohl vorausgesetzt, daß Hananias als Taufspender fungierte (vgl. 22,16). Da die Taufnotiz nur dort begegnet, wo auch von Hananias erzählt wird, gehören beide zusammen. Wenn Hananias schon im vor-lukanischen Damaskusbericht vorkam, dann wird wohl auch die Taufnotiz Anspruch auf Geschichtlichkeit beanspruchen dürfen[75]. Der Schluß des Berichts (V 19a) zeigt, daß Saulus sein Fasten (V 9) beendet und wieder zu Kräften kommt[76]. Die abschließenden Angaben V 9 und V 19a stehen somit in Korrespondenz.

22. ANSCHLAG DER JUDEN GEGEN SAULUS. SEIN WEITERES SCHICKSAL: 9,19b–31

LITERATUR: R. LIECHTENHAN, Die beiden Besuche des Paulus in Jerusalem, in: Harnack-Ehrung. Beiträge zur Kirchengeschichte (Leipzig 1921) 51–67. – WIKENHAUSER, Die Apostelgeschichte und ihr Geschichtswert (1921) 183–194. – LAKE, The Conversion (1933; s.o. Nr. 21). – F. W. BEARE, Note on Paul's First Two Visits to Jerusalem, in: JBL 63(1944)407–409. – ST. GIET, Les trois premiers voyages de saint Paul à Jérusalem, in: RechScR 41(1953)321–347. – CADBURY, Book of Acts (1955) 19–21 [zu 9,23–25]. – J. DUPONT, Les trois premiers voyages de Saint Paul à Jérusalem (erstm. 1955), in: ders., Études (1967) 167–171. – O. BAUERNFEIND, Die erste Begegnung zwischen Paulus und Kephas Gal. 1,18, in: ThLZ 81(1956)343f. – SANDERS, Peter and Paul (1955/56). – ST. GIET, Nouvelles remarques sur les voyages de saint Paul à Jérusalem, in: RScR 31(1957)329–342. – E. M. B. GREEN, Syria and Cilicia – A Note, in: ET 71(1959/60)52f [zu 9,30]. – J. CAMBIER, Le voyage de S. Paul à Jérusalem en Act. IX. 26ss. et le schéma

166; s.o. I 219 A. 60. Jesus ist dem Saulus „auf dem Wege erschienen". ὁ ὀφθείς σοι bezieht sich auf den Auferstandenen, vgl. Lk 24,34; Apg 13,31; 26,16a; 1 Kor 15,5–8.

72 εὐθέως gehört in den Zusammenhang von Wunderberichten wie Lk 5,13; Apg 9,34; 12,10.

73 Das Subjekt von ἀπέπεσαν ist nicht genannt; also ist mit „es fiel ab" zu übersetzen.

74 λεπίδες sind eigentlich Schuppen von Fischen (Barn 10,1; LXX). Die übertragene Verwendung Apg 9,18 ist kein Beweis für den Arztberuf des Erzählers; mit HAENCHEN gegen HOBART, Medical Language (1882) 39. Vgl. auch die Vorstellung Tob 11,12.

75 Die Geschichtlichkeit der Taufe des Saulus wird erhärtet von FASCHER, Zur Taufe des Paulus (1955). FULLER, Was Paul Baptized? (1979), bejaht zwar die Frage, beantwortet sie jedoch nicht wirklich, weil er einen aufgeweichten Taufbegriff („by direct immersion in the Christ event", 508) einführt.

76 Zu λαμβάνω τροφήν (9,19) vgl. μεταλαμβάνω τροφῆς 2,46; 27,33.34, προσλαμβάνω τροφῆς 27,36. – ἐνισχύω begegnet im NT sonst nur noch Lk 22,43, jedoch transitiv.

missionnaire théologique de S. Luc, in: NTS 8(1961/62)249–257. – CH. MASSON, A propos de Act. 9,19b–25, in: ThZ 18(1962)161–166. – PH. H. MENOUD, Le sens du verbe ΠΟΡΘΕΙΝ (Gal. 1,13.23; Act. 9,21) (erstm. 1964), in: ders., Jésus-Christ et la Foi (Neuchâtel/Paris 1975) 40–47. – N. ADLER, Die Kirche baute sich auf ... und mehrte sich durch den Beistand des Heiligen Geistes (Apg 9,31), in: BuK 21(1966)48–51. – OGG, Chronology (1968) 16–23 [zu 9,23–25]. – BURCHARD, Zeuge (1970) 136–161. – BARRETT, The Acts - of Paul (1972) 95–97 [zu 9,23–25]. – D. R. DE LACEY, Paul in Jerusalem, in: NTS 20(1973/74)82–86. – P. É. LANGEVIN, Les débuts d'un apôtre Act. 9,26–31, in: AssSeign 26(1973)32–38. – M. LIMBECK in: EpEv B(1973)717–720. – LÖNING, Saulustradition (1973) 43–61. – STOLLE, Zeuge (1973) 162f. – A. W. WAINWRIGHT, The Historical Value of Acts 9:19b–30, in: StEv VI(1973)589–594. – OBERMEIER, Gestalt des Paulus (1975) 120–122. – M. ADINOLFI, Tarso, patria di stoici, in: Bibbia e Oriente 19(1977)185–194. – R. PESCH u. a., „Hellenisten" und „Hebräer". Zu Apg 9,29 und 6,1, in: BZ 23 (1979)87–92.

19b Er blieb aber einige[a] Tage bei den Jüngern in Damaskus 20 und verkündigte[b] alsbald in den Synagogen, daß Jesus der Sohn Gottes sei. 21 Alle aber, [c]die es hörten[c], erstaunten und sagten: Ist das nicht der, welcher in[d] Jerusalem alle vernichten wollte, die diesen Namen anrufen? Und war er nicht dazu hierher gekommen, um sie gefesselt vor die Hohenpriester zu führen? 22 Saulus aber wurde (noch) mehr mit Kraft erfüllt[e] und brachte [die][f] Juden, die in Damaskus wohnten, in Verwirrung, weil er bewies, daß dieser der Christus sei[g].
23 Nach Verlauf einer Reihe von Tagen aber beschlossen die Juden, ihn zu töten. 24 Ihr Anschlag wurde jedoch dem Saulus kund. Sie bewachten indessen sogar Tag und Nacht die (Stadt-)Tore, in der Absicht, ihn zu töten[h]. 25 Da nahmen ihn seine Jünger[i] und ließen ihn bei Nacht in einem Korb die Stadtmauer hinab[k].

---

[a] Statt ἡμέρας τινάς lesen P[45] ἡ. ἱκανάς und h *dies plurimos*, vielleicht unter dem Einfluß von V 23.

[b] Hinter ἐκήρυσσεν fügen h (l mae) Ir an: μετὰ πάσης παρρησίας (vgl. 2,29; 4,29.31; 28,31), als Vorwegnahme von 9,27 (παρρησιάζομαι).

[c] οἱ ἀκούοντες fehlt in P[45 vid.74] Ψ* pc.

[d] Statt des hellenistischen εἰς Ἰ. (P[74] ℵ A pc) lesen B C E Ψ Koine ἐν Ἰ.

[e] Hinter ἐνεδυναμοῦτο fügen E pc h l p cop[G67] ἐν τῷ λόγῳ, C τῷ λόγῳ ein. Damit wird verdeutlicht, daß sich das „Erstarken" des Saulus auf die Wortverkündigung, nicht (nur) auf die Genesung (vgl. V 19a) bezieht.

[f] Den Artikel τούς lassen ℵ* B al (gegen ℵ[c] A C E Ψ Koine) aus, was wahrscheinlich die ursprüngliche LA ist.

[g] gig (h l p) ergänzt: *in quo deus bene sensit* (ἐν ᾧ εὐδόκησεν ὁ θεός). Nach LAKE/CADBURY (Beginnings IV 105) kann dies die ursprüngliche LA sein. Es ist aber wohl eine Glosse, die von Mt 3,17 bzw. Lk 3,22 abgeleitet wurde; s. METZGERTC 365f.

[h] Statt ὅπως αὐτὸν ἀνέλωσιν lesen A pc ὅ. πιάσωσιν αὐτόν („um ihn *zu verhaften*"). Es handelt sich um eine Angleichung an 2 Kor 11,32 (πιάσαι με).

[i] Anstelle von οἱ μαθηταὶ αὐτοῦ (P[74] ℵ A B C 81* pc) lesen E Ψ Koine gig vg[cl] sy αὐτὸν οἱ μ. Die Vermeidung der ungewöhnlichen Rede von den „Saulus-Jüngern" war wohl durch die absolute Verwendung von μαθηταί in den VV 19.26 nahegelegt. Jedoch kann ein ursprüngliches αὐτόν, das als αὐτοῦ gelesen wurde, sekundär wiederhergestellt worden sein; HAENCHEN, Apg 320.

[k] Statt διὰ τοῦ τείχους καθῆκαν αὐτόν (so P[74] ℵ A B C al vg) haben Ψ Koine gig καθῆ-

26 Als er aber nach Jerusalem kam, versuchte er[l]*, sich den Jüngern anzuschließen; und alle fürchteten ihn, weil sie nicht glaubten, daß er ein Jünger war. 27 Barnabas jedoch nahm sich seiner an, führte ihn zu den Aposteln und erzählte ihnen, wie er (Saulus) auf dem Weg den Herrn gesehen und daß er zu ihm geredet habe, und wie er in Damaskus freimütig im Namen Jesu*[m] *aufgetreten sei. 28 Und er ging in Jerusalem bei ihnen ein und aus*[n]*, er trat im Namen des Herrn mit allem Freimut auf. 29 Und er redete und disputierte mit den Hellenisten*[o]*; diese aber planten, ihn zu töten. 30 Als es jedoch die Brüder erfuhren, brachten sie ihn nach Cäsarea*[p] *hinab und schickten ihn von dort nach Tarsus.*

31 [q]*So hatte nun die Kirche in ganz Judäa und Galiläa und Samaria Frieden; sie baute sich auf und schritt fort in der Furcht des Herrn; und sie mehrte sich durch den Zuspruch des heiligen Geistes*[q].

Apg 9,19b–31 enthält zwei Erzähleinheiten (VV 19b–25.26–30) und eine abschließende summarische Angabe (V 31). Die beiden Erzählungen weisen Parallelen auf. Sie erzählen vom Aufenthalt des bekehrten Saulus in Damaskus und von seinem ersten Besuch in Jerusalem. In beiden Städten tritt er als Prediger auf. Aus beiden muß er schließlich wegen jüdischer Nachstellungen fliehen: Von Damaskus kommt er auf der Flucht nach Jerusalem (VV 25.26), von Jerusalem gelangt er über Cäsarea in seine Heimat Tarsus (V 30). Die Tatsache, daß der Verfolger schlechthin Christ wurde, schenkt der Kirche in Palästina Frieden und läßt sie in Ruhe wachsen (V 31). Da die Schlußnotiz sich auf 9,1–30 bezieht, besagt sie, daß der Friede durch die Bekehrung des Verfolgers eintrat. Der bisherige Christenverfolger wurde nun seinerseits von denen verfolgt, in deren Auftrag er zuvor die Christen verfolgte. Insofern unterstreichen 9,19b–25.26–30

καν διὰ τοῦ τ. Vgl. dazu den Befund dieser Textzeugen o. A. i: Sie können αὐτόν hier weglassen, da sie es schon zuvor geboten hatten (so auch E).

[l] Statt ἐπείραζεν (P[74] ℵ A B C al) haben E H L P al ἐπειρᾶτο (von πειράομαι „versuchen, sich bemühen"), da πειράζω gewöhnlich einen anderen Sinn („auf die Probe stellen") hat (s. BAUERWb s. v.; die Bedeutung „einen Versuch machen" mit Infinitiv kommt im NT Apg 9,26; 16,7; 24,6 vor). Vgl. METZGERTC 367.

[m] Statt τοῦ Ἰησοῦ (P[74] ℵ E Koine) haben A pc κυρίου, Ψ pc τοῦ Ἰ. Χριστοῦ, 326 und 1241 τοῦ κ. Ἰ.

[n] καὶ ἐκπορευόμενος fehlt P[74] Koine. Wahrscheinlich hatte man die feste (biblische) Wendung „ein- und ausgehen" (Tob 5,18; siehe auch εἰσ- und ἐξέρχομαι Apg 1,21, dazu o. I 219 A. 62) nicht mehr als solche verstanden.

[o] Statt Ἑλληνιστάς bezeugen A 104.424 pc Ἕλληνας („Griechen/Heiden"); dazu METZGERTC 388: Die „Hellenisten" sind hier auf jeden Fall (jüdische) Nicht-Christen, anders als 6,1.

[p] E (614 pc) it sy[p.h*] sa mae fügen διὰ νυκτός an, vielleicht angeregt durch VV 24.25. διὰ ν. steht auch Apg 5,19; 16,9; 17,10; 23,31; vgl. Lk 5,5, sonst nicht im NT.

[q] V 31 (q – q) wird von (E Ψ) Koine it sy[h] bo[mss] in den Plural gesetzt: αἱ ἐκκλησίαι ... εἶχον ... ἐπληθύνοντο. So bezieht sich der Satz auf die (Gesamtheit der) Ortskirchen. Vgl. die Vorkommen des Plurals ἐκκλησίαι 11,22; 15,3.41; 16,5. Siehe METZGERTC 367.

die grundlegende Wende, die mit der Bekehrung des Saulus eingetreten war.

Über die Quellenlage der beiden Erzählungen 9,19b–25.26–30 läßt sich nur vermuten, daß für die Flucht aus Damaskus (VV 23–25) eine Tradition benutzt wurde, die von dem Bericht des Paulus 2 Kor 11,32f abwich. Von dem ersten Besuch des bekehrten Saulus in Jerusalem und der Begegnung mit den Aposteln (VV 27f) war Lukas wohl nur die Tatsache als solche bekannt. Auch hier ist nicht anzunehmen, daß die Acta von den Paulusbriefen (Gal 1,18–20) abhängig sind[1]. Dies gilt auch für den Aufenthalt in Tarsus (Apg 9,30; vgl. Gal 1,21).

Die Unterschiede zwischen der Darstellung der „Frühzeit" des Paulus Gal 1,17–24 und den Angaben in Apg 9,19b–30 beruhen zunächst einmal auf dem Umstand, daß Lukas den Aufenthalt des Saulus in Arabien[2] nicht berichtet (und nicht kennt)[3]. So rücken der Aufenthalt in Damaskus und die „erste" Jerusalemreise nahe aneinander. Freilich muß man hierbei berücksichtigen, daß der Arabienaufenthalt offensichtlich ohne Erfolg blieb. Ein längerer Aufenthalt in Damaskus ist Gal 1,17f vorausgesetzt. Hingegen denkt die Apostelgeschichte nur an „einige Tage", d.h. eine geraume kürzere Zeit (9,19b.23). Die erste Jerusalemreise rückt somit in zeitliche Nähe zur Bekehrung des Saulus (9,25), und die Jerusalemer Apostel wissen noch nichts von dessen Wandlung (V 27). Demgegenüber hat Paulus selbst die Absicht, einen schon bald nach dem Damaskuserlebnis erfolgten Kontakt mit den Aposteln in Jerusalem zu bestreiten (Gal 1,17.18f; 2,1). Während Gal 1,18f den Jerusalemaufenthalt in seiner Bedeutung herunterspielt (nur 15 Tage; Paulus sah nur Kephas und den Herrenbruder Jakobus), läßt Apg 9,28 den Saulus „gleichsam Arm in Arm mit den ... Oberhäuptern der Nazarenersekte" in der Jerusalemer Öffentlichkeit auftreten[4].

Wenn man die Ausgestaltung des Damaskusaufenthalts und der Jerusalemreise auch weitgehend dem Acta-Verfasser zuschreiben darf, so ist es doch nicht möglich, im einzelnen zu rekonstruieren, wie er dabei vorging[5]. Eine von Lukas gewiß nicht gering geachtete Tendenz der Jerusalem-Erzählung liegt darin, Saulus an die zwölf Apostel zu „binden"[6]. Im übrigen hatte Lukas wohl die Überzeugung, „daß Paulus selbstverständlich sofort den Anschluß an die zwölf Apostel gesucht hat, weil sie für ihn die Quelle aller Legitimität sind"[7].

---

[1] Siehe dazu oben I 112–118.

[2] Gal 1,17 besagt, daß Paulus nach dem Damaskuserlebnis nach Arabien ging (als Missionar?) und von dort nach Damaskus zurückkehrte. Erst nach drei Jahren – gemeint ist: drei Jahre nach der Berufung – zog Paulus nach Jerusalem (1,18). Zum Arabienaufenthalt des Paulus siehe Schlier, Galater (1965) 58f; Mussner, Galaterbrief (1974) 91–93; U. Borse, Ἀραβία, in: EWNT I 358f (Lit.).

[3] Siehe Haenchen, Apg 323.

[4] So Zahn, Apg 330; aufgegriffen von Haenchen, Apg 321.324.

[5] Die Art, wie Haenchen, a.a.O. 322–324, das Verfahren des Lukas glaubt darstellen zu können, bleibt hypothetisch.

[6] Conzelmann, Apg 67: Der lukanische Paulus „wird an Jerusalem gebunden und dadurch legitimiert".

[7] Haenchen, a.a.O. 324.

VV 19b–20 Mit V 19b beginnt ein neuer Erzählabschnitt. Der getaufte Saulus bleibt noch einige Zeit[8] in Damaskus, und zwar bei den dort lebenden Christen[9]. V 20 erzählt nicht nur, daß er während dieser Zeit wiederholt (vgl. das Imperfekt ἐκήρυσσεν) als christlicher Prediger in den Synagogen auftrat, sondern auch, daß er dies sogleich[10] tat. Auch die Apostelgeschichte weiß, daß mit dem Geschehen vor Damaskus Saulus zum Missionar geworden war[11]. Saulus „verkündigte den Jesus"[12]. Dies wird dahin erläutert, daß er von Jesus sprach und dabei den Glaubenssatz ausrief: „Dieser ist der Sohn Gottes." Saulus war – falls man den Arabienaufenthalt ausklammert, bei dem er schon Heiden-Missionar gewesen sein könnte – faktisch zunächst einmal Juden-Missionar[13]. Seine Verkündigung nahm das Gottes-Sohn- bzw. Christus-Bekenntnis (V 22) der Jesusjünger auf. Wenn der Gottessohn-Titel in den Acta nur (sinngemäß auch 13,33) im Munde des Paulus vorkommt, will Lukas damit kaum eine spezifische Eigenart der paulinischen Verkündigung andeuten.

V 21 unterstreicht wiederum die Wende vom Christenverfolger zum Gottes-Sohn-Verkündiger. Die Hörer in den Synagogen sind insgesamt außer sich[14], als sie die Predigt des Saulus hören (V 21a). Ihre Fassungslosigkeit spricht sich in einer doppelten Frage aus (V 21b.c). Das einleitende οὐχ läßt eine Bejahung erwarten: Dieser Prediger ist tatsächlich der Christenverfolger von Jerusalem[15]. πορθήσας drückt hier nicht die Zerstörung der Jerusalemer Christusbekenner[16] aus, sondern die „Verwüstung" der dortigen Christenheit[17]. Der zweite Teil der Frage geht davon aus, daß Saulus dazu[18] nach Damaskus gekommen war, um von hier die Christen

---

[8] ἡμέρας τινάς wie 10,48. Vgl. auch 9,43 und 18,18 ἡμέρας ἱκανάς. Die beiden Wendungen bedeuten soviel wie „einige Zeit, geraume Zeit"; siehe K. Haacker, Die Gallio-Episode und die paulinische Chronologie, in: BZ 16(1972)252–255, näherhin 253f.

[9] οἱ ἐν Δαμασκῷ μαθηταί. Zur Bezeichnung der Christen als μαθηταί s.o. Nr. 21 A. 26.

[10] V 20 καὶ εὐθέως ... ἐκήρυσσεν.

[11] Insoweit stimmt 9,20 mit Gal 1,16b (εὐθέως) und 1,17 („sondern ging nach Arabien") überein.

[12] „Jesus" steht absolut als Gegenstand des κηρύσσειν. Vgl. 8,5 „den Christus"; 15,21 (Mose); 19,13 „Jesus". Siehe auch oben I 487 A. 36.

[13] Daß Paulus tatsächlich als Judenmissionar begonnen habe, bestreitet z.B. Kasting, Mission (1969) 57.

[14] ἐξίσταντο δὲ πάντες „alle gerieten außer sich"; vgl. Lk 2,47; 8,56; Apg 2,7.12; 8,13; 10,45; 12,16; ferner Mt 12,23; Mk 2,12. Vgl. auch die Sachparallele Lk 4,22.

[15] In der Wendung ὁ πορθήσας εἰς Ἰερουσαλήμ steht εἰς für ἐν. Der Sache nach wird an 8,3; 9,1.13 angeknüpft.

[16] οἱ ἐπικαλούμενοι κτλ. wie 9,14. Zu dieser traditionellen Bezeichnung für die Christen s.o. Nr. 21 A. 41.

[17] πορθέω „ruinieren" begegnet auffallenderweise neben Apg 9,21 nur noch – gleichfalls auf den Verfolger Paulus bezogen – Gal 1,13.23. Gegenstand der „Verwüstung" ist dort die ἐκκλησία (1,13 ἐπόρθουν ist wohl Imperfectum de conatu) bzw. die πίστις (1,23 ἐπόρθει gleichfalls vom Versuch). Vgl. Menoud, ΠΟΡΘΕΙΝ (1964); Löning, Saulustradition (1973) 44, der von dem lukanischen Hapaxlegomenon πορθέω auf „eine vorlukanische Schicht hinter Apg 9,21" schließt (vgl. ebd. 50.55).

[18] εἰς τοῦτο (... ἵνα) steht neben 9,21 auch Apg 26,16 (mit Infinitiv).

gefesselt „zu den Hohenpriestern“[19] zu führen. Hiermit wird V 14 der Sache nach aufgegriffen.

V 22 drückt aus, daß Saulus „noch mehr mit Kraft erfüllt wurde“[20], was wohl an V 19 (ἐνίσχυσεν) anknüpft. Es soll wahrscheinlich gesagt werden, daß die Energie des Judenmissionars wegen seiner „Vergangenheit“ noch intensiver wurde, während er auf der anderen Seite die Juden von Damaskus durch seine Beweisführung in Verwirrung brachte (συνέχυννεν[21]). Denn Saulus bewies (συμβιβάζων[22]): Dieser (Jesus) ist der Christus[23]. Möglicherweise denkt Lukas hier an den Schriftbeweis, der ja nach seiner Auffassung vor allem das Leidenmüssen des Messias dartun konnte[24]. *Weil* Jesus gelitten hat, ist er der Christus.

V 23 Nach einer Reihe von Tagen[25] kamen die Juden überein (συνεβουλεύσαντο[26]), Saulus umzubringen[27]. Wahrscheinlich resultiert die lukanische Vorstellung, daß Saulus wegen *jüdischer* Nachstellungen aus Damaskus fliehen mußte, aus analogen Nachrichten seiner Quellen, vielleicht auch aus einer entsprechenden lukanischen Tendenz[28]. Jedenfalls berichtet Paulus selbst, daß er vor dem Statthalter des Königs Aretas aus Damaskus geflohen sei[29]. Die historische Frage einer zeitweiligen Zugehörigkeit von Damaskus zum Nabatäer-Reich ist nicht ganz geklärt[30]. Doch dürfte

[19] Es ist die führende Gruppe des Synedriums gemeint; vgl. 9,14; 22,5.
[20] μᾶλλον ἐνεδυναμοῦτο. Das Passiv ἐνδυναμόομαι „erstarken“ bezieht sich in der Regel auf religiös-sittliche Stärkung (BAUERWb s.v. 2b): Röm 4,20; Eph 6,10; 2 Tim 2,1; häufig Herm (s. KRAFT, Clavis 152f).
[21] συγχέω/συγχύννω steht auch 2,6; 19,32; 21,27.31; vgl. oben I 251 A. 69.
[22] συμβιβάζω steht auch 16,10 mit folgendem ὅτι, dort aber im Sinne von „sich begreiflich machen“. Die Bedeutung „beweisen“ liegt im NT nur Apg 9,22 vor (ferner Aristoteles, Jamblich); Apg 19,33 (und 1 Kor 2,16) bedeutet συμβιβάζω „belehren/aufklären“.
[23] Die „Bekenntnisformel“ ist der Sache nach der mit „Sohn Gottes“ (V 20) gleichwertig. Zu den christologischen Titeln s. o. I 331–334.
[24] Vgl. CONZELMANN, Mitte der Zeit 159 Anm. 2.
[25] Zu V 23 ὡς δὲ ἐπληροῦντο ἡμέραι ἱκαναί vgl. 7,23.30; 24,27, jeweils vom Ablauf einer Zeit.
[26] συμβουλεύομαι mit folgendem Infinitiv steht im NT nur hier. Vgl. Mt 26,4 (mit ἵνα).
[27] ἀναιρέω ist Vorzugswort der Apg (s.o. I 271 A. 68), besonders auch bei Aussagen über die Absicht, Paulus zu töten: 9,23.24.29; 23,15.21.27; 25,3.
[28] HAENCHEN: „Lukas benutzt eine jüngere Tradition [als Paulus], in der die Juden als die (üblichen) Feinde des Paulus auftreten.“
[29] 2 Kor 11,32f: „In Damaskus ließ der Statthalter des Königs Aretas die Stadt der Damaszener bewachen, um mich festzunehmen. Aber durch ein Fenster wurde ich in einem Korb die Stadtmauer hinuntergelassen, und so entkam ich ihm.“ DUPONT, Actes (1954) 94 Anm. b, meint die Angaben von Apg 9 und 2 Kor 11 gut vereinbaren zu können: Aretas IV. († 40 n. Chr.) habe wegen Auseinandersetzungen mit Herodes Agrippa I. (37–44) alles Interesse daran gehabt, sich die Freundschaft der Juden zu erwerben.
[30] Vgl. WIKENHAUSER, Die Apostelgeschichte und ihr Geschichtswert (1921) 185–187; LIETZMANN/KÜMMEL, An die Korinther I.II (HNT 9) (Tübingen ⁴1949) 152; HAENCHEN, Apg 320 Anm. 3. Der Statthalter des Aretas kann als Vorsteher der Arabervorstadt von Damaskus oder als Scheich des dortigen Nabatäerstammes gedacht werden. Siehe auch EWNT I, s.v. Ἀρέτας (Lit.).

die Verfolgung des Paulus durch den Ethnarchen des Nabatäerkönigs mit seinem Wirken in Arabien (=Nabatäerreich) zusammenhängen[31], von dem Lukas gleichfalls nichts mitteilt.

VV 24–25 Entsprechend einer Überlieferung, die im übrigen dem Bericht des Paulus 2 Kor 11,32f entspricht, wird nun der Anschlag gegen Saulus (V 24b) und sein Entkommen (V 25) berichtet. Zuvor aber wird bemerkt, daß Saulus von der ἐπιβουλή[32] der Juden Kenntnis erhielt (V 24a)[33]. Tag und Nacht wurden die Stadttore (von den Juden!) bewacht, um Saulus das Entweichen unmöglich zu machen. Man wollte[34] ihn (festnehmen und) umbringen. Doch „seine Jünger" „nahmen"[35] Saulus während der Nacht[36] und ließen ihn „durch die Mauer hindurch"[37] in einem (Last-)Korb[38] herab. An der Formulierung, die von „Jüngern des Saulus" spricht, hat die Textüberlieferung Anstoß genommen[39]. Wahrscheinlich knüpft die Vorstellung von Saulus-Jüngern an die Predigt (V 20) und die lehrhafte Argumentation (V 22) des Saulus an, durch die er (christliche) „Schüler" erhielt und sie damit als „Jünger" (=Christen) gewann.

V 26 Saulus gelangte (von Damaskus) nach Jerusalem. παραγενόμενος[40] heißt am Anfang des Abschnitts: „Als er (in Jerusalem) angekommen war". Die Parallelen Apg 13,14 und 15,4 zeigen wohl deutlich, daß Jerusalem das Ziel des aus Damaskus Geflohenen war, und damit auch, daß die Ankunft in Jerusalem zeitlich unmittelbar auf den Damaskusaufenthalt gefolgt sein soll. Laut Gal 1,18f erfolgte die erste Reise des bekehrten Paulus drei Jahre nach dem Damaskuserlebnis; der Aufenthalt dauerte lediglich 15 Tage, und Paulus sah außer Petrus nur den Herrenbruder Jakobus. In Jerusalem angekommen, macht Saulus (gemäß dem Bericht der Apg)

---

[31] Conzelmann zu V 19b; Haenchen, Apg 323.

[32] ἐπιβουλή „Anschlag" begegnet auch 20,3; 23,30; pluralisch 20,19. Außerhalb der Apg kommt das Substantiv im NT nicht vor.

[33] ἐγνώσθη mit Dativ wie Lk 24,35. Zur Sache vgl. auch Apg 23,16.

[34] παρετηροῦντο ... ὅπως ... Das Verbum παρατηρέω ist Vorzugsvokabel in Lk/Apg: Lk 6,7; 14,1; 20,20; Apg 9,24; sonst im NT nur noch Mk 3,2; Gal 4,10.

[35] λαβόντες steht pleonastisch, vgl. BauerWb s.v. λαμβάνω 1a. Dieser Gebrauch findet sich auch Lk 13,19.21; Apg 16,3.

[36] Der Genitiv der Zeit νυκτός begegnet auch Lk 2,8; siehe Blass/Debr § 186,2. Die Verbindung „bei Tag und bei Nacht" steht Lk 18,7; Apg 9,24.

[37] διὰ τοῦ τείχους. 2 Kor 11,33 liest: διὰ θυρίδος ... διὰ τοῦ τείχους.

[38] καθῆκαν αὐτὸν χαλάσαντες ἐν σπυρίδι. 2 Kor 11,33: ἐν σαργάνῃ ἐχαλάσθην. χαλάω „herunterlassen" begegnet im NT ferner Mk 2,4 (Bahre); Lk 5,4.5 (Netze); Apg 27,17.30 (im Seefahrtbericht). σαργάνη ist Hapaxlegomenon im NT. σπυρίς (σφυρίς) wird auch Mk 8,8.20; Mt 15,37; 16,10 (Korb für Eßwaren) verwendet. Sonst bezeichnet in den Evangelien κόφινος den „Tragkorb".

[39] Siehe oben A. i. Jedoch kann die ursprüngliche LA kaum αὐτόν statt αὐτοῦ gelautet haben, weil im gleichen Satz ohnehin der Akkusativ αὐτόν steht, was Ψ Koine gig konsequenterweise nicht stehen ließen (s. oben A. k).

[40] Zum Partizip von παραγίνομαι s.o. I 390 A. 32.

den Versuch (ἐπείραζεν[41]), sich den „Jüngern“ anzuschließen[42] (V 26a). Doch im Kreis der Christen weiß man noch nichts von seiner Bekehrung, sondern alle haben Furcht vor ihm. Ähnlich wie die Synagogenangehörigen in Damaskus (V 21) können sie nicht glauben, daß Saulus ein „Jünger“ (= Christ) sein soll[43]. Die Richtung des Zweifels entspricht der jeweiligen Situation. Beim Jesus-Verkündiger fragt man sich, ob dieser der Verfolger sei (VV 20f); bei dem, der sich der Gemeinde anschließen möchte, glaubt man zunächst nicht, daß er ein „Jünger“ sei.

V 27 Da die Furcht der Christen dem Anschluß-Versuch des Saulus entgegenstand, trat Barnabas (vgl. 4,36[44]) als Mittler auf. Er nahm sich des Ankömmlings an[45] und führte ihn zu den Aposteln (V 27a). Die Jerusalemer Gemeinde umfaßte nach der ersten Verfolgung fast nur noch dieses Zwölferkollegium (8,1). Umstritten ist, wer das Subjekt des διηγήσατο αὐτοῖς ist, von dem die beiden πῶς-Sätze und der ὅτι-Satz abhängen (V 27b.c). Einerseits läßt die Logik des Kontextes an Barnabas denken, der nicht nur Saulus bei den Aposteln einführte, sondern auch seine Wandlung glaubhaft machen wollte. In diesem Sinn deutet unsere Übersetzung[46]. Auf der anderen Seite sind alle anderen Vorkommen von διηγέομαι (außer dem Schriftzitat in Apg 8,33) auf einen Bericht bezogen, der Selbst-Erlebtes erzählt[47]. Die unserer Stelle am nächsten stehende Angabe liegt 12,17 vor. Hier heißt es von Petrus: διηγήσατο αὐτοῖς πῶς (ὁ κύριος ...). So ist es denkbar[48], daß der Subjekt-Wechsel (von Barnabas zu Saulus) schon mit V 27b (διηγήσατο) erfolgt und nicht erst mit V 28 (ἦν μετ' αὐτῶν). Allerdings muß es in diesem Fall als erstaunlich gelten, daß Saulus *selbst* von seinem freimütigen Auftreten[49] in Damaskus erzählt (V 27c).

---

[41] πειράζω bezeichnet hier den Versuch, etwas zu erreichen (mit folgendem Infinitiv), so auch 16,7; 24,6, sonst nicht im NT; vgl. BAUERWb s.v. 1; BLASS/DEBR § 392, 1a, Anm. 2; oben A. 1.

[42] κολλάομαι mit Dativ steht auch 5,13; 10,28; 17,34. Vgl. im übrigen oben I 380 A. 16.

[43] ὅτι ἐστὶν μαθητής. Der ὅτι-Satz nach einem Partizip von πιστεύω findet sich auch Lk 1,45.

[44] Zu Barnabas siehe oben I 367f. Der Name kommt – neben 4,36; 9,27 – noch vor: 11,22.30; innerhalb von 12,25 – 14,20 und 15,2–39.

[45] ἐπιλαβόμενος wörtlich: „er packte ihn an/ergriff ihn“. ἐπιλαμβάνομαι steht mit folgendem Akk. der Person auch Lk 9,47; 23,26. An anderen Stellen ist (wie Apg 9,27) der Akk. durch das Verbum finitum bedingt: Lk 14,4; Apg 16,19; 18,17.

[46] So übersetzen bzw. deuten auch PREUSCHEN, ZAHN, BEYER, BAUERNFEIND, BRUCE (NIC), STÄHLIN, MUNCK und CONZELMANN. Daß Saulus das Subjekt von διηγήσατο sei, meint LOISY. Ihrer Sache nicht sicher sind in diesem Punkt KÜRZINGER (EB), DUPONT, WIKENHAUSER und HAENCHEN.

[47] Siehe Lk 8,39; 9,10; Apg 12,17.

[48] Siehe die Deutung von LOISY, ferner die Unentschiedenheit bei KÜRZINGER (EB), DUPONT, WIKENHAUSER und HAENCHEN.

[49] παρρησιάζομαι begegnet im NT neben Eph 6,20 und 1 Thess 2,2 nur in der Apg, und zwar jeweils in der Bedeutung „frei heraus, unerschrocken reden“: 9,27 (im Namen Jesu); 9,28 (im Namen des Herrn); 13,46; 14,3; 18,26; 19,8; 26,26. Vgl. BEUTLER, Heidenmission (s.u. Nr. 32) 374. An fast allen Stellen ist Saulus/Paulus Subjekt (13,46; 14,3 zusammen mit Barnabas), nur 18,26 Apollos.

Auch das traditionelle Verständnis, das in V 27b.c das Zeugnis des Barnabas über die Bekehrung des Saulus sieht, muß sich mit einem Einwand befassen: Woher hatte der in Jerusalem ansässige Barnabas seine Information?[50] Ob Lukas die Rolle eines Mittelmannes für Barnabas aus der späteren Zusammenarbeit mit Paulus erschlossen hat[51], ist schwer zu beweisen. Denkbar ist auch, daß Barnabas in seiner Information über den Jerusalembesuch des Saulus schon erwähnt war.

VV 28–29a Nach der Einführung des Saulus in die Gemeinde durch Barnabas ging der ehemalige Verfolger „mit ihnen in Jerusalem ein und aus"[52]. Wie V 21 steht εἰς Ἰερουσαλήμ in der Bedeutung „in Jerusalem". Die Wendung vom Ein- und Ausgehen bezeichnet hier den vertrauten und beständigen Umgang[53] des Saulus mit den Aposteln. Dieser legitimiert in den Augen des Erzählers den eben Bekehrten. Dennoch wird er damit nicht den Zwölf gleichgeordnet oder zum „dreizehnten Zeugen"[54]. Wie in Damaskus (V 27 c) tritt er auch in Jerusalem (V 28 b) als freimütiger Prediger auf[55]. Ob παρρησιαζόμενος noch mit ἦν und μετ' αὐτῶν (V 28 a) zu verbinden ist, kann nicht sicher entschieden werden. Die Verbindung legt sich nahe: Saulus predigte zusammen mit den Zwölf. Hingegen will V 29 a sagen, daß die Disputation mit den (jüdischen) „Hellenisten" die eigentliche Domäne des Saulus wurde[56].

VV 29b–30 Wie bei Stephanus führt auch bei Saulus die Disputation mit den „Hellenisten" zur Gegnerschaft, die den christlichen Diskussionspartner vernichten will (V 29 b). ἐπεχείρουν[57] ἀνελεῖν αὐτόν erinnert an V 23

[50] Vgl. dazu die Erklärung, die STÄHLIN bereithält: Barnabas muß Saulus „entweder auf Grund einer eigenen Begegnung oder durch die überzeugende Schilderung anderer Christen gekannt haben".

[51] So CONZELMANN. Vgl. indessen auch BAUERNFEIND: „Auf jeden Fall hat Lk ferner richtig die Mittelstellung gesehen, in der Barnabas zwischen Paulus und den Uraposteln stand, so zeigt sich hier wieder gerade in einem historisch schwachen Stück ... echte geschichtliche Erkenntnis."

[52] ἦν εἰσπορευόμενος καὶ ἐκπορευόμενος drückt den dauernden Zustand aus. Mit der Doppelwendung ist Apg 1,21 zu vergleichen (εἰσέρχομαι καὶ ἐξέρχομαι vom Umgang Jesu mit den Aposteln); dazu s. o. I 219 A. 62. – So demonstriert Lukas die Kontinuität von Jesus über die zwölf Apostel zu Paulus.

[53] Vgl. die Conjugatio periphrastica.

[54] Siehe oben A. 52. Gegen den Buchtitel von BURCHARD, Der dreizehnte Zeuge (1970), wendet sich HAENCHEN, Apg 318.324, freilich, ohne den Autor zu nennen. Vgl. auch oben I 221–238 (Exkurs 3).

[55] Mit παρρησιαζόμενος ἐν τῷ ὀνόματι τοῦ κυρίου wird an V 27 c angeknüpft und die frühere Wendung variiert.

[56] ἐλάλει τε καὶ συνεζήτει (Imperfekt der wiederholten Aktion). Saulus ist bei seinen Disputationen mit den „Hellenisten" (s. dazu oben I 406–408.423 A. 20) der „Nachfolger" des Stephanus (6,9 f; 9,29 a). Auch das Schicksal des Stephanus droht ihm schließlich von ihnen (6,11–14; 9,29 b). – Zu der Auffassung, daß die Disputationsgegner des Saulus *Heiden* seien (vgl. o. A. o), siehe die Kritik bei HAENCHEN. Zu συζητέω s. o. I 435.

[57] ἐπιχειρέω steht mit folgendem Infinitiv auch 19,13 und – in anderem Sinn (s. o. I 123 A. 4) – Lk 1,1.

(Anschlag der Juden in Damaskus), aber auch an das Vorgehen gegen Stephanus (6,11–14). Die Mitchristen des Saulus (οἱ ἀδελφοί[58]) erhalten jedoch Kenntnis von dem geplanten Mord (vgl. die Analogie in Damaskus: V 24a). Sie geleiten[59] Saulus nach Cäsarea, von wo aus er nach seiner Heimatstadt Tarsus entlassen wird[60]. Von Cäsarea aus nimmt Saulus also ein Schiff[61]. Mit dem Aufenthalt in Tarsus tritt in der Erzählung ein Ruhepunkt ein. Der Charakter einer Fermate wird durch das folgende Summarium unterstrichen. Paulus selbst berichtet, daß er nach dem ersten Jerusalembesuch nach Syrien und Kilikien ging (Gal 1,21), allerdings als aktiver Missionar. Die dortige Wirksamkeit muß (gemäß Gal 2,1) wenigstens zehn Jahre gedauert haben[62].

V 31 Das Summarium[63] dieses Verses bildet nicht eigentlich den Abschluß der Jerusalem-Erzählung 9,26–30, sondern den der gesamten Saulus-Bekehrung 9,1–30. Die Kirche[64] in ganz Judäa, Galiläa und Samaria hatte nun – nach der Bekehrung des schlimmen Verfolgers – „Frieden" (V 31a). Daß es in Galiläa Christen gibt, erfährt der Leser erst jetzt. Galiläa scheint Lukas mit Judäa zu assoziieren[65]. Jedenfalls wird es 1,8 nicht eigens genannt. Die Notiz über den Frieden (nach der Verfolgung) wird durch eine weitere über die Konsolidierung der Kirche ergänzt (V 31b): Die Kirche baut sich auf[66] und schreitet fort[67] „in der Furcht des Herrn"[68].

---

[58] Die „Christen" werden hier vom *Erzähler* οἱ ἀδελφοί genannt wie 1,15; 10,23; 11,1.29 u.ö. ἐπιγνόντες δέ entspricht einer auch sonst bezeugten lukanischen Einleitungswendung: partizipial Lk 5,22; Apg 19,34, Verbum finitum + δέ: Apg 3,10.

[59] κατάγω „hinabführen". Umgekehrt führt der Weg von Cäsarea nach Jerusalem hinauf (21,15 ἀναβαίνω).

[60] ἐξαποστέλλω hat hier nicht die spezifische Bedeutung der Aussendung zu einer besonderen Aufgabe (dazu oben I 456 A. 89), sondern heißt einfach „wegschicken/entlassen" (so auch 17,14); vgl. BAUERWb s.v. 1a. In Cäsarea befindet sich gemäß 8,40 Philippus. Nach 21,8 sucht Paulus ihn später dort auf.

[61] Vgl. HAENCHEN: „Der Text läßt an eine Landreise mit anschließender Seefahrt denken, Gal 1,21 nicht."

[62] Vgl. die chronologische Übersicht oben I 133.

[63] Zu den Summarien der Apg im allgemeinen s.o. I 105f. Zur Einleitung mit ὁ (ἡ, οἱ) μὲν οὖν s.o. I 217 A. 41; 403 A. 170.

[64] ἡ ἐκκλησία ist hier die (bisherige) Gesamtkirche (s.o. I 378 A. 76f), wenngleich etwa Damaskus nicht erwähnt wird. Aber es geht Lukas um die Feststellung, daß die Verheißung von 1,8 bis auf die letzte Etappe nun erfüllt ist.

[65] Vgl. CONZELMANN, Mitte der Zeit 61. Siehe DERS., Apg 67f: „Das geographische Bild des Lk weicht von der Wirklichkeit ab, entspricht aber dem des Plinius", wobei Plinius, Nat. Hist. V 70, zitiert wird (dort heißt es, der Syrien benachbarte Teil Judäas werde Galiläa genannt).

[66] Auf ἐκκλησία ist bezogen οἰκοδομουμένη καὶ πορευομένη. Zu οἰκοδομέω im ekklesiologischen Sinn siehe auch 20,32 (und 1 Kor 8,1.10; 10,23; 14,4.17). Siehe dazu J. PFAMMATTER, οἰκοδομή κτλ. 4.a, in: EWNT II 1215.

[67] πορεύομαι ist hier im Zusammenhang mit der lukanischen Weg-Konzeption zu deuten, nicht bloß im Sinn des sittlichen Wandels. Vgl. Lk 8,14; dazu W. RADL, πορεύομαι 3.b) 2, in: EWNT III.

[68] ὁ φόβος τοῦ κυρίου kommt im NT noch 2 Kor 5,11 vor. Es ist die „Gottesfurcht" gemeint; s. SCHNEIDER, Gott und Christus als ΚΥΡΙΟΣ (1979) 169. Vgl. Lk 1,50.

Ja, sie dehnt sich aus (V 31 c): Durch den Zuspruch[69] des heiligen Geistes mehrt sie sich[70], d. h. die Zahl der Gläubigen nimmt zu. Mit diesen summarischen Notizen ist schriftstellerisch der ruhende Punkt erreicht, von dem aus der neue Aufbruch, der Beginn der eigentlichen Heidenmission (10, 1 ff), erzählt werden kann. Freilich wird dieser Bericht erst einmal vorbereitet durch die „Petrusgeschichten“ 9,32–43.

Exkurs 11:

Paulus

Literatur: Baur, Paulus (1866/67). – Oertel, Paulus (1868). – Bethge, Die paulinischen Reden (1887). – Ramsay, Paul the Traveller (1895; dt. 1898). – Schwartz, Chronologie des Paulus (1907). – Plooij, Work of St. Luke (1914). – Jones, The Work of St. Luke (1915). – Wikenhauser, Die Apostelgeschichte und ihr Geschichtswert (1921) 167–298. – Deissmann, Paulus (1925). – Wagenmann, Paulus neben den Zwölf (1926). – Feine, Der Apostel Paulus (1927). – Lake, Paul's Controversies (1933). – Enslin, „Luke“ and Paul (1938). – Ricciotti, Paulus (1950).

Vielhauer, Zum „Paulinismus“ (1950). – Dibelius, Paulus in der Apostelgeschichte (1951). – Dibelius/Kümmel, Paulus (1951). – Bauernfeind, Vom historischen zum lukanischen Paulus (1953). – Ders., Entscheidung zwischen Paulus und Lukas (1954). – Munck, Paulus und die Heilsgeschichte (1954) bes. 277–329. – Dupont, Les trois premiers voyages (1955). – Howard, Book of Acts (1959). – Dupont, Pierre et Paul dans les Actes (1957). – Ders., Pierre et Paul à Antioche (1957). – Sanders, Peter and Paul (1956). – Schulze, Paulusbild des Lukas (1960). – Eltester, Lukas und Paulus (1961). – Klein, Die zwölf Apostel (1961). – Maier, Paulus als Kirchengründer (1961). – Rigaux, Paulus und seine Briefe (1964). – Schneemelcher, Apostelgeschichte des Lukas (1964). – Georgi, Geschichte der Kollekte (1965). – Roloff, Apostolat – Verkündigung – Kirche (1965) 199–211. – Borgen, Von Paulus zu Lukas (1966). – Filson, Geschichte (1967) 217–314. – J. Blank, Paulus und Jesus (StANT 18) (München 1968). – Jervell, Paulus (1968). – Ogg, Chronology (1968). – Schubert, Final Cycle of Speeches (1968). – Borgen, From Paul to Luke (1969). – Bornkamm, Paulus (1969).

Burchard, Zeuge (1970). – Enslin, Again: Luke and Paul (1970). – G. Strecker, Paulus in nachpaulinischer Zeit (erstm. 1970), in: ders., Eschaton und Historie (Göttingen 1979) 311–319. – Bornkamm, Verhalten des Paulus (1971). – Kayama, Image of Paul (1971). – Kuss, Paulus (1971). – Barrett, The Acts – of Paul (1972). – Schoeps, Paulus (1972). – Siotis, Paul's Collaborator (1972). – Löning, Saulustradition (1973). – Stolle, Zeuge (1973). – Borse, Von Paulus zu Saulus (1974). – Kanda, Petrine and Pauline Miracle Stories (1974). – Mattill, Spectrum of Opinion (1974). – Wilckens, Lukas und Paulus (1974). – Burchard, Paulus (1975). – Mattill, Jesus-Paul Parallels (1975). – Obermeier, Gestalt des Paulus (1975). – Radl, Paulus und Jesus (1975). – Reese, Paul's Exercise (1975). – H. M. Schenke, Das Weiterwirken des Paulus und die Pflege seines

---

[69] Die παράκλησις des heiligen Geistes ist Grund für das Anwachsen der Kirchenglieder-Zahl. O. Schmitz (ThWNT V 792f) stellt Apg 9,31 in den Zusammenhang solcher Aussagen, in denen παράκλησις „die werbende Heilsverkündigung der apostolischen Predigt“ bezeichnet: 1 Thess 2,2f; vgl. Apg 2,40; Lk 3,18. Vgl. die johanneischen Aussagen über den Geist als παράκλητος (Joh 14,16.26; 15,26; 16,7).

[70] ἐπληθύνετο. πληθύνω steht in bezug auf das Wachstum der Kirche auch 6,1.7; vom Gottesvolk in Ägypten: 7,17; vom Wort des Herrn: 12,24. Vgl. oben I 422 A. 14.

Erbes durch die Paulus-Schule, in: NTS 21(1974/75)505–518. – SUHL, Paulus und seine Briefe (1975). – VELTMAN, Defense Speeches of Paul (1975). – BRUCE, Paul of Acts (1975/76). – HULTGREN, Paul's Pre-Christian Persecutions (1976). – MUSSNER, Petrus und Paulus (1976). – RASCO, La teologia de Lucas (1976) 147–172. – SCHULZ, Die Mitte der Schrift (1976) 109–123. – S. G. WILSON, Portrait of Paul (1976). – HAENCHEN, Apg[7] (1977) 129–137. – ADAMS, The Suffering of Paul (1979). – JERVELL, Paul in the Acts (1979). – LINDEMANN, Paulus (1979) 49–68.161–173. – MARTINI, Pierre et Paul (1979). – ROLOFF, Die Paulus-Darstellung des Lukas (1979). – SCHMITHALS, Die Berichte (1979) (siehe Nr. 21). – M. C. DE BOER, Images of Paul in the Post-Apostolic Period, in: CBQ 42(1980)359–380. – S. E. JOHNSON, Tarsus and the Apostle Paul, in: Lexington Theol. Quart. 15 (1980) 105–113. – LÜDEMANN, Paulus I (1980). – KERTELGE (Hrsg.), Paulus (1981); darin bes. die Beiträge: P.-G. MÜLLER, Der „Paulinismus" in der Apostelgeschichte. Ein forschungsgeschichtlicher Überblick 157–201; K. LÖNING, Paulinismus in der Apostelgeschichte 202–234. – K. KOSCHORKE, Paulus in den Nag-Hammadi-Texten, in: ZThK 78(1981)177–205. – SCHELKLE, Paulus (1981). – Vgl. ferner MATTILL/MATTILL, Bibliography 229–232.237–257.305–321.

Der Name des Paulus ist derjenige, der am häufigsten in der Apostelgeschichte genannt wird. Wenn man neben Παῦλος auch die hebräisch-aramäischen Namensformen Σαῦλος und Σαούλ mit einbezieht, wird Paulus in den Acta insgesamt 150mal namentlich genannt[1]. Klammert man die Korneliusgeschichte Apg 10,1 – 11,18 und die weitere Petrus-Erzählung 12,1–19 als Einschaltungen in den Zusammenhang aus, so kann man sagen: Von Kapitel 9 an ist die Apostelgeschichte ein „Paulusbuch"[2].

Zwar sind die echten Paulus-Briefe als Primär-Quellen für Theologie und Lebensweg des Heidenapostels anzusehen. Doch bietet auch die Apostelgeschichte, die weder von einem Begleiter oder Schüler des Paulus abgefaßt ist (siehe oben I 108–116) noch von den Paulusbriefen literarisch abhängig sein dürfte (siehe I 116–118), Informationen über Paulus, die über das hinausgehen, was seine Briefe kundtun. Diese Angaben seien hier in Kürze notiert.

Historisch unbedenklich erscheinen folgende Angaben, die wir nur den Acta verdanken: Paulus stammt aus Tarsus; er ist dort geboren (Apg 9,11; 21,39; 22,3). Schon seine Familie gehörte der pharisäischen Richtung an (23,6). Paulus führte von Anfang an den Doppelnamen Saulus-Paulus (13,9)[3]. Dies entspricht dem rechtlichen Status, daß er tarsisches (21,39) und römisches Bürgerrecht besaß (22,25–29)[4]. Daß Paulus schon als Kind

---

[1] Παῦλος 127mal (von Apg 13,9 an, in jedem Kapitel mehrfach); Σαῦλος 15mal (nur von Apg 7,58 bis 13,9); Σαούλ 8mal (nur in den drei Berichten über die Bekehrung des Saulus Apg 9,4.17; 22,7.13; 26,14). Παῦλος ist der römische Name, den Saulus neben seinem jüdischen („Saul") von Jugend auf führte. Zu Σαῦλος siehe oben I 477 A. 47; zu Σαούλ siehe ebd. und Nr. 21 A. 37.

[2] Bei Berücksichtigung der Namen „Saulus" („Saul") und (ab 13,9) „Paulus" wird die Person des Paulus von 9,1 an in jedem Kapitel der Apg mehrfach erwähnt.

[3] Ob Παῦλος *praenomen* oder *cognomen* ist, bleibt unsicher. Vgl. CADBURY, Book of Acts (1955) 69–71. Zum zeitgenössischen Brauch der Doppelnamen s. WIKENHAUSER, Die Apostelgeschichte und ihr Geschichtswert (1921) 176 Anm. 2.

[4] WIKENHAUSER, a.a.O. 177: „Wenn auch die Briefe darüber schweigen, so ist doch an der Richtigkeit der Angabe nicht zu zweifeln." WIKENHAUSER vermutet im übrigen Zweisprachigkeit des Paulus „von Kindheit an" (Aramäisch und Griechisch).

in Jerusalem war, dort aufgezogen und von Gamaliel unterwiesen wurde (22,3), ist fraglich[5]. Von Beruf war Paulus „Zeltmacher“ (18,3), was dem Beruf des Sattlers entsprechen dürfte[6]. Daß Barnabas den ehemaligen Verfolger nach Antiochia geholt hat (11,26), ist wohl nicht zu bezweifeln[7].

Zu den Angaben der Apostelgeschichte, die denen der Paulusbriefe entgegenstehen oder aus anderen Gründen keine historische Glaubwürdigkeit beanspruchen können, gehört folgendes: die Auffassung, daß Paulus schon als Kind in Jerusalem war und dort aufwuchs (22,3), daß er bei der Ermordung des Stephanus anwesend oder beteiligt war und in Jerusalem als Christenverfolger wirkte (7,58; 8,3)[8], daß er Vollmacht hatte, in Damaskus Christen zu inhaftieren und sie gefesselt vor das Jerusalemer Tribunal zu schleppen (9,2; 22,5), daß für den Anschlag gegen Paulus in Damaskus die dortigen Juden verantwortlich gewesen sind (9,23 f)[9], daß die erste Jerusalemreise des Bekehrten so früh erfolgte und so verlief, wie dies 9,26–28 angibt[10], daß es zwischen dem Damaskuserlebnis und dem „Apostelkonzil“ zwei Jerusalemreisen des Paulus gegeben hat (9,26; 11,29 f)[11], einige Angaben über Anlaß und Verlauf des „Apostelkonzils“ (15,1–33)[12], die Behauptung, daß Paulus auch als Christ „Pharisäer“ geblieben ist (23,6; 24,14 f; 26,5–8)[13].

Neben diesen – nicht vollständig aufgezählten – Angaben der Apostelgeschichte gilt es natürlich auch Daten zu berücksichtigen, die wir den Paulusbriefen *allein* entnehmen können und von denen die Acta nichts wissen[14]. Zu ihnen gehören u. a. die Ehelosigkeit des Paulus[15], die Arabien-

[5] Bornkamm, Paulus (1969) 27: „Doch verrät das allzu deutlich die Tendenz, ihn als Urjuden zu kennzeichnen und so früh und intensiv wie möglich mit Jerusalem in Verbindung zu bringen. Schon darum ist es wenig glaubhaft; Paulus hätte das in seinem Selbstzeugnis Phil 3,5 sicher erwähnt.“

[6] Vgl. Bornkamm, a. a. O. 35. Die Briefe erwähnen lediglich, daß Paulus sich mit seinem Handwerk den Lebensunterhalt verdiente: 1 Thess 2,9; 1 Kor 4,12; 2 Kor 11,27.

[7] Siehe Bornkamm, a. a. O. 52. Im übrigen wird die Rolle des Barnabas als eines Legaten der Jerusalemer Urgemeinde, der in Antiochia gewissermaßen Visitation hält (Apg 11,22–24), der Vorstellung des *Lukas* entsprechen.

[8] Gegen eine Verfolgertätigkeit in der Jerusalemer Urgemeinde spricht Gal 1,22; dazu Bornkamm, a. a. O. 38.

[9] Siehe dazu oben (Nr. 22) zu 9,23 f.

[10] Siehe oben (Nr. 22) zu 9,26–28.

[11] Siehe dazu oben I 113 mit A. 54.

[12] Siehe oben I 113 mit Anmerkungen 55.56; ferner unten Nr. 35 und Exkurs 12.

[13] Apg 23,6 sagt Paulus: *„Ich bin* Pharisäer, Sohn von Pharisäern.“ Vgl. dazu Bornkamm, Paulus 16, der für den echten Paulus auf Phil 3,5 ff. verweist. Siehe auch J. Jeremias, Paulus als Hillelit, in: Neotestamentica et Semitica (Festschrift f. M. Black) (Edinburgh 1969) 88–94; K. Haacker, War Paulus Hillelit?, in: Das Institutum Judaicum der Universität Tübingen in den Jahren 1971–1972, hrsg. von O. Betz u. a. (Tübingen 1972) 106–120. Haacker meint, die Verbindung der Gamalieltradition mit dem „Eifer“ des Paulus in Apg 22,3 f sei historisch durchaus zutreffend (a. a. O. 114).

[14] Vgl. die Zusammenstellung von 17 Punkten bei Wikenhauser, Die Apostelgeschichte und ihr Geschichtswert 242–246.

[15] Siehe 1 Kor 7,7; 9,5.

reise[16], der antiochenische Streit mit Petrus[17], die Krankheit des Paulus in Galatien[18], die Kollekte für Jerusalem[19], der Plan der Spanienreise[20].

Die Paulus-Darstellung der Apostelgeschichte weist in mancher Hinsicht „Unausgeglichenheiten" auf[21]. Hierzu rechnet z.B. auch die Tatsache, daß Paulus einerseits die Hauptfigur des Buches ist, andererseits aber mit 28,30f die Darstellung abgebrochen wird, bevor die Entscheidung in der Sache des Paulus gefallen ist. Eher „kalkuliert" als „unausgeglichen" wird man das Faktum bezeichnen dürfen, daß Lukas dem Heidenapostel Paulus sichtlich Bewunderung zollt – man vergleiche dazu die plastische Darstellung 19,21 – 28,31 – und ihm dennoch den Aposteltitel grundsätzlich[22] versagt, auf dem Paulus selbst entschieden bestand (Gal 1,1; 1 Kor 15,9; Röm 1,1). Lukas hat im Rahmen seiner Konzeption von den „zwölf Aposteln" als „Zeugen" einen durchaus reflektierten Zeugenbegriff, unter den Paulus nicht fallen kann[23]. Das heißt nicht, Paulus sei in keiner Hinsicht Zeuge Christi[24]. Paulus ist im Sinne der Apostelgeschichte sogar der, der das Christuszeugnis auf seinem Weg zum „Ende der Erde" (Apg 1,8) entscheidend weiterbringt. Doch er ist Zeuge in einem „abgeleiteten" und weiteren Sinn. Während die Zwölf ihre apostolische Legitimität dem Umgang mit Jesus (von der Johannes-Taufe bis zur Himmelfahrt) verdanken (1,21f; vgl. 1,2–4), verdankt Paulus seine Legitimität dem Umgang mit den Aposteln in Jerusalem (9,28)[25]. Paulus garantiert für die „Kirche des Lukas" die Kontinuität von Jesus her.

Die Untersuchungen zur Paulus-Darstellung der Apostelgeschichte tendieren in neuerer Zeit immer deutlicher zu der Auffassung, daß Lukas mit ihr der Kirche seiner Umwelt dienen möchte und weniger nach außen hin Apologetik betreibt. Schon die Tendenzkritik F. Ch. Baurs und seiner Schüler[26] wollte die lukanische Paulus-Darstellung als Ergebnis innerkirchlicher Auseinandersetzung verstehen. Lukas habe das Bild des Paulus, wie es sich aus seinen Briefen ergibt, bewußt abgewandelt, um es der Gegenwart annehmbar zu machen und einer Paulus-Gegnerschaft den Wind aus den Segeln zu nehmen[27]. In den Gleisen dieser Theorie bewegt sich weithin die Arbeit von G. Klein, der den Zweck der lukanischen Pau-

---

[16] Siehe Gal 1,17; dazu oben (Nr. 22) Anmerkungen 2.3.

[17] Gal 2,11–21. [18] Gal 4,13.

[19] Siehe WIKENHAUSER, a.a.O. 280–282. Nur Apg 24,17 spricht von „Almosen", die Paulus in Jerusalem übergeben wollte.

[20] Röm 15,24.

[21] ROLOFF, Die Paulus-Darstellung des Lukas (1979) 511f.

[22] Zu Apg 14,4.14, wo Barnabas und Paulus als ἀπόστολοι bezeichnet werden, siehe oben I 114f.228; ferner den Kommentar zu 14,4.14.

[23] Siehe indessen die weiter gefaßte Zeugnis-Terminologie in bezug auf Paulus, dazu oben I 226–228.

[24] Siehe z.B. Apg 22,15; 26,16; vgl. oben I 222 A. 2.

[25] Siehe oben Nr. 22 A. 52.

[26] Zu F. Ch. Baur, E. Zeller und M. Schneckenburger siehe GASQUE, History of the Criticism (1975) 21–54.

[27] Siehe dazu auch oben I 183.

lus-Darstellung primär darin sieht, daß der Heidenapostel den Gnostikern entrissen werden soll. Dazu habe Lukas Paulus „domestiziert", ihm die Apostel-Eigenschaft und zugleich die theologische Originalität genommen[28].

Ch. Burchard bestreitet eine Unterordnung des Paulus unter die zwölf Apostel; Lukas sehe in ihm den „dreizehnten Zeugen"[29]. Er kann zeigen, daß der lukanische Paulus mit innerkirchlichen Kontroversen nicht in Verbindung gebracht wird, was sogar dem Befund der Paulusbriefe entgegensteht. Lukas will mit seinem Paulus also nicht gegen bestimmte zeitgenössische Positionen Front machen, sondern eher allgemein vor Irrlehren warnen (Apg 20,29–31). Auch fehlen Anzeichen dafür, daß Lukas – wie J. Jervell meinte[30] – sich gegen ein anti-jüdisches Paulus-Verständnis wenden will[31].

Die lukanische Paulus-Darstellung hat ihren Grund und ihre Zielsetzung nicht in kirchlichen Kontroversen, sondern in der Problematik der kirchlichen „Identität" gegen Ende des ersten Jahrhunderts. Lukas will seiner Gemeinde zeigen, daß der Auftrag, den Jesus mit Apg 1,8 erteilt hat, durch das Wirken des Paulus der Erfüllung nahegebracht wurde. Er zeichnet Paulus als „den letzten und entscheidenden Zeugen der Anfangszeit der Kirche"[32]. Das theologische Ziel der lukanischen Paulus-Darstellung liegt darin, daß er der heidenchristlichen Kirche seiner Gegenwart und Umwelt zur „Findung und Bejahung ihrer Identität helfen" möchte[33]. Sie soll sich „als die von Gott so gewollte und geplante Kirche ... verstehen"[34]. Letztlich resultiert das Paulusbild der Apostelgeschichte aus der Ekklesiologie, – und es zielt zugleich auch auf diese[35].

---

2) Petrus als Missionar (9,32 – 11,18)

Nach der summarischen Notiz über den friedlichen Aufbau und das Wachstum in der Kirche Palästinas (9,31) schaltet der Erzähler nun eine Reihe von Petrus-Geschichten ein, ehe er mit 11,19–26 wieder auf Saulus

[28] Klein, Die zwölf Apostel (1961), bes. 114–188. Zur Kritik an Klein siehe z.B. Roloff, Apostolat – Verkündigung – Kirche (1965) 199–211; Schneider, Die zwölf Apostel (1970).
[29] Burchard, Zeuge (1970). Zur Kritik s.o. Nr. 22 A. 52.54.
[30] Jervell, Paulus (1968); ders., Luke (1972), bes. 153–183.
[31] Mit Roloff, Die Paulus-Darstellung des Lukas 513.
[32] Roloff, a.a.O. 515.
[33] Roloff, a.a.O. 527.
[34] Ebd.
[35] Den christologischen und ekklesiologischen Aspekt der lukanischen Paulus-Darstellung heben hervor: Stolle, Zeuge (1973), und Radl, Paulus und Jesus (1975).

zurückkommt. Diese Petrus-Geschichten sind unterschiedlich nach Länge, Charakter und Thematik.

Am kürzesten ist die Heilungsgeschichte des Äneas (9,32–35). Die Totenerweckung der Tabita wird ausführlicher erzählt und hat legendarischen Charakter (9,38–43). Einer der umfangreichsten Erzählkomplexe der Apostelgeschichte ist die Bekehrungsgeschichte des Kornelius (10,1 bis 11,18). Alle drei Erzähleinheiten wollen Petrus als Missionar (bzw. „Visitator" von Gemeinden) vorstellen, und zwar diesmal als wandernden Missionar, der schließlich den ersten Heiden bekehrt und taufen läßt. Die Heilung des gelähmten Äneas führt in Lod (Lydda) und der Scharon-Ebene zu einer allgemeinen Bekehrung (9,35). Allerdings fand Petrus sowohl in Lod (9,32) als auch in Jafo (Joppe) schon Christen vor (9,36.38). Doch der Missionar erreicht auch in der zweiten Stadt, daß viele zum Glauben kommen (9,42).

Die beiden Wundergeschichten 9,32–35.36–43 leiten sowohl sachlich als auch geographisch – siehe den Aufenthalt des Petrus in Jafo (V 43) – zu der Korneliusgeschichte über. Der Missionar wird nach Cäsarea geführt (10,1–24). Ihn begleiten einige Christen aus Jafo (10,23.45). Daß in Cäsarea durch Philippus bereits eine Jüngergemeinde besteht (8,40; 9,30), berücksichtigt die Erzählung hingegen nicht. Während Petrus die rein jüdischen Städte Lod und Jafo von sich aus aufsuchte, wird er in die vorwiegend heidnische Stadt Cäsarea durch göttlichen Eingriff gerufen, offenbar gegen seine ursprüngliche Intention. Das eigentliche Gewicht der Korneliusgeschichte liegt in ihrem Schlußteil (11,1–18), wo Petrus die Taufe des Heiden Kornelius und seiner Familie vor christlichen Kritikern in Jerusalem rechtfertigt: Wer den Heiden die Taufe verwehrte, würde sich damit gegen Gott wenden (11,17f).

23. PETRUS ALS WUNDERTÄTER IN LOD (LYDDA) UND JAFO (JOPPE): 9,32–43

LITERATUR: J. KREYENBÜHL, Ursprung und Stammbaum eines biblischen Wunders, in: ZNW 10(1909)265–276 [zu 9,36–43]. – DIBELIUS, Stilkritisches (1923) 18. – J. MCCONNACHIE, Simon a Tanner (Acts 9,43; 10,6.32), in: ET 36(1924/25)90. – F. W. BEARE, The Sequence of Events in Acts IX–XV and the Career of Peter, in: JBL 62(1943)295–306. – H. J. CADBURY, A Possible Perfect in Acts 9,34, in: JThSt 49(1948)57f. – J. ROLOFF, Das Kerygma und der irdische Jesus (Göttingen 1970) 188–191. – DIETRICH, Petrusbild (1972) 256–268. – C. LO CICERO, Noterelle neotestamentarie, in: Pan 1(1974)19–29 [zu VV 32–35]. – MUSSNER, Petrus und Paulus (1976) 28–36 [zu 9,32 – 11,18]. – HENGEL, Geschichtsschreibung (1979) 79f. – MUHLACK, Parallelen (1979) 64–71 [zu VV 32–34]. – NEIRYNCK, Miracle Stories (1979). – G. ROCHAIS, Les récits de résurrection des morts dans le Nouveau Testament (SNTSMS 40) (Cambridge 1981) 147–161.

32 Es begab sich aber, daß Petrus, als er bei allen umherzog, auch zu den Heiligen hinabkam, die in Lod[a] wohnten. 33 Dort fand er einen Menschen mit Namen Äneas, der seit acht Jahren gelähmt und bettlägerig war. 34 Und Petrus sprach zu ihm: Äneas, dich heilt [b]Jesus Christus[b]; steh auf und mache dir dein Bett! Und sogleich stand er auf. 35 Und alle Bewohner von Lod[c] und der Scharon-Ebene[d] sahen ihn, und sie bekehrten sich zum Herrn.

36 In Jafo aber lebte eine Jüngerin mit Namen Tabita, was griechisch übersetzt Dorkas (Gazelle) heißt; diese war reich [e]an guten Werken[e] und gab reichlich Almosen. 37 Es begab sich nun in jenen Tagen, daß sie krank wurde und starb; und man wusch sie und bahrte sie[f] im[g] Obergemach auf. 38 Weil aber Lod nahe bei Jafo liegt, sandten die Jünger auf die Kunde, daß Petrus dort sei, [h]zwei Männer[h] zu ihm und ließen ihn bitten: Zögere nicht, zu uns herüberzukommen! 39 Da machte sich Petrus auf und ging mit ihnen. Und als er angekommen war, führten sie ihn in das Obergemach hinauf; und alle Witwen traten zu ihm, sie weinten und zeigten ihm alle Kleider und Mäntel, die Dorkas gemacht hatte, als sie noch bei ihnen war. 40 Petrus aber hieß alle hinausgehen, kniete nieder und betete, und zu dem Leichnam gewandt sprach er: Tabita, steh auf[i]! Da öffnete sie ihre Augen, sah Petrus an und setzte sich auf. 41 Er aber reichte ihr die Hand und ließ sie aufstehen. Dann rief er die Heiligen und die Witwen und führte sie ihnen lebend zu. 42 Das wurde in ganz Jafo[k] kund, und viele kamen zum Glauben an den Herrn.

43 Es begab sich aber, daß er[l] eine Reihe von Tagen in Jafo bei einem gewissen Simon, einem Gerber, blieb.

---

[a] Statt Λύδδα (ℵ A B al) bieten C E Koine die deklinierte Form Λύδδαν (wie JosAnt XX 130), so auch V 35; siehe A. c.

[b] So die LA von P[74] ℵ B* C Ψ pc. Andere lesen (sekundär) „Jesus der Christus" (B[c] E Koine) oder „der Herr Jesus Chr." (A 36. 1175 pc it vg[cl] sa). Siehe METZGERTC 367 f.

[c] Statt Λύδδα lesen P[53.74] C E Koine Λύδδαν. Vgl. o. A. a.

[d] τὸν Σαρῶνα (P[74] B C E Ψ al gig). Andere Zeugen lassen den Artikel weg (P[53] ℵ*), bilden den Akk. auf -αν (P[45] 36. 81 al) oder lesen 'Ασσάρωνα (Koine). Vgl. dazu METZGER TC 368.

[e] ἔργων ἀγαθῶν wird umgestellt von P[53.74] ℵ A Ψ Koine. So bezieht sich das Adjektiv auch auf die „Almosen".

[f] αὐτήν fehlt in B 36 al; es wird von anderen Zeugen an λούσαντες δέ angeschlossen (p[45.53] ℵ[c] C E Ψ Koine).

[g] Bei ἐν ὑπερῴῳ fügen P[53.74] A C E al den Artikel τῷ ein, was den Sinn richtig trifft.

[h] δύο ἄνδρας fehlt im Koine-Text, wird aber von P[45.74] ℵ A B C E Ψ al latt sy cop bezeugt. Die Weglassung kann nach METZGERTC 368.373 durch 10,19 bedingt sein.

[i] Dem Imperativ ἀνάστηθι fügen die „westlichen" Zeugen it sy[h**] (Cyprian) an: „im Namen unseres Herrn Jesus Christus" (vgl. 4,10).

[k] Bei τῆς 'Ιόππης lassen P[53] B C* den Artikel weg. Doch verwendet Lukas auch sonst den Artikel nach καθ' ὅλης (Lk 4,14; 23,5; Apg 9,31; 10,37); METZGERTC 369.

[l] An ἐγένετο δέ schließen P[74] ℵ[c] A E 81 al αὐτόν an (ähnlich C Ψ Koine), während es nach P[53] ℵ* B 104 pc fehlt. Die kürzere LA ist die schwierigere; METZGERTC 369.

Daß die beiden Petrusgeschichten 9,32–35.36–43 traditionell seien, vermutete schon die ältere Quellenkritik[1]. J. Weiß erklärte sich ihr Vorhandensein im Kontext damit, daß der Acta-Verfasser sie in der Überlieferung vorfand „und sie nicht fallen lassen möchte, zumal da sie ja immerhin zeigten, wie Petrus nach Joppe kam"[2]. M. Sorof[3] und P. Feine[4] dachten an eine judenchristliche Quelle, die Lukas ausschöpfte[5]. A. Harnack hingegen läßt Lukas die Begebenheiten bei seinem Aufenthalt in Cäsarea durch Erzählung erfahren[6].

Die formkritische Betrachtung konzentrierte sich verständlicherweise auf die Tabita-Geschichte 9,36–42. Diese ist nach M. Dibelius „eine selbständige, in sich abgeschlossene Geschichte und darum anders zu beurteilen als die vorhergehende Heilung des Äneas in Lydda, die situationslos und ohne wirklichen Abschluß erzählt nur als Nachhall einer Wundergeschichte, nicht als ihre getreue Reproduktion erscheint"[7]. Der „erbauliche Stil" der Tabita-Geschichte einerseits und das Zurücktreten „der Technik des Wunders" andererseits lassen die Geschichte zu einer an Petrus und Tabita „persönlich interessierten ‚Legende'" werden[8]. Die formale Einordnung als „Legende" übernahm für 9,36–42 O. Bauernfeind: Gegenstand ihres Interesses ist – neben der Tatsache des Wunders – durchaus auch die Persönlichkeit, sowohl die aktive, wie auch die passive[9]. J. Roloff beschreibt 9,36–42 und 14,8–18 als „Wundergeschichten"; die legendenhaften Züge seien nur schwach ausgebildet[10]. Vergleicht man die Apostel-Wundergeschichten Apg 3,1–8; 9,36–41; 14,8–18 mit entsprechenden Jesus-Wundern der Evangelien, so zeigt sich, daß in allen drei Geschichten das für die Jesustradition entscheidende „Motiv der mit dem äußeren Heilungsvorgang verknüpften glaubenschaffenden Begegnung mit dem Wun-

---

[1] Vgl. Zeller, Die Apostelgeschichte (1854) 509, der an eine judenchristliche Petrus-Quelle dachte, die Apg 2,1–5.14–41; 8,4–25; 9,32–42; 12,3–17 enthielt. Er verglich die Petrus-Geschichten mit dem Paulusteil der Acta und hielt entsprechende Paulus-Berichte für sekundäre Bildungen, um „die paulinischen Wunder den petrinischen gleichzustellen" (a.a.O. 508). So setze 20,7–20 die Existenz von 9,36–42 voraus (a.a.O. 507f), ebenso 16,25–34 das Vorhandensein von 12,3–17 (a.a.O. 520). Siehe auch oben I 306 A. 7.

[2] J. Weiss, Über die Absicht (1897) 18.

[3] Sorof, Entstehung der Apostelgeschichte (1890) 75.

[4] Feine, Überlieferung des Lukas (1891) 199f.

[5] Vgl. dazu Haenchen, Apg 329. Siehe ferner das instruktive Referat über die Quellenkritik bei Neirynck, Miracle Stories (1979) 188–195.

[6] Harnack, Die Apostelgeschichte (1908) 142.152.

[7] Dibelius, Stilkritisches (1923) 18.

[8] Ebd. Vgl. Haenchen, Apg 330, und Conzelmann, Apg 68, die in 9,32–35.36–42 zwei „Ortslegenden" sehen. Nach Haenchen hat erst Lukas sie miteinander verbunden. An der Äneas-Geschichte habe er alles Entbehrliche gestrichen „und sie ganz mit eigenen Worten erzählt".

[9] Bauernfeind, Apg 138.

[10] Roloff, Das Kerygma (1970) 188f. G. Theissen, Urchristliche Wundergeschichten (Gütersloh 1974) 98–102, rechnet Apg 9,32–35.36–43; 14,8–18 zur Gattung der „Therapien".

dertäter" fehlt[11]. Das Gebet des Petrus (9,40) zeigt an, daß nicht eigentlich *er* der Handelnde ist. Die Wunder (siehe auch V 34a) sind Hinweise auf die Gegenwart des erhöhten Herrn[12].

Die beiden Wunder-Erzählungen 9,32–35.36–42 sind trotz Unterschiedlichkeiten dennoch einander zugeordnet. Ihre Verklammerung zeigt der lukanisch-redaktionelle V 43 an, der zwar die Überleitung zur Kornelius-Geschichte darstellt (siehe 10,5f), aber wegen seiner formalen und sachlichen Nähe zu 9,32 doch auch die beiden Wunder-Erzählungen verklammert. Wenn V 43 von Lukas stammt, spricht dies gegen eine schon in der Überlieferung oder Quelle gegebene Verbindung zwischen den beiden Wundern und der Kornelius-Geschichte. Hingegen waren die Äneas- und die Tabita-Erzählung wohl schon in der Tradition miteinander verknüpft (siehe V 38). Wahrscheinlich ist auch der Vers 9,42 lukanische Zufügung. Denn die Tabita-Erzählung ist ihrer Form nach bereits mit V 41 abgeschlossen[13], und V 42 stellt sie in deutliche Nähe zur Äneas-Erzählung, die gleichfalls mit der Notiz über einen umfassenden Bekehrungserfolg schließt[14].

Es gibt indessen noch weitere – wohl vor-lukanische – Analogien zwischen 9,32–35 und 9,36–42: das Interesse an Name und Person dessen, an dem das Wunder geschieht[15], den Imperativ ἀνάστηθι[16], die Bezeichnung οἱ ἅγιοι für die Christen der betreffenden Gemeinde (VV 32.41). Eine Sachparallele zwischen Tabita und Kornelius liegt darin, daß beide sich durch Almosen hervortaten (9,36b; 10,2.4.31)[17].

V 32 Die Erzählung beginnt in „biblischem Ton"[18]. Petrus kommt (von Jerusalem) hinab[19] zu den „Heiligen" (=Christen)[20], die in Lod (Lydda)[21]

---

[11] Roloff, a.a.O. 190. Er weist etwa auf Mk 5,35–43 hin. Nach Kreyenbühl, Ursprung und Stammbaum (1910), *stammt* die Mk-Erzählung von der Erweckung der Jairus-Tochter von der hinter Apg 9,36–43 liegenden Erzählung *ab*. Geschichtlicher Kern des Erweckungswunders sei die Auferstehungspredigt des Petrus in Jafo (a.a.O. 269).

[12] So Haenchen, Apg 330; Roloff, a.a.O. 191. Zu vergleichen ist die Elischa-Erzählung 2 Kön 4,8–37 (V 33: Gebet); siehe dazu George, Le miracle (1977) 138. Haenchen (a.a.O.): Die Tabitageschichte zeigt, daß die Apostel, was Wunder anlangt, nicht hinter den Propheten des Alten Bundes zurückbleiben.

[13] Siehe Theissen, Wundergeschichten 77.

[14] Vgl. Roloff, Das Kerygma 189 Anm. 287.

[15] Äneas und Tabita werden mit der gleichen Wendung vorgestellt: VV 33.36a. Diese Wendung steht auch 10,1 bei Kornelius.

[16] Dieser Imperativ kommt im NT außer Apg 9,34.40 nur noch an weiteren Apg-Stellen vor: 8,26; 9,6; 10,26; 14,10; 26,16.

[17] Beide kamen also der Weisung Jesu Lk 12,33 nach und erwarben mit ihrem Almosen-Geben Anspruch auf einen „Schatz im Himmel"!

[18] Haenchen, mit Hinweis auf ἐγένετο mit Akk. und Inf.; siehe dazu oben I 344 A. 21. Mit δέ nach ἐγένετο steht die Wendung außer 9,32 auch 9,37 (ohne Akk. auch V 43; siehe indessen oben A. 1).

[19] Zu κατέρχομαι s.o. I 487 A. 32.

[20] Zu οἱ ἅγιοι (so auch V 41) s.o. Nr. 21 A. 29. Es gibt also in Lod schon eine Gruppe von Christen!

[21] Λύδδα ist die griechische Namensform der Stadt Lod (vgl. 1 Makk 11,34). Die Stadt

wohnen. διερχόμενον διὰ πάντων bezieht sich auf die in V 31 genannten Landschaften (Judäa, Galiläa, Samaria) oder auf alle Christengemeinden, die Petrus als Jerusalemer Visitator[22] aufsucht. Lod liegt in der Scharon-Ebene (V 35), desgleichen Jafo (V 36).

VV 33–34 Bei den Christen der Stadt Lod gibt es einen Gelähmten[23] namens Äneas[24]. Seit acht Jahren[25] ist er ans Bett gebunden[26] (V 33). Die Wunder-Erzählung scheint „stilistisch abgeschliffen" zu sein[27]. Doch ist die Wunder-Topik verschiedentlich erhalten: die Länge der Krankheit, das heilende Wort (V 34a.b), die Demonstration der Heilung (V 34b.c) und die Wirkung auf die Zuschauer (V 35). Petrus redet den Kranken mit seinem Namen an (so auch V 40). Er kündigt ihm an: „Es heilt dich Jesus Christus."[28] Er soll aufstehen und sein Bett herrichten (V 34b). Zu στρῶσον σεαυτῷ ist τὴν κλίνην sinngemäß zu ergänzen[29]. Sogleich[30] erhebt sich der Kranke: Er ist geheilt.

V 35 Der stilgemäße Schluß sagt übertreibend, daß alle Bewohner von Lod und der Scharon-Ebene[31] das Wunder sahen. Die Wirkung auf die (als Juden gedachten) Einwohner ist, daß sie sich zum Herrn (Jesus) be-

---

liegt etwa 40 km nordwestlich von Jerusalem auf der alten Straße nach Jafo. Sie wird im NT nur Apg 9,32.35.38 genannt. Siehe Schürer, Geschichte des jüdischen Volkes II 232 Anm. 35; C. Kopp, Lydda, in: LThK VI 1248f.

22 Haenchen bezieht διὰ πάντων auf die in V 31 genannten „Länder". Conzelmann hingegen: „Zu πάντων kann man Menschen oder Orte ergänzen." Zu διέρχομαι s.o. I 508 A. 97. Da Petrus in Lod und Jafo schon Christen antrifft, geht es nach Lukas nicht um Mission im engeren Sinn, sondern er versteht die Reise eher – wie im Fall von Samaria: 8,14 – als „Anbindung" dieser Christen an Jerusalem durch Petrus.

23 Zu ἦν παραλελυμένος s.o. I 488 A. 45.

24 Αἰνέας ist trotz des griechischen Namens Judenchrist. Der Name ist inschriftlich auch für Palästina bezeugt: Supplementum epigraphicum Graecum, ed. J. J. E. Hondius, VIII 255 (s. BauerWb s.v.).

25 ἐξ ἐτῶν ὀκτώ kann unter Umständen auch heißen: „seit seinem achten Lebensjahr". Vgl. indessen Lk 8,43; Apg 24,10.

26 Er liegt ἐπὶ κραβάττου. Siehe die entsprechende pluralische Angabe 5,15. Vgl. auch o. I 382 A. 29.

27 Conzelmann. Andererseits macht er mit anderen darauf aufmerksam, daß in den älteren Wundergeschichten Namen fast durchweg fehlen.

28 Haenchen: ἰᾶται ist „aoristisches" Präsens: „jetzt, in diesem Augenblick, heilt dich Jesus"; vgl. Blass/Debr § 320. Es besteht kein Grund, statt des Präsens das Perfekt ἴαται zu lesen, wie Cadbury, A Possible Perfect (1948), erwägt.

29 Siehe dazu Haenchen und Conzelmann, die sich gegen die Übersetzung „decke dir selbst den Tisch" (so Lake/Cadbury, Acts z.St.) wenden.

30 Zu εὐθέως in Wunderberichten siehe oben Nr. 21 A. 72.

31 Σαρών, ῶνος (ὁ), ist Transkription des hebräischen Namens Scharon (Jes 33,9) als Bezeichnung für die Küstenebene etwa von Jafo bis zum Karmel. Siehe H. Haag, Saron, in: LThK IX 333: Auch der hebräische Name steht immer mit Artikel.

kehren[32]. Bei heidnischen Konvertiten wäre „Gott" als Ziel der Umkehr genannt[33].

V 36 Mit diesem Vers beginnt die Tabita-Erzählung. In Jafo (Joppe/ Jaffa)[34] lebte eine Jüngerin namens Ταβιθά[35]. Der Name wird ins Griechische übersetzt: Δορκάς „Gazelle"[36]. Von ihr wird vorab gesagt, „sie war erfüllt von (= reich an) guten Taten[37] und Almosen[38], die sie tat" (V 36b). Dabei sind zwei Gedanken vermischt: „sie war voll guter Werke" und „sie gab Almosen"[39]. Ihre tätige Nächstenliebe wird V 39c erläutert: Sie nahm sich vor allem der Witwen an. Ähnlich wie beim heidnischen Hauptmann Kornelius (10,2.4) wird Lukas diese Almosen als „Schatz im Himmel" angesehen haben (Lk 12,33), dessen Gott dankbar gedachte (Apg 10,4).

V 37 Formal entsprechend zu V 32 (ἐγένετο δέ mit Akkusativ und Infinitiv) werden die Erkrankung[40] und der Tod der Tabita berichtet. „In jenen Tagen" bezieht sich auf den Aufenthalt des Petrus in Lod (VV 32–35; vgl. V 38)[41]. Entsprechend der Sitte wird der Leichnam gewaschen und im Obergemach[42] des Hauses aufgebahrt. Der Sinn dieser Aufbahrung ist

---

[32] ἐπιστρέφω ἐπὶ τὸν κύριον wie 11,21. Zu ἐπιστρέφω s. o. I 323 A. 81.

[33] Haenchen, der dazu auf 14,15; 15,19; 26,20 verweist. Angesichts von Apg 11,21 (siehe die vorige A.) fragt es sich allerdings, ob Lukas in dieser Hinsicht völlig konsequent ist; denn dort ist auch von Heidenbekehrung die Rede. 11,21 schaltet allerdings πιστεύσας ein.

[34] Ἰόππη ist die verbreitete Namensform des alten Hafens Jafo an der philistäischen Küste; siehe Schürer, Geschichte des jüdischen Volkes II 128–132; A. van den Born/ H. Haag, Japho, in: BL 806f. Die Stadt wird im NT nur in der Apg genannt: 9,36.38.42.43; 10,5.8.23.32; 11,5.13. Zur vorwiegend jüdischen Einwohnerschaft s. Schürer, a. a. O. 131f.

[35] μαθήτρια ist ntl. Hapaxlegomenon, gewissermaßen die Femininform zu μαθητής „Jünger (= Christ)"; dazu s. o. Nr. 21 A. 26. Das weibliche Substantiv findet sich auch Diodorus Sic. II 52,7; Diogenes Laert. IV 2; VIII 42; EvPt 12,50. – Der Name Tabita (Gazelle) ist aramäisch. Über sein Vorkommen in der rabbinischen Literatur siehe Billerbeck II 694.

[36] Δορκάς findet sich als Name z. B. auch JosBell IV 145; Lukian, Dial. meretr. 9; IG VII 942; XIV 646.

[37] πλήρης mit folgendem Genitiv Plur. Der Wendung „voll von guten Taten" entspricht gegensätzlich etwa: πλήρης πάσης κακίας 1 Clem 45,7; vgl. ferner Apg 13, 10.

[38] ἔργα ἀγαθά steht im NT sonst nur noch Eph 2,10; 1 Tim 2,10; 6,18 (singularisch Röm 2,7; 13,3; 2 Kor 9,8; Phil 1,6; Kol 1,10; 2 Thess 2,17 u. ö.; vgl. ἔργα καλά Mt 5,16; Joh 10,32 u. ö.). – Zu ἐλεημοσύνη s. o. I 300 A. 34. Der Plural des Substantivs wird in der Apg auch sonst mit ποιέω verbunden: 10,2; 24,17 (sonst im NT nur noch singularisch Mt 6,2.3).

[39] ὧν ἐποίει ist Attractio relativi (statt ἅ). Das Imperfekt drückt die dauernde Übung aus.

[40] ἀσθενέω steht im Sinne von „krank sein/werden" bei Lukas auch Lk 4,40; 7,10 v. l.; 9,2 v. l.; Apg 19,12. Vgl. auch oben I 382 A. 37.

[41] Haenchen vermutet (irrtümlich?), daß sich die Wendung auf den Jafo-Aufenthalt des Petrus beziehe.

[42] ὑπερῷον (eigentlich ist zu ergänzen: οἴκημα) ist das obere Stockwerk eines Hauses. Das Substantiv kommt im NT nur Apg 1,13; 9,37.39; 20,8 vor; s. o. I 205 A. 61.

nicht leicht zu begreifen. Wahrscheinlich steht hinter der Notiz das Vorbild alttestamentlicher Erzählungen (1 Kön 17,17–24; 2 Kön 4,32–37)[43].

VV 38–39a Eine Zwischenbemerkung des Erzählers macht dem Leser klar, daß Jafo nahe bei Lod liegt[44], wo sich „in jenen Tagen" (V 37) gerade Petrus aufhält. Die Jünger (= Christen) haben von diesem Aufenthalt erfahren und senden zwei Männer zu Petrus. Sie sollen ihn bitten: „Zögere nicht[45], zu uns herüberzukommen!" Petrus entspricht der Bitte und geht mit ihnen nach Jafo (V 39a). Daß die Boten dem Petrus nichts von dem dringenden Anlaß berichtet hätten, ist in der gegebenen Situation unwahrscheinlich: Die *Erzählung* wird in Spannung gehalten.

VV 39b–41 Als Petrus in Jafo ankommt, führt man ihn in das Obergemach, in dem Tabita aufgebahrt liegt (V 39b). Die Witwen der Gemeinde zeigen ihm unter Tränen[46] die Kleider und Mäntel[47], die ihnen Dorkas angefertigt hatte, als sie noch lebte[48] (V 39c). Petrus schickt alle aus dem Zimmer hinaus[49] und beginnt zu beten[50] (V 40a). Dann wendet er sich an den Leichnam[51] mit dem Befehl, sich zu erheben, d.h. lebendig aufzustehen. Die Tote öffnet die Augen[52], sieht den Petrus und richtet sich auf dem Totenbett auf[53] (V 40b). Petrus nimmt sie bei der Hand und richtet sie voll-

---

[43] So die Vermutung von HAENCHEN. Das Substantiv ὑπερῷον steht allerdings nur 3 Kg 17,19.23; siehe indessen 4 Kg 4,10.11.

[44] Lukas konstruiert das räumliche ἐγγύς mit dem Dativ: Apg 9,38; 27,8. Die Entfernung von Lod nach Jafo beträgt etwa 18 km (3 ½ Stunden Fußweg).

[45] μὴ ὀκνήσῃς. Das Verbum ὀκνέω „zaudern, Bedenken tragen" steht mit folgendem Infinitiv auch Diodorus Sic. X 33,1; Appian, Mithrid. 57 § 230; Lukian, Necyom. 11; Num 22,16; Philo, De aet. mundi 84; Josephus, Vita 251; Contra Ap. I 15. Die Aufforderung an Petrus setzt offensichtlich voraus, daß man mit seinem Kommen ohnehin rechnete (vgl. V 32). Das Auftreten von Gesandtschaften gehört zur Topik von Therapien, besonders auch von Totenerweckungen (Mk 5,35; Joh 11); siehe THEISSEN, Wundergeschichten 59f.

[46] κλαίουσαι. κλαίω steht im Sinne der Totenklage auch Lk 7,13; 8,52; 23,28; vgl. Apg 21,13.

[47] Die Witwen sind hier (wie 6,1; 9,41) nicht als Stand, sondern als besonders bedürftige Gemeindemitglieder vorgestellt. Sie weisen von Tabita gefertigte χιτῶνες (Untergewänder, die unmittelbar auf dem Leib getragen werden) und ἱμάτια (Mäntel, wie Lk 6,29; 8,44; 22,36) vor.

[48] μετ᾽ αὐτῶν οὖσα drückt nicht nur die enge Gemeinschaft aus (vgl. Lk 6,3.4; 22,59), sondern: „als sie noch (lebend) unter ihnen weilte".

[49] ἐκβάλλω ... ἔξω wie Lk 4,29; 13,28; 20,15; Apg 7,58.

[50] θεὶς τὰ γόνατα als Gebetshaltung begegnet auch Lk 22,41; Apg 7,60; 20,36; 21,5. Siehe auch oben I 478 A. 55.

[51] τὸ σῶμα bezeichnet den toten Leib, den Leichnam, auch Lk 17,37 diff Mt; 23,52.55; 24,3.23.

[52] ἀνοίγω (τοὺς) ὀφθαλμούς begegnet im NT (neben Joh 9 passim; 10,21; 11,37) auch Apg 26,18 (im übertragenen Sinn); vgl. auch 9,8.

[53] ἀνακαθίζω „sich aufrichten", im gleichen Zusammenhang (von einem liegenden Toten) auch Lk 7,15.

ends auf[54]. Er ruft „die Heiligen und die Witwen“[55] herein und präsentiert ihnen die Tote lebendig[56].

V 42 Wahrscheinlich hat erst der Acta-Verfasser die VV 42.43 angefügt. Jedenfalls wird mit V 42 (Bekehrungs-Welle nach dem Wunder) an die Äneas-Geschichte angeglichen (vgl. V 35), und V 43 bereitet die Kornelius-Erzählung vor (vgl. 10,5 f)[57]. V 35 hatte schon – wenn auch übertreibend – berichtet, daß alle Bewohner von Lod und des Scharon Christen wurden. So kann jetzt – nach dem „größeren“ Wunder – nur noch die Konversion vieler[58] Menschen in Jafo erzählt werden[59]. γνωστὸν ἐγένετο[60] bezieht sich auf die Totenerweckung, von der man in ganz Jafo[61] erfuhr. Die dem Stil anderer Wundergeschichten entsprechende Wirkung auf Anwesende und Nicht-Anwesende liegt in diesem Fall darin, daß viele zum Glauben kommen. ἐπίστευσαν drückt den Anfang des Christusglaubens aus[62]. ἐπὶ τὸν κύριον bezeichnet den Gegenstand des Glaubens: Sie glaubten an den Herrn Jesus[63].

V 43 Wegen der formalen Verwandtschaft dieses Verses mit 9,32 und 9,37 a kann man fragen, ob er nicht überhaupt schon den Anfang der Kornelius-Geschichte darstellt[64]. Mindestens bereitet er sie vor durch die Angabe, daß Petrus „eine Reihe von Tagen“[65] in Jafo blieb, und durch die „Anschrift“, die man erfährt. Er wohnt im Hause[66] eines Gerbers[67] mit Na-

---

54 ἀνέστησεν αὐτήν. ἀνίστημι in der Bedeutung „(einen Toten) auferwecken“ steht im NT noch Joh 6,39.40.44.54. Von der Auferweckung Jesu sprechen Apg 2,24.32; 3,26; 13,33.34; 17,31. Das Verbum ist terminus technicus für Totenauferweckung auch außerhalb des NT: Lukian, Alex. 24; Philopseudes 26 (siehe Conzelmann).

55 „Die Heiligen“ wie 9,13.32; 26,10. „Die Witwen“ wie 6,1; 9,39.

56 Mit παρέστησεν αὐτὴν ζῶσαν vgl. 1,3. Die Bedeutung „vorstellen, darstellen“ hat παρίστημι (mit Akk. [und Dativ]) auch 23,33; Lk 2,22; siehe BauerWb s.v. 1 b α. Die Präsentation der auferweckten Tabita ist Demonstration der Wirkung des Wunders.

57 Siehe dazu oben A. 13.14.

58 Zu ἐπίστευσαν πολλοί siehe die Parallelen 4,4; 11,21; 14,1; 17,12; 18,8.

59 Jafo gehört geographisch zur Scharon-Ebene, was man hingegen von Lod nicht sagen kann (gegen V 35).

60 Die gleiche Wendung auch 1,19; 19,17; vgl. auch γνωστὸν εἶναι, dazu oben I 267 A. 25.

61 καθ' ὅλης τῆς Ἰόππης hat an folgenden Stellen formale Parallelen: Lk 4,14 (ähnlicher Zusammenhang); 8,39; 23,5; Apg 9,31; 10,37.

62 ἐπίστευσαν ist ingressiver Aorist; vgl. Blass/Debr § 331.

63 ἐπίστευσαν ... ἐπὶ τὸν κύριον entspricht formal und sachlich dem ἐπέστρεψαν ἐπὶ τὸν κύριον in V 35. Die Formulierung πιστεύω ἐπὶ τὸν κύριον begegnet in der Apg ferner: 11,17; 16,31; vgl. 22,19. Außerhalb der Apg gibt es diese Wendung nicht (vgl. indessen Mt 27,42).

64 Vgl. oben A. 18. Zu ἐγένετο mit folgendem Infinitiv siehe Blass/Debr § 393,1.

65 Der Akkusativ ἡμέρας ἱκανάς bezeichnet die zeitliche Erstreckung. ἡμέραι ἱκαναί im NT sonst nur noch 9,23; 18,18; 27,7. Siehe dazu oben Nr. 22 A. 8.

66 Siehe 10,6.32: Sein Haus liegt am Meer (wegen des Gerber-Berufs!).

67 Simon ist βυρσεύς „Gerber“. Der Beruf ist auch 10,6.32 angegeben. Er dient offensichtlich zur Unterscheidung des Simon von anderen Trägern dieses häufigen Namens.

men Simon[68]. 10,6.32 bezeichnen den Aufenthalt durch ξενίζεται[69] und geben näher an, daß das Haus des Gerbers Simon am Meer liegt[70].

24. BEKEHRUNG UND TAUFE DES KORNELIUS IN CÄSAREA: 10,1 – 11,18

LITERATUR: H. H. WENDT, Der Kern der Corneliuserzählung Act. 10,1 – 11,18, in: ZThK 1(1891)230–254. – WENDLAND, Literaturformen (1912) 326–328. – T. R. S. BROUGHTON, The Roman Army, in: Beginnings V(1933)427–445 [zu 10,1]. – K. LAKE, Proselytes and God-Fearers, in: Beginnings V(1933)74–96 [zu 10,2]. – BORNHÄUSER, Studien (1934) 100–108 [zu 10,1–48]. – M. DIBELIUS, Die Bekehrung des Cornelius (erstm. 1947), in: ders., Aufsätze 96–107. – DIBELIUS, Die Reden (1949) 139f. – SCHMITT, Jésus ressuscité (1949) 12–15 [zu 10,34ff]. – W. C. VAN UNNIK, The Background and Significance of Acts X 4 and 35 (erstm. 1949), in: ders., Sparsa Collecta I 213–258. – DUPONT, Les problèmes (erstm. 1950) 75–81. – J. SINT, Schlachten und opfern. Zu Apg 10,13; 11,7, in: ZKTh 78(1956)194–205. – U. WILCKENS, Kerygma und Evangelium bei Lukas (Beobachtungen zu Acta 10,34–43), in: ZNW 49(1958)223–237. – J. DUPONT, Ressuscité „le troisième jour" (1 Co 15,4; Ac 10,40) (erstm. 1959), in: ders., Études 321–336. – DERS., Le salut des gentiles (1959/60) 409–412. – WILCKENS, Missionsreden (²1963) 46–50.63–70.106–109. – F. BOVON, De vocatione gentium. Histoire de l'interprétation d'Act. 10,1 – 11,18 dans les six premiers siècles (BGE 8) (Tübingen 1967). – P. CATRICE, Réflexions missionnaires sur la vision de S. Pierre à Joppé, in: Bible et vie chrétienne 79(1968) 20–39 [zu 10,1–22]. – R. BARTHES, L'analyse structurale du reçit. A propos d'Actes X–XI, in: RechScR 58(1970)17–37. – J. BIHLER in: EpEv C(1970)105–107 [zu 10,34–38]. – F. BOVON, Tradition et rédaction en Actes 10,1 – 11,18, in: ThZ 26(1970)22–45. – E. HAULOTTE, Fondation d'une communauté de type universel: Actes 10,1 – 11,18, in: RechScR 58(1970)63–100. – L. MARIN, Essai d'analyse structurale d'Actes 10,1 – 11,18, in: RechScR 58(1970)39–61. – J. COURTÈS, Actes 10,1 – 11,18 comme système de représentations mythiques, in: Exégèse et herméneutique, mit Beiträgen von R. Barthes u.a. (Paris 1971) 205–211. – HALL, La communauté chrétienne (1971; s.o. Nr. 15 B). – DIETRICH, Petrusbild (1972) 268–290. – KRÄNKL, Jesus (1972) 89–91.100f. – PLÜMACHER, Lukas (1972) 86–89. – S. CIESLIK, Le kérygme à Corneille (Act. 10,34–43). Contribution au débat littéraire et théologique sur les „Discours missionnaires des Actes". Diss. Straßburg (1972/73). – J. HERTEN in: EpEv B(1973)734–737 [zu 10,25–48]. – O. KNOCH, Jesus, der „Wohltäter" und „Befreier" der Menschen. Das Christuszeugnis der Predigt des Petrus vor Kornelius, in: GuL 46(1973)1–7. – X. LÉON-DUFOUR (Hrsg.), Exegese im Methodenkonflikt. Zwischen Geschichte und Struktur (München 1973), darin eine deutsche Fassung der o.e. Beiträge von R. BARTHES (117–141), J. COURTÈS (142–147), L. MARIN (148–173) und E. HAULOTTE (221–263). – WILKINSON, Baptism (1973) 13–16 [zu 10,48]. – WILSON, Gentiles (1973) 171–178. – K. LÖNING, Die Korneliustradition, in: BZ 18(1974)1–19. – P.-G. MÜLLER, Die „Bekehrung" des Petrus. Zur Interpretation von Apg 10,1 – 11[,18], in: Herder Korrespondenz 28(1974)372–375. – WILCKENS, Missionsreden (³1974) 229f [zu 10,37]. – J. CORELL, Actos 10,36, in: Estudios Franciscanos 76(1975)101–113. – É. COTHENET, Pureté et impureté III. (NT), in: DBSuppl

---

Daß der Beruf des Gerbers bei den Rabbinen verachtet war (siehe BILLERBECK II 695), spielt in unserem Zusammenhang keine Rolle (mit HAENCHEN und CONZELMANN).

[68] 9,43 und 10,6 formulieren gleich: παρά τινι Σίμωνι βυρσεῖ; vgl. 10,32.

[69] Das Passiv ξενίζομαι „als Gast wohnen" begegnet außer 10,6.18.32 auch 21,16. ξενίζω ist Vorzugswort der Apg: 10,23; 17,20; 28,7. Im übrigen NT steht es nur noch Hebr 13,2; passivisch auch 1 Petr 4,4.12.

[70] παρὰ θάλασσαν (10,6.32) bedeutet: an der Meeresküste.

IX(1975)528–554, 540–542 [zu 10,9–16]. – F. MUSSNER, „Das Wesen des Christentums ist συνεσθίειν". Ein authentischer Kommentar, in: Mysterium der Gnade (Festschr. für J. Auer) (Regensburg 1975) 92–102. – MULLINS, Commission Forms (1976). – MUSSNER, Petrus und Paulus (1976) 28–36. – NELLESSEN, Zeugnis für Jesus und das Wort (1976) 180–197. – C. PAWEL, L'instruction de Pierre à Corneille dans Act. 10,34–43. Diss. Straßburg 1976. – J. S. HANSON, The Dream/Vision Report and Acts 10,1 – 11,18. A Form-Critical Study. Diss. Ph.D. Harvard (1977/78). – DÖMER, Heil Gottes (1978) 63–68 [zu 10,38]. – J. DUPONT, Jésus annonce la bonne nouvelle aux pauvres, in: Evangelizare pauperibus. Atti della XXIV settimana biblica (Brescia 1978) 127–189, 150–155 [zu 10,34–43]. – HENGEL, Geschichtsschreibung (1979) 79–84. – MUHLACK, Parallelen (1979) 39–54. – PRAST, Presbyter und Evangelium (1979) 286–289 [zu 10,36]. – H. RIESENFELD, The Text of Acts X.36, in: Text and Interpretation (Festschr. für M. Black) (Cambridge 1979) 191–194. – K. HAACKER, Dibelius und Cornelius. Ein Beispiel formgeschichtlicher Überlieferungskritik, in: BZ 24(1980)234–251. – PESCH, Simon-Petrus (1980) 82–85. – KRAFT, Entstehung des Christentums (1981) 271–273. – PESCH, Jerusalemer Abkommen (1981), bes. 112–116.

1 Ein Mann [lebte][a] in Cäsarea mit Namen Kornelius, ein Hauptmann von der sogenannten Italischen Kohorte, 2 fromm und gottesfürchtig samt seinem ganzen Hause, der dem (jüdischen) Volk viele Almosen gab und beständig zu Gott betete. 3 Er sah um die neunte Stunde des Tages in einem Gesicht deutlich, wie ein Engel Gottes zu ihm hereinkam und zu ihm sprach: Kornelius! 4 Er aber blickte ihn an und fragte voll Furcht: Was ist, Herr? Er antwortete ihm: Deine Gebete und Almosen sind zu Gott gelangt, und er hat ihrer gedacht. 5 Jetzt schick Männer nach Jafo, und laß einen gewissen Simon kommen, der den Beinamen Petrus hat! 6 Dieser ist zu Gast bei einem Gerber Simon, der ein Haus am Meer hat[b]. 7 Als nun der Engel, der zu ihm redete, weggegangen war, rief er (Kornelius) zwei von seinen Sklaven und einen frommen Soldaten von denen, die ständig um ihn waren, 8 und nachdem er ihnen alles erzählt hatte, schickte er sie nach Jafo.

9 Am folgenden Tage, als jene auf dem Weg waren und sich der Stadt näherten, stieg Petrus um die sechste[c] Stunde auf das Dach, um zu beten. 10 Da wurde er hungrig und verlangte zu essen. Während man (etwas) zubereitete, kam über ihn eine Verzückung. 11 Und er sieht den Himmel geöffnet und [d]ein Behältnis wie ein großes Leinentuch herabkommen,

---

[a] Hinter ἀνὴρ δέ τις fügen Koine gig vg sy (sinngemäß) ein: ἦν.

[b] Am Ende des Verses haben 69 ^{mg} pc vg^{cl} die gemäß 11,14 gestaltete Einfügung: „Dieser wird dir sagen, was du tun sollst." Den genauen Wortlaut aus 11,14 haben hier 436 pc (bo^{mss}).

[c] A gig fügen hinter ὥραν ἕκτην an: τῆς ἡμέρας. ℵ^{c} 36 pc lesen ἐνάτην statt ἕκτην; so fällt das Gebet des Petrus mit dem des Kornelius zeitlich zusammen (vgl. V 30).

[d] Statt der Wortfolge von καταβαῖνον σκεῦός τι bis ἀρχαῖς (d – d) liest P^{45vid}: τέσσαρσιν ἀρχαῖς δεδεμένον σκεῦός τι. δεδεμένον „angebunden" wird auch von Koine und von Teilen des „westlichen" Textes hinter ἀρχαῖς eingefügt; siehe GNT z. St. Vgl. METZGERTC 371.

das an seinen vier Enden[d] *auf die Erde herniedergelassen wurde; 12 und darin waren alle (möglichen) vierfüßigen und kriechenden Tiere der Erde*[e] *und Vögel des Himmels. 13 Eine Stimme rief ihm zu: Steh auf, Petrus*[f]*, schlachte, und iß! 14 Petrus aber sagte: Nicht doch, Herr! Noch nie habe ich etwas Unheiliges und Unreines gegessen. 15 Und die Stimme (rief) wiederum, zum zweitenmal, zu ihm: Was Gott für rein erklärt hat, das nenne du nicht unrein! 16 Dies geschah noch ein drittes Mal, und sogleich wurde das Behältnis in den Himmel hinaufgezogen.*

17 Als aber Petrus bei sich selbst[g] *noch ratlos war, was wohl das Gesicht, das er gesehen hatte, bedeutete, siehe, da traten die von Kornelius abgesandten Männer, die das Haus des Simon erfragt hatten, ans Tor 18 und erkundigten sich laut rufend, ob Simon mit dem Beinamen Petrus hier zu Gast sei. 19 Während Petrus noch über das Gesicht nachdachte, sprach der Geist [zu ihm]*[h]*: Siehe, drei*[i] *Männer suchen dich. 20 Mach dich auf, steig hinab und zieh ohne Bedenken mit ihnen; denn ich habe sie gesandt. 21 Da stieg Petrus zu den Männern*[k] *hinab und sagte: Siehe, ich bin der, den ihr sucht.* [l]*Was ist der Grund, daß ihr hier seid? 22 Sie aber sagten: Kornelius, ein Hauptmann, ein gerechter und gottesfürchtiger Mann und von gutem Ruf beim ganzen Volk der Juden, hat von einem heiligen Engel die Weisung empfangen, dich in sein Haus kommen zu lassen und zu hören, was du (ihm) zu sagen hast. 23 a* [m]*Er rief sie nun herein und bewirtete sie*[m].

23 b Am folgenden Tag aber machte er sich auf und zog mit ihnen, und einige von den Brüdern aus Jafo begleiteten ihn. 24 Am folgenden Tag kam er[n] *nach Cäsarea. Kornelius erwartete sie schon; er hatte seine Verwandten und die nächsten Freunde zusammengerufen. 25* [o]*Als nun Pe-*

---

[e] Statt καὶ ἑρπετὰ τῆς γῆς lesen E Ψ Koine sy^h: „(Vierfüßler) der Erde und Wildtiere (θηρία) und Kriechtiere", in Angleichung an 11,6. Die ursprüngliche LA, die auch die Entstehung weiterer Varianten erklärt, bieten P^74 ℵ A B 81 al lat sy^p cop. Siehe näherhin GNT z. St.

[f] Πέτρε fehlt P^45 gig Cl Ambr, wahrscheinlich ohne besondere Absicht.

[g] Hinter ἐν ἑαυτῷ haben D p: ἐγένετο. So beginnt der Vers: „Als aber Petrus zu sich kam, war er ratlos ..." (Einfluß von 12,11?).

[h] αὐτῷ fehlt in B, wohl zufällig; s. Metzger TC 372.

[i] Statt τρεῖς liest B δύο (vgl. V 7), andere haben überhaupt kein Zahlwort: D Ψ Koine l p* sy^h. Siehe Metzger TC 373.

[k] Hinter ἄνδρας fügen H 2495 pc an: „die von Kornelius zu ihm geschickt worden waren".

[l] D (sy^h) fügt ein: τί θέλετε ἤ. Siehe Metzger TC 374.

[m] V 23 a lautet nach E: τότε προσκαλεσάμενος ἐξένισεν αὐτούς, nach D (p sy^p): τότε εἰσαγαγὼν ὁ Πέτρος ἐξένισεν αὐτούς.

[n] Statt εἰσῆλθεν (B D Ψ al lat sy) lesen P^74 ℵ A C E Koine gig sy^h.mg εἰσῆλθον, 1175 pc haben συνῆλθον. Die Entscheidung zwischen den beiden erstgenannten LAA ist schwer; Metzger TC 374.

[o] V 25 a (o – o) lautet nach D (gig sy^h.mg mae): „Als sich Petrus Cäsarea näherte, lief einer von den Sklaven [des Kornelius] voraus und meldete, daß er [Petrus] angekommen

trus (ins Haus) hineinging, kam ihm Kornelius entgegen[o], *warf sich (ihm) zu Füßen*[p] *und bekundete (ihm) seine Verehrung. 26 Petrus aber richtete ihn auf und sagte: Steh auf*[q]*! Auch ich bin (nur) ein Mensch*[r]. *27 Und im Gespräch mit ihm trat er ein, und er fand viele versammelt. 28 Und er sagte zu ihnen: Ihr wißt*[s], *daß es einem Juden nicht erlaubt ist, mit einem Nichtjuden zu verkehren oder zu ihm zu gehen; mir aber hat Gott gezeigt, daß ich keinen Menschen unheilig oder unrein nennen darf. 29 Daher bin ich auch ohne Widerrede gekommen, als man nach mir schickte. Ich frage nun: Aus welchem Grunde habt ihr nach mir geschickt? 30 Da sagte Kornelius:* [t]*Vor vier Tagen um diese Stunde*[t] *war ich* [u]*zum Gebet der neunten (Stunde)*[u] *in meinem Haus. Und siehe, ein Mann trat vor mich in glänzendem Gewand 31 und sagte: Kornelius, dein Gebet ist erhört und deiner Almosen ist vor Gott gedacht worden. 32 Darum sende nach Jafo und laß Simon, der den Beinamen Petrus hat, herbeirufen; dieser ist zu Gast im Hause des Gerbers Simon am Meer*[v]. *33 Sofort habe ich nun nach dir geschickt*[w], *und du hast gut getan zu kommen. So sind wir denn jetzt alle vor Gott*[x] [y]*zugegen, um alles das zu hören*[y], *was dir vom Herrn*[z] *aufgetragen worden ist.*

---

sei. Und Kornelius sprang auf und ging ihm entgegen“. Mit dieser Erweiterung zeigt der „westliche“ Text, daß er εἰσῆλθεν in V 25 auf das Betreten der Stadt bezog. Siehe auch Dibelius, Die Bekehrung 99; Haenchen.

[p] Statt πεσὼν ἐπὶ τοὺς πόδας (Er fiel *auf* die Füße!) liest D: π. πρὸς τ. π. (... [dem *Petrus*] *zu* Füßen). Nach προσεκύνησεν fügt D αὐτόν an. Der Ausdruck mit ἐπί ist singulär und offenbar die ursprüngliche LA; vgl. BauerWb. s. v. πίπτω 1 b α ב.

[q] Statt ἀνάστηθι hat D die Frage τί ποιεῖς; Hingegen kombinieren p (w) $sy^{h.mg}$ beide LAA: τί π.; ἀνάστηθι.

[r] D* E it mae bo^{mss} fügen erläuternd an: ὡς καὶ σύ.

[s] Vor ἐπίστασθε lesen D mae βέλτιον („Ihr wißt *sehr gut* ...“). Vgl. 4,16 D φανερώτερόν ἐστιν.

[t] Statt der Wortfolge ἀπὸ τετάρτης ἡμέρας μέχρι ταύτης τῆς ὥρας liest D: „Vor drei Tagen, zu dieser Stunde“, und fährt fort wie unten A. u. Zur Bedeutung von ἀπό – μέχρι s. MetzgerTC 375f.

[u] Neben D lesen auch Ψ Koine it sy sa mae an dieser Stelle (u – u): (ἤμην) νηστεύων, καὶ τὴν ἐνάτην ὥραν προσευχόμενος. Die Angabe über das *Fasten* des Kornelius geht möglicherweise auf ein Fasten zurück, das gemäß Did 7,4 (vgl. auch Apg 9,9) dem Taufempfang vorausgehen sollte. Siehe MetzgerTC 376f.

[v] Am Ende von V 32 fügen C D E Ψ Koine it sy an: ὃς παραγενόμενος λαλήσει σοι „er wird kommen und zu dir sprechen“. Die Erweiterung des „westlichen“ Textes wurde von der Koine übernommen (H L P al).

[w] D(*) p sy^{h**} mae fügen an: παρακαλῶν ἐλθεῖν (σε) πρὸς ἡμᾶς „mit der Bitte, daß du zu uns kommst“.

[x] Statt ἐνώπιον τοῦ θεοῦ lesen D* pc lat sy^{p} sa mae ἐνώπιόν σου „vor dir“. Vgl. MetzgerTC 377f.

[y] Anstelle der Folge πάρεσμεν ἀκοῦσαι πάντα (y – y) liest D (it sy^{p}): ἀκοῦσαι βουλόμενοι παρὰ σοῦ.

[z] Statt ὑπὸ τοῦ κυρίου (so ℵ* B Ψ) lesen P^{74} D ἀπὸ τοῦ θεοῦ. ὑπὸ τοῦ θ. haben Koine p sy^{p} sa mae. Äußere Kriterien sprechen für die erstgenannte LA.

34 Da tat Petrus den Mund auf und sprach: In Wahrheit, (jetzt) begreife ich, daß Gott nicht auf die Person sieht, 35 sondern (daß) ihm in jedem Volk willkommen ist, wer ihn fürchtet und Gerechtigkeit übt. 36 (Das ist) das Wort[α]*, das er den Söhnen Israels gesandt hat, indem er Frieden durch Jesus Christus verkündigen ließ: Dieser ist Herr über alle. 37 Ihr wißt, was*[β] *im ganzen Judenland geschehen ist, angefangen in Galiläa, nach der Taufe, die Johannes verkündet hat: 38 wie Gott Jesus von Nazaret mit heiligem Geist und Kraft gesalbt hat*[γ]*, wie er umherzog, Gutes tat und alle heilte, die vom Teufel*[δ] *überwältigt waren; denn Gott war mit ihm. 39 Und wir sind Zeugen für alles*[ε]*, was er im Land der Juden und in Jerusalem getan hat; ihn haben sie denn auch ans Holz gehängt und getötet. 40 Diesen hat Gott* [ζ]*am dritten Tag*[ζ] *auferweckt und hat ihn erscheinen lassen, 41 zwar nicht dem ganzen Volk, wohl aber den von Gott vorherbestimmten Zeugen, uns, die wir mit ihm gegessen und getrunken haben*[η] *nach seiner Auferstehung von den Toten. 42 Und er hat uns geboten, dem Volk zu predigen und zu bezeugen: Er*[θ] *ist der von Gott eingesetzte Richter der Lebenden und der Toten. 43 Von ihm legen alle Propheten Zeugnis ab, daß jeder, der an ihn glaubt, durch seinen Namen*[ι] *Vergebung der Sünden empfängt.*

44 Noch während Petrus diese Worte redete, fiel der heilige Geist auf alle, die das Wort hörten. 45 Und die Gläubigen aus der Beschneidung, die mit Petrus gekommen waren, konnten es nicht fassen, daß die Gabe des heiligen Geistes auch über die Heiden ausgegossen wurde. 46 Denn sie hörten sie in Zungen reden und Gott preisen. Da sprach Petrus: 47 Kann etwa jemand denen das Wasser verweigern[κ]*, daß sie nicht getauft würden, die den heiligen Geist empfangen haben wie wir? 48 Und er*

[α] Nach ℵ^{1} A B 81. 614. 1739 pc latt beginnt V 36 mit τὸν λόγον ἀπέστειλεν. Andere Zeugen (P^{74} ℵ* C D E Ψ Koine) lesen τὸν λόγον ὃν ἀπέστειλεν, wobei der Relativsatz bis zum Ende des Verses reicht und der Akkusativ τὸν λόγον vielleicht erst in ὑμεῖς οἴδατε (V 37) seinen Bezugspunkt hat, aber jedenfalls einen unvollständigen Satz einleitet. Die textkritische Entscheidung zwischen beiden LAA ist schwierig. Siehe METZGERTC 379.

[β] ῥῆμα (im Sinn von „Sache, Ereignis"?) wird von D weggelassen.

[γ] Statt ὡς ἔχρισεν αὐτόν haben D* it sy mae ὃν ἔχρισεν.

[δ] Anstelle von διαβόλου liest E σατανᾶ.

[ε] Statt πάντων (nach μάρτυρες) hat D (sy^{p}) αὐτοῦ: Petrus und die Apostel sind Zeugen „für Jesus"; vgl. 1,8; 13,31.

[ζ] ἐν τῇ τρίτῃ ἡμέρᾳ (ζ – ζ) haben ℵ* C 6 pc, dasselbe ohne ἐν P^{74} ℵ^{c} A B D^{2} E Ψ Koine. Hingegen lesen D* l t: μετὰ τὴν τρίτην ἡμέραν (vgl. Mt 27,63). Siehe METZGERTC 380.

[η] D$^{(c)}$ it sy^{h} mae fügen an: καὶ συνεστράφημεν (D E it sa mae: ἡμέρας μ') „und mit (ihm) zusammenkamen (... 40 Tage)"; siehe 1,3f. Vgl. METZGERTC 381.

[θ] Statt οὗτος (B C D E al) lesen P^{74} ℵ A Ψ Koine αὐτός. Siehe METZGERTC 381.

[ι] Statt ὀνόματος lesen 36 und 453 (Mittelalter!) αἵματος („durch sein *Blut*").

[κ] Am Anfang von V 47 ist die Wortfolge in der Textüberlieferung nicht einheitlich: δύναται κωλῦσαί τις hat der beste Text (P^{74} ℵ A B al), κ. δ. τ. haben Ψ Koine, κ. τ. δ. D* p, und δ. τ. κ. D^{c} E(*) al.

ordnete an, sie[λ] *im Namen* [μ]*Jesu Christi*[μ] *zu taufen. Danach baten sie ihn, einige Tage zu bleiben*[ν].
11, 1 [ξ]*Die Apostel nun und die Brüder in Judäa erfuhren*[ξ], *daß auch die Heiden das Wort Gottes angenommen hatten. 2* [π]*Als nun Petrus nach Jerusalem hinaufkam, stritten die (Gläubigen) aus der Beschneidung mit ihm*[π] *3 und sagten: Du bist zu unbeschnittenen Männern hineingegangen und hast mit ihnen gegessen. 4 Petrus aber fing an, ihnen der Reihe nach zu berichten, und sagte: 5 Ich war in der Stadt Jafo beim Beten; da sah ich in Verzückung ein Gesicht, ein herabkommendes Behältnis wie ein großes Leinentuch, das an seinen vier Enden aus dem Himmel herniedergelassen wurde, und es kam bis zu mir. 6 Und als ich meinen Blick darauf richtete, beobachtete ich und sah (darin)* [ρ]*die vierfüßigen Tiere der Erde und die wilden und die kriechenden Tiere und die*[ρ] *Vögel des Himmels. 7 Ich hörte aber auch eine Stimme, die zu mir sprach: Steh auf, Petrus, schlachte, und iß! 8 Da sagte ich: Nicht doch, Herr! Noch nie ist etwas Unheiliges oder Unreines in meinen Mund gekommen. 9* [σ]*Doch die Stimme aus dem Himmel sprach zum zweitenmal*[σ]*: Was Gott für rein erklärt hat, das nenne du nicht unrein! 10 Das geschah noch ein drittes Mal; dann wurde alles wieder in den Himmel hinaufgezogen. 11 Und siehe, alsbald traten drei Männer auf das Haus zu, in dem wir waren; sie waren von Cäsarea her zu mir geschickt worden. 12 Da hieß mich der Geist mit ihnen ziehen, ohne Bedenken. Aber auch diese sechs Brüder ka-*

λ Statt αὐτούς lesen P⁷⁴ ℵ A 326 αὐτοῖς: „Er befahl *ihnen,* … sich taufen zu lassen". Vgl. METZGERTC 381 f: „a learned correction".

μ Statt „Jesu Christi" (P⁷⁴ ℵ A B E al gig sy h cop) lesen H L P pm „des Herrn", 436. 1241 pm „des Herrn Jesus", D 81* p vg cl „des Herrn J. Chr.".

ν D (it vg cl sy) liest παρεκάλεσαν αὐτὸν πρὸς αὐτοὺς διαμεῖναι ἡμέρας τινάς. Vgl. διαμένω Lk 1,22; 22,28; hingegen begegnet ἐπιμένω allein in der Apg sonst noch 5mal (in Verbindung mit ἡμέρας 21,4.10; 28,12.14).

ξ Der Anfang von V 1 lautet in D (sy p): ἀκουστὸν δὲ ἐγένετο τοῖς ἀποστόλοις … ἐν τῇ Ἰουδαίᾳ.

π In V 2 weicht der „westliche" Text von D (p w mae) erheblich von den übrigen Textzeugen ab: „Petrus nun wollte nach einiger Zeit nach Jerusalem reisen. Nachdem er die Brüder zu sich gerufen und gestärkt hatte (ging er weg); er predigte viel das Land hindurch und lehrte sie. Er traf mit ihnen (den Jerusalemer Autoritäten) zusammen und berichtete ihnen über die Gnade Gottes. Die Brüder aus der Beschneidung jedoch diskutierten mit ihm (V 3: und sagten …)". Die Motive der „westlichen" Erweiterung stehen im Zusammenhang mit der Tendenz dieses Textes „to avoid putting Peter in a bad light" (METZGERTC 383 f, unter Berufung auf CREHAN, Peter according to the D-Text, und EPP, Theological Tendency 105–107): Petrus brach seine Missionsarbeit nicht ab; er ging aus eigenem Antrieb nach Jerusalem! Siehe auch VOGELS, Handbuch 198 f.

ρ D* läßt vor τετράποδα, ἑρπετά und πετεινά die Artikel (τά) weg, nicht jedoch vor θηρία.

σ Der Anfang von V 9 ist unterschiedlich überliefert. Im Unterschied von P⁴⁵·⁷⁴ ℵ A al σ – σ) lesen B E Ψ 36.453 pc ἐκ δευτέρου vor φωνή. D(2) liest: ἐγένετο φωνὴ ἐκ τοῦ οὐρανοῦ πρός με. Vgl. METZGERTC 385.

men mit mir, und wir gingen in das Haus des Mannes hinein. 13 Er berichtete uns nun, wie er den[τ] *Engel gesehen habe, der in seinem Haus stand, und sagte*[υ]*: Schick (jemand) nach Jafo, und laß Simon mit dem Beinamen Petrus kommen! 14 Er wird dir Worte sagen, durch die du gerettet werden wirst mit deinem ganzen Haus. 15 Während ich aber anfing zu reden, fiel der heilige Geist auf sie wie im Anfang auf uns. 16 Da erinnerte ich mich an das Wort des Herrn, wie er sagte: Johannes hat mit Wasser getauft, ihr aber werdet mit heiligem Geist getauft werden. 17 Wenn nun Gott*[φ] *ihnen, nachdem sie zum Glauben an den Herrn Jesus Christus gekommen sind, die gleiche Gabe geschenkt hat wie uns: Wer bin ich, daß ich vermocht hätte, Gott zu hindern*[χ]*? 18 Als sie das hörten, beruhigten sie sich, und sie priesen Gott, indem sie sagten: Also auch den Heiden hat Gott die Umkehr zum Leben geschenkt.*

Die Kornelius-Erzählung umfaßt 7 Einzelabschnitte, über deren Umfang kaum zu streiten ist, die aber ihrer Herkunft nach unterschiedlich beurteilt werden:

I. 10,1–8 ist *Bericht:* Der Hauptmann Kornelius in Cäsarea hat eine *Vision*. Dabei erhält er den Auftrag, Petrus von Jafo kommen zu lassen.

II. 10,9–16 ist gleichfalls *Bericht:* Petrus hat in Jafo eine *Vision,* deren Sinn vorläufig verschlossen bleibt.

III. 10,17–23a ist *Bericht* über die Ankunft der Abgesandten des Kornelius bei Petrus in Jafo. Die *Begegnung* führt zu einer vorläufigen Auflösung des Sinnes der Petrus-Vision: Der Jude Petrus soll ohne Bedenken mit den Boten zu dem Heiden Kornelius gehen. Die Korrespondenz der beiden Visionen wird deutlich (VV 19.22).

IV. 10,23b–33 ist *Bericht* über die *Begegnung* des Petrus mit Kornelius in Cäsarea. Wiederum wird hervorgehoben, daß beide eine Vision mit göttlicher Weisung erhalten haben (VV 28.30–32).

V. 10,34–43 ist *Rede* des Missionars Petrus vor Kornelius, seiner Familie und seinem Freundeskreis. Die Rahmung der *Missionspredigt* ist situationsgemäß; sie hebt die Universalität des Heils hervor (VV 34f.43).

VI. 10,44–48 ist *Bericht* über die Geist-Begabung der heidnischen Hörer und die Weisung des Petrus, diese Heiden zu taufen.

VII. 11,1–18 ist im wesentlichen wiederum eine *Rede* des Petrus, die er *zur Rechtfertigung* der Korneliustaufe und überhaupt der Heidenmission

[τ] Den Artikel τόν (vor ἄγγελον) lassen weg: P^{45} D Ψ. Dies kann die ursprüngliche LA sein.

[υ] D E Ψ Koine latt sy fügen hinter εἴποντα an: αὐτῷ – eine sekundäre Verdeutlichung.

[φ] D vg^{ms} lassen ὁ θεός weg, vielleicht, weil nach Auffassung „westlicher" Zeugen der Heilige Geist die Gabe *Christi* ist; vgl. Ropes, The Text of Acts 105.

[χ] Hinter κωλῦσαι τὸν θεόν fügen D w (p sy^{h**} mae) an: τοῦ μὴ δοῦναι αὐτοῖς πνεῦμα ἅγιον πιστεύσασιν ἐπ' αὐτῷ „daß er ihnen den heiligen Geist nicht gebe, obgleich sie an ihn glauben". Es handelt sich um eine Verdeutlichung. Vgl. Zahn, Apg 364f Anm. 90.

in Jerusalem hält. Wiederum (zum dritten Mal) wird dabei auf die beiden einander entsprechenden Visionen verwiesen (VV 5–10.13 f)[1].

Die Traditionsgeschichte der Kornelius-Erzählung wird von M. Dibelius[2] so gesehen, daß Lukas zwei Überlieferungsblöcke miteinander verband, eine Erzählung von der Bekehrung des römischen Hauptmanns Kornelius (I.III.IV.VI)[3] und eine andere von der Vision des Petrus, die auf eine Aufhebung der alttestamentlichen Speisegebote hinauslief (II)[4]. Dibelius gewann den vor-lukanischen Bestand durch Subtraktion der vermeintlich lukanischen Bestandteile: Mit Sicherheit gehörten die beiden Reden (V.VII) der lukanischen Bearbeitung an[5], wahrscheinlich auch der Visionsbericht 10,9–16 (II)[6]. Wenn aber die Vision des Petrus (II) „als Bearbeitung des Lukas ausgeschieden wird", müssen die VV 27–29 a (innerhalb von IV) „ebenso beurteilt werden"[7]. Sieht man einmal von der lukanisch „bearbeiteten" Petrus-Vision (II) ab, so bleibt nach Dibelius als vorlukanische Korneliusgeschichte „eine schlichte Bekehrungslegende, an einfacher Schönheit der Legende vom äthiopischen Eunuchen vergleichbar"[8]. Sie umfaßte 10,1–8(I).17 b–23 a(III).23 b–26.29 b–33(IV teilweise). 44–48(VI).

Die Auffassung von Dibelius lebt bei E. Haenchen[9] und H. Conzelmann[10] weiter. Nach Haenchen wurde jedoch die Petrus-Vision (II) vollständig von Lukas konzipiert[11]. Nach F. Bovon hat Lukas *drei* traditionelle Komplexe vorgefunden, eine „Personallegende" über die Bekehrung des Kornelius, eine „ätiologische Legende" (hinter 10,9–16) und eine für Juden bestimmte „christologische Rede" (hinter 10,34–43)[12]. Die Analyse von K. Löning steht gleichfalls im Bann von Dibelius, wenn sie auch kritische Ausstellungen macht[13]. Löning läßt wie Dibelius die beiden Petrus-Reden beiseite und rekonstruiert die vor-lukanische Korneliusgeschichte

---

[1] Zur strukturalen Textanalyse siehe BARTHES, L'analyse structurale (1970, deutsche Fassung 1973).

[2] DIBELIUS, Die Bekehrung (1947), Über die Forschung vor Dibelius referiert kurz HAENCHEN, Apg 343 f.

[3] DIBELIUS, a. a. O. 105 f.

[4] DIBELIUS, a. a. O. 98–100.

[5] DIBELIUS, a. a. O. 96–98.

[6] DIBELIUS, a. a. O. 98 f.

[7] DIBELIUS, a. a. O. 99.

[8] DIBELIUS, a. a. O. 105. Siehe schon PREUSCHEN, Apg 63: „Die Bekehrung des Cornelius ist ein Seitenstück zu der Taufe des äthiopischen Schatzmeisters und die grundsätzliche Rechtfertigung der Heidenmission."

[9] HAENCHEN, Apg 347–350.

[10] CONZELMANN, Apg 69: Lukas benutzte eine „Vorlage". Die Vision hat Lukas „anderswo vorgefunden ... und hier eingefügt". Ähnlich WEISER, Apg I 254–256.262.

[11] HAENCHEN, a. a. O. 349, äußert die „Vermutung": „diese Vision ist zur Veranschaulichung der Lehre 10,28 vom Schriftsteller selbst entworfen".

[12] BOVON, Tradition et rédaction (1970) 31–42.

[13] LÖNING, Korneliustradition (1974). Er macht vor allem auf die „erzählökonomische Unverzichtbarkeit der Petrusvision" aufmerksam (3–6).

als zweiteilige Erzählung mit je drei „Erzählschritten“[14]: 10,1–8.9–16. 17–23a; 10,23b–26.27–36.44–48.

Weitergehende Kritik an der Argumentation von Dibelius und ihren Voraussetzungen übt K. Haacker[15]. In der Tatsache, daß die Jerusalemer Petrusrede mit dem Problem der Tischgemeinschaft einsetzt (11,3), andererseits aber diese Problematik in Cäsarea selbst keine Rolle gespielt habe, sah Dibelius ein Argument für die lukanische Herkunft dieser Rede[16]. Ähnlich argumentierte er aus der Differenz zwischen 11,14f und dem Cäsarea-Bericht[17]. Daß auch die Rede 10,34–43 von Lukas geschaffen sei, ergab sich für Dibelius aus allgemeineren formgeschichtlichen Erwägungen[18]. Gegenüber Dibelius macht nun Haacker auf folgendes aufmerksam: Die leichten Spannungen zwischen 11,15 und dem Cäsarea-Bericht tragen literarkritisch nichts aus[19]. Außerdem ist auch 11,15 nicht mehr gesagt, als „daß der Geist noch während der Predigt des Petrus über die Hörer kam“[20]. Genau dies wird aber 10,44 berichtet! Von der Tischgemeinschaft mit Nicht-Juden, die gemäß 11,3 dem Petrus vorgeworfen wurde, war in Kapitel 10 tatsächlich keine Rede. Dibelius referiert den Vorwurf gegen Petrus mit dem Satz, er „habe mit Unbeschnittenen zusammen gegessen, also offenbar auch Unreines“[21]. Indessen bezieht sich 11,3 „gar nicht primär auf gemeinsame Mahlzeiten, sondern handelt pauschal vom Umgang mit Heiden, spezieller vielleicht vom Betreten ihrer Häuser, wobei die Erwähnung der Tischgemeinschaft nur als besondere Zuspitzung des Vorwurfs erscheint“[22]. Es geht nicht um die Frage der Speisen, sondern um die der Mahlpartner, so übrigens auch Gal 2,11–14. Dibelius liest also das Problem erlaubter und unerlaubter Fleischsorten aus der Petrusvision in die anderen Texte hinein. Sogar die Vision des Petrus wäre in sich nicht schlüssig, wenn sie sich konkret auf Speisegebote bezöge[23]. Sie erhält ihren Sinn erst durch die folgenden Ereignisse und kann daher

---

[14] Löning, a.a.O. 9.

[15] Haacker, Dibelius und Cornelius (1980) 235–247.

[16] Dibelius, Die Bekehrung 96.

[17] Dibelius, a.a.O. 96f: Die Manifestation des Geistes erfolgt nach 10,44 am Ende der Petruspredigt, nach 11,15 zu deren Beginn. Die Engelsbotschaft an Kornelius weist 11,14 gleich auf die *Rettung* des Kornelius hin, während es 10,5.32 nur heißt, er solle Simon holen lassen.

[18] Dibelius, a.a.O. 97: „In einer unter den Christen erzählten Legende von der Bekehrung eines Centurio kann eine solche verhältnismäßig lange Rede nicht ihren Platz gehabt haben.“ Die Analogie der anderen Acta-Reden zeige, daß „die Reden literarische Kompositionen des Autors sind“.

[19] Haacker, Dibelius und Cornelius 238f. Vgl. entsprechende Divergenzen zwischen Lk 24 und Apg 1 (s.o. I 76–78) sowie zwischen den drei Berichten über die Bekehrung des Paulus (s.o. Nr. 21 Anmerkungen 1.2).

[20] Haacker, a.a.O. 238.

[21] Dibelius, Die Bekehrung 99.

[22] Haacker, a.a.O. 240. Tatsächlich sind 11,3 die Aussagen εἰσῆλθες und συνέφαγες koordiniert!

[23] Haacker, a.a.O. 240.

kaum unabhängig von der Kornelius-Geschichte ein Eigenleben geführt haben[24]. In dieser Hinsicht konvergieren die Beobachtungen von Haacker und Löning[25]. Wir dürfen also feststellen, daß die neuere Forschung – im Gegensatz zu Dibelius – dahin tendiert, auch die Petrus-Vision der vor-lukanischen Kornelius-Erzählung zuzurechnen.

Wie aber beurteilt Haacker *die Rede* des Petrus *vor Kornelius?* Nach Dibelius ist sie „gebaut wie die anderen Petrusreden auch und wie die Rede des Paulus in Antiochia 13,16–41"[26]. Sie stellt eine Abwandlung des Schemas durch Lukas dar[27]. Demgegenüber weist Haacker auf situationsgemäße Besonderheiten der Rede hin, die Dibelius nach seiner Ansicht „herunterspielt"[28]. Zu ihnen gehört, daß die Predigt von Cäsarea „weit mehr Informationen über den irdischen Weg Jesu" bietet als die sonstigen Petrusreden und damit auf die Zusammensetzung der Hörerschaft Rücksicht nimmt[29]. Gleich am Anfang betont die Rede, daß Jesus als der Friedensbote für Israel πάντων κύριος ist (V 36): Er ist Herr über *alle* Menschen! Dem entspricht die universalistische Tendenz am Schluß der Rede: Jesus ist Richter aller Menschen (V 42), und durch ihn soll *jeder* Sündenvergebung erlangen, der an ihn glaubt (V 43)[30]. Die Rede spielt zwar auf das Zeugnis der Schrift an – im Unterschied von den „reinen Heidenpredigten" der Acta –, aber sie zitiert nicht ausdrücklich aus dem Alten Testament (wie die Reden Apg 2 und 13). Sie berücksichtigt also treffend die konkreten Hörer, die zwischen Judentum und Heidentum stehen. Haacker kann damit unterstreichen, wie stark die Rede den gattungsmäßigen Typus übersteigt. Indessen lassen sich die „individuellen" Züge der Petrusrede gerade auf die gestaltende Hand des Acta-Verfassers zurückführen. Es ist deswegen am wahrscheinlichsten, daß 10,34–43 (V) auf einer vorgegebenen Missionsrede vor Juden[31] oder wenigstens auf dem Grundschema einer solchen beruht. Als Lukas sie in den Kontext der Korneliusgeschichte einschaltete, hat er sie der besonderen Situation angepaßt. Daß der Heilsruf am Ende fehlt, liegt am Herabkommen des Geistes über die

---

[24] Haacker, a.a.O. 241.

[25] Löning, Korneliustradition 18, der für den ersten Teil der Korneliusgeschichte (10,1–23a) annimmt, bei den ersten Abschnitten 10,1–8.9–16 (= I.II) sei die erzählerische Konzeption der Überlieferung unverändert beibehalten worden. Nur im dritten Abschnitt 10,17–23a (= III) sei der Visionsbericht der Boten (V 22 mit der überleitenden Frage am Ende von V 21) von Lukas eingeschoben worden.

[26] Dibelius, Die Bekehrung 97.

[27] Dibelius, a.a.O. 97f.

[28] Haacker, Dibelius und Cornelius 245.

[29] Vgl. dazu Wilckens, Missionsreden 48–50. Er beobachtet, daß die Rede zwar dem Schema der übrigen Reden folgt, aber doch folgende Besonderheiten zeigt: Der Buß- und Heilsruf am Schluß fehlt; der kerygmatische Teil ist ausgebaut und zum Hauptteil geworden. „So scheint die Rede ... vielmehr ein Bericht zu sein", eine *historia Jesu* (50).

[30] Haacker, a.a.O. 245: „Das entspricht dem Schluß der Paulusrede in Athen (Apg 17,31), die ebenfalls vor einem heidnischen Publikum gehalten ist, und der Zusammenfassung des Missionskerygmas von 1 Thess 1,9f."

[31] Vgl. die Auffassung von Bovon, Tradition et rédaction 38–42.

Hörer (noch während der Petrusrede), das ein schema-gemäßes Ende gewissermaßen überflüssig macht (VV 43.44).

Daß *die Rede in Jerusalem* (11,1–18) im einzelnen von Lukas freier gestaltet sein könne als die Tradition des Kapitels 10, räumt Haacker ein; er hält jedoch den „Vorgang der Berichterstattung und Rechtfertigung des Petrus" als solchen für „historisch plausibel"[32]. Dafür beruft er sich auf das „jüdische Botenrecht", das die Ausführung eines Auftrags „erst mit der abschließenden Berichterstattung des Boten vor seinem Auftraggeber" beendet sein läßt[33]. Nun läßt die Korneliuserzählung weder den Petrus als Boten der Jerusalemer Gemeinde erscheinen noch ist der die Aufnahme der Heiden rechtfertigende Petrus-Bericht 11,5–17 Vollzugsbericht eines Abgesandten. Es mag zwar zutreffen, daß sich – wie Haacker meint – Missionsberichte „aus der Natur der Sache Mission und aus dem Begriff der Mission" ergaben[34]. Doch sprengen die Berichte über missionarische Unternehmungen bei den Heiden (Apg 11,1–18; 14,27; 15,3.12; 21,19[35]) den Rahmen einer Berichterstattung vor allem dadurch, daß sie von *Gottes* Handeln erzählen und die Heidenmission von *Gott* her rechtfertigen. Mit den angegebenen Notizen, die in Kürze wiederholen, was die Petrus-Predigt 11,5–17 ausführlich betont, trägt *Lukas* dem Anliegen Rechnung, das ihn bewegt. Auf dem „Apostelkonzil" beruft sich Petrus „auf seine Erfahrung ‚seit alten Zeiten'[36], daß er nach Gottes Willen die Heiden zum Evangelium bekehrt habe"[37]. Er knüpft damit an die Kornelius-Geschichte an und verleiht ihr – als „normierender Tradition" – „klassische Bedeutung"[38].

Der *Gesamtsinn* der Kornelius-Erzählung läßt sich nicht nur an diesen Gedanken der abschließenden Rede ablesen, sondern schon an zwei Motiv-Linien, die bereits im Kapitel 10 vorliegen und in die Schluß-Rede münden: Die Christen haben sich zunächst „gegen die Aufnahme der Heiden gesträubt": 10,14.28.47; 11,2f.8.17. Doch Gott selbst hat durch seine Intervention „die Heiden in die Kirche hineingeführt": 10,3.11–16.22.30; 11,5–10.13[39].

---

[32] HAACKER, a.a.O. 249.

[33] HAACKER, a.a.O. 250, mit Hinweis auf J.-A. BÜHNER, Der Gesandte und sein Weg im vierten Evangelium (WUNT II/2) (Tübingen 1977) 257–261. Siehe auch J.-A. BÜHNER, ἀπόστολος, in: EWNT I 342–351; 347.

[34] HAACKER, a.a.O. 250.

[35] Diese Stellen führt HAACKER, a.a.O. 250, in unserem Zusammenhang an. Vgl. ferner Apg 15,4.7.14.

[36] Apg 15,7: ἀφ' ἡμερῶν ἀρχαίων.

[37] DIBELIUS, Die Bekehrung 101. Siehe Apg 15,7–11.

[38] DIBELIUS, a.a.O. 101.

[39] HAENCHEN, Apg 347. Vgl. auch CONZELMANN, Apg 69: „Lukanisch" ist vor allem 11,1–18, „wo die lukanische Intention klar zum Ausdruck kommt ...". 11,1–18 „bezieht den einzelnen Fall auf das Ganze der Kirche (die durch Jerusalem repräsentiert wird) und erhebt ihn ins Grundsätzliche; dadurch wird zugleich Kap 15 vorbereitet ...".

I. DIE VISION DES KORNELIUS IN CÄSAREA (10,1–8)

VV 1–2 Mit einer geläufigen Vorstellungs-Wendung wird Kornelius[40] dem Leser bekanntgemacht. Er lebt in Cäsarea[41] und ist Hauptmann[42] der sogenannten[43] Italischen Kohorte[44], also ein römischer Offizier (V 1). V 2 zeigt seine Frömmigkeit und seine Sympathie mit dem jüdischen Volk an. Er ist φοβούμενος τὸν θεόν[45], ebenso sein Hausstand[46]. Er gibt reichlich Almosen[47] und betet beständig[48] zu Gott. Er gehört nicht nur zu jenen heidnischen Sympathisanten der jüdischen Religion, sondern tut sich auch in der Frömmigkeit hervor, indem er Almosen gibt und beständig betet[49].

V 3 Kornelius sieht ἐν ὁράματι φανερῶς „in einem Gesicht ganz deutlich"[50], wie ein Engel Gottes[51] ihn besucht („bei ihm eintritt"[52]) und ihn

---

[40] ἀνὴρ δέ τις ... ὀνόματι N. N. Siehe dazu oben I 373 A. 26; 489 A. 49. Κορνήλιος/*Cornelius* kam als Name besonders häufig vor, seit Cornelius Sulla Tausende von Sklaven befreite und diese seinen Familiennamen annahmen. Der Hauptmann K. wird weiter genannt: 10,3.17.22.24.25.30.31. Wenn 11,12 der Name nicht genannt wird, hängt dies wohl mit der generalisierenden Tendenz der Petrusrede in Jerusalem zusammen.

[41] Zu Καισάρεια siehe oben I 508f (mit A. 99.100).

[42] ἑκατοντάρχης/*centurio* ist ein aus dem Mannschaftsstand hervorgegangener Offizier, der eine Hundertschaft führt. Siehe dazu F. G. Untergassmair, in: EWNT s.v. (I 983f).

[43] καλούμενος im Sinne von „sogenannt" begegnet Lk 6,15; 8,2; 22,3; Apg 1,23; 3,11; 13,1; 15,22.37.

[44] Die σπεῖρα Ἰταλική ist wahrscheinlich die in Italien aus Freigelassenen gebildete Auxiliar-Einheit, die in Syrien „von kurz vor 69 n. Chr. bis ins 2. Jh." nachgewiesen ist (Haenchen; vgl. Conzelmann). Zu der in unserer Erzählung vorausgesetzten Zeit ist die Anwesenheit der Italischen Kohorte in Palästina nicht belegt. Dem Acta-Verfasser ist also wohl ein Anachronismus unterlaufen (Bauernfeind). σπεῖρα „Kohorte" ist der zehnte Teil einer Legion; das Substantiv begegnet auch 21,31; 27,1.

[45] Er gehört zur Gruppe der „Gottesfürchtigen". Sie wird außer 10,2 auch 10,22(35); 13,16.26 erwähnt. Die Gottesfürchtigen, die auch als σεβόμενοι τὸν θεόν (13,50; 16,14; 17,4.17; 18,7; vgl. Billerbeck II 715–723) bezeichnet werden, sind Heiden, die noch nicht – wie die Proselyten – durch Übernahme der Beschneidung zum Judentum übergetreten waren. Sie gelten also dem Juden noch als Heiden. Apg 13,43 erwähnt σεβόμενοι προσήλυτοι; hier scheint σεβόμενοι allgemeinere Bedeutung zu haben. προσήλυτος kommt Apg 2,11; 6,5; 13,43 vor. Zu den drei Bezeichnungen siehe die oben I 427 A. 58 notierte Literatur; vgl. auch Kippenberg/Wewers, Textbuch 152–157.

[46] σὺν παντὶ τῷ οἴκῳ αὐτοῦ. Das Wort οἶκος begegnet in der Bedeutung „Hausbewohner, Familie" im lukanischen Werk auch Lk 10,5; 19,9; Apg 11,14; 16,15.31; 18,8; vgl. BauerWb s.v. 2. Vom „ganzen Haus" sprechen Apg 10,2; 11,14; 18,8.

[47] Zu ποιῶν ἐλεημοσύνας πολλάς s.o. Nr. 23 A. 38.

[48] Gebet und Almosen werden nebeneinander erwähnt: Tob 12,8; Mt 6,2–15; Did 15,4. Im Judentum rechnete zu diesen guten Werken noch das Fasten; siehe Tob 12,8; Mt 6,16–18. Zu δεόμενος τοῦ θεοῦ διὰ παντός vgl. Ps 33,2 LXX: διὰ παντός. διὰ παντός begegnet im Sinne vom „immer, beständig" auch Lk 24,53; Apg 2,25; 24,16.

[49] Zum Thema „inständiges Gebet" siehe Lk 18,1; 22,41–45 diff Mk.

[50] Zu ὅραμα s.o. Nr. 21 A. 50. φανερῶς steht im Sinne von „deutlich, klar" auch Josephus, Vita 277; Diog 11,2; vgl. Barn 13,4 (Komparativ).

[51] ἄγγελος τοῦ θεοῦ wie Lk 12,8.9; 15,10; Apg 27,23.

[52] εἰσέρχομαι πρός vom Engel wie Lk 1,28. Die Konstruktion steht im NT sonst nur noch Mk 6,25; 15,43; Apg 11,3; 16,40; 17,2; 28,8; Apk 3,20.

mit Namen anspricht. Die Vision ereignet sich „um die neunte Stunde“, also am Nachmittag zur Gebetszeit (3,1). Es ist vorausgesetzt, daß Kornelius die Vision anläßlich seiner Gebetsübung hatte (V 30). Auf die Vision des römischen Centurio kommt die Gesamterzählung noch dreimal zu sprechen: 10,22.30–32; 11,13f. Diese Wiederholungen geben dem Leser weitere Informationen. Er erhält durch die stereotype Wiederholung vor allem einen Eindruck von der Wichtigkeit des Berichteten[53].

V 4a Kornelius schaut genau auf den Engel hin[54] und stellt ihm – von Furcht ergriffen[55] – die Frage: „Was ist, Herr?“ Die Frage ist mit der respektvollen Anrede κύριε verbunden (vgl. 9,5).

VV 4b–6 berichten über die Antwort des Engels, näherhin über seinen Auftrag an Kornelius. Zunächst werden die guten Werke des Heiden – Gebete und Almosen – erwähnt; sie sind „aufgestiegen zum Gedenken[56] vor Gott[57]“ (V 4b). Der folgende Auftrag wird somit zu einem Ergebnis führen, das die Frömmigkeit des Heiden „belohnt“. Er soll Boten nach Jafo schicken und Simon Petrus[58] kommen lassen (V 5). Damit man Petrus finden kann, wird sein Gastgeber genannt (vgl. 9,43) und angegeben, daß dieser an der Meeresküste wohnt[59]. Was Gott mit Kornelius vorhat, wird noch nicht gesagt[60]. Die Spannung des Lesers bleibt ungebrochen, und es wird deutlich, daß Petrus und Kornelius Gott blindlings gehorchen[61].

VV 7–8 Als der Engel Kornelius verlassen hat[62], ruft dieser zwei seiner Sklaven[63] und einen frommen Soldaten[64] aus dem Kreis derer, die ihm zur Verfügung standen[65] (V 7). Er erklärte[66] ihnen alles und entsandte sie[67] nach Jafo.

---

[53] Vgl. die zweifache Wiederholung der Saulus-Bekehrung; dazu oben Nr. 21 mit A. 8.

[54] Zu ἀτενίζω mit Dativ der Person s.o. I 301 A. 37.

[55] ἔμφοβος γενόμενος ist im NT nur bei Lukas bezeugt: Lk 24,5.37; Apg 10,4; 24,25.

[56] ἀνέβησαν εἰς μνημόσυνον ist Umschreibung für ἐμνήσθησαν (V 31) in biblischer Sprache; vgl. CONZELMANN, der auf Ex 17,14; Sir 35,6; 50,16; Tob 12,12 verweist. Siehe auch BRUCE (NIC): „The angel's language here is full of sacrificial terminology such as we find in the early chapters of Leviticus.“

[57] ἔμπροσθεν τοῦ θεοῦ. ἔμπροσθεν steht mit Genitiv der Person ferner Lk 5,19; 7,27; 10,21; 12,8a.b; 14,2; 19,27; 21,36.

[58] „einen gewissen Simon, der den Beinamen Petrus hat“; vgl. Lk 6,14. Σίμων ὃς ἐπικαλεῖται Πέτρος steht auch 10,32; vgl. 10,18; 11,13.

[59] Siehe oben zu 9,43 (Nr. 23 A. 66–70).

[60] Vgl. hingegen die näheren Angaben 10,22; 11,14.

[61] HAENCHEN, zu V 6.

[62] Zu ὡς δὲ ἀπῆλθεν vgl. Lk 2,15 (von Engeln).

[63] δύο τῶν οἰκετῶν. οἰκέτης ist speziell der „Haussklave“; vgl. auch Lk 16,13; Röm 14,4; 1 Petr 2,18.

[64] Der στρατιώτης, den Kornelius auswählt, ist εὐσεβής wie Kornelius selbst (V 2), vielleicht also ebenfalls „Gottesfürchtiger“.

[65] οἱ προσκαρτεροῦντες αὐτῷ. προσκαρτερέω mit Dativ der Person wie 8,13 „jemand treu ergeben sein, bei jemand bleiben“; vgl. auch oben I 490 A. 67. Nach HAENCHEN ist bei dem Soldaten an eine der Ordonnanzen gedacht (vgl. LAKE/CADBURY, Acts zu V 7).

II. DIE VISION DES PETRUS IN JAFO (10,9–16)

V 9 Mit τῇ δὲ ἐπαύριον[68] setzt die zweite Erzähleinheit, der Bericht über die Vision des Petrus, ein. Die Vision findet am folgenden Tage statt, als sich die Boten des Kornelius gerade der Stadt (Jafo) nähern. Es ist nicht gesagt, wann sie in Cäsarea aufbrachen[69]. Petrus steigt zu dieser Zeit – um die sechste Stunde (= mittags)[70] – auf das (flache) Dach[71] des Hauses, um zu beten[72]. Im Gebet trifft ihn die Vision (V 2; vgl. 11,5)[73].

VV 10–12 Als Petrus hungrig wird und etwas essen will, kommt über ihn eine ἔκστασις (V 10). Diese läßt ihn einen Vorgang sehen (V 11 θεωρεῖ) und eine Stimme hören (V 13 φωνή). Vision (VV 10–12) und Audition (V 13) sind einander zugeordnet wie bei Kornelius (V 3). Die „Verzükkung" des Petrus ist also nach Art des „Gesichts" des Kornelius gedacht (siehe V 17: τὸ ὅραμα), nicht als ekstatisches Außersich-Sein[74]. Die „Vision" des Petrus – so nennen wir im folgenden den Gesamtvorgang – wird an zwei Stellen rekapituliert (10,29; 11,5–10); sie ist dem Acta-Verfasser als göttliche Intervention zugunsten der Heidenmission besonders wichtig. Die Korrespondenz der Kornelius-Vision und der Petrus-Vision unterstreicht, ja beweist im Sinne des Lukas, daß Gott selbst die Heidenmission in die Wege geleitet hat[75].

---

[66] ἐξηγησάμενος ἅπαντα αὐτοῖς. ἐξηγέομαι bezeichnet in der Apg die Berichterstattung über ein Handeln Gottes, das nach Meinung des jeweiligen Erzählers die Heidenmission als gottgewollt ausweist. Siehe neben 10,8 auch 15,12.14; 21,19. Dazu G. Schneider, in: EWNT II s.v. (14f).

[67] ἀπέστειλεν αὐτούς. ἀποστέλλω begegnet im gleichen Zusammenhang auch 10,17; 11,11. Gemäß 10,20 sind die von Kornelius Entsandten letztlich von *Gott* gesandt! Die Entfernung Cäsarea – Jafo beträgt etwas mehr als 50 km.

[68] Zu ergänzen ist ἡμέρᾳ: „am nächsten Tag". Der Dativ-Ausdruck fehlt im dritten Evangelium, findet sich aber häufig (im vierten Evangelium und) in der Apg: 10,9.23.24; 14,20; 20,7; 21,8; 22,30; 23,32; 25,6.23.

[69] Vgl. indessen Haenchen zu V 8: „Die am Nachmittag aufgebrochenen Boten wandern – natürlich mit Ruhepausen – die Nacht hindurch und kommen am folgenden Mittag in Joppe an."

[70] Die 6. Stunde war keine besondere Gebetszeit, weshalb Billerbeck II 696–702 überlegt, ob es sich in unserem Fall um ein verspätetes Morgengebet oder ein vorgezogenes Minchagebet (siehe 3,1; 10,3) handelt.

[71] Das Dach kann mit einem Geländer umgeben sein (Dtn 22,8) und ein Sonnensegel haben. So bietet es „Ruhe und frischen Luftzug" (Haenchen). Vgl. Billerbeck II 696 (Dach als Gebetsstätte).

[72] Das absolute προσεύχομαι steht auch 10,30; 11,5; siehe oben Nr. 21 A. 56.

[73] Siehe die Sachparallelen Lk 1,10f; 3,21f; 9,28f; 22,41–43; Apg 22,17f.

[74] Vgl. M. Lattke, ἔκστασις, in: EWNT I 1025–1027, bes. 1026f. Das Substantiv steht außer 10,10 auch 11,5 und 22,17.

[75] Während 9,10–16 eine „Doppelvision" darstellt, sollte man hier von „korrespondierenden Visionen" sprechen. Vgl. auch oben Nr. 21 A. 10. Siehe ferner Löning, Korneliustradition 9f.

Als Petrus zur gewohnten Essenszeit[76] Hunger empfindet und etwas essen möchte[77], bereitet man ihm etwas zu. Währenddessen kommt die ἔκστασις über ihn[78] (V 10). Er sieht den Himmel geöffnet[79]. Ein Behälter, wie ein großes Leinentuch, wird an seinen vier Enden vom Himmel (11,5) auf die Erde herabgelassen (V 11). In diesem Behälter befinden sich dreierlei Tiere (V 12): τετράποδα καὶ ἑρπετὰ τῆς γῆς und πετεινὰ τοῦ οὐρανοῦ[80]. Die Aufzählung der Tiere hat im Alten Testament ihre Vorbilder[81].

V 13 Im Zusammenhang mit dem, was Petrus sehen kann, vernimmt er eine Stimme, die zu ihm spricht[82]: Petrus soll „schlachten und essen" (θῦσον καὶ φάγε)[83]. Stellte das vom Himmel herabgelassene Behältnis die universale gottgeschaffene Tierwelt[84] dar (siehe πάντα, V 12), so bedeutet die Aufforderung, diese Tiere zu schlachten und zu verzehren, eine Durchbrechung der gesetzlichen Restriktionen, die den Genuß „unreiner" Tiere verbot.

V 14 Der Einwand des Petrus zeigt, worauf die Aufforderung in V 13 zielte: Petrus soll (ohne Unterschied) reine und unreine Tiere essen! Ohne zu klären, wer den Befehl an Petrus richtete, wird der Sprecher mit κύριε[85] angeredet. μηδαμῶς drückt die entschiedene Ablehnung des Ansinnens aus[86]. Petrus behauptet, noch nie irgend etwas „Gemeines und Unreines"[87] gegessen zu haben. Er möchte auch jetzt dabei bleiben.

---

[76] Jedenfalls in Griechenland und in Rom *(prandium)* und nach der Vorstellung des Lukas; siehe HAENCHEN. Bei den Juden wurde am späten Nachmittag die Hauptmahlzeit eingenommen; vgl. BILLERBECK II 204–206.

[77] πρόσπεινος ist ntl. Hapaxlegomenon. – γεύομαι steht im Sinn von „(etwas) essen" auch 23,14.

[78] γίνομαι ἐπί mit Akk. der Person wie Lk 1,65; 3,2; 4,36; Apg 4,22; 5,5 (5,11); sonst nicht im NT!

[79] Vgl. die übrigen lukanischen Angaben über die Öffnung des Himmels: Lk 3,21 diff Mk; Apg 7,56.

[80] Apg 11,6 faßt als Erden-Tiere zusammen: τετράποδα, θηρία und ἑρπετά, und nennt als Himmels-Tiere wie 10,12 die πετεινά.

[81] HAENCHEN verweist auf Gen 1,24. Indessen steht Gen 1,28.30 unserer Aufzählung näher.

[82] Zu φωνὴ πρὸς αὐτόν vgl. 4,24; 10,15. ἐγένετο φωνή steht auch Lk 1,44; 9,35; Apg 7,31; 19,34.

[83] Diese Aufforderung begegnet auch 11,7. θύω heißt hier „schlachten". Die Bedeutung „opfern" schwingt nicht mit; gegen SINT, Schlachten und opfern (1956).

[84] Vgl. die antignostische Aussage 1 Tim 4,3f.

[85] Vgl. die Anrede 11,8 und die des Kornelius an den Engel 10,4. Gemäß 10,15 und 11,9 spricht auch bei Kornelius ein Engel (siehe ὁ θεός).

[86] Das Adverb μηδαμῶς „keineswegs" (in der Antwort) begegnet im NT nur 11,8 (im gleichen Zusammenhang).

[87] κοινόν und ἀκάθαρτον stehen auch 10,28; 11,8 nebeneinander; vgl. 1 Makk 1,62: τοῦ μὴ φαγεῖν κοινά.

V 15 Die himmlische Stimme spricht zum zweiten Mal zu Petrus und weist den Einwand zurück: „Was Gott reingemacht hat[88], darfst du nicht unrein nennen[89]." Nach dem Kontext ist daran zu denken, daß Gott mit dem Befehl, von den angebotenen Tieren zu essen, diese insgesamt für rein erklärte oder seine (frühere) Entscheidung kundtat.

V 16 „Dies" geschah noch ein drittes Mal[90]: Gemeint ist die vom Engel ausgesprochene göttliche Anweisung, die V 13 zum ersten und V 15 (indirekt) zum zweiten Mal ergangen war. Oder ist an eine zweimalige Wiederholung des gesamten Dialogs (VV 13–15) gedacht?[91] Anschließend wurde das Behältnis mit den Tieren in den Himmel zurückgehoben. Der Sinn der Vision und des Befehlswortes bleibt noch rätselhaft. Petrus ist sich über den Sinn des ὅραμα nicht im klaren (V 17).

III. DIE BOTEN DES KORNELIUS BEI PETRUS (10,17–23a)

VV 17–18 Die beiden bisherigen Szenen 10,1–8.9–16 werden nun zusammengeführt; die Boten des Kornelius suchen Petrus in Jafo. Zunächst aber wird verdeutlicht, daß Petrus „bei sich selbst ratlos war"[92] (V 17 a) und auf der anderen Seite auch die Boten des Hauptmanns nur bis vor die Tür des Hauses gelangten und nach Simon Petrus fragten[93] (VV 17 b.18). Erst die neuerliche Intervention des Geistes führt dazu, daß Petrus sich den Boten zu erkennen gibt und nach dem Grund ihres Kommens fragt (VV 19–21). Petrus fragt sich, „was das Gesicht bedeute, das er sah". Die Abgesandten des Kornelius, die sich bis zum Hause Simons (des Gerbers) durchgefragt hatten[94], bringen, ja bedeuten selbst die Antwort auf die Petrusfrage. Diese „Wende" zur Einsicht wird in der Erzählung zweimal durch ἰδού angedeutet (VV 17 b.19 b).

---

[88] ἐκαθάρισεν hat hier den Sinn „er hat für rein erklärt", so auch 11,9. Siehe Lev 13,6.13.23 LXX. Vielleicht gehört auch Mk 7,19 hierher (καθαρίζων πάντα τὰ βρώματα).

[89] σὺ μὴ κοίνου ist Imperativ: „das mach' du nicht gemein!" Vgl. 11,9, wo der gleiche Satz begegnet. Hier ist analog zu ἐκαθάρισεν (s. die vorige Anmerkung) im Sinne von „für unrein erklären" zu deuten; vgl. 10,28 (λέγειν).

[90] ἐπὶ τρίς (so auch 11,10) steht hellenistisch für τρίς (so HAENCHEN), wahrscheinlicher indessen im Sinne von „noch ein drittes Mal" (BAUERWb s.v. τρίς).

[91] HAENCHEN meint: „zweimalige Wiederholung von Aufforderung, Ablehnung und Zurückweisung dieser Ablehnung". Siehe dagegen die vorige Anmerkung.

[92] ἐν ἑαυτῷ διηπόρει drückt die bleibende Ratlosigkeit aus (Imperfekt). Vgl. 5,24 διηπόρουν ... τί ἂν γένοιτο τοῦτο. Siehe auch oben I 255 A. 107. – 10,19 sagt in der Konstruktion eines Genitivus absolutus: „Während Petrus noch über das Gesicht nachdachte (διενθυμέομαι)". HAENCHEN bemerkt zutreffend: „der Wortsinn scheint für den Erzähler überhaupt nicht in Betracht zu kommen".

[93] ἐπυνθάνοντο ist gleichfalls Imperfekt. πυνθάνομαι steht mit folgendem indirekten Fragesatz auch Lk 15,26; 18,36; Apg 21,33.

[94] διερωτήσαντες mit folgendem Akkusativ (τὴν οἰκίαν). Das Verbum διερωτάω fehlt sonst im NT, steht aber z. B. JosBell I 234.653.

VV 19–20 Als Petrus noch über das Gesicht nachdachte, sprach der Geist: „Siehe drei Männer, die dich suchen“ (V 19). Vom Geist, der als Stimme redet, sprechen auch 8,29; 11,12; 19,1 D. Zu vergleichen sind weitere Interventionen des πνεῦμα: 8,39; 13,4; 16,6.7; 20,22.23. Die Weisung an Simon Petrus lautet, er solle hinuntersteigen – er hält sich also noch auf dem Dach auf – und mit den Männern gehen – μηδὲν διακρινόμενος (V 20a). Das letztere – meist übersetzt: „ohne Bedenken“[95] – wird durch einen ὅτι-Satz begründet (V 20b). Der Geist sagt: „Denn ich selbst habe sie gesandt.“ Die durch den ὅτι-Satz begründete Wendung kann kaum ursprünglich bedeutet haben: „ohne die Vision zuvor deuten zu wollen“[96]. Denn auch wenn man die Frage des Petrus (V 21c) und den Visionsbericht der Boten (V 22) für einen lukanischen Einschub hält[97] (siehe zu V 22), will der ὅτι-Satz *Bedenken* ausräumen und nicht einen Versuch zur *Deutung* der Vision erübrigen.

V 21 Petrus kommt der Weisung nach, geht hinunter[98] zu den Männern und sagt: „Seht, ich bin es, den ihr sucht“ (V 21 a.b). Und er fügt die Frage nach dem Grund[99] ihrer Anwesenheit[100] hinzu (V 21c). Die Boten des Kornelius sind von Petrus als *Gottes* Abgesandte erkannt. Aber noch fragt es sich, *was* Gott will.

VV 22–23a Auf die Frage des Petrus nach dem Grund ihres Kommens (V 21c) antworten die Boten des Kornelius, wer sie geschickt (V 22a) und was den Hauptmann zu der Gesandtschaft veranlaßt hat (V 22b). Petrus macht sich erst am folgenden Tag mit ihnen auf den Weg (V 23b). Da es schon Nachmittag ist, ruft er in das Haus herein[101] und nimmt sie gastfreundlich auf[102] (in dem Haus, wo er selber Gast ist) (V 23a). Die (heidni-

---

[95] Vgl. BAUERWb s.v. διακρίνω 2b: Das Medium ist in der Bedeutung „mit sich im Streit sein, Bedenken tragen, zweifeln“ erst seit dem NT bezeugt: Mt 21,21; Mk 11,23; Röm 4,20; 14,23; Jud 22. Mit folgendem ἐν ἑαυτῷ Lk 11,38 D; Jak 2,4. μηδὲν διακρινόμενος „an nichts zweifelnd“ steht auch Jak 1,6. Für Apg 10,20 schlägt Bauer „(mit Bedenken) zaudern“ vor. Siehe auch G. DAUTZENBERG, διακρίνω, in: EWNT I 732–738; 734.

[96] LÖNING, Korneliustradition 5, hält die Bedeutung „ohne zu versuchen, [die Vision] zu deuten“ in der Vorlage des Lukas erzählerisch für plausibler, „weil allein diese einen klar angebbaren Bezugspunkt im unmittelbaren Kontext hat (nämlich V. 17a.19a)“. Bei Lukas freilich gewinne die Wendung dann den Sinn „ohne Bedenken“ (a.a.O. 18 Anm. 43). Denn Lukas setze stillschweigend voraus, daß das Geist-Wort (VV 19f) die Petrusvision deutet (a.a.O. 18).

[97] So LÖNING, a.a.O. 18.

[98] καταβάς knüpft an κατάβηθι (V 20a) an.

[99] Zu τίς ἡ αἰτία δι' ἣν πάρεστε; vgl. Lk 8,47; Apg 22,24; 28,20. Siehe dazu BAUERWb s.v. αἰτία 1.

[100] Das Präsens πάρεστε hat hier perfektischen Sinn: „ihr seid hergekommen/seid da“. Vgl. BLASS/DEBR § 322.

[101] εἰσκαλεσάμενος οὖν αὐτούς. Die Boten standen also bislang noch vor der Tür (vgl. V 17).

[102] ἐξένισεν. Das aktivische ξενίζω kommt im NT nur selten vor: Apg 10,23; 28,7; Hebr 13,2, in der Bedeutung „befremden“ ferner Apg 17,20. Vgl. oben Nr. 23 A. 69.

schen) Boten des Kornelius übernachten also in einem jüdischen Haus. Es ist nicht einzusehen, warum erst Lukas die Versteile 21c.22 in den traditionellen Zusammenhang eingeschaltet haben sollte[103]. Denn es ist vom erzählerischen Standpunkt aus unverzichtbar, daß Petrus erfährt, *wohin* die Reise gehen und warum gerade *er* kommen soll. Freilich erfährt er noch nicht alles[104]. So ist erst nach der Begegnung der beiden Visionäre Petrus und Kornelius (10,30–33) das Rätsel der Petrusvision weitgehend entschlüsselt, und Petrus kann mit „Jetzt begreife ich ..." (V 34) reagieren. Während V 22 nur mitteilt, daß Kornelius „Worte" des Petrus hören soll, läßt erst V 33 erkennen, daß Petrus vom Herrn einen Auftrag erhalten hat[105]. So erfährt Petrus nach seiner schon zuvor (VV 28 f) geäußerten Erkenntnis die Bestätigung, daß sich die Vision auf die Zulassung der Heiden und sein Auftrag auf die Heidenmission bezieht (VV 34–36.43 b).

Im einzelnen wiederholt V 22 a, was schon bei der Vorstellung des Kornelius VV 1 f gesagt wurde. Statt εὐσεβής steht hier jedoch ἀνὴρ δίκαιος. Und statt von den Almosen für das jüdische Volk wird hier vom Ansehen[106] des Hauptmanns beim gesamten jüdischen Volk gesprochen. Kornelius hat „von einem heiligen Engel"[107] die Weisung erhalten[108], Simon Petrus „in sein Haus" kommen zu lassen[109] und seine Worte zu hören (V 22 b). V 23 zeigt, daß Petrus die Heiden schon jetzt gastlich aufnimmt; dem entspricht, daß er später bei Kornelius einkehrt (V 22 b „in sein Haus"; vgl. VV 25.27.48 b).

---

[103] Gegen LÖNING, Korneliustradition 14: „Lukas hat es für sinnvoll gehalten, bereits in der ersten Begegnungsszene mit den Boten (10,17–23 a) Petrus von der Vision des Kornelius erfahren zu lassen (V. 22). Damit verliert die Erkenntnisszene (10,27–36) das auslösende Motiv. Petrus erfährt in den Versen 30–33 im Prinzip nichts Neues über V. 22 hinaus; seine Reaktion mit καταλαμβάνομαι (V. 34) ist unmotiviert, weil schon vorher möglich." Vgl. ebd. 18: Der Visionsbericht der Boten (V 22, mit der vorausgehenden Frage V 21 c) ist von Lukas „eingeschoben".

[104] Übrigens bedeutet die weitergehende Mitteilung des Kornelius über seine Vision (VV 30–33; s. dazu die folgende Anmerkung) noch nicht die vollständige Entschlüsselung des mit der Petrus-Vision Gemeinten (siehe V 44: das Herabkommen des Geistes).

[105] Siehe 10,33: „um alles zu hören, was dir vom Herrn aufgetragen worden ist". Demgegenüber sagt V 22 nur: ἀκοῦσαι ῥήματα παρὰ σοῦ.

[106] Das Partizip μαρτυρούμενος (mit ὑπό und folgendem Genitiv) bedeutet: „(bei jemand) in gutem Ruf stehen". Es steht z. B. auch JosAnt III 59; in der Apg ferner 22,12; vgl. 16,2, ohne ὑπὸ κτλ. auch 6,3. Siehe auch oben I 426 A. 44.

[107] Die Engel werden auch Lk 9,26 (par Mk) ἅγιοι genannt. Siehe ferner Apk 14,10; 1 Clem 39,7 (Ijob 5,1).

[108] ἐχρηματίσθη „ihm ist (von Gott her) die Weisung gegeben worden". Diese Bedeutung des passivischen χρηματίζομαι liegt im NT auch Mt 2,12.22; Hebr 8,5; 11,7 vor. Lk 2,26 bezieht es sich auf die göttliche Verheißung.

[109] Petrus soll also laut göttlicher Weisung das Haus des Heiden Kornelius betreten. Gemäß V 23 a läßt er dessen Boten bei sich selbst eintreten. Zur jüdischen Auffassung über die Erlaubtheit jüdisch-heidnischer Hausbesuche siehe BILLERBECK IV 374–378.

IV. DIE BEGEGNUNG DES PETRUS MIT KORNELIUS IN CÄSAREA (10,23b–33)

V 23b Mit „Am folgenden Tag" setzt der vierte Erzählabschnitt ein (ebenso wie V 9 der zweite). Petrus erhebt sich[110] und zieht mit den Boten hinaus[111]. Einige von den „Brüdern" aus Jafo, also von den dortigen Christen[112], schließen sich Petrus an. Sie gelten im Folgenden als Zeugen dessen, was Petrus erlebt und berichtet (VV 45f; nach 11,12 handelt es sich um „sechs Brüder", die Petrus auch nach Jerusalem begleiteten und dort als Zeugen fungierten).

V 24 Wieder einen Tag später[113] kam Petrus in Cäsarea an (V 24a). Kornelius erwartete sie[114] und hatte seine Verwandten[115] und Freunde[116] zusammengerufen (V 24b). Dem Petrus wird also ein großer und respektabler Empfang bereitet.

VV 25–27 Die Verse berichten von der Begegnung der beiden Hauptgestalten und von der Begrüßung des Petrus durch Kornelius. Dieser Begegnung folgen dann die Angaben des Petrus (VV 28f) und des Kornelius (VV 30–32) über ihre Visionen. Die Begegnung zwischen Petrus und Kornelius bringt damit die entscheidende Auflösung des mit der Petrus-Vision aufgegebenen Rätsels. Es besteht kein Anlaß, die Angaben des Petrus über seine Vision (10,27–29a[117] oder 10,27–29b[118]) als sekundäre Einschaltung anzusehen[119]. Zwischen der Einsicht des Petrus, daß er mit einem Heiden verkehren darf (VV 28f), und der, daß die Heiden die Taufe empfangen dürfen (VV 47f), liegt eine weitere göttliche Intervention (VV 44–46).

---

[110] Das in der Kornelius-Erzählung häufige einleitende ἀναστάς (10,13.20; 11,7) hat hier wohl den Sinn „er erhob sich, er brach auf".

[111] ἐξῆλθεν hat in εἰσῆλθεν (V 24) seine Entsprechung. ἐξέρχομαι steht ohne Angabe des Ausgangspunktes einer Reise, aber so, daß sich dieser aus dem Zusammenhang ergibt, auch Lk 4,42; 5,27; Apg 12,9.10.17; 16,3. Mit Angabe des Ausgangspunktes steht das Verbum auch Apg 7,4; 16,13.40; 22,18, mit Angabe des Zieles 11,25; 12,17; 14,20; 16,10; 20,1; 21,8.

[112] Die Christen werden ἀδελφοί genannt, so auch 9,30; 11,1.12 u.ö.; siehe oben Nr. 22 A. 58.

[113] τῇ δὲ ἐπαύριον wie VV 9.23a; siehe oben A. 68.

[114] ἦν προσδοκῶν αὐτούς. Die periphrastische Konjugation mit προσδοκάω begegnet auch Lk 1,21; 8,40, sonst nicht im NT.

[115] οἱ συγγενεῖς steht auch Lk 2,44; 21,16, mit folgendem Genitiv: Mk 6,4; Lk 1,58; 14,12; Apg 10,24. In der Bedeutung „Stammesgenosse" steht der Plural außerdem Röm 9,3.

[116] τοὺς ἀναγκαίους φίλους. ἀναγκαῖος bezeichnet – entsprechend dem lateinischen *necessarius* – auch die engen Bande der Verwandtschaft und Freundschaft, so Apg 10,24, ferner z.B. JosAnt VII 350; XI 254.

[117] So Dibelius, Die Bekehrung 99: „Die Verse 10,27–29a bedeuten ... eine störende Verzögerung."

[118] So Conzelmann, Apg 69: „27–29 erweisen sich als Einschub; V 30 schließt an 26 an."

[119] Haenchen, Apg 349, meint, die Petrus-Vision sei von Lukas selbst entworfen „zur Veranschaulichung der Lehre 10,28".

V 25 beginnt mit ὡς δὲ ἐγένετο τοῦ εἰσελθεῖν[120], was sich nach V 24a auf den Eintritt in das Haus bezieht. Als Petrus den Bereich des Hauses betrat, ging ihm Kornelius entgegen[121]. Er fiel ihm zu Füßen und huldigte ihm[122]. Doch Petrus richtete ihn auf mit dem Hinweis, daß auch er nur ein Mensch sei[123] (V 26). Im Gespräch[124] mit Kornelius „trat er (in das Haus) ein“ (εἰσῆλθεν), wo er „viele“ versammelt fand[125] (V 27).

VV 28–29 Vor der häuslichen Versammlung ergreift Petrus das Wort. Die Worte des Petrus beinhalten vier Punkte: Dem Juden ist es nicht erlaubt[126], mit Heiden zu verkehren[127] (V 28 a). Doch Gott hat mir gezeigt, daß ich keinen Menschen unrein nennen darf[128] (V 28 b). Daher bin ich ohne Widerrede[129] hergekommen, als man mich rief (V 29 a). Ich frage[130] jetzt, warum[131] ihr nach mir geschickt habt (V 29 b). Die Schlußfrage greift im Grunde nur V 21 c auf und knüpft an die schon den Boten gestellte Frage an. Petrus erfuhr zunächst nur, daß er vor Kornelius reden solle (V 22). Bisher ist also dem Petrus deutlich geworden, daß mit der Vision Menschen gemeint waren: Alle Menschen, Juden und Fremdstämmige[132],

---

120 Zu ἐγένετο mit Genitiv des substantivierten Infinitivs siehe BLASS/DEBR § 400,7 (Vorbild der LXX). Beispiele für den Genitiv des substantivierten Infinitivs finden sich neben Jak 5,17 im lukanischen Werk: Lk 4,10 (Zit.); 9,51; 22,31; Apg 3,12; 5,31; 10,25; 13,47; 15,20; 21,12; 23,15.20; 27,1.

121 συναντάω (mit Dativ) ist Vorzugswort des Lukas. Es steht mit folgendem Dativ Lk 9,18.37; 22,10; Apg 10,25; 20,22, ferner im NT Hebr 7,1.10.

122 Zu πεσὼν ἐπὶ τοὺς πόδας προσεκύνησεν siehe oben A. p. Die Verbindung von πίπτω und προσκυνέω findet sich auch JosAnt X 213 (im Anschluß an Dan 3,5), im NT häufig: Mt 2,11; 4,9; 18,26.29; Apk 5,14; 19,4; 22,8. προσκυνέω wird im Sinne erlaubter (bzw. gebotener) Huldigung gebraucht: Lk 4,8; 24,52; Apg 8,27; 24,11, im Sinne einer nicht statthaften Verehrung Lk 4,7 (Teufel); Apg 7,43 (Götzen); 10,25 (Petrus). Die Proskynese wird in den apokryphen Apostelakten positiv aufgegriffen und zu einem beliebten Motiv; siehe SÖDER, Die apokryphen Apostelgeschichten 95–98.

123 Vgl. die Sachparallele 14,15: ὁμοιοπαθεῖς ἐσμεν ὑμῖν ἄνθρωποι. Den Kontrast dazu stellt 12,22f dar.

124 CONZELMANN meint, συνομιλῶν wirke nach V 25 „künstlich“. Doch zeigt es die Überwindung des „Abstandes“ zwischen den Personen an, nicht – wie HAENCHEN meint – „die Leutseligkeit des Petrus“.

125 Die συνεληλυθότες πολλοί sind die Verwandten und Freunde (V 24b).

126 ἀθέμιτόν ἐστιν „es ist unerlaubt/frevelhaft“, mit folgendem Infinitiv z. B. auch Jos Bell I 650.

127 κολλᾶσθαι ἢ προσέρχεσθαι mit folgendem Dativ. Bei κολλάομαι steht der Dativ der Person auch 5,13; 9,26; bei προσέρχομαι („zu jemand gehen“) auch Lk 23,52; Apg 9,1; 18,2.

128 κοινὸν ἢ ἀκάθαρτον λέγειν knüpft an VV 14f der Petrus-Vision an; siehe auch 11,8f.

129 Das Adv. ἀναντιρρήτως ist ntl. Hapaxlegomenon. Das entsprechende Adjektiv steht Apg 19,36.

130 πυνθάνομαι mit folgender direkter Frage wie 4,7; 23,19. Mit indirekter Frage steht das Verbum Lk 15,26; 18,36; Apg 21,33.

131 τίνι λόγῳ; „aus welchem Grund?“ wie Plato, Gorg. 512c; Appian, Mithrid. 57 § 232.

132 V 28 a ἀλλόφυλος. Vom Standpunkt des Judentums ist der ἀ. ein „Heide“ (vgl. Jos Ant IV 183). Siehe auch Apg 13,19 D.

sind rein. Sie dürfen untereinander und miteinander verkehren, wie es Petrus bereits in Jafo praktizierte (V 23) und jetzt bei Kornelius tat (VV 25.27).

VV 30–32 Es folgt die Antwort des Kornelius, in der er über seine eigene Vision berichtet. Vor vier Tagen um die neunte Stunde[133] erschien dem Kornelius, als er in seinem Haus betete, ein Mann in glänzendem Gewand[134] (V 30). Der Hauptmann berichtet „objektiv" und deutet den „Mann" nicht als Engel! Von einer Vision ist hier keine Rede. Der „Mann" stand „vor ihm", redete ihn namentlich an und teilte mit: „Erhört wurde dein Gebet, und deiner Almosen ist vor Gott gedacht worden" (V 31). Darauf erteilte der Engel den Auftrag, Simon Petrus aus Jafo kommen zu lassen; dessen Aufenthaltsort wird genau angegeben (V 32). Diese überprüfbaren Angaben können den „Mann" schließlich „beglaubigen".

V 33 Unverzüglich – so sagt Kornelius abschließend – habe er den Auftrag ausgeführt, und Petrus habe gut getan zu kommen (V 33 a). Die Begegnung von Kornelius und Petrus ist nun vollzogen. Beide handelten nach göttlicher Weisung. V 33 b drückt die gespannte Erwartung aus, was weiter geschehen wird: Alle sind vor Gott[135] zugegen, um zu hören, was dem Petrus „vom Herrn"[136] aufgetragen sei. Das entscheidende Ereignis, dessen sie dann Zeugen werden, ist aber nicht die Petrusrede (10, 34–43), sondern das „Herabfallen" des heiligen Geistes auf sie selbst (V 44).

V. DIE PREDIGT DES PETRUS VOR KORNELIUS UND SEINEM HAUS (10, 34–43)

VV 34–35 Mit einer gewichtigen Einleitungswendung[137] wird zur Predigt des Petrus hingeleitet. Die Rede beginnt mit einer situationsbezogenen Be-

---

[133] Am Beginn der Korneliusrede sind „zwei Aussagen durcheinander geraten ...: eine Erwähnung der Vision vor vier Tagen um die 9. Stunde und die Aussage, daß Cornelius seit vier Tagen bis heute ständig betete (V 2)" (CONZELMANN). Siehe auch ZERWICK/GROSVENOR, Analysis z. St.: „four days ago to this hour"; das folgende ἤμην τὴν ἐνάτην προσευχόμενος wäre zusammenzuziehen (etwa: „befand ich mich beim Gebet der Non"). Zur Datierung „vor vier Tagen" siehe die Angaben der VV 3.9.17.23.24: Am Tag nach der Vision kamen die Boten in Jafo an (VV 9.17), wo sie übernachteten (V 23). Am dritten Tag brachen sie in Jafo auf (V 23) und kamen am vierten in Cäsarea an (V 24).

[134] Zu ἀνὴρ ... ἐν ἐσθῆτι λαμπρᾷ vgl. Lk 24, 4 (von den zwei Engeln beim Grab Jesu) und Apg 1, 10 (von denen bei der Himmelfahrt).

[135] ἐνώπιον τοῦ θεοῦ steht im NT noch Lk 1, 19; 12, 6; 16, 15; Apg 4, 19; 7, 46; 10, 31; Röm 14, 22; 1 Kor 1, 29; 2 Kor 4, 2; 7, 12; Gal 1, 20; 1 Tim 2, 3; 5, 4.21; 6, 13; 2 Tim 2, 14; 4, 1; 1 Petr 3, 4 und 7mal in der Apk.

[136] ὑπὸ τοῦ κυρίου soll Petrus Auftrag empfangen haben (τὰ προστεταγμένα σοι). Der κύριος ist in diesem Zusammenhang *Gott;* vgl. SCHNEIDER, Gott und Christus als ΚΥΡΙΟΣ 164.

[137] Vgl. Mt 5, 2; 17, 27; Apg 8, 35; 18, 14; 2 Kor 6, 11; Apk 13, 6.

merkung, die die seit seiner Vision gewonnene Erkenntnis formuliert: „In Wahrheit[138] begreife ich ...". Die Einsicht besagt, daß Gott nicht auf die Person sieht[139] (V 34b), sondern daß ihm jeder angenehm ist[140], der ihn fürchtet[141] und „Gerechtigkeit übt"[142], gleich, aus welchem Volk er stammt (V 35).

VV 36–38 Die drei Verse, die den ersten Teil der Jesus-Verkündigung[143] darstellen, sind grammatikalisch schwierig[144]. Möglicherweise ist ὑμεῖς οἴδατε am Anfang von V 37 die übergeordnete Aussage, und die drei Akkusative sind diesem „Ihr kennt/ihr wißt um" untergeordnet: τὸν λόγον ὃν ἀπέστειλεν (V 36), τὸ γενόμενον ῥῆμα (V 37) und Ἰησοῦν (V 38). Falls jedoch ὅν nach λόγον als textliche Erleichterung oder als Dittographie gestrichen wird[145], ist V 36 zwar ein selbständiger Satz; doch er wird sachlich nicht zu Ende geführt und mündet in die Parenthese: „Dieser ist Herr aller (Menschen)[146]". Wenn man ὅν stehen läßt[147], kann τὸν λόγον als attractio inversa verstanden werden, bei der das Nomen in den Kasus des Relativum gesetzt wurde[148]. In diesem Fall könnte die „Parenthese" am Ende von V 36 als Inhalt des λόγος aufgefaßt werden[149]. Dann beginnt mit V 37 ein neuer Satz, und hinter ὑμεῖς οἴδατε muß das Komma entfallen. Die überzeugendste Lösung der Satzbau-Problematik legt neuerdings H. Rie-

---

[138] ἐπ' ἀληθείας steht im lukanischen Werk besonders häufig; s.o. I 358 A. 34.

[139] προσωπολήμπτης ist ntl. Hapaxlegomenon. Zum Begriff, der auch das Abstraktum προσωπολημψία umfaßt, siehe E. LOHSE in: ThWNT VI 780f. Vgl. ferner Lk 20,21: οὐ λαμβάνεις πρόσωπον (diff Mk).

[140] δεκτὸς αὐτῷ ἐστιν. δεκτός „angenehm" ist lukanisches Vorzugswort: Lk 4,19 (Zit.); 4,24; Apg 10,35. Es steht im NT sonst nur noch 2 Kor 6,2 (Zit.); Phil 4,18. Die Entsprechung von προσωπολήμπτης und δεκτός ist zu beachten.

[141] ὁ φοβούμενος αὐτόν ist hier nicht terminologisch, sondern im Sinne des atl. Frömmigkeitsideals zu verstehen; siehe H. BALZ in: ThWNT IX 197–199.208f.

[142] Zu ὁ ... ἐργαζόμενος δικαιοσύνην vgl. Hebr 11,33; Jak 1,20. Vgl. auch ἐργάζομαι ἀνομίαν Mt 7,23; τὸ ἀγαθόν Röm 2,10; Gal 6,10; κακόν Röm 13,10.

[143] Zur Struktur der Rede siehe WILCKENS, Missionsreden 46–50.

[144] Vgl. WILCKENS, a.a.O. 48f. CONZELMANN: „Sprachlich ist die Stelle unfertig, eine Notizensammlung (mit Dubletten?) ..." Zu V 36: „Ein konstruierter Satz liegt nicht vor ..." Eine neue Lösung des Problems schlägt RIESENFELD, Text of Acts X.36 (1979), vor.

[145] Siehe dazu oben A. α.

[146] πάντων ist hier Genitiv von πάντες, bezogen auf Juden und Heiden. πάντων κύριος ist eine verbreitete Wendung der griechischen Religion, die auch ins hellenistische Judentum eindrang; siehe CONZELMANN (mit Belegen).

[147] Dafür plädiert CONZELMANN, weil das „Kerygma" die Neigung zu Relativkonstruktionen zeigt. Wenn man τὸν λόγον von οἴδατε (V 37) abhängig sein läßt, werde die Dublette zu τὸ ῥῆμα noch krasser. WILCKENS, a.a.O. 46 Anm. 1, hält die längere LA für die schwierigere und ursprüngliche.

[148] Siehe ZERWICK, Biblical Greek Nr. 19, der aus dem lukanischen Werk als weitere Beispiele Lk 1,72f; 12,48; 20,17 nennt. Vgl. auch ZAHN, Apg 354.

[149] Es läge folgender Gedanke vor: Gott sandte den Israeliten – den Frieden verkündigend, den man durch Jesus Christus erlangt – das Wort: Dieser ist Herr *aller* Menschen. Der Gedanke wäre lukanisch, wie Lk 2,10–14 zeigt (εὐαγγελίζομαι, παντὶ τῷ λαῷ, Χριστὸς κύριος, εἰρήνη ἐν ἀνθρώποις). Vgl. auch Lk 2,15 (τὸ ῥῆμα ... τὸ γεγονός) mit Apg 10,37 (τὸ γενόμενον ῥῆμα).

senfeld vor. Sie beinhaltet, daß V 36 (τὸν λόγον ὃν κτλ.) Apposition ist, die die gesamte Feststellung des vorausgehenden ὅτι-Satzes (VV 34f) resümiert. Der Akkusativ steht dann in Abhängigkeit von καταλαμβάνομαι[150]. ὑμεῖς οἴδατε ist zwar in der vorausgesetzten Situation einer Predigt vor Heiden nicht angebracht (und Anzeichen für die eingebrachte „Tradition“[151]), doch konnte es Lukas, zumal wenn es nur für die Angaben der VV 37f gilt, auch der Familie und den Freunden des Kornelius gesagt sein lassen: Sie hatten schon über Jesus von Nazaret und sein Wirken im ganzen Judenland Kunde erhalten.

V 36 beginnt mit einem betonten Akkusativ (τὸν λόγον), ebenso wie V 38 („Jesus von Nazaret“). Der Versteil 36a ist kein Anakoluth[152]. Vielmehr muß V 36 insgesamt als Apposition zu den VV 34f gelten. Wenn man von der Rede-Einleitung (VV 34f) her den V 36 liest, so erweist er sich „als eine der geschilderten Situation entsprechende Überschrift über den Inhalt des folgenden Jesuskerygma, zu dem der Satz direkt überleitet“[153]: In jedem Volk, nicht nur in Israel, ist Gott jeder angenehm, der ihn fürchtet und rechtschaffen handelt (VV 34f); denn das Wort, das Gott zu *Israel* sandte, „bezieht durch Jesus Christus[154], in dem die Friedensverheißung erfüllt ist[155], alle in diesen Frieden ein: Er ist Herr über *alle*“[156].

V 37 erinnert mit ὑμεῖς οἴδατε[157] an Bekanntes. Die Hörer müßten wissen von der Sache[158], die sich im ganzen Judenland[159] ereignete. Gemeint ist das Wirken Jesu von Nazaret (V 38) bzw. das „Christus-Ereignis“. Die Rede spricht zunächst von dessen „Anfang“[160] – räumlich und zeitlich gesehen[161] (V 37b) –, dann vom wesentlichen Inhalt seines Wirkens (V 38b:

---

[150] Siehe Riesenfeld, Text of Acts X.36 (1979) 192f.

[151] Siehe Wilckens, Missionsreden 48.65–68, der allerdings meint, Lukas halte die Wendung deshalb für sinnvoll, weil sich die Predigt des Petrus „an eine bereits von Gott zusammengeführte christliche Gemeinde“ wende (67).

[152] Gegen Wilckens, a.a.O. 47.

[153] Wilckens, a.a.O. 48.

[154] Die Wendung „durch Jesus Christus“ ist mit εἰρήνην zu verbinden (so Haenchen), nicht mit εὐαγγελιζόμενος (gegen Conzelmann).

[155] Vgl. Lk 2,10.14; dazu oben A. 149. Siehe auch Haenchen: „Petrus sieht in Jesus nicht einen Verkünder des Heils ..., sondern den, durch den es zustande kommt.“

[156] Wilckens, a.a.O. 48.

[157] Vgl. 2,22 „wie ihr selbst wißt“.

[158] Haenchen: „Vorausgesetzt wird, daß sogar jeder ‚Gottesfürchtige‘ in Palästina von dem Jesusgeschehen weiß ...“; vgl. unten A. 170. – ῥῆμα ist wie Lk 2,15 das „Geschehen“, nicht das „Wort“; vgl. oben A. 149; W. Radl, ῥῆμα 4.a, in: EWNT III.

[159] Zum Gebrauch von Ἰουδαία bei Lukas siehe oben I 254 A. 92; 479 mit A. 67.

[160] ἀρξάμενος 10,37b ist ohne Beziehung, hat aber vielleicht adverbialen Sinn. Zerwick/Grosvenor, Analysis z.St., schlagen vor: „initially, to begin with‘. Vgl. indessen auch 1,22, wo das Partizip auf die Person Jesu bezogen ist: Der Anfang des Wirkens und das Ende (Himmelfahrt) markieren den Zeitraum des Wirkens Jesu und den der apostolischen Augenzeugenschaft.

[161] Siehe A. 160. Der Anfang vollzieht sich in Galiläa. Das Wirken umfaßt das gesamte Judenland (VV 37a.39a) und endet in Jerusalem; vgl. ferner Lk 23,5. – Der zeitliche Anfang des Wirkens liegt in der Konzeption des Lukas nach der Inhaftierung des Täufers; vgl. Lk 3,20.

ὃς διῆλθεν κτλ.), schließlich von seinem Ende (VV 39–41) und seiner künftigen Richterfunktion (V 42). In diese „Daten" des christologischen Kerygmas ist der Gedanke der apostolischen (VV 39a.41.42) und prophetischen (V 43) Zeugenschaft regelrecht verwoben. – V 37 erwähnt den geographischen Anfang „Galiläa" und den zeitgeschichtlichen Ansatzpunkt „nach der Taufe, die Johannes verkündigte"[162]. An die Taufe Jesu wird erst V 38a erinnert.

V 38 geht vom als bekannt vorausgesetzten „Ereignis" zur Person Jesu von Nazaret[163] über. Die Anspielung auf die Taufe Jesu als seine Geist-Salbung[164] begründet zugleich den schon V 36a erwähnten Christus-Titel. Das Wirken im Judenland wird als Wunderwirken zugunsten der Kranken und Besessenen charakterisiert: διῆλθεν[165] εὐεργετῶν[166] καὶ ἰώμενος πάντας[167]. Jesus wirkte als wahrer „Wohltäter" der Menschheit[168] und als Arzt der Kranken[169]. Diese Tätigkeit wird mit dem Satz begründet: „Denn Gott war mit ihm" (V 38c). Die Kraft zu diesem Wirken und seine auf *alle Kranken* oder *Unterdrückten* gerichtete Zielrichtung wird also auf Gott zurückgeführt[170]. Jesus ist eindeutig Gott untergeordnet. Er ist der „Christus *Gottes*" (Lk 9,20; Apg 3,18; 4,26).

V 39a betont nach Art einer Parenthese die Augenzeugenschaft der Apostel, als deren Repräsentant Petrus hier verstanden ist – mit Sicherheit ein „lukanisches" Element in der Rede vor Kornelius![171] Die Augenzeugenschaft erstreckt sich auf „alles"[172], was Jesus „im Land der Juden und

[162] τὸ βάπτισμα ist auch gemäß 13,24 Gegenstand/Inhalt der Täuferpredigt. Im lukanischen Werk bezeichnet βάπτισμα, abgesehen von Lk 12,50 (par Mk 10,38), stets die Taufe des Johannes: Lk 3,3; 7,29; 20,4; Apg 1,22; 10,37; 13,24; 18,25; 19,3.4.

[163] Ἰησοῦς ὁ ἀπὸ Ναζαρέθ begegnet im NT sonst nur noch Mt 21,11; vgl. Joh 1,45 mit der Einschaltung „der Sohn des Josef".

[164] ὡς ἔχρισεν αὐτὸν ὁ θεός. ὡς ist durch οἴδατε (V 37) bedingt. Von der Salbung (χρίω) Jesu sprechen im NT ferner Lk 4,18 (Jes 61,1 LXX); Apg 4,27; Hebr 1,9 (Ps 44,8 LXX). Der Begriff der Geist-Salbung ist Jes 61,1f grundgelegt; vgl. Hahn, Hoheitstitel 395.

[165] διέρχομαι steht hier absolut wie Lk 19,4; Apg 8,40; 17,23.

[166] εὐεργετέω ist zwar ntl. Hapaxlegomenon. Doch dürften für die lukanische Theologie auch die Substantiva εὐεργεσία (Apg 4,9; 1 Tim 6,2) und εὐεργέτης (Lk 22,25) zu berücksichtigen sein; vgl. G. Schneider, εὐεργετέω κτλ., in: EWNT II 191–193. Siehe auch oben I 347 A. 42.

[167] Zur Sendung Jesu als *Arzt* bzw. zum *Heilen* siehe oben I 352 A. 100. Hervorgehoben wird hier die Heilung der „vom Teufel Überwältigten". Hinter der Konzeption, daß der mit dem Geist Gesalbte die Menschen aus Gefangenschaft und Unterdrückung befreit (Lk 4,18), steht gleichfalls Jes 61,1f; vgl. oben A. 164.

[168] Siehe die kontrastierende Aussage über die irdischen Herrscher Lk 22,25; dazu Schneider, a. A. 166 a.O. 192.

[169] Vgl. die Heilungen Jesu, die durch eine gottgegebene δύναμις ermöglicht sind: Lk 5,17; 6,19. Siehe ferner oben I 352 A. 100.

[170] Vgl. Apg 2,22: In den Wundern Jesu handelte Gott durch Jesus und beglaubigte ihn. Auch an dieser Stelle ist vorausgesetzt, daß die Hörer insbesondere von Jesu Wundern Kenntnis haben („wie ihr wißt").

[171] Vgl. dazu Apg 1,15–26; siehe Exkurs 2 (oben I 221–232).

[172] πάντων ὧν (attractio relativi) ἐποίησεν. Vgl. 1,1.21f.

in Jerusalem“[173] getan hat. Der Zeugengedanke wird dann VV 42f wiederholt, um ihn auch auf die Auferstehung Jesu zu beziehen und – entsprechend Lk 1,2 – von der Augenzeugenschaft auf das verkündigte Zeugnis überzuleiten.

VV 39b–41 Der Relativsatz V 39b schließt unmittelbar an das Ende von V 38 an[174]. Dadurch, daß V 39a „die Juden“ erwähnt, bekommt ἀνεῖλαν ein benanntes Subjekt: Die Juden haben Jesus umgebracht[175], indem sie ihn „ans Holz hängten“[176] (V 39b). Die „Wende“, die mit der Auferwekkung Jesu[177] am dritten Tag[178] eintrat, wird durch das vorangestellte τοῦτον hervorgehoben: *Eben diesen* Gekreuzigten hat Gott auferweckt und „gegeben, daß er sichtbar wurde“[179] (V 40). Die Erscheinungen des Auferweckten erfolgten nicht vor allem Volk, sondern nur vor Zeugen, die vorherbestimmt waren[180]. Appositionell (ἡμῖν nach μάρτυσιν) wird V 41b angeschlossen. „Wir“, d.h. die Apostel, sind die Auferstehungszeugen, die den irdischen (VV 38–39) und den auferweckten Jesus (VV 40–41) gesehen haben. Ja, sie haben mit Jesus nach seiner Auferstehung[181] zusammen gegessen und getrunken[182].

VV 42–43 Die Rede endet mit der Feststellung, daß der Auferstandene[183] seinen Aposteln einen Verkündigungsauftrag erteilte[184]. Die Apostel sol-

---

[173] Die Konzeption vom Verlauf des Wirkens Jesu entspricht der des dritten Evangeliums; vgl. V 37.

[174] Siehe die an „Jesus von Nazaret“ angehängten Relativa (V 38b ὅς, V 39b ὅν) und die abschließenden Demonstrativa (V 40 τοῦτον, V 43a τούτῳ). Sie entsprechen „kerygmatischem“ Stil.

[175] Zu ἀναιρέω siehe oben I 271 A. 68. Das Verbum ist auch Lk 22,2; Apg 2,23; 13,28 auf die Kreuzigung Jesu bezogen.

[176] κρεμάσαντες ἐπὶ ξύλου (vgl. auch 5,30) spielt auf Dtn 21,22 an, das zum christlichen Schriftbeweis gehört (vgl. auch Gal 3,13). Vgl. oben I 396 A. 93.

[177] Zu τοῦτον ὁ θεὸς ἤγειρεν vgl. die Parallelen 3,15; 4,10; 5,30; 13,30.37. Das passivische ἠγέρθη steht im gleichen Sinn (einer Gottes-Tat an Jesus) Lk 24,6.34. Vgl. oben I 320. A. 53.

[178] τῇ τρίτῃ ἡμέρᾳ begegnet – wenn auch in anderer Wortstellung – schon 1 Kor 15,4 (so auch Lk 18,33; Joh 2,1). Die Wendung steht bei Lukas sonst stets in der zitierten Wortstellung; siehe Lk 9,22; 24,7.46; Apg 10,40.

[179] ἔδωκεν αὐτὸν ἐμφανῆ γενέσθαι. Zur Konstruktion mit δίδωμι siehe auch Apg 2,27 und 13,35 (Ps 15,10 LXX); 14,3.

[180] Wahrscheinlich ist bei der durch Gott erfolgten Vorherbestimmung an die Apostelwahl Lk 6,12–16 zu denken. Siehe ferner Apg 1,2.24. προχειροτονέω heißt „voraus auserwählen, vorherbestimmen“ (so z.B. auch Plato, Leges VI 765b.c).

[181] μετὰ τὸ ἀναστῆναι αὐτόν. Zu μετά mit folgendem substantiviertem Infinitiv (und Akkusativ) siehe Blass/Debr § 402,3; es dient der Zeitangabe: Lk 12,5; 22,20; Apg 1,3; 7,4; 10,41; 15,13; 19,21; 20,1. Intransitives ἀνίστημι bezeichnet bei Lukas mehrmals die Auferstehung Jesu: Lk 18,33; 24,7.46; Apg 10,41; 17,3. Vgl. J. Kremer, ἀνάστασις κτλ., in: EWNT I 210–221, näherhin 218f.

[182] Auch hier ist an das dritte Evangelium (Lk 24,30f.41–43) gedacht.

[183] Vgl. die enge Verbindung mit V 42.

[184] παρήγγειλεν ἡμῖν (vgl. V 39 ἡμεῖς, V 41 ἡμῖν) κηρύξαι ... καὶ διαμαρτύρασθαι.

len dem (jüdischen) Volk verkündigen und bezeugen[185], daß der auferstandene Gekreuzigte der von Gott bestellte[186] universale Richter ist[187] (V 42). Mit τούτῳ (V 43) setzt im Grunde kein neuer Verkündigungsinhalt ein, sondern es wird in indirekter Weise dazu aufgefordert, sich im Glauben an jenen künftigen Richter zu wenden, um „Sündenvergebung durch seinen Namen“[188] zu erlangen. V 43 ist wohl ebenso wie V 42b von ὅτι abhängig[189]. Indem Petrus den Verkündigungsauftrag wörtlich „zitiert“, führt er ihn vor der Familie des Kornelius zugleich aus. Ein christologischer Schriftbeweis wird vor den „gottesfürchtigen“ Heiden nicht geführt; es wird nur allgemein auf die Propheten verwiesen, die für Christus Zeugnis ablegen[190]. Wie Lk 24,47 ist auch hier vorausgesetzt, daß nicht erst der Verkündigungsauftrag Jesu „die Buße zur Sündenvergebung für alle Völker“ umfaßt, sondern daß die Sündenvergebung durch den Namen Jesu schon in den Schriften des Alten Bundes[191] vorgesehen war und daher „vorgeschrieben“ ist. Während V 42 noch das jüdische Volk als Adressat der apostolischen Verkündigung nannte, durchbricht V 43 mit πάντα τὸν πιστεύοντα diese völkische Schranke[192].

VI. DIE TAUFE DER ERSTEN HEIDEN (10, 44–48)

V 44 Noch während der Rede des Petrus[193], also etwa gleichzeitig mit der indirekten Umkehr-Aufforderung (VV 42f), fiel[194] der heilige Geist[195] auf

---

[185] Zu διαμαρτύρομαι siehe oben I 223 A. 9; 227: Das vom Auferstandenen gebotene διαμαρτύρεσθαι vollzieht Petrus darin, daß er vor dem heidnischen Centurio predigt.

[186] ὡρισμένος ὑπὸ τοῦ θεοῦ. ὁρίζω bezeichnet bei Lukas den göttlichen Heilsplan, s. o. I 271 A. 69; 359 A. 43. Der Bezug auf Christus, den künftigen universalen Richter, ist auch Apg 17,31 gegeben.

[187] ὁ κριτὴς ζώντων καὶ νεκρῶν hat in 17,31 eine Sachparallele. Der Satz vom Richter über die Lebenden und Toten fand Eingang in das Symbolum Romanum. Vgl. auch 2 Clem 1,1; Polyk 2,1; ActThom 30.

[188] Zu ἄφεσις ἁμαρτιῶν siehe oben I 151 A. 106; 323 A. 83. διὰ τοῦ ὀνόματος (αὐτοῦ) begegnet auch Apg 4,30 (die apostolischen Wunder erfolgen *durch* den Namen Jesu).

[189] Nach ὅτι folgt zunächst οὗτός ἐστιν κτλ. (V 42b) und dann τούτῳ ... μαρτυροῦσιν (V 43a).

[190] μαρτυρέω mit folgendem Dativ der Person, über die das Zeugnis abgelegt wird, findet sich auch 22,5; mit folgendem Partizip ferner 15,8.

[191] Vgl. Lk 24,44 („in dem Gesetz des Mose und den Propheten und den Psalmen“). Von γέγραπται (24,46) ist auch κηρυχθῆναι ... μετάνοιαν εἰς ἄφεσιν ἁμαρτιῶν (V 47) abhängig.

[192] „Jeder Glaubende“ (πᾶς ὁ πιστεύων, so auch 13,39) erinnert an Röm 1,16; 3,22; 10,11. Jedoch wird πᾶς ὁ mit folgendem Partizip auch sonst häufig von Lukas verwendet: Lk 6,47; 11,10; 14,11; 16,18; 18,14; 19,26; Apg 1,19; 2,44; 4,16; 5,5.11; 6,15; 9,35; 10,38.44; 19,10; 22,12. Dennoch wird man sagen dürfen, daß Lukas den Petrus hier „paulinisch“ reden läßt (vgl. 13,39).

[193] Zur Wendung ἔτι λαλοῦντος τοῦ Πέτρου siehe die Parallelen Lk 8,49 (par Mk 5,35); 22,47 (par Mk 14,43); 22,60 (diff Mk). Die Rede ist in Wirklichkeit zu Ende, die angebliche Unterbrechung Stilmittel des Lukas (Haenchen).

[194] ἐπέπεσεν mit ἐπί und Akkusativ der Person steht auch Lk 1,12; Apg 8,16; 11,15;

alle, die das Wort[196] hörten. Natürlich sind nur die heidnischen Hörer der Rede (V 33) und nicht die judenchristlichen Begleiter des Petrus (VV 23 b.45 a) gemeint. Das „Pfingsten der Heiden"[197] zeigt den Willen Gottes mit diesen nun endgültig an (vgl. V 47).

VV 45–46 a Die „Gläubigen aus der Beschneidung"[198], also die mit Petrus aus Jafo gekommenen Judenchristen (V 23 b), sind außer sich vor Verwunderung[199], daß die Gabe des heiligen Geistes[200] „auch über die Heiden"[201] ausgegossen wurde[202] (V 45). Sie sehen also – mit dem Erzähler – in der Geistmitteilung an die Familie und die Freunde des Kornelius eine *grundsätzliche* Entscheidung Gottes für die Heiden *insgesamt*. V 46 a erwähnt, woran die judenchristlichen Zeugen die Ankunft der Geistesgabe bei den Heiden erkennen konnten: Diese redeten „in Zungen"[203] und „priesen Gott"[204]. Von „fremden Sprachen" ist hier keine Rede. Wie 19,6 ist „an das ekstatische Zungenreden" gedacht[205].

VV 46 b–47 Petrus wendet sich an die erstaunten Judenchristen (V 46 b). Gemäß 11,16 f ist die folgende Frage eine Reflexion, die Petrus anstellte. Petrus fragt: „Kann etwa[206] jemand denen das Wasser verweigern, so daß sie nicht getauft würden ...?"[207] κωλύω steht hier wie 8,36 im Zusammen-

---

19,17; Röm 15,3; Apk 11,11. Der „heilige Geist" ist auch Apg 8,16 und 11,15 Subjekt von ἐπιπίπτω; siehe dazu oben I 492 A. 87.

[195] Zu τὸ πνεῦμα τὸ ἅγιον (so auch V 47 und 11,15) siehe oben I 257 A. 6.

[196] Für die „Rede" des Petrus steht τὰ ῥήματα ταῦτα. Mit λόγος ist hier wohl die christliche Botschaft gemeint (vgl. 11,1); siehe dazu auch oben I 278 A. 146; 344 A. 20.

[197] Diesen treffenden Ausdruck (vgl. auch V 47) prägte Dietrich, Petrusbild (1972) 331.

[198] οἱ ἐκ περιτομῆς begegnet (ohne ergänzendes πιστοί) auch 11,2. Der Ausdruck steht sonst nur im Corpus Paulinum: Röm 4,12; Gal 2,12; Kol 4,11; Tit 1,10.

[199] ἐξίστημι/ἐξιστάνω steht bei Lukas intransitiv auch Lk 2,47; 8,56; Apg 2,7.12; 8,13; 9,21; 12,16.

[200] ἡ δωρεὰ τοῦ ἁγίου πνεύματος (so auch 2,38) ist die im heiligen Geist bestehende Gabe Gottes. Siehe G. Schneider, δωρεά κτλ., in: EWNT I 880–882, näherhin 881.

[201] καὶ ἐπὶ τὰ ἔθνη. Vgl. die Verheißung des Geistes ἐπὶ πᾶσαν σάρκα (2,17); vgl. die folgende Anmerkung.

[202] ἐκχέω wie 2,17 (siehe A. 201). Vgl. dazu oben I 249 f A. 58.

[203] λαλέω γλώσσαις wie Mk 16,17; Apg 2,11; 19,6. Siehe hingegen λαλέω ἑτέραις γλώσσαις 2,4; dazu oben I 249 f.

[204] μεγαλύνω τὸν θεόν; vgl. Lk 1,46 (τὸν κύριον = Gott); Apg 19,17 (den Namen des Herrn Jesus; vgl. Phil 1,20). Nach Apg 2,11 bewirkte auch das Pfingstwunder, daß die Geistbegabten Gott priesen. Zum Zusammenhang von Glossolalie und Lobpreis Gottes siehe Lohfink, Ablauf der Osterereignisse (1980) 173 f.

[205] Haenchen; vgl. G. Dautzenberg, γλῶσσα κτλ., in: EWNT I 604–614, näherhin 613 f.

[206] μήτι läßt eine Verneinung erwarten; siehe Blass/Debr §§ 427,2; 440. Vgl. im lukanischen Werk Lk 6,39.

[207] In der Konstruktion κωλῦσαι ... τοῦ μὴ βαπτισθῆναι τούτους ist κωλῦσαι mit dem personalen Akkusativ zu verbinden (vgl. Lk 9,49; 11,52; 18,16; Apg 11,17; 27,43). Siehe auch Blass/Debr § 400,4 (τοῦ μή findet sich auch Lk 4,42; Apg 11,17 D u. ö.).

hang mit der Frage eines möglichen Taufhindernisses. Die Taufe *muß* – so lautet die erwartete Antwort – denen gespendet werden, die den Geist ebenso wie wir[208] (11,15.17: an Pfingsten) empfingen.

V 48 Da eine Verweigerung der Taufe nicht in Betracht kommen kann, ordnet Petrus an[209], daß die anwesenden Heiden getauft werden (V 48 a). Er spendet die Taufe nicht selbst[210]. Die neue heidenchristliche Gemeinde bittet Petrus, einige Tage[211] bei ihr zu verweilen (V 48 b). So schafft die Erzählung „den Zeitraum, in dem man zu Jerusalem den Vorgang erfahren kann"[212] (vgl. 11,1). Es ist aber zugleich vorausgesetzt, daß Petrus sich im Haus des Heidenchristen aufhielt und mit seiner Familie Tischgemeinschaft hatte (vgl. 11,3).

---

[208] Mit ὡς καὶ ἡμεῖς schließt sich Petrus mit den Christen aus Jafo zusammen; 11,15 (in Jerusalem) bezieht sich ὥσπερ καὶ ἐφ' ἡμᾶς ἐν ἀρχῇ auf die pfingstliche Urgemeinde.

[209] προσέταξεν mit folgendem Akkusativ und Infinitiv. Die Konstruktion findet sich auch in LXX und bei Fl. Josephus (BAUERWb s.v. προστάσσω). Das Verbum προστάσσω begegnet bei Lukas noch Lk 5,14; Apg 10,33; 17,26. Die Korrespondenz zwischen 10,33 und 10,48 zeigt, daß die Anordnung des Petrus der Anordnung Gottes folgt.

[210] Vgl. dazu CONZELMANN: „Daß Petrus nicht selbst tauft, entspricht dem bereits traditionalistischen Apostelbegriff: Der Apostel steht über den Amtsträgern, welche die Taufe ausüben; vgl. die Darstellung Act 8,14ff."

Die christliche Taufe tritt uns in der Apg von vornherein (vgl. die Vorkommen von βαπτίζω 2,38.41 [Pfingsten]; 8,12.13.16 [Samaria]; 8,36.38 [Äthiopier]; 9,18 [Saulus]) „als etwas Fertiges" entgegen. Die Selbstverständlichkeit, mit der die Apg von der Taufe redet, dient offenbar dem Aufweis, „daß Taufe und Kirche untrennbar zusammengehören": „Mit der Heilsgemeinde Jesu ist die Taufe da, und umgekehrt" (ROLOFF, Apg 61). Vgl. die weiteren Erwähnungen einer Taufspendung: Apg 10,47.48 (Kornelius); 16,15.33 (Lydia und der Kerkermeister in Philippi); 18,8 (Krispus); 19,5 (Johannesjünger); 22,16 (Paulus).

Zum *Ursprung* der christlichen Taufe siehe: H. KRAFT, Die Anfänge der christlichen Taufe, in: ThZ 17(1961)399–412; R. PESCH, Zur Initiation im Neuen Testament, in: Liturg. Jahrbuch 21(1971)90–107; G. LOHFINK, Der Ursprung der christlichen Taufe, in: ThQ 156(1976)35–54; W. BIEDER, βαπτίζω κτλ., in: EWNT I 459–469 (Lit.); G. BARTH, Die Taufe in frühchristlicher Zeit (Bibl.-Theol. Studien 4) (Neukirchen 1981) 11–43. – Zu den *Aussagen der Apg* über die Taufe siehe: BARNIKOL, Fehlen der Taufe (1957); DELLING, Taufe von „Häusern" (1965); WILKENS, Wassertaufe und Geistempfang (1967); DUNN, Baptism (1970) 38–102; VON ALLMEN, Notizen (1972); GIBLET, Baptism in the Spirit (1974); SCH. BROWN, Water-Baptism (1977); DUNN, Conversion – initiation (1977); O'TOOLE, Christian Baptism (1980).

[211] ἡμέρας τινάς wie 9,19b; vgl. 9,43; 15,36; 24,24. Siehe dazu oben Nr. 22 A. 8.

[212] CONZELMANN. Vgl. die ähnliche „Funktion" des Aufenthalts in Jafo 9,43.

VII. PETRUS VERTEIDIGT SICH WEGEN DER TAUFE DES KORNELIUS (11, 1–18)

11, 1 Der erste Vers des neuen Erzählabschnitts berichtet, daß die Apostel[213] und die Brüder[214] in Judäa[215] von der Bekehrung der Heiden[216] Kunde erhielten. Der ὅτι-Satz drückt das, was mit der Taufe des Kornelius geschehen ist, prinzipiell aus: Die Heiden (vgl. 10, 45 τὰ ἔθνη) haben das Wort Gottes[217] angenommen[218].

VV 2–3 Als Petrus nach einer geraumen Zeit (vgl. 10, 48 b) wieder nach Jerusalem hinaufging[219] (vgl. 9, 32 κατελθεῖν), stritten mit ihm[220] die Judenchristen[221] – nach dem Kontext müßte das die gesamte Jerusalemer Christengemeinde sein – und machten ihm den (in direkter Rede formulierten) Vorwurf: „Du bist hineingegangen zu unbeschnittenen[222] Männern und hast mit ihnen zusammen gegessen[223]." Der Vorwurf spricht also nicht von der Heiden*taufe,* sondern von der dem Juden untersagten *Tischgemeinschaft* mit den Heiden.

V 4 Petrus ergreift daraufhin das Wort zu einer Verteidigungsrede. Er legt den Aposteln und der übrigen Jerusalemer Gemeinde (vgl. V 1) die Ereignisse „der Reihe nach" dar[224]. καθεξῆς bezeichnet nicht das (selbstverständliche) Nacheinander der Begebenheiten, sondern das sich nacheinander erschließende, sinnvolle Ineinandergreifen der Ereignisse, das Gott selbst als den Initiator erkennen läßt[225].

---

[213] Gemeint sind die Elf außer Petrus, der sich noch in Cäsarea aufhält.

[214] Zur Formulierung, die die Christen einer Landschaft oder Ortsgemeinde bezeichnet, vgl. 10, 23; 11, 29; 15, 23; 16, 2.

[215] Zu οἱ ὄντες κατὰ τὴν Ἰουδαίαν vgl. die gleichfalls mit κατά konstruierte Wendung 15, 23. Zur Verwendung von Ἰουδαία siehe oben I 254 A. 92; O. BETZ in: EWNT II s. v. 4. b.

[216] τὰ ἔθνη steht hier generell (wie 10, 45).

[217] Zu ὁ λόγος τοῦ θεοῦ siehe oben I 420 A. k.

[218] ἐδέξατο. Zu δέχομαι τὸν λόγον (τοῦ θεοῦ) siehe oben I 491 A. 72. Mit V 1 ist vor allem 8, 14 zu vergleichen.

[219] ἀναβαίνω bezeichnet auch Lk 2, 4.42; 18, 31; 19, 28; Apg 15, 2; 18, 22; 21, 12.15; 24, 11; 25, 1.9 die Reise nach Jerusalem.

[220] διακρίνομαι mit πρός und Akkusativ der Person („gegen jemand streiten, jemanden bekämpfen") ist im NT sonst nicht belegt, wohl aber Herodot IX 58; Ez 20, 35.36; Joel 4, 2 LXX.

[221] οἱ ἐκ περιτομῆς. Vgl. oben A. 198.

[222] ἄνδρες ἀκροβυστίαν ἔχοντες „Männer, die eine Vorhaut haben"; vgl. Gen 34, 14 LXX. Der Ausdruck bezeichnet den unbeschnittenen Nichtjuden.

[223] συνέφαγες αὐτοῖς ist Aorist 2 von συνεσθίω τινί, das in verschiedenen Formen Lk 15, 2; Apg 10, 41 (mit συμπίνω); 11, 3; 1 Kor 5, 11 vorkommt. Gal 2, 12 hat statt des personalen Dativs μετά τινος. Zur Tragweite der Tischgemeinschaft siehe MUSSNER, συνεσθίειν (1975).

[224] ἐκτίθεμαι steht in der übertragenen Bedeutung auch 18, 26; 28, 23.

[225] Siehe SCHNEIDER, Bedeutung von καθεξῆς (1977); DERS., καθεξῆς, in: EWNT II 543; DILLON, Luke's Project (1981) 219–223.

VV 5–17 Die Rede rekapituliert die zuvor berichteten Ereignisse (10,9–48 a), um zu demonstrieren, daß den Heiden, soweit sie wie die Judenchristen „an den Herrn Jesus Christus glauben“, die Taufe nicht verweigert werden darf (V 17). Der abschließende V 17 ist nicht mehr Bericht, sondern Schlußfolgerung. Tischgemeinschaft mit Heiden (V 3) und Taufe der Heiden (V 17) sind offensichtlich zwei Seiten derselben Sache, die Petrus als gott-gewollt verteidigt. Doch er *argumentiert* nicht, sondern *berichtet* über Selbsterlebtes.

Petrus berichtet zunächst (VV 5–10) über seine Vision in Jafo (vgl. 10,9–16), dann (VV 11–12) über die Boten des Kornelius, die ihn nach Cäsarea holten (vgl. 10,17–29), und schließlich (VV 13–16) über die Ereignisse im Haus des Kornelius (vgl. 10,30–48 a). Leichte Abweichungen von der vorausgehenden Erzählung über die Ereignisse gehen zu Lasten des Lukas[226]. „Er zieht einen maßvollen Selbstwiderspruch einer unlebendigen Selbstwiederholung vor.“[227] Über das bisher Bekannte hinaus gibt die Jerusalemer Petrus-Rede dem Leser weitere Informationen: Petrus wurde von *sechs* Christen aus Jafo begleitet (11,12); sie fungieren in Jerusalem zugleich als Zeugen[228]. Kornelius erfuhr in seiner Vision nicht nur, daß Petrus ihm etwas zu sagen habe (siehe 10,5.22.33), sondern auch, daß er mit seinem ganzen Haus[229] durch die Worte des Petrus Rettung erfahren sollte[230] (11,14). Die Geistverleihung an die Heiden wird deutlich mit der Geistsendung am ersten christlichen Pfingstfest verglichen[231] (11,15). Petrus sagt, er habe sich bei der neuen Geistsendung an ein Herrenwort erinnert[232], das er zitiert[233] (11,16). Es stellt der von Johannes gespendeten Wassertaufe die den Jesusjüngern verheißene Taufe ἐν πνεύματι ἁγίῳ gegenüber. Der Redner weist mit dem Herrenwort auf 1,5 zurück und läßt den Leser erkennen, daß diese Verheißung mit der Geistsendung an Pfingsten noch nicht voll erfüllt war (vgl. 2,17).

Der Schlußvers der Rede „setzt den festen Zusammenhang von Taufe und Geist voraus“[234]. Petrus argumentiert jetzt auf Grund der Ereignisse:

---

[226] Laut 11,11 f befanden sich die (sechs) Judenchristen schon im Haus des Simon in Jafo, als die Boten kamen (siehe hingegen 10,23). – Nach 11,15 kam der Geist schon zu Beginn der Petrusrede über die Heiden, nach 10,44 jedoch bei deren Ende.

[227] BAUERNFEIND, Apg 142, mit Hinweis auf LOISY.

[228] Siehe 11,12: οἱ ἓξ ἀδελφοὶ οὗτοι (=die hier anwesenden ...).

[229] πᾶς ὁ οἶκός σου hat Parallelen in 10,2; 16,15.31 (!); 18,8; vgl. weiterhin 1 Kor 1,16. Vgl. auch unten Nr. 39 A. 34.

[230] ῥήματα ... ἐν οἷς σωθήσῃ. Zum „semitischen“ ἐν instrumentale siehe ZERWICK, Biblical Greek Nr. 119.

[231] Vgl. 11,15: „wie auch auf uns am Anfang“. Zu ἐν ἀρχῇ siehe SAMAIN, La notion de APXH (1973) 300.

[232] Der Topos, daß sich ein Christ an ein Herren-Wort erinnert, begegnet besonders bei Lukas: Lk 22,61; 24,6.8; Apg 11,16; 20,35. Siehe dazu SCHNEIDER, Verleugnung (1969) 93 f.

[233] Auch die Paulus-Rede in Milet endet mit der Zitation eines Herrenwortes (20,35).

[234] CONZELMANN. Er wendet sich damit gegen E. SCHWEIZER (ThWNT VI 411: „Das Zitat 11,16b ist nur sinnvoll, wenn keine Wassertaufe folgt, oder diese doch mindestens

Wenn Gott Juden und Heiden – denen, die an den Herrn Jesus Christus glauben[235] – den gleichen Geist geschenkt hat, dann konnte Petrus den Heiden nicht die Taufe versagen. Er wäre sonst Gott selbst in den Arm gefallen.

V 18 Als die Jerusalemer Christen die Ausführungen des Petrus gehört hatten, waren sie beruhigt[236]. Ja, sie priesen Gott[237], dessen Wirken und Wollen sie hinter den Ereignissen erkannten. Der Lobpreis drückt sich in dem thesenartigen Ruf aus: „Also auch den Heiden hat Gott die Umkehr zum Leben geschenkt." Die Partikel ἄρα leitet eine Schlußfolgerung ein[238]. Wiederum bezieht sie sich auf die Heiden insgesamt. Daß Gott ihnen die μετάνοια geschenkt habe, ist im Sinn von 5,31 zu verstehen: Gott gewährt ihnen Gelegenheit zu Buße und Umkehr[239] (vgl. 17,30). Sie sind zur Taufe, zur christlichen Gemeinde und damit zur ζωή zugelassen und brauchen, um diesen Weg gehen zu können, nicht zuvor Juden zu werden[240]. Diese „Erfahrung" der frühen Kirche kommt auf dem Apostelkonvent wieder zur Sprache: Gemäß 15,1.5 wurde sie von Judäern in Antiochia und von christlichen Pharisäern in Jerusalem bestritten. Sie wird indessen durch die Missionserfahrung des Paulus bestätigt (15,4). Petrus (15,7–12) und Jakobus (15,13–21) stehen zu ihrer früheren Erkenntnis. So findet die gesetzesfreie Heidenmission ihre endgültige Bestätigung.

3) Die Mission der Hellenisten in Antiochia (11,19–30)

Von Jerusalem, wo der Abschnitt 11,1–18 spielte, wendet sich die Erzählung nach dem syrischen Antiochia (11,19–30), ehe sie wieder über die Jerusalemer Gemeinde berichtet (12,1–19). Allerdings kehrt der Erzähler

---

unwesentlich bleibt."). Zum Verhältnis von Wasser-Taufe und Geisttaufe vgl. ferner: P. van Imschoot, Baptême d'eau et baptême d'Esprit Saint, in: EThL 13(1936)653–666; C. F. D. Moule, Baptism with Water and with the Holy Ghost, in: Theology 48(1945)246–249; E. Best, Spirit-Baptism, in: NT 4(1960/61)236–243; Wilkens, Wassertaufe und Geistempfang (1967); Giblet, Baptism in the Spirit (1974); Brown, Water-Baptism (1977); R. Schwager, Wassertaufe, ein Gebet um die Geisttaufe?, in: ZKTh 100(1978)36–61.

[235] πιστεύσασιν ist wohl (mit Bauernfeind und Haenchen) auf αὐτοῖς und ἡμῖν zu beziehen. Conzelmann möchte es nur auf αὐτοῖς (die Heiden) bezogen wissen. πιστεύω ἐπί mit personalem Akkusativ steht auch 9,42; 16,31; 22,19. Siehe dazu oben Nr. 23 A. 63; ferner R. Bultmann in: ThWNT VI 211 f.

[236] Der Aorist ἡσύχασαν meint: Sie machten keinen Einwand mehr, „sie schwiegen"; vgl. Lk 14,4; Apg 21,14; 22,2 D.

[237] Zu ἐδόξασαν τὸν θεόν siehe oben I 302 A. 53.

[238] Siehe A. Horstmann in: EWNT I s. v. Die Partikel steht auch Lk 11,48 am Satzanfang.

[239] Siehe dazu oben I 396 A. 94.

[240] Vgl. Haenchen. Zum „Lebens"-Begriff der Apg siehe 2,28; 3,15; 5,20, und – im Hinblick auf das Heil der Heiden – 13,46.48.

später wieder zum Bericht über die antiochenische Gemeinde zurück (13,1–3).

Verknüpfungen mit Antiochia gibt es indessen noch darüber hinaus. Die Stadt kam erstmals 6,5 in den Blick, wo als letzter der „sieben" Männer um Stephanus der „antiochenische Proselyt Nikolaus" erwähnt wurde. So wird schon früh eine Brücke von Jerusalem nach Antiochia geschlagen: Von den im Zusammenhang mit der Stephanus-Verfolgung aus Jerusalem vertriebenen Hellenisten kommen einige bis nach Antiochia *(11,19)*. Von diesen wiederum beginnen einige mit der Heidenmission, und zwar erfolgreich *(11,20f)*.

So wird Antiochia zu einem Ausgangspunkt weiterer missionarischer Unternehmungen, die durch Barnabas mit Jerusalem verbunden erscheinen *(11,22–24)*, durch ihn aber auch – mit Hilfe des Saulus/Paulus, den er nach Antiochia holt *(11,25f)* – schließlich in einer von Antiochia ausgehenden Missionsreise gipfeln (13,1 – 14,28). Diese gemeinsame Reise des Barnabas und Paulus demonstriert, daß Gott „den Heiden eine Tür zum Glauben aufgetan hat" (14,27).

Nicht nur durch die Entsendung des Barnabas von Jerusalem nach Antiochia wird die Verbindung des Sitzes der Urgemeinde (und der Apostel) mit dem Vorposten der Heidenmission deutlich. Der Erfolg der Heidenmission führt schließlich dazu, daß Paulus und Barnabas von Antiochia nach Jerusalem gehen müssen, um ihre gesetzesfreie Heidenmission zu verteidigen (15,1f). Sie können erfolgreich nach Antiochia zurückkehren (15,30). Doch schon 11,30 (vgl. 12,25) berichtet von einer gemeinsamen Reise des Barnabas und des Saulus nach Jerusalem, bei der sie eine antiochenische Kollekte überbringen. Der Anlaß für diese Reise – die Hungersnot unter Klaudius – wird *11,27–30* erzählt.

11,19–30 enthält nicht nur den Bericht über die Anfänge der Gemeinde in Antiochia, sondern auch ein Bündel von Angaben, die Antiochia zu einer „Schaltstelle" im Fortgang des Christuszeugnisses zu den Heiden werden lassen.

25. DIE ERSTEN CHRISTEN IN ANTIOCHIA: 11,19–26

LITERATUR: *A. Zu 11,19–26:* GAECHTER, Jerusalem und Antiochia (1948). – P. PARKER, Three Variant Readings in Luke-Acts, in: JBL 83(1964)165–170, 167f [zu 11,20]. – EHRHARDT, The Acts of the Apostles (1969) 62–74. – KASTING, Mission (1969) 103–105. – ZINGG, Das Wachsen der Kirche (1974) 197–229. – M. PASINYA, Antioche, berceau de l'Église des Gentils? Actes 11,19–26, in: Rev. Afric. Théol. 1(1977)31–66. – HENGEL, Geschichtsschreibung (1979) 84–93. – LEGRAND, Les devanciers de Paul (1979) 62–68. – KRAFT, Entstehung des Christentums (1981) 255f.262–269.

B. Zu Antiochia: K. BAUER, Antiochia in der ältesten Kirchengeschichte (Tübingen 1919). – K. PIEPER, Antiochien am Orontes im apostolischen Zeitalter, in: ThGl 22(1930)710–728. – SCHULTZE, Städte und Landschaften III (1930). – C. H. KRAELING, The Jewish Community at Antioch, in: JBL 51(1932)130–160. – J. KOLLWITZ, Antiochia am Orontes, in: RAC I (1950)461–469. – G. DOWNEY, A History of Antioch in Syria.

From Seleucus to the Arab Conquest (Princeton, New Jersey, 1961). – DERS., Ancient Antioch (Princeton, New Jersey, 1963). – R. FELLMANN, Antiochia, in: LAW (1965) 180f. – E. A. LA VERDIERE, Paul and the Missions from Antioch. The Role of Antioch in the Missionary Journeys of Paul, in: The Bible Today 83(1976)738–752. – W. A. MEEKS, Jews and Christians in Antioch in the First Four Centuries, in: SBL 1976 Seminar Papers, ed. by G. MacRae (Missoula, Mont., 1976) 33–65. – R. L. WILKEN, The Jews of Antioch, ebd. 67–74. – J. LASSUS, La ville d'Antioche à l'époque romaine d'après l'archéologie, in: ANRW II/8 (Berlin 1977) 54–102. – F. W. NORRIS, Antiochien I. Neutestamentlich, in: TRE III(1978)99–103. – H. BALZ, Ἀντιόχεια 1, in: EWNT I 264 (1979). – BETZ, Galatians (1979) 104f.

C. Zu Χριστιανοί *(V 26):* R. A. LIPSIUS, Ueber den Ursprung und den ältesten Gebrauch des Christennamens (Jena 1873). – H. J. CADBURY, Names for Christians and Christianity in Acts, in: Beginnings V(1933)375–392. – E. PETERSON, Christianus, in: Miscellanea G. Mercati I (Studi e Testi 121) (Rom 1946) 355–372. – E. J. BICKERMAN, The Name of Christians, in: HThR 42(1949)109–124. – J. MOREAU, Le nom des Chrétiens, in: La nouvelle Clio 1/2(1949/50)190–192. – C. CECCHELLI, Il nome e la „setta" dei Cristiani, in: Riv. di Arch. Cristiana 31(1955)55–73. – H. B. MATTINGLY, The Origin of the Name *Christiani,* in: JThSt 9(1958)26–37. – C. SPICQ, Ce que signifie le titre de chrétien, in: StTh 15(1961) 68–78. – B. LIFSHITZ, L'origine du nom des chrétiens, in: VigCh 16(1962)65–70. – ZINGG, Das Wachsen der Kirche (1974) 217–222. – C. BARTNIK, Imię chrześcijanina, in: Collectanea Theologica (Warschau) 46(1975)41–51. – J. D. SEARLE, Christian – Noun, or Adjective?, in: ET 87(1975/76)307f.

19 Die nun, welche versprengt worden waren aufgrund der Verfolgung, die [a]wegen Stephanus[a] entstand, zogen bis nach Phönizien und Zypern und Antiochia; doch sie verkündigten das Wort nur[b] den Juden. 20 Es gab aber unter ihnen einige Männer aus Zypern und Zyrene, die, als sie nach Antiochia kamen, auch zu den Griechen[c] redeten, indem sie das Evangelium von Jesus[d], dem Herrn, verkündigten. 21 Und die Hand des Herrn war mit ihnen. Eine große Zahl kam zum Glauben und bekehrte sich zum Herrn.

22 Die Kunde über sie kam aber der Gemeinde[e] in Jerusalem zu Ohren, und sie entsandten Barnabas[f] nach Antiochia. 23 Als er ankam und die Gnade Gottes sah, freute er sich. Und er ermahnte alle, mit entschlossenem Herzen beim[g] Herrn zu verharren; 24 denn er war ein trefflicher

---

[a] ἐπὶ Στεφάνῳ lesen ℵ B Koine, während P[74] A E Ψ pc ἐπὶ Στεφάνου haben; D liest ἀπὸ τοῦ Στ. Sowohl ἐπί mit Dativ als auch mit Genitiv bezeichnet den Grund.

[b] Das μόνον vor Ἰουδαίοις wird in D 33.614 pc lat durch μόνοις ersetzt.

[c] Ἕλληνας (mit P[74] ℵ[c] A D*). Die LA Ἑλληνιστάς (B D[c] E Ψ Koine) ist sekundär, auch εὐαγγελιστάς in ℵ*. Der Gegensatz zu „Juden" fordert eindeutig „Griechen/Heiden" als ursprüngliche LA; s. HAENCHEN, Apg 351 Anm. 5. – METZGERTC 386–389, GNT und NTG ziehen Ἑλληνιστάς vor.

[d] Hinter Ἰησοῦν fügen D 33[vid] pc w mae Χριστόν an.

[e] οὔσης fehlt in A D Koine. Das Partizip ὤν wird jedoch auch sonst (13,1; 28,17) in diesem lokalen Sinn verwendet.

[f] διελθεῖν wird (als überflüssig) weggelassen von P[74] ℵ A B al vg sy[p] bo. διέρχομαι ἕως ist gut „lukanisch": Lk 2,15; Apg 9,38; 11,19. Vgl. METZGERTC 389.

[g] Vor τῷ κυρίῳ fügen B Ψ pc ἐν ein, wohl als Reminiszenz an paulinische Sprechweise.

Mann, erfüllt vom heiligen Geist und von Glauben. Und viel Volk wurde vom Herrn hinzugewonnen.
25 [h]*Er (Barnabas) ging aber hinweg nach Tarsus, um Saulus aufzusuchen. 26 Und als er ihn gefunden hatte, brachte er ihn*[h] *nach Antiochia.* [i]*Es fügte sich aber, daß sie sogar ein volles Jahr in der Gemeinde zusammenwirkten und viel Volk lehrten. In Antiochia wurden die Jünger zum erstenmal Christen*[k] *genannt*[i].

Die Forscher, die mit A. Harnack das Erzählstück Apg 11,19–26 der „antiochenischen" Quelle zuwiesen[1], konnten sich vor allem darauf berufen, daß 11,19 mit οἱ μὲν οὖν διασπαρέντες κτλ. auf 8,4 zurückverweist. Wenn zugunsten der Hypothese einer „antiochenischen" Quelle auch manche weiteren Gründe sprechen, so ist doch ihre genauere Abgrenzung schwierig, und für 11,19–26 ist nicht gesagt, daß alle Angaben aus diesem hypothetischen Quellenzusammenhang stammen[2]. Bei der Fülle lukanischer Lieblingsausdrücke[3] meint E. Haenchen, „daß V. 19ff. ganz den Charakter eines lukanischen Summariums tragen, welches aus konkreten Einzelangaben gewonnen ist"[4]. Er bestreitet deswegen mit O. Bauernfeind[5], daß von Lukas hier überhaupt eine alte Quelle verarbeitet wurde.

Da Lukas indessen daran interessiert war, den Beginn der eigentlichen Heidenmission dem Petrus zuzuschreiben, hat er die Nachricht von der Heidenmission der vertriebenen „Hellenisten" in Antiochia (11,19f) gewiß vorgefunden. Summarischen Charakter haben vor allem die relativ abschließenden Verse 21.24b. Doch der Schlußvers des gesamten Stückes enthält wiederum eine überlieferte Nachricht (V 26b über den „Christen"-Namen). Haenchen hält die Angaben über Barnabas (VV 22–26a) für eine Konstruktion des Acta-Verfassers[6]. Doch man muß fragen, ob erst

---

[h] V 25 und der Anfang von V 26 (h – h) lauten nach D$^{(2)}$ (gig p* sy$^{h.mg}$) mae: ἀκούσας δὲ ὅτι Σαῦλός ἐστιν εἰς Θαρσὸν ἐξῆλθεν ἀναζητῶν αὐτόν, καὶ ὡς συντυχὼν παρεκάλεσεν (αὐτὸν) ἐλθεῖν. Der kürzere „alexandrinische" Text ist ursprünglich; siehe auch A. i. Siehe METZGERTC 390.

[i] V 26b.c (i – i) lautet nach D$^{(2)}$ (gig p sy$^{h.mg}$): οἵτινες παραγενόμενοι ἐνιαυτὸν ὅλον συνεχύθησαν ὄχλον ἱκανόν· καὶ τότε πρῶτον ἐχρημάτισαν ἐν Ἀντιοχείᾳ οἱ μαθηταὶ Χριστιανοί. Es handelt sich um eine „westliche" Erweiterung; s. METZGERTC 390.

[k] Statt Χριστιανούς lesen ℵ* 81 Χρηστιανούς; vgl. 26,28 ℵ* Χρηστιανόν. Siehe BLASS/DEBR § 24.

[1] Siehe dazu oben I 85–87.

[2] Vgl. BAUERNFEIND, Apg 153, der sogar meint, die Möglichkeit einer Quelle könne hier nicht in Rechnung gestellt werden: „Es fehlt ... jeder Anhaltspunkt dafür, daß Berichte über frühchristliche Mission vor Lk überhaupt jemals in derartig zusammenfassende Form gebracht worden sind; er war der erste, der das tat." Zur Kritik dieser – meist von einem formgeschichtlichen a priori ausgehenden – These siehe besonders JERVELL, Traditionsgrundlage (1962).

[3] HAENCHEN, Apg 355, nennt: λαλοῦντες τὸν λόγον (V 19), πολὺς ἀριθμός (V 21), ἀνὴρ ἀγαθὸς κτλ. (V 24a) und προσετέθη ὄχλος ἱκανός (V 24b).

[4] HAENCHEN, a.a.O. 356.

[5] BAUERNFEIND, a.a.O. 153f; HAENCHEN, a.a.O. 356f.

[6] Vgl. HAENCHEN, a.a.O. 357f.

Lukas die traditionellen Angaben über den Landverkauf des Barnabas in Jerusalem (4,36f) und über seine Zugehörigkeit zur antiochenischen Gemeinde (13,1)[7] zu dem Erzählstück 11,22–26a kombiniert hat. Wenigstens die Reise des Barnabas und des Paulus (von Antiochia) nach Jerusalem zum „Apostelkonzil“, die historisch gesichert ist (15,2–4; Gal 2,1), zeigt an, daß beide in Antiochia zusammenwirkten (Apg 11,26; Gal 2,11–13). Wenn Lukas die Notizen 11,22–26a „konstruiert“ hat, ist allenfalls die Historizität der Entsendung des Barnabas nach Antiochia (VV 22f) und der Gewinnung des Saulus durch ihn (VV 25.26a) fraglich (siehe unten zu VV 22.25f).

Die Gliederung von 11,19–26 ist einerseits durch drei Begebenheiten bestimmt: den Anfang der Heidenmission in Antiochia, die Ankunft des Barnabas in dieser Stadt und die Gewinnung des Saulus für die antiochenische Gemeinde. Andererseits endet jede der drei Begebenheiten mit einem summarischen Schluß. So ergeben sich die Teileinheiten 11,19–21.22–24.25–26. Der sachliche Fortschritt, der hier beschrieben wird, betrifft die Heidenmission. Ihr Beginn führt zu Bekehrungserfolgen (VV 20f). Sie wird von Jerusalem gebilligt (durch den Visitator Barnabas); so stellt sich weiterer Erfolg ein (VV 22–24). Schließlich wirkt auch Saulus in der antiochenischen Gemeinde; sie wird durch die Benennung „Christen“ auch „von außen“ als eigenständige Größe (neben den „Juden“ der Stadt!) anerkannt.

V 19 Die διασπαρέντες[8], diejenigen Jerusalemer Christen, die sich „aufgrund[9] der Verfolgung[10], die wegen[11] Stephanus entstand“, zerstreut hatten[12], kamen bis Phönizien[13], Zypern[14] und Antiochia[15] (V 19a). Sie bilden

[7] Beide Daten hält auch Haenchen (a.a.O. 357) für traditionelle Nachrichten. Doch meint er, die Verknüpfung beider Daten habe man sich so vorzustellen, daß Barnabas (der im übrigen „als hervorragendes Mitglied der Gemeinde des Stephanus“ gelten könne) einer der von Jerusalem geflohenen Hellenisten war „und zusammen mit Lucius von Cyrene und einigen andern Männern [siehe 13,1] die antiochenische Heidenmission begann“.

[8] Die gleiche Einleitungswendung wie V 19 findet sich auch 8,4; vgl. auch 8,1c. Zu διασπείρομαι siehe oben I 401 A. 148; 479 A. 65.

[9] ἀπό signalisiert den Ausgangspunkt und den sachlichen Grund.

[10] Für die „schwere Verfolgung“ (so 8,1b) steht hier θλῖψις „Drangsal“. Siehe J. Kremer, θλῖψις κτλ., in: EWNT II 375–379, bes. 377.

[11] ἐπί mit Dativ bezeichnet den Grund, auf dem ein Zustand oder eine Handlung beruht; vgl. im lukanischen Werk ferner: Lk 4,4; 5,5; Apg 3,16; 4,9; 21,24; 26,6.

[12] Gemäß 8,1c mußten „alle, außer den Aposteln“, Jerusalem verlassen. Von der Verfolgung betroffen waren vor allem die „Hellenisten“ um Stephanus.

[13] Φοινίκη „Phönizien“ bezeichnet in ntl. Zeit die Meeresküste des mittleren Syrien mit den wichtigsten Städten Tyrus und Sidon. In der Apg begegnet der Name außer 11,19 noch 15,3 (die Reise von Antiochia nach Jerusalem führt über „Phönizien und Samaria“) und 21,2 (ein Schiff von Patara nach Phönizien steuert den Hafen Tyrus an, V 3). In Tyrus fand Paulus „Jünger“ vor (21,4–6). Auch Sidon (27,3) und Ptolemaïs/Akko (21,7) werden erwähnt; siehe ferner 12,20. Vgl. O. Eissfeldt, Phoiniker und Phoinikia, in: Pauly/Wissowa XX/1, 350–380; H. Haag, Phönizien, in: LThK VIII 481f; Conzelmann, Apg 75.

eine Art neuer (jüdisch-christlicher) „Diaspora", vor allem auch dadurch, daß sie zunächst nur Juden[16] „das Wort (der christlichen Botschaft) sagten"[17] (V 19b). Die aus Jerusalem vertriebenen „Hellenisten" predigen vor antiochenischen Juden das Evangelium (vgl. die analoge Aussage V 20c). Das εἰ μὴ μόνον[18] bereitet logisch schon die folgende Erweiterung des Kreises der Evangeliums-Adressaten vor (vgl. V 20b: ἐλάλουν καὶ πρός, wobei καί betont steht: „auch/sogar").

V 20 Unter den Jerusalem-Flüchtlingen befanden sich[19] auch Männer aus Zypern[20] und Zyrene[21] (V 20a). Als sie nach Antiochia kamen, „redeten sie auch zu den Griechen[22]" (V 20b). Nach der vorausgehenden Formulierung in V 19 ist deutlich, daß es sich um ein λαλεῖν des Verkündigungswortes handeln muß. V 20c verdeutlicht dennoch: „sie verkündigten den Herrn Jesus"[23]. Im Anschluß an die Angaben von V 19 soll gezeigt werden: Die missionarische Verkündigung der zyprischen und zyrenischen „Hellenisten" richtete sich nicht nur an *Juden,* sondern auch an *Heiden.*

---

14 Κύπρος „Zypern" war seit 22 v. Chr. senatorische Provinz. Apg 13,7 nennt den Prokonsul Sergius Paulus. Vom Wirken des Paulus und des Barnabas auf der Insel berichtet 13,4–12. Weitere Nennungen von Zypern in der Apg: 15,39; 21,3; 27,4. Vgl. Jones, The Cities (²1971)363–373; EWNT II s. v. (Lit.). – Ferner nennt die Apg (mit Κύπριος „Zyprier") zwei christliche Männer, die aus Zypern stammen: Barnabas (4, 36) und Mnason (21, 16); 11, 20 erwähnt „zyprische Männer" neben solchen aus Zyrene.

15 Ἀντιόχεια „Antiochia" am Orontes war die größte Stadt Syriens und Sitz des römischen Statthalters. Die Stadt hatte einen großen jüdischen Bevölkerungsanteil (JosBell VII 43). Der Name Antiochia wird in der Apg erwähnt: 11,19.20.22.26a.b.27; 13,1; 14,26; 15,22.23.30.35; 18,22, ferner Gal 2,11. Vgl. EWNT I s. v. 1 (264). Literatur siehe oben Nr. 25 B.

16 Hier zeigt sich bereits an, daß in V 20 nicht „Hellenisten", sondern „Hellenen/Heiden" zu lesen ist; denn auch die Hellenisten sind Juden! Vgl. o. A. c.

17 Zu λαλέω τὸν λόγον siehe oben I 359 A. 49; ferner H. Hübner, λαλέω, in: EWNT II s. v. 2.

18 Vgl. Lk 5,21 diff Mk; 6,4 diff Mk.

19 Zu ἦσαν δέ τινες (... οἵτινες) vgl. 2,5; 9,10; 13,1.

20 Zu Κύπριος „aus Zypern" siehe oben A. 14.

21 Κυρηναῖος „aus Zyrene (stammend)" begegnet in der Apg ferner 6,9; 13,1. Zu Κυρήνη „Zyrene" (2,10) siehe oben I 253f; ferner EWNT II s. v. – Simon von Zyrene wird Mk 15,21 par Mt 27,32/Lk 23,26 als Kreuzträger erwähnt.

22 Daß mit P⁷⁴ ℵᶜ A D* Ἕλληνας zu lesen ist, ergibt sich daraus, daß die Variante Ἑλληνιστάς (B Koine u. a.) keinen Gegensatz zu Ἰουδαίοις (V 19) bedeuten würde. Zur Begründung siehe (außer A. c und oben I 406f; 423 A. 20) noch Hengel, Zwischen Jesus und Paulus 164f, der bemerkt: „Für die späteren byzantinischen Lehrer ... *könnte* Ἑλληνιστής [einmal irrtümlich als LA entstanden] die Bedeutung ‚Heide' haben. Für Lukas und seine Quelle besaß es diese sicher noch nicht" (165). – Ἕλλην „Grieche" hat an manchen Stellen des NT die Konnotation „Heide", besonders da, „wo ‚Juden und Hellenen' als heilsgeschichtlich relevante Gruppierungen die Gesamtheit der Menschen bezeichnen" (J. Wanke in: EWNT I 1062). In der Apg ist dies etwa 19,17 und 20,21 der Fall; siehe vor allem auch Röm 1,16; 2,9f; 3,9; 10,12. Paulus spricht laut Apg 14,1; 18,4; 19,10 zu „Juden und Hellenen"; vgl. ferner 16,1.3; 21,28.

23 Zu εὐαγγελίζομαι τὸν κύριον Ἰησοῦν siehe oben I 404 A. 180.

V 21 signalisiert, daß „die Hand des Herrn (= Gottes[24]) mit ihnen war[25]". Diese „theologische" Deutung im Sinne einer göttlichen Billigung und Mithilfe bei der Heidenmission ergibt sich laut V 21 b aus der Tatsache, daß eine große Zahl[26] (von Heiden) gläubig wurde und sich zum Herrn[27] bekehrte[28]. Das Argument aus dem Erfolg begegnet entsprechend auch an anderen Stellen der Apostelgeschichte, z. B. 14,27; 15,4.

V 22 Der λόγος περὶ αὐτῶν kam der Gemeinde in Jerusalem[29] zu Ohren[30]. Gemeint ist die Kunde über die zahlreichen „Griechen", die sich in Antiochia bekehrt hatten. Die Jerusalemer Gemeinde wird noch immer von den Aposteln geleitet (vgl. 11, 1 f). So sind diese als Subjekt des ἐξαπέστειλαν Βαρναβᾶν gemeint. Die Entsendung des Barnabas hat in 8, 14 (Entsendung von Petrus und Johannes nach Samaria) ihr Analogon. Aber es ist etwas Neues, daß nun kein Apostel die Inspektion übernimmt[31]. Außerdem kehrt Barnabas nicht, wie es das Botenrecht verlangen würde, zur Berichterstattung nach Jerusalem zurück. Vielleicht ist letzteres ein Hinweis darauf, daß Lukas *von sich aus* die Entsendung des Barnabas erzählte[32]. Wegen der traditionellen Liste in 13, 1, die von der Zugehörigkeit des Barnabas zur antiochenischen Gemeinde weiß, konnte Lukas den Barnabas nicht nach Jerusalem zurückkehren lassen; er brauchte aber andererseits einen Anlaß, ihn von Jerusalem nach Antiochia zu „transferieren".

VV 23–24 a Als Barnabas nach Antiochia kommt, sieht er „die Gnade Gottes"[33] und ist erfreut. Das Wortspiel mit τὴν χάριν und ἐχάρη bezieht

---

[24] Siehe SCHNEIDER, Gott und Christus als ΚΥΡΙΟΣ 164, mit Hinweis auf die Parallelen Lk 1,66; Apg 13,11.

[25] μετά mit Genitiv der Person bezeichnet den göttlichen Beistand auch Lk 1,28; 1,66 (ebenfalls von der „Hand Gottes"; vgl. 2 Kg 3,12; 1 Chr 4,10 LXX); Apg 7,9 (vgl. Gen 39,2.21); 10,38, den Beistand Christi: 18,10 (vgl. Mt 28,20).

[26] πολύς τε ἀριθμὸς κτλ. entspricht dem Stil der Wachstumssummarien; vgl. 4,4; 5,36; 6,7; 16,5.

[27] Als Aussage über die *Heiden*bekehrung kann ἐπέστρεψεν ἐπὶ τὸν κύριον möglicherweise die Hinkehr zu *Gott* meinen; vgl. HAENCHEN, Apg 327 (zu 9,35); siehe jedoch auch HAENCHEN zu 11,21 (Jesus!). Der Wendung von der Bekehrung „zum Herrn" geht an unserer Stelle (11,21) das Partizip ὁ πιστεύσας voraus, so daß die Bedeutung „an den Herrn *(Jesus)* glauben" (vgl. 9,42; 11,17; 16,31) mitspielt. Vgl. SCHNEIDER, Gott und Christus als ΚΥΡΙΟΣ 166. Siehe oben Nr. 23 A. 32.33.

[28] Zu ἐπιστρέφω siehe oben I 323 A. 81; ferner S. LÉGASSE in: EWNT II s. v. (99–102).

[29] ἡ ἐκκλησία ἡ οὖσα ἐν mit folgendem Ortsnamen begegnet in der Apg sonst nicht; vgl. indessen 1 Kor 1,2; 2 Kor 1,1; 1 Thess 2,14.

[30] Das passivische ἠκούσθη begegnet im NT nur noch Mk 2,1 und Joh 9,32 (jeweils mit folgendem ὅτι); vgl. Lk 12,3 diff Mt. Die Wendung in V 22 hat ihr Vorbild wahrscheinlich in Jes 5,9 LXX – εἰς τὰ ὦτα mit folgendem Genitiv steht bei Lukas auch Lk 1,44; 9,44.

[31] Vgl. CONZELMANN: „Ins Ausland gehen nach der Vorstellung des Lk nicht Apostel (vgl dagegen Gal 2,11 ff.!), sondern Legaten."

[32] Siehe dazu oben Anmerkungen 6.7.

[33] Vgl. Lk 2,40; Apg 13,43; 14,26; 20,24.

sich auf Ursache und Wirkung. Die Gnade Gottes wird am Bekehrungserfolg erkannt. Die Aktivität des „Inspektors“ umfaßt auch das παρακαλεῖν. Wie es seinem Namen entspricht (4,36: υἱὸς παρακλήσεως), ermahnt und ermuntert[34] Barnabas alle, entschlossen[35] beim Herrn (= Gott) zu verharren[36] (V 23). V 24a stellt die Qualität des Barnabas heraus. Er war „ein guter Mann“[37], „voll heiligen Geistes und Glaubens“[38]. Wahrscheinlich sollen diese Angaben nicht nur anzeigen, daß Barnabas den Missionserfolg zu Recht auf Gott zurückführte, und vielleicht auch, daß seine Paraklese ihr Ziel erreichte (vgl. das einleitende ὅτι), sondern auch den V 24b notierten weiteren Bekehrungserfolg begründen.

V 24b In summarischer Weise wird das Anwachsen der Gemeinde signalisiert. τῷ κυρίῳ ist Dativ beim Passiv[39] und bezieht sich auf den Herrn (= Gott), der (letztlich selbst) den ὄχλος ἱκανός „hinzutat“[40], d.h. die Gemeinde anwachsen ließ. Der Missionserfolg wird als zusätzliche göttliche Bestätigung der Heidenmission angesehen.

VV 25–26 Ohne erzählerische Vorbereitung berichtet V 25, daß Barnabas „hinausging“[41] nach Tarsus, um Saulus zu suchen. Von 9,30 her weiß man, daß sich Saulus dort aufhält. Desgleichen ist von 9,27 her bekannt, daß Barnabas seinerzeit den bekehrten Saulus bei den Aposteln in Jerusalem vorgestellt hatte. Als Barnabas nach Tarsus aufbricht, folgt er nach Meinung des Lukas vielleicht einer prophetischen Inspiration (vgl. V 24). Dann wäre die Reise nach Tarsus erzählerisch doch nicht unvorbereitet. In Tarsus fand Barnabas den Saulus und brachte ihn nach Antiochia, wo dann beide „ein ganzes Jahr lang in der Gemeinde zusammenkamen[42]“ und viel Volk[43] unterwiesen[44]. Barnabas und Saulus werden 13,1 zu den „Propheten und Lehrern“ der antiochenischen Gemeinde gerech-

---

[34] Zu παρακαλέω siehe oben I 278 A. 142.

[35] Der Dativ τῇ προθέσει τῆς καρδίας ist mit dem folgenden προσμένειν zu verbinden, bezeichnet aber als Instrumentalis nicht das, wobei man verharren soll.

[36] Siehe SCHNEIDER, Gott und Christus als ΚΥΡΙΟΣ 168. Statt der Wendung προσμένειν τῷ κυρίῳ heißt es 13,43 προσμένειν τῇ χάριτι τοῦ θεοῦ.

[37] So Lk 23,50 über Josef von Arimathäa.

[38] So Apg 6,5 über Stephanus; siehe oben I 427 A. 57.

[39] Siehe BLASS/DEBR § 191,1; SCHNEIDER, a.a.O. 168; vgl. oben I 381 A. 18 (zu 5,14).

[40] προστίθημι als Tätigkeit *Gottes* findet sich auch Lk 12,31; 20,11.12; Apg 2,41.47; 5,14. Vgl. vor allem auch Dtn 1,11: κύριος ὁ θεὸς ... προσθείη ὑμῖν ὡς ἐστὲ χιλιοπλασίως. – ὄχλος ἱκανός begegnet auch Mk 10,46; Lk 7,12; Apg 11,26; 19,26, sonst nicht im NT.

[41] Zu ἐξῆλθεν siehe oben Nr. 24 A. 111.

[42] Zur Konstruktion ἐγένετο δὲ αὐτοῖς ... συναχθῆναι (vgl. auch 22,6) siehe BLASS/DEBR § 409,4; ZERWICK/GROSVENOR, Analysis zu 11,26: „it happened to them to ...“. – Das Passiv von συνάγω hat hier reflexiven Sinn: „zusammenkommen, sich treffen, zusammen sein“. Das καί vor ἐνιαυτόν ist mit „sogar“ zu übersetzen (HAENCHEN).

[43] ὄχλος ἱκανός wie V 24; s.o. A. 40.

[44] Die Verwendung von διδάσκω entspricht der traditionellen Notiz von 13,1: διδάσκαλοι. Vgl. oben I 286 A. 15; 351 A. 84.

net. Lukas wird von daher auf den Gedanken gekommen sein, Barnabas die Reise zu Saulus auf prophetisch erhaltenen Befehl hin machen zu lassen. Die Anwesenheit des (lehrenden) Saulus in Antiochia bereitet zugleich 13,2f vor.

Am Schluß von V 26 wird – abhängig von ἐγένετο – bemerkt, daß in Antiochia zum erstenmal[45] die μαθηταί[46] „Christen" genannt wurden[47]. Χριστιανοί ist der von Χριστός abgeleitete Name[48], den Außenstehende[49] den Jesus-Jüngern gaben. Der Name zeigt an, daß man die Jesus-Gläubigen nicht mehr unter „die Juden" der Stadt subsumierte, sondern sie – als geschlossene Gruppe (aus Juden und Heiden) – erkennen konnte. Daß mit dem Beginn der Heidenmission die „Loslösung" der Kirche vom Judentum begann, läßt sich hier erkennen, wenngleich dies hier nicht der Intention des Erzählers entspricht[50].

26. HILFELEISTUNG DER CHRISTEN FÜR JUDÄA: 11,27–30

LITERATUR: O. HOLTZMANN, Die Jerusalemreise des Paulus und die Kollekte, in: ZNW 6(1905)102–104. – V. WEBER, Die antiochenische Kollekte, die übersehene Hauptorientierung für die Paulusforschung (Würzburg 1917). – WIKENHAUSER, Die Apostelgeschichte und ihr Geschichtswert (1921) 196–222. – J. JEREMIAS, Sabbatjahr und neutestamentliche Chronologie, in: ZNW 27(1928)98–103. – K. LAKE, The Famine in the Time of Claudius, in: Beginnings V(1933)452–455. – K. S. GAPP, The Universal Famine under Claudius, in: HThR 28(1935)258–265. – D. F. ROBINSON, A Note on Acts 11,27–30, in: JBL 63(1944)169–172(411f). – KNOX, The Acts of the Apostles (1948) 35. – ST. GIET, Le second voyage de saint Paul à Jérusalem. Actes 11,27–30; 12,24–25, in: RScR 25(1951)265–269. – J. DUPONT, La famine sous Claude (Actes 11,28) (erstm. 1955), in: ders., Études 163–165. – R. W. FUNK, The Enigma of the Famine Visit, in: JBL 75(1956)130–136. – STROBEL, Lukas der Antiochener (1958) [zu 11,28 D]. – P. BENOIT, La deuxième visite de saint Paul à Jérusalem, in: Bibl 40(1959)778–792. – G. STRECKER, Die sogenannte zweite Jerusalemreise des Paulus (Act 11,27–30), in: ZNW 53(1962)67–77. – GEORGI, Geschichte der Kollekte (1965) 30–33. – HAENCHEN, Apostelgeschichte als Quelle (1966) 326f. – CH. H. TALBERT, Again: Paul's Visits to Jerusalem, in: NT 9(1967)26–40. – OGG, Chronology (1968) 43–57. – U. B. MÜLLER, Prophetie und Predigt

---

[45] πρώτως „zum ersten Male" ist ntl. Hapaxlegomenon; vgl. BLASS/DEBR § 102,4.

[46] Diese von der Apg bevorzugte Bezeichnung für die Christen begegnet 6,1.2.7; siehe oben I 422 A. 14.

[47] χρηματίσαι, Infinitiv Aorist von χρηματίζω, das hier in der Bedeutung „bekannt sein als, benannt werden" steht, vgl. BAUERWb s.v. 2.; siehe auch 10,22. Siehe HAENCHEN, Apg 354 Anm. 3.

[48] Χριστιανοί ist gebildet wie Ἀσιανοί, Ἡρῳδιανοί u.ä. Demnach war das zugrunde liegende Χριστός als Eigenname verstanden. Siehe die oben Nr. 25C notierte Literatur. Χριστιανός begegnet im NT weiterhin Apg 26,28 und 1 Petr 4,16, häufiger dann bei Ignatius von Antiochia, dort auch (IgnTrall 6,1) adjektivisch.

[49] Siehe Tacitus, Ann. XV 44,2: „quos ... vulgus Chrestianos appellabat"; vgl. Lukian, Alex. 25.38; Plinius, Ep. X 96,1.2.3 u.ö. – BICKERMANN, The Name (1949), sieht in dem Namen eine Selbstbezeichnung der Christen (als Knechte bzw. Beamte im Reich Christi); siehe dagegen CONZELMANN, Apg 75f.

[50] Vgl. HAENCHEN, Apg 354 Anm. 3 (gegen Ende).

im Neuen Testament (StNT 10) (Gütersloh 1975) 130–140 [zu 11,28]. – G. Theissen, Soziologie der Jesusbewegung (München [2]1978) 41 f. – Hengel, Geschichtsschreibung (1979) 93–95. – Schreckenberg, Josephus und die lukanischen Schriften (1980) 199–201 [zu 11,28]. – J. Eckert, Die Kollekte des Paulus für Jerusalem, in: Kontinuität und Einheit (Festschr. für F. Mußner) (Freiburg 1981) 65–80. – Pesch, Jerusalemer Abkommen (1981), bes. 108–112.

27 In diesen Tagen nun kamen von Jerusalem Propheten nach Antiochia hinab. 28 [a]*Es trat aber auf*[a] *einer von ihnen mit Namen Agabus und tat kraft des Geistes kund*[b]*, daß eine große Hungersnot über den ganzen Erdkreis kommen müsse*[c] *– die denn auch unter Klaudius ausbrach. 29 Man beschloß, daß* [d]*von den Jüngern jeder gemäß seiner Vermögenslage*[d] *den Brüdern, die in Judäa wohnten, (etwas) zur Unterstützung senden sollte. 30 Das taten sie auch, indem sie es an die Ältesten abschickten durch die Hand von Barnabas und Saulus.*

Während Gal 1,18 – 2,10 nur *zwei* Reisen des (bekehrten) Paulus nach Jerusalem kennt, erwähnt die Apostelgeschichte *drei:* 9,26–30; 11,27–30; 15,1–33. Das Mißverhältnis beider Darstellungen wurde früher meist auf quellenkritischem Weg zu klären versucht[1]. Im Grunde reichen diese Versuche bis zu dem Aufsatz von P. Benoit[2], der die Auffassung vertrat, daß 15,1 f vom Redaktor stamme, während 15,3–33 einer vor-lukanischen Überlieferung angehöre, näherhin der von A. Harnack vorgeschlagenen „antiochenischen" Quelle[3]. Auch 11,27–30 soll dieser Überlieferung zuzuweisen sein[4]. Der ursprüngliche Zusammenhang von 11,27–30 und 15,3–33 ergebe sich daraus, daß heute zwischen diese Überlieferungsstücke heterogene Stoffe (12,1–23; Kap. 13–14) eingeschaltet erscheinen[5].

---

[a] Am Anfang des Verses liest der „westliche" Text statt ἀναστὰς δέ (a – a) die Erweiterung: ἦν δὲ πολλὴ ἀγαλλίασις· συνεστραμμένων δὲ ἡμῶν ἔφη (εἷς ἐξ αὐτῶν κτλ.), so D (p w mae). Hier begegnet zum erstenmal das „Wir" im Bericht (συνεστραμμένων ἡμῶν „als wir uns versammelt hatten"); συστρέφω kommt im D-Text auch 10,41; 16,39; 17,5 vor.

[b] Statt ἐσήμανεν hat D (nach dem Verbum finitum ἔφη) σημαίνων. Vgl. A. a.

[c] Statt des doppelten Infinitivs μέλλειν ἔσεσθαι haben P[45.74] 36. 323 al das einfache ἔσεσθαι.

[d] Die Wendung τῶν δὲ μαθητῶν, καθὼς εὐπορεῖτό τις (d – d) am Anfang des Verses wird in D ersetzt durch das grammatikalisch einfachere: οἱ δὲ μαθηταὶ καθὼς εὐποροῦντο.

[1] Siehe K. Lake, The Apostolic Council of Jerusalem, in: Beginnings V(1933)195–212, näherhin 199–204; Haenchen, Apg[1] (1956) 55–58; siehe auch oben I 113. Nach Zahn, Apg 382, hat Paulus im Galaterbrief die Reise von Apg 11,30 verschwiegen; vgl. Jacquier, Actes 357, der mit der Möglichkeit rechnet, daß Paulus im Galaterbrief diese Reise unerwähnt ließ, weil er die Apostel nicht antraf und die Reise somit keine „doktrinale Bedeutung" hatte.

[2] Zu Benoit, La deuxième visite (1959), siehe oben I 87 A. 28.

[3] Harnack, Die Apostelgeschichte 155 f.

[4] Harnack, a. a. O. 134–139; vgl. Jeremias, Quellenproblem 218.

[5] Benoit, a. a. O. 784–790.

Demgegenüber zeigte G. Strecker, daß 11,27–30 nicht nur „eindeutig lukanischen Sprachcharakter" aufweist[6], sondern auch unter starkem Einfluß „des lukanischen Gedankengutes"[7] steht. Traditionsgut sind im Grunde nur drei Motive, die Lukas kombinierte: a) die Voraussage einer Welthungersnot durch Agabus (VV 27 f, allerdings ohne die Notiz über die Erfüllung der Voraussage V 28 b)[8]; b) das Wissen um eine gemeinsame Jerusalemreise von Paulus und Barnabas (vgl. Gal 2,1; Apg 15,2)[9]; c) die Nachricht von einer Kollektenreise des Paulus (vgl. das weitere Traditionsstück 24,17)[10]. So ergibt sich: „Die sogenannte Zweite Reise des Paulus nach Jerusalem – entsprechend der Darstellung Act 11,27ff. – hat nicht stattgefunden; sie ist vielmehr als lukanische Kombination aus dem Zusammenschluß verschiedener Traditionselemente zu verstehen."[11]

Im Rahmen der lukanischen Gesamtdarstellung haben die Angaben von 11,27–30 vornehmlich die Funktion, die Solidarität der Antiochener mit Jerusalem zu unterstreichen. Die Gemeinde von Antiochia, die letztlich den Jerusalem-Flüchtlingen ihre Existenz verdankt, hilft der Muttergemeinde in ihrer materiellen Not. Die gemischte Gemeinde aus Juden und Heiden verwirklicht in ihrer Weise das Ideal der Urgemeinde und unterstützt die Hungernden. – Die Entsendung von Barnabas und Saulus zur Übergabe der Kollekte in Jerusalem (V 30) gibt Gelegenheit, weitere Begebenheiten einzuschalten, die in Jerusalem spielen (12,1–19, mit einem „Anhang" 12,20–23). Mit 12,25 wird der Faden der auf Antiochia konzentrierten Berichterstattung wieder aufgenommen: Barnabas und Saulus kehren nach Antiochia zurück. Wenn 12,25 auch als redaktionell angesehen werden muß, so kann man doch nicht sagen, daß damit „die späteren Heidenmissionare als Jerusalemdelegierte erscheinen"[12].

VV 27–28 Das einleitende „In diesen Tagen"[13] bezieht sich gemäß V 26 auf das Jahr des gemeinsamen Wirkens von Barnabas und Saulus in Antiochia. Zu dieser Zeit kamen von Jerusalem her „Propheten" nach Antio-

---

[6] Strecker, Jerusalemreise (1962) 70.

[7] Strecker, a.a.O. 71.

[8] Strecker, a.a.O. 71–73.

[9] Strecker, a.a.O. 73 f.

[10] Strecker, a.a.O. 74 f.

[11] Strecker, a.a.O. 75. Im wesentlichen stimmt Strecker mit Haenchen, Apg[1] (1956) 328–330; Apg[7] (1977) 363–365, überein. Haenchen verteilt die traditionellen Daten freilich auf *zwei* Überlieferungen: „Agabus hat die große Hungersnot vorausgesagt" und „Barnabas und Paulus haben eine antiochenische Kollekte nach Jerusalem gebracht" ([1]329; [7]364). Lukas habe beide Traditionen verbunden, so daß nun die Prophetie des Agabus die Kollekte veranlaßt. – Conzelmann hält die „Notiz über Agabus" für den ältesten Bestandteil von 11,27–30. Er hält es indessen für möglich, daß auch V 30 (mit der unvermittelten Angabe über die Ältesten) aus einer Quelle stammt.

[12] Gegen Strecker, a.a.O. 76 f. Die beiden gelten hier vielmehr als Abgesandte der *antiochenischen* Gemeinde!

[13] So auch Lk 23,7. Vgl. (zu anderer Wortstellung) auch oben I 215 A. 23; 422 A. 13.

chia (V 27). Es handelt sich um wandernde christliche Propheten[14]. Einer von ihnen mit Namen Agabus[15] kündigte „durch den Geist"[16] eine große Hungersnot an[17], die sich auf „den ganzen Erdkreis"[18] erstrecken sollte. Wahrscheinlich bezog sich diese Angabe in der vor-lukanischen Überlieferung auf eine (im Rahmen der eschatologischen Naherwartung) angesagte Hungersnot, die dem Ende vorausgehen sollte[19]. Durch die (von Lukas?) angefügte Bemerkung: „Diese trat ein unter Klaudius[20]" wird angezeigt, daß die Prophetie in Erfüllung ging. Freilich ist eine weltweite Hungersnot für diese Zeit sonst nicht bezeugt[21], und man darf annehmen, daß Lukas verschiedene Nachrichten über partielle Hungerkatastrophen zu dieser Zeit[22] verwendete, um den Erfüllungsgedanken zu profilieren. Der Zusammenhang läßt daran denken, daß die Prophetie des Agabus noch unter einem anderen Kaiser erging[23]. Allerdings setzt Lukas die Welt-Hun-

---

[14] Wahrscheinlich sind auch Did 11,7–12 (13,1) Wander-Propheten gemeint. – Von christlichen „Propheten" sprechen im lukanischen Werk Lk 11,49 („Propheten und Apostel"); Apg 13,1 („Propheten und Lehrer" in Antiochia); 15,32 (Judas und Silas als Propheten); 21,10 („ein Prophet namens Agabus"), im sonstigen NT 1 Kor 12,28.29 (Apostel, Propheten, Lehrer); 14,29.32.37; Eph 2,20 („Apostel und Propheten", so auch 3,5 und – unter Hinzufügung von „Evangelisten, Hirten und Lehrern" – 4,11). Vgl. auch – in Verbindung mit προφητεύω – Apg 2,17.18; 19,6; 21,9. Vgl. G. Dautzenberg, Urchristliche Prophetie (BWANT 104) (Stuttgart 1975); U. B. Müller, Prophetie und Predigt im Neuen Testament (StNT 10) (Gütersloh 1975); D. Hill, New Testament Prophecy (London 1979); F. Schnider, προφήτης, in: EWNT III s.v. 5 (Lit.). – Siehe auch unten Nr. 28 A. 12.15f (zu 13,1).

[15] Ἄγαβος trat auch in Cäsarea auf (21,10). Zu dieser Stelle siehe H. Patsch, Die Prophetie des Agabus, in: ThZ 28(1972)228–232. Zur möglichen Herkunft des Namens siehe Haenchen, Apg 359 Anm. 4.

[16] ἐσήμανεν διὰ τοῦ πνεύματος. σημαίνω „anzeigen, voraussagen" begegnet auch 25,27 und Apk 1,1. Die spezielle Bedeutung „Voraussage" liegt auch JosAnt VI 50; VIII 409 vor. Zu διὰ τοῦ πνεύματος im Sinne der prophetischen Inspiration vgl. Apg 4,25.

[17] λιμὸν μεγάλην μέλλειν ἔσεσθαι. Ein weltumfassender λιμὸς μέγας begegnet auch Lk 4,25. Von partieller Hungersnot reden Lk 15,14; 21,11; Apg 7,11. μέλλω ἔσεσθαι drückt das unmittelbare und gewisse Bevorstehen aus.

[18] οἰκουμένη ist die (von Menschen) bewohnte Erde. Das Wort steht häufig bei Lukas: Lk 2,1; 4,5; 21,26; Apg 11,28; 17,6.31; 19,27; 24,5. An den Stellen Lk 2,1; Apg 17,31; 19,27 sind die Menschen insgesamt gemeint, an anderen Stellen das römische Imperium: Apg 17,6; 24,5. Vgl. H. Balz, οἰκουμένη, in: EWNT II 1229–1233, bes. 1231f (zu Lk/Apg).

[19] Vgl. Mk 13,8 parr; Apk 6,8;18,8.

[20] Der röm. Kaiser Κλαύδιος/*Claudius* regierte von 41–54 n.Chr. Klaudius wird auch 18,2 erwähnt (Ausweisungsbefehl gegen die Juden in Rom). Siehe A. Weiser in: EWNT II s.v. 1 (Lit.); Conzelmann, Heiden – Juden – Christen (1981) 28–30. – ἐπί mit folgendem personalem Genitiv bezeichnet die Regierungszeit bzw. die Zeit der Amtsführung: Lk 3,2; vgl. 4,27.

[21] Siehe Hengel, Geschichtsschreibung 93f.

[22] Z.B. JosAnt XX 51.101.105, wo eine Hungersnot unter dem Statthalter Tiberius Alexander (46–48 n.Chr.) erwähnt wird; JosAnt III 320 kennt eine solche im ganzen Land. Siehe Haenchen, Apg 75f; Conzelmann, Apg 76f; Theissen, Soziologie (1978) 41f.

[23] Zahn, Apg 379, dachte an die Zeit Caligulas (bis Januar 41 n.Chr.); siehe Haenchen, Apg 76. Siehe auch Knox, The Acts of the Apostles (1948) 35, der gleichfalls an die Regierungszeit Caligulas denkt. – Zur Datierung der Hungersnot bzw. der Kollekte siehe die im Lit.-Verz. erwähnten Arbeiten von Jeremias, Sabbatjahr (1928); Lake, The Fa-

gersnot insofern zu früh an, als er sie noch vor dem Tode Agrippas I. (gest. 44 n. Chr.) datiert[24].

Der „westliche" Text hat schon 11,28 einen „Wir"-Bericht[25]. R. Bultmann verteidigte dessen Ursprünglichkeit in der Meinung, man könne für eine sekundäre Eintragung dieser Worte kein Motiv erkennen[26]. Doch liegt ein solches wohl darin vor, daß der 13,1 erwähnte Luzius später mit Lukas identifiziert wurde[27]. So lassen sich aus dem Wir-Stil des D-Textes keine Folgerungen für eine „antiochenische" Herkunft des Acta-Verfassers ziehen[28].

VV 29–30 Die Christen (wie V 26 μαθηταί genannt) von Antiochia setzten durch Beschluß fest[29], daß ein jeder von ihnen je nach seinem Vermögen den in Judäa (im Judenland?[30]) wohnenden „Brüdern" zu Hilfe kommen sollte. Die Hilfe sollte im εἰς διακονίαν πέμψαι bestehen: Sie wollten „(etwas[31]) zur Unterstützung[32] senden". Der Genitiv τῶν μαθητῶν gehört zu ἕκαστος. Er wird (pleonastisch) durch αὐτῶν wieder aufgenommen. Der „Spendenbeschluß" der Antiochener wird (V 30) ausgeführt. Man sendet[33] Barnabas und Saulus nach Jerusalem, um die Kollekte zu überbringen. Auffallend ist, daß als Spendenempfänger „die Ältesten"[34] ge-

---

mine (1933); GAPP, The Universal Famine (1935); DUPONT, La famine (1955); FUNK, The Enigma (1956); OGG, Chronology (1968); SCHRECKENBERG, Josephus und die lukanischen Schriften (1980). Siehe auch oben I 130.

[24] Siehe 12,1.20–23. Agrippa I. starb 44 n. Chr.; vgl. DUPONT, La famine 165; CONZELMANN, Apg 76f.

[25] Siehe oben A. a. Zu den Wir-Berichten siehe oben I 89–95.

[26] BULTMANN, Quellen (1959) 421f.

[27] Siehe HAENCHEN und CONZELMANN, die u. a. auf den Kommentar Ephräms (Beginnings III 416) verweisen. Vgl. oben I 100 A. 43.

[28] Vgl. hingegen STROBEL, Lukas der Antiochener (1958).

[29] Bei ὥρισαν ist μαθηταί als Subjekt intendiert. Zu ὁρίζω mit folgendem Infinitiv (so auch Appian, Bell.civ. V 3 § 12) siehe BLASS/DEBR § 392,1a.

[30] Da die Kollekte laut 12,25 in Jerusalem abgeliefert wurde, ist wohl eher Judäa gemeint; vgl. 11,1.

[31] Entweder ist „etwas" zu ergänzen (vgl. CONZELMANNS und unsere Übersetzung), oder καθὼς εὐπορεῖτό τις (eine Abgabe je nach Vermögen) gilt als Objekt von πέμψαι.

[32] Zu εἰς διακονίαν vgl. 12,25: τὴν διακονίαν. Lukas bezieht διακονία und διακονέω (6,1.2) u. a. auf den Dienst an Bedürftigen; vgl. A. WEISER in: EWNT I 730.

[33] ἀποστείλαντες. Die beiden „Apostel" Barnabas und Saulus (so 14,4.14) sind also jetzt schon Abgesandte der antiochenischen Gemeinde! – Zu διὰ χειρός mit Genitiv siehe oben I 460 A. 137.

[34] Von (christlichen) πρεσβύτεροι sprechen: Apg 11,30; 14,23; 15,2.4.6.22.23; 16,4; 20,17; 21,18 (meist in Jerusalem lokalisiert, sonst nur in Lystra/Ikonium/Antiochia 14,23; Ephesus 20,17). – Siehe dazu (bes. zu 14,23) NELLESSEN, Die Presbyter (1979); DERS., Die Einsetzung von Presbytern (1980) (siehe unten Nr. 34). Er schreibt in der erstgenannten Studie (497): „Modelle für die Einrichtung des Ältestenamtes waren von jüdischer wie von außerjüdischer Seite gegeben. Doch dürfte das nächstliegende Vorbild für die kleinasiatischen Presbyterien in der Existenz eines Kollegiums christlicher Presbyter in Jerusalem zu sehen sein." – Christliche πρεσβύτεροι weisen sonst nur die „Spätschriften" des NT auf: 1 Tim 5,17; Tit 1,5; Jak 5,14; 1 Petr 5,1.5; der Singular steht 1 Tim 5,19; 2 Joh 1; 3 Joh 1. – Vgl. auch unten Nr. 51 A. 43.

nannt werden, nicht die Apostel. Vielleicht will der Erzähler damit schon andeuten, daß letztere der Verfolgung unterlagen (vgl. 12,1–19 vor 12,25). Die Erwähnung der Jerusalemer πρεσβύτεροι bereitet jedenfalls 15,2 vor: Zum „Apostelkonzil" suchen Paulus und Barnabas „die Apostel und Ältesten" von Jerusalem auf.

4) Verfolgung durch Herodes Agrippa I. (12,1–25)

Die Abgrenzung der Erzähleinheit 12,1–25 ergibt sich einerseits aus den Rahmenstücken 12,1–4 und 12,20–23, die von Herodes Agrippa I. berichten: Sein Vorgehen gegen die Apostel Jakobus (den Bruder des Johannes) und Petrus (VV 1–4.6.11.19) wird mit dem ungewöhnlichen und plötzlichen Tod des Herrschers (VV 20–23) bestraft. Auf der anderen Seite wird der Erzählkomplex 12,1–23 durch die Notizen über die „Kollektenreise" des Barnabas und des Saulus (11,30; 12,25) gerahmt. Der Notiz 12,25 ist eine summarische Wachstumsnotiz (V 24) vorgeschaltet. Wie 11,30 den Antiochia-Bericht 11,19–30 abschließt, leitet 12,25 zu einem weiteren Bericht über die antiochenische Gemeinde (13,1–3) über.

Dennoch sind die Verse 11,30 und 12,25 nicht bloße Rahmenbemerkungen. Zunächst einmal entsteht der Eindruck, daß die beiden antiochenischen Abgesandten während der Verfolgung der Apostel in Jerusalem weilen. Außerdem besteht eine sachliche Verbindung zwischen der Erzählung über die Inhaftierung des Petrus und der abschließenden Notiz von V 25: Die beiden antiochenischen Boten Barnabas und Saulus nehmen Johannes Markus nach Antiochia mit (12,25); dieser Jerusalemer Christ wurde in der Petrusgeschichte schon erwähnt (V 12).

Für den Gesamtkontext der Apostelgeschichte ist auch V 17 wichtig: Petrus geht „an einen anderen [nicht genannten] Ort". Er macht faktisch schon hier dem künftigen Haupt-Missionar Paulus Platz, der mit 13,1 – 14,28 hervortritt. Auf dem „Apostelkonzil" *reagiert* Petrus eigentlich nur noch (auf die Mission des Paulus). In diesem Zusammenhang muß wohl auch die Tatsache gesehen werden, daß 11,30 die Jerusalemer „Ältesten" in die Darstellung einführt. Die „apostolische" Zeit geht ihrem Ende entgegen. Für den ermordeten Jakobus wird (im Unterschied von 1,15–26) kein „Nachfolger" mehr bestellt.

27. HINRICHTUNG DES JAKOBUS. HAFT UND BEFREIUNG DES PETRUS. TOD AGRIPPAS: 12,1–25

Literatur: E. Schwartz, Über den Tod der Söhne Zebedaei. Ein Beitrag zur Geschichte des Johannesevangeliums (AAGött NF VII/5) (1904). – F. Spitta, Die neutestamentliche Grundlage der Ansicht von E. Schwartz über den Tod der Söhne Zebedäi, in:

ZNW 11(1910)39–58. – WIKENHAUSER, Die Apostelgeschichte und ihr Geschichtswert (1921) 398–401 [zu 12,23]. – DIBELIUS, Stilkritisches (1923) 25f [zu 12,5–17]. – H. J. CADBURY, The Family Tree of the Herods, in: Beginnings V(1933)487–489 [zu 12,20–23]. – K. LAKE, The Death of Herod Agrippa I., ebd. 446–452. – ST. LÖSCH, Deitas Jesu und antike Apotheose (Rottenburg 1933) [zu 12,20–23]. – D. F. ROBINSON, Where and When Did Peter Die?, in: JBL 64(1945)255–267. – W. M. SMALTZ, Did Peter Die in Jerusalem?, in: JBL 71(1952)211–216. – J. DUPONT, La mission de Paul „à Jérusalem" (Actes 12,25) (erstm. 1956), in: ders., Études 217–241. – A. STROBEL, Passa-Symbolik und Passa-Wunder in Act. XII.3ff., in: NTS 4(1957/58)210–215. – J. BLINZLER, Rechtsgeschichtliches zur Hinrichtung des Zebedäiden Jakobus (Apg 12,2), in: NT 5(1962)191–206. – E. JOYCE, James, the Just, in: The Bible Today 1(1963)256–264 [zu 12,17]. – PARKER, Variant Readings (1964, s.o. Nr. 25A) 168–170 [zu 12,25]. – FILSON, Geschichte (1967) 213f. – S. ZEITLIN, Paul's Journeys to Jerusalem, in: Jewish Quarterly Review 57(1967/68)171–178 [zu 12,25]. – R. E. OSBORNE, Where Did Peter Go?, in: Canadian Journal of Theology 14(1968)274–277 [zu 12,17]. – O. CULLMANN, Courants multiples dans la communauté primitive. A propos du martyre de Jacques fils de Zébédée, in: RechScR 60(1972)55–68. – DIETRICH, Petrusbild (1972) 296–306. – R. EULENSTEIN, Die wundersame Befreiung des Petrus aus Todesgefahr, Acta 12,1–23. Ein Beispiel für die philologische Analyse einer neutestamentlichen Texteinheit, in: WuD 12(1973)43–69. – KODELL, The Word of God grew (1974) [zu 12,24]. – S. DOCKX, Chronologie de la vie de saint Pierre, in: ders., Chronologies néotestamentaires et Vie de l'Église primitive (Paris/Gembloux 1976) 129–146 [zu 12,17]. – DERS., Essai de chronologie de la vie de saint Marc, ebd. 147–166 [zu 12,25]. – MULLINS, Commission Forms (1976) [zu 12,6–11]. – G. D. KILPATRICK, Eclecticism and Atticism, in: EThL 53(1977)107–112 [zu 12,7]. – MIESNER, Missionary Journeys Narrative (1978) [zu 12,25 – 17,15]. – KRATZ, Rettungswunder (1979) 459–473. – ELLIOTT, Peter, Silvanus and Mark (1980) [zu 12,12.25]. – PESCH, Simon-Petrus (1980) 59–65.71–77. – SCHRECKENBERG, Josephus und die lukanischen Schriften (1980) 201 [zu 12,21–23]. – KRAFT, Entstehung des Christentums (1981) 280–284.

1 Um jene Zeit aber ließ der König Herodes einige von denen, die zur Gemeinde[a] gehörten, verhaften und mißhandeln. 2 So ließ er Jakobus, den Bruder des Johannes, mit dem Schwert hinrichten. 3 Als er nun sah, daß (es)[b] den Juden gefiel, ließ er auch noch Petrus gefangennehmen. Es waren aber die Tage der Ungesäuerten Brote. 4 Und nachdem er sich seiner bemächtigt hatte, ließ er ihn ins Gefängnis setzen und übergab ihn vier Abteilungen von je vier Soldaten [c]zur Bewachung[c] in der Absicht, ihn nach dem Passa(-Fest) dem Volk vorführen zu lassen. 5 So wurde Petrus nun im Gefängnis[d] verwahrt; die Gemeinde aber betete inständig für ihn zu Gott[e].

---

[a] Hinter ἐκκλησίας fügen D p w sy^{h**} mae ein: ἐν τῇ Ἰουδαίᾳ – eine sachlich richtige Erläuterung. Siehe METZGERTC 391.

[b] Zu ἀρεστόν ἐστιν fügt der „westliche" Text explizit ein Subjekt ein: ἡ ἐπιχείρησις αὐτοῦ ἐπὶ τοὺς πιστούς „sein Anschlag gegen die Gläubigen" D p* sy$^{h.mg}$ (mae).

[c] φυλάσσειν αὐτόν (c – c) fehlt in P^{74} pc, wahrscheinlich, weil man es nach εἰς φυλακήν für eine unnötige Wiederholung hielt.

[d] Nach ἐν τῇ φυλακῇ fügen p* sy^{h**} (mae) an: *a cohorte regis*.

[e] Die periphrastische Konstruktion προσευχὴ δὲ ἦν ... γινομένη ὑπό ... wird von D (p) aufgehoben: πολλὴ δὲ πρ. ἦν ... ἀπό ... Siehe auch METZGERTC 393.

6 In der Nacht, ehe Herodes ihn vorführen[f] lassen wollte, schlief Petrus, mit zwei Ketten gefesselt, zwischen zwei Soldaten; vor der Tür bewachten Posten das Gefängnis. 7 Und siehe, ein Engel des Herrn trat hinzu, und ein Licht leuchtete in dem Gelaß auf. Er stieß[g] Petrus in die Seite, weckte ihn und sagte: Steh eilends auf! Da fielen die Ketten von seinen Händen. 8 Darauf sagte der Engel zu ihm: Gürte dich und binde dir die Sandalen unter! Er tat es. Und er (der Engel) sagte zu ihm: Wirf dir deinen Mantel um, und folge mir! 9 Und er ging hinaus und folgte ihm, ohne zu wissen, daß das, was durch[h] den Engel geschah, Wirklichkeit war; er meinte, eine Erscheinung zu sehen. 10 Als sie aber an der ersten Wache und an der zweiten vorbeigegangen waren, kamen sie an das eiserne Tor, das in die Stadt führt; es tat sich ihnen von selbst auf. Und sie traten hinaus[i] und gingen eine Gasse weit, und alsbald verließ ihn der Engel. 11 Da kam Petrus zu sich[k] und sagte: Jetzt weiß ich in Wahrheit, daß der Herr[l] seinen Engel gesandt und mich aus der Hand des Herodes und (aus) allem, was das Volk der Juden erwartet, entrissen hat.

12 Und als er sich besonnen hatte, ging er zum Haus der Maria, der Mutter des Johannes mit dem Beinamen Markus, wo viele versammelt waren und beteten. 13 Als er aber an die Tür des Vorhofes klopfte, kam eine Magd mit Namen Rhode herbei, um zu öffnen. 14 Und als sie die Stimme des Petrus erkannte, machte sie in ihrer Freude das Tor nicht auf, sondern lief hinein und meldete, Petrus stehe vor dem Tor. 15 Sie aber sagten zu ihr: Du bist nicht bei Sinnen. Doch sie versicherte, es sei so. Da sagten sie[m]: Es ist sein Engel. 16 Petrus aber klopfte noch immer. [n]Als sie nun öffneten, sahen sie ihn und[n] waren außer sich. 17 Da winkte er ihnen mit der Hand, zu schweigen[o], und erzählte [ihnen][p], wie der Herr ihn aus dem Gefängnis herausgeführt hatte. Er sagte: Berichtet dies

---

[f] Statt προαγαγεῖν (P74 A 36 al) lesen B 33 pc προσαγαγεῖν, ℵ Ψ pc προσάγειν, D E Koine προάγειν. Auf jeden Fall sind die LAA im Aorist vorzuziehen. Von den beiden Verben ist gemäß dem Kontext προάγω vorzuziehen.

[g] Anstelle von πατάξας haben D gig Lucifer νύξας. Vielleicht liegt Einfluß von Joh 19,34 (νύσσω τὴν πλευράν) vor. Vgl. METZGER TC 393 Anm. 4.

[h] Statt διά (mit Gen.) lesen A H 104 al ὑπὸ (τοῦ ἀγγέλου).

[i] Nach ἐξελθόντες fügt D (p mae) an: κατέβησαν τοὺς ζʹ [7] βαθμοὺς καί. Nach ROPES, The Text of Acts 111 Anm. 10, scheint die Angabe „sie stiegen die sieben Stufen hinab" Ortskenntnis zu verraten. Dennoch ist die LA von D sekundär; siehe HAENCHEN.

[k] Statt ἐν ἑαυτῷ γενόμενος liest B* ἐν αὑτῷ γ.

[l] Statt (ὁ) κύριος lesen mehrere Minuskeln ὁ θεός, 1241 kombiniert zu κ. ὁ θεός.

[m] Statt des einfachen ἔλεγον haben D sy[p]: ἔ. πρὸς αὐτήν. τυχόν „sagten sie zu ihr: Vielleicht (ist es ...)". Das Adv. τυχόν steht auch Lk 20,13 D.

[n] Statt ἀνοίξαντες δὲ εἶδαν αὐτὸν καί liest D (*): ἐξανοίξαντες δὲ καὶ ἰδόντες αὐτόν „Als sie nun *ganz* öffneten und ihn sahen, (waren sie ...)".

[o] Statt des Infinitivs σιγᾶν liest D[(c)] (p sy[p.h**]): ἵνα σειγά[σω]σιν, εἰσῆλθεν καί.

[p] αὐτοῖς (B D E Ψ Koine gig sy) fehlt P[74vid] ℵ A 33 al p vg.

dem Jakobus und den Brüdern! Dann ging er fort und begab sich an einen anderen Ort.
18 Als es aber Tag wurde, gab es bei den Soldaten [q]nicht geringe[q] Aufregung, was wohl mit Petrus geschehen sei. 19 Als ihn nun Herodes holen lassen wollte und man ihn nicht fand, nahm er die Wachen ins Verhör und befahl, sie (zur Hinrichtung) abzuführen[r]. Und er zog von Judäa nach Cäsarea hinab und hielt sich dort auf.
20 Er war aber heftig aufgebracht über die Bewohner von Tyrus und Sidon. [s]Da kamen sie gemeinsam zu ihm[s], und nachdem sie Blastus, den Kämmerer des Königs, für sich gewonnen hatten, baten sie um Frieden, weil sie ihre Nahrung aus dem Land des Königs bezogen. 21 Am festgesetzten Tag nun zog Herodes ein Königsgewand an, nahm auf der Tribüne Platz und hielt in öffentlicher Volksversammlung eine Rede an sie. 22 [t]Das Volk aber schrie: Eines Gottes Stimme[u], und nicht eines Menschen[v]! 23 Auf der Stelle aber schlug ihn ein Engel des Herrn, weil er nicht Gott die Ehre gegeben hatte; und [w]von Würmern zerfressen[w], starb er.
24 Das Wort des Herrn[x] aber wuchs und breitete sich aus. 25 Barnabas aber und Saulus[y] kehrten (nach Antiochia) zurück, nachdem sie in[z] Jerusalem ihre Aufgabe erfüllt hatten. Und sie nahmen Johannes mit dem Beinamen Markus mit sich.

---

[q] Statt οὐκ ὀλίγος (q – q), das D gig p ganz weglassen, haben einige Minuskeln (36. 453. 1175 pc) und (sy^p) sa mae bo^mss μέγας. Siehe METZGERTC 396.

[r] Anstelle von ἀπαχθῆναι lesen D* sy bo – dem Sinn nach richtig interpretierend – ἀποκτανθῆναι „(sie) zu töten".

[s] Am Anfang von V 20b lesen D mae (ähnlich 614 sy^h.mg): οἱ δὲ ὁμοθυμαδὸν ἐξ ἀμφοτέρων τῶν πόλεων παρῆσαν πρὸς τὸν βασιλέα. Der „westliche" Text vermeidet die übertreibende Angabe des ursprünglichen Textes und erzählt von *denen* aus beiden Städten, die *einmütig* zum König kamen; s. METZGERTC 397.

[t] V 22 beginnt in D (p^c w sy^h**) mit: καταλλαγέντος δὲ αὐτοῦ τοῖς Τυρίοις „Bei Gelegenheit seiner Versöhnung mit den Tyriern".

[u] Statt des Singulars φωνή haben D* lat sy^p φωναί; s. auch A. v.

[v] Statt des Singulars ἀνθρώπου lesen ℵ* sy^p ἀνθρώπων.

[w] Statt γενόμενος σκωληκόβρωτος (w – w) liest D (mae) καταβὰς ἀπὸ τοῦ βήματος, γ. σκ. ἔτι ζῶν καὶ οὕτως (ἐξέψυξεν) „und er stieg von der Tribüne herab, wurde noch lebend von Würmern zerfressen, und so starb er". Die Änderung will sagen, daß der Tod nicht auf der Stelle eintrat. Siehe METZGERTC 397.

[x] Statt θεοῦ lesen B vg bo^mss κυρίου, vielleicht beeinflußt von V 23 („Engel des Herrn").

[y] Hinter Σαῦλος führen 614 p* sy^h** mae schon hier den Namen „Paulus" ein: ὃς ἐπεκλήθη Παῦλος. Es handelt sich um eine Vorwegnahme von 13,9, veranlaßt durch die Angabe über „Johannes mit dem Beinamen (ἐπικληθέντα) Markus". Siehe METZGERTC 397f.

[z] Statt εἰς (im Sinne von ἐν) lesen P^74 A 33 al ἐξ (auf die Rückkehr *von* J. bezogen), D E Ψ 36 al ἀπό (aus dem gleichen Grund). εἰς lesen ℵ B Koine sa^ms; sie beziehen „in Jerusalem" richtig auf πληρώσαντες. Siehe METZGERTC 398–400.

Die Perikope 12,1–25 umfaßt im wesentlichen zwei Traditionsstücke, die im jetzigen Kontext noch die Gliederung bestimmen. Den größten Teil macht das Rettungswunder – näherhin „Türöffnungswunder"[1] – an Petrus aus: *VV 3–19*. Die Notiz über die Verfolgung unter „Herodes" und die Hinrichtung des Jakobus *(VV 1f)* gehört als „Hintergrund" zu der Petrusgeschichte hinzu; der Leser ist gespannt, ob Petrus mit dem Leben davonkommt[2]. Die zweite ursprünglich selbständige Einheit ist der legendarische Bericht über den Tod des „Herodes" (d.h. Agrippas I.): *VV 20–23*. Er hat bei Fl. Josephus eine Parallele[3]. Beide Legenden werden aus jüdischen Kreisen stammen. Da VV 22f den Tod als die göttliche Strafe für die Hybris des Herrschers verstehen[4], ist die Verknüpfung der Herodes-Legende mit dem Befreiungswunder an Petrus sekundär; denn der heutige Gesamt-Kontext sieht im Tod des „Herodes" die Strafe für seine Verfolgertätigkeit. Diese Verknüpfung geht vielleicht auf Lukas zurück[5], der auf jeden Fall das Summarium *(V 24)* und die Notiz über die Rückkehr der antiochenischen Boten *(V 25)* anfügte.

Die Technik, zwischen Aussendung und Rückkehr der Boten eine andere Erzählung einzuschalten, wird Lukas aus Mk 6, 7–13.30 (dazwischengeschaltet ist hier die Enthauptung des Täufers Johannes durch Herodes [Antipas]: VV 14–29) gelernt haben[6]. Das Wachstums-Summarium Apg

---

[1] Zur Gattung siehe neben Conzelmann, Apg 78f, vor allem Kratz, Rettungswunder (1979) 351–445. Conzelmann, a.a.O. 77, sieht in den VV 3–10 eine ausführliche Personallegende, deren „verblaßte Dublette" sich 5,18–23 finde. Siehe auch oben I 387 mit A. 9. Nach Kratz, a.a.O. 460f, ist 12,1–23 folgendermaßen zu gliedern: I. Christenverfolgung durch Herodes VV 1–4; II. Wunderbare Befreiung des Petrus VV 5–11; III. Begegnung mit der Gemeinde VV 12–17; IV. Folgen der wunderbaren Befreiung VV 18–19; V. Der Tod des Verfolgers VV 20–23.

[2] VV 1f können jedoch dem Corpus der Petrusgeschichte sekundär vorgeschaltet sein; vgl. Conzelmann zu V 2.

[3] JosAnt XIX 343–350. Siehe dazu Conzelmann, Apg 79. Er meint, die lukanische Fassung der Legende sei „naiver", offenbar eine „verkürzte Wiedergabe einer ausführlicheren (schriftlichen) Version". Vgl. ferner Schreckenberg, Josephus und die lukanischen Schriften (1980) 201.

[4] Siehe Conzelmann zu VV 18f: „Die Verknüpfung von Petrus- und Herodes-Legende ist sekundär; letztere besitzt ihre eigene Motivation für das schreckliche Ende des Herrschers: seine Hybris." Vgl. dazu: W. Nestle, Legenden vom Tod der Gottesverächter, in: ARW 33(1936)246–269.

[5] Siehe hingegen Haenchen, Apg 372.376. Vgl. Kratz, a.a.O. 461: „Ein ziemlicher Konsens besteht darüber, daß dem Verfasser der Apg das 12. Kapitel als nahezu geschlossenes Ganzes zugekommen ist." Haenchen, a.a.O. 376f, weist VV 11f und 18f (neben VV 24f) dem Redaktor Lukas zu. Außerdem hält er die „nachklappenden Worte" von V 17b („Er sagte: Berichtet dies dem Jakobus ...") für lukanisch-redaktionell. Demgegenüber bemerkt Kratz, a.a.O. 464, mit Recht: „Die Vv 18f können kaum von der Befreiungswundertradition abgelöst werden ... Die Entdeckung des Verschwindens des Gefangenen und die Bestrafung der Wächter gehören zum Repertoire der Befreiungswunder." Vgl. ebd. 471f.

[6] Lukas hat die Enthauptungsgeschichte des Mk übergangen und folgt Lk 9,1–6.10a der Vorlage Mk 6,7–13.30; nur Lk 9,7–9 ist „Einschaltung". Vgl. die nur bei Lukas vorhandene Korrespondenz von ἀποστέλλω (Lk 9,2; Apg 11,30) und ὑποστρέφω (Lk 9,10; Apg 12,25).

12,24, das auf den Bericht über den Tod des „Herodes" folgt, hat sein Analogon in 9,31 (nach der Bekehrung des Verfolgers Saulus).

V 1 Mit der Einleitungswendung κατ' ἐκεῖνον δὲ τὸν καιρόν[7] wird lose an die vorausgehende Begebenheit angeknüpft. Eine Gleichzeitigkeit der antiochenischen Kollekte (11,30) und der Verfolgung durch Agrippa I. (12,1 f) ist nicht explizit behauptet. Der König „Herodes"[8] legte Hand an[9] einige Mitglieder der ἐκκλησία[10] und mißhandelte sie[11]. Es wurden also Christen verhaftet. Der Kontext zeigt, daß vor allem an die Kirche von Jerusalem gedacht ist.

V 2 Als konkreten Fall im Rahmen der von „Herodes" ausgehenden Verfolgung nennt die Erzählung die Hinrichtung (ἀνεῖλεν ... μαχαίρῃ) des Johannes-Bruders Jakobus[12]. Diesen Jakobus hatte das lukanische Werk bisher schon verschiedentlich erwähnt: Lk 5,10; 6,14; 8,51; 9,28.54; Apg 1,13. Ob Agrippa I. mit der Verfolgung der Christen und der Hinrichtung des Jakobus den Pharisäern entgegenkommen wollte[13], wissen wir nicht. Agrippa besaß offenbar die Blutgerichtsbarkeit, doch ist nicht bekannt, warum Jakobus getötet wurde. V 3 will nur wissen, daß es „den Juden gefiel".

---

[7] Vgl. 19,23 κατὰ τὸν καιρὸν ἐκεῖνον. Das temporale κατά mit Akkusativ bezeichnet auch 16,25; 27,27 den ungefähren Zeitpunkt.

[8] Mit Ἡρῴδης bezeichnet Lukas den Enkel Herodes' d. Gr., der sonst Agrippa I. heißt. Er begegnet im NT nur in unserer Erzählung: Apg 12,1.6.11.19.21. Agrippa war der Sohn des Aristobul und lebte von 10 v. bis 44 n. Chr. Seit 41 war er (außer über Galiläa und Peräa) auch Herrscher über Judäa und Samaria. Siehe Schürer, Geschichte des jüdischen Volkes I 549–564; Schwartz, Über den Tod (1904); Cadbury, Family Tree (1933); Lake, Death of Herod (1933); St. Lösch, Deitas Jesu (1933); Blinzler, Rechtsgeschichtliches (1962)); Conzelmann, Apg 77; Kraft, Entstehung des Christentums (1981) 280-284.

[9] Zu ἐπιβάλλων τὰς χεῖρας siehe oben I 344 A. 15.

[10] τῶν ἀπὸ τῆς ἐκκλησίας. Die Wendung οἱ ἀπό steht in der Koine statt des partitiven Genitivs; vgl. Blass/Debr § 164,1 f.

[11] Der Infinitiv Aorist κακῶσαι ist von ἐπέβαλεν abhängig und drückt den Zweck der Verhaftung aus. κακόω ist „ein Lieblingswort der LXX" (Haenchen). Im NT steht das Verbum nur Apg 7,6 (Zit.); 7,19; 12,1; 18,10; 1 Petr 3,13. Vgl. oben I 458 A. 112. Apg 14,2 hat κακόω die Bedeutung „böse machen, erbittern".

[12] Zu der Person des Zebedaiden Jakobus siehe A. Wikenhauser, Jakobus der Ältere, in: LThK V(1960)833 f; K. Niederwimmer, Ἰάκωβος 2, in: EWNT II 414 f (Lit.). Mk 10,39 sagt (verschlüsselt) das Martyrium der Zebedäussöhne voraus. Die Rechtsverhältnisse unter Agrippa I. sind problematisch; vgl. Niederwimmer, a.a.O. 415.

[13] So Schwartz, Über den Tod (1904), und Loisy, Actes 480 f. Siehe dagegen Haenchen. JosAnt XIX 292–316 deutet an, daß Agrippa „ein Judentum pharisäischen Typs zur Schau" trug (Conzelmann) oder sich wenigstens gesetzestreu gab. Vgl. auch Wikenhauser: „Er verstand es, durch gewissenhafte Erfüllung der pharisäischen Forderungen sich die Gunst des jüdischen Volkes und insbesondere der Pharisäerpartei in hohem Maße zu erwerben."

VV 3–4 Als „Herodes" merkte, daß die Verfolgung der Christen „den Juden" gefiel[14], ging er einen Schritt weiter[15]. Er nahm auch Petrus fest (um ihn umzubringen), und zwar an den Tagen der ἄζυμα[16] (V 3). Er ließ ihn – unter scharfer Bewachung[17] – ins Gefängnis legen[18]. Nach dem Passa[19] wollte er ihn dem Volk vorführen; d.h. er wollte ihm öffentlich den Prozeß machen[20] (V 4). Damit ist die Exposition der folgenden Türöffnungs-Wundergeschichte gegeben. Wird es zum Prozeß gegen Petrus und zu seiner Hinrichtung kommen?

V 5 Bevor das Rettungswunder erzählt wird, berichtet Lukas vom unablässigen Gebet[21] der Gemeinde[22]. Die Kirche tut in der gegebenen Situation – Petrus befindet sich im Gefängnis in Gewahrsam[23] – das ihr Gemäße: Sie richtet fürbittendes Gebet[24] an Gott[25]. Gott ist es, der unterdessen das Befreiungswunder wirkt (vgl. V 12 ἦσαν προσευχόμενοι).

V 6 In der Nacht, ehe „Herodes" den gefangenen Petrus vorführen[26] lassen wollte, ereignete sich das Wunder seiner Befreiung, das Gott mit Hilfe eines Engels bewirkte[27]. Petrus schlief zwischen zwei Soldaten, mit zwei

---

[14] Nach der Angabe von 11,26 über den „Christen"-Namen stehen nun „die Juden" (12,3) bzw. der λαός (12,4) in einer eigenartigen Distanz zu den Jesusjüngern. Mit τοῖς Ἰουδαίοις und τῷ λαῷ ist zugleich das Wort von der „Erwartung des Volkes der Juden" (12,11) vorbereitet.

[15] προστίθημι steht im gleichen Sinn (Verübung eines neuen Unrechts bzw. einer Gewalttat) auch Lk 3,20 diff Mk. Der Infinitiv folgt auf das Verbum auch Lk 20,11.12 diff Mk, sonst nicht im NT.

[16] Die ἡμέραι τῶν ἀζύμων werden von Lukas (wie von Mk 14,1.12) mit dem Passa-Fest identifiziert: Lk 22,1.7; Apg 20,6. Durch die Angabe über den Ostertermin wird die Verhaftung des Petrus mit der Jesu parallelisiert.

[17] Petrus wird „vier τετραδίοις von Soldaten" zur Bewachung übergeben. τετράδιον bezeichnet als militärischer Fachbegriff eine Gruppe von vier Mann. Für jede der vier Nachtwachen steht also eine solche Gruppe bereit; vgl. BAUERWb s.v.; KRATZ, Rettungswunder 466.

[18] πιάσας ἔθετο εἰς φυλακήν. πιάζω bezeichnet die Verhaftung, φυλακή hier das „Gefängnis" (vgl. 5,25).

[19] μετὰ τὸ πάσχα. τὸ πάσχα bezeichnet bei Lukas das Osterfest (Lk 2,41; 22,1; Apg 12,4) und das Oster-Lamm (Lk 22,7.11.15) bzw. das Oster-Mahl (Lk 22,8.13).

[20] ἀνάγω im Sinne von „vorführen" begegnet im NT sonst nicht; siehe jedoch JosAnt XII 390 und Papyri (BAUERWb s.v. 1; MOULTON/MILLIGAN s.v.).

[21] Der andauernde Charakter des Gebets ist nicht nur durch die periphrastische Konstruktion ausgedrückt, sondern auch durch das „lukanische" ἐκτενῶς (vgl. Lk 22,44 ἐκτενέστερον, Apg 26,7 ἐν ἐκτενείᾳ).

[22] Die ἐκκλησία ist hier die Jerusalemer Ortsgemeinde; vgl. V 12.

[23] V 5a spricht nicht nur vom *gleichzeitigen* Gewahrsam des Petrus (ἐτηρεῖτο Imperfekt Passiv), sondern nennt auch den *Grund* des Gemeindegebets.

[24] Zu προσευχὴ ... περὶ αὐτοῦ vgl. (mit ὑπέρ) Röm 15,30; Kol 4,12. Siehe auch προσεύχομαι περί Lk 6,28; 1 Thess 5,25; Kol 1,3; 4,3; 2 Thess 1,11; 3,1; Hebr 13,18.

[25] προσευχὴ ... πρὸς τὸν θεόν wie Röm 15,30; vgl. indessen auch Lk 6,12.

[26] Transitives προάγω steht in der Apg auch 16,30; 17,5; 25,26.

[27] Der „Engel (des Herrn)" wird in den VV 7.8.9.10.11 genannt. In diesem Ausdruck ist κυρίου auf Gott bezogen; siehe oben I 389 A. 24.

Ketten gefesselt[28] (V 6b). Im übrigen bewachten zwei Posten[29] vor der Tür das Gefängnis (V 6c). Die „sichere“ Bewachung ist der Hintergrund für die wunderbare Befreiung.

V 7 Die Wundererzählung im engeren Sinn wird durch καὶ ἰδού[30] eingeleitet. Ein Engel Gottes tritt auf, und mit seinem Kommen erstrahlt Licht in dem (sonst als finster vorgestellten) Raum[31]. Der Engel stößt den Petrus in die Seite, um ihn zu wecken. Er gibt ihm den Befehl, schnell aufzustehen. Gleichzeitig fallen die Ketten[32] von seinen Händen.

V 8 Der Engel erteilt den Befehl, sich zu gürten[33] und die Sandalen anzulegen[34]. Die dreifach – im knappen Befehlston – erteilten Aufträge steigern die Dramatik der Erzählung. Petrus führt den Befehl aus und erhält sogleich neue Weisung: Er soll sich seinen Mantel umwerfen und dem Engel folgen.

V 9 Petrus verläßt den Raum des Gewahrsams und folgt dem Engel. Er handelt wie im Traum[35]; ja er agiert eigentlich gar nicht selbst, sondern das Geschehen vollzieht sich „durch den Engel“. Petrus meint, ein „Gesicht“[36] zu sehen.

V 10 Mit dem Engel passiert Petrus (διελθόντες) den ersten und den zweiten Wachposten[37]. Sie gelangen an das eiserne Tor[38], das vom Gefäng-

---

[28] Petrus ist links und rechts an die beiden Bewacher gefesselt! Vgl. Seneca, Ep. 5,7, zitiert bei CONZELMANN.

[29] Es ist an die beiden übrigen Soldaten der gerade auf Posten befindlichen Vierergruppe gedacht; sie stehen „vor der Tür“ (V 6c), aber noch innerhalb des Gefängnisses und nicht vor dem Außentor (V 10 τὴν πύλην τὴν σιδηρᾶν), das zur Stadt führt.

[30] Siehe dazu oben I 394 A. 74.

[31] Zu diesem Motiv vgl. KRATZ, Rettungswunder 467. Siehe auch Lk 2,9. οἴκημα ist Euphemismus für das „Gefängnis“; siehe BAUERWb s.v. 2.

[32] αἱ ἁλύσεις wie V 6. Hier ist wie 21,33 an wirkliche Ketten gedacht, während 28,20 von Handschellen spricht; vgl. ferner Lk 8,29. – Die Motive des Abfallens der Fesseln und des Aufgehens der Türen finden sich auch sonst verbunden: Euripides, Bacch. 447f (zur – nicht gegebenen – Abhängigkeit der Apg von Euripides siehe VÖGELI, Lukas und Euripides); Ovid, Metam. III 699f. Siehe auch H. D. BETZ, Lukian von Samosata und das Neue Testament (Berlin 1961) 170.

[33] Das Medium von ζώννυμι bedeutet „sich gürten“; vgl. JosBell II 129.

[34] ὑποδέομαι bezeichnet das „Unterbinden (=Anlegen)“ einer Fußbekleidung; im NT ferner Mk 6,9 (σανδάλια); Eph 6,15.

[35] V 9b wörtlich: „und er wußte nicht, daß wahr ist, was durch den Engel geschah“. ἀληθής „wahr, wirklich“ kommt sonst bei Lukas nicht vor.

[36] ὅραμα als Gegenstand des Sehens, wie Apg 7,31; 9,12; 10,3.17; 11,5; 16,9.10. Sachliche Parallele ist Lk 24,37 (mit δοκέω und Infinitiv).

[37] Mit der ersten und der zweiten φυλακή sind die übrigen zwei Mann der Vierergruppe gemeint; vgl. oben A. 29.

[38] πύλη σιδηρᾶ ist das „eiserne (Außen-)Tor“ des Gefängnisses; vgl. JosBell VII 245.

nis in die Stadt führt. Es öffnet sich ihnen „automatisch"[39]. Die beiden verlassen das Gefängnis (ἐξελθόντες), gehen eine Gasse weit[40], wo Petrus („um die Ecke") entweichen kann. Da ist plötzlich[41] der Engel verschwunden[42].

V 11 Petrus – nun in Freiheit – kommt zu sich[43] und erkennt (im Unterschied von V 9), was mit ihm geschehen war: Nun weiß er sicher[44], daß Gott seinen Engel entsandt hatte, um ihn „aus der Hand des Herodes"[45] und „jeglicher προσδοκία[46] des Judenvolkes"[47] zu befreien[48]. Die Geschichte der Rettung des Petrus schließt mit der Feststellung, daß Gott auf seiten des Petrus und der Christen steht, und daß sich „Herodes" mit dem Volk der Juden als Gegner Gottes erwiesen haben[49].

V 12 Als Petrus sich besonnen hatte[50], suchte er die im Hause Marias versammelten Christen auf. Maria war die Mutter des Johannes mit dem Beinamen Markus[51]. Mit der Erwähnung des Markus ist zugleich V 25 vorbereitet. Trotzdem ist nicht gesagt, daß zu den bei Maria versammelten betenden[52] Christen auch Barnabas und Saulus gehört hätten. Die versam-

---

[39] αὐτομάτη ist Fem. des adjektivischen αὐτόματος „von selbst". Es steht in bezug auf Türen, die sich von selbst öffnen, auch Homer, Il. 5,749; Xenophon, Hell. VI 4,7; Plutarch, Timol. 12,9; Dio Cassius, Hist. Rom. XLIV 17 u.ö. Vgl. CONZELMANN.

[40] προῆλθον ῥύμην μίαν. Der Engel verläßt Petrus, nachdem dieser in die Gasse einbiegen konnte!

[41] Zu εὐθέως s.o. Nr. 21 A. 72.

[42] Zu ἀπέστη ... ἀπ' αὐτοῦ vgl. im lukanischen Werk: Lk 13,27; 24,51 D; Apg 19,9. Siehe ferner Lk 1,38; 2,15; 24,31.51; Apg 1,9; 10,7.

[43] ἐν ἑαυτῷ γενόμενος: Dem Petrus wird die Wirklichkeit des Erlebten bewußt; s. HAENCHEN.

[44] ἀληθῶς „wirklich, tatsächlich" wie Lk 9,27; vgl. Joh 7,26; 17,8.

[45] ἐκ χειρός mit Genitiv wie Lk 1,71.74; Joh 10,39. Es handelt sich um einen Biblizismus.

[46] Die προσδοκία der Juden ist das, *was* diese für Petrus erhofften (vgl. V 3): seine Hinrichtung.

[47] ὁ λαὸς τῶν Ἰουδαίων ist im Munde des Petrus auf den ersten Blick befremdlich; vgl. indessen oben A. 14. Siehe auch LOHFINK, Sammlung Israels 57f: „Lukas signalisiert durch seinen Sprachgebrauch die Scheidung in Israel" (58).

[48] ἐξαιρέομαι „herausreißen/befreien" wie 7,10.34; 23,27. Mit ἐκ χειρός auch z.B. Ex 18,4.

[49] Vgl. den Rat des Gamaliel 5,38f.

[50] Der Aorist 2 συνιδών (von συνοράω) begegnet im NT nur an zwei Stellen: Apg 12,12 und 14,6, bezogen auf geistiges Sehen: „als er bemerkte, sich klar wurde".

[51] Ἰωάννης (ὁ ἐπικαλούμενος Μᾶρκος) wird in der Apg weiterhin genannt: 12,25; 13,5.13; 15,37, außerdem im NT noch (unter dem lateinischen Beinamen *Marcus*) Apg 15,39; Phlm 24; Kol 4,10; 2 Tim 4,11; 1 Petr 5,13. Nach Kol 4,10 war Markus ein Vetter des Barnabas; 1 Petr 5,13 nennt ihn „meinen Sohn". Siehe OLLROG, Paulus und seine Mitarbeiter (1979) 47–49; A. WEISER, Μᾶρκος, in: EWNT II. – Μαρία, die Mutter des Markus, wird sonst nicht erwähnt. Zu der späteren Überlieferung über den in ihrem Haus befindlichen Abendmahlssaal siehe C. KOPP, Die heiligen Stätten der Evangelien (Regensburg 1959) 378–387.

[52] ἦσαν ... προσευχόμενοι (V 12), vgl. V 5.

melten ἱκανοί machen (vgl. V 17b) nicht die gesamte Jerusalemer Gemeinde aus[53]; die Angaben von 8,1.14 sind seit 9,26 und 11,29f überholt.

VV 13–16 Diese Verse unterstreichen die „Unglaublichkeit" der Befreiung des Petrus, mit der die Christen – trotz ihres fürbittenden Gebets (VV 5.12) – nicht rechnen. Die Magd[54], die auf das Klopfen des Petrus hin zum Tor[55] geht, erkennt zwar Petrus an seiner Stimme. Doch sie öffnet vor Freude nicht[56]. Sie läuft zurück und meldet, daß Petrus vor dem Tor stehe. Wiederum zeigt sich die „Unglaublichkeit" dieser Meldung. Man sagt der Magd, sie sei nicht bei Sinnen[57]. Als sie bei ihrer Behauptung beharrt[58], meint man, „der Engel" des Petrus[59] stehe vor der Tür. Erst als Petrus weiterhin klopft, öffnet man ihm und ist außer sich[60].

V 17 Dem aufgeregten Kreis der Christen gebietet Petrus Schweigen[61]; er legt dar[62], „wie der Herr (= Gott) ihn herausführte aus dem Gefängnis" (V 17a). Dann gibt er den Auftrag, dem (Herrenbruder) Jakobus[63] und „den Brüdern"[64] die Kunde von dem Rettungswunder zu übermitteln (V 17b). Dann verläßt Petrus das Haus, das er noch nicht recht betreten

---

[53] Das absolute ἱκανοί bezeichnet auch sonst die beträchtliche Anzahl von Personen: 14,21; 19,19; 1 Kor 11,30.

[54] παιδίσκη ὀνόματι Ῥόδη folgt dem Vorstellungs-Schema, das auch sonst häufiger vorkommt; siehe oben I 399 A. 118. Den Namen Rhode hat auch die Herrin des Hermas (Herm v 1,1,1). Er ist sonst als Name von Sklavinnen belegt (Preuschen).

[55] Petrus klopft an die θύρα τοῦ πυλῶνος (V 13). V 14a.b spricht hingegen nur noch vom πυλών „Toreingang, Portal, Vorhalle". Das Haus der Maria ist somit ein stattliches Anwesen (Preuschen, Haenchen).

[56] ἀπὸ τῆς χαρᾶς (V 14) wie Lk 24,41; vgl. Blass/Debr § 210,1.

[57] μαίνομαι „rasen, von Sinnen sein". Die Anrede μαίνῃ begegnet auch 26,24; vgl. 1 Kor 14,23. Das Verbum steht im NT sonst nur noch Apg 26,25; Joh 10,20.

[58] διϊσχυρίζομαι mit folgendem Infinitiv wie JosAnt II 106. Das Verbum steht im NT nur Lk 22,59 diff Mk; Apg 12,15; 15,2 D.

[59] Zum Gedanken vom „Schutzengel" siehe Billerbeck II 707f; Bousset/Gressmann, Religion des Judentums 324.

[60] ἐξέστησαν beschreibt die unmittelbare Wirkung des Wunders auf die Christen; vgl. 10,45.

[61] Zu diesem Rednergestus siehe 13,16; 21,40; vgl. 26,1.

[62] Zu διηγέομαι siehe oben Nr. 22 A. 47; I 505 A. 64 (wo es 12,17 [statt 12,7] heißen muß).

[63] Ἰάκωβος ist hier der Name des „Herrenbruders" (Mk 6,3 par Mt 13,55; Gal 1,19), den die Apg auch noch 15,13; 21,18 erwähnt (vgl. weiterhin im NT: 1 Kor 15,7; Gal 2,9.12; Jak 1,1; Jud 1). Siehe H. Frhr. von Campenhausen, Die Nachfolge des Jakobus, in: ZKG 63(1950/51)133–144; E. Stauffer, Zum Kalifat des Jacobus, in: ZRGG 4(1952)193–214; W. Schmithals, Paulus und Jakobus (Göttingen 1963); Ehrhardt, The Acts of the Apostles (1969) 49–61; E. Zuckschwerdt, Das Naziräat des Herrenbruders Jakobus nach Hegesipp, in: ZNW 68(1977)276–287; K. Niederwimmer, Ἰάκωβος 1, in: EWNT II 411–414; Pesch, Simon-Petrus (1980) 71–77; Kraft, Entstehung des Christentums (1981) 286–288.

[64] Mit den ἀδελφοί sind wohl einfach die übrigen Mit-Christen gemeint, nicht speziell die „Apostel"; vgl. 1,15f. Siehe auch Haenchen, gegen Jacquier, der ἀδελφοί auf die Presbyter (11,29f) beziehen wollte.

hatte, und begibt sich „an einen anderen Ort“[65] (V 17 c). Daß der Ort nicht näher bezeichnet wird, entspricht dem Duktus der Erzählung, die anzeigen will, Petrus habe sich vorerst nicht in Jerusalem aufhalten können und sei daher „untergetaucht“. 15,7 jedenfalls befindet sich Petrus wieder in Jerusalem. Da Jakobus 15,13 *nach* Petrus das Wort ergreift, soll man ihn sich wohl als den „zweiten Mann“ der Jerusalemer Gemeinde vorstellen. Als solcher soll er offenbar auch von der Befreiung des Petrus erfahren. Hinter dieser Notiz steht die historische Reminiszenz an die Rolle des Herrenbruders Jakobus in Jerusalem[66].

VV 18–19 Die beiden Verse stellen den Zusammenhang des Erzähl-Rahmens (vgl. VV 1–4.6) wieder her: „Herodes“ wollte den Petrus öffentlich zur Rechenschaft ziehen. Bei Tagesanbruch entsteht eine „nicht geringe“[67] Aufregung unter den Soldaten (d.h. den Wachposten; vgl. V 4), weil sie Petrus nicht vorfinden[68]. „Herodes“, der ihn vorführen lassen möchte, findet ihn nicht und zieht die Wachsoldaten zur Rechenschaft[69]. Er läßt sie (zur Hinrichtung?) abführen[70]. Dann begibt er sich nach Cäsarea. Die letztere Notiz verknüpft mit dem Folgenden.

V 20 Agrippa I. war heftig aufgebracht[71] gegen die Bewohner von Tyrus und Sidon[72]. Wahrscheinlich ist nicht an einen regelrechten Krieg zu denken, sondern an eine Art Wirtschaftskrieg des Herrschers gegen die phönizischen Städte. Denn in der Lebensmittelversorgung war Phönizien von Palästina abhängig[73]. V 20 b kann nicht meinen, daß die Bewohner der bei-

---

[65] Zu ἐπορεύθη εἰς ἕτερον τόπον vgl. Lk 4,42 („an einen einsamen Ort“). Zu den Vermutungen, es sei an Antiochia oder an Rom gedacht, siehe Wikenhauser und Haenchen. Zahn meint, Lukas habe in einem dritten Band (s. dazu oben I 76 A. 1) die Geschichte des Petrus wieder aufnehmen wollen. Pesch, Simon-Petrus 63, möchte den Weggang des Petrus auf „Anfang April 41 n. Chr.“ datieren.

[66] Siehe Niederwimmer, a. A. 63 a. O. 413: „Nach dem Weggang des Petrus scheint die Leitung der Jerusalemer Kirche vollends auf J. übergegangen zu sein. Den weit über Jerusalem hinaus reichenden Einfluß des J. zeigt etwa gerade die Episode Gal 2,12f.“ Vom Ende des Jakobus berichtet JosAnt XX 200 (J. wurde im Rahmen einer Christenverfolgung in Jerusalem gesteinigt, ca. 62 n. Chr.); zu legendarischen Berichten über das Martyrium siehe Niederwimmer, a. a. O. 413f; K. Beyschlag, Das Jakobusmartyrium und seine Verwandten in der frühchristlichen Literatur, in: ZNW 56(1965)149–178.

[67] Das bei Lukas beliebte οὐκ ὀλίγος steht außer 12,18 auch 14,28; 15,2; 17,4.12; 19,23.24; 27,20.

[68] Vgl. die Sachparallele 5,21–26.

[69] Zu ἀνακρίνω siehe oben I 346 A. 41.

[70] Zu ἀπάγω, das in der Apg auch 23,17 und 24,7 vorkommt, siehe U. Borse in: EWNT I 273. Daß die Wegführung zur Hinrichtung gemeint ist, ergibt sich aus dem Kontext; vgl. auch Mt 27,31; Lk 23,26.

[71] ἦν δὲ θυμομαχῶν. Das Verbum θυμομαχέω ist selten; es wird von Polybius, XXVII 8,4, mit ἐπί τινι gebraucht, von Plutarch, Demetr. 22, mit πρός τινα. PassowWb s. v. gibt die Bedeutungen „heftig, hitzig, muthig, mit Erbitterung kämpfen“ an.

[72] Siehe dazu oben Nr. 25 A. 13.

[73] Conzelmann verweist dazu auf 1 Kön 5,23(–25); Ez 27,17.

den Städte insgesamt bei Agrippa vorstellig wurden[74], sondern besagt, daß die Städte „eine gemeinsame Gesandtschaft“[75] schickten. Diese „überredete“[76] den königlichen Kammerherrn Blastus[77] und bat um Frieden[78]. Sie mußte das tun wegen der Lebensmittelversorgung, die vom Land des Königs abhängig war[79].

VV 21–22 Am festgesetzten Tag, wohl dem Termin, an dem der Friede öffentlich verkündigt werden sollte, bekleidete sich „Herodes“ mit dem Königsornat[80], bestieg das Bema[81] und hielt eine öffentliche Rede[82]. Der Ort dieser Veranstaltung war nach JosAnt XIX 354f das Theater der Stadt[83]. V 22 bemerkt, daß das Volk (der Stadt[84]) dem König akklamierte[85]: „Gottes Stimme und nicht die eines Menschen!“ Gemäß V 23 hat der König „Gott nicht die Ehre gegeben“, d. h., er hätte der Akklamation widersprechen müssen. Möglicherweise ist daran gedacht, daß die Akklamation zur Inszenierung des Auftritts vor den phönizischen Gesandten gehörte[86].

---

[74] Bei wörtlichem Verständnis wären die Bewohner von Tyrus und Sidon selbst beim König erschienen. – Zu ὁμοθυμαδόν siehe oben I 207 A. 72. – εἶναι πρός τινα steht anstelle des klassischen παρά τινι, siehe Blass/Debr § 239, 1.

[75] Haenchen.

[76] πείσαντες Βλάστον meint, daß sie sich den einflußreichen Beamten *gewogen machten* (Haenchen: „wohl mit reichem Bakschisch“). Vgl. BauerWb s. v. πείθω 1c, der auch auf 14, 19 verweist.

[77] Blastus ist ὁ ἐπὶ τοῦ κοιτῶνος τοῦ βασιλέως „der über die Schlafkammer des Königs“; vgl. Epiktet, Diss. IV 7, 1; OGIS 256, 5. Zur Amtsbezeichnung mit ἐπί siehe auch Apg 8, 27b.

[78] Vgl. Lk 14, 32: Gesandtschaft, die um Frieden bittet.

[79] Zur Konstruktion διὰ τὸ τρέφεσθαι αὐτῶν τὴν χώραν (διά τό mit Infinitiv) siehe Lk 2, 4; 6, 48; 8, 6; 9, 7; 11, 8; 18, 5; 19, 11; 23, 8; Apg 4, 2; 8, 11; 12, 20; 18, 2.3; 27, 4.9; 28, 18.

[80] Die ἐσθὴς βασιλική war nach JosAnt XIX 344 ganz aus Silber gefertigt.

[81] καθίζω ἐπὶ (τοῦ) βήματος ist geläufige Redeweise für „auf dem Richterstuhl Platz nehmen“ (vgl. Mt 27, 19; Joh 19, 13; Apg 18, 12.16.17; 25, 6.10.17). Apg 12, 21 ist aber eine thronartige Rednerbühne gemeint (vgl. Appian, Liby. 115 § 546; JosAnt IV 209; VII 370).

[82] δημηγορέω „zum Volk reden“ ist ntl. Hapaxlegomenon, kommt aber in LXX (Spr 30, 31; 4 Makk 5, 15) und bei Fl. Josephus (Bell II 619; Vita 92) vor.

[83] Vgl. auch JosBell I 413–415.

[84] Nach JosAnt XIX 356–359 feierten die Bewohner der Stadt ein Freudenfest, als der König tot war!

[85] ἐπιφωνέω, das im NT nur Lk 23, 21; Apg 12, 22; 21, 34; 22, 24 vorkommt („laut ausrufen“) kennzeichnet in unserem Zusammenhang den „Hofstil“; Conzelmann. Der als direkte Rede gebotene Zuruf des Volkes meint natürlich: Es ist ein Gott, der (in Agrippa) redet, nicht ein Mensch (Loisy).

[86] Auch nach JosAnt XIX 345f wurde der König als Gott begrüßt: „Alsbald riefen seine Schmeichler ihm von allen Seiten zu, nannten ihn Gott und sprachen: ‚Sei uns gnädig! Haben wir dich bisher nur als Mensch geachtet, so wollen wir in Zukunft ein überirdisches Wesen in dir verehren.‘ Der König machte ihnen daraus keinen Vorwurf und wies ihre gotteslästerlichen Schmeicheleien nicht zurück.“

V 23 Der Verfolger der Christen findet sein (typisches[87]) Ende. Gottes Engel schlug ihn[88] auf der Stelle[89]. Als Grund wird angegeben[90], er habe nicht Gott die (ihm allein gebührende) Ehre gegeben[91]. Die vom Engel im Auftrag Gottes verhängte Strafe besteht darin, daß der König bei lebendigem Leib[92] von Würmern verzehrt wird[93] und stirbt[94]. – Nach dem Tode Agrippas I. kehrte ganz Palästina wieder unter die Verwaltung der römischen Statthalter von Syrien zurück. Drei Kinder Agrippas begegnen im späteren Verlauf der Darstellung: Drusilla (24,24), Agrippa der Jüngere und Berenike (25,13).

V 24 ist ein Summarium, ähnlich wie 6,7 und 19,20: Das Wort Gottes[95] wuchs und breitete sich aus[96]. Daß die Ausschaltung des Verfolgers dem Vollzug des Auftrags Jesu (1,8) Raum schafft, war auch – in analoger Weise – 9,31 verdeutlicht worden.

V 25 Barnabas und Saulus kehren nach der Ausführung ihrer διακονία, d.h. der Übergabe der antiochenischen Kollekte (vgl. 11,30), zurück[97]. Die Rückkehr erfolgt natürlich nach *Antiochia;* εἰς Ἰερουσαλήμ ist zu dem folgenden πληρώσαντες τὴν διακονίαν zu ziehen[98]. Die beiden nehmen Johannes Markus mit. Er wird später mit ihnen auf die „erste Missionsreise" gehen, als ὑπηρέτης (13,5).

---

87 Siehe dazu Lösch, Deitas Jesu (1933) 10ff. Das Motiv *De mortibus persecutorum* (so später der Buchtitel bei Laktanz) entspricht der Auffassung des Endredaktors; vgl. Conzelmann, Apg 79.

88 Zu πατάσσω vgl. Mk 14,27 par Mt 26,31 (Zit.); Apk 11,6; 19,15. Siehe auch Gen 8,21; Ex 9,15; 12,23;Num 14,12; Dtn 28,22 u.ö. in LXX.

89 Zu παραχρῆμα siehe oben I 377 A. 68.

90 ἀνθ᾽ ὧν (attractio relativi) „dafür, daß/weil" wie Lk 1,20; 19,44; vgl. 12,3.

91 Die Wendung δόξαν δίδωμι τῷ θεῷ begegnet im NT: Lk 17,18; Joh 9,24; Apg 12,23; Röm 4,20; Apk 11,13; 14,7; 16,9; 19,7; vgl. Bar 2,17f; 3 Esr 9,8; 4 Makk 1,12.

92 Dies unterstreicht der „westliche" Text; s.o. A. w.

93 Daß jemand dem Fraß der Würmer zum Opfer fällt (γενόμενος σκωληκόβρωτος V 23b), wird vielfach berichtet: 2 Makk 9,5–9 (Antiochus Epiphanes); JosAnt XVII 168f (Herodes d.Gr.). Weitere Beispiele nennt Wikenhauser, Die Apostelgeschichte und ihr Geschichtswert 398–401; vgl. Haenchen und Conzelmann.

94 ἐξέψυξεν wie 5,5.10. Das Verbum ἐκψύχω begegnet sonst nicht im NT.

95 Zu ὁ λόγος τοῦ θεοῦ (bzw. τοῦ κυρίου, s.o. A. x) siehe oben I 420 A. k.

96 ηὔξανεν καὶ ἐπληθύνετο wie 6,7; vgl. 7,17. Siehe oben I 429f A. 76.

97 ὑποστρέφω ist lukanisches Vorzugswort; siehe oben I 502 A. 37. Die 11 Vorkommen der Apg stehen: 1,12; 8,25.28; 12,25; 13,13.34; 14,21; 20,3; 21,6; 22,17; 23,32. Nur 8,28; 12,25; 20,3 wird das Ziel der Rückkehr nicht genannt. Vgl. auch oben A. 6.

98 Siehe dazu auch die Variante von P^{74} A usw., die statt εἰς die Präposition ἐξ liest; s.o. A. z. Die Hss. D E Ψ lesen ἀπό. Vgl. dazu vor allem Dupont, La mission (1956); Parker, Variant Readings (1964) 168–170.

5) Erste Missionsreise des Barnabas und Paulus (13,1 - 14,28)

Die Missionsreise, die Barnabas und Saulus – auf Geheiß des Geistes (13,2) – im Auftrag der antiochenischen Gemeinde unternehmen (und an der zunächst auch Johannes Markus als Helfer teilnimmt, 13,5.13), führt zuerst nach *Zypern* (13,4–12), der Heimat des Barnabas (vgl. 4,36). Der Missionserfolg wird an der Bekehrung des Statthalters Sergius Paulus deutlich.

Anläßlich der Erwähnung des Sergius Paulus geht der Erzähler dazu über, auch Saulus mit seinem römischen Namen *Paulus* zu nennen. Mit dieser „Namensänderung" von seiten des Erzählers geht einher, daß Paulus mehr und mehr die Initiative ergreift (vgl. 13,9.13.16–41.43.45.46). Während es bisher stets „Barnabas und Saulus" hieß (11,30; 12,25; 13,1f.7), steht von 13,9 an meist der Name des Paulus voran (13,43.46.50; 15,2a.b.12.22.35; anders hingegen 14,12.14; 15,12.25). Vor allem die große Rede des Paulus im pisidischen Antiochia (13,16–41) hebt seine führende Rolle hervor.

Von Zypern aus segeln „Paulus und seine Gefährten" (13,13) zum kleinasiatischen Festland, wo sie (in Pamphylien, Pisidien und Lykaonien) die Städte *Perge, Antiochia, Ikonium, Lystra* und *Derbe* besuchen (13,13 bis 14,21). Sie beginnen ihre Predigt regelmäßig in der örtlichen Synagoge (13,13.42.44; 14,1), erfahren aber neben Bekehrungserfolgen bei Juden und Heiden (13,43.48; 14,1.21) auch Verfolgungen von seiten der Judenschaft (13,45f.50; 14,2.4–6.19).

Die Rückkehr der antiochenischen Glaubensboten erfolgt über Lystra, Ikonium, Antiochia Pisidiae, Perge und Attalia nach Antiochia in Syrien (14,21–28). Dabei werden in den neuen Gemeinden „Älteste" bestellt (14,23). Das wichtigste *Ergebnis,* das die Boten bei ihrem Rechenschaftsbericht vermelden können, lautet: Gott hat den Heiden eine Tür zum Glauben aufgetan (14,27). Mit dieser thesenartigen Sentenz ist von der Sache her eine Überleitung zum Bericht vom „Apostelkonzil" (15,1–35) gegeben.

(Zur Quellenfrage der „Ersten Missionsreise" siehe neben der Einleitung zu Nr. 28 auch die einzelnen Perikopen; zur Frage der Geschichtlichkeit der Reise siehe den Kommentar zu 13,3.)

28. DER AUFTRAG DES GEISTES FÜR BARNABAS UND SAULUS: 13,1–3

LITERATUR: H. J. CADBURY, Lucius of Cyrene, in: Beginnings V(1933)489–495. – E. F. F. BISHOP, Simon and Lucius: Where did they come from? A Plea for Cyprus, in: ET 51(1939/40)148–153. – E. PETERSON, La λειτουργία des prophètes et des didascales à Antioche, in: RechScR 36(1949)557–579. – DERS., Zu Apostelgeschichte 13,1f, in: Nuntius sodalitii neot. Upsal. Nr. 2(1949)9f. – LOHSE, Die Ordination (1951, s.o. Nr. 15B)

71-74. - H. GREEVEN, Propheten, Lehrer, Vorsteher bei Paulus, in: ZNW 44(1952/53)1-43. - G. SEVENSTER, De wijding van Paulus en Barnabas, in: Studia Paulina (Festschr. für J. de Zwaan) (Haarlem 1953) 188-201. - E. BEST, Acts XIII.1-3, in: JThSt 11(1960)344-348. - W. BIEDER, Die Berufung im Neuen Testament (AThANT 38) (Zürich 1961) 1-110. - ROLOFF, Apostolat - Verkündigung - Kirche (1965) 207-210.225-227. - SCHILLE, Kollegialmission (1967) 42-44. - A. LEMAIRE, Les ministères aux origines de l'église (Paris 1971) 58-61. - SCHNACKENBURG, Lukas als Zeuge verschiedener Gemeindestrukturen (1971) 238-243. - DUPONT, Les ministères de l'église naissante (1973) 125-133. - L. LEGRAND, Acts 13,1-3 and the Mission Theology of Luke, in: Service and Salvation, ed. by J. Pathrapankal (Bangalore 1973) 125-131. - H. MERKLEIN, Das kirchliche Amt nach dem Epheserbrief (StANT 33) (München 1973) 240-288. - R. A. CULPEPPER, Paul's Mission to the Gentile World: Acts 13-19, in: Review and Expositor 71(1974)487-497. - B. PAPA, Profeti e dottori ad Antiochia di Siria, in: Nicolaus (Bari) 2(1974)231-254. - S. DOCKX, L'ordination de Barnabé et de Saul d'après Actes 13,1-3, in: NRTh 98(1976)238-250. - D. HILL, Christian Prophets as Teachers or Instructors in the Church, in: Prophetic Vocation in the New Testament and Today, ed. by J. Panagopoulos (Leiden 1977) 108-130, bes. 123-127. - H. SCHÜRMANN, „... und Lehrer". Die geistliche Eigenart des Lehrdienstes und sein Verhältnis zu anderen geistlichen Diensten im neutestamentlichen Zeitalter (erstm. 1977), in: ders., Orientierungen am Neuen Testament (Düsseldorf 1978) 116-156. - M. DUMAIS, Ministères, charismes et Esprit dans l'œuvre de Luc, in: Église et Théologie 9 (1978) 413-453. - OLLROG, Paulus und seine Mitarbeiter (1979), bes. 10-13.150-160.

1 Es gab aber[a] zu Antiochia in der dortigen Gemeinde Propheten und Lehrer: [b]Barnabas und Simeon, genannt[c] Niger, und Luzius aus Zyrene und Manaën, einen Jugendgefährten des Tetrarchen Herodes, und Saulus. 2 Als sie nun dem Herrn (zu Ehren) Gottesdienst hielten und fasteten, sprach der heilige Geist: Wählt mir Barnabas und Saulus zu dem Werk aus, zu dem ich sie mir berufen habe! 3 Da fasteten sie und beteten[d], legten ihnen die Hände auf und verabschiedeten sie[e].

Die neue größere Erzähleinheit 13,1 - 14,28 setzt betont in Antiochia ein und nennt fünf maßgebende Männer der dortigen Christengemeinde namentlich (V 1). Die Namensliste darf der Tradition zugeschrieben werden, die Lukas benutzte[1]. Die Beauftragung der schon in der Liste genannten Personen Barnabas und Saulus (VV 2-3) kann hingegen so nicht in einem traditionellen Stück 13,1-3 erzählt worden sein. Sie gehört in den größe-

---

[a] Hinter ἦσαν δέ fügen E Ψ Koine sy[h] τινες ein, wahrscheinlich, um anzuzeigen, daß die folgenden fünf Personen nicht die einzigen „Propheten und Lehrer" in Antiochia waren. Siehe METZGERTC 400.

[b] Vor dem ersten Namen (Barnabas) lesen D* vg ἐν οἷς statt ὅ τε. Zum Grund s. A. a.

[c] Statt καλούμενος haben D 424 pc: ἐπικαλούμενος („mit dem Beinamen").

[d] Hinter προσευξάμενοι fügt D πάντες an - „a typical Western expansion" (METZGERTC 401).

[e] ἀπέλυσαν fehlt in D (aus Versehen?). E lat sy fügen an ἀ. (verdeutlichend) an: αὐτούς.

[1] Vgl. BAUERNFEIND; HAENCHEN, Apg 356; CONZELMANN zu 13,1-3; SCHÜRMANN, „... und Lehrer" (1977) 133. HAENCHEN, a.a.O. 386, meint hingegen: „Weil sie erst durch den Spruch des Geistes auserwählt werden, hat Lukas sie in dieser Aufzählung noch nicht nebeneinandergestellt, sondern so weit auseinander wie nur möglich: mit Barnabas beginnt die Reihe, mit Paulus endet sie."

ren Erzählrahmen, der „das Werk", zu dem sie Gott berufen hat, erst erzählend entfalten wird. Nimmt man mit M. Dibelius an, daß der Erzählung von Apg 13–14 ein Itinerar zugrunde liegt[2], kann man V 3 zu diesem Quellenstück rechnen[3]. Aber das „Itinerar" ist in diesem Fall fraglich. E. Haenchen meint: „Wenn Lukas vom ersten Teil der Reise nichts gekannt hätte als eine Erzählung über die Blendung des Elymas und die Bekehrung des Prokonsuls[4], dann hätte er alles, was darüber hinausgeht, ohne die Hilfe einer Tradition leicht ergänzen können. Für den zweiten Teil der Reise wiederum hätte die Kenntnis einer Überlieferung, wie sie in 2 Tim 3,11 sichtbar wird[5], als Unterlage genügt."[6] Auch H. Conzelmann beurteilt die Frage eines Itinerars weitgehend negativ[7].

Wenn erst Lukas aus einzelnen Traditionseinheiten[8] den Erzählzusammenhang von Kap. 13–14 geschaffen hat, dann können sich auch die Angaben von 13,2f als lukanische Komposition erklären lassen. Das könnte dann aber auch bedeuten, daß die Liste der Namen (V 1) ursprünglich nur die vier erstgenannten umfaßte und erst Lukas den des „Saulus" anfügte[9]. Indessen gelten 14,4.14 Barnabas und Paulus als ἀπόστολοι (der Gemeinde von Antiochia?), und diese Angaben könnten auf einer Quelle beruhen[10], die die Angaben von 13,1–3 bestätigt: Barnabas und Saulus wurden von Antiochia aus[11] „entsandt".

V 1 Mit ἦσαν δέ und einer (doppelten) Ortsangabe (vgl. 2,5) wird die Liste der „Propheten und Lehrer"[12] eingeführt (V 1 a). Neben ἐν Ἀντιοχείᾳ

---

[2] Dibelius, Stilkritisches (1923) 12–14.

[3] Bultmann, Quellen (1959) 421–423, der freilich schon 13,2 ein „wir" für ursprünglich hält, rechnet V 3 zum Itinerar, während Dibelius, a.a.O. 13 Anm. 4, dieses erst mit V 4 beginnen läßt. Bultmann, a.a.O. 423, vermutet, daß 13,3f.13f.43f.48f (52?) aus einem Itinerar stammen; ebenso 14,1–6.21–26.

[4] Vgl. 13,6b–12.

[5] Dort ist von Verfolgungen und Leiden des Paulus „in Antiochia, Ikonium und Lystra" die Rede; vgl. Apg 13,45 – 14,20.

[6] Haenchen, Apg 421f.

[7] Conzelmann zu 13,4f.6(a).13; 14,2.19–20a.20b–21.22.24f.26f.28. Zu 14,1 schreibt er: „Der Bericht ist blaß. Lk hatte keine konkreten Nachrichten, außer über die Gemeindegründungen und Verfolgungen als solche."

[8] Überlieferungsstücke sind (außer einer Namensliste V 1) wahrscheinlich: 13,6b–12 (Sergius Paulus und Barjesus/Elymas); 13,17–41 (Rede des Paulus in Antiochia); 14,8–18 (Episode in Lystra); 14,19–20a (Nachricht über Verfolgungen; s.o. A. 5).

[9] Dafür spricht nicht nur die Namensform „Saulus", sondern auch die Letztplazierung des Saulus; siehe dazu Haenchen, Apg 386. Wikenhauser erklärt den Befund so: „Barnabas ist der angesehenste, vielleicht auch der älteste unter ihnen, Saulus wird der jüngste sein."

[10] Vgl. Conzelmann zu 14,4(14): „Offenbar ist dies aus einer Quelle übernommen."

[11] Siehe auch Gal 2,13f (Paulus und Barnabas in Antiochia). Vgl. ferner unseren Kommentar zu Apg 11,25.

[12] προφῆται καὶ διδάσκαλοι bezieht sich auf christliche Propheten und Lehrer auch 1 Kor 12,28.29 (dort jeweils in der Reihung: Apostel, Propheten, Lehrer). Eph 4,11 lautet die Reihe: Apostel, Propheten, Evangelisten, Hirten und Lehrer. Siehe dazu Merklein, Das kirchliche Amt (1973) 73–99.240–248. Er rechnet mit einer antiochenischen Herkunft der Trias Apostel/Propheten/Lehrer (a.a.O. 246f).

(Angabe der Stadt[13]) ist mit κατὰ τὴν οὖσαν ἐκκλησίαν[14] die christliche Ortsgemeinde angegeben. Die Propheten sind offensichtlich generell mit den Lehrern identisch, das heißt: die V 1 b Genannten sind im allgemeinen gleichzeitig Prophet und Lehrer. Sie befinden sich (dauernd) in der Gemeinde, sind also nicht (wie die Propheten von 11,27) als wandernd vorgestellt[15]. „Propheten und Lehrer" sind, entsprechend den paulinischen Gemeinden[16], mit der Einzelgemeinde verbunden.

Die namentlich genannten Personen (V 1 b) sind außer dem zuerst erwähnten Barnabas und dem zuletzt genannten Saulus sonst nicht bekannt. Luzius stammt von Zyrene[17], ist also Afrikaner[18]. Wahrscheinlich darf auch Simeon Niger[19] als solcher gelten[20]. Manaën[21] ist mit dem Tetrarchen Herodes[22] erzogen worden[23]; er führt offenbar den ehrenden Titel σύντροφος[24]. Wenn gesagt wird, zu den „Propheten und Lehrern" seien die genannten Fünf zu rechnen, dann besagt das jedoch nicht, daß alle in gleicher Weise beides gewesen seien. Der Erzähler kann durchaus die einen mehr den spontan-pneumatisch redenden Propheten[25], andere eher den an

---

[13] Zu Antiochia in Syrien siehe oben Nr. 25 mit A. 15.

[14] Vgl. 5,17; 28,17. Zur (volkstümlichen?) Konstruktion mit ἡ οὖσα bei Ortsangaben siehe MAYSERGr II/1, 347 f. – κατά mit Akkusativ bezeichnet die räumliche Erstreckung wie z. B. auch Lk 8,39; 9,6; 13,22; 15,14; 21,11; Apg 8,1; 11,1; 15,23; 21,21; 24,12.

[15] Zur Frage prophetischer Wanderprediger (vgl. Apg 15,22.32; 11,27 f; 21,10) äußert sich skeptisch G. FRIEDRICH in: ThWNT VI 851: „Aber diese Aussagen dürfen nicht verallgemeinert werden." Siehe auch oben Nr. 26 A. 14.15.

[16] Aus Röm 12,6; 1 Kor 12,10.28; 14,1–40 (Eph 4,11) kann geschlossen werden, daß es in jeder Gemeinde Glieder mit dem prophetischen Charisma gegeben hat; vgl. GREEVEN, Propheten (1952); FRIEDRICH, a. a. O. 851 f.

[17] Zu Κυρηναῖος siehe oben Nr. 25 A. 21. Zu „Zyrene" siehe außerdem oben I 253 f. Zum Artikel (ὁ) vor Κυρηναῖος siehe BLASS/DEBR § 268, 1.

[18] Λούκιος (entsprechend dem lateinischen *Lucius*) wurde später manchmal mit Lukas identifiziert; vgl. CADBURY, Lucius (1933); BISHOP, Simon and Lucius (1939/40); CONZELMANN zu 11,28; vgl. oben Nr. 26 A. 27.

[19] Συμεὼν ὁ καλούμενος Νίγερ (lateinisch *Niger* „der Schwarze"). Zum Beinamen siehe BAUERWb s. v.

[20] Vgl. HAENCHEN, Apg 356.

[21] Μαναήν „Manaën" entspricht dem hebräischen Namen Menachem (vgl. 4 Kg 15,14 Μαναήμ).

[22] Der „Tetrarch" ist Antipas, der außer im dritten Evangelium (z. B. Lk 3,1) auch Apg 4,27 erwähnt wird.

[23] σύντροφος im eigentlichen Sinn ist der „Milchbruder", der mit einem zusammen von der gleichen Frau ernährt wurde. Das Substantiv bedeutet aber auch allgemeiner: Jugendgenosse, Vertrauter. Siehe PASSOWWb s. v.

[24] Vgl. BAUERWb s. v. – WIKENHAUSER: „Wie an hellenistischen Fürstenhöfen wurden am herodianischen Königshofe Söhne von Vornehmen mit den Prinzen erzogen." σύντροφος τοῦ βασιλέως begegnet Polybius V 9,4; Diodorus Sic. I 53,5; 54,5; siehe auch OGIS 247,2; 323,2. Vgl. auch MOULTON/MILLIGAN s. v. – An einen Ehrentitel denkt auch HAENCHEN.

[25] Vgl. Barnabas, der nach 4,36 (11,23 f) als Prophet gelten könnte; siehe SCHÜRMANN, „... und Lehrer" 134.

die Überlieferung gebundenen Lehrern[26] zuordnen wollen[27]. Wichtiger jedoch als die Frage der Zuordnung zu den beiden genannten Gruppen ist, ob die Fünf „als ein Gremium der Gemeindeleitung“[28] beziehungsweise als kollegiale „Gemeindeleitung“[29] verstanden sind. Da der heutige Kontext (wie die Apostelgeschichte überhaupt) an Fragen der Ämterstruktur oder Gemeindeorganisation wenig Interesse zeigt[30], kann eine „kollegiale Gemeindeleitung“ in Antiochia allenfalls von der überlieferten Liste gemeint gewesen sein. Der heutige Text (ἦσαν δὲ ἐν ... κατὰ τὴν ... ἐκκλησίαν) sagt jedenfalls nichts von einer Leitungsfunktion; er erzählt nur, daß es in Antiochia, und zwar in der dortigen Gemeinde, die genannten Propheten und Lehrer *gab*.

V 2 Als die genannte Gruppe Gottesdienst hielt[31] und fastete[32], empfing sie eine Weisung vom heiligen Geist[33]. Es ergeht eine prophetische Anweisung *an* die Gruppe der Propheten und zugleich *aus* ihrer Mitte. Man hat sich wohl vorzustellen, daß dies anläßlich eines Gemeindegottesdienstes

---

[26] Vgl. etwa Saulus, der laut 11,26 in Antiochia (allerdings zusammen mit Barnabas) „lehrte“.

[27] Siehe SCHÜRMANN, a.a.O. 134: „Man wird das Miteinander so deuten dürfen, daß die Prophetie auf Lehre: auf die Schriftauslegung und die Paradosis der Lehrer, angewiesen ist ...; andererseits ist der Dienst der Lehrer nicht fruchtbar, wenn er nicht Licht bekommt von prophetischen und anderen pneumatischen Gaben ...“ Schürmann verweist in diesem Zusammenhang auf LIETZMANN, Geschichte I 145f.

[28] So SCHÜRMANN, a.a.O. 134: „Apg 13,1ff stehen ‚Propheten und Lehrer‘ – offenbar ‚kollegial‘ handelnd – der Gemeindeversammlung vor; man hat den Eindruck: ähnlich wie (und intensiver als) ein Presbyterkollegium, jedenfalls als ein Gremium der Gemeindeleitung ...“

[29] SCHNACKENBURG, Lukas als Zeuge verschiedener Gemeindestrukturen 241, kommt zu dem Schluß, „daß die genannten ‚Propheten und Lehrer‘ zugleich die Gemeindeleiter waren. Sie bildeten ein Kollegium, in dem Barnabas als der Älteste und Angesehenste höchstens einen Ehrenvorrang besaß.“

[30] Bei Lukas „ist der Amtsbegriff nicht in der Weise der Pastoralbriefe ausgebildet“ (CONZELMANN zu 13,2f). Vgl. auch SEVENSTER, De wijding (1953); J. ROHDE, Urchristliche und frühkatholische Ämter (Berlin 1976), bes. 59–75; STEICHELE, Geist und Amt (1976); DUMAIS, Ministères (1978).

[31] λειτουργούντων δὲ αὐτῶν τῷ κυρίῳ. Das Verbum λειτουργέω „einen Dienst versehen“ bezieht sich Hebr 10,11 auf den (täglichen) Gottesdienst im Tempel, Röm 15,27 wohl auf die Kollekte für Jerusalem (vgl. 2 Kor 9,12). „Apg 13,2 wird singulär im NT (und auch gegenüber der LXX) das Vb. λειτουργέω in speziell gottesdienstlichem Sinn wohl auf das gemeinsame Beten bezogen, welches die V. 1 genannten fünf Propheten und Lehrer der antiochenischen Gemeinde unter Fasten vollziehen (vgl. auch 13,3; 14,23; Lk 2,37)“ (H. BALZ, λειτουργία κτλ., in: EWNT II, s.v. 5). Johannes Chrysostomus, Homil. in Acta Apost. XXVII 1, legt indessen λειτουργέω durch κηρύσσω aus.

[32] νηστεύω steht V 3 neben προσεύχομαι; vgl. auch die Doppelung „Fasten und Gebet“ Lk 2,37; Apg 14,23. Nach Herm v 2,2,1; 3,1,2; 3,10,6f bereitet Fasten und Gebet den Empfang einer Offenbarung vor. PETERSON, La λειτουργία (1949), legt unter Berufung auf Herm s 5,3,8 das λειτουργεῖν der Antiochener als „Stationsfasten“ aus; dazu kritisch HAENCHEN.

[33] Der heilige Geist spricht durch den Mund eines Propheten. Das erwähnt der Erzähler freilich nicht, „um die Weisung des Geistes möglichst unmittelbar wirken zu lassen“ (HAENCHEN).

geschah, in dem die Gruppe der Propheten und Lehrer[34] ihre besondere Funktion hatte[35]. Der Befehl des Geistes erfolgt in direkter Rede (V 2b): Barnabas und Saulus sollen ausgesondert werden[36] zu dem Unternehmen, für das sie der Geist Gottes (längst vorher) berufen hat[37]. Wie das ἔργον[38] der beiden sich vollziehen wird und worin es näherhin besteht, erfährt der Leser erst im Laufe der weiteren Erzählung: V 3 zeigt, daß sie „entlassen" werden (ἀπέλυσαν). Nach V 4 bedeutet der Gesamtvorgang, daß sie „vom heiligen Geist ausgesandt wurden (ἐκπεμφθέντες)". 14,4 und 14,14 können die beiden somit οἱ ἀπόστολοι genannt werden.

V 3 Mit diesem Vers folgt eine „zweite, zeitlich getrennt zu denkende Szene"[39]. Sie bedeutet die Ausführung der vom heiligen Geist angeordneten „Aussonderung" von Barnabas und Saulus. Die drei Partizipien des Aorist νηστεύσαντες, προσευξάμενοι und ἐπιθέντες (τὰς χεῖρας[40]) sind einander koordiniert, insgesamt jedoch dem Verbum finitum ἀπέλυσαν untergeordnet. Sie drücken aus, unter welchen Handlungen die „Aussendung/Entlassung"[41] erfolgte. Als Subjekt ist die gleiche Gruppe vorzustellen, der der Imperativ ἀφορίσατε (V 2) galt, d.h. vornehmlich die Gruppe der „Propheten und Lehrer" (V 1), implizit (bzw. im Hintergrund stehend) indessen die versammelte Gemeinde[42]. Das Fasten – es steht jetzt an erster Stelle[43] – dient der Vorbereitung und Unterstützung des Gebets. Die von Lukas in verschiedener Bedeutung auch sonst genannte Handauflegung kann hier als Segensgeste verstanden sein; sie ist jedenfalls kein Ordinationsritus[44]. Sie wird offenbar von Gleichrangigen vorgenommen[45].

---

[34] Gottesdienst und Fasten sind als Anlaß für die Prophetie, vielleicht sogar als „Vorbereitung" eines Prophetenspruchs verstanden; siehe oben A. 32.

[35] Haenchen: „... die Anwesenheit der Gemeinde nicht erwähnt, aber wohl vorausgesetzt".

[36] ἀφορίζω begegnet bei Lukas noch Lk 6,22 (im Sinne von „ausschließen"); Apg 19,9 (Paulus „sonderte die Jünger ab"). Siehe auch Röm 1,1: Paulus ist als berufener Apostel „für das Evangelium ausgesondert"; vgl. Gal 1,15. Siehe U. Kellermann, in: EWNT I s.v. 1 (Lit.).

[37] ὃ (= εἰς ὃ) προσκέκλημαι αὐτούς. Die Berufung ist erfolgt, ehe sie kundgetan wird! προσκαλέομαι steht im übertragenen Sinn (von der Berufung durch Gott) auch 2,39 (zum Glauben); 16,10 (mit folgendem Infinitiv εὐαγγελίσασθαι).

[38] Zu εἰς τὸ ἔργον (V 2) vgl. Röm 1,1 εἰς εὐαγγέλιον. Das Stichwort ἔργον begegnet 14,26, nach der Missionsreise, wieder; vgl. auch 15,38.

[39] Haenchen. Freilich zeigt das einleitende τότε an, daß die Szene unmittelbar auf die erste folgt.

[40] Siehe dazu oben I 428f A. 70; vgl. auch I 493 A. 92.

[41] ἀπολύω steht in der Bedeutung „entlassen, verabschieden" auch Lk 8,38; 14,4; Apg 19,40.

[42] Siehe Schnackenburg, a.a.O. 240: „Die Aussendungsfeier hat wohl in Gegenwart der ganzen Gemeinde stattgefunden." Vgl. auch 14,27: Als die beiden nach der Rückkehr Rechenschaft ablegen, ist die ἐκκλησία versammelt.

[43] So auch Lk 2,37; vgl. Apg 14,23.

[44] Vgl. Wikenhauser, der dazu auf 14,26; 15,40 verweist. Ihm folgt Schnackenburg, a.a.O. (240).

[45] Siehe Sevenster, a. A. 30 a.O.; Conzelmann.

Die Frage nach der Geschichtlichkeit der „Ersten Missionsreise“ ist nicht leicht zu beantworten. Sie hängt mit der Problematik der Quellen zusammen[46]. E. Schwartz hielt Apg 13–14 für eine Dublette zur „Zweiten Reise“ (Apg 15,35 ff.)[47]. M. Dibelius vermutete das Zugrundeliegen eines Verzeichnisses von Reisestationen, Unterkünften und Missionserfolgen, in das Lukas Reden und Erzählungen eingefügt hätte[48]. J. Jeremias wollte die Reise Apg 13–14 erst nach dem „Apostelkonzil“ datieren[49]. Ihm folgt E. Haenchen, insofern er einerseits eine schmale, doch ausreichende Traditionsgrundlage der Reise gegeben sieht, andererseits jedoch die Ereignisse von Apg 13–14 nach dem „Apostelkonzil“ datieren will[50]. Demgegenüber begnügt sich H. Conzelmann mit der Feststellung, die Reise Apg 13–14 sei im Sinne des Lukas eine „Modellreise“[51], die der Entfaltung der Problematik dient, „welche in Kap 15 gelöst wird“[52]. In Wirklichkeit ersetze sie die 13 Jahre Missionsarbeit, von denen Gal 1,21 und 2,1 ausgehen[53].

---

[46] Siehe dazu oben den einleitenden Abschnitt (Nr. 28).

[47] Schwartz, Chronologie des Paulus (1907).

[48] Dibelius, Stilkritisches 12 f; Text der Apostelgeschichte 77 f.

[49] Jeremias, Quellenproblem (1937) 217 f, mit der Begründung, 15,1–33 sei Einschub in die „antiochenische“ Quelle (Dublette zu 11,30 bzw. 12,25), und die richtige Stelle der Reise zum Apostelkonzil sei 11,30 (12,25) gegeben. Vgl. dazu auch oben I 86 A. 21.

[50] Haenchen, Apg 422 f: „Für diese Hypothese – die man freilich aus Mangel an Material nicht zu der höchstmöglichen historischen Gewißheit bringen kann – läßt sich ... anführen, daß eine von Antiochia ausgehende Mission gerade zu diesem Zeitpunkt [sc. *nach* dem „Apostelkonzil“] besonders leicht verständlich wäre.“ Zu älteren Vertretern der These, daß der Bericht über die „Erste Missionsreise“ an falscher Stelle stehe, siehe Wikenhauser, Die Apostelgeschichte und ihr Geschichtswert 199–202. Vielhauer, Geschichte der urchristlichen Literatur (1975) 76, hält zwar mit Dibelius an der Itinerarhypothese für Apg 13–14 fest, datiert aber die Reise nach dem Apostelkonvent; so neuerdings auch A. J. M. Wedderburn, Some Recent Pauline Chronologies, in: ET 92(1980/81)103–108, näherhin 104. 107: Die Reise gehöre zwischen den Apostelkonvent (Gal 2,1–10) und den antiochenischen Konflikt (Gal 2,11–14). Auch Pesch, Jerusalemer Abkommen (1981) 121 f, vertritt diese Auffassung. – Roloff, Apg (1981) 194 f, verteidigt hingegen sowohl die Historizität der Reise als auch ihre Einordnung (vor dem „Apostelkonzil“) durch Lukas: „Der Vorstoß nach Pamphylien, Pisidien und Lykaonien konnte in Gal 1,21 unerwähnt bleiben, weil er, am Gesamtinhalt jener Jahre gemessen, eine für den konkreten Beweisgang unwesentliche Episode war“ (194). „Was aber das zentrale Sachargument anlangt, so dürfte deutlich sein, daß die erste Missionsreise nicht zu den Folgen, sondern zu den Voraussetzungen des Apostelkonzils gehört. Sie bringt noch nicht den Durchbruch zu einer programmatischen weltweiten Heidenmission, sondern bleibt in ihrer geographischen Erstreckung wie auch in ihrer theologisch-kirchlichen Zielsetzung begrenzt. Sie schafft allerdings, indem sie ‚den Heiden die Tür des Glaubens öffnet‘ (14,27), die Notwendigkeit einer grundsätzlichen Klärung der Fragen der Beschneidung und der Geltung des Gesetzes in gemischten Gemeinden, wie sie auf dem Apostelkonzil erfolgte. Erst durch seinen positiven Ausgang hat dann aber die Missionstätigkeit des Paulus den weltweiten Aspekt und den vorwärtsstürmenden Drang bekommen“ (195).

[51] Darin folgt er Menoud, Le plan des Actes (1954), der von einem „voyage-type“ sprach.

[52] Conzelmann, Apg 80.

[53] Conzelmann, a.a.O. (80).

29. BARNABAS UND PAULUS AUF ZYPERN. DER MAGIER BARJESUS: 13,4–12

LITERATUR: TH. ZAHN, Zur Lebensgeschichte des Apostels Paulus. 3. Der römische Prokonsul und der jüdische Zauberer auf Cypern, in: NKZ 15(1904)189–200. – DIBELIUS, Stilkritisches (1921) 21. – A. D. NOCK, Paul and the Magus, in: Beginnings V(1933)164–188. – G. A. HARRER, Saul Who Also is Called Paul, in: HThR 33(1940)19–33. – J. FOSTER, Was Sergius Paulus Converted? (Acts 13,12), in: ET 60(1948/49)354f. – M. F. UNGER, Archaeology and Paul's Tour of Cyprus, in: Bibliotheca Sacra 117 (1960) 229–233. – L. YAURE, Elymas – Nehelamite – Pethor, in: JBL 79(1960)297–314. – RIGAUX, Paulus und seine Briefe (1964) 124f. – KLEIN, Der Synkretismus (1967) 61–67. – BROWN, Apostasy (1969) 135–137 [zu 13,10]. – VAN ELDEREN, Observations (1970) 151–156 [zu 13,7]. – C. DANIEL, Un Essénien mentionné dans les Actes des Apôtres: Barjésu, in: Muséon 84(1971) 455–476. – RADL, Paulus und Jesus (1975) 101f. – RICHARD, Old Testament in Acts (1980) 332f [zu 13,11].

4 Vom heiligen Geist ausgesandt, zogen sie nun nach Seleukia hinab[a] *und segelten von da nach Zypern. 5 Und als sie nach Salamis gekommen waren, verkündigten sie das Wort Gottes*[b] *in den Synagogen der Juden. Sie hatten aber Johannes als Helfer (bei sich)*[c].
6 [d]*Nachdem sie die ganze Insel bis nach Paphos durchzogen hatten, fanden sie einen Magier* [e]*namens Barjesus*[e], *einen falschen Propheten, der Jude war. 7 Er gehörte zum Gefolge des Statthalters Sergius Paulus, eines verständigen Mannes. Dieser ließ Barnabas und Saulus rufen*[f] *und verlangte*[g] *das Wort Gottes zu hören. 8 Es trat ihnen aber Elymas*[h], *der Magier – so wird sein Name (Elymas) übersetzt –, entgegen und suchte den Statthalter vom Glauben abzubringen*[i]. *9 Saulus aber, der auch Paulus heißt, blickte ihn an, erfüllt mit dem heiligen Geist, 10 und sprach: O du (Betrüger), voll von aller List und aller Schurkerei, Sohn des Teufels, Feind aller Gerechtigkeit, willst du nicht (endlich) aufhören, die geraden Wege des Herrn zu durchkreuzen? 11 Und jetzt siehe, die Hand des*

---

[a] Statt κατῆλθον lesen P[74] A ἀπῆλθον, D (gig) hat καταβάντες δέ.
[b] D gig sy[p] sa[ms] haben κυρίου statt θεοῦ.
[c] Statt des prädikativen ὑπηρέτην lesen D 614 p sy[h.mg] sa mae ὑπηρετοῦντα αὐτοῖς, E (vg) hat εἰς διακονίαν.
[d] Statt διελθόντες δέ liest D* καὶ περιελθόντων δὲ αὐτῶν. Nach HAENCHEN, Apg 381f Anm. 8, berücksichtigt D, daß der Bericht außer Salamis und Paphos keinen Ort erwähnt: „die Missionare segeln von Salamis südlich um die Insel herum nach Paphos".
[e] Statt ᾧ ὄνομα Βαριησοῦ (P[74] ℵ pc vg) lesen B C 33 al die gräzisierte Form ᾧ ὄ. Βαριησοῦς. D* hat ὀνόματι καλούμενον Βαριησοῦαν. Siehe METZGERTC 402.
[f] Anstelle von προσκαλεσάμενος liest D[(c)] συγκαλεσάμενος „er rief zusammen".
[g] Statt ἐπεζήτησεν hat D[(c)]: καὶ ἐζήτησεν.
[h] Statt Ἐλύμας liest D* Ἑτοιμᾶς; gig vg[mss] Lucifer lesen am Ende von V 6 *paratus* (Ἕτοιμος). Siehe METZGERTC 402f; HAENCHEN, Apg 383f Anm. 1.
[i] Am Ende von V 8 fügen D* (E) sy[h**] mae an: ἐπειδὴ ἥδιστα ἤκουεν αὐτῶν: Weil der Statthalter interessiert zuhörte, wollte der Zauberer ihn davon abhalten, gläubig zu werden.

Herrn kommt über dich, und du wirst blind sein und eine Zeitlang die Sonne nicht sehen. Sogleich[k] *fiel*[l] *Dunkel und Finsternis auf ihn, und er tappte umher und suchte jemand, der ihn an der Hand führen könnte. 12 Als der Statthalter das Geschehen sah*[m], *wurde er gläubig*[n], *denn er war betroffen von der Lehre des Herrn.*

Der Abschnitt 13,4–12 bildet eine Einheit, insofern er das Wirken der antiochenischen Abgesandten auf der Insel Zypern[1] darstellt. V 4 berichtet, daß sie von der Hafenstadt Seleukia[2] aus nach Zypern segelten. Sie kommen auf der Insel zunächst nach Salamis[3] (V 5), durchmessen dann aber „die ganze Insel" und gelangen nach Paphos[4] (V 6). Hier spielt die wichtigste Begebenheit (VV 6–12). Während V 5 nur summarisch die Wort-Verkündigung in den Synagogen erwähnt, ist die Erzählung vom Pseudopropheten Barjesus (Elymas) am Sitz des römischen Statthalters[5] in Paphos anekdotisch ausgeführt. Sie endet mit der Annahme des Glaubens durch den prominenten römischen Beamten (V 12). Von Paphos aus fahren Paulus und seine Begleiter zu Schiff nach dem kleinasiatischen Festland (V 13).

Die Gesamt-Perikope zeigt einerseits den „Übergang" von reiner Judenmission (V 5) zur Bekehrung des Heiden Sergius Paulus (VV 7.12), andererseits aber – und im Zusammenhang damit – den Übergang vom jüdischen Namen „Saulus" zu der römischen Namensform „Paulus" (V 9). Die entsprechende parenthetische Bemerkung ὁ καὶ Παῦλος fügt Lukas

---

[k] Statt παραχρῆμά τε (P[45] ℵ C Ψ pc) lesen P[74] A B E Koine π. δέ und D καὶ εὐθέως. Siehe METZGERTC 404.

[l] Statt ἔπεσεν (ℵ A B D Ψ al) lesen P[74] C E Koine ἐπέπεσεν. ἐπιπίπτω steht ähnlich 10,10 als LA der Textzeugen E Ψ Koine latt sy.

[m] Hinter τὸ γεγονός fügen D E (gig) sy[p] ein: ἐθαύμασεν καί.

[n] D fügt hinter ἐπίστευσεν an: τῷ θεῷ.

[1] Zum Vorkommen von Κύπρος in der Apg siehe oben Nr. 25 A. 14. Laut 4,36 stammte Barnabas von Zypern; nach 11,19 kamen aus Jerusalem geflüchtete „Hellenisten" u. a. nach Zypern. Auf letztere Notiz nimmt 12,4–12 keinen Bezug; vgl. unten A. 6.

[2] Σελεύκεια „Seleukia", an der Mündung des Orontes gelegen, war die Hafenstadt von Antiochia in Syrien (vgl. Polybius V 58,4; Strabo, Geogr. VII 5,8; 1 Makk 11,8; JosAnt XIII 221–223; Contra Ap. I 207). Die Stadt war um 310 v. Chr. durch Seleukos Nikator gegründet worden. Siehe E. OLSHAUSEN, Seleukeia 2, in: KlPauly V 85.

[3] Σαλαμίς war der Haupthafen der Insel, den man von Syrien aus am besten erreichte. Die Stadt im Osten Zyperns wird Sib V 452 als „große Stadt" bezeichnet. Vgl. E. MEYER, Salamis 2, in: KlPauly IV 1505f.

[4] Πάφος war der Amtssitz des römischen Statthalters. Die Stadt wird nur 13,6.13 erwähnt. Gemeint ist Neu-Paphos, das an der Südwest-Spitze Zyperns liegt; vgl. E. MEYER, Paphos, in: KlPauly IV 484–487.

[5] 13,7.8.12 sprechen vom ἀνθύπατος „Prokonsul". Der Statthalter von Zypern war Propraetor mit dem Titel Prokonsul (Dio Cassius, Hist.Rom. LIII 12ff; LIV 4). Der Titel ἀνθύπατος wird 18,12 in bezug auf Gallio verwendet; der Plural kommt 19,38 vor. Vgl. die häufige Verwendung im MartPol (z. B. 3,1; 4,1; 9,2). Vgl. WIKENHAUSER, Die Apostelgeschichte und ihr Geschichtswert 335.

an der Stelle ein, wo die überlieferte[6] Barjesus-Erzählung, die ohnehin eine Anwesenheit des Barnabas nicht voraussetzte, vom Agieren des Paulus berichtete. V 13 deutet mit der Formulierung οἱ περὶ Παῦλον an, daß nun die Initiative auf Paulus übergeht.

Die Frage nach einer Traditionsgrundlage der Elymas-Geschichte (VV 6–12) ist im einzelnen schwer zu beantworten. H. Conzelmann stellt die Frage, ob Lukas nicht etwa die Geschichte in zwei Varianten vor sich gehabt habe, als Erzählung vom Juden Barjesus und als solche vom Magier Elymas[7]. Die Verknüpfung mit dem Statthalter wirke „nachgetragen"[8]. G. Klein möchte wegen der starken Prävalenz lukanischen Vokabulars im Corpus der Erzählung (VV 8–11) sowie bei der Exposition (V 6) und im Schluß (V 12) überhaupt bestreiten, daß vor-lukanische Elemente ausgemacht werden könnten[9]. E. Haenchen hatte allein im Namen Barjesus einen Beweis für vorhandene vor-lukanische Überlieferung gesehen[10]. Doch Klein läßt selbst dieses Anzeichen für Tradition nicht gelten: „mit einer numinosen Scheu des Lukas" vor dem Bar-Jesus-Namen dürfe man nicht rechnen[11]. Kleins Hauptargument, daß die Erzählung „aufs stärkste von lukanischem Vokabular geprägt ist"[12], kann man als Befund zwar bestätigen, als Gegenbeweis gegen das Vorliegen von Tradition aber nicht gelten lassen. Denn Lukas hat auch ihm überkommene Erzählungen sprachlich weitgehend neu gestaltet.

VV 4–5 Von Barnabas und Saulus wird nun gesagt, sie seien vom heiligen Geist ausgesandt worden[13]. Damit ist daran erinnert, daß ihre Aussendung auf einen Auftrag des Geistes zurückging (V 2). Die Aussendung selbst erfolgte unter Fasten, Gebet und Handauflegung (V 3). Barnabas und Saulus kommen von Antiochia zunächst in die Hafenstadt Seleukia[14],

---

[6] Vgl. Haenchen, Apg 387. Conzelmann meint, die Angaben der VV 4f habe Lukas sich selbst konstruieren können, V 6 sei redaktionelle Reisenotiz, „zur Einleitung der Episode geschaffen"; die Barjesus-Episode erweise sich als selbständige Überlieferung: „sie berücksichtigt weder eine vorausgehende Mission auf Cypern (11,19) noch die Anwesenheit des Barnabas".

[7] Conzelmann zu 13,6. Vgl. schon Dibelius, Stilkritisches 21: In den beiden Namen des Magiers „kreuzen sich offenbar mehrere Überlieferungen".

[8] Conzelmann zu 13,6 (!). Der Statthalter wird zuerst V 7 erwähnt.

[9] Klein, Der Synkretismus 62.

[10] Haenchen, Apg 387: „Daß Bar-Jesus ‚Sohn des Jesus' heißt, wußte jeder, der auch nur ein bißchen Aramäisch verstand, und Lukas hütete sich, andere Leser noch darauf aufmerksam zu machen, daß dieser Bösewicht den heiligen Jesusnamen in seinem eigenen trug."

[11] Klein, a.a.O. 63.

[12] Klein, a.a.O. 62 (mit Anm. 113–115).

[13] Zum Satzbeginn mit αὐτοὶ μὲν οὖν ἐκπεμφθέντες siehe 1,6; 2,41; 8,4.25; 15,3.30. – ἐκπέμπω kommt im NT nur Apg 13,4; 17,10 vor.

[14] κατῆλθον εἰς Σελεύκειαν: Die Hafenstadt liegt an der Mündung des Orontes, etwa 25 km von Antiochia entfernt. Vgl. oben A. 2.

von wo sie nach Zypern segeln[15]. In Zypern gehen sie an Land. Und in der Hauptstadt Salamis verkündigen sie das Wort Gottes[16] in den Synagogen der Juden[17] (V 5 a). Die Predigt setzt an den einzelnen Stationen der Reise zunächst bei den dortigen Juden, in deren Synagoge, ein (13,14.44–46; 14,1 f). Laut 13,46 ist die Anknüpfung in der Synagoge ein heilsgeschichtliches Postulat[18]. Der Wortsinn von V 5 a setzt voraus, daß es in der Stadt mehrere Synagogen gegeben habe[19]. Nachtragsweise wird vermerkt, daß die beiden Glaubensboten den Johannes (Markus, vgl. 12,25) als Gehilfen[20] bei sich hatten. Er gehört also nicht selbst zu den durch den heiligen Geist „Ausgesonderten" (vgl. V 2 b). Damit wird vermieden, daß der Leser am späteren Verhalten des Markus Anstoß nimmt (siehe V 13 b)[21].

VV 6–7 Nun setzt die Elymas-Erzählung mit der Exposition ein. Die Missionare durchmessen[22] die ganze Insel – es wird an den Weg entlang der Südküste gedacht sein[23] – und gelangen nach Paphos, dem Sitz des römischen Statthalters. Hier finden[24] sie einen Magier[25], der zugleich als jüdischer Falschprophet[26] bezeichnet wird und dessen (jüdischer) Name Barjesus lautet (V 6). Zur Exposition der Geschichte gehört indessen auch

---

15 ἐκεῖθέν τε ἀπέπλευσαν εἰς Κύπρον. ἀποπλέω εἰς begegnet ferner 14,26; 27,1; mit κἀκεῖθεν 14,26; 20,15.

16 Zu καταγγέλλω τὸν λόγον τοῦ θεοῦ vgl. 15,36 (τοῦ κυρίου); 17,13 (passivisch). Zu „Wort Gottes" s.o. I 420 A. k; zu καταγγέλλω s.o. I 329 A. 120.

17 Zu der Voraussetzung, daß es in Salamis viele Juden gab, siehe Haenchen und Conzelmann.

18 Siehe Conzelmann, Mitte der Zeit 135.

19 Oder sollte der Plural „in den Synagogen" schon auf den Anfang von V 6 bezogen sein?

20 ὑπηρέτης begegnet bei Lukas Lk 1,2; 4,20; Apg 5,22.26; 13,5; 26,16. Vgl. oben I 391 A. 40. Markus ist nicht „Diener des Wortes" wie die Apostel (Lk 1,2), sondern „Gehilfe" der Verkündiger. Haenchen: „vielleicht hat ihm Lukas doch nur ... materielle Dienste zugeschrieben ..."

21 Vgl. auch 15,37–39. Siehe ferner Haenchen zu 13,5.

22 Zu διέρχομαι siehe oben I 508 A. 97. Das Verbum steht mit folgendem Akkusativ auch Lk 19,1; Apg 12,10; 14,24; 15,3.41; 16,6; 18,23; 19,1.21; 20,2. Vgl. auch 1 Kor 16,5; 2 Kor 1,16.

23 Auf diesem Weg lagen die Städte Kition, Amathus und Korion.

24 Im Gegensatz zu der summarischen Angabe in V 5 ist hier nichts von einer Synagogenpredigt gesagt. Nach V 7 hat man den Eindruck, daß die Missionare den Magier erst trafen, als Sergius Paulus sie zu sich rief.

25 ἄνδρα τινὰ μάγον gehört zusammen ebenso wie das erläuternde ψευδοπροφήτην Ἰουδαῖον. – μάγος begegnet (neben Mt 2,1.7.16) im NT nur Apg 13,6.8. Vgl. jedoch auch 8,9.11 (μαγεύω und μαγία im Zusammenhang mit Simon Magus). Siehe G. Delling, μάγος κτλ., in: ThWNT IV 360–363. Delling möchte μάγος Apg 13,6.8 als „Inhaber und Ausüber eines übernatürlichen Wissens und Könnens" verstehen (im Gegensatz etwa zu BauerWb s.v. 2: „Zauberer, Gaukler").

26 Das lukanische Werk nennt „Pseudopropheten" sonst nur noch Lk 6,26 (unter dem Aspekt, daß die Väter ihnen schmeichelten, die wahren Propheten aber verfolgten, VV 22 f). Nach Philo, Mos. I 277, steht die Technik eines μάγος im Gegensatz zum προφητικὸν πνεῦμα.

die Vorstellung des Prokonsuls Sergius Paulus[27]. Wenn V 7a ihn einen „verständigen Mann“[28] nennt, so geschieht dies im Hinblick auf den Kontrast zu dem Pseudopropheten und Magier, der sich in seiner Begleitung befindet[29]. Der verständige Statthalter ruft Barnabas und Saulus zu sich[30], um von ihnen „das Wort Gottes“[31] zu hören (V 7b). Mit letzterer Angabe beginnt eigentlich schon die erzählte Begebenheit: Die Bereitschaft des Heiden für das Wort Gottes löst den Widerstand des jüdischen Magiers aus (V 8).

V 8 Der Magier stellt sich den Verkündigern der christlichen Botschaft entgegen[32]. Seine Aktion wird recht abstrakt beschrieben: „indem er versuchte, den Prokonsul vom Glauben abzubringen[33]“. Da erst V 12 vom Gläubigwerden des Statthalters berichtet, meint V 8b entweder, daß der Magier das Gläubigwerden verhindern wollte, oder πίστις ist im objektiven Sinn der „christlichen Botschaft“ (wie 6,7) zu verstehen. Der Leitbegriff διαστρέφειν taucht auch in der Anklage des Paulus (V 10) auf; er

---

[27] Zum Amt des zyprischen Statthalters siehe oben A. 5; vgl. auch Nr. 25 A. 14. – Σέργιος/*Sergius* ist römischer Gentilname. Ob der Prokonsul Sergius Paulus inschriftlich als bezeugt gelten kann, ist umstritten. Es gibt eine Inschrift aus Soloi an der zyprischen Nordküste (Inscriptiones Graecae ad Res Romanas pertinentes, ed. R. Cagnat, III 930), die einen Statthalter Παῦλος erwähnt, ferner zwei Inschriften aus Antiochia Pisidiae (vgl. Wikenhauser, Die Apostelgeschichte und ihr Geschichtswert 339–341). Von den beiden letzteren enthält die erste (etwa 60–100 n. Chr.) den lateinischen Namen *L. Sergius Paullus;* auf der zweiten hingegen, die fragmentarisch erhalten ist, steht der Name einer Frau: [Σεργ]ια Παυλλα. Außerdem nennt ein zwischen 41 und 47 n. Chr. gesetzter stadtrömischer Terminalstein (CIL VI 31 545) einen *L. Sergius Paullus,* der nach Wikenhauser, a. a. O. 339, „sehr wahrscheinlich mit dem in der Apg genannten identisch ist“ (vgl. Th. Mommsen in: ZNW 2[1901] 83 Anm. 3); van Elderen, Observations (1970) 155f, bespricht eine weitere Inschrift aus Zypern (Inscriptiones Graecae [s. o.] III 935), die allerdings nur die vier ersten Buchstaben des Namens Σέργιος bezeugt. Das Amtsjahr des Sergius Paulus als Prokonsul von Zypern kann nicht ermittelt werden; siehe Haenchen, Apg 77; Rigaux, Paulus und seine Briefe (1964) 124f. – Zur außer-ntl. Bezeugung des Sergius Paulus siehe ferner Zahn, Zur Lebensgeschichte (1904); K. Lake, The Proconsulship of Sergius Paulus, in Beginnings V 455–459; A. Wikenhauser, Sergios Paulos, in: LThK IX(1964)687.

[28] ἀνὴρ συνετός scheint in Opposition zu ἀνὴρ μάγος (V 6) zu stehen. συνετός steht Lk 10,21 par Mt 11,25 in synonymem Parallelismus mit σοφός. Vgl. auch Lk 2,47 (σύνεσις Jesu).

[29] ὃς ἦν σὺν τῷ ἀνθυπάτῳ. – εἶναι σύν τινι bezeichnet die Begleitung (in Gemeinschaft) oder auch das eher äußere Zusammensein (vgl. BauerWb s. v. σύν 1. c); vgl. einerseits Lk 7,12; 8,38; 22,56; 24,44; Apg 4,13; 14,4, andererseits 22,9. – Zu ἀνθύπατος siehe oben A. 5. – Der Kontext zählt Barjesus zum *Gefolge* des römischen Statthalters.

[30] προσκαλεσάμενος ... ἐπεζήτησεν. Vgl. oben I 424 A. 32 (προσκαλέομαι). Zu ἐπιζητέω ist Lk 12,30 zu vergleichen.

[31] Vgl. V 5; dazu oben A. 16.

[32] ἀνθίστημι mit personalem Dativ wie Mt 5,39; Gal 2,11; 2 Tim 3,8; Jak 4,7; vgl. 1 Petr 5,9.

[33] διαστρέφω mit Akkusativ der Person („abwendig machen“) Lk 23,2 (das Volk), der Sache Apg 13,10 (die Wege Gottes „durchkreuzen“ o. ä.); mit Akkusativ der Person und ἀπό auch Ex 5,4 (im Vorwurf des Pharao an Mose und Aaron).

meint „eine Anstiftung zum Abfall, welche die jeweilige Religion nicht offen antastet, sondern sich gerade als deren wahre Verkörperung maskiert“[34].

Der Name des Magiers und Pseudopropheten wird jetzt mit Elymas angegeben. Der erläuternde Satz („So nämlich ist sein Name zu übersetzen“) bezieht sich auf ὁ μάγος, das somit als die Übersetzung des Namens Elymas bezeichnet wird[35]. Diese Angabe der Erzählung findet möglicherweise eine Stütze in der Argumentation von L. Yaure, daß Elymas vom aramäischen *ḥlm'* „Traumdeuter, Magier“ herzuleiten sei[36].

VV 9–11a Saulus, dessen lateinischer Name Paulus hier eingeführt[37] und von jetzt an allein verwendet wird[38], wendet sich in prophetischer Rede an den Widersacher. „Erfüllt von heiligem Geist“[39], als wahrer Prophet also, schaut[40] und redet er ihn an. Der Spruch umfaßt zwei Teile: einen Vorwurf (V 10) und eine Strafankündigung (V 11 a). Abgesehen von ῥᾳδιουργία[41] finden sich alle Wörter des Verses 10 schon in der Septuaginta[42]. Im Gegensatz zum „geisterfüllten“ Paulus ist Elymas „voll von jeglicher List und Schurkerei“[43]; er wird als Teufelssohn[44] und Feind aller

---

[34] KLEIN, Der Synkretismus 65 mit Anmerkungen 129. 130. – διαστρέφω begegnet außer Apg 13,8 und den A. 33 genannten Stellen im NT auch: Lk 9,41 par Mt 17,17 (γενεὰ ἄπιστος καὶ διεστραμμένη); Apg 20,30 (διεστραμμένα als Gegenstand der Predigt christlicher Irrlehrer); Phil 2,15 (γενεὰ σκολιὰ καὶ διεστραμμένη, Dtn 32,5 LXX).

[35] Der jüdische Name Barjesus bedeutet „Sohn Jesu“. Ἐλύμας wird von Lukas kaum als gleichbedeutend mit Βαριησοῦς angesehen (gegen BAUERWb s. v. Ἐλύμας; DANIEL, Essénien 457); vielmehr bezieht sich οὕτως auf das unmittelbar vorausgehende ὁ μάγος (HAENCHEN; KLEIN a.a.O. 61 Anm. 110). Zur Namensform des D-Textes (Ἑτοιμᾶς) siehe o. A. h. Der mit Ἐλύμας nahezu übereinstimmende Name Αἰλύμας ist bei Diodorus Sic. XX 17,1; 18,3 als libyscher Königsname bezeugt.

[36] YAURE, Elymas (1960). – DANIEL, Essénien 475f, möchte nachweisen, daß Barjesus Essener war. Sowohl Barjesus als auch Elymas habe die Bedeutung „Seher“.

[37] ὁ καὶ Παῦλος besagt: *alias Paulus*. Es ist vorausgesetzt, daß Saulus diesen Namen schon zuvor hatte. Vgl. HAENCHEN: „Lukas geht zu der neuen Benennung in dem Augenblick über, da er den Paulus durch ein Wunder sich als den von hl. Geist erfüllten Missionar erweisen läßt, der nun das eigentliche Haupt der christlichen Gruppe bildet.“ Siehe auch CADBURY, Making of Luke-Acts 225.

[38] Siehe dazu oben Exkurs 11 (Anmerkungen 1–3).

[39] Vgl. Lk 1,15.41.67; Apg 2,4; 4,8 (von Petrus); 4,31; 9,17 (von Paulus).

[40] Zu ἀτενίζω siehe oben I 204 A. 52. Das Verbum ist auch sonst häufig mit εἰς konstruiert. Ein Partizip von ἀτενίζω steht in der Einleitung zu einer Rede auch Lk 22,56; Apg 3,4; 10,4; 14,9f; 13,1.

[41] Das Wort bedeutet „Bosheit, Betrug, Schlechtigkeit“ und ist bei Polybius, Diodorus Sic. und Plutarch bezeugt (BAUERWb s.v.). Vgl. A. WIKENHAUSER, Zum Wörterbuch des Neuen Testamentes, in: BZ 8(1910)271–273, näherhin 273. – Apg 18,18 hat das verwandte Abstraktum ῥᾳδιούργημα.

[42] So HAENCHEN, mit Hinweis auf πλήρης δόλου (Sir 1,30; 19,26; Jer 5,27), πᾶσα δικαιοσύνη (Gen 32,11; 1 Kg 12,7), διαστρέφων κτλ. (Spr 10,9; Hos 14,10). Zu V 11 a ist Ps 57,9 LXX zu vergleichen; vgl. RICHARD, Old Testament in Acts 332f.

[43] δόλος und ῥᾳδιουργία sind lukanische Hapaxlegomena.

[44] Der Gegensatz „Teufels-Sohn“ – „Sohn Jesu“ ist wahrscheinlich nicht zufällig. KLEIN, Der Synkretismus 64, möchte ihn seiner These zuordnen, daß Apg 13,6–12 das

Gerechtigkeit[45] angeredet. Er wird gefragt: „Wirst du nicht aufhören[46], die geraden Wege des Herrn[47] zu durchkreuzen?" Während die Wege Gottes gerade sind[48] und zur Bekehrung des Statthalters führen[49], möchte Barjesus/Elymas diese Wege „verkehren"[50]. Mit καὶ νῦν ἰδού wird die Strafankündigung eingeleitet. Auch das ist biblische Sprache[51]. Gott hat schon jetzt seine Hand auf den Magier gelegt[52]; er wird ihn blind machen, so daß er die Sonne nicht mehr sehen kann, ἄχρι καιροῦ. Der letztere Ausdruck läßt die Strafe befristet sein[53]. Die Blendung ist nicht endgültig; eine Bekehrung ist möglich[54].

Die Einzelzüge der Erzählung erinnern an den Stil des Strafwunders: wirksames Fluchwort (V 11 a), Wirkung, Demonstration, Reaktion der Zuhörer. Doch liegen die drei letzten Elemente nur andeutungsweise vor[55] (VV 11 b.12).

V 11 b Die Wirkung des Strafwortes und die Demonstration der Wirkung sind nur kurz angegeben. Sogleich fiel[56] auf den Magier „Dunkel und Finsternis"[57]. Er tappte umher[58] und mußte nach Leuten suchen, die ihn bei der Hand führen könnten[59].

Problem des Synkretismus behandle; siehe auch unten A. 53. – Gemäß Joh 8, 44 ist der Teufel der *Vater* der Bösen, diese sind nach 1 Joh 3, 10 seine *Kinder,* weil sie nicht „Gerechtigkeit tun".

45 Jeder Art von Gerechtigkeit stellt sich der Magier feindlich entgegen; die gegenteilige Haltung ist 10, 35 gemeint: „Gerechtigkeit tun/gerecht handeln".

46 οὐ παύομαι mit folgendem Partizip des Präsens wie 5, 42; 6, 13; 20, 31.

47 Mit κυρίου ist Gott gemeint; vgl. SCHNEIDER, Gott und Christus als ΚΥΡΙΟΣ 169 f.

48 Vgl. Lk 3, 4 par Mk 1, 3 (Jes 40, 3): die Pfade *gerade* machen. Siehe auch Lk 3, 5, wo zu ἡ εὐθεῖα zu ergänzen ist: ὁδός. Zu Apg 13, 10 sind vor allem Hos 14, 10 und Sir 39, 24 zu vergleichen.

49 HAENCHEN.

50 Vgl. oben A. 33.

51 Gen 12, 19; Ex 3, 9; Num 24, 14; Dtn 26, 10 u. ö.

52 Zu χεὶρ κυρίου ἐπὶ σέ vgl. 1 Kg 7, 13; 12, 15.

53 ἄχρι καιροῦ wie Lk 4, 13 diff Mt; siehe dazu KLEIN, Der Synkretismus 66 f. Er sagt abschließend: „Im Blick auf die entsprechende glimpfliche Behandlung der Skeuas-Söhne [19, 16] ist jedenfalls klar, daß Lukas hier nicht nur dasselbe Problem wie in Apg 19 abhandelt, sondern dabei auch wiederum unterscheidet zwischen synkretistischer Ausschlachtung des Christentums und den daran beteiligten Subjekten" (67).

54 Vgl. Apg 8, 22–24 (Simon Magus). Antike Parallelen einer Straferblindung nennt W. SCHRAGE in: ThWNT VIII 271 f.

55 Siehe CONZELMANN zu 13, 11.

56 Zu παραχρῆμα siehe oben I 302 A. 46; 377 A. 68. πίπτω ἐπί mit Akkusativ wie Lk 11, 17; 13, 4; 20, 18; 23, 30; Apg 1, 26.

57 ἀχλὺς καὶ σκότος: Die Doppelung begegnet auch Dio Chrysostomus 11(12), 36; Philo, Deus immut. 130.

58 Mit dem intransitiven περιάγων ist das suchende Umhergehen beschrieben.

59 χειραγωγός ist ntl. Hapaxlegomenon; vgl. χειραγωγέω 9, 8; 22, 11.

V 12 Die Wirkung auf den Prokonsul bleibt nicht aus. Er nimmt die Begebenheit wahr[60] und kommt zum Glauben[61]. Er ist nämlich „von der Lehre des Herrn" tief betroffen[62]. Damit wird herausgestellt, daß das Wort Gottes (V 7) mit Machterweisen einhergeht.

30. ANTIOCHIA IN PISIDIEN: PAULUS PREDIGT IN DER SYNAGOGE: 13, 13–43

LITERATUR: K. LAKE, Paul's Route in Asia Minor, in: Beginnings V(1933)224–240 [zu 13,13 – 14,20]. – J. DUPONT, „Filius meus es tu". L'interprétation de Ps 2,7 dans le Nouveau Testament, in: RechScR 35(1948)522–543 [zu 13,33]. – DIBELIUS, Die Reden (1949) 142f. – SCHMITT, Jésus ressuscité (1949) 15–18. – F. F. BRUCE, Justification by Faith in the Non-Pauline Writings of the New Testament, in: Evang. Quarterly 24(1952)66–77 [zu 13,38f]. – DOEVE, Jewish Hermeneutics (1953) 168–176 [zu 13,35]. – O. BAUERNFEIND, Der Schluß der antiochenischen Paulusrede, in: Theologie als Glaubenswagnis (Festschr. für K. Heim) (Tübingen 1954) 64–78. – O. GLOMBITZA, Acta XIII. 15–41. Analyse einer lukanischen Predigt vor Juden, in: NTS 5(1958/59)306–317. – G. D. KILPATRICK, Acts XIII. 33 and Tertullian, Adv. Marc. IV. XXII 8, in: JThSt 11(1960)53. – J. DUPONT, ΤΑ ῞ΟΣΙΑ ΔΑΥΙΔ ΤΑ ΠΙΣΤΑ (Actes 13,34 = Isaïe 55,3) (erstm. 1961), in: ders., Études 337–359. – E. LÖVESTAM, Son and Saviour. A Study of Acts 13,32–37 (ConiNeot 18) (Lund 1961). – WILCKENS, Missionsreden (²1963) 50–55.70f. – L. HARTMAN, Davids Son. Apropå Acta 13,16–41, in: SvEA 28/29(1963/64)117–134. – BOWKER, Speeches (1967/68). – J. BLANK, Paulus und Jesus (StANT 18) (München 1968) 34–42. – D. GOLDSMITH, Acts 13,33–37. A *Pesher* on II Sam 7, in: JBL 87(1968)321–324. – J. BIHLER in: EpEv C(1970)40–42 [zu 13,16–25]. – CH. BURGER, Jesus als Davidssohn (Göttingen 1970) 140–150 [zu 13,32–37]. – ELLIS, Midraschartige Züge (1971). – I. BROER, Die Urgemeinde und das Grab Jesu (StANT 31) (München 1972) 250–263 [zu 13,29]. – DELLING, Israels Geschichte und Jesusgeschehen (1972). – KRÄNKL, Jesus (1972) 85–87.91–93.116f.136–143.181–183. – W. H. BATES, A Note on Acts, 13,39, in: StEv VI(1973)8–10. – R. P. GORDON, Targumic Parallels to Acts XIII 18 and Didache XIV 3, in: NT 16(1974)285–289. – WILCKENS, Missionsreden (³1974) 232f. – KLIESCH, Das heilsgeschichtliche Credo (1975) 38–62.72–74.163–169. – RADL, Paulus und Jesus (1975) 82–100. – M. DUMAIS, Le langage de l'évangélisation. L'annonce missionnaire en milieu juif (Actes 13,16–41) (Tournai/Montréal 1976). – F. HAHN, Taufe und Rechtfertigung, in: Rechtfertigung (Festschr. für E. Käsemann) (Tübingen 1976) 95–124 [zu 13,38f]. – MUSSNER, Petrus und Paulus (1976) 106f [zu 13,38f]. – BRUCE, Davidic Messiah (1978) 11–13. – DUPONT, Jésus annonce la bonne nouvelle (1978, s.o. Nr. 24) 148–150 [zu 13,14–52]. – VALLAURI, La filiazione davidica (1978) 60–76 [zu 13,22.32–37]. – BARRETT, Codex Bezae (1979) [zu 13,27–29]. – C. A. JOACHIM PILLAI, Early Missionary Preaching. A Study of Luke's Report in Acts 13 (Hicksville, New York, 1979). – R. F. O'TOOLE, Christ's Resurrection in Acts 13,13–52, in: Bibl 60(1979)361–372. – PRAST, Presbyter und Evangelium (1979) 289–292 [zu 13,26]. – J. SCHMITT, Kerygme pascal et lecture scriptu-

---

[60] ἰδὼν ... τὸ γεγονός wie Lk 8,34; vgl. Lk 2,15; 8,35; 23,47. Siehe auch oben I 376 A. 58.

[61] Der inzeptive Aorist ἐπίστευσεν (-σαν) begegnet 4,4; 8,12.13; 9,42; 13,12.48; 17,12.34; 18,8. Siehe dazu ZERWICK, Biblical Greek Nr. 250; vgl. oben I 365 A. 14; 490 A. 62.

[62] ἐκπλήσσομαι ἐπί (mit Dativ zur Angabe der Ursache) steht auch Lk 4,32; 9,43. Vgl. Mk 1,22; 11,18. Der Ausdruck „Lehre des Herrn" ist singulär; vgl. indessen διδαχή Apg 2,42; 5,28; 17,19.

raire dans l'instruction d'Antioche (Act. 13,23–37), in: Kremer (Hrsg.), Les Actes (1979) 155–167. – M. F.-J. Buss, Die Missionspredigt des Apostels Paulus im Pisidischen Antiochien. Analyse von Apg 13,16–41 im Hinblick auf die literarische und thematische Einheit der Paulusrede (FzB 38) (Stuttgart 1980). – Kaiser, Promise to David (1980) [zu 13,32–37]. – Richard, Old Testament in Acts (1980) 331 f [zu 13,22]. – Wilch, Jüdische Schuld (1980) 241 [zu 13,27 f]. – Downing, Ethical Pagan Theism (1981) 554 f.

13 Paulus und seine Gefährten aber segelten von Paphos weg und kamen nach Perge in Pamphylien. Da trennte sich Johannes von ihnen und kehrte nach Jerusalem zurück. 14 Sie jedoch zogen von Perge weiter und gelangten nach Antiochia in Pisidien[a]*; und sie gingen am Sabbat in die Synagoge und setzten sich. 15 Nach der Lesung aus dem Gesetz und den Propheten schickten die Vorsteher der Synagoge zu ihnen und ließen ihnen sagen: Brüder, wenn ihr ein Wort des Zuspruchs an das Volk habt, so redet!*

16 Da stand Paulus auf, gab mit der Hand ein Zeichen und sprach: Ihr israelitischen Männer und ihr Gottesfürchtigen, hört! 17 Der Gott dieses Volkes Israel hat unsere Väter erwählt und das Volk[b] *in der Fremde, im Land Ägypten, groß gemacht. Er hat sie mit erhobenem Arm von dort herausgeführt 18 und etwa*[c] *vierzig Jahre lang in der Wüste ertragen*[d]*. 19 Sieben Völker hat er im Land Kanaan vernichtet und (ihnen) deren Land*[e] *zum Erbteil gegeben, 20* [f]*für etwa 450 Jahre. Danach*[f] *hat er ihnen Richter gegeben bis zu Samuel, dem Propheten. 21 Dann begehrten sie einen König, und Gott gab ihnen Saul, den Sohn des Kisch, einen Mann aus dem Stamm Benjamin, für vierzig Jahre. 22 Und nachdem er ihn verworfen hatte, erhob er David zu ihrem König, für den er auch Zeugnis gab und sprach: „Ich habe David, den Sohn des Isai, als einen Mann nach meinem Herzen gefunden, der alles tun wird, was ich will." 23* [g]*Aus seiner Nachkommenschaft hat Gott*[g] *für (das Volk) Israel, gemäß der*

---

[a] Statt τὴν Πισιδίαν „das pisidische (Antiochia)" – so P45.74 ℵ A B C pc – lesen D E Ψ Koine lat sy τῆς Πισιδίας. Sie gleichen damit an späteren Sprachgebrauch an; s. MetzgerTC 405.

[b] καὶ τὸν λαόν wird in D (614 gig sy h) durch διὰ τὸν λαόν ersetzt („um des Volkes willen"). Gemeint ist wohl, daß Gott *die Väter* um des Volkes willen erhöhte.

[c] ὡς wird von D E gig vg sy p weggelassen.

[d] Statt ἐτροποφόρησεν (so ℵ A c B C 2 D Koine vg) lesen P74 A* C* E Ψ pc d gig sy cop ἐτροφοφόρησεν „er versorgte sie". Auch in der „Vorlage" dieser Notiz (Dtn 1,31) finden sich diese beiden Varianten. Die äußere Bezeugung der ersten LA dürfte besser sein; vgl. MetzgerTC 405 f.

[e] Statt τὴν γῆν αὐτῶν lesen D* sy h** mae verdeutlichend τὴν γῆν τῶν ἀλλοφύλων.

[f] Der Anfang von V 20 (f – f) lautet nach D 2 E Ψ Koine: „Und danach, für etwa 450 Jahre" (gab er ihnen Richter ...). D* gig beziehen die Zeitangabe gleichfalls auf die Richter-Zeit. Siehe dazu MetzgerTC 406 f.

[g] Der Anfang von V 23 lautet nach D: ὁ θεὸς οὖν ἀπὸ τοῦ σπέρματος αὐτοῦ (... ἤγειρε), vgl. A. i.

Verheißung, Jesus als Retter[h] geschickt[i], 24 nachdem Johannes vor dessen Auftreten dem ganzen Volk Israel gepredigt hatte, man solle sich taufen lassen auf Grund der Buße. 25 Als aber Johannes der Vollendung seines Laufes nahe war, sprach er: Wofür[k] ihr mich halten möchtet, das bin ich nicht; aber seht, es kommt einer nach mir, dem die Sandalen von den Füßen loszubinden ich nicht würdig bin!
26 Brüder, ihr Söhne aus Abrahams Geschlecht und ihr Gottesfürchtigen, uns[l] wurde das Wort von diesem Heil gesandt. 27 Denn die Einwohner Jerusalems und ihre Führer haben ihn (Jesus) nicht erkannt, aber sie haben die Worte[m] der Propheten, die an jedem Sabbat vorgelesen werden, durch ihr Urteil erfüllt; 28 obgleich sie keinen Grund zu einem Todesurteil fanden[n], [o]forderten sie von Pilatus, daß er hingerichtet werde[o]. 29 Nachdem sie nun alles vollbracht hatten, was über ihn geschrieben steht[p], nahmen sie ihn vom (Kreuzes-)Holz herab und legten ihn ins Grab. 30 [q]Gott aber hat ihn von den Toten auferweckt. 31 Er ist viele Tage hindurch denen erschienen, die mit ihm von Galiläa nach Jerusalem hinaufgezogen waren[q] und die jetzt[r] dem Volk gegenüber seine Zeugen sind. 32 So verkündigen wir euch als Evangelium die an die Väter ergangene Verheißung: 33 Gott hat diese [s]uns, ihren Kindern[s], erfüllt, indem er Jesus auferweckt hat, wie schon [t]im zweiten Psalm[t] geschrieben steht:

---

[h] Statt σωτῆρα Ἰησοῦν lesen P⁷⁴ E Koine σωτηρίαν (Lesefehler). METZGERTC 408.
[i] Statt ἤγαγεν lesen C D 33 al gig sy sa mae: ἤγειρε (vgl. VV 22.37).
[k] Statt τί ἐμέ lesen P⁴⁵ C D Ψ Koine latt sy[p] τίνα με „für wen (ihr mich)"; dazu METZGERTC 408.
[l] Statt ἡμῖν lesen P⁴⁵ C E Koine lat sy bo ὑμῖν.
[m] Statt φωνάς („Stimmen, Worte") lesen E sy[p] γραφάς, ähnlich D* (μὴ συνιέντες τὰς γραφάς).
[n] Hinter εὑρόντες fügen D 614 lat sy[h**] cop verdeutlichend an: ἐν αὐτῷ.
[o] Statt ᾐτήσαντο Πιλᾶτον ἀναιρεθῆναι αὐτόν (o – o) liest D*: κρίναντες αὐτὸν παρέδωκαν Πιλάτῳ ἵνα (!) εἰς ἀναίρεσιν. Das Urteil über Jesus wird so der jüdischen Behörde zugeschrieben, Pilatus hingegen nur die Exekution. Siehe dazu auch ROPES, The Text of Acts 261–263; EPP, Theological Tendency 41–51.
[p] Hinter γεγραμμένα fügt D* (sy[h.mg]) an: εἰσίν, ᾐτοῦντο τὸν Πιλᾶτον τοῦτον μὲν σταυρῶσαι καὶ ἐπιτυχόντες πάλιν καὶ (καθελόντες κτλ.).
[q] V 30 und V 31 a (q – q) lauten nach D: „Ihn hat Gott auferweckt. Er erschien denen, die mit ihm von G. nach J. hinaufgezogen waren, viele Tage hindurch".
[r] νῦν wird von P⁴⁵·⁷⁴ ℵ A C al gig sy[p] cop bezeugt, von B E Koine hingegen weggelassen. D 614 lat sy[h] lesen ἄχρι νῦν. Ob νῦν ursprünglich ist, läßt sich kaum entscheiden; s. METZGERTC 410.
[s] Statt τοῖς τέκνοις (αὐτῶν) ἡμῖν – so C³ E Koine sy (pc) – haben P⁷⁴ ℵ A B C* D lat τ. τ. ἡμῶν „an unseren Kindern". 1175 pc gig lesen τ. τ. αὐτῶν „an ihren Kindern". KILPATRICK, An Eclectic Study 74, hält ἡμῶν für ursprünglich, wenn auch aufgrund einer lukanischen Achtlosigkeit; vgl. indessen HAENCHEN; METZGERTC 410f.
[t] D 1175 gig lesen „im ersten Psalm", P⁴⁵vid t „in den Psalmen". Siehe dazu METZGERTC 412–414, der den besseren Zeugen P⁷⁴ ℵ A B C Ψ 33. 81 al („im zweiten Psalm") den Vorzug gibt.

„Mein Sohn bist du,
ich habe dich heute gezeugt" (Ps 2,7)[u].

34 Daß[v] *er ihn aber von den Toten auferweckt hat, um ihn nicht mehr in die Verwesung zurückkehren zu lassen, hat er so ausgedrückt: „Ich will euch die zuverlässigen Heilsverfügungen gegenüber David gewähren" (Jes 55,3 LXX). 35 Und daher sagt er auch an einer anderen Stelle: „Du wirst nicht zugeben, daß dein Heiliger die Verwesung schaut" (Ps 16,10). 36 David aber ist, nachdem er seinen Zeitgenossen gedient hatte, nach dem Ratschluß Gottes entschlafen und mit seinen Vätern vereint worden. Er hat die Verwesung gesehen; 37 der aber, den Gott auferweckte, hat die Verwesung nicht gesehen.*

38 So sei euch also kund, meine Brüder, daß euch durch diesen[w] *Vergebung der Sünden verkündigt wird*[x]*; und*[y] *von allem, wovon ihr durch das Gesetz des Mose nicht gerechtgemacht werden konntet, 39 wird durch diesen jeder, der glaubt, gerechtgemacht*[z]*. 40 Seht also zu, daß nicht [über euch]*[α] *kommt, was bei den Propheten gesagt ist:*

41 „Seht, ihr Verächter,
staunt und vergeht!
Denn ich vollbringe in euren Tagen eine Tat,
– würde man euch von dieser Tat[β] *erzählen,*
ihr glaubtet es nicht" (Hab 1,5).[γ]

42 Als sie aber hinausgingen[δ], [ε]*bat man sie, am nächsten Sabbat*[ε] *über*

---

u D sy h.mg mae fügen Ps 2,8 an: „Fordere von mir, und ich werde dir Völker zu deinem Erbe und zu deinem Eigentum die Enden der Erde geben!" Es handelt sich um die Fortsetzung des LXX-Zitats, wohl im Hinblick auf Apg 13,46b.47.

v Statt des einleitenden ὅτι lesen D 614. 1175 pc gig ὅτε. Zu einer Texterweiterung in mae s. MetzgerTC 415.

w Statt διὰ τούτου lesen E 2495 pc δι' αὐτοῦ, P74 B* 36 al hingegen διὰ τοῦτο „deswegen"; s. dazu MetzgerTC 415.

x Hinter καταγγέλλεται fügen D pc (sy h**) mae an καὶ μετάνοιαν: „Vergebung der Sünden *und Buße*" sind Inhalt der Verkündigung; vgl. 2,38; 5,31; 26,18.

y καί (B C2 E Ψ Koine gig vg cl sy) fehlt in P74 ℵ A C* D pc t w. Ohne καί ist das folgende ἀπὸ πάντων bis δικαιωθῆναι von dem vorausgehenden Stichwort ἄφεσις ἁμαρτιῶν abhängig, und V 39 wird selbständiger Satz.

z Hinter δικαιοῦται fügt D (614 t sy h.mg) an: παρὰ θεῷ „vor Gott"; vgl. Gal 3,11; ferner Lk 1,6; Apg 4,19.

α Hinter ἐπέλθῃ fügen A C E Ψ 097 Koine gig sy cop erläuternd an: ἐφ' ὑμᾶς. Die kürzere LA ist vorzuziehen.

β ἔργον (in V 41 d), das hier aus V 41 c wieder aufgenommen wird, lassen D E Koine gig p weg, wohl deswegen, weil es auch Hab 1,5 LXX fehlt.

γ Nach dem Zitat fügt D (614 sy h**) mae an: καὶ ἐσίγησαν. Damit soll die Reaktion der Hörer angegeben werden.

δ Der Koine-Text erweitert (nach αὐτῶν): ἐκ τῆς συναγωγῆς τῶν Ἰουδαίων. So bezieht sich ἐξιόντων auf die Juden: *Sie* verlassen die Synagoge, während (nach Koine, siehe A. ε) die *Heiden* sich interessiert an Paulus wenden.

ε Statt παρεκάλουν εἰς τὸ μεταξὺ σάββατον liest D, sprachlich erleichternd, π. εἰς τὸ

diese Worte mit ihnen zu sprechen. 43 Und als die Versammlung sich aufgelöst hatte, schlossen sich viele Juden und fromme Proselyten Paulus und Barnabas an[ζ]. *Diese redeten mit ihnen und ermahnten sie, bei der Gnade Gottes zu verharren*[η].

Innerhalb von 13,13–43 dominiert die Rede des Paulus in der Synagoge von Antiochia in Pisidien: *VV 16–41*. Ihre beherrschende Stellung wird durch die Rahmenerzählung nur noch unterstrichen. *VV 13–15* berichten, wie Paulus von Zypern nach Antiochia gelangte. Er fuhr von Paphos nach Perge[1] in Pamphylien[2] (V 13 a), von dort kamen die Missionare nach Antiochia[3] in Pisidien[4] (V 14 a). Der Synagogengottesdienst am Sabbat bietet die „Gelegenheit" zu der Missionspredigt vor Juden (VV 14 b–15)[5]. Nach Abschluß der Rede wird deren Wirkung auf die Zuhörer – Juden und Proselyten – angegeben: Viele schlossen sich mit Interesse den beiden Glaubensboten an: *VV 42–43*. Doch wird schon hier deutlich, daß die Begebenheit noch nicht zu Ende ist. Die Notiz über das Interesse der Zuhörer und die „Vertagung" der Versammlung auf den folgenden Sabbat (V 42) leitet zu 13,44–52 über. So zeigt sich an, daß die Missionspredigt vor Juden den Hintergrund bildet für die programmatische Feststellung von V 46: Den Juden „mußte das Wort Gottes zuerst verkündigt werden"; da sie es „von sich stoßen", wenden sich die Prediger den Heiden zu. Von

---

ἑξῆς σ. Die Koine fügt hinter παρεκάλουν ein: τὰ ἔθνη, was mit dem Befund zu A. δ korrespondiert. Vgl. METZGER TC 416 f.

[ζ] 614 und sy^{h**} fügen an: ἀξιοῦντες βαπτισθῆναι „bittend, daß sie getauft würden".

[η] Am Ende von V 43 hat D (sy$^{h.mg}$) die Erweiterung: „Es geschah aber, daß sich in der ganzen Stadt das Wort Gottes ausbreitete (διελθεῖν)." Ähnlich E vg^{mss} (mae): „Es geschah aber ... φημισθῆναι τὸν λόγον."

[1] Πέργη wird außer 13,13.14 auch 14,25 erwähnt. Nachdem 13,13 f Perge nur als Durchgangsstation genannt wird, berichtet 14,25 von einer dortigen Wortverkündigung. Vgl. W. RUGE, Perge 2, in: PAULY/WISSOWA XIX/1, 694–704; E. OLSHAUSEN, Perge, in: KlPauly IV 631 f.

[2] Παμφυλία ist die kleinasiatische Landschaft südlich des Taurusgebirges, am Meer. Sie wird außer Apg 2,10; 13,13 auch 14,24; 15,38; 27,5 erwähnt. Siehe W. RUGE, Pamphylia, in: PAULY/WISSOWA XVIII/3, 354–407; E. OLSHAUSEN, Pamphylia, in: KlPauly IV 441–444; JONES, The Cities 127–133.

[3] 'Αντιόχεια, das „pisidische" Antiochia (A. *ad Pisidas*; Strabo, Geogr. XII 8,14 ἡ πρὸς Πισιδίᾳ), wird außer 13,14 noch 14,19.21 und 2 Tim 3,11 erwähnt. Antiochia lag nahe der Grenze von Pisidien und wurde gelegentlich auch selbst zu Pisidien gerechnet. Es gehörte zur Provinz Galatia und war Sitz der zivilen und militärischen Verwaltung von Südgalatien. Siehe RAMSAY, Paul the Traveller 98–107; SCHULTZE, Städte und Landschaften II/2, 356–377; A. WIKENHAUSER, Antiocheia, pisidisches, in: LThK I 650 (Lit.).

[4] τὴν Πισιδίαν (V 14) ist adjektivisch gebraucht: „das pisidische (Antiochia)". Da ein Adjektiv Πισίδιος sonst nicht bezeugt ist („pisidisch" heißt sonst Πισιδικός, Diodorus Sic. XVIII 25,6; 44,1; 45,3; Strabo, Geogr. XIII 4,16), ist vielleicht die LA τῆς Πισιδίας (D E P Ψ u. a.; s. o. A. a) vorzuziehen. Πισιδία bezeichnet das Bergland nordwestlich des Taurusgebirges und wird außer Apg 13,14 v. l.; 14,24 im NT nicht erwähnt. Siehe RAMSAY, Historical Geography 387–415; SCHULTZE, Städte und Landschaften II/2, 350–391; G. NEUMANN, Pisidien, in: KlPauly IV 868–870 (Lit.); JONES, The Cities 124–146.

[5] Zur traditionsgeschichtlichen Problematik dieser Reden siehe oben I 96–102.

dieser Konzeption her ist auch die Predigt in Antiochia zu verstehen: Sie hebt gleich eingangs (V 17a) die Erwählung Israels hervor.

Die Rede selbst (VV 16–41) umfaßt jene konstitutiven Bestandteile, die sich auch sonst in den Missionsreden vor Juden finden[6]. Nach der erzählenden Einleitung (V 16a) und der Anrede der Zuhörer (V 16b) setzt die Rede mit einer gerade für den Synagogengottesdienst passenden *Anknüpfung* ein[7], die auf die Heilsgeschichte von der Erwählung der Väter bis auf den König David zurückblickt (VV 17–22). Es folgt das *Jesus-Kerygma,* das die christologischen Prädikate Davidssohn und Retter für Israel an den Anfang und die Auferstehung Jesu an den Schluß stellt (VV 23–30). An die Botschaft von der Auferweckung Jesu schließen sich unmittelbar an: die Aussage über die apostolischen *Zeugen* (V 31) und der *Schriftbeweis* für die Auferstehung Jesu (VV 32–37)[8]. Den Schluß der Rede bildet der *Umkehrruf* (VV 38–41).

Markierungspunkte für die Gliederung sind u.a. die zwei Vorkommen der Anrede ἄνδρες ἀδελφοί (VV 26a.38a). Diese Anrede teilt an der ersten Stelle das Jesus-Kerygma in zwei Abschnitte, deren erster von Johannes dem Täufer spricht (VV 24–25)[9]. Erst mit V 26b setzt die engere Jesus-Verkündigung ein, indem der Gedanke des Heils für *Israel* (vgl. V 23 τῷ Ἰσραὴλ σωτῆρα) aufgegriffen wird: „*Uns* wurde das Wort von diesem Heil gesandt." Der Schwerpunkt der Jesusverkündigung liegt auf Passion und Auferweckung (VV 27–30). Hierbei wird die „unwissende" Verantwortlichkeit der Bewohner Jerusalems und ihrer Führer, zugleich aber der Gedanke der Schrifterfüllung hervorgehoben[10]. Der Bußruf am Schluß, der gleichfalls mit der „Brüder"-Anrede eingeleitet ist, läßt Paulus „paulinisch" argumentieren (VV 38c.39)[11].

Hinsichtlich der Traditionsgrundlage der antiochenischen Rede urteilte M. Dibelius noch relativ positiv[12]. Dem Verfasser der Acta sei sie als der zu seiner Zeit übliche Predigttypus erschienen[13]. Demgegenüber war U. Wilckens zunächst der Ansicht, die Missionspredigten vor Juden seien

---

[6] Vgl. dazu DIBELIUS, Die Reden 142; siehe auch oben I 264f A. 6.

[7] Der heilsgeschichtliche Rückblick wird von DIBELIUS, a.a.O. 143, als „Anfang einer Synagogenpredigt" bezeichnet.

[8] Vgl. dazu neuerdings O'TOOLE, Christ's Resurrection (1979).

[9] Nach HAENCHEN, Apg 400, ein „Exkurs". DUMAIS, Le langage (1976) 57, schlägt aufgrund der Anreden folgende Gliederung der Rede vor: 13,16–25.26–37.38–41. Vgl. ebd. 59f: Zeit der Väter – Gegenwart – Bußmahnung. BUSS, Die Missionspredigt (1980) 19–31, gliedert nach fünf Abschnitten: 13,16–23.24–26.27–31.32–37.38–41. Die Anrede V 26a wird dabei nicht als Gliederungssignal angesehen.

[10] Dies entspricht der Darstellung der Jesus-Passion in der synoptischen Tradition. Lukas hat diese Konzeption von Mk übernommen.

[11] Zu 13,38f siehe vor allem BRUCE, Justification by Faith (1952); MUSSNER, Petrus und Paulus (1976) 106f. HAENCHEN, Apg 401, bemerkt: „An dieser Stelle hat sich Lukas offensichtlich bemüht, der Predigt einen ausgesprochen paulinischen Klang zu geben ..."

[12] Vgl. DIBELIUS, Die Reden 143. Siehe auch oben I 98.

[13] Siehe DIBELIUS, a.a.O. 142, zu den Juden-Missionspredigten der Apg insgesamt: „So predigt man – und so soll man predigen."

ihrer Struktur und Gesamtkonzeption nach das Werk des Lukas[14]. Neuerdings werden diese Reden jedoch wieder stärker als traditionsgebunden angesehen, sei es, daß man sie mit synagogalen Predigttypen[15], mit jüdischer Schriftauslegung[16] oder mit „deuteronomistischen" Umkehrpredigten[17] in Zusammenhang bringt. So hat auch Wilckens seine frühere Beurteilung revidiert[18].

V 13 „Die um Paulus"[19] verlassen mit dem Schiff die zyprische Stadt Paphos und fahren nach Perge in Pamphylien[20]. Wahrscheinlich ist daran gedacht, daß sie in Attalia (14,25) an Land gingen. In Perge verläßt[21] Johannes Markus den Paulus und den Barnabas und kehrt nach Jerusalem zurück, wo er zu Hause ist (12,12.25). Ein Grund für die Heimreise wird nicht angegeben. Die Notiz über Markus bereitet jedoch 15,37 f vor: Während Barnabas ihn erneut (auf die „Zweite Missionsreise") mitnehmen will, lehnt Paulus dies entschieden ab und kritisiert offensichtlich, daß er „in Pamphylien von ihnen weggegangen war". Schon die Formulierung am Anfang der Gesamterzählung (V 13 a) zeigt, daß Paulus fortan als der eigentlich Handelnde gilt, dem gegenüber Barnabas in den Hintergrund tritt (vgl. 13,43.46.50).

V 14 Von Perge geht die Reise sogleich nach Antiochia in Pisidien[22]. Und man hat den Eindruck, daß die beiden sofort – jedenfalls am nächsten Sabbattag[23] – die dortige Synagoge[24] aufsuchen und dort Platz nehmen. Die Erzählung steuert der Synagogenpredigt des Paulus zu.

---

[14] WILCKENS, Missionsreden ([2]1963) 99f. Siehe auch oben I 98f.

[15] BOWKER, Speeches (1967/68); dazu näherhin oben I 102 A. 17, ferner unten zu V 35 (mit A. 109).

[16] ELLIS, Midraschartige Züge (1971); vgl. GOLDSMITH, Acts 13,33–37 (1968); GORDON, Targumic Parallels (1974). Siehe dazu auch DUMAIS, Le langage 72–78.281–319.

[17] STECK, Geschick der Propheten (1967), bes. 263–289.

[18] WILCKENS, Missionsreden ([3]1974) 187–224, bes. 221 f. Vgl. auch oben I 99–102.

[19] Der Ausdruck οἱ περὶ Παῦλον schließt nach dem Kontext Paulus, Barnabas und Johannes Markus ein. οἱ περί mit personalem Akkusativ steht ferner 21,8 Koine und im Kurzen Mk-Schluß. Vgl. auch Mk 4,10; Lk 22,49. Zu diesem Gebrauch von περί siehe W. KÖHLER in: EWNT III s.v. 3.a.

[20] Siehe dazu oben A. 1 und 2.

[21] ἀποχωρήσας ἀπό kann sogar im Sinne von *Abfallen* verstanden sein (siehe BAUERWb s.v. ἀποχωρέω). Das Verbum begegnet im NT auch Mt 7,23; Lk 9,39; 20,20 v.l.

[22] Der Weg von Perge nach Antiochia (ca. 160 km) ist schwierig und gefährlich. Antiochia gehörte zur römischen Provinz Galatia (s. o. A. 3), was zur „südgalatischen" Theorie über die Adressaten des Galaterbriefes Anlaß gab; siehe dazu SCHLIER, Galater 15–18.

[23] Von der ἡμέρα τῶν σαββάτων sprechen im NT auch Lk 4,16; Apg 16,13. Den Synagogengottesdienst am Sabbat erwähnen Lk 4,16.31; 6,6; 13,10; Apg 13,27.44; 15,21; 18,4.

[24] εἰς τὴν συναγωγήν wie Lk 4,16; 6,6; Apg 14,1; 18,19; 19,8. Von einer Synagogenpredigt des Paulus war bisher schon 9,20 und 13,5 die Rede.

V 15 Nach der Lesung aus dem Gesetz und den Prophetenschriften[25] lassen die Synagogenvorsteher[26] den beiden Gästen ausrichten, sie möchten doch ein Wort der Ermahnung[27] an das Volk richten[28]. Paulus und Barnabas werden dabei als ἄνδρες ἀδελφοί angeredet. Die gleiche Anrede gebraucht auch Paulus gegenüber den Hörern in der Synagoge (VV 26.37).

V 16a Paulus folgt der Einladung, erhebt sich[29] und beginnt mit (griechischem) Rednergestus seine Predigt[30]. Paulus soll sich dem Leser als Redner einprägen. Normalerweise trug in der Synagoge der Vortragende seine Ansprache sitzend vor[31].

V 16b Paulus redet die Anwesenden so an, daß der Leser weiß: Außer den Juden (ἄνδρες Ἰσραηλῖται[32]) sind auch „Gottesfürchtige"[33] zugegen (vgl. V 26). Nach Beendigung der Rede werden die beiden Gruppen von Hörern gleichfalls erwähnt: Juden und „fromme Proselyten" (V 43). Sind also die „Gottesfürchtigen" von V 16b als Proselyten zu verstehen[34]? Der Imperativ ἀκούσατε bittet um Aufmerksamkeit für die folgende Botschaft[35].

VV 17–20 Die Predigt setzt mit einem Rückblick auf die Erwählungsgeschichte Israels ein. „Der Gott dieses Volkes Israel"[36] ist Subjekt der VV 17–20.21–24. Gott hat „unsere Väter"[37] auserwählt[38] (V 17a). Dabei ist

---

25 Zur Tora- und Propheten-Lesung im synagogalen Gottesdienst siehe BILLERBECK IV 153–171; zum Predigtvortrag ebd. 171–188, ferner I. ELBOGEN, Der jüdische Gottesdienst in seiner geschichtlichen Entwicklung (Hildesheim ⁴1962) 194–198.

26 ἀρχισυναγωγοί „Synagogenvorsteher" begegnen auch Mk 5,22. Der Singular steht Mk 5,35.36.38; Lk 8,49; 13,14; Apg 18,8.17. Zu außerbiblischen Belegen siehe SCHÜRER, Geschichte des jüdischen Volkes II 509–512.

27 λόγος (τῆς) παρακλήσεως ist gemäß Hebr 13,22 (vgl. 2 Makk 15,11) die Mahnrede. Indessen lassen Lk 6,24; Apg 15,31; 2 Kor 7,7 παράκλησις eher im Sinne von „Trost" verstehen.

28 Die Teilnehmer am Gottesdienst sind als ὁ λαός verstanden. Die Juden werden hier noch einmal als Gottesvolk angeredet; vgl. LOHFINK, Sammlung Israels 57 Anm. 134.

29 Zu ἀναστάς (vom Redner) vgl. 1,15; 5,34; 15,7.

30 Zu κατασείσας τῇ χειρί vgl. 12,17; 21,40; Polybius I 78,3; JosAnt IV 323; VIII 275. Siehe auch oben Nr. 27 A. 61.

31 Vgl. Lk 4,20 (ἐκάθισεν). Vgl. BILLERBECK IV 185; ELBOGEN, a.a.O. 197. Siehe indessen Philo, De spec. leg. II 62 (ἀναστὰς δέ τις).

32 Diese Anrede steht auch 2,22; 3,12; 5,35; 21,28.

33 Siehe dazu oben Nr. 24 A. 45.

34 HAENCHEN (zu 13,43) hält es für möglich, daß V 43 ursprünglich nur von σεβόμενοι sprach.

35 Absolutes ἀκούσατε steht am Anfang einer Rede auch 7,2; vgl. 15,13 (ἀκούσατέ μου); 22,1.

36 Der Ausdruck ὁ θεὸς Ἰσραήλ begegnet häufig in der LXX. HAENCHEN nimmt an, daß die Wörter τοῦ λαοῦ τούτου lukanische Erweiterung sind.

37 Mit den (auserwählten!) πατέρες ἡμῶν sind wohl die Patriarchen gemeint (gegen HAENCHEN), wie auch die Anrede in V 26 nahelegt; vgl. 7,2.11.12.15. Indessen kann der Begriff auch die Väter zur Zeit des Ägypten-Aufenthalts (7,19) oder des Wüstenzuges (7,38) meinen.

38 ἐξελέξατο wird von Gott auch 15,7 ausgesagt. Da V 17 mit seinen Verba finita drei

wahrscheinlich an die Patriarchengeschichte gedacht (vgl. V 26: „Söhne aus Abrahams Geschlecht"). Dann werden der Aufenthalt des Volkes in Ägypten[39] und die Herausführung „mit erhobenem Arm"[40] erwähnt (V 17 b.c). Gott ertrug[41] das Volk dann vierzig Jahre[42] in der Wüste (V 18), bis er ihm das Land der unterworfenen Völker Kanaans[43] zum Erbe gab[44] (V 19) – für 450 Jahre (V 20 a). Die Zeitangabe bezieht sich auf die Epoche bis zur Richterzeit (siehe V 20 b μετὰ ταῦτα). Es fragt sich, wann dieser Zeitraum von 450 Jahren beginnt. Wahrscheinlich ist daran gedacht, daß die gesamten bisher erwähnten Ereignisse (von der Erwählung der Väter oder dem Ägyptenaufenthalt an) in diese Zeit fallen[45]. Der „westliche" Text bezieht die 450 Jahre auf die Richterzeit[46]. Die Zeit der Richter[47] reicht bis zu Samuel, dem Propheten[48]. Wie Gott dem Volk Richter „gab" (ἔδωκεν), so „gab er" ihm auch Saul als König (V 21), dann David (V 22 ἤγειρεν) und schließlich Jesus als σωτήρ (V 23 ἤγαγεν).

VV 21–22 In der Zeit Samuels[49] forderten die Israeliten einen König[50]. Gott „gab ihnen" als König Saul, den Sohn des Kisch[51] aus dem Stamm

---

Etappen beschreibt (Erwählung, Erhöhung, Herausführung), sind die „Väter" nicht mit dem „Volk" des Ägypten-Aufenthalts identisch.

[39] παροικία meint den Aufenthalt in der Fremde; vgl. παροικέω Lk 24, 18, πάροικος Apg 7, 6.29. – ὑψόω „erhöhen" steht im Sinne der Mehrung von Ehre, Macht oder Zahl auch Lk 1, 52; 14, 11; 18, 14; Apg 5, 31.

[40] μετὰ βραχίονος ὑψηλοῦ „mit hoch erhobenem Arm" ist Biblizismus (Ex 6, 1; 32, 11; Dtn 3, 24 u. ö.); vgl. auch Lk 1, 51 (Ps 88, 11 LXX); Joh 12, 38 (PsSal 13, 2).

[41] τροποφορέω „(jemand) ertragen" (mit Akkusativ der Person) steht auch Dtn 1, 31 (als Textvariante). Dieses Verbum muß Apg 13, 18 als lectio difficilior gelten (gegenüber τροφοφορέω, s. o. A. d).

[42] Nach seiner Gewohnheit schaltet Lukas bei Zahlenangaben ὡς vor („ungefähr, etwa"): Lk 1, 56; 8, 42; Apg 4, 4; 5, 7.36; 13, 18.20; 19, 34; siehe BAUERWb s. v. ὡς IV 5.

[43] Gott unterwarf „sieben Völker im Lande Kanaan"; vgl. Dtn 7, 1.

[44] κατεκληρονόμησεν „er übergab als Erbteil"; vgl. Dtn 3, 28 u. ö.; Jer 3, 18 LXX.

[45] Nach BAUERNFEIND, Apg 173, bezieht sich die Zahl 450 auf die Jahre vom Auszug aus Ägypten bis zum Ende der Eroberung Kanaans: 400 Jahre Ägypten (vgl. 7, 6), 40 Jahre Wüstenzug, 10 Jahre Eroberung Kanaans. Wenn man die 450 Jahre auf die Zeit von *Abraham* (ca. 1700 v. Chr.) bis zum Beginn der Richterzeit (ca. 1150 v. Chr.) bezieht, ergibt sich eine Differenz von 100 Jahren.

[46] Siehe oben A. f. Vgl. auch HAENCHEN.

[47] Die κριταί (bis zu Samuel; vgl. Ri 2, 16.18 f; JosAnt VI 85; XI 112) im Sinne der charismatischen Führergestalten der Vorkönigszeit sind im NT nur Apg 13, 20 erwähnt.

[48] Samuel, der letzte „Richter", wird auch Sir 46, 13 als Prophet bezeichnet; vgl. auch Apg 3, 24; Hebr 11, 32.

[49] κἀκεῖθεν steht hier (wie bei Diodorus Sic. und Dio Cassius) im zeitlichen Sinn: „und von da an". Im lokalen Sinn hat die Apg das Adverb häufig: 7, 4; 14, 26; 16, 12; 20, 15; 21, 1; 27, 4; 28, 15; vgl. auch Lk 11, 53; Mk 9, 30.

[50] Siehe 1 Sam 8, 5 – 10, 24.

[51] Vgl. 1 Sam 10, 21. Σαούλ (υἱὸς Κίς) wird in der Apg sonst nicht erwähnt. Der gleiche Name ist 9, 4.17; 22, 7.13; 26, 14 auf Paulus bezogen.

Benjamin[52], für vierzig Jahre[53] (V 21). Nachdem Gott Saul verwerfen mußte[54], „erweckte" er ihnen David als König[55]. Obgleich ἤγειρεν hier noch mit „er ließ erstehen" zu übersetzen ist, muß dieses Stichwort schon im Blick auf ἤγειρεν in den Versen 30 und 37 (von der Auferweckung Jesu) gelesen werden. Auch das zweimalige αὐτοῖς in den VV 21.22 muß beachtet werden: Der Kontext spricht von Gottes Handeln an Israel und zugunsten Israels; vgl. auch VV 17f (Akkusative), VV 23f τῷ (λαῷ) Ἰσραήλ, V 26 ἡμῖν, V 31 πρὸς τὸν λαόν, VV 32.33 (an die Väter; uns, ihren Kindern). Mit der relativischen Wendung ᾧ καὶ εἶπεν μαρτυρήσας („für ihn legte er Zeugnis ab, indem er sprach") wird eine Anspielung auf verschiedene Schriftstellen[56] eingeführt: David, der Sohn des Isai[57], war ein Mann nach dem Herzen Gottes; er handelte entsprechend dem Willen Gottes[58]. Das Futur ποιήσει kann von Jes 44,28 (Aussage über Cyrus) abhängig sein. Es scheint dazu geführt zu haben, daß das „Mischzitat" (aus einer Testimoniensammlung?) als Gotteswort bei der Amtseinführung Davids verstanden wurde.

VV 23–25 Ohne die „Verheißung" (V 23 κατ' ἐπαγγελίαν[59]) nach Empfänger und Inhalt zu erläutern, wird V 23 gesagt, daß Gott „von dem Samen"[60] Davids[61], also aus seiner Nachkommenschaft, für Israel „als Retter"[62] Jesus schickte[63]. Der Acta-Verfasser setzt offenbar voraus, daß die Natan-Weissagung (2 Sam 7,12) in irgendeiner Form bekannt ist (vgl.

---

52 Siehe 1 Sam 10,20f. Die Apg erwähnt nicht, daß auch Paulus aus dem Stamm Benjamin kommt (siehe hingegen Röm 11,1; Phil 3,5).

53 Auch JosAnt VI 378 gibt eine Regierungszeit von 40 Jahren an, davon 18 zu Lebzeiten Samuels und 22 nach dessen Tod.

54 Vgl. 1 Sam 15,11–35. – καὶ μεταστήσας αὐτόν: Gott „entfernte" Saul. Zu μεθίστημι „absetzen" vgl. Lk 16,4.

55 Vgl. 1 Sam 16,1–13. – Zu ἤγειρεν εἰς βασιλέα kann JosAnt XIX 295 verglichen werden: εἰς βασιλέα ... ἠγέρθη.

56 Zu εὗρον Δαυίδ vgl. Ps 88,21 LXX, zu ἄνδρα ... καρδίαν 1 Kg 13,14, zu ὃς ... θελήματά μου Jes 44,28 LXX. Haenchen spricht von einem „Mischzitat". Apg 13,22 hat 1 Clem 18,1 eine auffallende Parallele. Trotzdem ist 1 Clem hier kaum von der Apg abhängig; siehe oben I 170.

57 Siehe 1 Sam 16,1. Die griechische Namensform Ἰεσσαί begegnet auch in der Genealogie Jesu Lk 3,32 (Mt 1,5f). Siehe auch Röm 15,12 (Jes 11,10).

58 Zur Frage nach einem targumischen Hintergrund der Wendung „er wird alle meine Wünsche ausführen" siehe Richard, Old Testament in Acts 331f. Richard beantwortet die Frage negativ, während Wilcox, Semitisms of Acts 21–24, eine targumische Grundlage annimmt.

59 Von der göttlichen ἐπαγγελία sprechen auch 2,39; 13,32; 26,6. Die Wendung κατ' ἐπαγγελίαν begegnet auch Gal 3,29; vgl. 2 Tim 1,1.

60 ἀπὸ τοῦ σπέρματος. – σπέρμα steht im Sinne von „Nachkommenschaft" auch Lk 1,55; 8,33.37; Apg 3,25; 7,5.6.

61 τούτου ist auf David (V 22) zu beziehen und gehört zu σπέρματος. Vom „Samen Davids" ist im NT noch Joh 7,42; Röm 1,3; 2 Tim 2,8 die Rede.

62 Jesus ist σωτήρ nach Lk 2,11 (ὑμῖν); Apg 5,31 (ἀρχηγὸς καὶ σ.).

63 ἄγω mit folgendem Dativ kann mit „jemandem zuführen" übersetzt werden; vgl. BauerWb s.v. 1a.

Röm 1,3). Falls der Leser bereits das dritte Evangelium gelesen hat, kennt er zudem die Ankündigung des Engels an Maria (Lk 1,32[64]) und den Titel „Davidssohn" in bezug auf Jesus (Lk 18,38.39; 20,41). Jesus ist „Retter" zunächst einmal für Israel. Vor seinem Kommen[65] hatte Johannes „dem ganzen Volk Israel" die Bußtaufe[66] gepredigt (V 24). Und gegen Ende seines Wirkens[67] sagte der Täufer, daß nicht *er* der Erwartete sei, sondern daß dieser erst nach ihm kommen werde[68]; er stehe auch der Würde nach über dem Täufer[69] (V 25). Lukas ist besonders an der *Verkündigung* des Johannes interessiert (vgl. schon Lk 3,7–18). Die Stellung des Täufers wird, wie Apg 10,37, von der Jesu abgehoben. Er gehört in die Zeit *vor* Jesus, tritt vor der εἴσοδος Jesu auf. Die Sätze über den Täufer (VV 24.25) haben parenthetischen Charakter; V 26 knüpft an V 23 an[70]. Johannes der Täufer gehört in die Zeit der Propheten[71]. Was er laut V 25 über Jesus sagt, ist noch Ankündigung (ἔρχεται μετ' ἐμέ).

V 26 Mit einer neuen Anrede, die die Hörer werbend „Brüder" nennt, wird das Jesus-Kerygma aufgegriffen, das nach V 23 durch einen „Exkurs" über den Täufer (VV 24.25) unterbrochen war. Anknüpfend an den σωτήρ Jesus (V 23) heißt es nun: „An uns erging[72] die Botschaft[73] von die-

---

[64] Die Botschaft lautet: „... und es wird ihm geben Gott der Herr den Thron seines Vaters David" (Lk 1,32b). Hier wird die Herrschaft Jesu als eine ewige Königsherrschaft „über das Haus Jakobs" angesehen (1,33).

[65] Die Wendung πρὸ προσώπου (τῆς εἰσόδου αὐτοῦ) ist Biblizismus und bedeutet „*vor* (seinem Eintreten/Kommen)"; vgl. Ex 23,20; 32,34; 33,2; 34,6; Num 27,17; Dtn 9,3 u.ö.

[66] βάπτισμα μετανοίας wie Mk 1,4; Lk 3,3; Apg 19,4.

[67] ὡς δὲ ἐπλήρου ... τὸν δρόμον. Das Imperfekt drückt aus, daß Johannes *im Begriff war,* seinen Lauf zu vollenden. Apg 20,24 bedeutet τὸν δρόμον τελέω „den Lebenslauf beenden" (vgl. 2 Tim 4,7). πληροῦν ... δρόμον ist kaum Semitismus (gegen Preuschen, Apg 84); siehe Aelius Aristides 1,113 (siehe dazu van der Horst, Aelius Aristides [1980] 36).

[68] Der einleitende negative Satzteil entspricht Lk 3,15: Man hielt Johannes für den χριστός. τί ist hier wohl nicht Fragepronomen (gegen GNT und NTG), sondern steht eher (entsprechend der Koine) anstelle des Relativums. Siehe Zerwick, Biblical Greek Nr. 221; Blass/Debr § 298,4 mit Anm. 8.

[69] Vgl. Lk 3,16b par Mk 1,7. Dort fehlt μετ' ἐμέ (siehe allerdings Mk: ὀπίσω μου), der Kommende wird indessen als ἰσχυρότερός μου bezeichnet.

[70] Wilckens, Missionsreden (³1974) 102.

[71] Wilckens, a.a.O. 102–106.229f. – Zur lukanischen Auffassung über die Rolle des Täufers Johannes siehe ferner: Conzelmann, Mitte der Zeit 16–21; Egertson, John the Baptist (1968); W. Wink, John the Baptist in the Gospel Tradition (SNTSMS 7) (Cambridge 1968) 42–86; W. G. Kümmel, „Das Gesetz und die Propheten gehen bis Johannes" – Lukas 16,16 ..., in: Verborum Veritas (Festschr. für G. Stählin) (Wuppertal 1970) 89–102; Schneider, Evangelium nach Lukas (1977) 89f; Dömer, Heil Gottes (1978) 15–42; O. Böcher, Lukas und Johannes der Täufer, in: Studien zum NT und seiner Umwelt (A) 4(1979) 27–44; M. Bachmann, Johannes der Täufer bei Lukas: Nachzügler oder Vorläufer?, in: Wort Gottes in der Zeit (Festschr. für K. H. Rengstorf) (Leiden 1980) 123–155.

[72] ἡμῖν ... ἐξαπεστάλη. Hier werden Vergangenheit und Gegenwart „unter dem übergreifenden Aspekt der Verkündigung sehr eng miteinander verbunden" (Prast, Presby-

ser σωτηρία[74].“ Die als „Söhne des Abrahamsgeschlechts“[75] angesprochenen Mit-Juden sowie die anwesenden „Gottesfürchtigen“ sind die ureigenen Adressaten der Botschaft vom Heil in Jesus[76]. Erst 13,47 spricht von der den Heiden eröffneten σωτηρία „bis ans Ende der Erde“.

VV 27–28 Das γάρ am Anfang von V 27 begründet nicht, warum gerade an die Juden die Heilsbotschaft ergeht, sondern will anzeigen, daß nun dieser λόγος τῆς σωτηρίας ergeht (bzw. angeführt wird): die Botschaft von Passion und Auferweckung Jesu (VV 27–30). Am Anfang wird das Todesleiden Jesu erwähnt (VV 27–28). Die Bewohner von Jerusalem[77] und ihre ἄρχοντες[78] haben von Pilatus die Tötung Jesu gefordert (ᾐτήσαντο ... ἀναιρεθῆναι). Das Partizip ἀγνοήσαντες besagt, daß die Jerusalemer Juden Jesus „verkannten“[79]. Indem sie über ihn urteilten[80], erfüllten sie die Voraussagen der Propheten, die – wie eben jetzt[81] – Sabbat für Sabbat[82] in der Synagoge verlesen werden. Obgleich sie nichts fanden, was eine Todesschuld Jesu begründen könnte[83], forderten sie von Pilatus, er solle ihn töten[84].

---

ter und Evangelium 291). – Zu ἐξαποστέλλω siehe oben I 456 A. 89. Vgl. auch den Kurzen Mk-Schluß.

[73] λόγος wird hier durch einen Genitiv näher präzisiert, und zwar auf seinen Inhalt hin; vgl. Mt 13,19; Apg 14,3; 15,7; 20,32; 1 Kor 1,18; 2 Kor 5,19; Phil 2,16; Kol 1,5; Eph 1,13; 2 Tim 2,15; Jak 1,18.

[74] σωτηρίας ταύτης weist auf σωτήρ V 23 hin. Vgl. den Kurzen Mk-Schluß: κήρυγμα τῆς σωτηρίας.

[75] „Söhne Abrahams“ (Gal 3,7) gilt als Ehrentitel eines Juden (PsSal 9,17; 3 Makk 6,3 u.ö.); vgl. Mt 1,1; Lk 13,16; 19,9.

[76] Siehe Lk 1,77; 19,9; Apg 4,12. Zu σωτηρία siehe oben I 334 A. 20.

[77] οἱ κατοικοῦντες ἐν Ἰερουσαλήμ steht sonst nur noch Lk 13,4 ℵ A W Θ Ψ u.a. Im allgemeinen fehlt die Präposition: Lk 13,4; Apg 1,19; 2,14; 4,16.

[78] Die „Vorsteher/Führer“ werden auch Lk 23,13.35; 24,20; Apg 3,17 im Zusammenhang mit der Passion Jesu genannt. Apg 3,17 ist die nächste Parallele: „Und nun, Brüder, ich weiß, daß ihr unwissend gehandelt habt wie auch eure Führer.“ Vgl. oben I 322 A. 73.

[79] Zur Funktion von ἀγνοέω bzw. ἄγνοια im Missionskerygma vgl. auch 3,17; 17,30. Siehe oben I 322 mit Anmerkungen 71.72. Apg 13,27 soll mit ἀγνοήσαντες vielleicht die Schuld Jerusalems begründet werden; CONZELMANN: „Das entspricht dem Duktus der folgenden Sätze.“ Anders HAENCHEN: „Die Tötung Jesu wird ... durch die ἄγνοια entschuldigt.“ WILCKENS, Missionsreden³ 134, will die Unkenntnis auf den göttlichen Heilsplan bezogen sehen, den die Propheten vorherverkündigten.

[80] κρίναντες besagt nicht, daß der Hohe Rat ein (Todes-)Urteil gefällt habe, sondern daß er sich (im Verhör) ein Urteil über Jesus bildete (vgl. Lk 22,66–71). Siehe SCHNEIDER, Verleugnung 214f.

[81] Vgl. die Situationsangabe 13,15. Die Predigt des Paulus schließt sich unmittelbar an die Prophetenlesung an.

[82] κατὰ πᾶν σάββατον (so auch 15,21) ist distributiv gemeint; siehe BLASS/DEBR § 224,3.

[83] Sie fanden keine αἰτία θανάτου (so auch 28,18); vgl. Mt 27,37; Mk 15,26; Joh 18,38; 19,4.6. – CONZELMANN erwägt, ob Lukas nicht schärfer zuspitzt: *da* sie keine Schuld fanden (vgl. DERS., Mitte der Zeit 83f).

[84] ἀναιρέω wird häufig auf die Tötung Jesu bezogen: Lk 22,2; 23,32; Apg 2,23; 10,39.

VV 29–30 Mit der von den Juden veranlaßten Kreuzigung Jesu erfüllten die Jerusalemer, was über Jesus geschrieben stand[85]. Nach dem grammatikalischen Textverständnis wird dann (V 29b) den Juden auch die Kreuzabnahme[86] und die Beisetzung[87] Jesu zugeschrieben. Doch liegt nur verkürzte Berichterstattung vor[88]: *Man* nahm Jesus vom Kreuz ab und setzte ihn bei. Nachdem bisher von der Aktion der *Jerusalemer* gegen Jesus die Rede war, wechselt mit V 30 das handelnde Subjekt: *Gott* aber hat Jesus von den Toten[89] auferweckt[90].

V 31 Entsprechend dem „Schema" der Missionsreden wird nun auf die Zeugen der Auferstehung Jesu verwiesen. Paulus kann nach dem lukanischen Zeugenbegriff, der engstens mit den „zwölf Aposteln" verknüpft ist[91], nicht sich selbst als Zeuge bezeichnen (im Unterschied von Petrus bzw. den „Aposteln" 2,32; 3,15; 5,32; 10,39.41). Er spricht von denen, die mit Jesus von Galiläa nach Jerusalem gezogen waren[92] und denen der Auferstandene ἐπὶ ἡμέρας πλείους (1,3!) erschienen ist (V 31 a). Sie sind jetzt[93] seine Zeugen[94] πρὸς τὸν λαόν[95]. Das bedeutet: In ihrer apostolischen Verkündigung setzt sich das erwählende Heilshandeln Gottes an Israel (vgl. VV 17.23.26) fort.

---

85 τελέω hier: „zu Ende führen"; mit πάντα auch Lk 2,39; 18,31 (τὰ γεγραμμένα; vgl. 22,37). Zu τὰ περὶ αὐτοῦ γεγραμμένα vgl. Lk 7,27; 18,31; 21,22; 22,37; 24,44; Apg 24,14.

86 Zu καθελόντες ἀπὸ τοῦ ξύλου vgl. Lk 23,53 (καθελών von Josef aus Arimathäa). Siehe dazu J. Schreiber, Die Bestattung Jesu, in: ZNW 72 (1981) 141–177, bes. 163.

87 ἔθηκαν εἰς μνημεῖον. Vom μνημεῖον Jesu sprechen auch Lk 23,55 par Mk 15,46; 24,2.9.12.22.24.

88 Haenchen zu V 29. Vgl. auch Conzelmann: „Es handelt sich einfach um eine knappe Zusammenfassung der Ereignisse." Vgl. Broer, Die Urgemeinde und das Grab Jesu 250–263. Hingegen meint Schreiber, a.a.O. 163: „Die zwischen Lk 23,53 und Act 13,29 bestehende terminologische Verbindung im Wechsel von Singular und Plural ... zeigt Josef folglich als einen der gemäß dem göttlichen Heilswillen handelnden Gerechten im Verband des Gottesvolkes ..."

89 ἐκ νεκρῶν in Verbindung mit ἐγείρω wie Lk 9,7; Apg 3,15; 4,10; vgl. Röm 4,24; 6,4.9; 7,4; 8,11.34; 10,9; 1 Kor 15,4.12.20; Gal 1,1; Eph 1,20; Kol 2,12; 1 Thess 1,10; 2 Tim 2,8; Hebr 11,19; 1 Petr 1,21. Mit anderen Verben Lk 16,31; 20,35; 24,46; Apg 4,2; 10,41; 13,34; 17,3.31.

90 ἤγειρεν stellt die Auferstehung Jesu als Tat Gottes dar; so auch ἐγείρω Lk 9,22; 24,34; Apg 3,15; 4,10; 5,30; 10,40; 13,37. Vgl. oben Nr. 24 A. 177. – Zum Subjektwechsel vgl. Apg 3,15; 4,10; 10,39f.

91 Siehe Exkurs 2, oben I 221–232. Vgl. auch Wilckens, Missionsreden[3] 144–150.

92 Zu dieser lukanischen Konzeption siehe Lk 9,51; 23,4.49; Apg 10,39.41.

93 Zum textkritischen Problem des νῦν siehe oben A. r.

94 μάρτυς mit auf Jesus bezogenem Genitiv wie 1,8 (vgl. 2,32; 3,15). Paulus wird μάρτυς αὐτῷ genannt (22,15).

95 Wahrscheinlich soll diese Formulierung (im Hinblick auf die zwölf Apostel; vgl. 10,42) dem πρὸς πάντας ἀνθρώπους (22,15, im Blick auf die Berufung des Paulus) gegenübergestellt werden; vgl. oben I 226f.

VV 32–33 Wenn sich Paulus auch nicht unter die Zeugen Christi oder die Auferstehungszeugen einreihen kann, so ist er doch vor der Synagogengemeinde Verkündiger der an die Väter ergangenen Verheißung[96] (V 32). Was Gott den Vätern verheißen hat, erfüllte er den Kindern; der Redner sagt „uns". Die Dative bezeichnen wieder das Heilshandeln Gottes gegenüber Israel, zugunsten des Volkes. Die Erfüllung der Verheißung geschah in der Auferweckung Jesu[97] (V 33 a). Als *ein* Beleg (unter vielen, die der Redner wohl voraussetzt) wird Ps 2,7 angeführt[98]. Die Psalmen gelten als Prophetie[99]. Ps 2,7 wurde im Urchristentum öfter „als Schriftbeleg zur Auferweckung bzw. Erhöhung" gebraucht[100]. Die Anführung dieser Stelle kann als traditionell angesehen werden.

V 34 Während Ps 2,7 die Tatsächlichkeit der Auferweckung Jesu (als Verleihung neuen Lebens) beweisen soll (V 33), wird nun die bleibende und unvergängliche Dauer des neuen Lebens herausgestellt. Die Auferweckung Jesu aus den Toten bekundete Gottes Absicht, ihn nicht mehr in die διαφθορά zurückkehren zu lassen (V 34 a). Der erste ὅτι-Satz (V 34 a) ist in dem zweiten, der das Zitat aus Jes 55,3 LXX einleitet, begründet. In dem Zitat verheißt Gott, er werde ὑμῖν τὰ ὅσια[101] Δαυὶδ τὰ πιστά geben (V 34 b). Die Deutung dieser Stelle bietet offensichtlich erst der folgende Vers[102]. Der Leser soll wahrscheinlich aber auch die Argumentation der Pfingstpredigt des Petrus mit heranziehen (2,24–32). 2,27 und 13,35 (Ps 15,10 LXX) wird im Hinblick auf Jesus gesagt: οὐ(δὲ) δώσεις (vgl. δώσω

---

[96] Gemeint ist, daß Paulus die *Erfüllung* der ἐπαγγελία verkündigt; siehe V 33 (ταύτην κτλ.). Laut 13,23 entsprach schon das Auftreten Jesu der göttlichen Verheißung. – ἐκπληρόω (V 32) ist ebenso wie ἐκπλήρωσις (21,26) ntl. Hapaxlegomenon.

[97] ἀναστήσας Ἰησοῦν. Das auf die Auferweckung Jesu bezogene transitive ἀνίστημι bezeugt im NT nur die Apg: 2,24.32; 13,33.34; 17,31. Vgl. J. Kremer in: EWNT I 219 f.

[98] ὡς καὶ ... γέγραπται. Die Wendung steht ohne καί Lk 3,4. Vgl. indessen das häufige καθὼς γέγραπται: Lk 2,23; Apg 7,42; 15,15; auch Röm 1,17; 3,10; 4,17 u.ö. Siehe auch οὕτως γέγραπται Lk 24,46.

[99] Siehe Apg 1,16; 2,25; 4,25.

[100] Wilckens, Missionsreden[3] 142. – Zur Verwendung von Ps 2,7 im christologischen Schriftbeweis siehe: Dupont, „Filius meus es tu" (1948); Kilpatrick, Acts XIII.33 (1960); Rese, Motive (1969) 81–86 (vgl. ebd. 191–195); Vallauri, La filiazione davidica (1978); Schmitt, Kerygme pascal et lecture scripturaire (1979). – Zum Schriftbeweis Apg 13,32–37 siehe ferner: Dupont, ΤΑ ὉΣΙΑ (1961); Lövestam, Son and Saviour (1961); Goldsmith, Acts 13,33–37 (1968); Burger, Jesus als Davidssohn (1970) 140–150; Ellis, Midraschartige Züge (1971); Bruce, Davidic Messiah (1978).

[101] (τὰ) ὅσια sind bei Plato, Politicus 301 d; Xenophon, Hell. IV 1,33, u.a. die göttlichen Verfügungen im Gegensatz zu den δίκαια, den menschlichen Satzungen; vgl. auch Weish 6,10; JosAnt VIII 115. Die ὅσια Δαυίδ können somit die dem David (oder durch David) gegebenen göttlichen Verheißungen bzw. verheißenen Heilsgaben sein. Das den Gedankenfortschritt von V 34 a zu V 35 unterbrechende Jesaja-Zitat hat offensichtlich die Funktion, zu zeigen, daß Ps 15,10 LXX sich nicht auf David selbst beziehen kann, sondern sich an einer späteren Generation – nämlich in Jesus – erfüllen sollte; vgl. BauerWb s.v. ὅσιος 2 a.

[102] V 35 beginnt mit διότι im Sinne von διὰ τοῦτο „deshalb, daher"; vgl. 20,26.

13, 34) τὸν ὅσιόν σου ἰδεῖν διαφθοράν. E. Haenchen deutet das Jesaja-Zitat aus dem Kontext: „Ich werde euch, den Christen, den Davididen mit dem unvergänglichen Auferstehungsleben geben.“[103] V 34 b zeigt nicht nur an, daß die Zusage Ps 2, 7 nicht David selbst gilt und sich erst später (in Jesus) erfüllen soll, sondern macht auch – dem Duktus der gesamten Rede entsprechend – deutlich, daß die Einlösung der Verheißung *Israel* zugute kommt[104].

V 35 Erst jetzt wird der Gedankengang von V 34 a mit dem Stichwort διαφθορά[105] fortgeführt. Die göttliche Zusage von Ps 15, 10 LXX, die an sich auf David bezogen werden könnte[106], ist hier eindeutig auf Jesus gedeutet, was die VV 36 f demonstrieren. Daß man den Psalmvers auf David beziehen könnte, legt indessen der Kontext hier nicht nahe, sondern kann man nur vermuten, wenn man Ps 15, 8–11 LXX wie Apg 2, 25–28 insgesamt liest. Denn der Psalmist (David) spricht nach dem nächsten Verständnis von sich selbst (in der Ich-Form)[107].

U. Wilckens nimmt Stellung zu den Auffassungen von B. M. F. van Iersel[108] und J. W. Bowker[109], von denen der erste im Anschluß an J. W. Doeve[110] vermutet, Apg 13 liege eine messianologische Katene zugrunde. Mit der „Verheißung“ (VV 32 f) sei die Verheißung an David aus 2 Sam 7 gemeint, auf die auch V 23 anspielt. Deswegen könne V 33 auf 2 Sam 7, 12 LXX bezogen und das Zitat Ps 2, 7 als Erfüllung von 2 Sam 7, 14 verstanden sein. Ebenso erkläre sich die Anführung von Jes 55, 3 und Ps 15, 10 LXX, nämlich unter der Überschrift von Apg 13, 34 („Er hat ihn von den Toten erweckt“)[111]. Dennoch ist – trotz der positiven Stellungnahme, die Wilckens gegenüber van Iersel bezieht – m. E. nicht bewiesen, daß eine Katene oder (vor-lukanische) Testimonien-Sammlung zugrunde liegt. Die Anfügung von Jes 55, 3 und Ps 15, 10 LXX an das traditionelle Testimonium Ps 2, 7 könnte auch von Lukas stammen. – Weniger positiv beurteilt Wilckens die These von Bowker, unserem Text liege die synagogale Predigtform der Proem-Homilie zugrunde, der Proem-Text sei 1 Sam 13, 14. Diesen Text lege Apg 13, 23–31 christologisch-lehr-

---

[103] Haenchen zu V 35.

[104] δώσω ὑμῖν (V 34 b) ist mit τοῖς τέκνοις ἡμῖν (V 33) zu vergleichen. An beiden Stellen sind die Empfänger der verheißenen Heilsgabe gemeint. Vgl. Dupont, ΤΑ ̔ΟΣΙΑ 357–359.

[105] Es begegnet außer 13, 34.35.36.37 nur noch im gleichen Argumentationszusammenhang 2, 27.31, sonst nicht im NT. διαφθορά geht also letztlich auf Ps 15, 10 LXX zurück (siehe Apg 2, 27; 13, 35). Vgl. unten A. 114 und A. Sand, διαφθείρω κτλ., in: EWNT I 760 f (Lit.); ferner Buss, Die Missionspredigt (1980) 109–111.

[106] Da Ps 15, 10 a LXX nicht mitzitiert ist („du wirst meine Seele nicht im Hades lassen“, siehe Apg 2, 27 a), liegt die Deutung auf den Sprecher des Psalms (= David) an sich nicht nahe.

[107] Die Ich-Form begegnet Ps 15, 8–10 a.11 LXX (= Apg 2, 25–27 a.28).

[108] B. M. F. van Iersel, „Der Sohn“ in den synoptischen Jesusworten (Leiden [2]1964) 78–83.

[109] Bowker, Speeches (1967/68) 101–104.

[110] Doeve, Jewish Hermeneutics (1953) 168–176.

[111] Wilckens, Missionsreden[3] 232.

haft aus. Der Anfang der Predigt 13,17–22 basiere auf der Prophetenlesung des betreffenden Sabbats (nämlich auf 2 Sam 7,6–16) und der Schriftbeweis 13,32–41 auf der Toralesung des Tages (Dtn 4,25–46). Indessen sind die erschlossenen Texte aus dem Alten Testament nicht mit Gewißheit zu ermitteln[112].

VV 36–37 Von David wird nun gesagt, daß er entschlief und zu seinen Vätern „hinzugetan wurde"[113]. Er wurde m.a.W. begraben und „schaute die Verwesung"[114] (V 36). Auf David kann sich also die Verheißung von V 35 (Ps 15,10 LXX) nicht beziehen! Sie muß sich auf Jesus beziehen, den Gott auferweckte: Er sah keine Verwesung (V 37). Damit schließt sich der Argumentationsbogen, der mit V 32 begonnen hatte. Neben den „apostolischen" Zeugen legen auch die Propheten der Vorzeit für Jesus Zeugnis ab[115]. In V 36 ist „nach dem Ratschluß Gottes" wohl mit ἐκοιμήθη zu verbinden[116]. Die vorausgehende Angabe, daß David „seinen Zeitgenossen gedient hatte", soll wohl zeigen, daß seine persönliche Bedeutung zeitlich begrenzt war[117].

VV 38–39 Mit der Wendung „So sei euch kund!"[118] und der erneuten Anrede ἄνδρες ἀδελφοί (vgl. V 26) wird nun der „Bußruf" eingeleitet[119]. Freilich ist hier von μετάνοια keine Rede, sondern es wird (paulinisch!) von der Rechtfertigung des Glaubenden gesprochen. Doch ist die Formulierung und weitgehend auch die Vorstellung lukanisch. Das gilt einmal von der Formulierung, die den Inhalt der Predigt als deren „Gegenstand" sieht[120]: καταγγέλλεται ἄφεσις ἁμαρτιῶν. Es gilt zudem vom Gegenstand, nämlich der „Sündenvergebung"[121]. Die Verkündigung der Sündenvergebung erfolgt *per Christum* (διὰ τούτου[122]). VV 38 c.39 lassen dann die

---

[112] Wilckens, a.a.O. 232f.

[113] Zu dem biblischen „er wurde seinen Vätern zugesellt" vgl. Ri 2,10; 4 Kg 22,20; 1 Makk 2,69 LXX.

[114] Der Ausdruck „die Verwesung schauen (=erleben, erleiden)" ist von Ps 15,10 LXX abhängig; siehe Apg 2,27; 13,15, davon abgeleitet: 2,31; 13,36.37.

[115] Siehe 10,43; 13,27.

[116] Haenchen zu V 36. Conzelmann erwägt, ob nicht gemeint sei: „Er entschlief, nachdem er seiner Generation nach Gottes Willen gedient hatte." So jedenfalls übersetzt Wikenhauser.

[117] Haenchen zu V 36.

[118] Zu γνωστὸν ἔστω vgl. oben I 267 A. 25.

[119] Vgl. in den früheren Missionspredigten 2,38f; 3,17–20; 5,31; 10,42f. Der explizit formulierte Metanoia-Ruf (2,38; 3,19; 5,31) liegt nur da vor, wo den Hörern direkt eine Mitschuld am Tod Jesu vorgeworfen wurde (2,23; 3,13; 5,30). Apg 10,42f (vgl. 10,39) und 13,38–41 (vgl. 13,27–29) haben den „indirekten" Bußruf; vgl. unten A. 127.

[120] Mit καταγγέλλω werden folgende Gegenstände verbunden: die Totenauferstehung 4,2; das Wort Gottes 13,5; 17,13; Sündenvergebung 13,38; das Wort des Herrn 15,36; der Weg zum Heil 16,17; Jesus (Christus) 17,3. – Vgl. auch die Gegenstände von εὐαγγελίζομαι: 5,42; 8,4.35; 10,36; 11,20; 13,32; 15,35; 17,18. Vgl. unten Nr. 40 A. 21.

[121] ἄφεσις ἁμαρτιῶν (Lk 1,77; 3,3; 24,47; Apg 2,38; 5,31; 10,43; 26,18) fehlt in den echten Paulusbriefen. Vgl. jedoch Kol 1,14 (τῶν ἁμαρτιῶν) und Eph 1,7 (τῶν παραπτωμάτων).

[122] Vgl. 10,36. διὰ τούτου ist nicht mit „Sündenvergebung" zu verbinden (wie 10,43).

„paulinische" Verkündigung in direkter Rede folgen. Es dominiert der Satz: „*In Christo* (ἐν τούτῳ[123]) wird jeder Glaubende[124] gerechtgemacht[125]" (V 39). Doch geht diesem Satz eine Erläuterung voraus, die Rechtfertigung nicht absolut versteht, sondern als „Rechtfertigung *von*[126]": In dem von Gott auferweckten „Retter-Jesus" (VV 23.37) erlangt der Glaubende die Gerechtsprechung „von all dem, wovon ihr durch das Gesetz des Mose nicht gerechtgemacht werden konntet" (V 38 c). Entsprechend den Parallelen „Retter-Jesus" (V 23) und „Wort von diesem Heil" (V 26) steht auch jetzt neben der Rechtfertigung *in* Jesus (V 39) die Aussage über die Verkündigung der Sündenvergebung (V 38 b). Gemeint ist: Wer die Rechtfertigung in Christus Jesus erlangen will, muß im Glauben die Botschaft von der Vergebung annehmen. Somit ergeht also doch ein „Bußruf"[127].

Wie Lukas die Unmöglichkeit[128] einer Rechtfertigung durch das mosaische Gesetz (V 38 c) versteht, kann man an 15,7.11.13–21 geradezu ablesen[129]. Anders als Paulus selbst (vgl. Röm 8,3) stellt Lukas das Ungenügen des Gesetzes so dar, daß seine Befolgung zu schwer war[130]. Nach Röm 7,7–11 jedoch ist der Nomos ein „aktiver Faktor"[131]. So kann Apg 13,38 f „nur noch als ein schwacher Nachklang der genuin paulinischen Verkündigung angesehen werden"[132].

---

[123] δικαιόω mit ἐν und personalem Dativ (auf Christus bezogen) findet sich im NT nur Apg 13,39; Gal 2,17 („in Christus"); vgl. Röm 5,9 („in seinem Blut"); 1 Kor 6,11 („im Namen unseres Herrn"). Vgl. K. Kertelge, δικαιόω, in: EWNT I 796–807; zu Apg 13,38 f ebd. 805 f. Die Formulierung ἐν τούτῳ steht antithetisch zu ἐν νόμῳ (V 38 c), einer „paulinischen" Formulierung (siehe Gal 3,11; 5,4).

[124] πᾶς ὁ πιστεύων begegnete schon 10,43. Diese Stelle zeigt, daß für Lukas „Empfang von Sündenvergebung" und „Rechtfertigung" austauschbare Begriffe sind. πᾶς ὁ πιστεύων begegnet bei Paulus Röm 1,16; 3,22; 4,11; 10,4.11. Siehe auch 1 Joh 5,1. Vgl. ferner oben Nr. 24 A. 192.

[125] Das Passiv von δικαιόω begegnet im lukanischen Werk Lk 7,35 (par Mt); 18,14; Apg 13,38 c.39. Bei Paulus finden sich Aussagen positiver (über die Rechtfertigung aus Glauben: Röm 3,24.26.28; 5,1.9; Gal 2,16; 3,24) und negativer Art (über erfolglose Versuche der Rechtfertigung: Röm 3,20; Gal 2,16; 3,11) in Verbindung mit δικαιόομαι.

[126] Vgl. jedoch Röm 6,7: δεδικαίωται ἀπὸ τῆς ἁμαρτίας. Siehe auch 1 Kor 6,11; dazu Hahn, Taufe und Rechtfertigung 104–112; Kertelge, a. a. O. 799.

[127] Die μετάνοια führt zur Sündenvergebung: 2,38; 3,19; 5,31; vgl. auch 10,43.

[128] Zu οὐκ ἠδυνήθητε (Aorist von δύναμαι) vgl. Röm 8,3: τὸ γὰρ ἀδύνατον τοῦ νόμου.

[129] Vgl. Conzelmann; Hahn, a. a. O. 97 Anm. 10.

[130] Siehe Apg 15,10: Weder unsere Väter noch wir (Juden) vermochten das Joch des Gesetzes zu tragen. Deshalb soll man laut 15,19 die Heiden, die „sich zu Gott bekehren", nicht „belästigen" (παρενοχλέω).

[131] Conzelmann.

[132] Hahn, a. a. O. (97 Anm. 10). Positiver urteilt Mussner, Petrus und Paulus 106 f, der die Aussage von V 39 in einen aktivischen Satz transformiert („Gott rechtfertigt in diesem jeden, der glaubt") und damit dann Gal 2,16 vergleicht. So gewinnt er den „Basissatz": Gott rechtfertigt den Menschen aus Glauben. Das Fehlen des Begriffs Sündenvergebung bei Paulus bedeute nicht, daß dieser seine sola-fide-Lehre ohne Blick auf das Ur-Credo 1 Kor 15,3–5 („Er starb für unsere Sünden") gewonnen hätte.

VV 40–41 Der im ersten Teil des „Bußrufes" (VV 38f) ergehenden positiven Zusage entspricht nun in ihrem Schlußteil die Warnung. Sie wird V 41 mit dem Zitat von Hab 1,5 LXX gegeben. Die Einführungsmahnung βλέπετε (οὖν) mit folgendem μή steht in entsprechendem Zusammenhang auch Mt 24,4 par Mk 13,5/Lk 21,8; 1 Kor 8,9; Gal 5,15; Kol 2,8; Hebr 3,12; 12,25; vgl. Lk 8,18 und Eph 5,15 (βλέπετε οὖν). τὸ εἰρημένον ist wie Lk 2,24 (ἐν τῷ νόμῳ) und Röm 4,18 (absolut) das „Schriftwort". Die Angabe „in den Propheten(-Schriften)" bezieht sich auf das Zwölf-Propheten-Buch[133]. Das unerwartete ἔργον, das Gott den Verächtern der Botschaft ankündigen läßt, ist nach lukanischem Verständnis „die Annahme der Heiden unter Verwerfung der Juden"[134]. Diese Deutung des Zitats sowie seine Einführungswendung lassen vermuten, „daß dieses Zitat zu den selbständigen Zitaten zu rechnen ist, die Lukas entweder selbst der LXX entnommen hat oder deren Text er doch im wesentlichen selbständig nach seiner LXX bietet, auch wenn sie in irgendeiner Form mit der Tradition des christlichen Schriftbeweises vorgegeben sein sollten"[135]. Der D-Text fügt an das Zitat noch „und sie schwiegen" an[136]. Wahrscheinlich bezieht sich diese Bemerkung auf die Hörer[137].

V 42 Die Wirkung der Rede auf die Hörer besteht darin, daß man die Boten beim Hinausgehen[138] bittet, ihre Verkündigung am folgenden Sabbat[139] fortzusetzen. λαλέω τὰ ῥήματα bezieht sich (wie 5,20; 10,44; 11,14) auf die Verkündigung der christlichen Botschaft. Die Reaktion des Publikums scheint ähnlich distanziert-interessiert zu sein wie nach der Areopagrede (17,32b). Doch der folgende Vers zeichnet ein günstigeres Bild.

V 43 Dieser Vers verhält sich zum vorausgehenden wie 17,34 zu 17,32f: Von den Hörern, die sich Paulus (und Barnabas) anschließen, ist erst die Rede, nachdem die Versammlung auseinandergegangen ist. λυθείσης δὲ τῆς συναγωγῆς bezeichnet nicht die offizielle Beendigung des Gottesdienstes, sondern den Zeitpunkt, zu dem die Versammelten auseinandergegan-

---

[133] Vgl. Apg 7,42 (dazu oben I 465 mit A. 186).

[134] Haenchen. Ähnlich Lohfink, Sammlung Israels 88.

[135] Holtz, Untersuchungen 21. – Zum Text des Zitats siehe ebd. 19f; zur Verwendung von Hab 1,5 in Qumran (1 QpHab 2,1–10) siehe Braun, Qumran I 161f.

[136] Siehe oben A. γ.

[137] Haenchen erwägt, ob nicht Paulus und Barnabas gemeint seien.

[138] ἐξιόντων δὲ αὐτῶν steht im Bericht vor der Notiz über die Auflösung der Versammlung (V 43). Doch muß V 42 nicht Dublette von V 43 sein; Conzelmann: Der Eindruck von Dubletten kann daher rühren, daß Lukas „eine allgemeinere Fassung voranstellt". V 42 leitet zu V 44 über. ἔξειμι kommt im NT nur Apg 13,42; 17,15; 20,7; 27,43 vor.

[139] τὸ μεταξὺ σάββατον ist „der folgende Sabbat". Vgl. Conzelmann: μεταξύ steht „vulgär" im Sinne von ἑξῆς (so D, siehe oben A. ε), so auch 23,25 v.l.

gen sind[140]. Nachdem also die übrigen den Heimweg angetreten hatten, zeigt sich der Missionserfolg. Viele von den Juden und den „frommen Proselyten"[141] schließen sich Paulus und Barnabas an[142], d. h. sie gingen mit ihnen (und wollten nicht erst bis zum nächsten Sabbat warten), um mehr zu erfahren. Daß sie gläubig geworden seien[143], sagt der Bericht nicht. Aber die Missionare redeten mit ihnen[144] und ermahnten sie, „bei der Gnade Gottes zu verharren"[145].

31. VERFOLGUNG DURCH DIE JUDEN IN ANTIOCHIA UND HINWENDUNG ZU DEN HEIDEN: 13,44–52

LITERATUR: W. M. RAMSAY, The Persecutions of Paul in Iconium and in Pisidian Antioch, in: Exp [ser. 7] 4(1907)406–424. – H. J. CADBURY, Dust and Garments, in: Beginnings V(1933)269–277 [zu 13,51]. – K. LÖNING in: EpEv C (1971)252–255. – PRAST, Presbyter und Evangelium (1979) 326–328 [zu 13,47]. – RICHARD, Old Testament in Acts (1980) 339f [zu 13,47].

44 Am folgenden[a] *Sabbat aber versammelte sich fast die ganze Stadt, um* [b]*das Wort des Herrn*[b] *zu hören. 45 Als jedoch die Juden die Scharen sahen, wurden sie mit Eifersucht erfüllt; sie widersprachen dem, was Paulus*

---

[140] Vgl. BAUERWb, s. v. λύω 3, der für den Ausdruck von der „Auflösung" einer Versammlung auf Homer, Il. 1,305; Od. 2,257; Apollonius Rhod. I 708; Xenophon, Cyrop. VI 1,2; Diodorus Sic. XIX 25,7; Arist 202; JosAnt XIV 388 verweist. BRUCE, Acts (NIC) 280, bezieht die „Auflösung" der Versammlung auf die Entlassung durch die Vorsteher („aus Gründen der Klugheit").

[141] Weil der Kontext bisher nicht von Proselyten, sondern von „Gottesfürchtigen" (VV 16b.26a) sprach, erwägen manche Ausleger (u. a. HAENCHEN, CONZELMANN), ob nicht προσηλύτων sekundäre Interpolation (Glosse) ist, welche die ursprünglich gemeinten σεβόμενοι (so auch 13,50; 16,14; 17,4.17; 18,7) zu Proselyten macht, weil erst von 13,47 an die ἔθνη angesprochen sind (HAENCHEN). CONZELMANN hält auch „sorglose Ausdrucksweise" für möglich. Doch ist auch denkbar, daß Lukas selbst im Hinblick auf 13,46f deutlich machen will, am ersterwähnten Sabbat habe es sich nur um geborene Juden und zum Judentum voll Übergetretene gehandelt.

[142] ἀκολουθέω steht hier nicht im Sinne der „Nachfolge", sondern für „hinterhergehen", wie sonst in der Apg: 12,8.9; 21,36.

[143] Anders Apg 17,34: κολληθέντες αὐτῷ ἐπίστευσαν.

[144] προσλαλοῦντες αὐτοῖς. – Das Verbum steht im NT nur noch Apg 28,20 (Paulus vor den römischen Juden).

[145] προσμένω mit folgendem Dativ (τῇ χάριτι) wie 11,23 (τῷ κυρίῳ). Mit der „Gnade Gottes" (Lk 2,40; Apg 11,23; 14,26; 20,24) ist wohl nicht das Evangelium selbst gemeint (gegen HAENCHEN), sondern die durch das Evangelium eröffnete Gnade (siehe die Wendung λόγος τῆς χάριτος αὐτοῦ 14,3; 20,32; εὐαγγέλιον τῆς χ. τοῦ θεοῦ; vgl. auch 11,23).

[a] Statt ἐρχομένῳ (σαββάτῳ) lesen P[74] A E* 33 pc ἐχομένῳ (σ.) „am unmittelbar darauffolgenden (Sabbat)"; vgl. Apg 21,26. Die gleiche Spaltung der Textzeugen auch 1 Makk 4,28; Thucydides, Hist. VI 3,2.

[b] B* C E Ψ Koine vg[cl] sy bo haben hier: „Das Wort Gottes", was bei Lukas häufiger vorkommt als „das Wort des Herrn"; s. METZGERTC 401 Anm. 2; 418.

sagte[c], *und stießen Lästerungen aus. 46 Paulus und Barnabas aber erklärten freimütig: Euch mußte das Wort Gottes zuerst*[d] *verkündigt werden; da ihr es von euch stoßt und euch des ewigen Lebens selbst nicht für würdig achtet, siehe, so wenden wir uns (fortan) zu den Heiden. 47 Denn so hat uns der Herr aufgetragen*[e]:

> *„Ich habe dich zum Licht für die Völker gemacht, bis ans Ende der Erde sollst du zum Heil gereichen“ (Jes 49,6).*

48 Als die Heiden das hörten, freuten sie sich und priesen[f] [g]*das Wort des Herrn*[g]*; und so viele zum ewigen Leben bestimmt waren, wurden gläubig. 49 Das Wort des Herrn*[h] *aber wurde verbreitet in der ganzen Gegend. 50 Die Juden jedoch hetzten die vornehmen gottesfürchtigen Frauen*[i] *und die Ersten der Stadt auf, veranlaßten*[k] *eine Verfolgung gegen Paulus und Barnabas und vertrieben sie aus ihrem Gebiet. 51 Da schüttelten sie den Staub von ihren Füßen wider sie und zogen*[l] *nach Ikonium. 52 Und*[m] *die Jünger wurden mit Freude und heiligem Geist erfüllt.*

Wie *V 44* zeigt, ist das Erzählstück 13,44–52 eng mit der vorausgehenden antiochenischen Rede des Paulus verknüpft. Die Verbindung bezieht sich nicht nur auf das zeitliche Nacheinander (V 44: am folgenden Sabbat), sondern auch auf das Sachthema, den Übergang der Mission von den Juden zu den Heiden. Noch V 43 sprach lediglich von Juden und Proselyten, an die sich Paulus und Barnabas wandten. V 44 ist „die ganze Stadt“, also Juden und Heiden, Hörer des Wortes der Verkündigung. Die Juden werden deswegen eifersüchtig *(V 45)*. Daraufhin sprechen Paulus und Barnabas das programmatische Wort, das den Übergang der Botschaft zu den

---

[c] Hinter λαλουμένοις (bzw. nach P[74] C D 097 Koine: λεγομένοις) lesen D 097 Koine p* sy[h] ἀντιλέγοντες καί. Die Wiederholung des Verbums nach ἀντέλεγον ist sprachlich uneben. So ändern E gig das Partizip: ἐναντιούμενοι καί.

[d] Statt ὑμῖν ἦν ἀναγκαῖον πρῶτον lesen D Cyp: ὑμῖν πρῶτον ἦν.

[e] Statt des medialen Perfekts ἐντέταλται lesen D* pc (aktivisch) ἐντέταλκεν, 81. 1175 pc (präsentisch) ἐντέλλεται.

[f] Statt ἐδόξαζον lesen D gig mae – mit Rücksicht auf das ungewohnte Objekt – ἐδέξαντο „sie nahmen an“. METZGERTC 419.

[g] B D E 049 al lesen „das Wort Gottes“; vgl. o. A. b. Hingegen haben 614 pc sy – mit Rücksicht auf das vorausgehende ἐδόξαζον das Objekt τὸν θεόν; vgl. o. A. f.

[h] τοῦ κυρίου fehlt in P[45] pc.

[i] Nach ℵ* E Koine vg sy[h] ist zwischen τὰς σεβομένας γυναῖκας und τὰς εὐσχήμονας ein καί einzufügen, so daß von zwei verschiedenen Frauen-Gruppen die Rede ist.

[k] Nach ἐπήγειραν fügen D (E mae) ein: θλῖψιν μεγάλην καὶ (διωγμόν) „eine große Bedrängnis und (eine Verfolgung)“. Eine ähnliche „westliche“ Erweiterung liegt 8,1 vor (s. Nr. 18 A. g).

[l] Statt ἦλθον „sie kamen“ liest D κατήντησαν, was einem verbreiteten Gebrauch der Apg entspricht (vgl. καταντάω εἰς mit Städtenamen 16,1; 18,19.24; 21,7; 25,13; 27,12; 28,13).

[m] Statt οἵ τε (A B 33 al vg) lesen P[74] ℵ C D E Ψ Koine gig οἱ δέ, P[45] hat οἵ γε.

Heiden[1] markiert *(V 46)*. Für dieses Programmwort bietet *V 47*, ein Zitat von Jes 49,6, den schriftgemäßen Grund. Die Heiden der Stadt hören mit Freude die Botschaft, der die Juden widersprachen (V 45), und werden gläubig *(V 48)*. So breitet sich die Botschaft weiter aus *(V 49)*. Die Abwendung der Juden geht schließlich soweit, daß sie die Glaubensboten verfolgen und vertreiben *(V 50)*. Der Bruch zwischen diesen Juden und den Missionaren wird auch durch die Zeichenhandlung *V 51* verdeutlicht. *V 52* ist ein „erbaulicher lukanischer Abschluß"[2]. Er zeigt, daß trotz allem in Antiochia eine (heidenchristliche) Gemeinde entstanden ist.

Nur wenn man beachtet, daß die Erzählung „ideal-typische Ereignisse" nennt[3], lösen sich Widersprüche, die vom reinen Erzählzusammenhang her vermutet werden können: Trotz 13,46f betreten Paulus und Barnabas in Ikonium wieder eine Synagoge (14,1). Die Entscheidung von 13,46f gilt dennoch grundsätzlich, nicht nur für Antiochia[4]. Eine Traditionsgrundlage für 13,44–52 ist schwerlich gegeben, weder als Itinerar noch als skizzenartige Überlieferung[5]. Aus paulinischer Tradition dürfte der Programmsatz V 46 (Ἰουδαίῳ πρῶτον) stammen[6].

Der Gesamtabschnitt wird durch zwei summarisch abschließende Verse (49 und 52) gegliedert: 13,44–49.50–52.

V 44 Entsprechend der Bitte der Hörer (V 42) verkünden Paulus und Barnabas auch am folgenden Sabbat[7] „das Wort des Herrn"[8]. Doch nicht nur die bisherigen jüdischen oder „gottesfürchtigen" Hörer sind anwesend, sondern nahezu[9] „die ganze Stadt"[10]. συνήχθη deutet an, daß die Versammlung (vgl. συναγωγή V 43) in der Synagoge erfolgte[11]. Vorausgesetzt ist, daß nun eine große Anzahl von Heiden anwesend ist, um die Botschaft zu hören[12].

---

[1] Vgl. V 46 εἰς τὰ ἔθνη, V 47 φῶς ἐθνῶν, V 48 τὰ ἔθνη ἔχαιρον.

[2] Haenchen, mit Verweis auf 1 Thess 1,6 („mit Freude des heiligen Geistes").

[3] Haenchen, Apg 401.

[4] Paulus beginnt seine Mission in der jeweiligen örtlichen Synagoge: 14,1f; 16,13; 17,1.10.17; 18,4.19; 19,8. Der Grundsatz von 13,46 wird 18,6 und 28,28 wiederholt.

[5] Haenchen, a.a.O. 402, meint, Lukas habe das Stück geschaffen: „aus der christlichen Predigt seiner Zeit und ihren Erfahrungen mit Juden und Heiden heraus hat er eine Art Abbreviatur der paulinischen Missionsgeschichte verfaßt".

[6] Siehe Röm 1,16; 2,9f; 3,1–4. Vgl. auch Apg 3,26; dazu oben I 329f mit A. 133. Für Apg 13,51 (Staub-Abschütteln) kann Lk 9,5 bzw. 10,11a als Hintergrund angenommen werden.

[7] τῷ ἐρχομένῳ σαββάτῳ „am folgenden Sabbat". Zur LA ἐχομένῳ siehe oben A. a; Haenchen.

[8] Der λόγος τοῦ κυρίου ist die christliche Botschaft; vgl. auch oben A. b.

[9] σχεδόν „beinahe, fast" steht im NT sonst nur noch Apg 19,26; Hebr 9,22.

[10] πᾶσα ἡ πόλις steht für die Gesamtheit der Bewohner (übertreibend) auch Mt 8,34; 21,10; vgl. ὅλη ἡ πόλις Mk 1,33; Apg 21,30.

[11] Man darf freilich nicht fragen, wie alle dort Platz fanden.

[12] Der Infinitiv ἀκοῦσαι τὸν λόγον κτλ. drückt die Intention der Versammlung aus; vgl. Lk 5,1; 11,31; 15,1; 21,38; Apg 10,33; 13,7.

V 45 Als die Juden die Volksmenge[13] sehen, werden sie von Eifersucht erfüllt[14], widersprechen den Worten des Paulus[15] und „lästern“[16]. Die Eifersucht der Juden ist aus der vorausgesetzten Situation heraus eigentlich unbegründet: Die Juden hätten sich über den Zuspruch freuen sollen, den ihr Gottesdienst bei den Heiden der Stadt fand! Die Eifersucht ist indessen erklärlich, sobald man voraussetzt, daß der Christ Paulus den Juden die heidnischen Interessenten für *seine* Sache wegnimmt[17].

V 46 Mit allem Freimut[18] und in feierlicher Sprache verkünden Paulus und Barnabas, was nach dem Heilsplan Gottes (vgl. V 47) nunmehr – weil die Juden den Heiden den Zugang zum Evangelium neiden – zu geschehen habe: Da die Juden das Wort Gottes[19] von sich stoßen[20], wenden sich die Missionare nun den Heiden zu[21] (V 46 c). Die Juden, denen das Wort Gottes zuerst[22] verkündigt werden *mußte*[23] (V 46 b; vgl. 13, 26.33.34.40 f), haben es von sich gewiesen (wie das Verhalten der antiochenischen Juden beweist). Sie haben sich damit als „des ewigen Lebens nicht würdig“[24] erklärt (V 46 c).

V 47 Der Auftrag an die Missionare, sich den Heiden zuzuwenden (V 46 c), wird durch Jes 49, 6[25] begründet. Gott hat (in dem Wort an den

---

[13] ἰδόντες δὲ ... τοὺς ὄχλους. Von ὄχλοι einer Stadt ist auch 8, 6; 14, 11.13.18.19; 17, 13 die Rede.

[14] ἐπλήσθησαν ζήλου wie 5, 17, dort vom Konkurrenzneid des Hohenpriesters und der Sadduzäer gegen die Apostel.

[15] καὶ ἀντέλεγον τοῖς ... λαλουμένοις. ἀντιλέγω wird bei Lukas vom (jüdischen) Widerspruch gegen Jesus und die christliche Botschaft gebraucht: Lk 2, 34; 20, 27; Apg 13, 45; 28, 19.22. – Passivformen von λαλέω häufen sich im Kontext: 13, 42.45.46. λαλούμενα ὑπὸ Παύλου: 13, 45; 16, 14.

[16] Das absolute βλασφημοῦντες meint wohl „Lästerungen“ gegen *Jesus;* vgl. Lk 22, 65; 23, 39; Apg 18, 6 (nächste Parallele!); 26, 11.

[17] Vgl. oben A. 14 (zu 5, 17). Siehe auch Haenchen zu 13, 45.

[18] Ein Partizip von παρρησιάζομαι steht im NT nur in bezug auf Paulus Apg 9, 28; 13, 46 (mit Barnabas); 14, 3 (mit Barnabas); 26, 26. Vgl. auch oben I 274 A. 98.

[19] Der λόγος τοῦ θεοῦ (V 46 b) ist die christliche Botschaft; vgl. VV 44.48 („das Wort des Herrn“). αὐτόν in V 46 c bezieht sich auf den λόγος Gottes.

[20] ἀπωθέομαι mit Akkusativ wie 7, 27 (im eigentlichen Sinn); 7, 39 (absolut); vgl. oben I 461 A. 146. Der Ausdruck „das Wort Gottes verwerfen/ablehnen“ hat Jer 23, 17 LXX sein biblisches Vorbild. Das Gegenteil wäre die Annahme (δέχομαι) des Wortes; vgl. Lk 8, 13; Apg 8, 14; 11, 1; 13, 48 D (s. o. A. f); 17, 11; 1 Thess 1, 6; 2, 13; Jak 1, 21.

[21] Die feierliche Programmatik wird durch ἰδού unterstrichen. στρεφόμεθα εἰς τὰ ἔθνη bezeichnet eine entschiedene Wende des Weges.

[22] Zu πρῶτον siehe oben A. 6.

[23] Von ἦν ἀναγκαῖον ist der Akkusativ mit Infinitiv (τὸν λόγον ... λαληθῆναι) abhängig. Die gleiche Konstruktion auch Philo, De migr. Abrah. 82; Josephus, Vita 413.

[24] οὐκ ἀξίους κρίνετε ἑαυτούς mit folgendem Genitiv (vgl. Lk 10, 7; 1 Tim 5, 18). Vom „ewigen Leben“ spricht Lukas Lk 10, 25; 18, 18.30; Apg 13, 48 (die μετάνοια führt zur ζωή, 11, 18).

[25] Zur Fassung von Jes 49, 6, die wohl aus LXX stammt, siehe Holtz, Untersuchungen 32 f (gegen Haenchen zu V 47). Lk 2, 32 spielt auf diese Jesaja-Stelle an und versteht *Je-*

„Gottesknecht“[26]) dem Paulus (und Barnabas)[27] geboten[28], „Licht für die Heiden“[29] und „Heil bis ans Ende der Erde“[30] zu sein.

VV 48–49 Die Heiden, die das Wort der Missionare hören, brechen in Jubel aus[31] und preisen „das Wort des Herrn“[32] (V 48 a). Es kommen zum Glauben, die „zum ewigen Leben“ (vgl. V 46) bestimmt sind[33] (V 48 b). Die letztere Wendung macht keine prädestinatianische Aussage. Vielmehr will Lukas anzeigen, daß „nicht die ganze Bevölkerung zum Glauben kommt“[34]. Die μετάνοια ist eine solche εἰς ζωήν; es zeigt sich wiederum, daß „Gott auch den Heiden die Umkehr zum Leben geschenkt hat“ (vgl. 11, 18). V 49 bietet einen vorläufigen Schluß. Summarisch wird gesagt, daß „das Wort des Herrn“ in der ganzen Landschaft verbreitet wurde[35]. Wieder begegnet also das Bild, daß mit der Bekehrung der Stadtbevölkerung auch das Umland für das Evangelium offen ist[36].

V 50 Auf den positiven Ausblick von V 49 folgt nun die Angabe über eine Verfolgung[37], die die antiochenischen Juden[38] gegen Paulus und

---

sus als „Licht ... der Heiden“. Apg 13, 47 läßt das einleitende ἰδού der Stelle weg (bzw. zieht es vor: V 46); vgl. Holtz, a. a. O. 33. Zur Textgrundlage des Zitats siehe neuerdings Richard, Old Testament in Acts 339 f.

[26] Der erste Teil von Jes 49, 6 sprach von der Aufgabe des „Knechtes“, die Stämme Jakobs aufzurichten und „die Diaspora Israels“ (LXX) zurückzubringen. Die Sendung des Ebed soll (V 6 b) *auch* die Heiden betreffen.

[27] Die singularische Anrede paßt freilich nicht zu einem Auftragswort an *zwei* Männer!

[28] τίθημι bezeichnet auch sonst heilsgeschichtliche Setzungen Gottes: Apg 1, 7; 2, 35; 20, 28.

[29] φῶς ἐθνῶν bezeichnet Paulus und Barnabas als Licht(träger). Siehe auch 26, 17 f: Paulus ist zu den Heiden gesandt, damit sie sich „von der Finsternis zum Licht und von der Macht Satans zu Gott bekehren“. Vgl. dazu Prast, Presbyter und Evangelium 327. Barn 14, 8 bezieht den Ausdruck auf Christus; vgl. Lk 2, 32.

[30] ἕως ἐσχάτου τῆς γῆς (Jes 49, 6 Ende) ist bei Lukas Schlüsselbegriff für den Weg des Christuszeugnisses geworden: Apg 1, 8; 13, 47. Es bezieht sich an beiden Stellen auf die Heidenmission. Die σωτηρία, die die Missionare den Heiden vermitteln (V 47), wird durch den λόγος τῆς σωτηρίας (V 26) angeboten; siehe Nr. 30 zu 13, 26.

[31] Freude (χαίρω) und Lobpreis Gottes stehen auch Lk 19, 37 nebeneinander. Absolutes χαίρω findet sich Apg 11, 23 (über die Heidenbekehrung in Antiochia).

[32] Gegenstand des δοξάζειν ist in der Regel Gott; siehe oben I 302 A. 53. Wenn hier „das Wort des Herrn“ (vgl. die Einführungswendung V 47) als Gegenstand genannt ist, bezieht sich der Lobpreis wohl auf das Gotteswort im Jesaja-Zitat. Haenchen hingegen möchte es (wegen V 49) auf „die christliche Botschaft“ beziehen.

[33] ὅσοι ἦσαν τεταγμένοι εἰς κτλ. lehnt sich an eine jüdische Wendung an; siehe Billerbeck II 726 f; ferner CD 3, 20. Das Passiv τάσσομαι begegnet auch Lk 7, 8 par Mt 8, 9 („unter eine ἐξουσία gestellt“, vgl. Röm 13, 1); Apg 22, 10.

[34] Haenchen. Zur Diskussion um den Gedanken der Vorherbestimmung vgl. Zahn, Apg 452–455, der sich selbst gegen eine Deutung im Sinne der Prädestination ausspricht.

[35] Vgl. Zahn, a. a. O. 455: Es ist eine erfolgreiche Verkündigung des Evangeliums durch Neubekehrte gemeint. – διαφέρω im Sinne von „auseinandertragen, verbreiten“ kommt sonst im NT nicht vor; siehe indessen Lukian, Dial. deor. 24, 1.

[36] Siehe 8, 5.14.25. Vgl. dazu oben I 488 mit A. 37; 495 mit A. 124.

[37] Zu διωγμός siehe oben I 478 A. 62.

Barnabas in Gang bringen[39]. Diese Verfolgung ist nicht als direkte Reaktion auf die Ausbreitung des Glaubens (V 49) verstanden[40], steht aber nach Lukas doch in sachlichem Zusammenhang mit dem Erfolg der Missionare bei den Heiden (VV 48f). Die örtliche Judenschaft handelt aus Eifersucht (vgl. V 45), als sie vornehme Frauen[41], die der jüdischen Religion nahestehen[42], und die πρῶτοι der Stadt gegen die Glaubensboten aufhetzt[43]. Ihre Aktion hat Erfolg, und man weist sie aus dem Stadtgebiet[44] aus[45]. Doch selbst die Verfolgung schlägt zum Fortgang des Christuszeugnisses aus (VV 51f)[46].

VV 51–52 Paulus und Barnabas schütteln den Staub der Stadt von ihren Füßen, ein Zeichen der Abwendung von den Verfolgern[47], und gelangen – nach einem Weg von etwa 140 km – nach Ikonium[48] (V 51). Damit ist die Überleitung zu 14,1–7 gegeben. Die symbolische Handlung des Staub-Abschüttelns[49] kennt Lukas aus Mk 6,11 (par Lk 9,5) und aus der Logienquelle (Lk 10,10f par Mt 10,14). Lk 9,5 hat (diff Mk) die Wendung εἰς μαρτύριον ἐπ' αὐτούς, was dem ἐπ' αὐτούς Apg 13,51 entspricht. Nach dem Jesus-Wort an die Zwölf bzw. die siebzig Jünger sollen die Boten Jesu ohne Zögern eine *Stadt* (Lk 9,5 diff Mk; 10,10.11) verlassen, die sie nicht

---

38 „Die Juden" sind fortan eine Gruppe neben den antiochenischen „Jüngern" (V 52) und gegenüber den Glaubensboten (V 49). Paulus und Barnabas unterstreichen das durch ihre Symbol-Handlung (V 51). Vgl. CONZELMANN: „Der Sprachgebrauch von οἱ Ἰουδαῖοι wird prägnant ..."

39 ἐπεγείρω begegnet im NT nur im übertragenen Sinn „aufhetzen, erregen": neben Apg 13,50 auch 14,2.

40 Mit HAENCHEN, gegen LOISY, Actes 542, der an Gegenmaßnahmen der Juden dachte.

41 εὐσχήμονας meint nach LOISY, Actes 542: „celles de la société". εὐσχήμων im Sinne von „angesehen, vornehm" wie Mk 15,43 und – von Frauen – Apg 17,12; 17,34 D. Siehe H. GREEVEN, εὐσχήμων, in: ThWNT II 768–770.

42 Von heidnischen Frauen, die mit der jüdischen Religion sympathisierten, berichtet auch JosBell II 560.

43 παρώτρυναν, Aorist von παροτρύνω „antreiben, aufhetzen", das im NT sonst nicht vorkommt; vgl. indessen JosAnt VII 118. – Wer die πρῶτοι der Stadt sind, ist nicht näher definiert; vgl. indessen 25,2; 28,17; siehe auch Lk 19,47.

44 τὰ ὅρια (αὐτῶν) von einem Stadtgebiet oder einem weiteren Bereich: Mt 2,16; 8,34; 15,39; Mk 5,17; 7,24.31.

45 ἐκβάλλω τινά schließt den Gedanken des gewaltsamen Vorgehens ein: „vertreiben, hinauswerfen". Mit ἀπό wie Ex 23,31; Num 22,11 u.ö. Vgl. auch Lk 4,29; Apg 7,58 (mit ἔξω).

46 Vgl. Apg 8,4; dazu oben I 487 A. 30.

47 Vgl. 13,46. Zu beachten ist die Parallelität der Verfolgung ἐπὶ τὸν Παῦλον κτλ. und des Staub-Abschüttelns ἐπ' αὐτούς.

48 Ἰκόνιον/Ikonium (heute Konja) wird teilweise zu Phrygien (so Xenophon, Anab. I 2,19; Plinius, Nat.Hist. V 245), teilweise zu Lykaonien (Strabo, Geogr. XII 6,1; Plinius, Nat.Hist. V 95) gerechnet. Doch sind dies „landschaftliche" Zuweisungen. Politisch gehörte die Stadt zur römischen Provinz Galatia. Sie war ein bedeutender Verkehrsknotenpunkt. Ikonium wird außer Apg 13,51 auch 14,1.19.21; 16,2; 2 Tim 3,11 genannt. Siehe W. RUGE, Ikonion, in: PAULY/WISSOWA IX/1, 990f; vgl. auch SCHULTZE, Städte und Landschaften II/2, 328–349; EWNT II 454.

49 Zu dieser Geste siehe BILLERBECK I 571; CADBURY, Dust and Garments (1933).

aufnehmen will. Auf diese Weise folgen sie dem Beispiel Jesu (Lk 4,28–30). Die Verfolgung der Boten Jesu bringt so das Christuszeugnis nur schneller seinem weltweiten Ziel entgegen. Die (in Antiochia zurückbleibenden) Jünger (= Christen[50]) werden – aufgrund solcher Überlegungen? – „mit Freude und heiligem Geist" erfüllt (V 52). Der heilige Geist läßt sie Freude in der Verfolgung erfahren[51].

32. IKONIUM: PREDIGTERFOLGE UND FLUCHT: 14, 1–7

LITERATUR: WIKENHAUSER, Die Apostelgeschichte und ihr Geschichtswert (1921) 328–331 [zu 14,1]. – J. H. MICHAEL, The Original Position of Acts 14,3, in: ET 40(1929/30)514–516. – M. BALLANCE, The Site of Derbe. A New Inscription, in: Anatolian Studies 7 (1957) 145–151 (mit Tafel IX). – M. F. UNGER, Archaeology and Paul's Visit to Iconium, Lystra, and Derbe, in: Bibliotheca Sacra 118(1961)107–112 [zu 14,1–22]. – G. OGG, Derbe, in: NTS 9(1962/63)367–370 [zu 14,6]. – EPP, Theological Tendency (1966) 138–140.166f [zu 14,5]. – J. BEUTLER, Die paulinische Heidenmission am Vorabend des Apostelkonzils. Zur Redaktionsgeschichte von Apg 14,1–20, in: ThPh 43(1968)360–383. – WILSON, Gentiles (1973) 111f.116–118 [zu 14,4.14]. – MÜLLER, Prophetie (1975; s.o. Nr. 26 A. 14) 112f [zu 14,4.14]. – NELLESSEN, Zeugnis für Jesus und das Wort (1976) 260–263 [zu 14,3]. – PFITZNER, „Pneumatic" Apostleship? (1980) 230–232 [zu 14,4.14].

1 Es geschah aber in Ikonium, daß sie[a] ebenfalls in die Synagoge der Juden gingen und ebenso redeten. Eine große Zahl von Juden und Griechen wurde gläubig. 2 Doch die [b]Juden, die ungehorsam geblieben waren, erregten[b] und erbitterten die Gemüter der Heiden gegen die Brüder.[c] 3 Sie hielten sich geraume Zeit (dort) auf und predigten freimütig im Vertrauen auf den Herrn; er legte für das Wort[d] seiner Gnade Zeugnis ab, indem er Zeichen und Wunder durch ihre Hände geschehen ließ. 4 Das Volk in der Stadt spaltete sich, und die einen hielten zu den Juden, die andern zu den Aposteln.[e] 5 Als jedoch die Heiden und die Juden samt ihren Führern den Versuch machten, sie zu mißhandeln und zu steinigen,

---

[50] Zu μαθηταί siehe oben Nr. 21 A. 26; auch I 422 A. 14.

[51] Vgl. Lk 6,23; Apg 5,41; 13,48. Siehe dazu oben I 403 A. 171.

[a] Statt αὐτούς liest D αὐτόν, so daß nur von Paulus die Rede ist. Vgl. 13,45.

[b] Statt ἀπειθήσαντες Ἰουδαῖοι ἐπήγειραν (b – b) liest D (sy h.mg): „Synagogenvorsteher der Juden und die Leiter (ἄρχοντες) der Synagoge erregten eine Verfolgung gegen die Gerechten". Siehe unten zu A. f.

[c] D gig p w sy h.mg mae haben hier die Einschaltung: ὁ δὲ κύριος ἔδωκεν ταχὺ εἰρήνην („Doch der Herr gab bald Frieden"). Ähnlich E. Die Addition soll den Übergang zu V 3 plausibel machen. Vgl. unten A. f.

[d] Bei dem Dativ τῷ λόγῳ (P74 ℵc B C D E al) bezeugen ℵ* A sy bo ein einleitendes ἐπί, was nach μαρτυρέω ungewöhnlich ist; vgl. ROPES, The Text of Acts 130; METZGER TC 421.

[e] An V 4 fügt D (sy h.mg) an: κολλώμενοι διὰ τὸν λόγον τοῦ θεοῦ „sie hingen ihnen an wegen des Wortes Gottes". Vgl. unten A. f.

6 da bemerkten sie es und flohen in die Städte von Lykaonien, Lystra und Derbe, und in deren Umgebung. 7 Dort verkündigten sie das Evangelium.[f]

Die ersten sieben Verse des Kapitels 14 wurden von M. Dibelius dem „Itinerar" zugeschrieben, das in 14,19f seine Fortsetzung finde; 14,8–14 (15–18) sei von Lukas in das Wegstationenverzeichnis eingeschaltet worden[1]. Die VV 1–7 berichten über die missionarische Tätigkeit in Ikonium recht schematisch. Da der Abschnitt keine konkreten Angaben macht, die nicht auch sonst begegnen oder wenigstens ihre Entsprechung haben, vermutete E. Haenchen, Lukas verwende kein Itinerar, sondern schildere uns hier von sich aus den typischen Verlauf an einer Missionsstation des Paulus, von der ihm kaum Informationen vorlagen[2]. Auch H. Conzelmann vermerkt, daß der Bericht „blaß" ist[3]. Je weniger aber das Erzählstück 14,1–7 an traditioneller Einzelinformation aufweist, desto mehr Einsicht in die lukanische Auffassung vom Verlauf der Mission läßt es erwarten[4].

Die VV 1–7 bilden literarisch eine geschlossene Einheit. Paulus und Barnabas verkündigen zunächst in der Synagoge das Wort Gottes; zahlreiche Hörer – Juden und gottesfürchtige „Griechen" – kommen zum Glauben (V 1). Die Juden, die sich nicht bekehrten, beginnen mit einer Agitation bei den Heiden, die sich gegen die Glaubensboten und die Neubekehrten[5] richtet (V 2). Bevor das Thema der beginnenden Verfolgung zu Ende geführt wird, erfährt man von einem längeren Aufenthalt des Paulus und Barnabas (V 3)[6]. Erst dann wird der Ausgang der Missionierung geschildert: Die Bevölkerung spaltet sich in Anhänger der „Juden" und sol-

---

[f] D h w vg[s] (mae) fügen an: „und es wurde die ganze Menge in Bewegung versetzt auf Grund der Lehre. Paulus und Barnabas hielten sich in Lystra auf." E hat eine Einschaltung, die mit τὸν λόγον τοῦ ϑεοῦ beginnt (als Gegenstand des absoluten εὐαγγελιζόμενοι ἦσαν) und gleichfalls von der Reaktion der Menge berichtet. – Die größere Glätte des „westlichen" Textes ist nicht zu bestreiten. Sie kam jedoch (in den Fällen der Anmerkungen b.c.e.f) durch sekundäre Erweiterungen zustande; vgl. METZGERTC 419–421.

[1] DIBELIUS, Stilkritisches (1923) 12f.

[2] HAENCHEN, Apg 406. Er meint: „Wenn er nicht ins romanhafte Erfinden abgleiten wollte, mußte seine Schilderung notwendig blaß bleiben."

[3] CONZELMANN, Apg 86. Er begründet diese Tatsache mit dem Mangel an Informationen: Lukas „hatte keine konkreten Nachrichten, außer über die Gemeindegründungen und Verfolgungen als solche" (zu 14,1).

[4] Vgl. BEUTLER, Heidenmission (1968) 363–365, der die Abschnitte 14,1–7 und 14,8–20 miteinander vergleicht und Übereinstimmungen feststellt, „die sich vor allem auf die Verkündigung des Wortes, seine Aufnahme und das Schicksal der Boten beziehen" (365). Auch das begleitende Wunder läßt sich dazu rechnen; vgl. 14,3.8–10.

[5] So ist wohl κατὰ τῶν ἀδελφῶν (V 2) zu verstehen; siehe BEUTLER, a.a.O. 364.

[6] Zur quellenkritischen Beurteilung von V 3 siehe HAENCHEN, Apg 405f. Haenchen urteilt richtig: „Die moderne Kritik hat an genau demselben Punkt angesetzt wie die alte, die sich in den Verbesserungsversuchen des westlichen Textes ausspricht: an dem scheinbaren Widerspruch zwischen V.2 und 3. Sie arbeitet allerdings nicht mehr mit Textänderungen. Die Einführung eines Redaktors, dem man alles zutrauen kann, leistet jedoch denselben Dienst" (405). Vgl. oben A. b.c.f (zum „westlichen" Text).

che der „Apostel“ (V 4). Man will die Apostel mißhandeln und steinigen (V 5). Doch sie fliehen in die benachbarte Region, wo sie ihre Mission fortsetzen (VV 6f). Die Verfolgung der Boten fördert den Fortgang der Botschaft!

Zu den „lukanischen“ Akzenten der Erzählung gehören auch jene Angaben, die die jüdischen Missionsadressaten zunehmend feindlicher und die heidnischen – im Gegenzug – freundlicher erscheinen lassen[7]. Die Betonung des göttlichen Wirkens in der Mission (14,3.8–10) bereitet die Argumentation in Antiochia (14,27) und auf dem späteren Konvent mit den Aposteln in Jerusalem (15,3f.12) vor: Gott selbst hat den Heiden die Tür zum Glauben geöffnet.

V 1 Der neue Abschnitt setzt mit der Konstruktion ἐγένετο δέ mit Akkusativ und Infinitiv ein[8]. In Ikonium[9] betreten Paulus und Barnabas „die Synagoge der Juden“. Vorausgesetzt ist, daß es sich um *die* örtliche Synagoge handelt und daß der Besuch am Sabbat erfolgte (vgl. 13,14.42.44). Die Glaubensboten predigen wie üblich (οὕτως), d.h. entsprechend der antiochenischen Paulusrede 13,16b–41. κατὰ τὸ αὐτό heißt „ebenso, gleichfalls“[10]. Lukas unterstreicht den üblichen Charakter der Missionsmethode. Der Erfolg der Synagogenpredigt ist, daß eine große Menge[11] von Juden und Hellenen[12] zum Glauben kommt[13]. Die „Griechen“ sind hier als Synagogenbesucher vorgestellt und somit als „Gottesfürchtige“ zu betrachten.

V 2 Von den Juden blieb ein Teil ungläubig. Dies wird hier durch ἀπειθέω „ungehorsam sein“ ausgedrückt[14]. Diese Juden wiegelten die Heiden[15] der Stadt „gegen die Brüder“ auf. Juden und Heiden tun sich ge-

---

[7] Siehe dazu Beutler, a.a.O. 368. Er verweist dazu auf Apg 13,16; 13,43; 13,46–48; 14,4 und bemerkt: „Dem ... ‚Crescendo‘ im Eintritt der Heiden in den Gesichtskreis der Mission steht ... ein ‚Decrescendo‘ Israels gegenüber.“

[8] Siehe dazu oben I 344 A. 21; Nr. 23 A. 18.

[9] Zu dieser Stadt siehe oben Nr. 31 A. 48.

[10] Mit Conzelmann, gegen BauerWb s.v. κατά II 5bα. Vgl. das pluralische κατὰ τὰ αὐτά Lk 6,23.26; 17,30. Siehe auch W. Köhler in: EWNT II 626f.

[11] Zu πολὺ πλῆθος (so auch Lk 23,27; sonst schreibt Lukas πλ. πολύ: Lk 5,6; 6,17; Apg 17,4) siehe oben I 365 A. 14.

[12] Zu „Juden und Hellenen“ siehe auch 11,19f; 18,4; 19,10.17; 20,21; vgl. 16,1 (singularisch). Ἰουδαῖοι und Ἕλληνες werden im NT sonst nur bei Paulus gegenübergestellt: Röm 3,9; 1 Kor 1,24; 10,32; 12,13, singularisch: Röm 1,16; 2,9.10; 10,12; Gal 3,28 (Kol 3,11 hat die Reihenfolge: „Grieche und Jude“). Siehe dazu J. Wanke, Ἕλλην, in: EWNT I 1061–1063.

[13] πιστεῦσαι ist inzeptiver Aorist. Das absolute πιστεύω begegnet – als Antwort auf die christliche Botschaft – auch 4,4; 8,13; 11,21; 13,12.48; 15,7; 17,12.34; 18,8b.

[14] Umgekehrt bedeutet „dem Glauben gehorsam sein“ soviel wie gläubig werden: 6,7. Vom Ungehorsam der Juden gegenüber der christlichen Botschaft spricht 19,9 (vgl. Röm 10,21; 11,31; 15,31).

[15] Mit den ψυχαὶ τῶν ἐθνῶν sind die „Gemüter“ der Heiden gemeint; vgl. 2,43; 14,22; 15,24.

gen die neue „Brüder-Gemeinde" aus Juden und Heiden zusammen. Die beiden Gruppen werden nach der eingetretenen Spaltung (V 4) „den Juden" bzw. „den Aposteln" zugeordnet. Der Beginn der jüdischen Agitation gegen die Christen wird durch ἐπεγείρω καὶ κακόω[16] mit folgendem κατά (mit Genitiv) beschrieben. Den ungläubigen Juden wird die Verantwortung für die Verfolgung der „Apostel" zugeschrieben. Sie „machten" die Heiden erst „böse".

V 3 Dieser Vers, der von einem längeren Wirken von Paulus und Barnabas in Ikonium berichtet (ἱκανὸν χρόνον[17]), scheint den Zusammenhang der Verse 2 und 4f (Agitation, Spaltung, Verfolgung) zu unterbrechen. Doch liegt dies einmal daran, daß Lukas sein „Schema" in V 2 frühzeitig vorführen will[18]. Auf der anderen Seite wird auf diese Weise ein paralleler Verlauf der Ereignisse aufgezeigt: Der jüdischen Agitation *gegen* die Christen (V 2) steht das Zeugnis Gottes *für* sie (V 3) gegenüber. Zwar kommt es laut V 4 dann zur Spaltung und Verfolgung. Doch ist dem Erzähler nicht dieser augenblickliche „Mißerfolg" wichtig, sondern das Eintreten Gottes für die Heidenmission. Wer sich ihr entgegenstellt, würde gegen Gott handeln und stünde nicht auf der Seite der „Apostel" (V 4). Dies ist wohl schon im Blick auf das „Apostelkonzil" und seine Frontstellungen gesagt. Paulus und Barnabas predigten freimütig im Vertrauen auf Gott[19]. Und Gott legte Zeugnis ab[20] für „das Wort seiner Gnade"[21], indem er Zeichen und Wunder[22] geschehen ließ[23] durch die Glaubensboten[24].

V 4 berichtet vom Erfolg der jüdischen Agitation. Es kommt zu einer Spaltung[25] der Stadtbevölkerung. Die einen halten zu den Juden, die ande-

---

[16] Vgl. ἐπεγείρω διωγμόν 13,50. – κακόω im Sinne von „böse machen, erbittern" begegnet z.B. Ps 105,32 LXX; JosAnt XVI 10.205.262.

[17] Vgl. Lk 8,27; 20,9; 23,8; Apg 8,11; 27,9. – διατρίβω bezeichnet auch sonst den Aufenthalt des Missionars in einer Gemeinde: 14,28; 15,35; 16,12; 20,6; 25,6.14. Das Verbum begegnet im NT sonst nur noch Joh 3,22; Apg 12,19.

[18] Conzelmann: V 2 ist „lukanische Übersicht, um sofort das Schema vorzuführen". Siehe indessen Preuschen (V 3 als „ungeschickt eingefügter redaktioneller Zusatz") und die Überlegungen von Michael, The Original Position of Acts 14,3 (1930).

[19] Der κύριος ist hier *Gott*; siehe Schneider, Gott und Christus als ΚΥΡΙΟΣ 170. Haenchen bleibt unentschieden, ob nicht auch *Christus* gemeint sein könne. O'Toole, Activity (1981) 477f, und Roloff treten dafür ein, daß sich ἐπὶ τῷ κυρίῳ auf *Jesus* beziehe.

[20] Das μαρτυρέω zugeordnete ἐπί mit Dativ ist ungewöhnlich. Es ist der Grund gemeint, der die Boten freimütig reden läßt; vgl. Blass/Debr § 235,2; Schneider, a.a.O. 170 Anm. 61.

[21] Der gleiche Ausdruck begegnet auch 20,32; vgl. Lk 4,22. Er ist auf *Gottes* Gnade bezogen; siehe Schneider, a.a.O. (170).

[22] Zu σημεῖα καὶ τέρατα siehe oben I 287 A. 26.

[23] Zu διδόντι κτλ. vgl. 2,19; 5,12–16; 15,12. Siehe dazu oben I 380 A. 8.

[24] Zu διὰ τῶν χειρῶν αὐτῶν (nächste Parallelen: 2,43; 5,12; 19,11) vgl. oben I 287 A. 28; 380 A. 8. Die Wundertaten des Paulus (und Barnabas) werden den „Apostel"-Wundern (2,43; 5,12) gleichgeordnet.

[25] Das Passiv σχίζομαι „gespalten werden, sich spalten" begegnet im NT sonst nur noch 23,7 im übertragenen Sinn; vgl. unten Nr. 57 A. 41.

ren[26] zu den „Aposteln“. An dieser Stelle werden Paulus und Barnabas noch indirekt ἀπόστολοι genannt, während 14,14 sie direkt als solche tituliert. 14,4.14 sind die einzigen Stellen, an denen das lukanische Werk die Apostelbezeichnung auf Personen bezieht, die nicht dem Kreis der Zwölf angehören[27]. Da die Apostelbezeichnung an der Stelle 14,14 – gegen den „westlichen“ Text[28] – wahrscheinlich ursprünglich ist[29], kann man sich vorstellen, daß Lukas das auf Barnabas und Paulus bezogene ἀπόστολοι im Kontext von 14,14 vorfand und es von sich aus dann auch im V 4 verwendete[30], zumal ihm an dieser Stelle daran gelegen war, die Glaubensboten Paulus und Barnabas mit den „Aposteln“ (und ihrem Wunderwirken) zu parallelisieren. Für lukanische „Redaktion“ in V 4 spricht nicht nur der hohe lukanische Anteil an 14,1–7 im ganzen, sondern auch die zurückhaltende Anwendung der Apostelbezeichnung auf Paulus und Barnabas.

VV 5–7 Es kommt zu einem Anschlag[31], den die Heiden und die Juden samt ihren Vorstehern[32] vorbereiten. Sie wollen die „Apostel“ mißhandeln[33] und steinigen[34] (V 5). Doch die Apostel erhalten Kenntnis[35] von diesem Unternehmen und fliehen[36] in die Städte Lykaoniens[37]. Sie kommen

[26] οἱ μὲν ... οἱ δέ ist wie 17,32 und 28,24 lukanisch-redaktionell.

[27] Siehe dazu oben I 222 A. 1 (Exkurs 2). Zur Erklärung des auffallenden Gebrauchs von ἀπόστολοι in Apg 14,4.14 siehe oben I 114f.227f, ferner: Green, „Apostles“ (1960; s.u. Nr. 33); Beutler, Heidenmission (1968) 366–368; Wilson, Gentiles (1973) 111f.116–118; Müller, Prophetie (1975) 112f; Dupont, L'apôtre (1980) 344f; Pfitzner, „Pneumatic“ Apostleship (1980) 230–232.

[28] Siehe dazu oben I 228 A. 26; unten Nr. 33 A. h.

[29] Zu dem Versuch, den D-Text als ursprünglich zu werten, siehe Schneider, Die zwölf Apostel (1970) 53 Anm. 43.

[30] Mit Haenchen, Apg 404 Anm. 5, der vermutet, „daß Lukas den Ausdruck aus der folgenden Geschichte (V. 14) mit herübergenommen hat“. Conzelmann schließt sich dieser Vermutung an.

[31] Mit ὁρμή ist in diesem Fall nicht der „Ansturm“ der Masse gemeint, sondern die Stimmung, die ihm vorausgeht (Haenchen), bzw. der geplante Anschlag (Conzelmann); vgl. G. Bertram in: ThWNT V 470f („vorbereiteter Anschlag“).

[32] Die ἄρχοντες αὐτῶν können jüdische Vorsteher (vgl. 13,27; 14,2 D) oder auch Vorsteher von Juden *und* Heiden (vgl. heidnische ἄρχοντες 16,19) sein.

[33] ὑβρίζω bedeutet eigentlich: jemanden „übermutig/frech behandeln“. Es ist lukanisches Vorzugswort: Lk 11,45 diff Mt; 18,32 diff Mk; Apg 14,5. Im NT sonst noch Mt 22,6; 1 Thess 2,2.

[34] λιθοβολέω (so auch 7,58.59) kommt hier dem Sinn von λιθάζω (14,19; vgl. 5,26) nahe. Noch ist von der Absicht die Rede, V 19 von der Ausführung. Zu beiden Verben siehe oben I 393 A. 64; 476 A. 41; Beutler, Heidenmission 380.

[35] Partizipiale Formen von συνεῖδον begegnen im NT nur Apg 5,2; 12,12; 14,6.

[36] καταφεύγω, im NT sonst nur noch Hebr 6,18, dort aber im übertragenen Sinn. Vgl. indessen Lev 26,25; Dtn 4,42 LXX (von der Flucht „in die Städte“).

[37] Ikonium wird also nicht zu Lykaonien gerechnet; vgl. oben Nr. 31 A. 48. Die Landschaft Λυκαονία/Lykaonien im Inneren Kleinasiens wird von Kappadozien, Galatien, Phrygien, Pisidien und Kilikien begrenzt. Das NT nennt sie nur hier. Apg 14,11 erwähnt die lykaonische Sprache (Λυκαονιστί) der Bewohner von Lystra. Siehe W. Ruge, Lykaonia 2, in: Pauly/Wissowa XIII/2, 2253–2265; Jones, The Cities 126–128.131–133.

nach Lystra[38] und Derbe[39] sowie in das Umland[40] dieser Städte (V 6). Dort verkündigen sie die Botschaft (V 7); die periphrastische Konjugation deutet eine dauernde Verkündigung[41] an. Daß die beiden Städte und ihre Umgebung als Einheit gesehen werden, hängt mit der folgenden Erzählung 14,8-20 zusammen, die eine Rückblende auf den mit V 7 angedeuteten Zeitraum darstellt[42].

33. LYSTRA: HEILUNG EINES LAHMEN. STEINIGUNG DES PAULUS: 14,8-20

LITERATUR: A. BLUDAU, Paulus in Lystra, Apg 14,7-21, in: Der Katholik [3. Folge] 36(1907)91-113.161-183. - DIBELIUS, Stilkritisches (1923) 25. - W. RUGE, Lystra, in: PAULY/WISSOWA XIV/1(1928)71 f. - P. VAN IMSCHOOT, S. Paul à Lystres, in: Collationes Gandavenses 16(1929)155-161. - O. LAGERCRANTZ, Act. 14,17, in: ZNW 31(1932)86f. - CADBURY, Dust and Garments (1933; s.o. Nr. 31) [zu 14,14]. - LÖSCH, Deitas Jesu (1933; s.o. Nr. 27). - S. EITREM, De Paulo et Barnaba deorum numero habitis (Act. 14,12), in: ConiNeot 3(1938)9-12. - M. LACKMANN, Vom Geheimnis der Schöpfung. Die Geschichte der Exegese von Römer 1,18-23; 2,14-16 und Acta 14,15-17; 17,22-29 vom 2. Jahrhundert bis zum Beginn der Orthodoxie (Stuttgart 1952). - W. M. GREEN, „Apostles" - Acts 14,14, in: Restoration Quarterly 4(1960)245-247. - E. LERLE, Die Predigt in Lystra (Acta XIV. 15-18), in: NTS 7(1960/61)46-55. - B. GÄRTNER, Paulus und Barnabas in Lystra. Zu Apg. 14,8-15, in: SvEA 27(1962)83-88. - WILCKENS, Missionsreden (²1963) 86-91 [zu 14,15-17]. - O'NEILL, Theology of Acts (²1970) 143-145 [zu 14,11-18]. - Roloff, Das Kerygma (1970; s.o. Nr. 23) 188-191. - PLÜMACHER, Lukas (1972) 92-95. - KLIESCH, Das heilsgeschichtliche Credo (1975) 62-65.169f [zu 14,15-17]. - NELLESSEN, Zeugnis für Jesus und das Wort (1976) 264-274 [zu 14,17]. - BURCHARD, Fußnoten (1978) 155 [zu 14,14]. - MUHLACK, Parallelen (1979) 15-38. - Siehe auch die Literatur zu Nrn. 7 und 32.

---

[38] Λύστρα/Lystra wird außer Apg 14,6.8.21; 16,1.2; 27,5 v.l. auch 2 Tim 3,11 erwähnt. An drei Stellen gilt Λύστρα als Plural: Apg 14,8; 16,2; 2 Tim 3,11; dazu BLASS/DEBR § 57,2. Literatur zu Lystra s.u. Nr. 33. Vgl. auch Nr. 33 A. 12.

[39] Δέρβη/Derbe wird außer 14,6 auch 14,20; 16,1 erwähnt (sonst nicht im NT); vgl. indessen Strabo, Geogr. XII 6,3. Apg 20,4 nennt den aus Derbe stammenden (Δερβαῖος) Gaius, der allerdings laut 19,29 Mazedonier ist; siehe oben I 167 A. 83. Zu neueren Erkenntnissen über die Lage der Stadt siehe BALLANCE, The Site of Derbe (1957); OGG, Derbe (1963); VAN ELDEREN, Observations (1970) 156-161. Letzterer kommt zu dem Schluß, daß man früher (W. M. RAMSAY, The Cities of St. Paul [New York 1907] 393-397) Derbe falsch lokalisierte. Nach den neuen epigraphischen Erkenntnissen ist die Stadt etwa 30 Meilen östlich der früher angenommenen Position anzusiedeln, in der Nähe des Ortes Kerti Hüyük oder an diesem Ort selbst (a.a.O. 159).

[40] Bei ἡ περίχωρος ist γῆ zu ergänzen; BLASS/DEBR § 241,1. Das substantivierte Adjektiv spiegelt die urchristliche Missionsmethode wider: Das „Land" wird von den Städten aus missioniert: Lk 4,14.37; 7,17; 8,37; vgl. auch Mt 14,35.

[41] εὐαγγελιζόμενοι ἦσαν. Vgl. 5,42 (nach der Verfolgung der Apostel); 8,4.12 (nach der Stephanusverfolgung).

[42] V 7 entstammt kaum dem „Itinerar", das Dibelius postulierte (s.o. A. 1). Daß Derbe schon hier genannt ist, kann vielmehr als redaktioneller „Vorblick" verstanden werden (HAENCHEN, CONZELMANN).

8 Und in Lystra saß ein Mann ohne Kraft in den Füßen, lahm[a] *von Mutterleib an, der nie hatte gehen können. 9 Dieser hörte den Paulus reden; und* [b]*als der ihn anblickte*[b] *und sah, daß er Glauben hatte, um gerettet zu werden, 10 rief er mit lauter Stimme:* [c]*Stelle dich aufrecht auf deine Füße*[d]*! Und* [e]*er sprang auf und ging umher. 11 Und als die Volksmenge sah, was Paulus getan hatte, erhoben sie (die Leute) ihre Stimme und sagten auf lykaonisch: Die Götter sind in Menschengestalt zu uns herabgestiegen. 12 Und sie nannten den Barnabas Zeus*[f]*, den Paulus aber Hermes, weil er der Wortführer war. 13 Und der Priester*[g] *des „Zeus vor der Stadt" brachte Stiere und Kränze an die Tore und wollte zusammen mit der Volksmenge ein Opfer darbringen.*

14 Als die Apostel[h] *Barnabas und Paulus das hörten, zerrissen sie ihre Kleider, sprangen unter das Volk und riefen: 15 Ihr Männer, was tut ihr da? Auch wir sind (nur) Menschen, von gleicher Art wie ihr; wir verkündigen euch das Evangelium*[i]*, damit ihr euch von diesen nichtigen Götzen bekehrt zu dem lebendigen Gott, der den Himmel gemacht hat und die Erde und das Meer und alles, was sich dort befindet. 16 Er ließ in den vergangenen Generationen alle Heiden ihre Wege gehen; 17 und doch hat er sich nicht unbezeugt gelassen: Er tat Gutes, gab euch vom Himmel herab Regen und fruchtbare Zeiten; so erfüllte er eure Herzen mit Nahrung und Freude. 18 Doch selbst durch diese Worte konnten sie die Volksmenge kaum*[k] *davon abbringen, ihnen zu opfern.*

---

[a] χωλός fehlt in D gig. Es wurde wohl nach ἀδύνατος als unnötig empfunden.

[b] Statt ὃς ἀτενίσας αὐτῷ (b – b) liest D (h): ὑπάρχων ἐν φόβῳ (bezogen auf den Lahmen)· ἀτενίσας δὲ αὐτῷ ὁ Παῦλος ... Die Angabe über die *Furcht* des Lahmen ist in ihrem Sinn schwer erfaßbar („Gottesfürchtiger"?); vgl. METZGERTC 422.

[c] Die direkte Rede beginnt nach C D (E Ψ al) mit den Worten (aus 3,6!): „Ich sage dir im Namen des Herrn Jesus Christus ..."

[d] Der „westliche" Text (D sy h.mg mae) fügt καὶ περιπάτει ein (nach 3,6!; vgl. Lk 5,23); siehe oben I 307 (Synopse).

[e] Der „westliche" Text fügt εὐθέως παραχρῆμα ein, E hingegen nur παραχρῆμα (nach 3,7!; vgl. Lk 5,25); siehe oben I 307.

[f] Statt Δία haben P74 D E H L 81. 1175. 1739 die Akkusativform Δίαν (vgl. die Akk.-Formen Ζεῦν, Ζῆν; PASSOWWb s. v. Ζεύς).

[g] V 13 steht nach D (gig) im Plural: „Die Priester ... brachten ... und wollten ...". Vgl. METZGERTC 423 (Priesterkollegien waren an größeren Tempeln üblich).

[h] Am Anfang von V 14 liest D (gig h sy p): ἀκούσας δὲ Β. καὶ Π. Es fehlt also οἱ ἀπόστολοι! Nahm man Anstoß an der Verwendung der Apostelbezeichnung für (den zuerst genannten) Barnabas (vgl. METZGERTC 423 f)? Oder ist die kürzere LA (mit KILPATRICK, An Eclectic Study 69 f) vorzuziehen?

[i] Hinter εὐαγγελιζόμενοι fügen D it (?) mae Ir lat an: ὑμῖν τὸν θεὸν ὅπως ... (vgl. 17,23 f).

[k] Statt μόλις „kaum" lesen D 1175 pc μόγις „mit Mühe" (vgl. Lk 9,39).

19 [1] Von Antiochia und Ikonium [m] aber kamen Juden herbei; [n] die überredeten die Volksmenge [n], steinigten den Paulus und schleiften ihn vor die Stadt hinaus, in der Meinung, er sei tot. 20 Als aber die Jünger ihn [o] umringten, stand er auf und ging in die Stadt hinein. Am folgenden Tag zog er mit Barnabas nach Derbe weiter.

Nach der summarischen Angabe über die Glaubensverkündigung in Lystra, Derbe und Umgebung (14,6f) bildet 14,8–20 eine Einschaltung in den Reisebericht, der 14,21 mit der Erwähnung der in Derbe erfolgten Verkündigung seine Fortsetzung findet. Während über den Aufenthalt des Paulus und Barnabas in Derbe keine konkreten Nachrichten vorliegen, werden mit Lystra nähere Angaben verbunden: 14,8–13 berichtet, daß man Barnabas und Paulus als Götter verehren wollte, nachdem Paulus einen Lahmen geheilt hatte; 14,14–18 knüpft an diesen Versuch der heidnischen Bevölkerung an und bietet eine knappe „Missionspredigt"; 14,19f erzählt von der Steinigung des Paulus und von seiner Weiterreise nach Derbe. Die Episode 14,8–18 „ist deutlich darauf angelegt, eine dramatische Peripetie zu erzielen"[1]. Die Peripetie tritt mit der Rede der „Apostel" ein, die die Heiden der Stadt nur mit Mühe davon abbringt, den Missionaren als Göttern ein Opfer darzubringen. Doch auch 14,19f gehört noch zur Peripetie: Die gleichen ὄχλοι, die nach V 11 an eine Epiphanie von Göttern dachten und nach V 18 vom Vorhaben einer Opferfeier abgehalten werden konnten, werden laut V 19 von auswärtigen Juden gegen Paulus und Barnabas aufgewiegelt[2].

Als traditionelle „Bausteine" der im ganzen von Lukas gestalteten Episode können gelten: die Erzählung von der Heilung des Lahmen (VV 8–11a)[3], Grundmotive der Missionspredigt vor Heiden (VV 15b–17)[4],

[1] Der Anfang von V 19 lautet nach C D al: „Als sie sich (weiter dort) aufhielten und lehrten, kamen Juden von ...". So wird der Übergang zu V 19 erleichtert; siehe METZGER TC 424f.

[m] D h mae haben die Reihenfolge „Ikonium und Antiochia".

[n] Eine Reihe von Minuskeln, sy h.mg und mae haben hier einen erweiterten Text, der die Juden behaupten läßt: „Sie sagen nichts Wahres, sondern lügen in allem."

[o] (h) sa mae schalten ein: ἑσπέρας γενομένης.

[1] PLÜMACHER, Lukas 83.

[2] Subjekt von πείσαντες τοὺς ὄχλους καὶ λιθάσαντες τὸν Παῦλον (V 19) sind die „Juden" aus Antiochia und Ikonium. Insofern kann man nicht sagen, daß die „Steinigung" des Paulus *durch* die ὄχλοι der Stadt Lystra erfolgte (gegen PLÜMACHER, a.a.O. 93). Wahrscheinlich soll indessen πείσαντες andeuten, daß die Lystrenser *beteiligt* waren. Die Steinigung geht auf jüdische Initiative zurück; vgl. 14,4f. Siehe auch HAENCHEN, Apg 418: Die Heiden beteiligen sich „nach dem lukanischen Wortlaut ... nicht an der Steinigung"!

[3] Die Konvergenz der Lahmenheilung durch Paulus mit der durch Petrus (3,2–10) beruht wohl nicht auf einer Angleichung durch Lukas (dazu oben I 306–308), sondern auf dem Typus solcher Heilungserzählungen; vgl. HAENCHEN, a.a.O. 413f.

[4] Siehe WILCKENS, Missionsreden[2] 86–91.100. – Vgl. auch HAENCHEN, a.a.O. 414: Die inhaltliche Thematik der Missionspredigt vor Heiden stellt Lukas – begreiflicherweise – zurück bis zur großen Szene auf dem Areopag (17,22–31).

eine phrygische Sage von der Erscheinung eines Götterpaares (vgl. VV 11 b–14.18)[5]. Auch für die VV 19 f kann eine Traditionsgrundlage angenommen werden[6]. Die Verwendung der Sage vom Erscheinen des Zeus und des Hermes dient allerdings nicht – wie bei Ovid – dem Gedanken, daß die Bewirtung der nicht erkannten Götter Belohnung erfährt[7], sondern sie unterstreicht die Größe des Wunders, das Paulus gewirkt hatte[8]. Freilich wird Paulus nicht für Zeus gehalten, sondern für Hermes, den „Führer des Wortes"[9] und Götterboten. Paulus ist nach der Vorstellung des Lukas der eigentliche Redner der beiden (vgl. V 9 a). So bleibt die Rolle des Zeus für Barnabas[10].

Die Gesamtperikope 14, 8–20 wird im wesentlichen von der Episode der VV 8–18 geprägt. In dieser wiederum dominiert die „Rede" der Missionare (VV 15–17). Doch diese Rede-Skizze ist der Wunderheilungs-Erzählung formal untergeordnet: V 8 bietet die *Exposition,* V 9 berichtet von der *Disposition* des Kranken, V 10 a vom heilenden *Wort*. V 10 b stellt die *Demonstration* der Heilung dar. Die *Wirkung* des Wunders auf die Zuschauer wird breit entfaltet (VV 11–18). Hier liegt nicht eine naive Legende vor, sondern es handelt sich um die „Entwicklung eines literarischen Motivs"[11]. Die kaum zu verhindernde (V 18) göttliche Verehrung, die den Glaubensboten zuteil werden soll, unterstreicht die Wirkung des Wunders auf die Anwesenden. Doch dem folgt in den VV 19 f die Erkenntnis, daß dieselben Zeugen des Heilungswunders sich von den Juden zur Verfolgung der „Apostel" überreden lassen.

---

[5] Vgl. Ovid, Metam. VIII 611–724 (Jupiter und Merkur besuchen Philemon und Baucis); dazu HAENCHEN, a. a. O. 409 f. 415–417, der die Auffassung vertritt, bei Ovid sei die phrygische Sage „in hellenistischer Fassung erhalten" (415).

[6] Siehe 2 Tim 3, 11; vgl. dazu oben Nr. 28 A. 5.

[7] Das Motiv der Theoxenie begegnet schon bei Homer, später bei Hesiod, Pindar und anderen. Zu vergleichen ist indessen auch Gen 18, 1–16.

[8] Vgl. HAENCHEN, Apg 417: „Dadurch, daß Lukas hier erzählt, wie die ‚Apostel' für Götter gehalten wurden, hat er einen Höhepunkt apostolischer Machtentfaltung geschaffen, der die folgende Passion völlig überstrahlt." Diese Feststellung beachtet kaum, daß Lukas nicht einen Gegensatz Macht – Passion intendiert, sondern auf die Macht *Gottes* abzielt, die sich durch Paulus manifestiert (siehe V 15; vgl. 3, 12); vgl. ADAMS, The Suffering of Paul (1979).

[9] Zu ἡγούμενος τοῦ λόγου (V 12) in bezug auf Hermes siehe die Parallelen, die BAUER Wb sub vocibus ἡγέομαι 1 und Ἑρμῆς 1 notiert. Im Hellenismus ist jedoch nicht an Hermes als den Sprecher eines Götterpaares gedacht, sondern an den Gottesboten, der im Namen der Götter, z. B. des Vaters Zeus, eine Botschaft überbringt; siehe CONZELMANN zu V 12.

[10] BAUERNFEIND, Apg 182, meint, 14, 11 b–20 könne auf einer Überlieferung beruhen, für die nicht Paulus, sondern Barnabas der eigentliche Held war. Jedoch ist die „Überordnung des Barnabas ... nur eine scheinbare" (CONZELMANN zu V 12).

[11] CONZELMANN zu V 11, mit Verweis auf A. D. NOCK in: Journal of Roman Studies 37 (1947) 106.

V 8 Die Perikope setzt mit einer Angabe über den (anonymen) Gelähmten in Lystra[12] ein. Wahrscheinlich ist ἀδύνατος mit τοῖς ποσίν zu verbinden und ἐν Λύστροις ungeschickt[13] eingeschoben. Weniger wahrscheinlich ist, daß τοῖς ποσίν zu ἐκάθετο gehört („er saß auf den Füßen"). Das Leiden des Mannes wird hervorgehoben. Es war im Grunde „unheilbar"[14]: Der Mann konnte noch nie umhergehen[15].

VV 9–10 Der Gelähmte hörte die Predigt des Paulus (vgl. VV 6 f). Offenbar verstand er dessen Griechisch (siehe hingegen V 11)! Paulus blickte ihn an[16] und konnte feststellen, daß er „Glauben"[17] besaß, „daß er gerettet werde"[18] (V 9). So sprach er „mit lauter Stimme"[19]: „Stelle dich aufrecht[20] auf deine Füße!" Der Gelähmte sprang auf[21] und ging umher[22]. So wird die Heilung gegenüber den Anwesenden (V 11 a) demonstriert.

V 11 Die (heidnischen) ὄχλοι der Stadt sahen, „was Paulus getan hatte": Sie sahen das Heilungswunder. Ihre Reaktion bestand darin, daß sie „ihre Stimme erhoben"[23] und das Ergebnis ihrer Schlußfolgerung in dem Ruf zusammenfaßten: „Die Götter sind Menschen ähnlich geworden[24] und zu uns herabgestiegen[25]." Diesen akklamatorischen Ruf erhoben sie „auf ly-

---

[12] Λύστρα/Lystra liegt etwa 40 km südlich von Ikonium. Die Stadt wurde unter Augustus Kolonie (*Colonia Julia Felix Gemina Lustra:* CIL Suppl. III 6786). Vgl. Ramsay, Paul the Traveller 114–119; ders., Roman Power 180–183.184–199. Zur Deklination der griechischen Namensform siehe oben Nr. 32 A. 38. Die Apg setzt voraus, daß in Lystra keine jüdische Gemeinde mit Synagoge existierte; vgl. auch unten A. 71.

[13] Nach Conzelmann wirkt die Vielzahl der Angaben „manieriert". Er fragt, ob die merkwürdige Voranstellung von „in Lystra" klangliche Gründe habe; vgl. Haenchen.

[14] Er war „lahm von Mutterschoß an"; vgl. 3, 2.

[15] Vgl. hingegen die Wirkung der Heilung: περιεπάτει V 10; siehe auch Lk 5, 23; 7, 22; Apg 3, 6.8.9.12.

[16] ἀτενίζω mit folgendem Dativ wie Lk 4, 20; 22, 56; Apg 3, 12; 10, 4; 23, 1 (sonst nicht im NT!); vgl. oben I 204 A. 52; 300 f A. 37.

[17] πίστιν τοῦ σωθῆναι ist nicht im Sinne des subjektiven Vertrauens zu interpretieren, sondern meint die *fides sufficiens* im Hinblick auf das Heil; vgl. Lk 7, 50; 8, 48; 17, 19; 18, 42; Apg 3, 16.

[18] Zu σωθῆναι vgl. oben I 321 A. 66.

[19] Vgl. Lk 4, 33; 8, 28; 17, 15; 19, 37; 23, 23.46; Apg 7, 57.60; 8, 7. Die Stellung μεγάλῃ φωνῇ begegnet im NT nur Apg 14, 10; 16, 28; 26, 24.

[20] ὀρθός steht hier in adverbialem Sinn. Beispiele für diesen Gebrauch des Adjektivs stehen auch sonst häufig bei Lukas; siehe Blass/Debr § 243, 1, die folgende Beispiele nennen: Lk 21, 34; 24, 22; Apg 3, 11; 12, 10; 20, 6 D; 27, 19.

[21] ἥλατο ist Aorist von ἅλλομαι, das auch 3, 8 im gleichen Zusammenhang begegnet: περιπατῶν καὶ ἁλλόμενος.

[22] Zu περιεπάτει s. o. A. 15.

[23] ἐπαίρω (τὴν) φωνήν wie Lk 11, 27; Apg 2, 14; 22, 22; αἴρω (τ.) φ. Lk 17, 13; Apg 4, 24; der Septuagintismus begegnet sonst nicht im NT. Siehe oben I 267 A. 22; 356 A. 20.

[24] Das Passiv ὁμοιόομαι „ähnlich werden" wird im Hellenismus auf Götter bezogen: Diodorus Sic. I 86, 3; Aesop, Fab. 89 P (= 140 H). Im NT wird es auf Christus angewendet: Hebr 2, 17; vgl. Röm 8, 3; Phil 2, 7.

[25] καταβαίνω meint das Herabsteigen aus der oberen, himmlischen Welt; vgl. Lk 9, 54; Apg 7, 34; 10, 11; 11, 5.

kaonisch"[26]. Nur so kann der Erzähler plausibel machen, daß Paulus und Barnabas nicht sogleich Widerspruch erhoben: Sie verstanden den Ruf nicht. Erst mit der Vorbereitung des Opfers durch den Zeuspriester (V 13) ist der Punkt erreicht, an dem der Erzähler die „Apostel" Einspruch erheben läßt (VV 14–17).

V 12 Der akklamatorische Ruf, der an Apotheose erinnert[27], wird nun vom Erzähler erläutert: Die Heiden in Lystra nannten den Barnabas „Zeus", den Paulus aber „Hermes". Zur Begründung der Identifikation des Paulus mit dem „nachgeordneten" Hermes nennt V 12b die Tatsache, daß er das Wort führte[28]. Von Lukas ist kein Rangunterschied der „Apostel" intendiert. Sie handeln in Aktionseinheit. Nur V 9 stellte die Predigt des Paulus heraus, an anderen Stellen ist von *beider* Verkündigung die Rede (VV 7.14–18). Die Identifikationen wurden häufig mit dem (vermuteten) Aussehen der beiden begründet[29]. Wenn man voraussetzt, daß die phrygische Sage von Philemon und Baucis bei den Lykaoniern lebendig war, kann man dennoch kaum annehmen, daß die Bewohner von Lystra zwei jüdische Therapeuten für Götter gehalten haben[30]. So erklärt sich die „Vergottung" der Missionare eher literarisch: Die phrygische Sage war dem Erzähler bekannt, freilich wohl nicht in der Fassung Ovids[31].

V 13 Der Priester des „Zeus vor der Stadt"[32] brachte Stiere[33] und Kränze[34] an die Stadttore. Er schickte sich an, mit der Menge zu opfern[35].

---

[26] Vgl. oben Nr. 32 A. 37. – Zum Fortleben der Volkssprachen in hellenistischer Umwelt siehe F. Müller, Der zwanzigste Brief des Gregor von Nyssa, in: Hermes 74 (1939) 66–91, näherhin 68–70; Haenchen zu V 11.

[27] Vgl. Apg 12,22; 28,6. Siehe Lösch, Deitas Jesu (1933); Eitrem, De Paulo et Barnaba (1938).

[28] Siehe dazu oben A. 9. – Das kausale ἐπειδή ist bei Lukas beliebt: Lk 11,6; Apg 13,46; 15,24.

[29] Vgl. etwa Zahn, Apg 472 (Barnabas, „ein Mann von besonders stattlicher Gestalt und ehrwürdiger Haltung", im Anschluß an Joh. Chrysostomos); Bauernfeind, Apg 182 („Barnabas wirkte so machtvoll, daß man in ihm Zeus zu erkennen meinte").

[30] Siehe Loisy, Actes 552: „Même en Lycaonie, on n'aurait pas si facilement pris deux exorcistes juifs pour des divinités."

[31] Zeus und Hermes erscheinen außerdem zusammen auf Inschriften dieser Gegend (Ak-Kilisse, eine Tagesreise südlich von Lystra); dazu Wikenhauser, Die Apostelgeschichte und ihr Geschichtswert 363; Bruce, Acts (NIC) 291 f; Conzelmann.

[32] Mit „Zeus" ist hier der Zeustempel gemeint; siehe BauerWb s. v. Ζεύς. Die Wendung πρὸ (τῆς) πόλεως ist nahezu adjektivisch gebraucht; vgl. CIG II 2963 c; IG XII 420.522. Siehe auch Wikenhauser, a. a. O. 362 f.

[33] Der Stier (ταῦρος) wird als Opfertier im NT auch Hebr 9,13; 10,4 erwähnt; vgl. Arrian, Anab. I 11,6; Philo, Omnis prob. liber 102; JosAnt XIII 242.

[34] Mit στέμματα „Kränzen, Blumengewinden" werden die Opfertiere geschmückt; vgl. Diodorus Sic. XVI 91,3: ταῦρος ἐστεμμένος. Siehe auch K. Baus, Der Kranz in Antike und Christentum (Theophaneia 2) (Bonn 1940) 7–17 (§ 2: „Der Kranz beim heidnischen Opfer").

[35] θύω „opfern (schlachten)" steht hier absolut; V 18 spricht vom Opfer *zu Ehren* der beiden: θύειν αὐτοῖς.

Einen Zeustempel in Lystra archäologisch nachzuweisen, ist bislang nicht möglich gewesen. Die sachliche Verbindung des epiphan gewordenen „Zeus" zum Opfer beim „Zeustempel" ist dem Erzähler wichtig. Nun kann die Peripetie erfolgen: Die „Apostel" weisen die göttliche Verehrung zurück (VV 14–18).

V 14 Als die „Apostel" von dem beabsichtigten Opfer erfahren – wo sie sich unterdessen aufhielten und wie der zeitliche Ablauf der Episode insgesamt vorzustellen ist, braucht die Legende nicht darzutun –, zerreißen sie empört ihr Gewand[36], springen unter die zum Opfern versammelte Menge[37] und intervenieren laut rufend[38]. Als Widerspruch zum Vorhaben der Stadtbewohner weist die folgende Rede die Vergottung der Menschen zurück, indem sie auf den wahren Gott als Wohltäter der Menschen verweist (V 17). Mit der Gottesverkündigung der beiden Missionare ist aber zugleich das Thema der Bekehrung zu diesem Gott angeschlagen[39] und insofern eine Missionspredigt vor Heiden vorgeführt. Auffallend ist, daß in diesem Zusammenhang die Umkehr von den Göttern zu *Gott* im Vordergrund steht[40] und der Name *Jesu* (auch im vorausgehenden Wunderbericht[41]) nicht genannt wird[42]. Die Gelegenheit, eine ausführliche Heidenmissionspredigt des Paulus zu bieten, die der großen Rede vor Juden in Antiochia Pisidiae (13,16–41) entspricht, verschiebt Lukas mit Recht auf den Athenaufenthalt des großen Heidenmissionars (17,22–31). Ob nun die auf Barnabas und Paulus bezogene Apostel-Bezeichnung hier traditionell[43] oder redaktionell-lukanisch ist[44] – in jedem Fall wird die Rede der „Apostel", die nun folgt, mit dieser einleitenden Titulatur auf eine besondere Rangstufe gehoben. Lukas stemmt sich nicht rigoros gegen den aus der Tradition bekannten weiteren Apostel-Begriff, der auch auf Paulus anwendbar ist[45].

---

[36] Es handelt sich um den Ausdruck „des Entsetzens über die Gotteslästerung" (Haenchen); vgl. Mk 14,63 par Mt 26,65.

[37] Eine enge Sachparallele liegt Jdt 14,16f vor: διέρρηξεν τὰ ἱμάτια αὐτοῦ ... ἐξεπήδησεν εἰς τὸν λαὸν καὶ ἐβόησεν (B: κράζων).

[38] κράζοντες καὶ λέγοντες (VV 14f) leiten unmittelbar die „Rede" ein.

[39] Vgl. V 15 εὐαγγελιζόμενοι ὑμᾶς ... ἐπιστρέφειν ἐπὶ θεὸν ζῶντα, was zugleich den V 7 erläutert.

[40] So auch Apg 17,24.31f; vgl. die traditionelle Formulierung 1 Thess 1,9b. Siehe Schneider, Gottesverkündigung (1969; s.u. Nr. 41 B) 64–66.

[41] Siehe hingegen die Textänderungen von C D; s.o. A. c.

[42] Die Areopagrede spielt wenigstens auf Jesus an (17,31), nennt aber gleichfalls seinen Namen nicht.

[43] Siehe dazu oben Nr. 32 mit A. 27 (zu 14,4).

[44] Wahrscheinlich hat Lukas die Bezeichnung οἱ ἀπόστολοι in V 14 vorgefunden und von da nach V 4 „herübergenommen" (Haenchen zu V 4). Demzufolge wäre die Verwendung in V 4 „redaktionell".

[45] Vgl. R. Schnackenburg, Apostel vor und neben Paulus, in: ders., Schriften zum Neuen Testament (München 1971) 338–358, bes. 347; F. Hahn, Der Apostolat im Urchristentum, in: KuD 20 (1974) 54–77, näherhin 74 Anm. 77. Die traditionelle Apostel-

V 15 Die „Rede" der „Apostel" beginnt mit der allgemein gehaltenen Anrede „Männer"[46] und der Frage „Was tut ihr da?"[47], die an die Situation anknüpft (V 15 a). Die Frage enthält einen Vorwurf, und dieser wird in V 15 b mit der Aussage begründet, die Redenden – ἡμεῖς schließt vor allem auch den *Wundertäter* Paulus ein – seien bloß Menschen (vgl. 10, 26 b). ὁμοιοπαθής[48] ist hier mit dem Dativ der Person konstruiert und mit ἄνθρωπος verbunden. Diese Konstruktion begegnet auch Jak 5, 17, wo die Wunder des Elija als Gebetserhörungen erklärt und somit letztlich auf Gott zurückgeführt werden. Das Adjektiv bezieht sich seiner Etymologie nach auf die Gleichheit der Empfindungen, Zustände und Erfahrungen[49]. V 15 c spricht dann von der Tätigkeit der Verkündiger. Ihr Wirken – vgl. V 9 λαλεῖν und V 11 ποιεῖν[50] – ist ein εὐαγγελίζεσθαι (vgl. VV 7.15 c) mit dem Ziel, daß sich die Hörer „von diesen nichtigen (Götzen)"[51] „zum lebendigen Gott"[52] bekehren[53]. Mit dem Stichwort vom „lebendigen Gott" der Bibel ist nun das eigentliche Thema der Predigt genannt. *Er* ist das Subjekt aller nun folgenden Sätze. Die erste Aussage über Gott bezeichnet ihn mit einer biblischen Wendung als den Schöpfer des Alls[54]. Dabei werden zuerst die drei „Räume" (Himmel, Erde, Meer) und dann die in ihnen existierenden Wesen erwähnt (vgl. 4, 24; 17, 24 a).

V 16 Ein zweiter ὅς-Satz spricht vom Walten Gottes in der Völkergeschichte. Freilich bestand dieses Walten eigentlich nur darin, daß er die Heiden „ihre eigenen Wege gehen" ließ (εἴασεν[55]). Die *eigenen* Wege der Heiden liefen in andere Richtung als der Weg *Gottes* (den Jesus lehrte, Lk 20, 21; vgl. Apg 13, 10; 16, 17; 18, 25.26). Doch das „Zulassen" von seiten

---

Bezeichnung Apg 14, 14 bezeichnet Barnabas und Paulus wahrscheinlich als bevollmächtigte Boten der Gemeinde von Antiochia (vgl. 13, 2 f.4).

[46] Das einfache ἄνδρες als Anrede auch 7, 26; 19, 25; 25, 24; 27, 10.25, sonst nicht im NT.

[47] Zu der Form der Frage vgl. Lk 16, 2; Blass/Debr § 299, 1.

[48] ὁμοιοπαθής steht im NT sonst nur noch Jak 5, 17; vgl. indessen Weish 7, 3; 4 Makk 12, 13; Philo, De conf. ling. 7.

[49] Siehe BauerWb s. v. ὁμοιοπαθής.

[50] Vgl. 1, 1 ποιεῖν τε καὶ διδάσκειν (von Jesu Wirken).

[51] τὰ μάταια sind nach der griechischen Bibel die „nichtigen (Götzen)", z. B. Jer 2, 5 LXX. Vgl. auch Röm 1, 21–23; O. Bauernfeind, μάταιος, in: ThWNT IV 525–528; C. Bussmann, Themen der paulinischen Missionspredigt auf dem Hintergrund der spätjüdisch-hellenistischen Missionsliteratur (EHS XXIII/3) (Bern/Frankfurt 1971) 143–145.

[52] Vgl. die Spiegelung des Missionskerygmas 1 Thess 1, 9 f: „wie ihr euch bekehrt habt zu Gott, (weg) von den Götzen, um zu dienen dem *lebendigen* und wahren *Gott*" (V 9). Siehe auch Bussmann, a. a. O. 38–45. 145 f; W. Stenger, Die Gottesbezeichnung „lebendiger Gott" im Neuen Testament, in: TrThZ 87 (1978) 61–69.

[53] Zum finalen Gebrauch des Infinitivs (εὐαγγελιζόμενοι ὑμᾶς ἐπιστρέφειν) siehe Blass/Debr § 392.

[54] Siehe etwa Ex 20, 11 LXX. Vgl. auch oben I 357 (zu Apg 4, 24).

[55] ἐάω ist lukanisches Vorzugswort: 9 von 11 Vorkommen im NT. Gott ist nur Apg 14, 16 Subjekt; vgl. indessen auch die negierten Aussagen über Gott (1 Kor 10, 13), den heiligen Geist (Apg 16, 7) und Jesus (Lk 4, 41).

Gottes hat nun ein Ende[56]: Mit der Wendung „in den vergangenen Generationen"[57] ist angedeutet, daß Gott fortan anders handelt. Er läßt die Umkehr von den Götzen zum wahren Gott verkündigen (vgl. 17,30). V 16 hat – wie 17,30 – offenbar den Charakter einer entschuldigenden Erklärung[58]. Die Heiden blieben bislang ohne (Wort-)Offenbarung, und sie gingen deswegen in die Irre. Die folgende mit καίτοι („freilich/und doch"[59]) eingeleitete Aussage schränkt den Gedanken der Offenbarungslosigkeit ein: Gott hat sich dennoch nicht unbezeugt gelassen; er bezeugte sich durch seine „natürlichen" Wohltaten an die Völker (V 17).

V 17 Die Litotes οὐκ ἀμάρτυρον αὐτὸν ἀφῆκεν unterstreicht: Gott hat sich *sehr wohl* auch den Heiden bezeugt[60]. Das Selbstzeugnis erfolgte durch Gottes Wohltaten. Dem Partizip ἀγαθουργῶν[61] sind διδούς und ἐμπιπλῶν untergeordnet; sie explizieren, was mit dem Gutes-Tun gemeint ist. Der wahre Gott bezeugte sich als der Schöpfergott, der die Menschen, seine Geschöpfe, mit Regen[62] und fruchtbringenden Zeiten[63] beschenkte. οὐρανόθεν zeigt durch seine Anfangsstellung an, daß alle folgenden „Gaben" von Gott stammen. Das erste Gaben-Paar ermöglicht ein zweites: Nahrung[64] und Freude des Herzens[65]. Von οὐρανόθεν bis τὰς καρδίας ὑμῶν ergibt sich nicht nur sachlich-logisch eine konsequente Folge, sondern es wird auch eine Linie vom Himmel (= Gott) zum Menschenherzen aufgewiesen[66].

---

[56] Vgl. 17,30: Gott sieht über die „Zeiten der Unwissenheit" hinweg. Es wird kein Vorwurf erhoben wie Röm 1,20 („sie sind unentschuldbar")!

[57] παροίχομαι „vorübergehen/vergehen (von der Zeit)" ist ntl. Hapaxlegomenon. Hier steht das Partizip Perfekt.

[58] Haenchen. – Bauernfeind hingegen: „ihr seid euch selbst überlassen geblieben, durch eigene Schuld".

[59] Zu dieser Partikel siehe Blass/Debr § 450,3. Sie steht im NT nur hier mit Verbum finitum, anders als Hebr 4,3.

[60] ἀμάρτυρος ist ntl. Hapaxlegomenon.

[61] ἀγαθουργέω (bzw. ἀγαθοεργέω, so 1 Tim 6,18) kommt im NT nicht, außerhalb des NT nur selten vor.

[62] ὑετός „Regen". Der Plural steht im NT nur hier; Lukas denkt an jahreszeitliche Regenperioden.

[63] Es ist an die Jahreszeiten des Wachstums und der Ernte gedacht. Die Jahreszeiten sind „ein oft angeführter Beweis für Gottes Weltregierung" (Dibelius, Aufsätze 35, der außerbiblische Belege anführt). Siehe auch zu Apg 17,26.

[64] τροφή begegnet u. a. auch 2,46 (Nahrungsaufnahme „mit Frohlocken und in Lauterkeit des Herzens"). Strenggenommen besagt 14,17, daß Gott *die Herzen* mit Nahrung erfüllte; doch ist dies ungenaue Formulierung des Gedankens: Gott gibt Nahrung und damit auch die Freude des Herzens; vgl. 2,46.

[65] εὐφροσύνη kommt im NT nur noch Apg 2,28 vor (Zitat Ps 15,11 LXX). Siehe indessen zur Gedankenfolge: essen – sich freuen (εὐφραίνω): Lk 12,19; 15,23.29; vgl. Xenophon, Mem. IV 3,5 f, zitiert bei Conzelmann.

[66] Dem Motiv, das Gott als den für seine Geschöpfe sorgenden Geber darstellt, entspricht in der Areopagrede vor allem 17,25 b (vgl. auch Ps 144,15 f; 146,8 f LXX). Dort wird auch deutlich, inwiefern das Motiv dem heidnischen Opferkult widerspricht: Der

V 18 Die Wirkung der Rede besteht darin, daß die ὄχλοι von ihrem Vorhaben Abstand nehmen, zu Ehren von Paulus und Barnabas ein Opfer darzubringen[67]. Daß die Rede diesen Umschwung nur mit Mühe[68] erreichte, zeigt an, wie groß die Wirkung des Wunders auf die Heiden in Lystra war. Mit der Funktion der Rede im Rahmen des Wunderheilungs-Berichts hängt es wohl zusammen, daß von einem Jesus-Kerygma hier keine Rede ist. Daß es an sich zur Heiden-Missionspredigt gehörte, deutet die Areopagrede wenigstens an (17,31). Die Lystra-Episode berichtet auch nicht von einem Bekehrungserfolg unter den Stadtbewohnern[69]. Teilweise erklärt sich dies wohl mit der Angabe von V 19. Dennoch lassen 14,20.21–23 erkennen, daß auch in Lystra „Jünger“ gewonnen wurden und eine Gemeinde von Christen entstand (vgl. auch 16,1 f).

V 19 Von Antiochia und Ikonium, Städten also, die Paulus und Barnabas kürzlich besucht hatten, kamen „Juden“ herbei[70] nach Lystra. Schon in diesen Städten hatten jüdische Einwohner gegen die Glaubensboten agitiert (13,50; 14,2.4f). Nun kommen solche Juden nach Lystra – wo offenbar keine Judenschaft lebt[71] – und überreden die Menge (der Heiden); gemeint ist: sie nehmen sie gegen die „Apostel“ ein. Den Paulus steinigen sie[72], d. h. sie werfen mit Steinen nach ihm, um ihn zu töten. Als sie ihn zu Tode getroffen glauben, schleppen sie[73] ihn aus dem Stadtbereich.

V 20 Dort umringen ihn „die Jünger“, also Christen der neuen Ortsgemeinde. Wahrscheinlich ist gemeint: Sie stellten sich schützend um den Getroffenen. Doch wie ein Wunder steht dieser auf und geht – wider Erwarten, mutig – in die Stadt hinein. Er verläßt sie mit Barnabas erst am folgenden Tag[74], um nach Derbe[75] weiterzuziehen.

Schöpfer bedarf keiner menschlichen Gaben (17,25 a). – Zur Konstruktion der in V 17 vorliegenden „Kette“ siehe LAGERCRANTZ, Act. 14,17 (1932); BLASS/DEBR § 442 Anm. 28 f; HAENCHEN.

[67] Zu θύειν αὐτοῖς siehe oben A. 35.

[68] μόλις ist Vorzugswort der Apg: 14,18; 27,7.8.16; sonst im NT nur noch Röm 5,7; 1 Petr 4,18.

[69] Vgl. hingegen die Erfolgsnotizen in Ikonium (V 1 b) und Derbe (V 21).

[70] ἐπῆλθαν ist Aorist 2 des lukanischen Vorzugsworts ἐπέρχομαι. Die Ankunft der auswärtigen Juden erfolgte zu einem nicht näher bezeichneten späteren Zeitpunkt, was die LA von C D (oben A. l) richtig verdeutlicht.

[71] Siehe oben A. 12.

[72] Zur Terminologie (hier: λιθάζω) siehe oben Nr. 32 A. 34. HAENCHEN vermutet, daß sich 2 Kor 11,25 auf das gleiche Ereignis bezieht.

[73] σύρω steht im NT außer Apg 8,3; 14,19; 17,6 nur noch Joh 21,8; Apk 12,4. Nur in der Apg sind *Menschen* das Objekt des Fortschleppens.

[74] Zu τῇ ἐπαύριον (ἡμέρᾳ) siehe oben Nr. 24 A. 68. Nur 14,20; 20,7; 25,6 wird hinter dem Artikel kein δέ (oder, wie 25,23: οὖν) eingefügt.

[75] Zu Derbe siehe oben Nr. 32 A. 39 (zu 14,7) und unten zu 14,21 (Nr. 34).

34. RÜCKKEHR DES PAULUS UND BARNABAS NACH ANTIOCHIA: 14,21–28

LITERATUR: LOHSE, Die Ordination (1951; s.o. Nr. 15 B) 87–89 [zu 14,23]. – J. M. ROSS, The Appointment of Presbyters in Acts XIV. 23, in: ET 63(1951/52)288 f. – BROWN, Apostasy (1969) 114–123 [zu 14,22]. – A. MATUTE, La puerta de la fe (Act 14,21–28), in: Helmantica 21(1970)421–439. – K. LÖNING in: EpEv C (1971) 268–271. – DUPONT, Béatitudes III (1973) 124–126 [zu 14,22]. – J. DUPONT, La première organisation des Églises. Ac 14,21–27, in: AssSeign 26(1973)60–66. – E. NELLESSEN, Die Presbyter der Gemeinden in Lykaonien und Pisidien (Apg 14,23), in: Kremer (Hrsg.), Les Actes (1979) 493–498. – PRAST, Presbyter und Evangelium (1979) 212–222 [zu 14,21–23]. – E. NELLESSEN, Die Einsetzung von Presbytern durch Barnabas und Paulus (Apg 14,23), in: Begegnung mit dem Wort (Festschr. für H. Zimmermann) (Bonn 1980) 175–193.

21 Und als sie[a] dieser Stadt[a] das Evangelium gepredigt und viele[b] zu Jüngern gemacht hatten, kehrten sie nach Lystra, nach Ikonium und nach Antiochia zurück 22 und stärkten die Seelen der Jünger, ermahnten sie, im Glauben zu verharren, und (sagten): Durch viele Drangsale müssen wir in das Reich Gottes gelangen. 23 Nachdem sie aber in jeder Gemeinde für sie Älteste bestellt hatten, empfahlen sie sie unter Gebet und Fasten dem Herrn, an den sie nun glaubten. 24 Und sie durchzogen Pisidien und kamen nach Pamphylien. 25 Nachdem sie in Perge das Wort[c] verkündigt hatten, zogen sie nach Attalia hinab[d]. 26 Von dort fuhren sie zu Schiff nach Antiochia, von wo man sie der Gnade Gottes empfohlen hatte für das Werk, das sie (nun) vollbracht hatten. 27 Als sie aber angekommen waren und die Gemeinde versammelt hatten, berichteten sie, was Gott an ihnen[e] getan, und daß er den Heiden die Tür zum Glauben aufgetan hatte. 28 Sie hielten sich noch geraume Zeit bei den Jüngern auf.

In dem Reisebericht 14,21–26 bilden die beiden VV 22 f insofern ein Ritardando, als sie – nach Art eines Summariums – angeben, was Paulus und Barnabas bei der Rückreise von Derbe nach dem syrischen Antiochia in den Christengemeinden von Lystra, Ikonium und Antiochia Pisidiae taten: Sie bestärkten die Gemeinden im Glauben (V 22) und bestellten „Älteste“ (V 23). Die abschließenden VV 27 f gehören sachlich zum Reisebe-

[a] Statt τὴν πόλιν ἐκείνην lesen D (gig) h (sy^p): τοὺς ἐν τῇ πόλει, bezogen auf die *Bewohner* der Stadt.
[b] Statt ἱκανούς liest D πολλούς.
[c] Hinter τὸν λόγον (B D Koine) fügen ℵ A C al τοῦ κυρίου, P⁷⁴ E gig τοῦ θεοῦ an. Vgl. METZGER TC 425.
[d] Der „westliche“ Text erweitert: εὐαγγελιζόμενοι αὐτούς (vgl. V 21 über die Verkündigung in Derbe).
[e] Statt μετ᾽ αὐτῶν lesen D(*) gig: μετὰ τῶν ψυχῶν αὐτῶν. ROPES, The Text of Acts 138, denkt an semitischen Einfluß („Nachahmung“ des Aramäischen!); siehe auch METZGER TC 426.

richt, weil sie von der Berichterstattung der Abgesandten vor der aussendenden Gemeinde (vgl. 13,2–4) erzählen. Erst mit dieser Vollzugsmeldung ist der Auftrag der „Apostel" beendet.

M. Dibelius hielt 14,22f für eine Einfügung des Lukas in das (von ihm postulierte) Itinerar[1]. A. Lemaire vertritt die Auffassung, daß die Nachricht über die Einsetzung der Presbyter zwar traditionell, aber ursprünglich mit der Mission des Judas und Silas verknüpft gewesen sei. Die Nachricht gehöre also hinter Apg 15,32[2]. E. Nellessen möchte – nach Abzug lukanisch-redaktioneller Bestandteile – in den VV 22f „folgende Elemente einer möglichen Tradition" erkennen: „Sie stärkten die Seelen der Jünger – durch Trübsale einzugehen in die Königsherrschaft Gottes – sie erwählten Presbyter für die Gemeinden – die den Glauben an den Herrn angenommen hatten."[3] Doch zeigt Nellessen selbst, daß diese Traditionselemente teilweise (besonders in V 22) der paränetischen Sprache des Urchristentums entstammen[4]. Sie können somit von Lukas direkt übernommen sein und müssen nicht einem geschlossenen Traditionsstück angehören. Die VV 26–28 sind im wesentlichen redaktionell-lukanisch; sie knüpfen an 13,1–3 an[5].

Wie immer man den historischen Wert der Angabe über die Presbyter-Einsetzung beurteilt – die Absicht des Acta-Verfassers ist es zu zeigen, daß die in der Kirche seiner Zeit bekannte Presbyter-Verfassung christlicher Ortsgemeinden auf Paulus zurückgehe[6]. Dabei mag er, weil schon 11,30 von Jerusalemer „Ältesten" berichtet, durchaus den Gedanken verfolgen, die Presbyterial-Verfassung habe in der Jerusalemer Urgemeinde ihr Vorbild[7]. Der „lukanische" Paulus konnte sie von dort kennen. Die entscheidende theologische Aussage des Gesamtabschnitts macht V 27. Die Missionsreise hat gezeigt, daß Gott selbst die Heiden zum christlichen Glauben führen will; er hat ihnen den Zugang zum Glauben eröffnet. Die Missionare haben, wie es 13,2 andeutete, im Laufe ihrer Reise erst eigent-

---

[1] Dibelius, Stilkritisches 13.

[2] Lemaire, Les ministères (1971; s.o. Nr. 28) 67f. In der Christengemeinde von Jerusalem gab es ein „Vorbild" für diese Presbyter (Apg 11,30; 15,2.4.6.22.23; 16,4; 21,18). Jedoch besagt 15,32f nicht, daß Judas und Silas nach Pisidien und Lykaonien gereist seien; siehe Nellessen, Die Einsetzung von Presbytern 180. Christliche πρεσβύτεροι außerhalb Jerusalems kennt außer Apg 14,23 nur noch 20,17 (in Ephesus). Vgl. oben Nr. 26 A. 34. Siehe ferner G. Bornkamm, πρέσβυς κτλ., in: ThWNT VI (1959) 651–683, bes. 664: „Die ältesten Stellen, die von Presbytern als Leitern *heidenchristlicher Gemeinden* sprechen, enthält die *Apostelgeschichte* (14,23; 20,17–38)." Vgl. J. Rohde, Urchristliche und frühchristliche Ämter (Berlin 1976) 69–72.

[3] Nellessen, a.a.O. 182.

[4] Nellessen, a.a.O. 182. Zu V 22b siehe auch Dupont, Béatitudes III 125f: Lukas verwendet traditionelle Wendungen (z.B. „eintreten in das Reich Gottes") mit durchaus eigenständiger Sinngebung. Conzelmann hält V 22 für „sicher redaktionell".

[5] Vgl. Conzelmann zu VV 26f.

[6] Die echten Paulus-Briefe freilich kennen nicht einmal den Begriff des christlichen πρεσβύτερος. Im Corpus Paulinum bezeugen ihn erst die Pastoralbriefe.

[7] Siehe dazu auch oben Nr. 26 A. 34.

lich erfahren, worin das „Werk“ bestand, zu dem sie Gott berief (vgl. auch 13,46). Dieser geschichtstheologische Skopus des Reiseberichts leitet zum anschließenden „Apostelkonzil“ über[8].

VV 21–22 Mit εὐαγγελισάμενοι nimmt der Bericht die Notiz von V 7 auf: Die „Apostel“ verkündigten ihre Botschaft auch in Derbe, dem äußersten Punkt ihrer Reise. Die verkürzende Formulierung, die die Stadt selbst als Adressat der Botschaft nennt[9], deutet zugleich auf den öffentlichen Charakter der Verkündigung hin. Viele „Jünger“ werden gewonnen[10]. Dann kehren Paulus und Barnabas wieder zurück, auf dem gleichen Weg, den sie gekommen waren, „nach Lystra und Ikonium und Antiochia“. Es handelt sich um die gleiche Trias von Städten, die auch 2 Tim 3,11 nennt. Daß Lukas mit dieser Trias einer vorgegebenen Tradition folgt, wird auch dadurch ersichtlich, daß er nur von diesen drei Städten berichtet, hier seien die beiden Apostel verfolgt worden (vgl. 2 Tim 3,11). Mit dieser Tradition über Verfolgungen hängt wohl auch zusammen, daß gerade von diesen drei Städten gesagt wird, die dortigen Christen seien im Glauben gestärkt worden (V 22). Auch die Einsetzung der Presbyter (V 23) wird, da sie sich zunächst nur auf die genannten Städte bezieht, als Maßnahme der Gemeinde-Konsolidierung angesichts eines angefochtenen Glaubens verstanden sein. Die „Apostel“ stärken[11] „die Seelen der Jünger“[12]. Sie ermahnen sie, „beim Glauben zu bleiben“[13]. Dabei wird in direkter Rede[14] ein Satz christlicher Paraklese zitiert: Es entspricht heilsgeschichtlicher Notwendigkeit (δεῖ) bzw. einer gottverfügten Gesetzmäßigkeit, daß „viele Drangsale“[15] auf dem Weg zum „Reich Gottes“ begegnen[16]. Die ϑλίψεις sind notwendigerweise Durchgang zur himmlischen

---

[8] Vgl. Haenchen, Apg 421: „Die 1. Missionsreise ist – unter kompositionellem Gesichtspunkt – die nötige Vorbereitung für die Rechtfertigung und offizielle Anerkennung der Heidenmission in Kap. 15.“

[9] πόλις steht für die Stadt*bewohner* auch Lk 4,43; Apg 13,44; 16,20; 21,30.

[10] μαϑητεύω mit folgendem Akkusativ der Person wie Mt 28,19. Zur Bezeichnung der Christen als μαϑηταί (so u.a. Apg 13,52; 14,20.22.28) siehe oben Nr. 21 A. 26; I 422 A. 14.

[11] ἐπιστηρίζω steht im gleichen Zusammenhang auch 15,32.41; 18,23. Da 15,32 ἀδελφούς zu ergänzen ist, liegt nach Lukas eine Verbindung zu Lk 22,32 vor. στηρίζω begegnet Lk 22,32 im übertragenen Sinn. Siehe dazu G. Schneider, „Stärke deine Brüder!“ (Lk 22,32), in: Catholica 30 (1976) 200–206.

[12] Zu ψυχαὶ τῶν μαϑητῶν vgl. V 2 (τῶν ἐϑνῶν); 15, 24 (ὑμῶν).

[13] ἐμμένω mit Dativ wie Gal 3,10, mit folgendem ἐν Apg 28,30; Hebr 8,9. Mit dem Dativ τῇ πίστει meint Lukas das Christsein, den wahren „Glauben“; vgl. Lk 18,8; 22,32; Apg 6,5.7; 13,8; 15,9; 16,5.

[14] ὅτι ist von παρακαλοῦντες abhängig. Der Übergang in die direkte Rede erfolgt ähnlich wie 1,4 f. Vgl. Blass/Debr § 397,3 mit Anm. 7.

[15] ϑλῖψις ist die durch äußere Verhältnisse herbeigeführte Drangsal auch 7,10.11; 11,19 (Verfolgung!); 20,23.

[16] Die Wendung „eintreten/hineingelangen in das Reich Gottes“ ist traditionell (Mt 5,20; 7,21; 18,3; 19,23; Mk 9,47; 10,23.24.25; Lk 18,24.25). Zum lukanischen Verständnis vgl. Lk 6,20; 18,24 f. Dupont, Béatitudes III 125 f, zeigt, daß Lukas die Wendung in der Perspektive der individuellen Eschatologie versteht; vgl. Conzelmann.

Herrlichkeit[17]. Lukas liest dieses „Gesetz“ u.a. am Weg Jesu ab: Er führte durch Leiden zur Herrlichkeit (Lk 24,26). Deswegen dürfen noch so viele Drangsale die Christen nicht vom Glauben abbringen. Der Satz besagt: „die Leiden, bei denen an Verfolgungen zu denken ist, gehören nicht bloß zur apostolischen, sondern überhaupt zur christlichen Existenz“[18].

V 23 Die Konstruktion entspricht der von V 21: zwei Partizipien des Aorist mit folgendem Verbum finitum im Aorist (παρέθεντο). Dies kann möglicherweise als Indiz für eine ursprüngliche Zusammengehörigkeit der Verse 21 und 23 gewertet werden. In diesem Fall wäre V 22 lukanische Einschaltung in einen vorgegebenen Zusammenhang. αὐτοῖς (V 23) bezieht sich in jedem Fall auf die Christen der in V 21 genannten Städte. In jeder Gemeinde[19] dieser Städte bestellten Paulus und Barnabas „Älteste“. χειροτονήσαντες bedeutet als Handlung der beiden „Apostel“: „sie wählten aus (und bestellten)“. Es ist also nicht an Wahl durch die Gemeinden selbst[20] gedacht. Der Zusammenhang, daß die πρεσβύτεροι von „Aposteln“ (14,4.14) eingesetzt sind[21], ist dem Erzähler möglicherweise wichtig. Er will damit aber wohl nicht sagen, daß Paulus in den von ihm gegründeten Gemeinden regelmäßig ein Presbyterium installierte. In unserem Zusammenhang dient die Maßnahme der Konsolidierung der gefährdeten Gemeinden (vgl. αὐτοῖς[22]). Die Einsetzung der Presbyter erfolgt unter Gebet und Fasten[23]. Danach „übergeben“[24] die „Apostel“ die Gemeinden[25]

---

[17] Vgl. Lk 24,26: „Mußte nicht der Christus dies erleiden (ἔδει παθεῖν) und (so) in seine Herrlichkeit gelangen (εἰσελθεῖν)?“ Siehe dazu Schneider, Verleugnung 177. 180f.

[18] Haenchen. Vgl. Conzelmann: „eine allgemeine Lebensregel“.

[19] κατ' ἐκκλησίαν „in jeder einzelnen Gemeinde“; so auch OGIS 480,9. Apg 20,17 spricht von den „Ältesten der (betreffenden) Gemeinde“. Vgl. auch Tit 1,5 (κατὰ πόλιν).

[20] χειροτονέω bedeutet ursprünglich: „durch Aufheben der Hand (für bestimmte Aufgaben) *wählen*“. Nach 2 Kor 8,19 wählten die Gemeinden einen Vertreter, der Paulus begleitete. IgnPhld 10,1; IgnSm 11,2; IgnPol 7,2 bezeichnet das Verbum ebenfalls die Wahl von seiten der Gemeinde. Vgl. Did 15,1 von der Wahl der Bischöfe und Diakone durch die Gemeinden. – Im Sinne von Apg 14,23 wird das Verbum auch bei Philo und Fl. Josephus verwendet: Auswahl und Einsetzung durch einen Übergeordneten; siehe BauerWb s.v., der dazu auch auf Tit 1,9 v.l. und 2 Tim subscriptio verweist.

[21] Vgl. die Angaben über Jerusalem 15,2.4.6.22.23; 16,4, wo jeweils „die Apostel und (die) Ältesten“ genannt werden. Die historische Frage nach dem Ursprung einer Ältestenverfassung christlicher Gemeinden ist wohl so zu beantworten, daß nach dem Weggang des Petrus aus Jerusalem, wahrscheinlich unter Jakobus (vgl. Apg 21,17–26), die „Ältesten“ in der Jerusalemer Gemeinde eine Rolle spielten. Die echten Paulusbriefe kennen noch keinen Presbyter. Aufkommen und Ausbildung einer presbyterialen Gemeindeverfassung (nach dem Muster der Diaspora-Synagoge) bekunden mit Sicherheit erst Jak 5,14, Apg, 1 Petr und die Pastoralbriefe. Vgl. dazu Bornkamm, a.A.2 a.O. 662–668.

[22] Der Dativ αὐτοῖς deutet an: Die Presbyter, denen die Gemeindeleitung anvertraut ist (vgl. 1 Tim 5,17), sind zugunsten der Gemeinden bestellt.

[23] Vgl. die „Beauftragung“ von Barnabas und Paulus 13,3; ferner 6,6. Siehe oben Nr. 28 zu 13,3.

[24] Das Medium von παρατίθημι wird auch in der Abschiedssituation 20,32 verwendet (dort: „Gott und dem Wort seiner Gnade“; vgl. die LA von B al: „dem Herrn ...“); dazu BauerWb s.v. 2 b β.

dem Herrn[26]. Sie empfehlen die Ortsgemeinden dem Schutz des Herrn Jesus, dem sie sich im Glauben angeschlossen hatten[27].

VV 24–25 Die beiden „Apostel“ zogen durch Pisidien und gelangten nach Pamphylien[28] (V 24). Bei dem früheren Besuch von Perge[29] (13,13f) hatte Lukas von keiner Missionstätigkeit berichtet; dies wird nun gewissermaßen „nachgeholt“: Ehe Paulus und Barnabas den Perge zugeordneten Hafen Attalia[30] zur Abfahrt aufsuchen, verkündigen sie in Perge ihre Botschaft[31] (V 25).

V 26 Von Attalia segeln[32] Paulus und Barnabas direkt nach Antiochia in Syrien[33], „von wo man sie der Gnade Gottes empfohlen hatte“[34] (vgl. 13,2f). Das „Werk“, zu dem sie entsandt wurden (vgl. 13,2 τὸ ἔργον), die Mission bei den Heiden, ist nun vollbracht[35].

VV 27–28 In Antiochia angekommen[36], versammeln[37] die beiden Glaubensboten die dortige Gemeinde und erstatten, wie es jüdischem Botenrecht entspricht, ihren Bericht. Dabei macht die Formulierung deutlich, daß auf ihrer Reise *Gott* der eigentlich Handelnde war. Er hat an ihnen[38]

---

25 αὐτούς bezieht sich nach dem Kontext auf die Gemeindemitglieder insgesamt, nicht (nur) auf die Presbyter.

26 τῷ κυρίῳ bezieht sich 20,32 v.l. wohl auf *Gott;* vgl. 14,26; 15,40. Siehe SCHNEIDER, Gott und Christus als ΚΥΡΙΟΣ 170: Der Zusatz „an den sie nun glaubten“ sichert 14,23 die Deutung auf *Jesus Christus* (vgl. 10,43; 19,4).

27 Zu πιστεύω εἰς vgl. 10,43; 18,8 D; 19,4; Röm 10,14a; Gal 2,16; Phil 1,29; 1 Petr 1,8; 1 Joh 5,10a.

28 Zu Pisidien siehe oben Nr. 30 A. 4; zu Pamphylien siehe Nr. 30 A. 2.

29 Zu Perge siehe oben Nr. 30 A. 1.

30 Ἀττάλεια/Attalia, die pamphylische Hafenstadt, wird sonst im NT nicht erwähnt. Jedoch setzt Apg 13,13 voraus, daß die Seereise von Zypern nach Pamphylien in Attalia endete. Der Name der Stadt ist vom Personennamen Attalos abgeleitet (Gründung durch Attalos II. Philadelphos von Pergamon um 150 v. Chr.); siehe H. TREIDLER, Attaleia 1, in: KlPauly I 716; H. VOLKMANN, Attalos 5, in: KlPauly I 718f.

31 λαλέω τὸν λόγον wie 11,19; 16,6; vgl. 4,29.31; 8,25; 13,46; 16,32. Siehe auch oben I 359 A. 49; Nr. 25 A. 17.

32 ἀποπλέω (so auch 13,4; 20,15; 27,1) ist ein technischer Terminus der Schiffersprache.

33 Daß der Hafen sich in Seleukia befindet (13,4), braucht hier nicht gesagt zu werden.

34 Vgl. die Sachparallele 15,40.

35 Das ἔργον ist nicht die Heidenmission als solche, die ja noch nicht vollendet ist, sondern, wie V 27 verdeutlicht: der Durchbruch zur Heidenmission.

36 Partizipien von παραγίνομαι „ankommen“ stehen bei Lukas häufig absolut: Lk 14,21; Apg 5,21.22.25; 9,39; 10,33; 11,23; 17,10; 18,27; 23,16; 24,24; 25,7; 28,21.

37 συνάγω mit folgendem personalen Akkusativ („zusammenbringen, versammeln“) steht auch 15,30 (ebenfalls Partizip des Aorist 2).

38 μετ' αὐτῶν (so auch 15,4) ist im Sinne des Dativs (Gott wirkte *an ihnen*) zu verstehen (mit HAENCHEN, CONZELMANN; siehe BLASS/DEBR § 227,3: „hebraisierend“). Es bezeichnet nicht den göttlichen Beistand wie 7,9; 10,38; 11,21. Siehe indessen auch BAUERWb s.v. μετά A II 1 c γ.

gewirkt. An dem Missionserfolg in den heidnischen Städten konnten sie ersehen, daß Gott den Heiden insgesamt und prinzipiell einen Zugang zum Glauben eröffnete. Das Bild von der Tür wird auch von Paulus verwendet[39]. θύρα πίστεως wird hier als Tür zum Christenglauben verstanden[40]. Die grundsätzliche Bedeutung der einzelnen Heidenbekehrungen wird wie 10,45 (11,1) vorausgesetzt. Paulus und Barnabas halten sich geraume Zeit[41] in Antiochia auf, sie verweilen[42] bei den dortigen „Jüngern" (V 28). Mit dieser Schlußnotiz erhält die Erzählung eine Fermate. Von Antiochia aus werden später (15,2) Paulus und Barnabas zum „Apostelkonzil" entsandt. Die Nachricht von der antiochenischen Heidenmission im Süden Kleinasiens ist nach der Darstellung der Acta nicht sogleich nach Jerusalem gelangt.

6) Der Apostelkonvent in Jerusalem (15,1–35)

Der Bericht vom Apostelkonvent in Jerusalem 15,1–35 bildet den *Abschluß* eines größeren Teils der Apostelgeschichte, der über die Anfänge der Heidenmission berichtet (9,1 – 15,35). An seinem Anfang stand die Berufung des Saulus (9,1–31). Es schlossen sich Erzählungen an, die Petrus als Missionar außerhalb Jerusalems vorstellten (9,32 – 11,18). Die Bekehrung und Taufe des Heiden Kornelius (siehe besonders 11,17) wird auch auf dem „Apostelkonzil" erwähnt – zum Beweis dafür, daß Gott selbst für die Heidenmission eintritt (15,7–9). Auch die Missionsreise, die Barnabas und Paulus als Boten der antiochenischen Christengemeinde nach Zypern und in den Süden Kleinasiens unternahmen (13,1 – 14,28), wird als Eingreifen Gottes zugunsten der Heidenmission interpretiert (14,27) und kommt als Argument bei der Jerusalemer Zusammenkunft zur Sprache (15,4). Den Rahmen, in den die Jerusalemer Begebenheiten 15,1–35 gestellt sind, bildet die antiochenische Gemeinde. Aus ihrer Perspektive wird vom „Apostelkonzil" erzählt (15,1f.30–35). Damit wird an die Antiochia-Berichte 11,19–30 und 13,1–3 angeknüpft (vgl. auch 14,27f).

15,1–35 stellt indessen auch einen *Wendepunkt* dar, insofern die gesetzesfreie Heidenmission sich durchsetzt und durch die Apostel in Jerusalem ihre „Legitimation" erhält (15,28f). Damit beginnt – nunmehr ohne

[39] Siehe 1 Kor 16,9; 2 Kor 2,12; vgl. Kol 4,3. Dazu R. Kratz, θύρα, in: EWNT II 397–399, näherhin 398f.
[40] Vgl. BauerWb s.v. πίστις 2 d α : „Gott hat den Heiden eine Glaubenstür aufgetan" bedeute Apg 14,27: „ihnen die Möglichkeit eröffnet, sich im Christentum die echte Religion anzueignen".
[41] Die Litotes χρόνος οὐκ ὀλίγος „lange Zeit" begegnet auch JosBell II 62. Singularisches οὐκ ὀλίγος ist aber auch sonst in der Apg bezeugt: 12,18; 15,2; 19,23.24; 27,20.
[42] Zu διατρίβω siehe oben Nr. 32 A. 17.

Beauftragung durch Antiochia (15,36-41) - die Mission des eigentlichen Heidenmissionars Paulus (15,36 - 21,14), der das Christuszeugnis - wenn auch als Gefangener - bis nach Rom bringt (21,15 - 28,31). Von den „Aposteln" ist 16,4 zum letzten Mal die Rede. In Jerusalem treten an ihre Stelle Jakobus und die Ältesten (vgl. 21,18).

(Zu Komposition und Tradition von 15,1-35 siehe unten Nr. 35, zu historischen Fragen hinsichtlich des „Apostelkonzils" und des „Aposteldekrets" siehe Exkurs 12.)

35. VERHANDLUNGEN UND BESCHLUSS ÜBER DIE VERPFLICHTUNG DER HEIDENCHRISTEN: 15,1-35

LITERATUR: *A. Zu 15,1-35:* A. STEINMANN, Das Verhältnis von Gal. 2,1-10 zu Act. 15,1-29 (Münster 1906). - V. WEBER, Die Frage der Identität von Gal 2,1-10 und Apg 15, in: BZ 10(1912)155-167. - L. BRUN, Apostelkoncil und Aposteldekret, in: L. Brun/ A. Fridrichsen, Paulus und die Urgemeinde (Gießen 1921) 1-52. - MEYER, Ursprung III (1923) 169-173.178-196. - A. M. POPE, Paul's Address before the Council at Jerusalem, in: Exp [ser. 8] 25(1923)426-446. - V. WEBER, Galater 2 und Apostelgeschichte 15 in neuer Beleuchtung (Würzburg 1923). - ROPES, The Text of Acts (1926) 269f [zu 15,34]. - J. M. VOSTÉ, Concilium Hierosolymitanum, in: Collectanea Theologica 12(1930) 153-189. - K. LAKE, The Apostolic Council of Jerusalem, in: Beginnings V(1933)195-212. - BORNHÄUSER, Studien (1934) 109-135. - H. SAHLIN, Der Messias und das Gottesvolk (Uppsala 1945) 347-351. - L. CERFAUX, Le chapitre XVe du Livre des Actes à la lumière de la littérature ancienne, in: Miscellanea G. Mercati (Studi e Testi 121) (Rom 1946) 107-126.

M. DIBELIUS, Das Apostelkonzil (erstm. 1947), in: Dibelius, Aufsätze 84-90. - DERS., Die Bekehrung (1947; s.o. Nr. 24) 101-103. - KNOX, The Acts of the Apostles (1948) 40-53. - DUPONT, Les problèmes (1950) 56-75. - B. REICKE, Der geschichtliche Hintergrund des Apostelkonzils und der Antiochia-Episode (Gal. 2,1-14), in: Studia Paulina in honorem J. de Zwaan (Haarlem 1953) 172-187. - MUNCK, Judenchristentum (1954) 226-232. - REICKE, Verfassung der Urgemeinde (1954) 99f. - H.-M. FÉRET, Pierre et Paul à Antioche et à Jérusalem. Le „conflit" des deux Apôtres (Paris 1955). - G. STROTHOTTE, Das Apostelkonzil im Lichte der jüdischen Rechtsgeschichte. Diss. Erlangen (1955). - J. DUPONT, ΛΑΟΣ ἘΞ ἘΘΝΩΝ (Ac 15,14) (erstm. 1956), in: ders., Études 361-365. - P. WINTER, Acta 15,14 und die lukanische Kompositionstechnik, in: EvTh 17(1957)399-406. - N. A. DAHL, „A People for His Name" (Acts XV.14), in: NTS 4(1957/58)319-327. - BENOIT, La deuxième visite (1959; s.o. Nr. 26). - E. HAENCHEN, Quellenanalyse und Kompositionsanalyse in Act 15, in: Judentum, Urchristentum, Kirche (Festschr. für J. Jeremias) (Berlin [1960] ²1964) 153-164. - G. KLEIN, Galater 2,6-9 und die Geschichte der Jerusalemer Urgemeinde, in: ZThK 57(1960)275-295. - F. MUSSNER, Die Bedeutung des Apostelkonzils für die Kirche, in: Ekklesia (Festschr. für M. Wehr) (Trier 1962) 35-46. - E. RAVAROTTO, De Hierosolymitano concilio (Act 15), in: Antonianum 37(1962)185-218. - TH. FAHY, The Council of Jerusalem, in: Irish Theol. Quarterly 30(1963)232-261. - P. GAECHTER, Geschichtliches zum Apostelkonzil, in: ZKTh 85(1963)339-354. - V. MANCEBO, Gál. 2,1-10 y Act. 15. Estado actual de la questión, in: EstBibl. 22(1963)315-350. - W. SCHMITHALS, Paulus und Jakobus (FRLANT 85) (Göttingen 1963) 29-51. - GEORGI, Geschichte der Kollekte (1965) 13-30. - SCHLIER, Galater (⁴1965) 64-81.105-117. - G. TOSSATO, Problemi critici e aspetti storico-dottrinali di Atti 15,1-25. Diss. Pont. Univ. Lateran. (Rom 1965/66). - HAENCHEN, Apostelgeschichte als Quelle (1966) 327f. - P. PARKER, Once more, Acts and Galatians, in: JBL 86(1967)175-182. - CH. H. TALBERT, Again: Paul's Visits to Jerusalem, in: NT

9(1967)26–40. – Holtz, Untersuchungen (1968) 21–27 [zu 15,16f]. – Ogg, Chronology (1968) 72–88. – G. Schneider, Apostelkonzil, in: BL (1968) 91f. – Conzelmann, Geschichte des Urchristentums (1969) 66–74. – Dauvillier, Les temps apostoliques (1970) 245–252. – O'Neill, Theology of Acts ([2]1970) 66–68.125–131.

J. Eckert, Die urchristliche Verkündigung im Streit zwischen Paulus und seinen Gegnern nach dem Galaterbrief (BU 6) (Regensburg 1971) 219–224. – Kuss, Paulus (1971) 53–59. – K. Löning in: EpEv C (1971) 282–286. – B. Prete, Valore dell' espressione ἀφ' ἡμερῶν ἀρχαίων in Atti 15,7, in: Bibbia e Oriente 13(1971)119–133. – Dietrich, Petrusbild (1972) 306–321 [zu 15,7–11]. – J. Eckert, Paulus und die Jerusalemer Autoritäten nach dem Galaterbrief und der Apostelgeschichte, in: J. Ernst (Hrsg.), Schriftauslegung (Paderborn 1972) 281–311. – Jervell, Luke (1972) 185–207 [zu 15,13–21]. – G. Zuntz, An Analysis of the Report about the „Apostolic Council“, in: ders., Opuscula selecta (Manchester 1972) 216–251. – S. H. Beck, The Role of the Jerusalem Conference in the Acts of the Apostles. Diss. Southern Baptist Theol. Seminary (1973). – Schmid, Einleitung (1973) 364–366. – Stolle, Zeuge (1973) 255–257. – Wilson, Gentiles (1973) 178–195. – T. Holtz, Die Bedeutung des Apostelkonzils für Paulus, in: NT 16(1974)110–148. – Mussner, Galaterbrief (1974) 127–132. – R. H. Stein, The Relationship of Galatians 2,1–10 and Acts 15,1–35. Two Neglected Arguments, in: Journal of the Ev. Theol. Soc. 17(1974)239–242. – Wiater, Wege zur Apostelgeschichte (1974) 104–112. – J. A. Fischer, Das sogenannte Apostelkonzil, in: G. Schwaiger (Hrsg.), Konzil und Papst (Festschr. für H. Tüchle) (Paderborn 1975) 1–17. – Lohfink, Sammlung Israels (1975) 58–60.88f. – Obermeier, Gestalt des Paulus (1975) 131–137. – S. Panimolle, L'intervento di Pietro all' assemblea apostolica (Atti 15,7–11). Diss. Bibelinstitut (Rom 1975). – H. J. Sieben, Zur Entwicklung der Konzilsidee X. Die Konzilsidee des Lukas, in: ThPh 50(1975)481–503. – Mussner, Petrus und Paulus (1976) 36–39.107f. – Nellessen, Zeugnis für Jesus und das Wort (1976) 274–276 [zu 15,8]. – S. A. Panimolle, Il discorso di Pietro all' assemblea apostolica, 2 Bde. (Bologna 1976.1977). – G. Stemberger, Stammt das synodale Element der Kirche aus der Synagoge?, in: Annuarium Hist. Conc. 8(1976)1–14. – M. A. Braun, James' Use of Amos at the Jerusalem Council, in: Journal of the Ev.Theol.Soc. 20(1977)113–121. – W. C. Kaiser, Jr., The Davidic Promise and the Inclusion of the Gentiles (Amos 9,9–15 and Act 15,13–18), in: Journal of the Ev.Theol.Soc. 20(1977)97–111. – Dömer, Heil Gottes (1978) 174–187. – Vallauri, La filiazione davidica (1978) 76–82 [zu 15,14–18]. – Bammel, Text von Apostelgeschichte 15 (1979). – Betz, Galatians (1979) 81–83. – G. Ferrarese, Il concilio di Gerusalemme in Ireneo di Lione (Brescia 1979). – Th. Gomes, A People of God from among the Nations. An Interpretation of Acts 15,13–18, Diss. Gregoriana (Rom 1979). – Hengel, Geschichtsschreibung (1979) 93–105. – B. N. Kaye, Acts' Portrait of Silas, in: NT 21(1979)13–26 [zu 15,22]. – Kilpatrick, Quotations (1979) 84–86 [zu 15,16–18]. – S. A. Panimolle, L'autorité de Pierre en Ga 1–2 et Ac 15, in: L. De Lorenzi (Ed.), Paul de Tarse (Rom 1979) 269–289. – P.-A. Paulo, Le problème ecclésial des Actes à la lumière de deux prophéties d'Amos (Am 5,25–27; 9,11–12/Ac 7,42–43; 15,16–17). Diss. Gregoriana (Rom 1979). – U. Borse, Kompositionsgeschichtliche Beobachtungen zum Apostelkonzil, in: Begegnung mit dem Wort (Festschr. für H. Zimmermann) (Bonn 1980) 195–212. – Elliott, Peter, Silvanus and Mark (1980) [zu 15,22]. – Ellis, Codex Bezae (1980). – J. Nolland, A Fresh Look at Acts 15,10, in: NTS 27(1980/81)105–115. – Pesch, Simon-Petrus (1980) 82–85. – Richard, Old Testament in Acts (1980) 339 [zu 15,16]. – Borse, Paulus in Jerusalem (1981). – Hahn, Das apostolische und das nachapostolische Zeitalter (1981) 148–151. – J. Hainz, Gemeinschaft (κοινωνία) zwischen Paulus und Jerusalem (Gal 2,9f.), in: Kontinuität und Einheit (Festschr. für F. Mußner) (Freiburg 1981) 30–42. – Pesch, Jerusalemer Abkommen (1981) 108–112.116–119. – W. Stenger, Biographisches und Idealbiographisches in Gal 1,11 – 2,14, in: Kontinuität und Einheit (Festschr. für F. Mußner) (Freiburg 1981) 123–140.

B. Zum Aposteldekret 15,20.29: K. Six, Das Aposteldekret (Act. 15,28.29), seine Entstehung und Geltung in den ersten vier Jahrhunderten (Innsbruck 1912). – J. W. Hunkin, The Prohibitions of the Council at Jerusalem, in: JThSt 27(1925/26)272–283. – Jac-

QUIER, Actes 803-808. - ROPES, The Text of Acts (1926) 265-269. - H. LIETZMANN, Der Sinn des Aposteldekretes und seine Textwandlung, in: Amicitiae Corolla (Festschr. für J. Rendel Harris) (London 1933) 203-211. - H. WAITZ, Das Problem des sog. Aposteldekrets ..., in: ZKG 55(1936)227-263. - A. S. GEYSER, Paul, the Apostolic Decree and the Liberals in Corinth, in: Studia Paulina in honorem J. de Zwaan (Haarlem 1953) 124-138. - W. G. KÜMMEL, Die älteste Form des Aposteldekrets, in: Spiritus et Veritas (Festschr. für K. Kundsin) (Eutin 1953) 83-98. - BULTMANN, Quellen (1959) 415-418. - SCHMITHALS, Paulus und Jakobus (1963; s.o. unter A) 81-85. - TH. BOMAN, Das textkritische Problem des sogen. Aposteldekrets, in: NT 7(1964)26-36.- EPP, Theological Tendency (1966), bes. 107-112.116-118. - M. PHILONENKO, Le Décret apostolique et les interdits alimentaires du Coran, in: RHPhR 47(1967)165-172. - A. F. J. KLIJN, The Pseudo-Clementines and the Apostolic Decree, in: NT 10(1968)305-312. - G. SCHNEIDER, Apostel-dekret, in: BL (1968) 88. - H. SAHLIN, Die drei Kardinalsünden und das Neue Testament, in: StTh 24(1970)93-112. - M. SIMON, The Apostolic Decree and its Setting in the Ancient Church, in: BJRL 52(1969/70)437-460. - J. MÁNEK, Das Aposteldekret im Kontext der Lukastheologie, in: ComViat 15(1972)151-160. - C. M. MARTINI, Il decreto del Concilio di Gerusalemme, in: Atti della Settimana Biblica 22(1972; ed. 1973)345-355. - É. COTHENET, Pureté et impureté III (NT), in: DBSuppl IX 508-554, näherhin 542-546 (1975). - U. B. MÜLLER, Zur frühchristlichen Theologiegeschichte (Gütersloh 1976) 17-21 (vgl. auch 89-92). - D. R. CATCHPOLE, Paul, James and the Apostolic Decree, in: NTS 23(1976/77)428-444. - J. ŠAGI, Textus decreti concilii Hierosolymitani Lucano opere et antiquioris ecclesiae disciplina illustratus (Temi e Testi 25) (Rom 1977). - F. MANNS, Remarques sur Actes 15,20.29, in: Antonianum 53(1978)443-451. - M. SIMON, De l'observance rituelle à l'ascèse: recherches sur le Décret Apostolique, in: RHR 193(1978)27-104. - PERROT, La tradition apostolique (1979) 30-35. - CH. PERROT, Les décisions de l'assemblée de Jérusalem, in: RechScR 69(1981)195-208. - A. STROBEL, Das Aposteldekret als Folge des antiochenischen Streites, in: Kontinuität und Einheit (Festschr. für F. Mußner) (Freiburg 1981) 81-104.

1 Da kamen einige Leute von Judäa[a] herab und lehrten die Brüder: Wenn ihr euch nicht nach dem Brauch des Mose beschneiden laßt[b], könnt ihr nicht gerettet werden. 2 Als aber Paulus und Barnabas mit ihnen in Zwist und heftigen Streit gerieten, [c]ordnete man an, Paulus und Barnabas und einige andere von ihnen sollten[c] wegen dieser Streitfrage zu den Aposteln und Ältesten nach Jerusalem hinaufgehen[d]. 3 Sie wurden von der Gemeinde feierlich verabschiedet und zogen durch Phönizien und Samaria; dabei berichteten sie von der Bekehrung der Heiden und bereiteten (damit) allen Brüdern große Freude. 4 Und als sie nach Jerusalem gekommen waren, wurden sie von der Gemeinde, den Aposteln und den Ältesten empfangen. Sie berichteten, wie große Dinge Gott an ihnen

[a] Hinter 'Ιουδαίας schalten Ψ 614 pc sy^h.mg ein (als Vorwegnahme von V 5), daß die Ankömmlinge zu den „aus der Partei der Pharisäer gläubig Gewordenen" gehörten.

[b] D (sy^p) sa mae lesen erweiternd: „Wenn ihr euch nicht beschneiden laßt *und* nach dem Brauch des Mose *wandelt* ..."

[c] Der „westliche" Text hat hier eine Erweiterung (c - c): „sagte Paulus, sie sollten so bleiben, wie sie zum Glauben kamen, und bestand darauf. Die von Jerusalem Gekommenen befahlen ihnen, dem Paulus und Barnabas und einigen anderen, sie sollten ..." Vgl. METZGERTC 426.

[d] D(c) (614 pc sy h**) fügen an: ὅπως κριθῶσιν ἐπ' αὐτοῖς. Beide sollen also förmlich „beurteilt" werden!

getan hatte. 5 [e]Von der Partei der Pharisäer aber traten einige, die gläubig geworden waren, auf und sagten: Man muß sie beschneiden und von ihnen fordern, am Gesetz des Mose festzuhalten.
6 Die Apostel und die Ältesten traten zusammen, um über diese Sache zu beraten. 7 Als aber ein heftiger Streit entstand[f], erhob sich Petrus[g] und sagte zu ihnen: Brüder, ihr wißt, daß Gott schon längst hier bei euch die Entscheidung getroffen hat, daß die Heiden durch meinen Mund das Wort des Evangeliums hören und zum Glauben kommen sollen. 8 Und Gott, der die Herzen kennt, hat für sie Zeugnis abgelegt, indem er ihnen ebenso wie uns den heiligen Geist gab. 9 Er hat keinen Unterschied zwischen uns und ihnen gemacht[h], denn er hat durch den Glauben ihre Herzen gereinigt. 10 Warum versucht ihr also jetzt Gott dadurch, daß ihr ein Joch auf den Nacken der Jünger legen wollt, das weder unsere Väter noch wir zu tragen vermochten? 11 Wir glauben im Gegenteil, durch die Gnade des Herrn Jesus gerettet zu werden, auf dieselbe Weise wie jene.
12 [i]Die ganze Versammlung aber schwieg, und sie hörten Barnabas und Paulus zu, wie sie erzählten, welch große Zeichen und Wunder Gott durch sie unter den Heiden getan hatte.
13 Als sie geendet hatten, nahm Jakobus das Wort und sagte: Brüder, hört mich an! 14 Simon hat berichtet, wie Gott selbst zum erstenmal eingegriffen hat, um aus den Heiden ein Volk für seinen Namen zu gewinnen. 15 Und damit stimmen die Worte der Propheten überein, wie geschrieben steht:

> *16 „Danach will ich mich umwenden und wieder aufbauen die zerfallene Hütte Davids; ich werde sie aus ihren Trümmern wieder aufbauen und sie wieder aufrichten, 17 damit die übrigen Menschen den Herrn suchen, auch alle Völker, über denen mein Name ausgerufen ist – spricht der Herr,[k] der das ausführt", 18 was (ihm) von Ewigkeit her bekannt ist[k].*

---

[e] Der Anfang von V 5 lautet nach D (sy h.mg): „Die aber, die ihnen befohlen hatten, zu den Ältesten hinaufzuziehen, traten auf ..."

[f] P45 (vid) schließt hinter γενομένης an: „mit Paulus und Barnabas bei ihnen, bestimmten sie, daß Paulus und Barnabas und einige andere von ihnen zu den Aposteln und Ältesten [... ?]". Vgl. 15,2.

[g] D* liest ἀνέστησεν τῷ πνεύματι Π. καί (vgl. 614 sy h.mg). So werden die Feierlichkeit des Augenblicks und die Autorität des Petrus unterstrichen; vgl. 4,8. Siehe auch unten A.v.

[h] Statt διέκρινεν (Gott als Subjekt) liest P74 διεκρίναμεν. So spricht Petrus von seinem eigenen Verhalten (vgl. 11,17).

[i] Der Anfang von V 12 lautet in D sy h**: „Als die Ältesten dem von Petrus Gesagten zugestimmt hatten, schwieg die ganze Versammlung ..." So wird die Autorität des Petrus hervorgehoben; vgl. oben A.g.

[k] Gegen Ende der zitierten Schriftstelle (k – k), hinter λέγει κύριος, ist der Text nicht einheitlich überliefert. Statt ποιῶν liest D* ποιήσει. Statt ταῦτα γνωστὰ ἀπ' αἰῶνος (ℵ B

19 Deswegen halte ich es für richtig, den Heiden, die sich zu Gott bekehren, keine Lasten aufzubürden, 20 sondern sie (nur) anzuweisen, daß sie Verunreinigung durch Götzen(-opferfleisch) und Unzucht[l] *meiden und weder Ersticktes*[m] *noch Blut zu sich nehmen*[n]. *21 Denn Mose hat seit ältesten Zeiten in jeder Stadt seine Verkündiger, da er in den Synagogen an jedem Sabbat vorgelesen wird.*

22 Da beschlossen die Apostel und die Ältesten samt der ganzen Gemeinde, Männer aus ihrer Mitte auszuwählen und sie zusammen mit Paulus und Barnabas nach Antiochia zu senden, (nämlich) Judas, genannt Barsabbas, und Silas, führende Männer unter den Brüdern. 23 Durch sie ließen sie folgendes Schreiben überbringen:

> *Die Apostel und die Ältesten, (eure) Brüder*[o], *grüßen die Brüder aus dem Heidentum in Antiochia, in Syrien und Kilikien. 24 Da wir gehört haben, daß einige von uns*[p], *denen wir keinen Auftrag erteilt haben, euch mit ihren Reden beunruhigt und eure Gemüter erregt haben*[q], *25 einigten wir uns und beschlossen, Männer zu erwählen und zu euch zu senden mit unseren geliebten (Brüdern) Barnabas und Paulus, 26 Männern, die ihr Leben für den Namen unseres Herrn Jesus Christus*[r] *eingesetzt haben. 27 Wir entsenden also Judas und Silas, die euch das gleiche auch mündlich mitteilen werden. 28 Denn der heilige Geist und wir haben beschlossen, euch keine weitere Last aufzuerlegen als diese notwendigen Dinge: 29 Ihr sollt euch von Götzenopferfleisch,*

C Ψ al), lesen andere Textzeugen: ταῦτα. γνωστὸν ἀπ' αἰῶνός ἐστιν τῷ κυρίῳ τὸ ἔργον αὐτοῦ (D, ähnlich P[74] A E Koine lat sy). Da das Zitat aus Am 9,12 mit ταῦτα endet, sind die restlichen Worte (= V 18) als „Kommentar" des Jakobus verstanden. Da aber die (ursprünglichen) Worte der kürzeren LA (א B usw.) „elliptisch" sind, haben die Abschreiber in verschiedener Weise versucht, einen vollständigen Satz zu bilden; vgl. METZGERTC 429.

[l] καὶ τῆς πορνείας fehlt im P[45]. Vgl. 15,29, wo καὶ πορνείας in vg[ms] fehlt. Hielt man die Enthaltung von πορνεία für eine selbstverständliche Forderung? Oder wollte man πορνεία aus der Reihe ritueller Verbote streichen? Siehe METZGERTC 430f.

[m] Statt καὶ τοῦ πνικτοῦ (P[45] א C E Koine lat sy), das in D gig fehlt (vgl. V 29 und 21,15), lesen P[74] A B Ψ 33.81 pc καὶ πνικτοῦ. Der „westliche" Text läßt „Ersticktes" weg und bietet zusätzlich die Goldene Regel (siehe A.n). Damit wendet er die Klauseln ins Moralische. Die Enthaltung von „Blut" bezieht sich in diesem Kontext auf ein Mordverbot. Siehe METZGERTC 431f.

[n] D fügt an: „und was man nicht will, daß es einem selbst geschehe, das tut auch anderen nicht an!" So fast wörtlich auch 323. 945. 1739. 1891 pc sa Ir[lat]. Es handelt sich um die negative Fassung der Goldenen Regel. Zur Textkritik von 15,20.29 siehe METZGERTC 429–434 (Lit.).

[o] Statt des appositionellen ἀδελφοί lesen א[c] Ψ Koine al καὶ οἱ ἀδελφοί. Andere lassen ἀδελφοί überhaupt weg: vg[ms] sa.

[p] Hinter ἐξ ἡμῶν lesen א* B 1175 pc (pleonastisch) ἐξελθόντες. Dies kann ursprünglich sein; METZGERTC 436.

[q] C E Ψ Koine (gig) sy fügen an: „indem sie sagten, man müsse sich beschneiden lassen und das Gesetz beobachten". Es handelt sich um eine sekundäre Erweiterung (nach 15,1.5).

[r] D E 614 pc fügen an: εἰς πάντα πειρασμόν „in jeder Erprobung" (vgl. 20,19).

Blut, Ersticktem[s] *und Unzucht*[t] *enthalten*[u]. *Wenn ihr euch davor in acht nehmt, handelt ihr richtig. Lebt wohl!*
30 Nachdem sie entlassen worden waren, kamen sie nach Antiochia hinab. Sie versammelten die Gemeinde und übergaben das Schreiben. 31 Als sie es gelesen hatten, freuten sie sich über die Ermunterung. 32 Judas und Silas, selbst Propheten[v], *sprachen den Brüdern mit vielen Worten (Mut) zu und stärkten sie. 33 Nachdem sie aber einige Zeit (dort) zugebracht hatten, wurden sie von den Brüdern in Frieden zu denen entlassen, die sie gesandt hatten. [34]*[w] *35 Paulus aber und Barnabas hielten sich in Antiochia auf; sie lehrten und predigten mit vielen anderen das Wort des Herrn.*

Apg 15,1–35 bildet eine geschlossene Erzähleinheit. Sie wird durch die *VV 1–3* einerseits und *30–35* andererseits begrenzt. In den genannten Rahmenversen 1–3 wird der Anlaß des „Apostelkonzils" und die Problematik seines Beratungsgegenstandes dargelegt: In der antiochenischen Gemeinde erhoben Judäer die Forderung nach Beschneidung der Heidenchristen. Paulus und Barnabas, die jener Forderung widersprachen, werden wegen der Streitfrage nach Jerusalem entsandt, offenbar weil sie soeben besondere und eigene Erfahrungen mit der (gesetzesfreien) Heidenmission gemacht hatten. Die Schlußverse 30–35 berichten, daß Paulus und Barnabas sowie die Jerusalemer Delegierten Judas und Silas (vgl. VV 22.25–27) nach Antiochia ziehen und ein Schreiben der Apostel überbringen, das die gesetzesfreie Heidenmission bestätigt. Judas und Silas werden nach geraumer Zeit nach Jerusalem entlassen (V 33)[1]. Paulus und Barnabas wirken weiterhin[2] in Antiochia (V 35).

Das Corpus der Perikope besteht aus folgenden kleineren Einheiten: Ankunft von Paulus und Barnabas in Jerusalem, Forderung nach Beschneidung der Heidenchristen durch christliche Pharisäer *(VV 4.5);* Beratung der „Apostel und Ältesten", Plädoyer des Petrus zugunsten der Heidenmission *(VV 6–11)* und Bericht des Barnabas und Paulus über ihre bisherige Heidenmission *(V 12);* „Kompromiß"-Vorschlag des Jakobus mit einigen Auflagen für die Heidenchristen *(VV 13–21);* Beschluß der Jerusalemer Gemeinde im Sinne der Jakobus-Rede und Schreiben nach Antiochia *(VV 22–29).*

---

[s] καὶ πνικτῶν fehlt D l Ir lat Tert. Vgl. oben A.m.
[t] καὶ πορνείας fehlt vg ms. Vgl. oben A. l.
[u] Auch hier folgt in den Textzeugen D 323. 614. 945. 1739. 1891 pc l p w sy h** sa die (negative) Goldene Regel. Vgl. oben A.n.
[v] D fügt an: πλήρεις πνεύματος ἁγίου. Vgl. schon 15,7; siehe oben A.g.
[w] Eine Reihe von Textzeugen fügt (als V 34) an: ἔδοξε δὲ τῷ Σιλᾷ ἐπιμεῖναι αὐτοῦ (C) 33.36 al sy h** sa bo mss. – D gig l w vg cl lesen: „Silas aber beschloß, bei ihnen zu bleiben, nur Judas reiste (nach Jerusalem)." – In beiden Fällen soll zu 15,40 (Silas in Antiochia!) übergeleitet werden.
[1] V 34 ist textkritisch als sekundär zu betrachten; siehe oben A.w.
[2] Vgl. die früheren Angaben 11,25f; 13,1; 14,27f.

Die Quellen von 15,1–35 sind schwer zu bestimmen. Wenn A. Harnack das gesamte Textstück der „antiochenischen Quelle“ zuwies[3], so berücksichtigte diese Zuweisung zwar die sachliche Zusammengehörigkeit des Textstückes mit dem vorausgehenden Bericht 12,25 – 14,28 (vgl. 15,3.4.12), beachtete aber die Tatsache nicht, daß die Worte des Petrus 15,7–9 und des Jakobus 15,14 sich auf die Korneliusgeschichte[4] beziehen und diese voraussetzen. B. Weiß hielt wenigstens die Reden des Petrus und des Jakobus für echt. Er begründete diese Ansicht mit dem Urteil, so unterschiedliche Worte könnten nicht vom Verfasser der Acta stammen[5]. Doch wird man von der Konzeption her wenigstens die Petrusrede dem Acta-Verfasser zutrauen können. Die Jakobusrede 15,13–21 hängt sachlich eng mit dem „Aposteldekret“ (VV 22–29) zusammen. Sind etwa die beiden Komplexe 15,13–21.22–29 einer vor-lukanischen Quelle entnommen?[6] M. Dibelius, der sich 1947 eingehend mit unserer Perikope befaßte, wollte den Text ohne Quellenscheidung als Text des Lukas verstehen[7]. Lediglich das Dekret entstamme im wesentlichen einer Quelle, doch gehe es nicht auf das „Apostelkonzil“ zurück[8]. E. Haenchen folgt im ganzen Dibelius[9]. Er nimmt indessen vollständig Abschied von Quellenhypothesen und will nicht einmal für das „Dekret“ eine Vorlage annehmen[10].

Die Auslegung von 15,1–35 hat sicherlich zunächst nach der Absicht des Acta-Verfassers zu fragen. O. Bauernfeind vermutete wohl richtig, daß Lukas seinen Lesern ein „übersichtliches Bild“ des Jerusalemer Ereignisses vermitteln wollte, ein Bild, „das die Wahrheit der Einigung in faßbarer

---

[3] Siehe dazu oben I 85f.

[4] Apg 10,1 – 11,18 wurde von Harnack einer anderen Quelle zugewiesen; siehe oben I 85f. Vgl. auch Cerfaux, Le chapitre XVe (1946), der nur 15,1–4.6.22–35 einer antiochenischen, 15,5.7–11.13–19.21 aber einer jerusalemischen Quelle zuschrieb.

[5] B. Weiss, Lehrbuch der Einleitung in das Neue Testament (Berlin ^{2}1889) 575f. Siehe dazu Haenchen, Apg 439.

[6] Vgl. die „Wiederholung“ der Jakobusklauseln 21,25. Jedoch ist die Erwähnung der Klauseln an dieser Stelle kaum traditionell!

[7] Dibelius, Das Apostelkonzil (1947) 89: „Es bedarf keiner Quellenscheidungen, um den Text zu verstehen. Man muß sich nur klarmachen, was Lukas beabsichtigte, und muß dem Fingerzeig folgen, den er selbst mit der zweimaligen Erwähnung der Cornelius-Geschichte gibt.“ Siehe indessen Bauernfeind, Apg 187: Lukas „hatte wahrscheinlich eher über ein Zuviel als über ein Zuwenig [an Quellen] zu klagen“.

[8] Dibelius, a.a.O. 88f.

[9] Haenchen, Apg 441–447. Vgl. ders., Quellenanalyse (1960) 163f: „In summa: alle Anstöße in Act 15,1–35 erklären sich zwanglos aus der lukanischen Rechtfertigung der gesetzesfreien Heidenmission. Die Hypothese einer Quelle, welche eigentlich Verhandlungen nach dem Apostelkonzil darstellte, versagt dagegen ... Wir haben ... in Act 15,1–35 einen jener seltenen Fälle, in denen Lukas, von keiner genauen Überlieferung beraten, in freier Komposition eine dramatische Szene im Leben der Urkirche gezeichnet hat ...“

[10] Haenchen, Apg 452–456: „Lukas hat also nicht, wie man es sich gelegentlich vorgestellt hat (vgl. Dibelius Aufs. 89), diese vier Forderungen einem alten Dokument entnommen, das er irgendwo gefunden hat, sondern er hat eine lebendige Tradition beschrieben, die man wahrscheinlich schon damals auf die Apostel zurückgeführt hat“ (454).

Form festhielt"[11]. Bei der Frage nach der Intention des Verfassers darf aber die Quellenfrage nicht verdrängt werden. Daß Lukas für seine Darstellung des „Apostelkonzils" Quellen benutzt hat – schriftliche „Dokumente" oder mündliche „Informationen" –, geht schon daraus hervor, daß sein Bericht über die Jerusalemer Zusammenkunft trotz erheblicher Divergenzen sachlich mit Gal 2,1–10(11–14) konvergiert[12]. Bei dem Vergleich des Paulusberichts Gal 2 mit Apg 15 kommt R. Pesch neuerdings zu der Vermutung, daß Lukas bei der Komposition von Apg 15,1–35 „zwei Ereignisse kombiniert hat: das Jerusalemer Abkommen und die Schlichtung des antiochenischen Konflikts"[13]. Apg 15,1–4 exponiere deutlich die Problematik des Jerusalemer Abkommens (Gal 2,1–10), nämlich die Frage nach der Beschneidung der Heidenchristen[14]. Apg 15,5 exponiere hingegen die Problematik des antiochenischen Konflikts, nämlich „die Frage des Umfangs ihrer Verpflichtung auf das Gesetz"[15]. Deswegen empfehle es sich, „Apg 15,5ff (im Stadium der vorlukanischen Tradition) mit der Cornelius-Erzählung zu verbinden"[16], die mit 11,18 (vorläufig) abgeschlossen gewesen sei[17]. Apg 15,5ff gebe somit nicht über das Jerusalemer Abkommen Auskunft, sondern (als vor-lukanische Quelle) „über die Schlichtung des nachfolgenden antiochenischen Konflikts"[18].

Als Hypothese[19] kann nach Pesch[20] folgendes angenommen werden: Lukas kannte (aus antiochenischer Tradition) einen Bericht über das Jerusalemer Abkommen („Apostelkonzil") im Umfang von Apg 15,1–4.12b (als Fortsetzung der Überlieferungen 11,27–30; 12,25) und einen weiteren über das Zustandekommen des „Aposteldekrets" 15,5–12a.13–33 (als Fortsetzung der Korneliuserzählung 10,1 – 11,18). Ihm war daran gelegen, die Heidenmission „ganz in die Kontinuität der urchristlichen Geschichte einzubetten und an Jerusalem anzubinden". Deshalb läßt er sie im Werk des Petrus grundgelegt sein. Mit 10,1 – 11,18 schreibt er die Eröffnung der beschneidungsfreien Heidenmission dem Petrus zu. Laut 11,18 wurde sie in Jerusalem gebilligt. So kann Lukas die beiden überkommenen Berichte über das „Apostelkonzil" und über die Lösung des „antiochenischen Konflikts" (dessen Ausgang Gal 2,11–21 verschweigt!)

---

[11] Bauernfeind, Apg 187.

[12] Siehe dazu unten Exkurs 12.

[13] Pesch, Simon-Petrus (1980) 84.

[14] Pesch, a.a.O. 84.

[15] Pesch, a.a.O. 85. Demgegenüber ist einzuwenden, daß 15,5b die Forderung nach der *Beschneidung* erhoben wird, ehe es um die Einhaltung des Gesetzes (in seinem *ganzen* „Umfang") geht. Neuerdings möchte Pesch, Jerusalemer Abkommen (1981) 117f, diesen Einwand entkräften.

[16] Pesch, Simon-Petrus 85; vgl. auch 82–84.

[17] Vgl. Pesch, a.a.O. 85: „Eine ‚Naht' im Text könnte noch das Personalpronomen αὐτούς (15,5 = die Heiden) anzeigen, das in 11,18 sein unmittelbares Bezugswort hat, in 15,1–5 aber eher unvermittelt auftaucht ..."

[18] Pesch, a.a.O. 85.

[19] Pesch, Jerusalemer Abkommen 106 Anm. 7.

[20] Pesch, a.a.O. 121.

in der Erzähleinheit 15,1–35 zusammenziehen[21]. Geht man von dieser Rekonstruktion aus, so kann sich nach Pesch die lukanische Abfolge der Ereignisse durchaus mit der paulinischen Darstellung Gal 2,1–21 in Übereinstimmung befinden: Kollekten- bzw. „Konzils"-Reise (Apg 11,27–30; 12,25), „erste Missionsreise" (13,1 – 14,28), antiochenischer Konflikt (15,5–12a), Aposteldekret (15,13–33), Trennung von Barnabas und Paulus (15,36–41)[22].

Während Peschs Hypothese an einen Bericht über die Lösung des antiochenischen Konflikts den über das „Apostelkonzil" herangetragen sieht, denkt F. Mußner, daß in den Bericht über das „Apostelkonzil" die Problematik des antiochenischen Konflikts sekundär eingebracht wurde[23]. So kritisch man gegenüber Textrekonstruktionen der dem Lukas vorliegenden Quellen bleiben muß, es ist damit zu rechnen, daß Lukas – vielleicht aber auch schon eine ihm vorgegebene Tradition – aus sachlichen Gründen die primäre Entscheidung zur Frage der Beschneidung von Heidenchristen (Frage des „Apostelkonzils") und die spätere Kompromißlösung des antiochenischen Konflikts als *eine einzige* apostolische Grundsatz-Entscheidung ansah, die man *in Jerusalem* fällte[24].

V 1 schließt an die Notiz von 14,28 an. Während des antiochenischen Aufenthalts von Paulus und Barnabas (nach der Missionsreise, die sie in den Süden Kleinasiens führte) kamen Leute[25] von Judäa her[26], die die Christen „lehrten", daß die Beschneidung[27] heilsnotwendig sei. Damit widersprachen sie – der Leser kann dies wissen – der Praxis des Petrus (bei der Korneliustaufe) und der Missionare Paulus und Barnabas (auf ihrer Missionsreise).

---

[21] Die mit dem „Apostelkonzil" zusammenfallende Kollekte der Antiochener (11,27–30; 12,25) löse Lukas ab (Pesch, a.a.O. 122). 15,35 wird mit Haenchen als lukanisch-redaktioneller Abschlußvers angesehen (a.a.O. 119). Die Erwähnungen von Paulus und Barnabas (15,22.25f.35) werden gleichfalls als lukanisch-redaktionelle Zutat betrachtet (a.a.O. 106).

[22] Pesch, a.a.O. 122.

[23] Mussner, Galaterbrief 130: „Am wahrscheinlichsten ... ist, daß das ‚Aposteldekret' erst einige Zeit nach dem Apostelkonzil zustande kam und von Lukas in den Bericht über dasselbe hineingenommen wurde."

[24] Apg 15,5 zeigt, daß Lukas von dem jüdischen Grundsatz ausgeht, der mit der Beschneidung die Verpflichtung zur Beobachtung der Tora verbunden sieht (vgl. Gal 5,3). Wenn andererseits die Heidenchristen nicht beschnitten werden müssen, sind sie grundsätzlich von den Verpflichtungen der Tora befreit. Die „Klauseln" des Aposteldekrets, die die Tischgemeinschaft zwischen Judenchristen und Heidenchristen ermöglichen sollen, liegen somit auf einer anderen Ebene!

[25] Absolutes τινές wie Lk 13,1; Gal 2,12; 2 Thess 3,11; 2 Petr 3,9b. Absolutes τὶς steht bei Lukas Lk 8,46; 9,57; 13,6.23; Apg 5,25; 17,25. Conzelmann erwähnt, daß V 1 an Gal 2,12 erinnert: Ankunft der „Jakobusleute" in Antiochia.

[26] ἀπὸ τῆς Ἰουδαίας. Die Erzählung vermeidet zu sagen, daß die Leute von *Jerusalem* (V 24: aus der Urgemeinde) kamen.

[27] Die Forderung der Beschneidung wird als der „Sitte des Mose" entsprechend gekennzeichnet; vgl. 6,14.

V 2 Die Lehre der Judäer führt in Antiochia zu einem heftigen[28] Disput[29] mit Paulus und Barnabas (V 2b). Die Gemeinde entsendet die beiden zusammen mit anderen Gemeindeangehörigen[30] nach Jerusalem. Die Apostel und die Ältesten[31] in Jerusalem sollen über die Streitfrage[32] eine Entscheidung fällen. Das entspricht der lukanischen Konzeption von der Autorität der Apostel und Jerusalems.

V 3 Die antiochenische Delegation wird von der Ortskirche in Antiochia ausgesandt[33]. Sie reist durch Phönizien und Samaria und berichtet unterwegs von der Bekehrung der Heiden[34]. Damit bereitet sie den christlichen Hörern Freude. Die freudige Reaktion der „Brüder" in Phönizien und Samaria steht in Kontrast zu der Kritik der (christlichen) Pharisäer in Jerusalem (V 5).

V 4 In Jerusalem angekommen, wird die Delegation von der Gemeinde, den Aposteln und Ältesten empfangen[35] (V 4a). Auch hier berichtet sie von der Heidenbekehrung (vgl. V 3); nur wird dies hier anders ausgesprochen. In Anlehnung an 14, 27 wird gesagt: „Sie meldeten, was Gott an ihnen getan" (V 4b). Die Sprecher der Delegation sind offensichtlich Paulus und Barnabas[36].

V 5 Von einer freudigen Reaktion der Apostel und Ältesten wird nichts gesagt, sondern sogleich berichtet, daß in Jerusalem christliche Pharisäer[37] Kritik üben. Die Apostel und Ältesten ergreifen – als künftige Schiedsrichter (V 6) – nicht Partei. Die Christen aus der pharisäischen αἵρεσις[38]

---

[28] Zur Litotes οὐκ ὀλίγος siehe oben Nr. 34 A. 41.

[29] στάσις und ζήτησις mit folgendem Dativ. στάσις „Empörung, Zwist" steht bei Lukas auch Lk 23, 19.25; Apg 19, 40; 23, 7.10; 24, 5, ζήτησις „Diskussion, Auseinandersetzung" Apg 15, 7; 25, 20.

[30] καί τινας ἄλλους ἐξ αὐτῶν: Paulus und Barnabas stehen somit an der Spitze einer Delegation der antiochenischen Gemeinde.

[31] In Jerusalem stehen (seit 11, 30) neben den Aposteln πρεσβύτεροι: 15, 2.4.6.22.23; 16, 4.

[32] ζήτημα „Streitfrage" begegnet im NT nur Apg 15, 2; 18, 15; 23, 29; 25, 19; 26, 3.

[33] προπέμπω bedeutet hier nicht (wie 20, 38; 21, 5) „geleiten", sondern (wie Röm 15, 24; 1 Kor 16, 6.11; 2 Kor 1, 16; Tit 3, 13) „jemand zur Reise ausstatten, auf den Weg bringen".

[34] ἐκδιηγέομαι begegnet im NT sonst nur noch 13, 41 (Zit. Hab 1, 5). Gegenstand des Berichts ist die ἐπιστροφή (ntl. Hapaxlegomenon) der Heiden; siehe zu ἐπιστρέφω oben I 323 A. 81.

[35] παρεδέχθησαν. παραδέχομαι mit personalem Objekt steht im NT sonst nur noch Hebr 12, 6; mit sachlichem Objekt Mk 4, 20., Apg 16, 21; 22, 18; 1 Tim 5, 19.

[36] Zu μετ' αὐτῶν vgl. 14, 27, wo sich die Wendung auf Paulus und Barnabas bezieht.

[37] Die Jerusalemer Kritiker der gesetzesfreien Heidenmission sind also nicht identisch mit den τινές von V 1. Aber sie können nach Lukas der gleichen Gruppe angehören; vgl. die Textvarianten des „westlichen" Textes zu 15, 1.5 (oben Anmerkungen a.e).

[38] Das Wort αἵρεσις versteht Lukas im Sinne von „Schule, Partei": von den Sadduzäern 5, 17, von den Pharisäern 15, 5; 26, 5. Die Christen sind ἡ τῶν Ναζωραίων αἵρεσις: 24, 5; vgl. 24, 14; 28, 22. Siehe oben I 388 A. 20.

freuen sich nicht über die Bekehrung der Heiden, sondern bemängeln, daß diese (bisher) nicht beschnitten wurden. Für die Heiden gilt ein – wie sie meinen – von Gott verfügtes δεῖ, das beim Übertritt die Beschneidung verlangt. Mit der Beschneidung müsse man die Einhaltung des mosaischen Gesetzes fordern[39]. Da die Pharisäer als die strengste Richtung im Judentum gelten (26,5), ist es verständlich, daß gerade Christen aus *ihren* Kreisen die Beschneidungsforderung erheben. Zu beachten ist, daß die Aufnahme der Heiden selbst nicht mehr zur Diskussion steht; es geht vielmehr um die Bedingungen für ihre Aufnahme.

V 6 berichtet vom Zusammentreten[40] der Apostel und Ältesten. Sie wollen sich mit der Streitfrage befassen. ἰδεῖν περὶ τοῦ λόγου τούτου drückt den Zweck der Zusammenkunft aus. Der zu prüfende λόγος ist die V 5b geäußerte Forderung. Die Zusammenkunft erfolgt offensichtlich im Rahmen einer Gemeindeversammlung (vgl. V 12 πᾶν τὸ πλῆθος, siehe auch V 22). Die VV 4.5 stellen kaum eine „vorangestellte Zusammenfassung" im Blick auf das Folgende dar[41]. Von V 6 an wird nicht von der gleichen Versammlung wie in den VV 4f erzählt[42].

V 7 Es kommt zu einer Auseinandersetzung[43] um die These der gläubig gewordenen Pharisäer. Als Vertreter der gesetzesfreien Heidenmission hat man sich vor allem Paulus und Barnabas vorzustellen. Doch kommen die beiden in Opposition stehenden Gruppen nicht zu Wort; Barnabas und Paulus werden allenfalls als Zeugen gehört (V 12). Die Apostel und die Ältesten fungieren als Schiedsgericht und als oberste Kirchenleitung. In ihrem Namen ergreift Petrus das Wort[44]. Er verweist auf die Korneliusgeschichte, die in Jerusalem bekannt war (vgl. 11,1–18). Durch den Mund des Petrus sollten die Heiden[45] das Wort des Evangeliums[46] vernehmen

---

[39] τηρέω τὸν νόμον begegnet außer Apg 15,5 im NT nur noch Jak 2,10. Vom „Gesetz des Mose" sprechen im NT ferner Lk 2,22; 24,44; Joh 7,23; Apg 13,39; 28,23; 1 Kor 9,9; Hebr 10,28.

[40] συνήχθησαν. συνάγομαι von der christlichen Gemeindeversammlung auch 4,31; 11,26; 14,27; 15,30; 20,7.8.

[41] Gegen Conzelmann.

[42] Siehe Wikenhauser: „... auf einer besonderen Versammlung der führenden Männer der jerusalemischen Kirche, bei der aber auch die übrigen Gemeindeglieder (wenigstens die Männer) zugegen sind (V. 22)".

[43] πολλῆς δὲ ζητήσεως γενομένης bezieht sich auf die gleichen gegensätzlichen Standpunkte wie der Anfang von V 2.

[44] Zu der Redeeinführung ἀναστὰς Πέτρος εἶπεν πρὸς αὐτούς siehe oben I 215 A. 25.

[45] Die Bekehrung des Kornelius wird wie 10,45; 11,1.17 als grundsätzliche Entscheidung zugunsten der Heiden gewertet.

[46] ὁ λόγος τοῦ εὐαγγελίου ist innerhalb des NT singulär. εὐαγγέλιον steht im lukanischen Werk außer Apg 15,7 nur noch 20,24 (dort im Munde des Paulus: „das εὐ. von der Gnade Gottes"). Vgl. G. Strecker, Das Evangelium Jesu Christi, in: Jesus Christus in Historie und Theologie (Festschr. für H. Conzelmann) (Tübingen 1975) 503–548; näherhin 541f: Evangelium ist für Lukas die Verkündigung der Apostel unter den Heiden.

und (ohne Beschneidung) zum Glauben kommen[47]. Dieses schon lange[48] zurückliegende Ereignis geschah „unter euch"[49] und war eine Erwählungstat Gottes selbst[50]. Die Petrusrede beginnt mit einem Tatsachenbeweis (VV 7b–9). Daran schließt sich die Folgerung an (VV 10–11), die dem Standpunkt des Paulus und des Barnabas Recht gibt.

VV 8–9 Gottes „Wahl" zugunsten der Heiden (V 7b) hatte einen Grund: Gott kennt ihre Herzen[51]. Als Kenner der Menschenherzen hat Gott für sie Zeugnis abgelegt[52], indem er ihnen den heiligen Geist schenkte[53] genauso wie „uns", d.h. den Judenchristen (V 8). Er hat somit keinen Unterschied gemacht[54] „zwischen[55] uns und ihnen", d.h. zwischen Juden und Heiden (V 9a), indem er durch den Glauben ihre (d.h. der Heiden) Herzen reinigte[56] (V 9b). Das bedeutet, daß der Mensch von Gott Reinigung erfährt durch den Glauben, und nicht durch Beschneidung und Tora-Beobachtung.

VV 10–11 Die Rede des Petrus endet mit der Schlußfolgerung, die aus Gottes Parteinahme für die Heiden gezogen wird. V 10 enthält eine rhetorische Frage an die Hörer: Ihr wollt doch nicht Gott „versuchen"[57], indem ihr den Heiden das Joch[58] des Gesetzes auferlegt? V 11 zieht die positive Folgerung: Wir glauben, daß Heil und Rettung „durch die Gnade des Herrn Jesus"[59] erfolgen, auch für die Heiden[60]. Die Heidenchristen wer-

---

[47] Die Konstruktion mit dem finalen Infinitiv (wie V 6) ist von ἐξελέξατο ὁ θεός abhängig: ἀκοῦσαι τὰ ἔθνη ... καὶ πιστεῦσαι (inzeptiver Aorist: „zum Glauben kommen").

[48] ἀφ' ἡμερῶν ἀρχαίων (vgl. [mit ἐξ] Jes 37,26; Klgl 1,7; 2,17). Vgl. Apg 15,21 ἐκ γενεῶν ἀρχαίων (Sir 2,10). Siehe auch Prete, Valore (1971).

[49] ἐν ὑμῖν ist betont auf Jerusalem bezogen (im Gegensatz zu Antiochia).

[50] Das absolute ἐξελέξατο (ohne Objekt) bedeutet: Gott „erwählte sich/er traf seine Wahl", daß die Heiden hören sollten ... Siehe auch Zuntz, An Analysis (1972) 250f.

[51] ὁ καρδιογνώστης gibt nach dem Kontext an, warum Gott für die Heiden Zeugnis ablegte. Das Substantiv begegnet als Gottesprädikat auch 1,24; vgl. oben I 220 A. 73.

[52] μαρτυρέω mit personalem Dativ „Zeugnis ablegen für, ein gutes Zeugnis ausstellen, Beifall spenden, empfehlen" verwendet Lukas auch Lk 4,22; Apg 10,43; 13,22; 22,5.

[53] Damit wird auf 10,44–47 (und die Pfingsterzählung) angespielt.

[54] οὐθὲν διέκρινεν, vgl. 11,12: μηδὲν διακρίναντα. Siehe dazu G. Dautzenberg, διακρίνω, in: EWNT I 732–738, näherhin 733.

[55] μεταξύ mit folgendem Genitiv (uneigentliche Präposition) bei Lukas: Lk 11,51; 16,26; Apg 12,6; 15,9.

[56] In der Wendung τῇ πίστει καθαρίσας ist der Dativ instrumental verstanden; vgl. 26,18 (Sündenvergebung „durch Glauben" an Christus). Von Reinigung des Herzens sprechen auch Herm m 9,7; 12,6.5. Das absolute πίστις steht Apg 15,9 wie 6,5.7; 11,24; 13,8; 14,22.27; 16,5.

[57] πειράζω bedeutet hier: Gott „herausfordern", nachdem er seine Wahl in anderer Richtung getroffen und kundgetan hat; siehe BauerWb s. v. 2e.

[58] Zu der jüdischen Auffassung vom Gesetz als Joch siehe Billerbeck I 608–610. Vgl. auch Gal 5,1.

[59] Von der χάρις Christi sprechen sonst z.B. Röm 5,15b; 2 Kor 8,9; 1 Tim 1,14, also Paulus und die „paulinische" Tradition.

[60] „Weder unsere Väter noch wir selbst" (V 10) bezieht sich auf die Juden, κἀκεῖνοι (V 11) auf die μαθηταί aus den Heidenvölkern.

den μαθηταί genannt. Man darf ihnen nicht die Beschneidung und die Forderungen der Tora auferlegen[61]; denn auch die jüdischen „Väter“ und die Judenchristen selbst vermochten das Gesetzesjoch nicht zu tragen[62]. Lukas denkt dabei wohl an die Vielzahl der gesetzlichen Verpflichtungen[63]. „Die Auffassung vom Gesetz als einer untragbaren Last ist weder allgemeinjüdisch ... noch paulinisch; es ist die Auffassung eines Christen in der Zeit, da die Trennung vom Judentum bereits zurückliegt.“[64] V 11 läßt Petrus den gleichen Gedanken aussprechen wie Paulus im pisidischen Antiochia (13,38 f). Lukas hat nicht den paulinischen Gegensatz Glaube – Werke (oder Gnade – Werke) im Sinn, sondern die Antithese von Gesetzesforderung und schenkender Gnade.

V 12 Die Reaktion der Versammlung[65] auf die Petrusrede besteht in einem bedeutsamen Schweigen[66]. Dieses ist noch nicht als Zustimmung zu verstehen, sondern es zeigt an, daß die Hörer zunächst beschwichtigt sind (vgl. 11,18 ἡσύχασαν). Als Bekräftigung dessen, was Petrus aus seiner eigenen Erfahrung als Heidenmissionar berichten konnte (VV 7b–9), erzählen[67] nun Barnabas und Paulus von ihrer Missionsreise zu den Heiden. Auch hier hat sich Gott selbst durch „Zeichen und Wunder“ für die Aufnahme der Heiden erklärt[68]. Daß die Angabe über Barnabas und Paulus in V 12 (sowie in den VV 2.3–5.22.25 f) sekundäre Zutat ist[69], läßt sich kaum erhärten[70].

V 13 Nach dem Bericht der Missionare Barnabas und Paulus ergreift Jakobus[71] das Wort. Der Leser hatte schon 12,17 erfahren, daß er eine Art Stellvertreter des Petrus in der Urgemeinde war. Jakobus führt das Argument des Petrus fort, indem er an dessen „Erfahrungsbeweis“ den

---

[61] ἐπιθεῖναι ζυγὸν ἐπὶ τὸν τράχηλον τῶν μαθητῶν (10) wird V 28 der Sache nach wieder aufgegriffen: ἐπιτίθεσθαι ὑμῖν βάρος.

[62] βαστάζω steht im lukanischen Werk im übertragenen Sinn auch Lk 14,27; Apg 9,15.

[63] Vgl. 13,38 f. Haenchen bemerkt: „Hier dagegen erscheint das Gesetz so, wie es dem hellenistischen Heidenchristen vorkam: als eine Unzahl von Geboten und Verboten, die kein Mensch erfüllen kann.“

[64] Conzelmann zu V 10. Er fügt an: „Von da aus versteht man auch, daß Lk nicht die logisch geforderte Konsequenz zieht, daß man dieses Joch auch den Judenchristen abnehmen müßte. Das Judenchristentum hat für ihn nicht mehr aktuelle Bedeutung, sondern grundsätzlich heilsgeschichtliche.“

[65] πᾶν τὸ πλῆθος wie Lk 1,10; Apg 6,5; vgl. oben I 365 A.14.

[66] ἐσίγησεν. Vgl. die Reaktion auf Gottes Stimme Lk 9,36, auf Jesu Wort 20,26.

[67] Zu ἐξηγέομαι, das lukanisches Vorzugswort ist – es begegnet auch V 14 –, siehe oben Nr. 24 A.66.

[68] Die Aussage, daß Gott *durch* Barnabas und Paulus unter den Heiden Zeichen und Wunder tat, ist sachlich identisch mit den anders formulierten Wendungen (mit μετ' αὐτῶν) 14,27; 15,4.

[69] So u. a. Bultmann, Quellen 417; vgl. neuerdings Pesch, Jerusalemer Abkommen 106 (siehe oben A.21).

[70] Siehe Conzelmann zu V 12.

[71] Zu seiner Person siehe oben Nr. 27 A.63.

„Schriftbeweis" aus den Propheten anschließt (VV 14–18) und einen Kompromißvorschlag macht (VV 19–21). Die Rede beginnt mit der Anrede ἄνδρες ἀδελφοί (so auch V 7b) und der Bitte um Aufmerksamkeit[72].

V 14 knüpft an die vorausgehende Petrusrede an. Die Namensform Συμεών läßt kaum auf eine Quelle schließen; denn die Aussage des Verses rekapituliert die „theologische" Folgerung aus dem Bericht des Petrus[73]. Die Ereignisse um die Bekehrung des Kornelius machten deutlich, daß Gott zuerst darauf bedacht war[74], „seinem Namen aus den Heiden ein Volk zu gewinnen". Die bewußte Paradoxie von ἐξ ἐθνῶν und λαβεῖν λαόν drückt das Überraschende der göttlichen Wahl aus. Zu vergleichen sind die alttestamentlichen LXX-Texte Dtn 14,2 und 26,18 f[75]. Doch spielt Lukas nicht auf eine Einzelstelle an[76].

V 15 führt den Schriftbeweis ein. Die „Worte der Propheten"[77] befinden sich im Einklang[78] mit der Erfahrung des Petrus. καθὼς γέγραπται ist eine geläufige Einführungsformel, die sich auch außerhalb des lukanischen Werkes findet[79].

VV 16–18 sind im wesentlichen Zitat aus Am 9,11 f LXX. In V 16 klingt außerdem Jer 12,15 an. Am Schluß (V 18) wirkt Jes 45,21 ein. Vielleicht entstammt der so geartete Text einer Testimoniensammlung[80]. Der masoretische Text würde sich für die Beweisführung nicht eignen[81]. Vor allem der Schluß (nach Jes 45,21 f) ist für den „lukanischen" Sinn der Anführung bezeichnend. Er deutet „einen heilsgeschichtlichen Hintergrund für das kirchengeschichtliche Motiv ἀφ' ἡμερῶν ἀρχαίων (V 7) an"[82]. Die Prophetie von der Wiederaufrichtung der zerfallenen Hütte Davids bezieht Lukas nicht auf das davidische Königtum oder auf das wahre Israel. Er

---

[72] Vgl. 2,22; 7,2; 13,16; 22,1; 24,4; 26,3.

[73] Συμεών ist bewußter Archaismus (Conzelmann). Wahrscheinlich sollen die Leser daran erinnert werden, daß Jakobus aramäisch sprach. Der Schriftbeweis des Jakobus beruht freilich auf dem LXX-Text von Am 9,11 f.

[74] πρῶτον ὁ θεὸς ἐπεσκέψατο soll daran erinnern, daß Gott seine Entscheidung zugunsten der Heiden längst (vgl. V 7b ἀφ' ἡμερῶν ἀρχαίων) getroffen hat.

[75] Vgl. Dupont, ΛΑΟΣ (1956); Winter, Acta 15,14 (1957).

[76] Conzelmann: „lukanischer Bibelstil". Das gelte auch für den Dativ „seinem Namen"; gegen Dahl, „A People ..." (1958).

[77] Von den λόγοι eines Propheten spricht auch Lk 3,4 diff Mk; vgl. Apg 13,27 (φωναί).

[78] συμφωνέω steht im NT, abgesehen von Mt 18,19; 20,2.13 nur Lk 5,36 diff Mk; Apg 5,9; 15,15.

[79] Mt 26,24; Mk 1,2; 9,13; 14,21; Röm 1,17; 2,24; 3,10; 4,17; 8,36; 9,33; 11,26; 15,3.9.21 u.ö. bei Paulus; bei Lukas: Lk 2,23; Apg 7,42; 15,15.

[80] Conzelmann. Vgl. Holtz, Untersuchungen 21–26.132 f.

[81] Haenchen. Vgl. indessen die Wiedergabe der Amos-Stelle in CD 7,16; 4 QFlor 1,12 f; dazu Richard, Old Testament in Acts (1980) 339.

[82] Conzelmann. Jes 45,21 ἀπ' ἀρχῆς und Apg 15,18 ἀπ' αἰῶνος sind mit 15,7b zu vergleichen. Zu V 18 vgl. Holtz, Untersuchungen 22: „ein von Lukas dem Jakobus in den Mund gelegter biblizistischer Schluß des Zitats".

sieht in ihr „die in der Auferstehung gipfelnde Jesusgeschichte angekündigt (in der sich die dem David gegebene Verheißung erfüllt hat), jenes Jesusgeschehen, das die Heiden dazu veranlassen soll, den Herrn zu suchen“[83].

VV 19–20 Mit διὸ ἐγὼ κρίνω[84] und folgendem Infinitiv (μὴ παρενοχλεῖν[85]) beginnt die Folgerung aus dem Schriftargument mit dem praktischen Kompromißvorschlag, den man herkömmlicherweise „die Jakobus-Klauseln“ nennt (V 20). Laut V 29 werden diese Klauseln in das „Aposteldekret“ aufgenommen. Die Folgerung des Jakobus ist ähnlich wie die des Petrus (VV 10f) strukturiert. Zuerst wird negativ gesagt, daß denen, die sich von den Heiden zu Gott bekehren[86], keine Schwierigkeiten gemacht werden dürfen; mit ἀλλά (so auch V 11) wird positiv gefolgert: Jakobus rät zu einem Kompromiß. Es ist nicht zwingend erwiesen, daß sich die Folgerung aus dem Zitat von Am 9,11f ergibt. Mindestens aber ist deutlich, daß man die Heiden bei der Suche nach dem „Herrn“ (V 17) nicht behindern darf. Der positive Vorschlag von V 20 beabsichtigt eine briefliche Mitteilung – nach Antiochia[87] –, die Heidenchristen sollten sich folgender Befleckungen enthalten[88]: der εἴδωλα („Götzen“), der πορνεία („Unzucht“), des πνικτόν („Ersticktes“) und des αἷμα („Blut“-Genuß). Die vier Einschränkungen der Freiheit werden V 29 in anderer Reihenfolge genannt: εἰδωλόθυτα, αἷμα, πνικτά, πορνεία[89]. Es handelt sich um ein vierfaches Enthaltungs-Gebot: des Genusses von Götzenopferfleisch, von Blut, von Ersticktem und der Enthaltung von „Unzucht“. Mit πορνεία ist wohl nicht Unzucht im moralischen Sinn gemeint, sondern es ist eher an unerlaubte Ehen im Sinne von Lev 18,6–18, d.h. an Ehen unter nahen

---

[83] HAENCHEN.

[84] κρίνω bezeichnet hier nicht den Beschluß, sondern die Auffassung des Jakobus, die zum Antrag erhoben wird. κρίνω steht auch sonst häufig mit folgendem Infinitiv: 3,13; 4,19; 16,15; 20,16; 21,25; 25,25; 27,1. – διό wie Lk 1,35; 7,7; Apg 10,29; 20,31; 24,26; 25,26; 26,3; 27,25.34.

[85] παρενοχλέω „Schwierigkeiten machen“, mit Dativ der Person wie Polybius I 8,1; Epiktet, Diss. I 9,23 u.ö.

[86] οἱ ... ἐπιστρέφοντες ἐπὶ τὸν θεόν; vgl. die auf die Heidenbekehrung bezogenen Aussagen 11,21; 14,15; 26,20; mit πρός 1 Thess 1,9.

[87] Vgl. 15,23: Heidenchristen in Antiochia, Syrien und Kilikien.

[88] ἀπέχομαι mit folgendem Genitiv begegnet auch V 29, ferner 1 Tim 4,3; 1 Petr 2,11. 1 Thess 4,3 und 5,22 konstruieren mit ἀπό.

[89] ἀλίσγημα „Befleckung“ ist ntl. Hapaxlegomenon (vgl. ἀλισγέω „rituell verunreinigen“ in der LXX). Von ἀπέχεσθαι ist direkt nur der pluralische Genitiv τῶν ἀλισγημάτων abhängig, die vier folgenden Genitive hängen von ἀλισγημάτων ab. Die vier Enthaltungen werden so als rituell-kultische Gebote gekennzeichnet. πορνεία fehlt im Lk und steht in der Apg ferner 15,29 und 21,25, also nur im gleichen Zusammenhang und der gleichen Bedeutung wie 15,20. Das gleiche gilt für πνικτόν 15,20; 21,25 bzw. πνικτά 15,29. αἷμα steht 15,20.29 und 21,25, bezogen auf den Genuß von (Tier-)Blut. Statt „Götzen“ (15,20) heißt es 15,29 und 21,25 εἰδωλόθυτα (vgl. 1 Kor 8,1.4.10. Apk 2,14.20 steht das Essen von Götzenopferfleisch neben πορνεῦσαι).

Verwandten[90] gedacht. Der „westliche" Text deutet die Klauseln „moralisch" und fügt die Goldene Regel an[91].

V 21 Die Klauseln sind vom Standpunkt der „Schiedsstelle" ein Kompromiß zwischen den divergierenden Standpunkten, von denen der eine die Beschneidung forderte (15, 1.5) und der andere die gesetzesfreie Heidenmission praktizierte (Petrus, Barnabas und Paulus). Vom Standpunkt des Judenchristen Jakobus mag man die grundsätzliche Befreiung von der Beschneidung trotz der vier „Auflagen" als „Konzession" an die Heidenchristen verstehen[92]. Doch zeigt V 21 an, daß die Jakobusrede die Auflagen mit der mosaischen Predigt[93] begründet, die „seit ältesten Generationen" κατὰ πόλιν („von Stadt zu Stadt") in den Synagogen erfolgt. Es gibt also in den Städten der heidnischen Welt überall jüdische Gemeinden, denen die Mose-Tora jeden Sabbat[94] verlesen wird[95]. Darum dürfen die christlichen Gemeinden die Forderungen der Tora hinsichtlich der Heiden (Lev 17 f) nicht ignorieren.

VV 22–23 a Als Jakobus seinen Vorschlag unterbreitet hat (τότε), beschließen die Apostel und Ältesten zusammen mit der ganzen Gemeinde[96], Männer aus ihrer Mitte[97] mit Paulus und Barnabas nach Antiochia zu entsenden[98] (V 22 a). Als solche werden Judas mit dem Beinamen Barsabbas[99] und Silas[100] ausgewählt; sie sind „führende Männer unter den Brüdern"[101]

---

[90] Vgl. Billerbeck II 729 f; vgl. I 694; II 376 f. Hengel, Geschichtsschreibung 97, spricht hingegen von der Forderung nach sexueller Enthaltsamkeit außerhalb der Ehe.

[91] Siehe dazu oben Anmerkungen m. n. u und unten Exk. 12.

[92] So Dibelius, Apostelkonzil 87. Anders Conzelmann zu V 20: Konzession der Heidenchristen an die Judenchristen! Sie soll „den Judenchristen das Zusammenleben mit ihnen, insbesondere die Tischgemeinschaft, ermöglichen".

[93] Daß Mose „seine Verkündiger" (οἱ κηρύσσοντες αὐτόν) hat und „gelesen wird" (ἀναγινωσκόμενος, s. u. A.95), entspricht auch sonst bezeugter lukanischer Redeweise: Apg 8, 5 (Christus verkündigen; so auch 1 Kor 1, 23; vgl. 15, 12; 2 Kor 1, 19; Phil 1, 15); 9, 20 und 19, 13 (Jesus; so auch 2 Kor 11, 4; vgl. 4, 5); siehe auch 1 Tim 3, 16.

[94] κατὰ πόλιν unterstreicht die räumliche Ausdehnung der Toraverkündigung, κατὰ πᾶν σάββατον ihre zeitliche Regelmäßigkeit.

[95] ἀναγινώσκω mit personalem „Gegenstand" steht auch 8, 28.30 (Jesaja); 13, 27 (Propheten?); 2 Kor 3, 15 (Mose).

[96] Es handelt sich um einen Beschluß der ganzen Gemeinde von Jerusalem, wenngleich nur die Apostel und die Ältesten als Absender des Schreibens fungieren (V 23b). ἔδοξε(ν) mit personalem Dativ und folgendem Infinitiv bezeichnet den Beschluß: Lk 1, 3; Apg 15, 22.25.28 (sonst nicht im NT). Vgl. B. van Iersel, Wer hat nach dem Neuen Testament das entscheidende Wort in der Kirche?, in: Concilium 17 (1981) 620–625, näherhin 621 mit Anm. 5.

[97] ἄνδρας ἐξ αὐτῶν. Zu ἐκ/ἐξ in dieser Bedeutung vgl. die Parallelen 1, 24; 3, 23; 19, 33; siehe auch ἐκ μέσου 17, 33; 23, 10.

[98] πέμπω mit Angabe des Ziels wie Lk 15, 15; 16, 27; Apg 10, 5.32.

[99] Ἰούδας ὁ καλούμενος Βαρσαββᾶς wird ferner 15, 27.32.34 v. l. genannt. Βαρσαββᾶς ist der Vatername des Judas: Sohn des Sabba; vgl. oben I 220 A.70.

[100] Der Name Σιλᾶς begegnet nur Apg 15, 22.27.32.34 v. l., ferner 9mal innerhalb von 15, 40 – 18, 5 für den Begleiter des Paulus. Silas ist identisch mit Σιλουανός (Silvanus),

(V 22b). Die Jerusalemer Gemeinde teilt in einem Schreiben ihren Beschluß mit, der im Sinne des Jakobus-Vorschlags ausfiel[102]. Judas und Silas sollen das Schreiben in Antiochia übergeben (V 23a)[103].

V 23b bezeichnet Absender und Adressat des sogenannten „Aposteldekrets"[104], das als Brief bis V 29 reicht. Dem Grußwort χαίρειν entspricht am Schluß des Briefes ἔρρωσθε[105]. Absender sind „die Apostel und die Ältesten (als) Brüder[106] (der antiochenischen Christen)". Empfänger sind die „Brüder aus den Heiden"[107] in Antiochia, Syrien und Kilikien[108]. Das Schreiben enthält in seinem Corpus eine kurze Angabe über den Anlaß der Jerusalemer Versammlung *(V 24)* und weitere Angaben über die Delegaten, die das Schreiben überbringen *(VV 25–27)*. Dann wird der Beschluß

---

den Paulus erwähnt: 2 Kor 1,19; 1 Thess 1,1; vgl. ferner 2 Thess 1,1; 1 Petr 5,12. Lit. zu Silas/Silvanus: A. STEGMANN, Silvanus als Missionär und „Hagiograph" (Rottenburg 1917); L. GOPPELT, Der Erste Petrusbrief (MeyerK XII/1) (Göttingen 1978) 347–349; KAYE, Portrait of Silas (1979); OLLROG, Paulus und seine Mitarbeiter (1979) 17–20; ELLIOTT, Peter, Silvanus and Mark (1980).

101 ἄνδρες ἡγούμενοι kennzeichnet eine nicht näher konkretisierte Führungsposition in der Gemeinde. V 31 nennt die beiden „Propheten". ὁ ἡγούμενος bezeichnet einen Mann in leitender Stellung auch Lk 22,26; Apg 7,10; vgl. Hebr 13,7.17.24.

102 Vgl. VV 28f (ἔδοξεν ... ἡμῖν μηδὲν πλέον ἐπιτίθεσθαι ὑμῖν βάρος ...) mit VV 19f, aber auch mit den VV 10f der Petrusrede.

103 Dem πέμψαι (V 22) entspricht ἀπεστάλκαμεν in V 27. Judas und Silas sollen das Schreiben überbringen (γράψαντες διὰ χειρὸς αὐτῶν, V 23a) und über den Beschluß mündlich berichten (V 27).

104 Daß der Brief von Lukas formuliert ist, sollte – gegen WIKENHAUSER, Die Apostelgeschichte und ihr Geschichtswert 154f – nicht bestritten werden; vgl. 15,24f mit Lk 1,1–4. Vgl. auch den Brief des Lysias Apg 23,26–30. Zu der Frage, ob der Brief traditionell ist oder von Lukas verfaßt wurde, siehe HAENCHEN, Quellenanalyse (1960); CONZELMANN zu VV 23–29.

105 Das elliptische χαίρειν im Briefeingang ist „griechisch" (Xenophon, Cyrop. IV 5,27; Plutarch, Ages. 21,10; Fl. Josephus, Vita 217. 365; BLASS/DEBR §§ 389; 480,5). Es begegnet im NT nur Apg 15,23; 23,26; Jak 1,1. – ἔρρωσο bzw. ἔρρωσθε „Leb(t) wohl!" ist häufig in griechischen Briefschlüssen bezeugt (auch im hellenistischen Judentum: 2 Makk 11,21.33; 3 Makk 7,9; Arist 40.46; Fl. Josephus), im NT nur Apg 15,29; 23,30 t.r., häufig vor allem bei Ignatius von Antiochia. Zum Briefformular s. F.X.J. EXLER, The Form of the Ancient Greek Letter (Washington 1923; Neudruck 1976) 74ff; O. ROLLER, Das Formular der paulinischen Briefe (Stuttgart 1933) 133; K. BERGER, Apostelbrief und apostolische Rede. Zum Formular urchristlicher Briefe, in: ZNW 65 (1974) 190–231.

106 ἀδελφοί (V 23b Anfang) bezieht sich nicht nur auf οἱ πρεσβύτεροι. Vielmehr reden die Christen in Jerusalem „als Brüder" die Christen in Antiochia usw. mit „Brüder" an (V 23b Ende). Dabei ist natürlich zu beachten, daß *Juden*christen die *Heiden*christen Brüder nennen.

107 Vgl. V 14 ἐξ ἐθνῶν λαόν.

108 Mit Antiochia ist die Metropole und der eigentliche Adressat benannt. Syrien und Kilikien (auch 15,41; Gal 1,21 nebeneinander genannt) bilden das von Antiochia aus missionierte „Umland" bzw. „Hinterland". Merkwürdig ist, daß in der Adresse Kilikien genannt ist, obgleich es in der Apg bisher nicht als Missionsgebiet erwähnt wurde. Für den Leser der Apg entsteht der Eindruck, das Dekret sei vorsorglich auf Kilikien ausgedehnt worden. Doch 15,41 erfährt er, daß Paulus zu Beginn der „zweiten Missionsreise"

selbst mitgeteilt, und zwar nach seiner negativen wie positiven Seite *(VV 28–29 a)*. Der Beschluß wird als Willenskundgebung des heiligen Geistes und der Absender bezeichnet. Er befreit die Heidenchristen von der Beschneidung, legt ihnen aber (vier) „notwendige" Enthaltungsgebote auf. Das Schreiben endet *(V 29 b)* mit der Zusage: „Wenn ihr euch davor in acht nehmt, handelt ihr richtig. Lebt wohl!"

VV 24–27 Die drei ersten Verse sind neben Lk 1,1–4 die einzige Satz-„Periode" des lukanischen Werkes[109]. Den Aposteln und Ältesten ist zu Ohren gekommen – durch die antiochenische Delegation (vgl. VV 1 f)[110] –, daß Mitglieder der Jerusalemer Gemeinde die antiochenische Gemeinde durch ihre Worte beunruhigten[111] und verwirrten[112]. Doch – so wird nach Art einer Parenthese eingeschoben[113] – geschah dies ohne Auftrag Jerusalems (V 24). Die Gemeinde hat daraufhin einmütig einen Beschluß gefaßt[114] (vgl. V 22). Sie wählte Männer aus[115], die mit Barnabas und Paulus[116] zu den antiochenischen Christen reisen sollen (V 25). Judas und Silas (V 27) werden, ehe das Schreiben ihre Namen mitteilt, in V 26 besonders empfohlen: Sie sind Menschen, die ihr Leben „für den Namen

---

in „Syrien und Kilikien" (zuvor gegründete) Christengemeinden „stärkte". Vielleicht ist die erste Missionierung in Kilikien nach Lukas mit Apg 9,30 (vgl. 11,25 f) in Verbindung zu bringen. Lukas weiß, daß der Leser sich fragt, ob das Dekret nicht auch für die Gemeinden der „ersten Missionsreise" gelte; dem trägt er mit 16,4 Rechnung.
Συρία wird ferner 18,18 (Ende der 2. Missionsreise; V 22: Antiochia); 20,3; 21,3 erwähnt. Syrien wurde nach den Eroberungszügen des Pompejus 63 v. Chr. römische Provinz. Zur Geschichte Syriens siehe E. Honigmann, Syria, in: Pauly/Wissowa II/4, 1549–1727; H. Donner, Syrien I, in: RGG VI 571–575; O. Volk, Syrien, in: LThK IX 1252–1254; B. Lifshitz, Études sur l'histoire de la province romaine de Syrie, in: ANRW II/8 (Berlin 1977) 3–30; W. Van Rengen, L'épigraphie grecque et latine de Syrie, in: ANRW II/8, 31–53. – Κιλικία erwähnt die Apg außer den oben genannten Stellen noch 6,9; 21,39; 22,3; 23,34; 27,5. Zu Kilikien siehe Ramsay, Historical Geography (1890) 383–387; Schultze, Städte und Landschaften II/2 (1926) 264–327; Metzger, Les routes (²1956) 21–24; O. Volk, Kilikien, in: LThK VI (1961) 144–146; R. Fellmann, Kilikien, in: LAW 1523; Jones, The Cities (²1971) 191–214.

[109] Siehe Blass/Debr § 464 mit Anm. 4.

[110] Damit wird verdeutlicht, daß die judäischen Christen (15,1) ohne Auftrag der Apostel handelten. Vgl. V 24 Ende.

[111] λόγοις ist zu ἐτάραξαν zu ziehen (vgl. 15,1 f). ταράσσω begegnet auch 17,8.13; passivisch Lk 1,12; 24,38.

[112] ἀνασκευάζω, wörtlich „umstoßen", hier im übertragenen Sinn „verstören, verwirren", ist ntl. Hapaxlegomenon.

[113] οἷς οὐ διεστειλάμεθα (V 24b): „sie sind ohne jeden Auftrag auf eigene Faust nach Antiochia gegangen" (Conzelmann). διαστέλλομαι „anordnen, befehlen" steht mit personalem Dativ auch Mk 5,43; 7,36; 8,15; 9,9 par Mt 16,20.

[114] ἡμῖν γενομένοις ὁμοθυμαδόν ist von ἔδοξεν abhängig. ὁμοθυμαδὸν (dazu oben I 207 A.72) γίνομαι heißt „übereinkommen, einmütig beschließen".

[115] Die LA ἐκλεξαμένοις (von ἡμῖν abhängig) von P⁴⁵ vid A B Ψ al ist gegenüber der LA im Akkusativ (vgl. V 22) – so ℵ C D E H al – wohl vorzuziehen; s. MetzgerTC 427; vgl. Conzelmann.

[116] Sie werden von Jerusalem ἀγαπητοὶ ἡμῶν genannt! ἀγαπητός bei Eigennamen steht im NT auch Röm 16,12; Phlm 1; 3 Joh 1.

unseres Herrn Jesus Christus" eingesetzt haben[117]. V 27a nennt die Namen der Jerusalemer Boten, V 27b sagt, daß diese beiden ebenso wie Barnabas und Paulus den Beschluß auch mündlich mitteilen sollen[118]. Sein Inhalt wird in den folgenden VV 28f formuliert.

VV 28–29 Der Beschluß der Versammlung ist nicht nur menschliche Entscheidung der Apostel und der Jerusalemer Gemeinde, sondern zugleich Willenskundgebung des heiligen Geistes[119]. Die Heidenchristen, für die sich der heilige Geist schon früh entschieden hat, werden mit keiner weiteren Last[120] beschwert; ihnen werden nur folgende notwendige[121] Auflagen gemacht (V 28): Sie sollen sich enthalten (ἀπέχεσθαι mit folgendem Genitiv wie V 20) des Götzenopferfleisches, des Blutgenusses, des Erstickten und der ungesetzlichen Verwandtenehe (V 29a)[122]. Dies entspricht dem Kompromißvorschlag des Jakobus und beruht auf der Gesetzgebung für die in Israel wohnenden Fremden (Lev 17,8 – 18,18). Die Klauseln des „Befreiungs"-Dekrets sollen vor allem die Tischgemeinschaft zwischen Juden- und Heidenchristen in „gemischten" Gemeinden ermöglichen. Der Schluß des Briefes, der den Beobachtern der Klauseln zusichert, daß sie „recht handeln"[123], macht zugleich deutlich, daß die Einhaltung der „Klauseln" nicht *heils*relevant ist[124].

VV 30–31 Die antiochenische Delegation und die beiden Jerusalemer Boten werden entlassen[125]. In Antiochia angekommen, versammeln sie die Gemeinde[126] und übergeben den Brief[127]. Man liest ihn und freut sich

---

117 Die anerkennende Wendung erinnert an Röm 16,4a. Die Aussage über Lebenseinsatz oder Leiden „für den Namen (Christi)" ist „lukanisch". ὑπέρ soll dabei wohl den bewegenden Grund anzeigen: Apg 5,41; 9,16; 21,13; vgl. 2 Kor 12,10; Phil 1,29.

118 Das Partizip Präsens ἀπαγγέλλοντας ersetzt das finale futurische Partizip; vgl. Zerwick, Biblical Greek Nr. 284.

119 Vgl. die Intervention des heiligen Geistes in der Korneliusgeschichte: 10,44f. Hinter ihr stand Gott selbst: 11,15–17.

120 μηδὲν πλέον ἐπιτίθεσθαι … βάρος besagt nicht, daß nur eine kleine Last auferlegt werde, sondern: Es wird keine Last auferlegt, sondern nur „folgendes Notwendige".

121 τὰ ἐπάναγκες „die notwendigen Dinge". Das Adverb ἐπάναγκες ist ntl. Hapaxlegomenon (vgl. indessen Epiktet, Diss. II 20,1; JosAnt XVI 365). Vgl. auch Haenchen, Apg 436f Anm. 4.

122 „Terminologie" und Reihenfolge der Gegenstände entsprechen genau der Angabe von 21,25, nur daß dort nicht πνικτά, sondern πνικτόν steht. Wenn 15,20 (im Munde des Jakobus) die Reihenfolge abweicht (πορνεία an zweiter Stelle, αἷμα am Schluß) und statt Götzenopferfleisch „(Befleckung durch) die Götzen" steht, so wird diese Variation auf Lukas zurückgehen.

123 εὖ πράσσω kann heißen „sich richtig verhalten" (BauerWb s.v. πράσσω 2a), läßt aber auch die Übersetzung „sich wohl befinden" zu (siehe ebd. 2b).

124 Siehe hingegen die Behauptung der Judäer 15,1, die Beschneidung sei heilsnotwendig!

125 ἀπολυθέντες (V 30); vgl. ἀπελύθησαν V 33. Siehe dazu oben I 352 A.95.

126 τὸ πλῆθος ist die Gemeindeversammlung. Das Wort steht auch 19,9 und 21,22 v.l. absolut. Vgl. oben I 365 A.14.

127 ἐπιδίδωμι ist gebräuchlich für die Übergabe eines Briefes (s. BauerWb s.v. 1). Das

über den Zuspruch[128], d. h. den tröstlichen Bescheid, „daß man von der Beschneidung frei bleibt und dennoch als rechter Christ anerkannt wird“[129].

VV 32–33 Während Paulus und Barnabas in Antiochia bleiben (V 35), wird von Judas und Silas berichtet, daß sie nach einiger Zeit[130] nach Jerusalem[131] zurückkehrten. Da sie „Propheten“ waren[132], konnten sie zuvor die antiochenischen „Brüder“ trösten und stärken[133] (V 32). Dann wurden sie mit dem Friedensgruß nach Jerusalem entlassen[134].

[V 34] Da sich laut 15,40 Silas bald nach seiner Rückkehr nach Jerusalem (VV 32f) wieder in Antiochia befand, von wo ihn Paulus mitnahm, haben einige Zeugen des „westlichen“ Textes[135] (als V 34) notiert: „Silas aber beschloß, bei ihnen zu bleiben, Judas reiste allein.“ Damit wird zwar der Übergang zu 15,40 erleichtert, doch auf Kosten einer neuen Unausgeglichenheit: V 33 steht nun in Widerspruch zu V 34[136]. Falls man davon ausgeht, daß Silas/Silvanus nicht aus Jerusalem kam, sondern der antiochenischen Gemeinde angehörte[137], hätte Lukas diesen Mann von sich aus der Jerusalemer Gemeinde zugeordnet. 15,40 kann indessen kaum die überlieferte Ersterwähnung des Silas sein, da er dort – im Gegensatz zu 15,22.32 – unvermittelt genannt wird[138].

V 35 Paulus und Barnabas verweilten in Antiochia. Sie waren mit vielen anderen[139] als Lehrer und Evangelisten tätig. Gegenstand ihrer „inner-

---

Verbum ist Vorzugsvokabel des lukanischen Werkes: Lk 4,17; 11,11a.b; 24,30.42; Apg 15,30; 27,15.

[128] Zu παράκλησις s.o. Nr. 30 A.27.

[129] Haenchen zu V 31.

[130] ποιήσαντες δὲ χρόνον „sie verweilten eine Zeitlang“; vgl. 18,23; 20,3.

[131] V 34: „zu denen, die sie abgesandt hatten“.

[132] καὶ αὐτοί προφῆται ὄντες. Vielleicht knüpft καί („auch“) an 13,1 an (Loisy, Bauernfeind); dagegen spricht sich Haenchen aus.

[133] παρεκάλεσαν ... καὶ ἐπεστήριξαν. Zu παρακαλέω s.o. I 278 A.142; zu ἐπιστηρίζω s.o. Nr. 34 A.11.

[134] μετ' εἰρήνης „mit dem Friedensgruß“; vgl. Gen 26,29 LXX; JosAnt I 179.

[135] Siehe oben A. w. Zur Beurteilung dieser Erweiterung s. Haenchen; MetzgerTC 439.

[136] Nach der Entlassung mit dem Friedensgruß soll Silas sich zum Bleiben entschlossen haben!

[137] So Ollrog, Paulus und seine Mitarbeiter (1979) 19: Die Sendung des Silas von Jerusalem nach Antiochia ist „lukanische Konstruktion“. Lukas wußte nur, „daß Silas der Begleiter des Paulus während der folgenden Missionsreise war“.

[138] Siehe auch Goppelt, a.A. 100 a.O. 349. Nach Pesch, Jerusalemer Abkommen 120, zeigt die Spannung zwischen 15,33 und 15,40 eine (quellenbedingte) „Naht“ an: 15,36–41 (16,1ff) schließe sich gut an 13,1 – 14,28 an; vgl. auch Borse, Beobachtungen (1980) 196f.

[139] Die antiochenische Gemeinde ist also nicht auf Paulus und Barnabas angewiesen; sie können bald wieder zur Reise aufbrechen (vgl. V 36); siehe Haenchen.

kirchlichen" Lehre (διδάσκω) und ihrer „missionarischen" Verkündigung (εὐαγγελίζομαι) war der λόγος τοῦ κυρίου[140], d.h. die christliche Botschaft.

Exkurs 12:

„Apostelkonzil" und „Aposteldekret"

Literatur siehe Nr. 35, zum „Aposteldekret" besonders Nr. 35 B.

Die Bezeichnungen „Apostelkonzil" und „Aposteldekret" entsprechen der Darstellung von Apg 15,1–31 und sind aus diesem Bericht über die Ereignisse gewonnen. Es handelt sich nach Apg 15 um eine Versammlung der Apostel und Ältesten mit der Jerusalemer Gemeinde (15,6). Dieses „Apostelkonzil" verabschiedet ein „Dekret" (15,22.25.28) und läßt es nach Antiochia überbringen (15,23–31). Diese Darstellung vereinigt zwei Ereignisse, die zeitlich auseinanderlagen, den „Apostelkonvent", den Paulus Gal 2,1–10 erwähnt, und die Lösung des Problems, das im „antiochenischen Konflikt" aufbrach (Gal 2,11–14). Paulus selbst schweigt hinsichtlich des Ausgangs dieses Konflikts. Auch wenn man im „Aposteldekret" nicht die direkte, aus Jerusalem kommende Antwort auf die Problematik der Tischgemeinschaft zwischen Juden- und Heidenchristen sieht[1], wird man zugeben müssen, daß der sachliche Inhalt des „Aposteldekrets" die Problematik des „antiochenischen Konflikts" lösen soll[2]. Paulus schweigt indessen nicht über den Ausgang der Zusammenkunft mit Jakobus, Kephas und Johannes, sondern sagt ausdrücklich, daß ihm die Jerusalemer Autoritäten keine Auflage gemacht haben (Gal 2,6). Paulus kennt das „Aposteldekret" auch später nicht[3]. Es ist nicht bei der Jerusalemer Zu-

---

140 Siehe dazu oben I 420 A. k. Im folgenden Vers 15,36 ist von einem καταγγέλλειν „des Wortes des Herrn" die Rede.

1 Vgl. indessen Strobel, Aposteldekret (1981) 89–94: Das Dekret ist ohne Mitwirkung des Paulus „nach der peinlichen Auseinandersetzung in Antiochien" in Jerusalem entstanden, als Antwort auf das Problem des „antiochenischen Konflikts" (90). Erst nach der dritten Missionsreise wurde Paulus „aus autoritativem Mund mit dem Dekret bekannt gemacht" (94); siehe Apg 21,25. Paulus hat sich „dem Ansinnen des Jakobus ohne jeden Widerspruch unterworfen" (ebd.).

2 Daß das Dekret nicht vom Apostelkonvent stammt, sondern nach dem antiochenischen Zwischenfall entstand, ist fast allgemeine Überzeugung; siehe Haenchen, Apg 452; Hengel, Geschichtsschreibung 98. Siehe ferner Pesch, Jerusalemer Abkommen (1981) 106f: „Apg 15,5–12a.13–33 ist nicht vom Jerusalemer Abkommen (Gal 2,1–10), sondern von der Lösung des Antiochenischen Konflikts (Gal 2,11–14), die Paulus verschwieg, die Rede." Nach Pesch handelt nur Apg 15,1–4.12b vom Apostelkonvent, der Gal 2,1–10 erwähnt ist.

3 Bei der Erörterung der Frage, ob der Christ berechtigt sei, Götzenopferfleisch zu essen (1 Kor 8–10), zeigt Paulus keinerlei Kenntnis von den Bestimmungen des „Aposteldekrets".

sammenkunft, zu der Paulus mit Barnabas von Antiochia aus „hinaufzog“ (2,1f), erlassen worden. Doch Lukas kombiniert in seiner Erzählung vom „Apostelkonzil“ zwei verschiedene Entscheidungen bzw. Ereignisse, weil er die Sachfragen (Beschneidung und gesetzliche Verpflichtungen der Heidenchristen) zusammensieht und als zusammengehörig versteht.

Da es nicht möglich sein dürfte, aus dem Bericht Apg 15,1–35 zwei auf die beiden unterschiedlichen Ereignisse (Lösung der Beschneidungsfrage, Lösung der „antiochenischen“ Problematik) bezogene Quellen textlich zu rekonstruieren[4], wird man den Gesamtbericht Apg 15,1–35 mit Gal 2,1–10(11–14) vergleichen, um Gemeinsamkeiten, Differenzen und Widersprüche zu erkennen[5]. Von vornherein ist klar, daß der Bericht des Paulus als Augenzeugenbericht den Vorzug verdient, wenngleich auch er nicht völlig tendenzfrei ist[6].

Die Tendenzen der beiden Berichte laufen sogar in entgegengesetzte Richtungen. Während es Paulus darauf ankommt, seine Unabhängigkeit von Jerusalem zu demonstrieren, will Lukas gerade Jerusalem und die Apostel um Petrus als die für wichtige kirchliche Entscheidungen zuständige Autorität herausstellen (vgl. Apg 15,2.6.22.25). Die Entscheidung der Jerusalemer Autorität ist zugleich die des heiligen Geistes, was freilich nicht als Subordination des Geistes unter die „Kirchenleitung“ verstanden ist, sondern zeigen soll, daß die Apostel bei ihrer Entscheidung auf den Geist achteten[7]. Das „Dekret“ der Apostel fällt zwar zugunsten des Paulus und der Heidenchristen aus; doch erscheint Paulus an ihm nicht beteiligt, er hat es zu respektieren!

Wenn man den Textvergleich auf Gal 2,11–14 ausdehnt, fällt die Parallelität von Gal 2,12 und Apg 15,1 (vgl. 15,24) auf: In Antiochia erschienen Christen aus Judäa, die gesetzliche Forderungen erhoben. Nach dem Galaterbrief kritisierten die „Jakobus-Leute“ die Tischgemeinschaft des Petrus mit den Heidenchristen, nach Lukas forderten die Judäer deren Beschneidung. Lukas hat somit möglicherweise eine Nachricht, die ursprünglich den Anlaß des „antiochenischen Konflikts“ angab, auf den Apostelkonvent bezogen, bei dem es um die Beschneidungsfrage ging[8]. Jedenfalls berichtet Paulus selbst nichts über einen solchen Anlaß der Reise nach Jerusalem[9]. Freilich ist nicht auszuschließen, daß er den Anlaß nicht erwähnt, um seine Reise mit Barnabas nicht als Gesandtschaft im Auftrag der antiochenischen Gemeinde erscheinen zu lassen[10].

---

[4] Siehe dazu oben Nr. 35 (Einleitung).
[5] Vgl. die Übersichten bei SCHLIER, Galater 105–117; MUSSNER, Galaterbrief 127–132.
[6] HAENCHEN, Apg 447–452; MUSSNER, a.a.O. 131.
[7] Vgl. dazu oben I 152 (unter c). Siehe auch Apg 13,3f.
[8] Die Parallelität von Gal 2,12 und Apg 15,1 spricht gegen die Quellenzuweisung durch PESCH, Jerusalemer Abkommen 106f; siehe oben A.2.
[9] Vgl. Gal 2,2: ἀνέβην δὲ κατὰ ἀποκάλυψιν.
[10] Siehe HAENCHEN, Apg 448; MUSSNER, Galaterbrief 128. Die Angabe des Paulus schließt nicht aus, daß die Reise zugleich auf Wunsch der antiochenischen Gemeinde erfolgte.

Aus Gal 2,1f.11 geht hervor, daß der „antiochenische Konflikt“ *nach* dem Apostelkonvent stattfand. Über seinen Ausgang sagt Paulus möglicherweise darum nichts, weil er unterlag. Jedenfalls erwähnt er das „Aposteldekret“ nicht, das historisch am besten *nach* dem Konflikt von Antiochia einzuordnen ist. Es regelte eine Frage, die in Jerusalem offengeblieben war, weil man die Problematik „gemischter“ Gemeinden noch nicht wirklich würdigte (vgl. Gal 2,9: „wir zu den Heiden, sie aber zu den Beschnittenen“). Das wiederum läßt die Frage nach dem zeitlichen Verhältnis von „erster Missionsreise“ (Apg 13–14) und Apostelkonvent (Gal 2,1–10) in einem neuen Licht erscheinen[11]. Es stützt die Hypothese, der Apostelkonvent habe *vor* dieser Reise stattgefunden[12].

Die Frage, woher Lukas die Bestimmungen des „Aposteldekrets“ kannte, ist wohl mit E. Haenchen dahin zu beantworten, daß ihm die den vier Forderungen entsprechende Praxis bekannt war[13]. Ob er mit der Aufzählung der vier Punkte einem formelhaften *Text* folgt, ist zweifelhaft, zumal auch „der Brief“ nach Antiochia (Apg 15,23b–29) literarisch ist[14]. Zur Beurteilung des „Aposteldekrets“ ist zunächst die textkritische Problematik zu klären. Der Konsens der heutigen Forschung geht dahin, daß die viergliedrige kultisch-rituelle Fassung ursprünglich ist[15] und die ethisch ausgerichtete des „westlichen“ Textes durch Umformung der älteren Fassung entstand, wobei man verschiedentlich die Goldene Regel anfügte[16].

Die kultisch-rituelle Form des Dekrets begegnet in folgenden Fassungen:

---

[11] Siehe dazu oben Nr. 28 zu 13,3 (mit Anmerkungen 46–53).

[12] So J. Jeremias, E. Haenchen, Ph. Vielhauer, A. J. M. Wedderburn, R. Pesch; siehe oben Nr. 28 A.49f. Siehe hingegen auch die Bedenken bei Conzelmann, Apg 95.

[13] Haenchen, Apg 454: Lukas „hat [mit dem Dekret] eine lebendige Tradition beschrieben, die man wahrscheinlich schon damals auf die Apostel zurückgeführt hat“. Dagegen vertrat Bauernfeind, Apg 195, die Ansicht, zur Zeit des Lukas seien die Bestimmungen des Dekrets schon überholt gewesen. Demgegenüber ist zu betonen, daß man noch nach Abfassung der Acta „rituelle“ Forderungen durchaus vertrat; vgl. Apk 2,14.20 (Opferfleisch, Unzucht); JustDial 34,8 (Opferfleisch); Minucius Felix, Octavius 30,6 (Blutgenuß); Martyrium Lugdunense: EusHistEccl V 1,26 (Blutgenuß); Tertullian, Apol. 9,13 (Blut, Ersticktes). Wenn der „westliche“ Text die Klauseln des Dekrets „ethisierte“, so ist dafür nicht nur ein Unverständnis hinsichtlich ritueller Forderungen verantwortlich.

[14] Gegen Strobel, Aposteldekret 92: 15,23–29 biete das Dekret „im Wortlaut“, obgleich der Brief literarisch konstruiert ist. Doch habe 15,28.29a (ohne „dem heiligen Geist und“) „als ursprünglicher Kern“ zu gelten.

[15] Siehe z. B. Lietzmann, Sinn des Aposteldekretes (1933); Waitz, Das Problem (1936); Cerfaux, Le chapitre XVe (1946); Williams, Alterations to the Text (1951) 54ff; Kümmel, Die älteste Form (1953); Epp, Theological Tendency (1966) 107–112.116–118; Simon, Apostolic Decree (1970); ders., De l’observance rituelle à l’ascèse (1978); Strobel, Aposteldekret (1981) 91. Siehe ferner Haenchen, Apg 452–456; Conzelmann, Apg 92f. – Für die Priorität des „westlichen“ Textes trat neuerdings Boman, Das textkritische Problem (1964), ein.

[16] Siehe oben Nr. 35 Anmerkungen m, n und u.

15,20 „Götzen und Unzucht[17] und Ersticktes[18] und Blut"; so P74 ℵ A B C E Ψ u.a.
15,29 „den Götzen Geopfertes und Blut und Ersticktes[19] und Unzucht[20]"; so in den o.e. Textzeugen.
21,25 „den Götzen Geopfertes und Blut und Ersticktes und Unzucht"; so in den gleichen Textzeugen.

Die sekundäre, „ethisierte" Form begegnet in folgenden Fassungen:

15,20 D (gig) Irlat lassen καὶ [τοῦ] πνικτοῦ weg und fügen die Goldene Regel (in negativer Form) an.
15,29 D l Irlat (Tert) lassen καὶ πνικτῶν weg und fügen die (negative) Goldene Regel an.
21,25 D gig lassen καὶ πνικτόν weg.
Also fehlt regelmäßig das „Erstickte", das sich nicht als „ethisch" relevant verstehen ließ. Es bleiben drei Enthaltungsgebote moralischer Art: Götzendienst, Unzucht und Blutvergießen (Mord). Das Schema von drei Hauptsünden zeichnet sich ab[21].

Ob man die Forderungen des „Aposteldekrets" der Sache nach auf eine Jerusalemer Verordnung zurückführen darf, ist höchst fraglich. Da sie doch wohl, wie gesagt, den Problemhorizont einer stark „gemischten" Gemeinde voraussetzen[22], kommt als solche Antiochia – nach dem Weggang des Paulus – in Betracht. Lukas jedenfalls erzählt, daß das Dekret im Einflußbereich von Antiochia verbreitet wurde: in Syrien und Kilikien (15,23.30.41), aber auch in den Gemeinden, die Barnabas und Paulus im Auftrag der antiochenischen Gemeinde missioniert hatten (16,1–5)[23]. Für Lukas war das Thema der Mahlgemeinschaft in gemischten Gemeinden nicht mehr brisant. Für ihn haben die Bestimmungen vor allem heilsgeschichtliche Bedeutung: Das Dekret „stellt die Kontinuität zwischen Israel und der gesetzesfreien Kirche dar"[24].

---

[17] In P45 fehlt καὶ τῆς πορνείας 15,20 (von den beiden Parallelen, 15,29; 21,25 ist der Text nicht erhalten), so auch in einem Teil der äthiopischen Übersetzung von 15,20. Vgl. auch unten A.20. Siehe dazu Wikenhauser, Apg 174, der diese LA ernsthaft als ursprünglich in Betracht zieht. Dann wären die „Jakobusklauseln" ursprünglich eine reine Speiseregel gewesen; doch siehe unten A.20.

[18] Der Artikel vor πνικτοῦ fehlt in P74 A B Ψ.

[19] P74 liest πνικτοῦ statt πνικτῶν, so auch ℵc Ac E Ψ.

[20] καὶ πορνείας fehlt in einigen Vg-Handschriften, bei Vigilius und Gaudentius sowie Origenes, C. Celsum VIII 29. Dies kann auf einem Versehen beruhen; so Conzelmann, Apg 92, im Anschluß an Kümmel. Siehe indessen auch MetzgerTC 430f, der damit rechnet, daß man πορνεία in einer Aufzählung von Speiseverboten als störend empfand. Vgl. auch oben A.17.

[21] Conzelmann, Apg 93, spricht von „Todsünden".

[22] Vgl. Haenchen, Apg 455: „Die Verbote werden in einer stark gemischten Diasporagemeinde zur Geltung gekommen sein, wo die jüdischen Anforderungen gemäßigter waren und man sich mit jenen vier von Mose selbst den Heiden gegebenen Geboten zufrieden gab."

[23] Dagegen spricht nicht, daß Lukas dem „Aposteldekret" Allgemeingültigkeit beimißt.

[24] Conzelmann, Apg 93.

III. Das Christuszeugnis auf dem Weg „bis ans Ende der Erde“ (15,36 – 28,31)

Das „Apostelkonzil“ bedeutet einen Wendepunkt in der Geschichte der frühen Kirche. Die Apostelgeschichte läßt das mehrfach deutlich werden: Petrus und die Apostel treten fortan nicht mehr in Erscheinung; in Jerusalem übernehmen Jakobus und die Ältesten die Gemeindeleitung (vgl. 21,18). Doch Jerusalem steht nun nicht mehr im Mittelpunkt der Darstellung. Neuer Mittelpunkt ist im dritten Teil der Acta Paulus und sein Wirken. Die Person und das Werk des Paulus stellen die Verknüpfung zwischen der Urzeit der Kirche und der Kirche der lukanischen Gegenwart dar. Der geographische Weg führt bei der „zweiten Missionsreise“ (15,36 – 18,22) nach Europa. Paulus, der nun ohne Barnabas reist (vgl. die Trennung der beiden, 15,39), kommt nach Athen und Korinth. Die Reise gilt als selbständige Unternehmung des Paulus, da er nach der Rückkehr in Antiochia keinen Bericht erstattet (18,22; anders hingegen 14,26f). Eine „dritte Missionsreise“ (18,23 – 21,14) führt Paulus vor allem nach Ephesus, aber auch wieder nach Mazedonien und Achaia. Als er nach dieser Reise in Jerusalem ankommt, wird er gefangengenommen (21,15 – 23,35). Wie Jesus muß er sich nicht nur vor dem Synedrium in Jerusalem verantworten (22,30 – 23,11), er steht auch (in Cäsarea) vor römischen Statthaltern sowie vor einem jüdischen König (24,1 – 26,32). Weil er an den Kaiser appelliert, wird er als Gefangener nach Rom gebracht (27,1 – 28,16). In der Hauptstadt des Imperiums kann er dennoch „ungehindert“ die christliche Botschaft verkündigen (28,17–31).

A. Die zweite Missionsreise des Paulus (15,36 – 18,22)

Nach dem „Apostelkonzil“ ergreift Paulus von sich aus die Initiative zu einer zweiten Reise. Die zweite Missionsreise unternimmt er jedoch nicht mehr zusammen mit Barnabas. In dieser Tatsache spiegelt sich die historische Erinnerung wider, daß der „antiochenische Konflikt“ (Gal 2,11–14) zu einem Bruch zwischen Paulus und Barnabas führte (2,13; vgl. Apg 15,39).

Die neue Reise, auf die Paulus nun Silas (und von Lystra aus auch Timotheus) mitnimmt (15,40; 16,1–3), ist – dies entspricht der Darstellung des „Apostelkonzils“ und seiner Beschlüsse Apg 15,1–35 – *nach* dem Konflikt von Antiochia anzusetzen. Die Reise führt zunächst über Syrien und Kilikien (15,41) zu den auf der ersten Reise gegründeten Gemeinden Derbe und Lystra (16,1; vgl. auch VV 4f), dann durch phrygisches und galatisches Gebiet (V 6) sowie an Mysien vorbei nach Troas (V 8). Die Richtung bei dem neuen missionarischen Vorstoß scheint vorgezeichnet: Von Troas wird Paulus auf wunderbare Weise nach Mazedonien gerufen (16,9–12).

In den mazedonischen Städten Philippi (16,12–40) und Thessalonich (17,1–9) werden Gemeinden gegründet. In Achaia besucht Paulus Athen (17,16–34) und Korinth (18,1–18). Auf der Rückreise nach Syrien (18,18) berührt er Ephesus (18,19–21) und besucht von Cäsarea aus Jerusalem (18,22 a), ehe er wieder in Antiochia eintrifft (18,22 b).

36. DER BRUCH ZWISCHEN PAULUS UND BARNABAS: 15,36–41

LITERATUR: DUPONT, Pierre et Paul à Antioche (1957) 203–205. – HAENCHEN, Das „Wir" in der Apostelgeschichte (1961), bes. 243–251. – O'NEILL, Theology of Acts ([2]1970) 66–72 [zu 15,36 – 19,20]. – Y. TISSOT, Les prescriptions des presbytres (Actes, XV, 41, D), in: RB 77(1970)321–346. – G. B. BRUZZONE, Il dissenso tra Paolo e Barnaba in Atti 15,39 (Collectio Ianuensis 1) (Genua 1973). – S. DOCKX, Essai de chronologie de la vie de saint Marc, in: ders., Chronologies néotestamentaires et Vie de l'Église primitive (Paris/Gembloux 1976) 147–166. – PESCH, Jerusalemer Abkommen (1981), bes. 119–121.

36 Nach einiger Zeit nun sagte Paulus zu Barnabas: Wir wollen wieder aufbrechen und in all den Städten, wo wir das Wort des Herrn verkündigt haben, nach den Brüdern sehen, wie es um sie steht! 37 Barnabas wollte auch den Johannes mit dem Zunamen Markus mitnehmen. 38 Doch Paulus bestand darauf[a]*, ihn, der sie in Pamphylien im Stich gelassen und sich nicht mit ihnen der Aufgabe*[b] *gestellt hatte, nicht mitzunehmen. 39 Da kam es zu einer heftigen Auseinandersetzung, so daß sie sich voneinander trennten; Barnabas nahm Markus mit und segelte nach Zypern. 40 Paulus aber wählte*[c] *sich Silas und zog aus, von den Brüdern der Gnade des Herrn empfohlen. 41 Er durchzog Syrien und* [d]*Kilikien und stärkte die Gemeinden*[e]*.*

Das Erzählstück 15,36–41, das die „zweite Missionsreise" des Paulus einleitet, schließt eng an den Bericht über die erste Reise (13,1 – 14,28) an. Diesmal geht die Initiative von Paulus aus, der mit Barnabas die Städte der ersten Reise wieder aufsuchen will *(V 36)*. Barnabas möchte (seinen

[a] Statt ἠξίου liest D: οὐκ ἐβούλετο λέγων.
[b] Hinter ἔργον fügen D w an: εἰς ὃ ἐπέμφθησαν.
[c] Statt ἐπιλεξάμενος „er wählte sich aus" liest D ἐπιδεξάμενος „er nahm mit sich".
[d] Vor Κιλικίαν lassen ℵ A C E Koine den Artikel (τήν) weg (gegen B D Ψ al); vgl. 15,23. – Gal 1,21 läßt ℵ* (auch 33 pc) den Artikel vor „Kilikien" weg.
[e] D fügt abschließend an: „indem er die Gebote der Ältesten übergab" (so auch gig w vg[cl] sy[h.mg]). Vgl. 16,4.

Vetter) Markus mitnehmen *(V 37)* – wie beim ersten Mal (13,5). Da Paulus die Mitnahme des Markus verweigert – dieser hatte sich in Perge von ihm und Barnabas getrennt (13,13) –, kommt es zu einem Zwist zwischen Paulus und Barnabas. Die beiden trennen sich; Barnabas fährt mit Markus nach Zypern, der Insel, von der er stammt[1] *(VV 38f)*. Paulus wählt sich Silas zum Begleiter[2] und zieht – das ursprüngliche Ziel der Reise im Auge – zunächst durch Syrien und Kilikien *(VV 40f)*.

Abgesehen von V 41, der vielleicht an die Adresse des „Aposteldekrets" (15,23) anknüpft, stellt das Erzählstück eine Einheit dar. Es hat die Funktion, die zweite Reise von der ersten abzuheben und zu verdeutlichen, warum Paulus nicht wieder mit Barnabas auszog. Insofern urteilt E. Haenchen richtig, wenn er sagt, daß es sich nicht um eine (einzeln überlieferte) „Gemeindetradition" handeln könne[3]. Jedoch steht diesem negativen Urteil keineswegs als Alternative gegenüber: „Lukas wird die Zusammenhänge aus den Angaben über die Personen erschlossen haben, mit denen zusammen Paulus reist. Bisher war es Barnabas, nun ist es Silas."[4] Eher ist mit der dritten Möglichkeit zu rechnen, daß die beiden ersten Missionsreisen schon vor-lukanisch in einem Erzählzusammenhang vorlagen[5].

Der Grund des Zwists zwischen Barnabas und Paulus wird nicht erst von Lukas in der Person des Johannes Markus gesehen worden sein. Es ist – wie auch Haenchen konzediert – nicht wahrscheinlich, daß man in christlichen Kreisen die Nachricht über den „antiochenischen Konflikt" weiter überlieferte[6]. Es ist auch fraglich, ob Lukas von jenem Konflikt „überhaupt noch etwas erfahren hat"[7]. Trotzdem ist es sehr wahrscheinlich, daß sich hinter den Angaben von 15,37–40 eine „Erinnerung" an den Konflikt von Antiochia erhalten hat, jedenfalls im Hinblick darauf, daß es zwischen Paulus und Barnabas eine Trennung gab (vgl. Gal 2,13). Die Einleitung zur „zweiten Missionsreise" ist darum wohl historisch im Recht, wenn sie die selbständig durchgeführte zweite Reise des Paulus mit

---

[1] Vgl. 4,36; 13,4f.

[2] Die Erzählung setzt wohl voraus, daß sich Silas zu diesem Zeitpunkt in Antiochia befand (gegen 15,33); vgl. oben Nr. 35 zu 15,34 v.l. – Im Blick auf Markus ergibt sich das gleiche Problem. Zuletzt (13,13) befand er sich in Jerusalem. Doch ist dies für Lukas – zumal bei dem zeitlichen Abstand – unproblematisch; vgl. Haenchen zu 15,37.

[3] Haenchen, Apg 460: „Weder der Stil noch der Inhalt der Geschichte sprechen dafür."

[4] Gegen Haenchen, a.a.O. 460.

[5] Vgl. Pesch, Jerusalemer Abkommen 120: 15,36–41 (mit 16,1ff) schließt sich gut an 13,1 – 14,28 an. Haenchen, a.a.O. 460, meint: 15,36–41 „hat nur in einer Gesamtdarstellung wie der Apg eine Stelle". Das ist zutreffend, falls man die Worte „wie der Apg" streicht!

[6] Haenchen, a.a.O. 460.

[7] Haenchen, a.a.O. 460. Vgl. auch Conzelmann zu 15,38f; Pesch, a.a.O. 120: Die „Vertuschung" des antiochenischen Konflikts muß „nicht erst auf das Konto des Lukas geschrieben werden". Hengel, Geschichtsschreibung 103, hält es für möglich, „daß Lukas um die tieferen Ursachen der Auseinandersetzung wußte, sie aber absichtlich verschwieg".

der Separation des Barnabas in Verbindung bringt[8]. Der sachliche Konflikt von Antiochia ist freilich hier zu einem solchen der Personen geworden.

V 36 Mit der Wendung μετὰ δέ τινας ἡμέρας[9] wird ein unbestimmter zeitlicher Abstand vom „Apostelkonzil" markiert. Paulus wendet sich (in Antiochia, vgl. 15,35) an Barnabas mit dem Vorschlag, die Städte[10] der ersten Missionsreise wieder aufzusuchen[11], um dort nach den „Brüdern" zu sehen[12]. Die Visitation soll sich auf den Zustand[13] der Gemeinden beziehen, in denen sie „Älteste" eingesetzt hatten (14,23). V 41 zeigt an, daß Paulus die Gemeinden bei dem Besuch im Glauben „stärken" möchte (siehe auch 16,5).

VV 37–38 Barnabas ist entschlossen, Johannes Markus mit auf die Reise zu nehmen (V 37). Er hatte an der ersten Reise bis nach Perge teilgenommen, war dann aber nach Jerusalem zurückgefahren (13,5.13). Deswegen war Paulus gegen die Teilnahme des Markus, der sich entfernt hatte[14] und nicht mit ihnen an der kleinasiatischen Mission teilnehmen wollte[15] (V 38).

V 39 So entstand zwischen Barnabas und Paulus ein bitterer Zwist (παροξυσμός[16]). Er hatte zur Folge[17], daß sich beide voneinander trennten[18]

---

[8] Vgl. Hengel, a.a.O. 103: Paulus brach die Bindung an seine bisherige „Basisgemeinde" in Antiochia ab und begann „in völliger Unabhängigkeit seine großen Missionsreisen". „Für Paulus begann jedoch jetzt, nach der großen Enttäuschung und scheinbaren Niederlage in Antiochien, die erfolgsreichste und theologisch fruchtbarste Periode seiner Wirksamkeit, die für die weitere Geschichte der Kirche die entscheidenden Weichen stellte."

[9] Zu μετά mit Akkusativ im zeitlichen Sinn vgl. besonders 24,24, aber auch Lk 15,13 und Apg 1,5 (an diesen Stellen steht der Akkusativ ἡμέρας ohne Zahlenangabe).

[10] Paulus beabsichtigt, in *jeder* Stadt (κατὰ πόλιν πᾶσαν) die Christen zu besuchen. 16,1 erwähnt dann zwar nur Derbe und Lystra namentlich, doch bezieht 16,4f weitere Städte ein. Nur nach Zypern geht Paulus nicht wieder; dorthin fährt Barnabas (15,39).

[11] ἐπιστρέψαντες. Das absolute intransitive ἐπιστρέφω „zurückkehren" steht auch Lk 8,55 diff Mk; Apg 16,18, mit εἰς Lk 2,39; 17,31, mit πρός Lk 17,4. Vielleicht ist jedoch ἐπιστρέψαντες hier als Septuagintismus („wieder") zu verstehen; so Haenchen.

[12] ἐπισκέπτομαι mit Akkusativ („sehen nach, besuchen") wie 7,23 (auch dort ἀδελφούς). – Die auffordernd-einladende Partikel δή „nur denn" ist bei Lukas beliebt: Lk 2,15; Apg 13,2; 15,36; vgl. 6,3 v.l.

[13] πῶς ἔχουσιν „wie es ihnen geht/wie sie sich befinden"; vgl. Gen 43,27 LXX; JosAnt IV 112.

[14] τὸν ἀποστάντα ἀπ' αὐτῶν ist von ἠξίου („er bestand darauf") abhängig. ἀξιόω mit Infinitiv wie 28,22; vgl. Blass/Debr § 392, 1c. ἀφίστημι ist wie 5,38; 12,10; 19,9 gebraucht; s.o. I 402 A.152.

[15] καὶ μὴ συνελθόντα αὐτοῖς hängt gleichfalls von ἠξίου ab. ἔργον ist wie 13,2; 14,26 die Missionsarbeit. „Lukas formuliert den Vorwurf so zurückhaltend, damit Barnabas ... nicht belastet wird" (Haenchen).

[16] Abgeleitet von παρά und ὀξύς „scharf": „scharfer Dissens, Erbitterung" (vgl. Dtn 29,27; Jer 39,37 LXX). Im positiven Sinn steht παροξυσμός Hebr 10,24 („Ermunterung, Ansporn").

(V 39 a). Barnabas blieb bei seiner Absicht, seinen Verwandten Markus mitzunehmen. Er segelte nach Zypern (V 39 b). Über sein weiteres Schicksal schweigt die Apostelgeschichte[19]. Auch auf Markus kommt sie nicht wieder zu sprechen[20].

VV 40–41 Paulus wählte sich Silas zum Begleiter aus[21], den er laut 15,20.30–35 seit den Tagen des „Apostelkonzils" in Jerusalem kennen mußte. Falls jedoch in einem vorgegebenen Erzählzusammenhang Silas hier erstmals genannt wurde, hielt man ihn dort eher für einen Antiochener[22]. Warum Paulus gerade ihn wählte, nach 15,22.32 einen führenden Mann der Jerusalemer Gemeinde und Propheten, muß offenbleiben. Lukas jedenfalls sieht in ihm einen Überbringer des „Aposteldekrets", das er zusammen mit Paulus nun auch in dessen bisherigem Missionsgebiet bekanntmacht (16,4). Die jetzige Reise des Paulus, die ja nach ihrer ursprünglichen Intention (V 36) kein Neuland erschließen sollte, beginnt damit, daß die Gemeinde den Paulus „der Gnade des Herrn"[23] empfiehlt[24] (V 40). Paulus kommt mit Silas, da er den Landweg wählt, zunächst durch Syrien und Kilikien[25], wo er die ἐκκλησίαι im Glauben stärkt[26] (V 41).

Daß es hier christliche Gemeinden gab, setzt die Erzählung voraus. Vielleicht ist diese Angabe erst aus der Adresse des „Aposteldekrets" (15,23) erschlossen und nicht Bestandteil des vor-lukanischen Berichts (vgl. V 36)[27]. Doch gibt Paulus selbst (Gal 1,21) Syrien und Kilikien als sein Missionsgebiet an. Lukas kann sich vorstellen, daß Paulus von Tarsus aus (siehe Apg 9,30) in Kilikien missionierte. Wenngleich der Zusatz des

---

[17] ὥστε mit folgendem Akkusativ und Infinitiv steht auch Lk 5,7; Apg 1,19; 14,1.
[18] ἀποχωρίζομαι „sich trennen", hier mit ἀπό τινος. Das Verbum steht im NT nur noch Apk 6,14.
[19] Siehe hingegen 1 Kor 9,6. Barnabas hat also bei der Niederschrift dieser Angabe durch Paulus noch gewirkt.
[20] Vgl. indessen Phlm 24. Haenchen zweifelt zu Unrecht, ob der dort genannte Markus mit dem Johannes Markus der Apg identisch ist.
[21] ἐπιλέγομαι mit personalem Akkusativ („sich jemand [dazu] auswählen") ist ntl. Hapaxlegomenon, bei griechischen Historikern und im hellenistischen Judentum jedoch geläufig; s. BauerWb s. v.
[22] Zur Person des Silas siehe oben Nr. 35 A.100.
[23] Die χάρις τοῦ κυρίου ist *Gottes* Gnade; vgl. 14,23.26; 20,32.
[24] παραδοθείς bezieht sich (nur) auf Paulus! παραδίδωμι steht im Sinne von „anheimstellen" (mit Dativ: „der Gnade Gottes") auch 14,26.
[25] Die LA von ℵ A C E, die den Artikel vor Κιλικίαν wegläßt (s. o. A. d), versteht „Syrien und Kilikien" stärker als Einheit, vielleicht, um das überraschende „Kilikien" zu kaschieren.
[26] Zum Motiv der „Stärkung" der Gemeinden (V 41) siehe oben I 282; Nr. 34 A.11. Apg 14,22; 15,32.41; 18,23 haben in diesem Zusammenhang ἐπιστηρίζω. Lk 22,32 hat das Simplex. Vgl. 16,5 στερεόω.
[27] Vgl. Conzelmann: „kann redaktionell sein". Die Erwähnung von Syrien und Kilikien wäre dann der gleichen Intention zu verdanken, die zu der Erweiterung von V 41 im „westlichen" Text führte: Der Auftrag von 15,23–29 muß als ausgeführt vermeldet werden!

„westlichen“ Textes zu V 41, der von der Übergabe des „Aposteldekrets“ in den syrischen und kilikischen Gemeinden spricht[28], sekundär ist, trifft er doch die Intention des ursprünglichen Erzählzusammenhangs[29]. Der Zusatz nimmt die Angaben von 16,4f vorweg. Das Dekret des Apostelkonzils bedeutet eine Stärkung der „gemischten“, aber doch überwiegend heidenchristlichen Gemeinden (V 41).

37. LYSTRA: PAULUS GEWINNT TIMOTHEUS: 16,1–5

LITERATUR: BAUMGARTEN, Die Apostelgeschichte (²1859) I 481–487 [zu 16,3]. – N. J. D. WHITE, Note on Acts 16,1–8, in: Hermathena 12(1903)128–135. – J. P. ALEXANDER, The Character of Timothy, in: ET 25(1913/14)277–285. – S. BELKIN, The Problem of Paul's Background, in: JBL 54(1935)41–60 [zu 16,3]. – K. PIEPER, Paulus und sein junger Vikar, in: ThGl 27(1935)617–619 [zu 16,1–3]. – A. F. J. KLIJN, De besnijdenis in Handelingen en bij Paulus, in: Kerk en Theologie 7(1956)232–238; 8(1957)43. – W. E. HULL, The Man – Timothy, in: Review and Expositor 56(1959)355–366. – S. GAROFALO, Timoteo, il discépolo che Paolo amava (Rom 1965). – J. SCHMID, Timotheos, in: LThK X(1965)198f. – N. BROX, Die Pastoralbriefe (RNT 7/2⁴) (Regensburg 1969) 17–19. – S. DOCKX, Essai de chronologie de la vie de Timothée, in: ders., Chronologies néotestamentaires et Vie de l'Église primitive (Paris/Gembloux 1976) 167–178. – OLLROG, Paulus und seine Mitarbeiter (1979) 20–23 [zu 16,1–3]. – W. O. WALKER JR., The Timothy-Titus-Problem Reconsidered, in: ET 92(1980/81)231–235.

1 [a]Er kam auch[b] nach Derbe und nach Lystra. Und siehe, dort war ein Jünger namens Timotheus, der Sohn einer gläubig gewordenen Jüdin[c] und eines Griechen. 2 Er war von den Brüdern in Lystra und Ikonium empfohlen worden. 3 Paulus wollte ihn als Begleiter mitnehmen und ließ ihn mit Rücksicht auf die Juden, die in jenen Ortschaften wohnten, beschneiden; denn alle wußten, daß sein Vater ein Grieche war. 4 [d]Als sie nun durch die Städte zogen, übergaben sie ihnen zur Befolgung die Verordnungen, die von den[d] Aposteln und den Ältesten in Jerusalem beschlossen worden waren. 5 So wurden die Gemeinden [e]im Glauben[e] gestärkt und nahmen an Zahl täglich zu.

---

[28] Siehe oben A. e.

[29] Vgl. 16,4. Aus 21,25 ergibt sich, daß das „Aposteldekret“ für alle Heidenchristen gilt; dies zeichnet sich jedoch schon 16,4 ab.

[a] D (gig sy h.mg) liest am Anfang von V 1: „Er zog durch diese (Heiden-)Völker hindurch und kam ...“ Damit wird angedeutet, daß Derbe und Lystra nicht zu Syrien und Kilikien (13,41) gehören.

[b] καί fehlt in ℵ C D E Koine.

[c] Statt „einer jüdischen Frau (= Jüdin)“ lesen gig p vg mss „einer Witwe“ und 104 (pc) „einer jüdischen Witwe“.

[d] Der erste Teil von V 4 lautet nach D(c) (sy h.mg): „Als sie nun durch die Städte gingen, verkündigten sie und übergaben (!) ihnen mit allem Freimut den Herrn Jesus Christus, zugleich übergaben sie auch die Gebote (ἐντολάς) der Apostel ...“ Die Erweiterung des „westlichen“ Textes will vielleicht das Anwachsen der Christenzahl (V 5) erklärlich machen.

[e] τῇ πίστει fehlt in D.

Der Reisebericht bietet *16, 1–3* die erste Episode: In Lystra läßt Paulus den Christen Timotheus[1] beschneiden, weil er ihn mit auf die Reise nehmen möchte. Die anschließenden *VV 4f* haben demgegenüber eher summarischen Charakter. Sie berichten von der Übergabe des Aposteldekrets in den Städten Lykaoniens und vom Wachstum der dortigen Christengemeinden.

Die Quellenkritik hat um die letzte Jahrhundertwende ihre Beurteilung des Erzählstückes weitgehend an der These orientiert, die Beschneidung des Timotheus sei unhistorisch. Daher schrieben etwa J. Jüngst und A. Hilgenfeld die VV 2.3 b.c.4 f dem Redaktor zu[2]. Die Quelle habe nur von der Berufung des Timotheus zum Missionar berichtet. Andere Kritiker wollten hingegen die summarischen Verse 4 und 5 auf den Redaktor zurückführen[3]. E. Haenchen vertritt die Ansicht, gerade die Angaben über die Beschneidung des Timotheus seien traditionell[4]. Die Notiz über die Weitergabe des „Aposteldekrets" (V 4) kann als lukanische Einschaltung gelten[5]. Vielleicht stammt aber auch V 5, ein „Kurzsummar"[6], aus der Hand des Lukas.

VV 1–2. Wie 15, 40 f ist Paulus allein Subjekt der Erzählung[7], obgleich sich Silas in seiner Begleitung befindet. Paulus gelangte nach Derbe und

---

[1] Τιμόθεος wird nicht nur in der Apg (16, 1; 17, 14.15; 18, 5 auf der zweiten Missionsreise; 19, 22 und 20, 4 auf der dritten Reise) erwähnt, sondern auch in den echten Paulusbriefen (Röm 16, 21; 1 Kor 4, 17; 16, 10; 2 Kor 1, 1.19; Phil 1, 1; 2, 19; 1 Thess 1, 1; 3, 2.6; Phlm 1) und in fünf weiteren Schriften des NT: Kol 1, 1; 2 Thess 1, 1; 1 Tim 1, 2.18; 6, 20; 2 Tim 1, 2; Hebr 13, 23. Die folgenden echten Paulusbriefe haben Timotheus zum Mitabsender: 2 Kor, Phil, 1 Thess, Phlm. Röm 16, 21 nennt ihn συνεργός des Paulus. Er teilte mit Paulus offenbar auch eine Gefangenschaft (Phil 1, 1; 2, 19). – Zu seiner Person siehe im Lit.-Verz. zu Nr. 37 die Titel von Baumgarten (1859), Alexander (1914), Pieper (1935), Hull (1959), Garofalo (1965), Schmid (1965), Brox (1969), Dockx (1976) und Ollrog (1979). Walker, Timothy-Titus Problem (1981), zeigt, daß Apg 16, 1–3 keine Verwechslung mit Gal 2, 3–5 (Titus!) vorliegt (gegen die Vermutung von Lake/Cadbury, Acts IV 184).

[2] Jüngst, Quellen der Apostelgeschichte (1895) 154; Hilgenfeld, Die Apostelgeschichte (1896) 184 f. Vgl. auch Preuschen, Apg 99.

[3] So Spitta, Die Apostelgeschichte (1891) 214 f. Vgl. Preuschen, Apg 99, der neben der Notiz über die Beschneidung des Timotheus auch V 4 auf die Hand des Redaktors zurückführt.

[4] Haenchen, Apg 463: „Wirkliche Tradition wird nur in der Erzählung von Timotheus sichtbar. Lukas ... stellt den Begleiter des Paulus auf der 2. und 3. Missionsreise dem Leser als durch die Beschneidung für die Juden unanstößig geworden vor." Vgl. ebd. 464 f: Die Tradition über Timotheus entspreche dem Gerücht, das man über Paulus ausstreute (vgl. Gal 5, 11), er predige (gelegentlich) die Beschneidung. Diese Überlieferung über Timotheus habe Lukas gern übernommen, weil sie in sein Konzept über Paulus, den gesetzestreuen Pharisäer, paßte.

[5] Vgl. Preuschen; neuerdings Pesch, Jerusalemer Abkommen (1981) 120 mit Anm. 48.

[6] Conzelmann, mit Verweis auf 6, 7; 9, 31. Gerade im Hinblick auf diese beiden Wachstumsnotizen muß 16, 5 als abschließender Vers gelten.

[7] κατήντησεν δὲ εἰς ... „er aber gelangte nach ...". καταντάω in der gleichen Konstruktion auch 18, 19.24; 21, 7; 25, 13; 27, 12; 28, 13; vgl. 20, 15. Im übertragenen Sinn neben Apg 26, 7 auch im Corpus Paulinum. Siehe O. Michel, καταντάω, in: ThWNT III 625–628.

nach Lystra. Nachdem er von Kilikien aus die „Kilikische Pforte“[8] passiert hatte, gelangte er von Osten kommend diesmal zuerst nach Derbe, dann nach Lystra. In diesen Städten hatte er zuvor mit Barnabas missioniert[9]. So kann er – gemeint ist: in Lystra – Timotheus, einen Christen[10], vorfinden. Laut 1 Kor 4, 17 ist er von Paulus selbst bekehrt worden[11]. Timotheus ist der Sohn einer gläubiggewordenen Jüdin[12] und eines heidnischen Vaters[13]. Er steht bei den „Brüdern“ in Lystra und Ikonium in gutem Ruf, genießt einen guten Leumund[14].

V 3 Da Paulus den Timotheus mit auf die Reise nehmen wollte[15], unterzog er ihn der Beschneidung[16]. Die Erzählung macht deutlich, daß Paulus die Beschneidung nicht vollziehen ließ, weil er sie für heilsnotwendig gehalten hätte (vgl. 15, 1), sondern διὰ τοὺς Ἰουδαίους, d. h. mit Rücksicht auf die Juden jener Gegend[17]. Diese mußten wissen, daß Timotheus einen heidnischen Vater hatte. So hätten sie beim Auftreten des Timotheus in der Begleitung des Paulus Anstoß genommen. Der Leser der Apostelgeschichte soll sich offenbar an die jüdischen Verfolger der christlichen Missionare 14, 1 f.4–6.19 f erinnern. Daß die Beschneidung des Judenchristen Timotheus der Auffassung des „historischen“ Paulus widersprochen hätte, ist zwar allgemeine Auffassung[18]. Doch wird man die Möglichkeit einer von Paulus ausnahmsweise vorgenommenen Beschneidung nicht

---

[8] Von Tarsus führte eine Karawanenstraße über den Taurus nach Lykaonien und Kappadozien.

[9] Siehe Apg 14, 6–23.

[10] Zur Konstruktion μαθητής τις ... ὀνόματι Τιμόθεος siehe (mit μαθητής) 9, 10.

[11] Paulus nennt hier den Timotheus „mein geliebtes und treues Kind im Herrn“.

[12] 2 Tim 1, 5 nennt ihren Namen (Eunike) und den der Großmutter (Lois).

[13] πατρὸς δὲ Ἕλληνος (Ἕλλην = Heide, wie 11, 20; 16, 3; 21, 28; vgl. auch die Doppelung „Juden und Hellenen“, dazu oben Nr. 32 A.12). δέ drückt hier den Gegensatz aus. Timotheus stammt also aus einer jüdisch-heidnischen Mischehe. Solche Ehen waren nach jüdischer Rechtsanschauung illegal; vgl. Billerbeck II 741.

[14] Zum Passiv ἐμαρτυρεῖτο vgl. Lk 4, 22; Apg 6, 3; 10, 22; 13, 22; 22, 12. Vgl. J. Beutler, μαρτυρέω κτλ. (1 und 3), in: EWNT II.

[15] Wörtlich: „Paulus hatte die Absicht, daß dieser mit ihm ausziehe.“ ἐξέρχομαι in diesem Sinn auch Lk 4, 22; 5, 27; Apg 12, 17; 18, 23.

[16] Die Beschneidung konnte von jedem Israeliten durchgeführt werden; siehe Billerbeck IV 28 f. Gal 5, 1–11 folgend, würde Paulus den Timotheus nicht beschnitten haben; vgl. auch 1 Kor 7, 17–20.

[17] οἱ ὄντες ἐν τοῖς τόποις ἐκείνοις bezieht sich wohl auf die Juden in Ikonium (14, 1 f), vielleicht auch in Antiochia (14, 19). Der Plural von τόπος bezeichnet möglicherweise „Gegenden, Landstriche“; vgl. Lk 11, 24; 21, 11. Doch Apg 16, 3 (und 27, 2) sind eher „bewohnte Ortschaften“ gemeint; vgl. Bauer Wb s. v. 1a.

[18] Vgl. nur Haenchen, Apg 463–465; Conzelmann zu V 3. Daß Timotheus von Paulus beschnitten worden sei, wurde vor allem von der Tübinger Kritik leidenschaftlich bestritten; dazu Haenchen, a. a. O. 463. Gegen die Kritik von E. Zeller wandte sich Baumgarten, Die Apostelgeschichte (²1859) I 483: „Man vergißt, daß man bei solchem Eifer für die Freiheit die Freiheit selber wieder in eine Knechtschaft verwandelt.“

von vornherein bestreiten dürfen[19]. Die Tendenz der lukanischen Darstellung ist hier, Paulus als gesetzestreuen Juden und treuen Übermittler des Jerusalemer Dekrets (V 4) zu schildern[20].

V 4 Das Subjekt der Erzählung erscheint fortan im Plural: διεπορεύοντο[21]. Neben Silas ist nun auch Timotheus Begleiter des Paulus[22]. Die Städte, durch die sie ziehen, sind die der früheren Missionsreise, also neben Lystra vor allem Ikonium und wohl auch Antiochia. Den Heidenchristen dieser Städte[23] werden „die Verordnungen"[24] zur Einhaltung[25] übergeben, die „von den Aposteln und Ältesten in Jerusalem"[26] beschlossen wurden[27]. In ihnen spricht nicht nur menschliche Autorität, sondern letztlich der heilige Geist (15,28).

V 5 Mit einem Wachstums-Summarium wird die Folge der Übergabe des „Aposteldekrets" beschrieben. Dies entspricht dem Verfahren, das die Apostelgeschichte auch 6,7 anwendet. Das „Murren" der Hellenisten gegen die Hebräer (6,1) wurde in der Gemeindeversammlung besprochen, und die Apostel fanden mit der Bestellung der Sieben eine Lösung des Konflikts (6,2–6). So konnte das Wort Gottes wachsen und „die Zahl der Jünger" ansteigen (6,7). 16,4 war der Konflikt um die Frage der Heiden-Beschneidung (15,1) erst wirklich „bereinigt", als das Dekret der Apostel und Ältesten die letzten antiochenischen Missionsgemeinden erreicht hatte! So geht auch in diesem Fall von der „apostolischen" Entscheidung

---

19 Siehe 1 Kor 9,20: Paulus ist „für die Juden wie ein Jude geworden, um Juden zu gewinnen". Die Historizität der Beschneidung des Timotheus wird z. B. von Wikenhauser und Marshall nicht bezweifelt. Kuss, Paulus (1971) 60, ist skeptischer: „Paulus läßt ihn aus ‚taktischen' Erwägungen beschneiden – wenn man der Apostelgeschichte glauben darf."

20 Vgl. Haenchen, Apg 465: Apg 16,1–3.4 machen deutlich, „daß die jetzt anlaufende Mission in vollstem Einklang mit dem jerusalemischen Judenchristentum erfolgt. So harmonisch in die gesamtkirchliche Arbeit eingegliedert sieht Lukas die paulinische Mission, die von nun an sein eigentliches Thema wird."

21 διαπορεύομαι steht im NT außer Apg 16,4 (hier mit Akkusativ des Ortes wie Xenophon, Anab. II 5,18; JosAnt V 67) noch: Lk 6,1; 13,22 κατὰ πόλεις καὶ κώμας); 18,36; Röm 15,24. – Zu ὡς mit folgendem Imperfekt (im Nachsatz Indikativ Aorist) s. auch 8,36 und 22,11; vgl. BauerWb s.v. IV 1b.

22 Silas und Timotheus werden 17,14.15; 18,5 nebeneinander erwähnt.

23 αὐτοῖς ist in verkürzter Rede auf die (heidenchristlichen) *Bewohner* der Städte bezogen.

24 τὰ δόγματα „die Verordnungen/Gebote/Verfügungen". Lukas spricht sonst vom δόγμα des Kaisers (Lk 2,1; Apg 17,7)! Siehe N. Walter, δόγμα, in: EWNT I 819–822.

25 Die Verpflichtung, die das Dekret auferlegt, wird durch den finalen Infinitiv φυλάσσειν ausgedrückt. φυλάσσω „befolgen, einhalten" steht auch Lk 11,28; 18,21; Apg 7,53; 21,24.

26 Vgl. die Absenderangabe des Dekrets 15,23; siehe auch die berichtenden Angaben 15,2.4.6.22.

27 Der Beschluß der Apostel und Ältesten (vgl. 15,22.25.28 ἔδοξεν) wird hier mit κρίνω umschrieben: Es handelte sich um den autoritativen „Entscheid" in einer Streitfrage (vgl. auch 15,2b).

in Jerusalem nicht nur eine Festigung der Gemeinden im Glauben aus[28]. Sie wachsen auch zahlenmäßig[29] von Tag zu Tag[30]. Bis hierher diente die neue Reise des Paulus tatsächlich der Konsolidierung schon bestehender Christengemeinden (vgl. 15,36.41). Erst von 16,6 an wird sie zur „Missionsreise" im engeren Sinn.

38. VON TROAS NACH PHILIPPI: 16,6–10

LITERATUR: WIKENHAUSER, Die Apostelgeschichte und ihr Geschichtswert (1921) 227–230 [zu 16,6–8]. – K. LAKE, Paul's Route in Asia Minor, in: Beginnings V(1933)224–240. – A. WIKENHAUSER, Religionsgeschichtliche Parallelen zu Apg 16,9, in: BZ 23(1935/36)180–186. – DIBELIUS, Historiker (1948) 113 f. – M. J. SUGGS, Concerning the Date of Paul's Macedonian Ministry, in: NT 4(1960)60–68. – HAENCHEN, Das „Wir" in der Apostelgeschichte (1961). – O. GLOMBITZA, Der Schritt nach Europa: Erwägungen zu Act 16,9–15, in: ZNW 53(1962)77–82. – B. SCHWANK, „Setze über nach Mazedonien und hilf uns!" Reisenotizen zu Apg 16,9 – 17,15, in: Erbe und Auftrag 39(1963)399–416. – G. M. LEE, Two Linguistic Parallels from Babrius, in: NT 9(1967)41 f [zu 16,6]. – DERS., The Aorist Participle of Subsequent Action (Acts 16,6)?, in: Bibl 51(1970)235–237. – R. PENNA, Lo „Spirito di Gesù" in Atti 16,7, in: RivB 20(1972)241–261. – H. ORDON, Znaczenie określenia „Duch Jezusa" w Dz 16,7, in: Studia z teologii św. Łukasza, hrsg. von F. Gryglewicz (Posen 1973) 72–79. – G. STÄHLIN, Τὸ πνεῦμα Ἰησοῦ (Apg 16,7), in: Christ and Spirit in the New Testament (Festschr. für C. F. D. Moule) (Cambridge 1973) 229–252. – MUSSNER, Galaterbrief (1974) 3–5. – C. J. HEMER, Alexandria Troas, in: Tyndale Bulletin 26(1975)79–112. – G. M. LEE, The Past Participle of Subsequent Action, in: NT 17(1975)199 [zu 16,6]. – ROBBINS, We-Passages (1975) [zu 16,10 – 28,16]. – H. BINDER, Die angebliche Krankheit des Paulus, in: ThZ 32(1976)1–13 [zu 16,6]. – C. J. HEMER, The Adjective „Phrygia", in: JThSt 27(1976)122–126. – DERS., Phrygia: A Further Note, in: JThSt 28(1977)99–101. – W. P. BOWERS, Paul's Route through Mysia. A Note on Acts XVI.8, in: JThSt 30(1979)507–511. – F. F. BRUCE, St. Paul in Macedonia, in: BJRL 61(1978/79)337–354. – DOCKX, Luc (1981) 387 f [zu 16,10].

6 Sie durchzogen aber Phrygien und das galatische Land, da ihnen vom heiligen Geist verwehrt wurde, das Wort in Asia zu verkündigen. 7 Als sie

---

[28] στερεόω „stark machen, festigen" kommt in der Apg nur noch 3,7.16 (hier im eigentlichen Sinn) vor, sonst nicht im NT. Das Imperfekt drückt 16,5 die fortschreitende Festigung aus. τῇ πίστει ist Dativ der Beziehung (desgleichen τῷ ἀριθμῷ, vgl. ZERWICK, Biblical Greek Nr. 53). Zum Thema „Stärkung des Glaubens" vgl. Lk 22,32, ferner oben Nr. 34 A.11; Nr. 36 A. 26.

[29] ἐπερίσσευον τῷ ἀριθμῷ (Imperfekt mit Dativ der Beziehung wie im ersten Versteil; s.o. A. 28). περισσεύω bedeutet hier soviel wie „wachsen"; vgl. Phil 1,9 (BAUERWb s.v. 1aδ). Doch ist der Gedanke des unerwarteten Überschießens wohl impliziert; vgl. Lk 9,17; 12,15; 21,4. – ἀριθμός bezeichnet bei Lukas stets eine Zahl von *Personen:* Lk 22,3; Apg 4,4; 5,36; 6,7; 11,21; 16,5.

[30] Zu καθ' ἡμέραν siehe oben I 299 A.28. Im Hinblick auf das tägliche Anwachsen der Gemeinde steht der Ausdruck auch im Summarium 2,47. Er unterstützt (neben dem Imperfekt) die Vorstellung von einem ständigen Wachstum.

aber gegen Mysien hin gekommen waren, versuchten sie[a]*, nach Bithynien zu reisen; doch auch das erlaubte ihnen der Geist Jesu*[b] *nicht. 8 So reisten sie an Mysien vorbei*[c] *und zogen hinab nach Troas. 9 Dort hatte Paulus während der Nacht ein Gesicht*[d]*: Ein Mazedonier stand da*[e] *und bat ihn: Komm herüber nach Mazedonien und hilf uns! 10* [f]*Auf das Gesicht hin wollten wir sogleich nach Mazedonien abfahren; denn wir waren überzeugt*[f]*, daß Gott*[g] *uns dazu gerufen hatte, dort*[h] *das Evangelium zu verkündigen.*

Der Bericht 16,6–10 enthält zunächst eine Angabe über die Reise nach Troas *(VV 6–8).* Dann folgt die Episode von Traumgesicht des Paulus *(VV 9–10).* Das erste Teilstück hat zwei einander entsprechende Einzelangaben: Die Glaubensboten ziehen durch Phrygien und das galatische Land; sie werden vom heiligen Geist an ihrer Absicht gehindert, in Asia zu predigen (V 6). Auch die Verwirklichung der späteren Absicht, nach Bithynien zu gehen, wird vom „Geist Jesu" nicht zugelassen; so ziehen sie an Mysien vorbei nach Troas (VV 7f). Vom „Gesicht" des Paulus in Troas wird gleichfalls zweiteilig erzählt: Paulus wird von einem Mazedonier um Hilfe herbeigerufen (V 9). Daraufhin suchen die Missionare nach einer Reisegelegenheit, um nach Mazedonien zu gelangen; denn sie sind überzeugt, daß Gott selbst sie zur Verkündigung nach Europa gerufen hat (V 10).

Unter dem letzteren Gedanken steht die ganze Perikope. Denn auch der Weg von Lykaonien nach Troas wird letztlich von Gott gelenkt, sogar gegen die Pläne der Missionare, die von sich aus nach Asia[1] und dann nach

---

[a] Statt ἐπείραζον lesen D sy^p^ ἤθελαν.
[b] Statt „Jesu" lesen C* gig bo^mss^ „des Herrn". Koine und sa lassen beides weg. So wird der im NT ungewöhnliche Ausdruck „der Geist Jesu" vermieden.
[c] Statt παρελθόντες liest D (erleichternd) διελθόντες: Sie zogen *durch* Mysien. Damit wird das mehrdeutige παρελθόντες einseitig interpretiert; siehe Bowers, Paul's Route 509 Anm. 5.
[d] Statt ὅραμα (... ὤφθη) lesen D sy^p^: ἐν ὁράματι (... ὤφθη ὡσεὶ ἀνήρ ...).
[e] D 614 pc sa fügen an: „vor seinem Angesicht (= vor ihm)"; vgl. Lk 2,31; Apg 3,13.
[f] V 10a (f – f) lautet nach D: „Als er nun aufgestanden war, erzählte er uns von dem Gesicht und wir erkannten ..." Die Erweiterung soll anzeigen, wie die Gefährten des Paulus von der Vision Kenntnis erhielten.
[g] D Koine gig sy sa lesen „der Herr".
[h] Statt αὐτούς (bezogen auf die Bewohner Mazedoniens) liest D verdeutlichend: „die in Mazedonien".
[1] Ἀσία war schon 2,9 und 6,9 erwähnt worden. Der Name begegnet neben 16,6 vor allem 6mal von 19,10 – 20,18; ferner 21,27; 24,19; 27,2. Der Name kann die römische Provinz „Asia" bezeichnen, deren Hauptstadt Ephesus war. Apg 19,10.22.26.27; 20,16.18 deuten darauf hin, daß Lukas mit Ἀσία vornehmlich die Landschaft um Ephesus meint. Vgl. oben I 435 A.20.

Bithynien[2] gehen wollten. Troas, das von Gott als Ziel gewiesen wird, weist schon auf Mazedonien hin[3].

Die Reise nach Troas wird nicht nach Art eines Reisetagebuchs geschildert, sondern sehr summarisch. Absicht dieser knappen Angaben über die – zweimal geänderte – Reiseroute ist es, die Lenkung des Weges durch Gott herauszustellen. Das erinnert an die Korneliusgeschichte, in der Petrus ähnlich geführt wurde[4]. Diesmal soll ein neues Gebiet für die christliche Botschaft erschlossen werden. Die jetzigen Angaben über die Reiseroute sind entweder „als die Verkürzung eines genaueren Reiseberichts anzusehen“[5], oder der Erzähler hat von sich aus auf Notizen über Zwischenstationen verzichtet, weil er solche nicht besaß[6].

Bei der Erzählung von der Vision in Troas (VV 9f) stellt sich die Frage nach der möglichen Quelle anders, weil hier (V 10) zum erstenmal das „Wir“ des Wir-Berichts begegnet. Frühere Forscher schlossen daraus, daß Lukas selbst sich von Troas an dem Paulus anschloß[7]. Dann hätte Lukas auch sogleich von dem Traum des Paulus (V 9) Kenntnis erlangt. Doch ist über das „Wir“ grundsätzlich anders zu urteilen[8]. An unserer Stelle unterstreicht es den verbürgten wichtigen Schritt der Mission nach Mazedonien und Achaia[9]. Der Leser der Acta denkt wohl, daß Silas oder Timotheus als Berichterstatter fungiert[10]. Doch muß das „Wir“ in V 10 nicht bedeuten, daß erst mit diesem Vers das zugrunde liegende Itinerar einsetzt. Das „Reisetagebuch“ kann durchaus schon 16,6–8 vorausgesetzt sein.

[2] Βιθυνία „Bithynien“ ist Name einer Landschaft im nördlichen Kleinasien. Bithynien war z.Z. des Paulus zusammen mit Pontus senatorische Provinz. Neben Apg 16,7 wird Bithynien im NT nur noch 1 Petr 1,1 erwähnt. Vgl. Schultze, Städte und Landschaften II/1, 237–346; Jones, The Cities ([2]1971) 147–166; EWNT I 525. Wichtige Städte waren Nikomedien und Apamea an der Propontis, Heraklea am Schwarzen Meer.

[3] Τρῳάς bedeutet bei Paulus (2 Kor 2,12 mit Artikel) wahrscheinlich die Landschaft im Gebiet des alten Troja (im Unterschied von Mazedonien, V 3). Sonstige Vorkommen im NT beziehen sich auf die Stadt Troas, einen Hafen an der Ägäis, etwa 40 km südlich des alten Troja: Apg 16,8.11; 20,5.6; 2 Tim 4,13. Von Troas fuhr Paulus nach Neapolis, dem Hafen von Philippi (16,11). Er hätte freilich von Troas auch nach Achaia segeln können. Apg 20,5; 2 Kor 2,12; 2 Tim 4,13 setzen voraus, daß es in Troas eine Christengemeinde gab. Vgl. Schultze, Städte und Landschaften II/1, 384–390; A. Wikenhauser, Troas, in: LThK X 370; Hemer, Alexandria Troas (1975).

[4] Darauf macht Haenchen, Apg 467, aufmerksam.

[5] Haenchen, a.a.O. (467). Er schreibt ferner: „So haben wir also mit der Wahrscheinlichkeit zu rechnen, daß der Schriftsteller einen ausführlicheren Bericht für seinen Zweck gekürzt hat“ (ebd.).

[6] So Conzelmann zu VV 6ff.: „In Wirklichkeit hat Lk die Route aus wenigen Angaben kombiniert. Über die wahren Pläne des Paulus in dieser Zeit ist aus diesen Notizen nichts zu erschließen.“ Daß V 6 redaktionell sei, zeige der Vergleich mit 18,23. Doch werden die Notizen über den (zweimaligen) Besuch Phrygiens und des galatischen Landes eher traditionell sein.

[7] Dazu siehe Haenchen, Apg 470. Unter den jüngeren Vertretern dieser These sind zu nennen: Beyer, Apg 99; Bauernfeind, Apg 7f.205; Bruce, Acts (NIC) 327f.

[8] Siehe oben I 89–95.

[9] Vgl. oben I 94.

[10] Siehe dazu oben I 90 A. 45; 94 A. 69.

V 6 Paulus, Silas und Timotheus zogen durch Phrygien[11] und das galatische Land[12]. Sie hatten ursprünglich die Absicht, nach Asia (also wohl: nach Ephesus) zu reisen. Doch hinderte sie „der heilige Geist"[13], das Wort in Asia zu verkündigen[14]. Der Weg nach Ephesus hätte (von Lykaonien aus) über Antiochia Pisidiae und Apamea, dann über Philadelphia und Sardes oder durch das Lykos- und Mäandertal geführt. Den letzten Teil dieses Weges schlug Paulus wohl auf seiner „dritten Reise" ein (vgl. 18,23; 19,1). Worin die Behinderung durch den Geist bestand, läßt die Erzählung nicht erkennen. Möglich ist, daß eine Krankheit[15] den ursprünglichen Plan scheitern ließ, so daß Paulus durch Phrygien zu den Galatern ging[16]. Jedenfalls meint Apg 16,6 die „Landschaft" Galatien und nicht die römische Provinz gleichen Namens. Dies ist eine wesentliche Stütze für die „nordgalatische" Theorie hinsichtlich der Adressaten des Galaterbriefs[17].

VV 7–8 Vom galatischen Land aus wollten die Missionare nach Bithynien ziehen. Sie wanderten gegen Mysien hin[18] (V 7a). Doch „der Geist

---

[11] Φρυγία „Phrygien" ist die Landschaft im Inneren Kleinasiens. Ihre Grenzen waren im Laufe der Geschichte unterschiedlich. Die Römer schlugen Phrygien teilweise zur Provinz Asia. Neben Apg 2,10 und 16,6 wird es nur noch 18,23 erwähnt (an den beiden letzteren Stellen neben dem „galatischen Land"). Vgl. SCHULTZE, Städte und Landschaften II/1, 397–477; O. VOLK, Phrygien, in: LThK VIII 488f (Lit.). Zu der Frage, ob Φρυγία in Apg 16,6 Adjektiv ist, siehe PREUSCHEN, Apg 99; HAENCHEN, Apg 465 Anm. 1; HEMER, The Adjective „Phrygia" (1976); DERS., Further Note (1977). Möglicherweise ist Φρυγίαν 16,6 als Adjektiv zu χώραν zu ziehen (so HEMER); doch spricht 18,23 eher für eine substantivische Bedeutung auch in 16,6.

[12] Wie 18,23: (ἡ) Γαλατικὴ χώρα. Es handelt sich um das von den Galatern bewohnte Gebiet, zu dem die Städte Nakolea, Dorylaion, Pessinus und Ankyra gehörten. Doch muß Paulus nicht bis in das Gebiet der beiden letzteren Städte gekommen sein (HAENCHEN). Zu Galatien und den Galatern (beide Namen kommen in der Apg nicht vor; vgl. indessen Gal 1,2 und 3,1) siehe die Kommentare zum Galaterbrief, vor allem SCHLIER, Galater 15–19, und MUSSNER, Galaterbrief 1–5; ferner MAGIE, Roman Rule (1950) I 453–467; II 1303–1329; G. SCHILLE, Γαλατία κτλ., in: EWNT I 557–559.

[13] Die Intervention des „heiligen Geistes" (so V 6) wird V 7 dem „Geist Jesu" zugeschrieben. Beides steht neben der Intervention Gottes selbst (VV 9f). Zu dem ungewöhnlichen Ausdruck „Geist Jesu" siehe die im Lit.-Verz. genannten Arbeiten von PENNA (1972), ORDON (1973) und STÄHLIN (1973).

[14] λαλέω τόν λόγον meint die christliche Verkündigung. Siehe oben Nr. 34 A. 31. κωλυθέντες bedeutet „nachdem sie gehindert worden waren" oder – gleichzeitig mit διῆλθον – „da sie gehindert wurden"; vgl. ZERWICK, Biblical Greek Nr. 265. Anders LEE, The Past Participle of Subsequent Action (1975): „dann wurden sie gehindert"; vgl. DERS., Linguistic Parallels (1967); Aorist Participle (1970).

[15] Vgl. Gal 4,13–15; dazu SCHLIER, Galater 17f. Doch muß sich Gal 4,13–15 nicht auf eine Krankheit des Paulus beziehen; siehe BINDER, Krankheit des Paulus (1976) 5–7.

[16] Wenngleich 16,6 eher den Gedanken an eine Galatermission ausschließt, setzt 18,23 („er stärkte alle Jünger") voraus, daß Paulus hier Gemeinden gegründet hatte. Auch der Galaterbrief setzt einen zweimaligen Besuch des Paulus voraus: Gal 1,8; 4,19 einerseits, 4,13 andererseits.

[17] Siehe HAENCHEN, Apg 465f Anm. 2; SCHLIER, Galater 15–17. MUSSNER, Galaterbrief 6–9.

[18] κατὰ τὴν Μυσίαν „bis nach Mysien hin"; vgl. BAUERWb s. v. κατά II 1b. Im gleichen Sinn steht κατά mit Akkusativ bei Lukas Lk 10,32; Apg 8,26; 25,16; 27,7.12. Mysien (im

Jesu"[19] ließ die Wanderung nach Bithynien nicht zu (V 7b). Der Geist, den Jesus an Pfingsten den Aposteln mitteilte (1,4f; 2,33), sorgt selbst dafür, daß das Christuszeugnis schließlich „bis ans Ende der Erde" gelangt (vgl. 1,8). V 8 läßt nicht eindeutig erkennen, auf welchem Weg Paulus nach Troas kam. Die Wende in der Richtung trat wohl in Dorylaion (vielleicht in Kotiaion) ein[20]. Doch von hier führte keine der großen Straßen direkt nach Troas. Entweder mußte Paulus abseits der Straße direkt auf Troas zugehen, oder er konnte Mysien im Norden auf der Küstenstraße bzw. im Süden auf der Straße nach Pergamon umgehen. παρελθόντες muß jedoch nicht heißen: „sie gingen vorbei". Es kann auch bedeuten: „sie zogen hindurch" (ohne es zu beachten, ohne weiteren Aufenthalt)[21]. Der „westliche" Text schreibt (aus geographischer Kenntnis heraus?): „sie zogen *durch* Mysien."[22] In allen drei Fällen, die für den Weg nach Troas in Frage kommen, war ein Umweg oder ein besonders schwieriger Weg zu wählen[23]. κατέβησαν (V 8) bezieht sich wohl nicht auf den Abstieg vom Gebirge zur Stadt Troas hin, sondern kann einfach den Weg in die Hafenstadt (so auch 14,25: von Perge nach Attalia) bezeichnen.

V 9 berichtet, daß Paulus während der Nacht[24] eine Vision hatte: ὅραμα ὤφθη mit Dativ der Person[25] (V 9a). Wahrscheinlich ist ein Traumgesicht gemeint[26], das freilich als von Gott herbeigeführt verstanden wird (vgl. V 10b). In dem Ruf des Mazedoniers[27], der vor Paulus steht und ihn um

---

Nordwesten Kleinasiens) wird im NT nur Apg 16,7.8 erwähnt. Es gehörte zur Zeit des Paulus zur Provinz Asia. Vgl. F. K. Dörner, Mysia, in: KlPauly III 1529–1532. Von Galatien wanderte Paulus also zunächst in westlicher Richtung. Vielleicht ist daran gedacht, daß er über Nikaia nach Nikomedien oder Apamea an die Propontis, also in den Westen von Bithynien gelangen wollte. Nach der Intervention des Geistes aber wandte er sich, wahrscheinlich in Dorylaion, nach Südwesten und folgte wohl zunächst der Straße nach Pergamon.

[19] Siehe dazu oben A. 13.

[20] Vgl. Bowers, Paul's Route (1979) 508.

[21] Dazu Bowers, a.a.O. 509 Anm. 5. παρέρχομαι hat bei Lukas den Sinn „vorbeikommen (an)" (so Lk 18,37) oder (übertragen) „übergeben, mißachten" (so Lk 11,42; 15,29). Nach BauerWb s.v. 2 hat das Verbum Apg 16,8 die Bedeutung „hindurch- und darüberhinausgehen" (so auch Appian, Bell. civ. V 68 § 288; vgl. 1 Makk 5,48); diese Bedeutung wird von Conzelmann angenommen.

[22] Siehe oben A. c.

[23] Bowers, a.a.O. 509. Er stellt weiter fest: „Troas was neither close at hand, nor the terminus of a natural direct route, nor the nearest port."

[24] διὰ [τῆς] νυκτός hellenistisch: „während der Nacht"; so auch 5,19; 17,10. Siehe oben I 389 A. 25.

[25] Zu dieser Konstruktion vgl. oben I 453 A. 52. ὅραμα („Geschautes") steht 16,9 im Grunde für die Person des Mazedoniers (vgl. V 9b). Vgl. Nr. 27 A. 36.

[26] Siehe Conzelmann, der auf Analogien im AT und in der griechischen Antike verweist. Vgl. auch Wikenhauser, Parallelen (1935/36); J. S. Hanson, Dreams and Visions in the Graeco-Roman World and Early Christianity, in: ANRW II 23,2 (1980) 1395–1427.

[27] Die Formulierung ἀνὴρ Μακεδών (τις) entspricht 8,27; 22,3; sie kommt häufiger pluralisch vor.

Hilfe bittet (V 9b), läßt Gott selbst seinen Ruf ergehen (V 10b). Die Bitte des Mazedoniers wird in direkter Rede formuliert (V 9c). Sie macht dem Paulus deutlich, daß Mazedonien[28] seiner Hilfe nicht nur bedarf, sondern diese auch bereitwillig erbittet[29].

V 10 Mit ὡς δέ und folgendem Aorist (εἶδεν)[30] wird das Eingehen der Missionare auf die Bitte des Mazedoniers eingeleitet. Zwar sah nur Paulus „das Geschaute", doch „suchen" daraufhin alle drei sogleich[31] nach einer Möglichkeit, nach Mazedonien „auszuziehen"[32]. Paulus muß somit den Begleitern mitgeteilt haben, was er gesehen und gehört hatte[33]. Die Missionare kommen zu dem Schluß[34], daß Gott sie herbeigerufen habe[35], um den Mazedoniern (αὐτούς) die christliche Botschaft auszurichten[36]. Der Gedankengang läuft vom Hilferuf des Mazedoniers zur Abhilfe der Not durch das εὐαγγελίζεσθαι[37]. Der Übergang von der Erzählung in der dritten Person (noch V 9) erfolgt in V 10 ganz unvermittelt (mit ἐζητήσαμεν und ἡμᾶς). Der Kontext läßt keinen Zweifel daran, daß in dem „Wir" die

---

[28] Vgl. ἡμῖν (V 9c). Μακεδονία „Mazedonien" wird in der Apg erwähnt: 16,9.10.12; 18,5; 19,21.22; 20,1.3. In den Paulusbriefen kommt der Name 11mal vor, außerdem im NT noch 1 Tim 1,3. Μακεδών steht außer Apg 16,9 noch: 19,29; 27,2; 2 Kor 9,2.4. Mazedonien war seit 27 v. Chr. senatorische Provinz, wurde 15–44 n. Chr. zusammen mit Achaia vom kaiserlichen Legaten von Mösien verwaltet, um dann wieder senatorische Provinz zu sein. Hauptstadt der Provinz war Thessalonich, Sitz des Provinziallandtags Beröa. – Zu Mazedonien siehe F. Geyer / O. Hoffmann, Makedonia, in: Pauly/Wissowa XIV/1, 638–771; O. Volk, Makedonien, in: LThK VI 1314; E. Meyer / J. Seibert / H. Schmoll, Makedonien, in: LAW 1815–1819; H. Volkmann, Makedonia (I), in: KlPauly III 910–918; A. Weiser, Μακεδονία κτλ., in: EWNT II.

[29] διαβὰς ... βοήθησον „Komm herüber ... und hilf!" – διαβαίνω findet sich im NT sonst nur noch Lk 16,26; Hebr 11,29. βοηθέω steht Mk 9,22.24 und Mt 15,25 imperativisch, sonst nicht in den Evangelien. Die Apg hat ein weiteres imperativisches Vorkommen 21,28.

[30] ὡς δέ mit folgendem Aorist („als/nachdem") findet sich im NT fast nur bei Lukas: Lk 1,23.41.44; 2,15.39; 4,25; 5,4; 7,12; 15,25; 19,5; 22,66; 23,26; Apg 5,24; 10,7.25; 13,29; 14,5; 16,10.15; 17,13; 18,5; 19,21; 21,1.12; 22,25; 27,1.27; 28,4. Vgl. Blass/Debr § 455,2.

[31] εὐθέως ἐζητήσαμεν. Im Sinne von „anstreben, begehren" steht ζητέω mit folgendem Infinitiv auch Lk 5,18; 6,19; 9,9; 17,33; Apg 13,8; vgl. 13,7 D.

[32] ἐξελθεῖν bezieht sich hier auf die Seefahrt nach Mazedonien. Wahrscheinlich handelt es sich um einen Ausdruck christlicher Missionssprache (vgl. 16,3a).

[33] Vgl. die erläuternde LA von D; s. o. A. f.

[34] συμβιβάζω „zusammenbringen, kombinieren" steht in der Bedeutung „sich begreiflich machen, schließen" nur hier. Siehe oben Nr. 22 A. 22.

[35] προσκαλέω deutet an, daß Gott in der Person des Mazedoniers sprach. Vgl. auch 13,2 (Berufung zu einer Missionsreise).

[36] εὐαγγελίζομαι mit Akkusativ des Adressaten wie Lk 3,18; Apg 8,25.40; 14,21; Gal 1,9; 1 Petr 1,12. Glombitza, Der Schritt nach Europa (1962) 78–81, möchte die Konstruktion in dem Sinn verstehen, daß die Adressaten „in den Inhalt des Evangeliums" hineingenommen (79) bzw. „in das Evangelium hineinbezogen" (80) sind.

[37] Diese Gedankenverbindung ist Jes 61,1f (Lk 4,18f) grundgelegt. Die Heiden werden, im Unterschied von den Juden in Nazaret (Lk 4,28f), die Botschaft freudig aufnehmen.

Dreiergruppe Paulus, Silas und Timotheus einbegriffen ist[38]. Das „Wir" ist an der Begleiterschaft des Paulus interessiert und erweckt den Eindruck eines Augenzeugenberichts. Die Wir-Berichte erstrecken sich auf Seereisen, zunächst im Küstengebiet der nördlichen Ägäis (Troas – Philippi, 16,10–17), dann bei der „dritten" Missionsreise (Philippi – Jerusalem, 20,5–15; 21,1–18) und der Fahrt nach Rom (Cäsarea – Rom, 27,1 – 28,16).

39. PHILIPPI: BEKEHRUNG DER LYDIA UND DES KERKERMEISTERS: 16,11–40

LITERATUR: E. ZELLER, Eine griechische Parallele zu der Erzählung Apostelgesch. 16,19ff., in: ZWTh 8(1865)103–108. – SCHÜRER, Geschichte des jüdischen Volkes II (1907) 518–523 [zu 16,13]. – DIBELIUS, Stilkritisches (1923) 26–28. – CADBURY, Dust and Garments (1933; s.o. Nr. 31) [zu 16,22]. – L. CERFAUX, Le monde païen vu par saint Paul, in: Studia Hellenistica 5(1948)155–163 [zu 16,35–39]. – H. ROSIN, Civis Romanus sum, in: Ned. theol. tijdschrift 3(1948/49)16–27 [zu 16,35–39]. – E. BARNIKOL, Paulus im Kerker zu Philippi, in: Theol. Jahrbücher (Halle, 1956) 21–29. – G. DELLING, Die Taufe im Neuen Testament (Berlin 1963) 69–73. – W. C. VAN UNNIK, Die Anklage gegen die Apostel in Philippi (Apg XVI. 20f) (erstm. 1964), in: ders., Sparsa Collecta I 374–385. – J. GNILKA, Der Philipperbrief (HThK X/3) (Freiburg 1968) 1–5. – BURCHARD, Zeuge (1970) 37–39 [zu 16,37–39]. – Y. REDALIÉ, Conversion ou libération? Notes sur Act 16,11–40, in: Bull. du Centre Protestant d'Études (Genf) 26/7(1974)7–17. – REESE, Paul's Exercise (1975). – G. GROÓ, Apostelgeschichte 16,16–34 (35–40), in: Göttinger Predigtmeditationen 30(1975/76)220–224. – MULLINS, Commission Forms (1976) [zu 16,24–34]. – SCHILLE, Die Leistung des Lukas (1976), bes. 93f. – BURCHARD, Fußnoten (1978) [zu 16,29.33]. – ELLIGER, Paulus in Griechenland (1978) 23–77. – KAYE, Portrait of Silas (1979; s.o. Nr. 35A) [zu 16,19–29]. – KRATZ, Rettungswunder (1979) 474–492. – DOCKX, Luc (1981) 388–391. – Siehe auch die Lit. zu Nr. 38.

11 So brachen wir[a] von Troas auf und fuhren auf dem kürzesten Weg nach Samothrake, am nächsten Tag nach Neapolis[b] 12 und von da (gingen wir) nach Philippi, das [c]eine führende Stadt des (betreffenden) Bezirks[c] von Mazedonien ist, eine Kolonie. In dieser Stadt hielten wir uns einige Tage auf. 13 Am Sabbat gingen wir zum Tor hinaus an den Fluß, wo nach unserer Vermutung eine (jüdische) Gebetsstätte war. Wir setzten uns und sprachen zu den Frauen, die sich eingefunden hatten. 14 Und eine Frau namens Lydia, eine Purpurhändlerin aus der Stadt Thyatira, hörte zu; sie war eine Gottesfürchtige, und der Herr tat ihr das Herz auf,

---

[38] Da jedoch Silas und Timotheus längst bei Paulus sind, erweckt die Erzählung in der ersten Person den Eindruck, ein neuer Begleiter sei hinzugekommen (CONZELMANN) und berichte fortan aus eigener Anschauung.

[a] D (*) 614 sy$^{h.mg}$ lesen: „Am folgenden Tag brachen wir ..."

[b] ℵ A B D^{c} pc lesen Νέαν πόλιν, während C D* E Ψ Koine Νεάπολιν bezeugen.

[c] P^{74} ℵ A C Ψ al lesen πρώτη τῆς μερίδος, ähnlich B und Koine. D hingegen hat: „die Hauptstadt (κεφαλή)". GNT und NTG folgen einer Textkonjektur, die den Genitiv πρώτης (statt πρώτη) liest und ihn zu μερίδος zieht; dazu BAUERWb s.v. μερίς 1; METZGERTC 444–446.

so daß sie aufmerksam den Worten des Paulus lauschte. 15 Als sie sich aber samt ihrem [d]Haus hatte taufen lassen, bat sie: Wenn ihr die Überzeugung gewonnen habt, daß ich fest an den Herrn glaube, so kommt in mein Haus und bleibt! Und sie drängte uns.

16 Es begab sich aber, als wir zur Gebetsstätte gingen, daß uns eine Magd begegnete, die einen Wahrsagegeist hatte und ihren Herren durch Wahrsagerei großen Gewinn verschaffte. 17 Sie folgte dem Paulus und uns nach und schrie: Diese Menschen[e] sind Diener des höchsten Gottes; sie verkündigen euch[f] den Weg des Heils. 18 Dies tat sie viele Tage lang. [g]Paulus aber wurde ärgerlich, wandte sich um und sprach zu dem Geist[g]: Ich gebiete dir im Namen Jesu Christi, aus ihr auszufahren! Und er fuhr aus zu eben dieser Stunde.

19 Als aber ihre Herren sahen, daß [h]sie keinen Gewinn mehr erwarten konnten[h], ergriffen sie Paulus und Silas, schleppten sie auf den Markt vor die Stadtbehörden, 20 führten sie den obersten Beamten vor und sagten: Diese Männer, welche Juden sind, bringen unsere Stadt in Unruhe. 21 Sie verkündigen Gebräuche[i], die anzunehmen oder auszuüben uns nicht erlaubt ist, da wir Römer sind. 22 [k]Das Volk erhob sich ebenfalls gegen sie[k]; und die obersten Beamten ließen ihnen die Kleider vom Leib reißen und befahlen, sie mit Ruten zu schlagen. 23 Nachdem sie ihnen viele Schläge hatten geben lassen, setzten sie sie gefangen und befahlen dem Kerkermeister, sie sicher zu verwahren. 24 Der warf sie auf diesen Befehl hin in das innere Gefängnis und schloß ihnen die Füße in den Block.

25 Um Mitternacht aber beteten Paulus und Silas und sangen zum Lob Gottes; und die Gefangenen hörten ihnen zu. 26 Plötzlich begann ein gewaltiges Erdbeben, so daß die Grundmauern des Gefängnisses wankten; da öffneten sich sofort[l] alle Türen, und allen fielen die Fesseln ab[m]. 27 Als nun der Kerkermeister[n] aus dem Schlaf erwachte und die Türen

---

[d] Vor ὁ οἶκος fügen D pc (gig) w sa[ms] bo[mss] πᾶς ein. Vgl. 10,2; 11,14.

[e] ἄνθρωποι fehlt in D* gig; Lucifer. So entsteht die Verbindung: „Diese sind die Diener ...“

[f] A C Ψ Koine e sa lesen ἡμῖν statt ὑμῖν.

[g] Der zweite Versteil von V 18 (g – g) lautet nach D: „Paulus wandte sich zu dem Geist, wurde ärgerlich und sprach“.

[h] Der ὅτι-Satz (h – h) lautet in D: „(daß) sie beraubt wurden ihres Gewinns, den sie durch sie hatten“.

[i] Statt ἔθη liest D* τὰ ἔθνη: „Sie verkündigen *den Heiden,* was anzunehmen ...“

[k] Der Anfang von V 22 (k – k) lautet in D: „Eine große Volksmenge erhob sich ebenfalls gegen sie und schrie (κράζοντες)“.

[l] παραχρῆμα fehlt in B gig Lucifer, wohl durch Versehen; vgl. METZGERTC 448.

[m] Statt ἀνέθη (von ἀνίημι „lösen“) lesen ℵ* D* ἀνελύθη.

[n] Nach δεσμοφύλαξ fügen 613 pc an: ὁ πιστὸς Στεφανᾶς.

des Gefängnisses offen sah, zog er sein Schwert und wollte sich töten, denn er meinte, die Gefangenen seien entflohen. 28 Doch Paulus rief mit lauter Stimme: Tu dir kein Leid an! Wir sind noch alle hier. 29 Jener rief nach Licht, stürzte hinein und warf sich zitternd vor Paulus und Silas nieder[o]*. 30 Er führte sie hinaus und sprach: Ihr Herren, was muß ich tun, um gerettet zu werden? 31 Sie antworteten: Glaube an den Herrn Jesus*[p]*, so wirst du gerettet werden, du und dein Haus. 32 Da verkündigten sie ihm und allen in seinem Haus das Wort des Herrn. 33 Er nahm sie in jener Nachtstunde mit, wusch ihnen die Wunden, die durch die Schläge entstanden waren, und ließ sich sogleich taufen mit allen seinen Angehörigen. 34 Dann führte er sie hinauf in seine Wohnung, setzte ihnen ein Mahl vor* [q]*und war mit seinem ganzen Haus voll Freude, weil er zum Glauben an Gott gekommen war*[q].

35 Bei Tagesanbruch [r]*schickten die obersten Beamten*[r] *die Amtsdiener hin mit dem Auftrag: Laß jene Menschen frei*[s]*! 36* [t]*Der Kerkermeister überbrachte dem Paulus die Nachricht*[t]*: Die obersten Beamten haben hergesandt (und befohlen), daß ihr freigelassen werdet. So geht jetzt hinaus und zieht hin in Frieden! 37 Paulus jedoch sagte zu ihnen: Sie haben uns*[u]*, obgleich wir Römer sind, öffentlich ohne Gerichtsurteil schlagen und ins Gefängnis setzen lassen; und jetzt wollen sie uns heimlich wegschicken? Nein! Sie sollen selbst kommen und uns hinausführen. 38 Die Amtsdiener nun meldeten diese Worte den obersten Beamten.* [v]*Da erschraken sie, als sie hörten, daß es Römer seien*[v]*. 39* [w]*Sie kamen, redeten ihnen zu, führten sie hinaus und baten sie, aus der Stadt fortzuge-*

---

[o] D* gig sy fügen an: „vor die Füße".

[p] C D E Ψ 0120 Koine sy sa fügen Χριστόν an (gegen ℵ A B al).

[q] V 34b (q – q) lautet in D: καὶ ἠγαλλιᾶτο σὺν τῷ οἴκῳ αὐτοῦ πεπιστευκὼς ἐπὶ τὸν θεόν.

[r] Statt ἀπέστειλαν οἱ στρατηγοί lesen D sy$^{h.mg}$: „traten die obersten Beamten auf dem Markt zusammen; sie erinnerten sich an das Beben, das sich ereignet hatte, gerieten in Furcht und schickten". Mit der Erweiterung soll der (vermeintliche) plötzliche Sinneswandel der στρατηγοί erklärlich gemacht werden.

[s] Hinter ἐκείνους fügen D 614 sy^{h} den Relativsatz οὓς ἐχθὲς παρέλαβες an: „die du gestern (in Gewahrsam) genommen hast".

[t] Der Anfang von V 36 (t–t) lautet nach D (sy^{p}): „Und es ging hinein der Kerkermeister und überbrachte dem Paulus die Nachricht". P^{74} spricht hier von einem ἀρχιδεσμοφύλαξ.

[u] D (sy^{p}) schaltet ἀναιτίους „unschuldig" ein.

[v] D (sy^{p}) liest (statt v – v) erweiternd: „(diese Worte), die an die obersten Beamten gerichtet waren; als diese aber hörten, daß sie Römer seien, erschraken sie."

[w] V 39 (w – w) lautet in D (614 pc sy^{h**}): „Sie kamen mit vielen Freunden in das Gefängnis und redeten ihnen zu, sie sollten weggehen, indem sie sprachen: Wir waren in Unkenntnis, was euch betrifft, (und wußten nicht,) daß ihr gerechte Männer seid. Sie führten sie hinaus und redeten ihnen zu, indem sie sagten: Geht von dieser Stadt weg, damit sie sich nicht wieder bei uns zusammentun und gegen euch Geschrei erheben." Zu den „westlichen" Erweiterungen (s. Anmerkungen r, s, t, u, v, w) siehe METZGERTC 450f.

hen.[w] *40 Als sie (die beiden) aber das Gefängnis verlassen hatten, gingen sie zu Lydia. Sie fanden dort die Brüder*[x], *sprachen ihnen (Mut) zu und zogen dann weiter.*

Das umfängliche Erzählstück 16,11–40 bildet eine Einheit, insofern es von Begebenheiten beim Aufenthalt des Paulus in Philippi[1] berichtet. Am Anfang führt der Reisebericht die Gruppe um Paulus[2] nach Philippi *(VV 11f)*. Der Schluß erzählt, daß Paulus und seine Begleiter diese Stadt verlassen, nachdem sie eine Gemeinde gegründet hatten *(V 40)*. Die einzelnen Begebenheiten sind jedoch auch innerlich miteinander verbunden. Die Bekehrung der Lydia und ihres Hauses *(VV 13–15)* bildet einen inneren Rahmen; denn Paulus und Silas finden nach ihrer Gefangenschaft im Haus der Lydia die Mitglieder der Gemeinde (V 40). Der Exorzismus an der Wahrsagerin *(VV 16–18)* führt dazu, daß man Paulus und Silas vor die Stadtbehörden schleppt, sie anklagt und in den Kerker wirft *(VV 19–24)*. Damit ist der Schwerpunkt der gesamten Philippi-Erzählung erreicht: die Geschichte vom Befreiungswunder an Paulus und Silas *(VV 25–39)*, die mit der Bekehrung des Kerkermeisters zu einem ersten Abschluß kommt (VV 33f).

M. Dibelius sah in der Erzählung von der Befreiung der beiden Missionare (16,25–34) eine vor-lukanisch überlieferte „selbständige Legende"[3]. Doch würde dieser Legende die Einleitung fehlen; sie kann wohl nicht mit dem Gebet im Gefängnis eingesetzt haben[4]. E. Haenchen gliedert die Philippi-Erzählung in fünf Abschnitte[5]: 16,11–15 (Reiseweg nach Philippi und Bekehrung der Lydia), 16–18 (die Wahrsagerin), 19–24 (Mißhandlung und Gefangensetzung der Missionare), 25–34 (Befreiungswunder), 35–40 (Freilassung des Paulus und Silas, Verlassen der Stadt). Er führt den ersten

---

[x] D liest hier ergänzend: „sie erzählten ihnen, was der Herr für sie getan, und sprachen ihnen …"

[1] Die mazedonische Stadt (an der Via Egnatia) Φίλιπποι/Philippi stand seit etwa 167 v.Chr. unter römischer Herrschaft und hieß offiziell *Colonia Iulia Augusta Philippensium* (bzw. *Philippiensis*). Wahrscheinlich besaß die Stadt das *ius Italicum* und damit die Privilegien einer römischen Stadt. Sie wird im NT außer Apg 16,12; 20,6 (Reise von Troas nach Philippi bzw. umgekehrt) noch Phil 1,1 und 1 Thess 2,2 erwähnt. Lit.: P. Collart, Philippes, ville de Macédonie, 2 Bde. (Paris 1937); J. Schmidt, Philippoi, in: Pauly/ Wissowa XIX/2 (1938) 2206–2244; O. Volk, Philippi, in: LThK VIII 458f; Elliger, Paulus in Griechenland (1978) 23–77. Siehe ferner die Kommentare zum Philipperbrief.

[2] Vgl. das „Wir" in den VV 11.12.13.15.16.17. Im gesamten Stück 16,11–40 wird neben Paulus nur Silas als dessen Begleiter erwähnt: VV 19.25.29.

[3] Dibelius, Stilkritisches 26. Diese Legende lasse sich „ohne weiteres aus dem Zusammenhang lösen"! Ähnlich Conzelmann zu VV 23f: „Allerdings ist die Legende nicht stilrein; mit dem Befreiungs- ist das Bekehrungsmotiv vermischt."

[4] Vgl. die Kritik von Kratz, Rettungswunder 474.

[5] Haenchen, Apg[5] 441f. In Apg[7] (482–484) markiert Haenchen hingegen nur *vier* Abschnitte: 16,11–15.16–21.22–34.35–40. (Die Angabe „V.22–24" [483] ist fehlerhaft; es muß 22–34 heißen!)

Abschnitt auf vor-lukanische Tradition zurück, hält den zweiten und vierten jedoch für redaktionelle Bearbeitung von Überlieferungen, die dem Lukas aus Gründungserzählungen der Philipper-Gemeinde zukamen (die Magd mit dem Wahrsage-Geist und die Bekehrung des Kerkermeisters)[6]. Das Befreiungswunder (VV 25–34) könne nicht ohne weiteres aus dem Kontext gelöst werden, also auch nicht „als selbständige Einzelerzählung umgelaufen sein"[7]. Haenchen hält offenbar Lukas für den Verfasser dieser Erzählung und der anschließenden Bekehrungsgeschichte des Kerkermeisters[8]. 16, 16–34 enthält nach Haenchen zwar Traditionselemente, ist aber doch in seiner heutigen Gestalt von Lukas selbst verfaßt[9].

Die neuerliche Analyse der VV 11–40 durch R. Kratz kommt zu dem Ergebnis, daß 16, 16–40 eine einheitliche Komposition des Lukas ist, „die unter Anbindung an die traditionellen Vv 11–15 einen neuen Erzählungskomplex darstellt"[10]. Dabei brauchten auch für die VV 16–40 Traditionselemente nicht geleugnet zu werden[11]. In den *Quellen* des Lukas soll etwa gestanden haben[12]: der Reisebericht (VV 11–15), die Austreibung eines Wahrsagegeistes, die Ergreifung des Paulus und Silas sowie die Anklage gegen sie (VV 19.20 a), außerdem Geißelstrafe und Gefangensetzung (vermutlich verbunden mit der Bekehrung des Kerkermeisters), Freilassung und Abschiebung aus der Stadt (VV 35.36; V 39 teilweise). *Lukas* selbst habe 16, 11–15 mittels des Genitivus absolutus mit dem von ihm komponierten Komplex 16, 16–40 verknüpft[13], die Dämonenaustreibung zu einer Exorzismusgeschichte umgewandelt[14], den ursprünglichen Anklagepunkt (wegen Geschäftsschädigung bzw. wegen Aufruhranstiftung) auf die religiöse Propaganda verlagert[15], vor allem aber die Befreiungswundererzählung selbst geschaffen, die seitdem als Einleitung zu der Bekehrungsgeschichte fungiert[16]. Schließlich gehe die Betonung des römischen Bürgerrechts in den VV 35–40 auf Lukas zurück[17]. Ergebnis der lukanischen

---

[6] Haenchen, Apg[5] 441–443.
[7] Haenchen, a. a. O. 440.
[8] Haenchen, a. a. O. 442 f. Dagegen wendet sich Conzelmann (zu VV 23 f). Haenchen, Apg[7] 482–484, enthält sich weitgehend eines Urteils über den Anteil des Acta-Verfassers an der Darstellung; siehe dazu das Vorwort von E. Grässer (ebd. 8).
[9] Daran übt Schille, Die Leistung des Lukas 94 f, Kritik, der 16, 16–34 weitgehend für vor-lukanisch hält.
[10] Kratz, Rettungswunder (1979) 479.
[11] Kratz, a. a. O. 479. Mit Haenchen verweist er auf 1 Thess 2, 2, wo Paulus von seiner Mißhandlung in Philippi spricht; vgl. auch 2 Kor 11, 23–25.
[12] Kratz, a. a. O. 480.
[13] V 16 πορευομένων ἡμῶν; dazu Kratz, a. a. O. 481.
[14] Vgl. dazu Kratz, a. a. O. 481 f. Siehe auch Conzelmann zu VV 16–18.
[15] Kratz, a. a. O. 482. Er spricht von einer Verlagerung des Gewichts „auf den missionstheologischen Aspekt der Gegenüberstellung christliche – heidnische Religion".
[16] Kratz, a. a. O. 482: „Das Befreiungswunder dürfte ganz auf das Konto des Lukas gehen ..."
[17] Kratz, a. a. O. 482.

Kompositionsarbeit sei damit vor allem: „Das eigentliche ‚Rettungswunder' liegt nicht in der Befreiung der Apostel, sondern in der Bekehrung des Kerkermeisters (Vv 30f!; vgl. auch V 17).“[18]

Man wird dieser Rekonstruktion weitgehend zustimmen dürfen. Doch scheint ein Vorbehalt angebracht im Hinblick auf die Befreiungswundererzählung im engeren Sinn. Ist Lukas hier nicht doch von einer traditionellen *Paulus*-Legende abhängig und nicht nur von dem verbreiteten *Typus* der Befreiungswundergeschichten[19]? Im Gesamtkontext der Acta ist weiter zu beachten, daß das Befreiungswunder an Paulus diesen mit Petrus parallelisiert (vgl. 12,3–17)[20]. Ferner macht das Wunder der Befreiung die Erzählabsicht von 16,1–10 weiter deutlich. Die christliche Mission wird nicht nur von Gott selbst gelenkt, sie setzt sich auch – trotz aller Widerstände – mit Gottes Hilfe durch. Auch Gefängnisse und Fesseln können das Christuszeugnis auf seinem Weg nicht aufhalten[21].

VV 11–12 Die Seereise von Troas führt die Gruppe um Paulus zunächst nach Samothrake[22] und schon am folgenden Tag nach Neapolis[23], dem Philippi zugeordneten Hafen, der heute Kawalla heißt (V 11). Von der Hafenstadt aus gelangt die Reisegruppe nach Philippi (V 12a). Ein Kommentar des Erzählers verdeutlicht, daß Philippi eine führende[24] Stadt des betreffenden mazedonischen Bezirks[25] und römische Kolonie war (V 12b). Die Notiz über den mehrere Tage[26] währenden Aufenthalt leitet zu der Lydia-Geschichte (VV 13–15) über. Vielleicht versteht der heutige Kontext ἡμέρας τινάς so, daß die Tage von der Ankunft bis zum nächsten Sabbat (V 13) gemeint sind.

---

[18] KRATZ, a.a.O. 484.

[19] Vgl. CONZELMANN zu VV 23f: Lukas „erfindet solche Geschichten nicht frei“!

[20] Vgl. oben I 305–310; ferner Nr. 27 (zu 12,3–17).

[21] Siehe auch R. KRATZ, θύρα, in: EWNT II 397–399, bes. 398.

[22] Die Insel Σαμοθρᾴκη/Samothrake liegt auf der direkten Linie nach Neapolis vor der thrakischen Küste. Siehe K. LEHMANN, Samothrace (New York 1955); K. LEHMANN / P. W. LEHMANN / D. SPITTLE (Hrsg.), Samothrace. Excavations Conducted by the Institute of Fine Arts of New York University, bisher 5 Bde. (in 8 Teilen) (Princeton, N.J., 1958–1981); E. MEYER, Samothrake, in: KlPauly IV 1538. Vgl. εὐθυδρομήσαμεν „wir segelten auf dem direkten Weg“; das Verbum steht auch 21,1 in einem Wir-Bericht.

[23] Νέα πόλις/Neapolis ist ein häufiger Städtename. Zur Schreibung siehe BAUERWb s.v. νέος 3. Als Name des Hafens von Philippi begegnet Neapolis auch IgnPol 8,1.

[24] Wahrscheinlich ist πρώτη (sc. πόλις) zu lesen; s.o. A. c. Falls der Genitiv πρώτης (μερίδος) ursprünglich ist, wird von Philippi als einer Stadt des „ersten Bezirks von Mazedonien“ gesprochen. Philippi war weder Provinz- noch Bezirkshauptstadt; vgl. CONZELMANN.

[25] μερίς bezeichnet den Teil eines geteilten Ganzen, u.a. den „Bezirk, Distrikt“; vgl. BAUERWb s.v. 1.

[26] ἡμέρας τινάς von der Dauer eines Aufenthalts wie 9,19; 10,48; vgl. oben Nr. 22 A. 8.

V 13 berichtet von der ersten Missionspredigt in Philippi. Am folgenden Sabbat gehen die Missionare zu einer (jüdischen) Gebetsstätte[27] vor den Toren der Stadt, die sich am Fluß[28] befindet, und reden mit den Frauen, die sich dort eingefunden haben. Daß ἐλαλοῦμεν sich auf die Predigt bezieht, zeigt V 14. Der eigentliche Sprecher ist Paulus (vgl. V 14).

V 14 Unter den Frauen, die den Missionaren zuhören, befindet sich eine Purpurhändlerin namens Lydia[29]. Sie stammt aus Thyatira[30] und ist dem Judentum zugetan: Sie gehört zur Gruppe der σεβόμενοι τὸν θεόν[31]. Der Herr „öffnete ihr das Herz"[32], so daß sie aufmerksam auf das hörte[33], was Paulus sagte.

V 15 Daß Lydia sich taufen ließ – samt ihrem „Haus"[34] –, wird im Nebensatz erwähnt. Wichtiger erscheint der Erzählung, daß sie die Missionare zum Verbleiben in ihrem Hause einlud, ja sie geradezu nötigte[35]. Die Neubekehrte überläßt den Missionaren das Urteil über ihren Glaubensstatus[36]. Paulus und seine Begleiter wohnen fortan im Hause der Lydia; zu ihr kehrt Paulus nach der Befreiung aus dem Gefängnis zurück (V 40).

V 16 Die folgende kleine Szene (VV 16–18) dient „der Absetzung gegenüber der Mantik"[37]. Mit der Einleitung zu V 16 wird auf V 13 zurückgegrif-

---

[27] προσευχή bedeutet normalerweise „das Gebet". 16,13.16 ist eine Gebets-*Stätte* gemeint. Wahrscheinlich soll mit der Wortwahl angedeutet werden, daß es in Philippi keine „Synagoge" gab; vgl. Haenchen. Nach Ansicht von M. Hengel, Proseuche und Synagoge, in: Tradition und Glaube (Festschr. für K. G. Kuhn) (Göttingen 1971) 157–184, ist Apg 16,13.16 mit π. „ein wirkliches Gebäude" gemeint (175). Lukas sei von einer Quelle abhängig. Siehe hingegen Conzelmann.

[28] παρὰ ποταμόν. Die Ausleger verweisen auf den etwa 2 km von der Stadt entfernten Gangites.

[29] Λυδία ist hier Eigenname der Frau, die zugleich aus Lydien (siehe A. 30) stammt. Der Name begegnet auch V 40.

[30] Θυάτειρα (-ων)/Thyatira, Name einer Stadt in Lydien (zwischen Pergamon und Sardes), bekannt u.a. durch die dort betriebene Purpurfärberei. Thyatira wird im NT auch Apk 1,11; 2,18.24 erwähnt. Vgl. Wikenhauser, Die Apostelgeschichte und ihr Geschichtswert 410f.

[31] Vgl. oben Nr. 24 A. 45.

[32] Zu diesem Bild vgl. 2 Makk 1,4; Lk 24,45.

[33] προσέχω mit Dativ der Sache wie 8,6; vgl. 1 Tim 1,4; Tit 1,14.

[34] Mit dem οἶκος der Lydia V 15a ist ihre Hausgemeinschaft gemeint. Mit der Haus-Herrin wurde somit auch die Hausgemeinschaft getauft. In diesem Sinn („Familie/Hausgemeinde") steht οἶκος bei Lukas auch Lk 10,5; 19,9; Apg 10,2; 11,14; 16,31; 18,8. Zu den urchristlichen Hausgemeinden siehe P. Stuhlmacher, Der Brief an Philemon (EKK) (Zürich/Neukirchen 1975) 70–75 (Lit.); R. Banks, Paul's Idea of Community. The Early House Churches in Their Historical Setting (Exeter 1980); H.-J. Klauck, Die Hausgemeinde als Lebensform im Urchristentum, in: MüThZ 32 (1981) 1–15; P. Weigandt, οἶκος, in: EWNT II 1222–1229, bes. 1228.

[35] παραβιάζομαι mit Akkusativ wie Lk 24,29.

[36] Sie sollen urteilen, ob Lydia πιστὴ τῷ κυρίῳ ist. Das kann (nach der Taufe) nur auf die *Festigkeit* oder *Echtheit* des Glaubens (an Christus, vgl. V 31) bezogen werden.

[37] Conzelmann; vgl. Nilsson, Geschichte II 103–113; 467–485.

fen: „Es geschah aber, als wir zu der Gebetsstätte gingen..." Den christlichen Glaubensboten kam eine Magd entgegen[38], die ein πνεῦμα πύθων[39] hatte. Mit Wahrsagerei (μαντευομένη) brachte[40] sie ihrer Herrschaft beträchtlichen Gewinn[41].

V 17 Die Magd lief hinter Paulus und seinen Begleitern her und schrie: „Diese Menschen sind Diener des höchsten Gottes; sie verkündigen uns den Weg zum Heil!" Wie in den Evangelien Dämonen sachlich richtig urteilen können (vgl. Lk 4,34.41 par Mk 1,24.34), trifft auch die Wahrsagerin (dank des πνεῦμα πύθων) die Wahrheit hinsichtlich der Missionare und ihrer Botschaft[42]. Die Glaubensverkündigung wird von Lukas als Erschließung des „Weges zum Heil" gesehen (Apg 2,28; vgl. den Hilferuf des Mazedoniers, 16,9, und die Frage des Kerkermeisters, 16,30).

V 18 Die Wahrsagerin erhob ihren Orakel-Ruf[43] viele Tage hindurch (V 18 a). Paulus wurde ärgerlich[44] und befahl dem Geist im Namen Jesu Christi[45], aus der Magd auszufahren. Noch zur gleichen Stunde[46] fuhr der Geist aus. Der Exorzismus an der Magd sollte für Paulus noch Folgen haben (VV 19–21).

V 19 Als die Herren[47] der Magd erkannten, daß mit der Austreibung des πνεῦμα πύθων auch die Aussicht auf weiteren Gewinn „entfahren" war, schleppten[48] sie Paulus und Silas auf die Agora[49] vor die Archonten[50]. Da-

---

[38] ὑπαντάω (vgl. Lk 8,27; 17,12 v.l.) kann Lukas auch im feindlichen Sinn („entgegentreten") gebrauchen: Lk 14,31.

[39] Python war der von Apollo getötete Drache. Das Wort πύθων bezeichnete in der Kaiserzeit u.a. auch einen Bauchredner als Wahrsager (Plutarch, Def. orac. 9,414 e; zit. bei CONZELMANN). Vgl. WIKENHAUSER, Die Apostelgeschichte und ihr Geschichtswert 401–407. Apg 16,16 überträgt die Bezeichnung auf einen Geist, der aus der Magd spricht. Wahrscheinlich geht diese Vorstellung auf Lukas zurück, der eine „Exorzismus"-Geschichte erzählen will (vgl. V 18).

[40] παρέχω begegnet aktivisch auch Lk 6,29; 11,7; 18,5; Apg 17,31; 22,2; 28,2.

[41] ἐργασία bedeutet hier wie 16,19; 19,24 „Gewinn, Ertrag", 19,25 hingegen „Gewerbe, Geschäft".

[42] Die Dämonen sagen „Zutreffendes", „aber sie *dürfen* das nicht sagen" (CONZELMANN).

[43] τοῦτο ἐποίει bezieht sich auf κατακολουθοῦσα ... ἔκραζεν λέγουσα in V 17.

[44] διαπονηθείς. Das mediale Verbum steht auch 4,2; siehe oben I 343 A. 12.

[45] Siehe dazu oben I 301 A. 41.

[46] αὐτῇ τῇ ὥρᾳ wie Lk 2,38; 24,33; Apg 22,13; vgl. (mit ἐν) Lk 7,21; 10,21; 12,12; 13,31; 20,19; Apg 16,33.

[47] οἱ κύριοι wie V 16. Es kann an mehrere Herren der Magd gedacht sein. Eher ist an ein Besitzer-Ehepaar zu denken; vgl. Lk 19,33; BAUERWb s.v. κύριος II 1 a α.

[48] ἕλκω mit folgendem personalem Akkusativ wie 21,30; Jak 2,6. προσάγω (V 20) ist demgegenüber eher juristischer Terminus.

[49] Mit der ἀγορά ist das Forum gemeint, hier als Ort einer gerichtlichen Verhandlung (vgl. 16,35 D). 17,17 ist die ἀγορά Stätte des gesamten öffentlichen Lebens.

[50] οἱ ἄρχοντες bezeichnet die Stadtoberen eher unspezifisch. Dagegen ist οἱ στρατηγοί

mit wird eine weitere Etappe der Erzählung eingeleitet: Paulus und Silas kommen ins Gefängnis (VV 19–24). Als römische Kolonie hatte Philippi römische Verfassung. ἄρχοντες (V 19) und στρατηγοί (V 20) bezeichnen die gleichen Instanzen.

VV 20–21 Die Herren der Magd klagen natürlich nicht auf entgangenen Gewinn, sondern auf Unruhestiftung[51] in der Stadt: Paulus und Silas verkündigten – so lautet der Vorwurf – als Juden „Gebräuche“[52], die für römische Bürger unannehmbar seien[53]. „Die Formulierung der Anklage ist für die lukanische Apologetik aufschlußreich; der Vorwurf wird so vorgetragen, damit er abgewiesen werden kann. Es ist deutlich, daß Lk nicht etwa den Römern das Christentum als echtes Judentum empfehlen will; er distanziert es gerade davon.“[54]

VV 22–23 Die Volksmenge verhält sich „anti-jüdisch“. Die Stadtoberen lassen den Missionaren die Kleider herabreißen und sie geißeln[55] (V 22). Schließlich werden sie ins Stadtgefängnis eingeliefert. Der δεσμοφύλαξ[56] erhält den Auftrag, sie sicher[57] zu verwahren (V 23).

V 24 In Ausführung des Befehls kommen Paulus und Silas in das äußerste Verlies[58]. Zusätzlich werden ihnen die Füße in den Block[59] geschlossen. Damit ist – erzählerisch gesehen – die Peripetie durch das Befreiungswunder vorbereitet.

(praetores) V 20 die genauere, wenn auch volkstümliche Bezeichnung. Es handelt sich offenbar um die *duumviri,* denen in römischen Kolonialstädten die Gerichtsbarkeit übertragen war. Ihnen unterstanden ῥαβδοῦχοι (VV 35.38), d. h. *lictores.*

[51] ἐκταράσσω ist neutestamentliches Hepaxlegomenon; vgl. indessen auch 15, 24 D*.

[52] Es bleibt unklar, welche ἔθη für Römer unannehmbar sein sollen. Haenchen vermutet, es handle sich um den „heiligen Kuß“ bei der Eucharistie.

[53] Neben παραδέχεσθαι steht ποιεῖν. Der Vorwurf lautet somit, daß sowohl die prinzipielle *Annahme* als auch die praktische *Ausführung* „jüdischer“ ἔθη für Römer nicht statthaft sei.

[54] Conzelmann.

[55] περιρήγνυμι und ῥαβδίζω sind lukanische Hapaxlegomena. Vgl. indessen 2 Kor 11, 25: τρὶς ἐραβδίσθην.

[56] Es handelt sich um den (obersten) Gefängniswärter. Das Substantiv begegnet auch 16, 27.36, sonst nicht im NT.

[57] ἀσφαλῶς τηρεῖν (V 23) und ἠσφαλίσαντο (V 24) bilden u. a. den Hintergrund für das folgende Befreiungswunder; vgl. Conzelmann.

[58] εἰς τὴν ἐσωτέραν (Komparativ in superlativischer Bedeutung) φυλακήν. Vgl. Th. Mommsen, Römisches Strafrecht (Leipzig 1899) 302. – βάλλω steht im gleichen Sinn („ins Gefängnis werfen“) 16, 23.24.37; vgl. Lk 12, 58; 23, 19.25.

[59] εἰς τὸ ξύλον. Es handelt sich um den hölzernen Block, in den die Füße des Gefangenen geschlossen werden: siehe z. B. Herodot VI 75; IX 37.

V 25 Um Mitternacht[60] beteten Paulus und Silas. Dabei sangen sie[61] zum Lobpreis Gottes, und die Gefangenen[62] (in den anderen Räumen des Gefängnisses) hörten ihnen zu. Mitternacht ist die „formgerechte" Zeit für das folgende Beben, das das Wunder der Befreiung auslöst. Das Wunder wird als Antwort Gottes auf den Lobpreis der beiden Gefangenen gedeutet (nicht als eigentliche Gebetserhörung).

V 26 Plötzlich erfolgte ein gewaltiges Beben, und die Fundamente des Gefängnisses gerieten ins Wanken. Dabei öffneten sich sämtliche Türen. Die Fesseln[63] aller Gefangenen fielen ab[64]. Die Gefangenen fliehen nicht! In der Stadt bleibt das Beben unbemerkt! So werden spätere Züge der Erzählung angebahnt oder ermöglicht: VV 27f.35ff.

VV 27–28 Die Form der Befreiungswunder-Erzählung ist insofern durchbrochen (oder erweitert), als sie nun zur Bekehrungserzählung wird: Der Kerkermeister erwacht aus dem Schlaf, sieht die Türen offen und will sich mit dem Schwert umbringen. Denn er meint, die Gefangenen seien entwichen (V 27). Da fällt ihm Paulus gewissermaßen in den Arm und ruft laut: „Tu dir kein Leid an! Wir sind noch alle drinnen."

VV 29–30 Der Kerkermeister erbittet „Lichter"[65] und stürzt in die Gefängnisräume hinein[66]. Er fällt vor Paulus und Silas nieder[67], weil er sie offenbar für göttliche Wesen hält[68] (V 29). Dann führt er sie nach draußen und fragt: „Ihr Herren[69], was muß ich tun, um gerettet zu werden?" Die Frage setzt voraus, daß der Fragende von den beiden Missionaren den Heilsweg erfahren möchte[70].

---

[60] τὸ μεσονύκτιον steht im NT Mk 13,35 (Akk. der Zeit); Lk 11,5 (Gen. der Zeit); Apg 16,25 (mit κατά und Akk.); ferner Apg 20,7 (mit μέχρι und Gen.).

[61] Transitives ὑμνέω „besingen, rühmen" steht im NT sonst nur noch Hebr 2,12. Zum Motiv „Gotteslob des Gefangenen" vgl. TestJos 8,5; dazu Haenchen.

[62] οἱ δέσμιοι wie V 27. δέσμιος bezieht sich sonst auf den gefangenen Paulus: 23,18; 25,14.27; 28,17. Paulus nennt sich δέσμιος Χριστοῦ Phlm 1.9 (vgl. Eph 3,1; 4,1; 2 Tim 1,8). Vgl. F. Staudinger, δεσμός 3.4, in: EWNT I 694–696.

[63] In der Apg begegnet stets der Plural von δεσμός: 16,26; 20,23; 23,29; 26,29.31.

[64] ἀνίημι steht im gleichen Sinn („loslassen, lösen") 27,40 (bezogen auf die Schiffstaue). Zur Form ἀνέθη siehe Blass/Debr § 67,2 mit Anm. 3. Das Zusammentreffen von Türöffnung und Abfallen der Fesseln findet sich z.B. auch bei Euripides, Bacch. 443–448; vgl. Kratz, Rettungswunder 375–383. Weitere Parallelen nennt Conzelmann.

[65] φῶτα kann „Lampen" oder „Fackeln" meinen. Vgl. Bauer Wb s.v. φῶς 1bα.

[66] εἰσπηδάω „hineinspringen, hineinlaufen" kommt sonst im NT nicht vor; siehe indessen ἐκπηδάω Apg 14,14.

[67] προσπίπτω mit Dativ der Person („jemand zu Füßen fallen") steht im NT: Mk 3,11; 5,33 par Lk 8,47; Lk 8,28 (diff Mk); Apg 16,29. Vgl. auch Lk 5,8.

[68] Vgl. Haenchen: Er hält sie für „die mächtigen Boten der Gottheit".

[69] Die Anrede κύριοι geht vielleicht davon aus, daß Paulus und Silas Götter seien, kann aber auch bloß den tiefen Respekt bekunden. Die Frage ist katechetisch formuliert (Conzelmann); vgl. 2,37; Lk 3,10.

[70] Siehe V 31: καὶ σωθήσῃ ... Vgl. auch oben zu V 17.

V 31 Die Antwort der Missionare entspricht genau der Frage: Der Kerkermeister soll an den Herrn Jesus glauben[71], dann wird er mitsamt seinem „Haus" gerettet werden (vgl. die wörtlichen Übereinstimmungen mit 11,14).

VV 32–34 Bevor von der Taufe des Kerkermeisters berichtet wird (V 33 b), muß natürlich gesagt werden, daß er mit seiner gesamten Familie unterwiesen wurde (den Inhalt der Taufunterweisung hatte V 31 vorweggenommen): Paulus und Silas „sagten ihm das Wort des Herrn" (V 32). Der Kerkermeister nahm die christlichen Verkündiger noch in jener nächtlichen Stunde mit und wusch ihnen die Wunden, die sie bei der Geißelung (VV 22 f) davongetragen hatten (V 33 a). Waschung der Wunden und Taufe der Familie fanden wohl im Hof statt, wo man Wasser zur Verfügung hatte. Dann führte der Neugetaufte die beiden in seine Wohnung und setzte ihnen – immer noch zur Nachtzeit – ein Mahl vor[72] (V 34 a). Er war mit seinem ganzen Haus voll Freude[73], weil er zum Glauben an *Gott* gekommen war (V 34 b): Der Glaube „an den Herrn *Jesus*" (V 31) ist bei dem bekehrten Heiden mit dem Glauben an den wahren *Gott* verbunden[74]. Die Bekehrungslegende ist damit zu Ende.

V 35 Die Rückkehr zur Rahmengeschichte, d. h. der Anschluß an V 24, erfolgt unvermittelt. Als es Tag geworden war, entsandten die Stadtoberen Liktoren zum Gefängnis. Sie sollten dem Kerkermeister den Befehl übermitteln: „Laß jene Menschen frei!" Der Entschluß der Prätoren ist unabhängig von der Erfahrung eines Erdbebens[75]. Er soll wohl so verstanden werden, daß die Behörde mit der Inhaftierung vorsorglich gehandelt hatte.

VV 36–37 Der Kerkermeister teilt dem Paulus mit, daß die Prätoren die Freilassung angeordnet haben. Er fordert Paulus und Silas auf, das Gefängnisgebäude zu verlassen und „in Frieden"[76] ihren Weg zu nehmen (V 36). Doch so schnell läßt sich Paulus nicht wegschicken, als sei kein

---

[71] Zu πιστεύω ἐπί τινα siehe oben Nr. 23 A. 63; Nr. 24 A. 235.

[72] παρέθηκεν τράπεζαν „er setzte (ihnen) eine Mahlzeit vor" (der Ausdruck steht z. B. auch Thucydides, Hist. I 130,1; JosAnt VI 338). τράπεζα steht hier im übertragenen Sinn; vgl. Bauer Wb s. v. 3. Menoud, Eucharistie (1953) 26 f, hielt den Ausdruck π. τρ. fälschlich für eine Umschreibung der Eucharistie, ähnlich auch Klauck, Die Hausgemeinde (s. o. A. 34) 8.

[73] ἀγαλλιάομαι wie 2,26 (Ps 15,9 LXX). Die Apg kennt nur das Medium. Siehe auch ἀγαλλίασις 2,46.

[74] Vgl. oben Nr. 35 A. 86.

[75] Siehe indessen die Variante des „westlichen" Textes (s. o. A. r). Sie denkt an einen Meinungsumschwung der Behörde und führt diesen auf die Erinnerung an das nächtliche Erdbeben zurück.

[76] πορεύομαι ἐν εἰρήνῃ hat in Ri 18,6; 2 Kg 3,21 sein Vorbild. Vgl. ähnliche Wendungen im NT: Mk 5,34; Lk 7,50; 8,48; Apg 15,33; Jak 2,16.

Unrecht geschehen. Paulus wendet sich an die Liktoren[77] mit dem Vorwurf, man habe ihn und Silas, obgleich sie römische Bürger sind[78], ohne Gerichtsurteil[79] öffentlich auspeitschen und festsetzen lassen. Der Vorwurf geht letztlich an die Adresse der Prätoren (vgl. VV 22f: οἱ στρατηγοί), die nun den Versuch unternehmen, die Missionare heimlich abzuschieben[80]. Paulus verlangt, daß die Stadtoberen selbst kommen, um ihn sowie Silas aus dem Gefängnis zu entlassen[81] (V 37).

VV 38–39 Die Liktoren melden den Stadtoberen, was Paulus gesagt hat (V 38a). Diese geraten in Furcht, als sie vernehmen, daß es sich bei den Inhaftierten um Römer handelt[82] (V 38b). Sie haben wegen der üblen Behandlung der römischen Bürger ein schlechtes Gewissen (vgl. 22,29). So machen sie sich auf den Weg, um Paulus und Silas gut zuzureden[83] (V 39a). Schließlich geleiten sie selbst – wie Paulus verlangt hatte (V 37b) – die beiden Missionare aus dem Gefängnisgebäude und bitten sie[84], die Stadt zu verlassen (V 39b). Das bedeutet, daß sie ausgewiesen werden.

V 40 Doch Paulus und Silas gingen, als sie das Gefängnis verlassen hatten, zunächst zu Lydia, wo sie die „Brüder" (=Christen) von Philippi fanden. V 40 schließt damit an die (äußere) Rahmenerzählung, d.h. an V 15, an. Ehe Paulus und Silas die Stadt verließen und weiterwanderten, sprachen sie den Mitgliedern der jungen Gemeinde Mut zu[85]. Timotheus wird erst 17,14 wieder erwähnt. Es ist aber vorausgesetzt, daß er sich während der Ereignisse 16,16–40 in Philippi befand und von dort mit Paulus und Silas weiterreiste.

---

[77] Sie waren V 35a genannt. Auf sie bezieht sich πρὸς αὐτούς V 37a. Siehe auch V 38.

[78] Die Aussage bezieht sich auch auf Silas. ἄνθρωποι Ῥωμαῖοι (V 37) bzw. Ῥωμαῖοι zielt auf das römische *Bürgerrecht;* vgl. 22,25–29; 25,16. An einem römischen Bürger durfte die Strafe der *verberatio* nicht vollzogen werden: Appian, Bell. civ. II 26 § 98; vgl. H. J. Cadbury in: Beginnings V 297–338; Conzelmann zu 16,37.

[79] ἀκατάκριτος wie 22,25: „ohne geordnetes Prozeßverfahren".

[80] ἐκβάλλω enthält die Nuance des Gewaltsamen, vgl. Lk 4,29; 19,45; 20,12; Apg 7,58; 13,50, kann aber auch „abschieben" bedeuten (Apg 9,40).

[81] ἐξάγω wird auch 5,19; 12,17; 16,39 auf die Herausführung aus dem Gefängnis bezogen.

[82] Siehe dazu oben A. 78.

[83] Zu παρεκάλεσαν αὐτούς siehe Bauer Wb s.v. παρακαλέω 5. παρακαλέω steht auch 1Thess 4,1 neben ἐρωτάω.

[84] ἐρωτάω „bitten" mit folgendem Infinitiv wie Lk 5,3; 8,37; Apg 3,3; 10,48, 18,20; 23,18; im NT ferner Joh 4,40; 1Thess 5,12.

[85] παρεκάλεσαν mit personalem Akkusativ wie V 39 (s.o. A. 83), jedoch in der Bedeutung „sie trösteten/ermunterten ..." παρακαλέω bezeichnet hier (wie 14,22; 20,1) die segnend-tröstende Abschiedsansprache; vgl. J. Thomas, παρακαλέω κτλ. 7, in: EWNT III.

40. PAULUS IN THESSALONICH UND BERÖA: 17, 1–15

LITERATUR: C. CLEMEN, Paulus und die Gemeinde zu Thessalonike, in: NKZ 7 (1896) 139–164. – E. v. DOBSCHÜTZ, Die Thessalonicher-Briefe (MeyerK 10) (Göttingen 1909 [Neudruck 1974]) 6–22. – E. NESTLE, Act 17,11, in: ZNW 15 (1914) 91 f. – CADBURY, Book of Acts (1955) 40 f.61–63.86. – B. RIGAUX, Saint Paul. Les Épîtres aux Thessaloniciens (EtB) (Paris 1956) 3–29. – H. SCHÜRMANN, Der erste Brief an die Thessalonicher (Düsseldorf ²1962) 7–10. – L.-M. DEWAILLY, La jeune Église de Thessalonique (Lectio Divina 37) (Paris 1963). – HAENCHEN, Apostelgeschichte als Quelle (1966) 330–332. – E. A. JUDGE, The Decrees of Caesar at Thessalonica, in: The Reformed Theol. Review 30 (1971) 1–7. – SCHMID, Einleitung (1973) 399–402. – D. W. KEMMLER, Faith and Human Reason. A Study of Paul's Method of Preaching as Illustrated by 1–2 Thessalonians and Acts, 17,2–4 (NTSuppl 40) (Leiden 1975). – F. LAUB, Paulus als Gemeindegründer (1 Thess), in: Kirche im Werden, hrsg. von J. Hainz (München/Paderborn 1976) 17–38. – KILPATRICK, Eclecticism and Atticism (1977; s. o. Nr. 27) [zu 17,15]. – ELLIGER, Paulus in Griechenland (1978) 78–116. – KAYE, Portrait of Silas (1979; s. o. Nr. 35 A) [zu 17,4–15]. – J. KREMER, Einführung in die Problematik heutiger Acta-Forschung anhand von Apg 17,10–13, in: Kremer (Hrsg.), Les Actes (1979) 11–20. – KURZ, Hellenistic Rhetoric (1980) [zu 17,2 f].

1 Auf dem Weg über Amphipolis und Apollonia kamen sie nach Thessalonich, wo es eine[a] *Synagoge der Juden gab. 2 Nach seiner Gewohnheit ging Paulus zu ihnen und redete zu ihnen drei Wochen hindurch, wobei er von*[b] *den Schriften ausging. 3 Er legte sie ihnen aus und erklärte, daß der Christus leiden und von den Toten auferstehen mußte. Und er sagte: Jesus, den ich euch verkündige, ist dieser Christus*[c]. *4 Einige von ihnen ließen sich überzeugen und schlossen sich Paulus und Silas*[d] *an, außerdem eine große Schar von den gottesfürchtigen* [e]*Griechen, darunter nicht wenige Frauen aus den vornehmen Kreisen*[f].
5 [g]*Die Juden wurden eifersüchtig und holten sich einige schlechte Leute, die sich auf dem Markt herumtrieben. Mit ihrer Hilfe wiegelten sie das Volk auf und brachten die Stadt in Aufruhr*[g]. *Sie zogen zum Haus des Jason und wollten die beiden vor das Volk führen. 6 Als sie sie aber nicht fanden, schleppten sie Jason und einige Brüder vor die Oberen der Stadt und schrien: Diese Leute, die den Erdkreis in Aufruhr versetzt haben, sind auch hierher gekommen, 7 und Jason hat sie aufgenommen. Diese*

[a] Vor συναγωγή lesen E Koine den Artikel ἡ.
[b] Statt ἀπό liest D ἐκ (τῶν γραφῶν).
[c] E 36. 453 pc lesen: „Dieser ist Jesus, der Christus".
[d] D liest statt Σιλᾷ: Σιλαίᾳ τῇ διδαχῇ. Der zweite Dativ (Glosse) soll verdeutlichen, daß man sich *der Lehre* anschloß.
[e] P⁷⁴ A D 33 pc lat bo schalten zwischen „gottesfürchtigen" und „Griechen" ein καί ein.
[f] D lat sprechen von „nicht wenigen Frauen der Vornehmen" und zählen diese nicht zum πλῆθος πολύ. So ist von drei Gruppen die Rede, den Gottesfürchtigen, den Griechen und den Frauen (vgl. A.e). Vgl. METZGER TG 453.
[g] Der Anfang von V 5 (g – g) lautet nach D: „Die ungehorsamen Juden aber trafen sich mit einigen schlechten Leuten vom Markt und erregten in der Stadt einen Tumult."

alle handeln gegen die Verordnungen des Kaisers, indem sie sagen, ein anderer sei König, (nämlich) Jesus. 8 So brachten sie [h]das Volk und die Oberen der Stadt[h], die dies hörten, in Erregung. 9 Nachdem sie von Jason und den anderen eine Bürgschaft erhalten hatten, ließen sie sie frei. 10 Die Brüder aber schickten noch in der Nacht Paulus und Silas weiter nach Beröa. Und als sie angekommen waren, gingen sie in die Synagoge der Juden. 11 Diese waren freundlicher als die in Thessalonich, sie nahmen das Wort [i]mit aller Bereitwilligkeit[i] auf und forschten täglich in den Schriften nach, ob sich dies (wirklich) so verhalte[k]. 12 [l]Viele von ihnen wurden gläubig[l], und ebenso [m]nicht wenige von den vornehmen griechischen Frauen und Männern[m]. 13 Als jedoch die Juden in Thessalonich erfuhren, daß [n]Paulus auch in Beröa das Wort Gottes verkündigte[n], kamen sie dorthin und brachten die Volksmenge in Bewegung und Erregung[o]. 14 [p]Alsbald aber schickten die Brüder den Paulus fort, damit er ans Meer ginge[p]. Silas und Timotheus blieben dort (in Beröa) zurück. 15 Die Begleiter des Paulus brachten ihn nach Athen, und[q] mit dem Auftrag an Silas und Timotheus, möglichst bald nachzukommen, reisten sie zurück.

Das erzählende Textstück 17,1–15 berichtet von der Mission des Paulus in der Hauptstadt Mazedoniens Thessalonich[1] (VV 1–8) und im mazedoni-

---

[h] D gig sy^p stellen hier (h – h) um: „die Oberen der Stadt und das Volk".

[i] Hinter λόγον liest E τοῦ θεοῦ μετὰ παρρησίας und läßt die Wendung i – i weg.

[k] Hier fügen 614 pc gig sy^h** an: „wie Paulus verkündigte".

[l] Der Anfang von V 12 (l – l) lautet in D (614): „Einige von ihnen nun wurden gläubig, andere aber blieben ungläubig." Vgl. Metzger TC 454.

[m] Nach der Abänderung in V 12a (s. A. l) läßt D* dem Versteil 12b dennoch in etwa seinen bisherigen Sinn: „Von den Griechen und den Vornehmen kamen etliche Männer und Frauen zum Glauben."

[n] Der ὅτι-Satz in V 13 lautet nach D(^c): „das Wort Gottes in Beröa verkündigt wurde und sie zum Glauben kamen".

[o] καὶ ταράσσοντες fehlt in P^74 E 0120 Koine. – D (sy^p) fügt eine finite Endung an: οὐ διελίμπανον „hörten sie nicht auf"; vgl. 8,24 D.

[p] V 14a (p – p) lautet in D (sy^p): „Den Paulus nun entließen die Brüder, damit er weggehe ans Meer."

[q] Der Anfang von V 15b lautet in D: „er zog an Thessalien vorbei, wurde aber gehindert, dort (εἰς αὐτούς) das Wort zu verkündigen. Sie aber empfingen von Paulus den Auftrag ..." Die Erweiterung will erklären, warum sich nichts ereignete, als Paulus (notwendigerweise) durch Thessalien reiste. Zur „Behinderung" (ἐκωλύθη) vgl. 16,6.

[1] Θεσσαλονίκη/Thessalonich (heute: Saloniki, Thessaloniki) war die bedeutendste Stadt Mazedoniens und Amtssitz des römischen Statthalters. In der lokalen Verwaltung spielten „Politarchen" eine Rolle. Siehe Ch. Diehl, Salonique (Paris 1920); E. Oberhummer, Thessalonike, in: Pauly/Wissowa VI/1, 143–163; H. Leclercq, Salonique, in: DACL XV/1 (1950) 624–713; Rigaux, Épîtres aux Thessaloniciens 11–29; Ch. M. Danoff, Thessalonike, in: KlPauly V 761–763; Elliger, Paulus in Griechenland (1978)

schen Beröa[2] (VV 9–15). Die beiden Teilstücke der Erzählung sind nicht nur strukturell miteinander verwandt (Beginn der Mission in der Synagoge; Beweisführung mit den „Schriften" bzw. Studium der „Schriften"; Angabe über Bekehrungen, vor allem auch bei nichtjüdischen Frauen; Verfolgung des Paulus). Sie sind auch miteinander verklammert: V 11 blickt auf das Verhalten der Juden in Thessalonich zurück; V 13 erzählt von Juden aus Thessalonich, die in Beröa gegen Paulus agitierten. 17, 1–15 ist auch mit dem Kontext verbunden: Die Reisenotiz V 1 a ist durch 16, 40 angebahnt[3]. Der Schluß (VV 14 f) leitet zum Athen-Aufenthalt des Paulus (17, 16–34) über.

Die Vorgeschichte der Erzähleinheit 17, 1–15 ist nicht sicher zu bestimmen. Die Reisenotiz V 1 kann, muß aber nicht von der Hand des Lukas stammen[4]. Als Reiseweg von Philippi nach Thessalonich (etwa 150 km) kam praktisch nur die Via Egnatia mit den Zwischenstationen Amphipolis[5] und Apollonia[6] in Frage. Die schematische Angabe über die Anknüpfung der Mission an synagogale Versammlungen (VV 1.10) und die Bemerkungen über den Schriftbeweis[7] (VV 2 f; vgl. V 11) können gleichfalls vom Autor der Apostelgeschichte stammen. Es legt sich die Vermutung nahe, daß Lukas aufgrund überlieferter Nachrichten schematisch erzählend komponierte. So könnte auch der Umstand erklärt werden, daß der Auf-

---

78–116. – Der Name der Stadt kommt mehrfach im NT vor: Apg 17, 1.11.13; Phil 4, 16; 2 Tim 4, 10. Das substantivierte Adjektiv Θεσσαλονικεύς steht Apg 20, 4 (Aristarch und Sekundus); 27, 2 (Aristarch); 1 Thess 1, 1 und 2 Thess 1, 1 (ἐκκλησία der Thessalonicher).

[2] Βέροια/Beröa (heute: Veria) ist eine sehr alte Stadt, am Fluß Astraios und am Fuß des Bermios gelegen. Sie wurde 168 v. Chr. römisch. Siehe E. Oberhummer, Beroia (1), in: Pauly/Wissowa III 304–306; vgl. Suppl. IV 930 f; J. Seibert, Beroia, in: LAW 456. Das NT erwähnt Beröa nur Apg 17, 10.13. Vgl. indessen auch 20, 4 (Βεροιαῖος, bezogen auf den Paulus-Begleiter Sopater).

[3] Freilich muß 17, 1 nicht ursprünglich auf 16, 40 gefolgt sein. V 1 kann sich ursprünglich an 16, 12 (Aufenthalt in Philippi) angeschlossen haben.

[4] Vgl. Conzelmann: „Eigene Kenntnis der Strecke, Erkundigungen oder Einsicht in eine Streckenbeschreibung oder Landkarte ... genügte."

[5] Ἀμφίπολις war die Hauptstadt des Südostens von Mazedonien (Vorort der Ersten *regio*). Der Name geht darauf zurück, daß die Stadt vom Strymon umflossen wird (vgl. Thucydides, Hist. IV 102, 3). Die Stadt war zur Zeit des Paulus Militärstation an der Via Egnatia. Vgl. O. Hirschfeld, Amphipolis, in: Pauly/Wissowa I/2, 1949–1952; E. Meyer, Amphipolis, in: LAW 143.

[6] Die mazedonische Stadt Ἀπολλωνία liegt etwa 40 km südwestlich von Amphipolis, etwa 50 km östlich von Thessalonich, an der Via Egnatia (heute: Pollina). Siehe Ch. M. Danoff, Apollonia 3, in: KlPauly I 449.

[7] Zum „lukanischen" Schema des christologischen Schriftbeweises vgl. 3, 18; 26, 23; Lk 24, 26.46; dazu Conzelmann, Mitte der Zeit 142 f. Zu Apg 17, 2 f schreibt Conzelmann, Apg z. St.: „Er setzt bei dem aus dem AT zu erhebenden *Begriff* des Messias ein: Dieser ist eine Leidensgestalt. Von da wird der Schluß auf Jesus gezogen: a) Er *hat* gelitten, also geht die Weissagung auf ihn. b) Umgekehrt ist durch die Schrift das Leiden als ‚notwendig' ... erwiesen."

enthalt in Thessalonich *zu kurz* erscheint[8] und *die Juden* als die Christenverfolger in dieser Stadt genannt werden[9]. Während 1 Thess 3,1 f erkennen läßt, daß Timotheus mit Paulus nach Athen reiste (und von dort wieder nach Thessalonich zurückgeschickt wurde), berichtet Apg 17,14 (verkürzend), daß Silas und Timotheus in Beröa blieben[10]. So wird das Bild vom „einsam" in Athen auftretenden Paulus angebahnt.

V1 Der Vers ist eine Reisenotiz. Insofern knüpft er an 16,11 f an. Der Weg von Philippi nach Thessalonich führt über Amphipolis und Apollonia. διοδεύσαντες mit dem Akkusativ der beiden Städtenamen deutet an, daß die beiden Städte ohne Verzug durchschritten wurden[11]. Die Städte können jeweils als Ziel eines Tagesmarsches gelten; Thessalonich ist von Philippi in drei Tagen zu erreichen[12]. In Thessalonich gab es „eine Synagoge der Juden"[13]. Mit dieser Angabe werden die VV2–4 vorbereitet.

VV2–3 Gemäß seiner Gewohnheit[14] geht Paulus zu den Juden hinein (d.h. er geht am Sabbat in ihre Synagoge) und spricht an drei Sabbat-Tagen zu ihnen[15]: ἀπὸ τῶν γραφῶν[16]. Die Predigt des Paulus nahm „von den Schriften" ihren Ausgang! Was das heißt, erläutert V3. Er eröffnete ihnen[17] den Schriftsinn und legte dar, daß „der Christus" nach den Voraussagen und Festlegungen der Schriften „leiden[18] und von den Toten aufer-

---

[8] Jedenfalls, wenn man 1 Thess 2,9–12 und Phil 4,16 berücksichtigt. Vgl. HAENCHEN, Apg 491. Er kommt zu dem Schluß, man dürfe „die Dauer des Aufenthalts in Thessalonich auf mehrere Monate veranschlagen".

[9] Siehe dazu HAENCHEN, a.a.O. 494 f: 1 Thess 2,14.17 und 3,2 f lassen „eher vermuten, daß Paulus durch eine heidnische antichristliche Bewegung aus Thessalonich vertrieben wurde ..." Vgl. auch HAENCHEN, Apostelgeschichte als Quelle 331 f; CONZELMANN, Heiden – Juden – Christen (1981) 234.

[10] Siehe CONZELMANN (zu V 14). Laut Apg 18,5 gingen Silas und Timotheus von Mazedonien (Beröa) direkt nach Korinth, wo sie wieder mit Paulus zusammentrafen.

[11] διοδεύω kommt im NT sonst nur noch Lk 8,1 vor, wo an einen Predigtaufenthalt Jesu in den Ortschaften gedacht ist; hier steht allerdings die Konstruktion κατὰ πόλιν καὶ κώμην.

[12] Zu den Entfernungen s.o. A. 6; vgl. CONZELMANN.

[13] Der Ausdruck begegnet auch V 10; ferner 13,5; 14,1. – ὅπου im Anschluß eine Ortsbezeichnung wie 20,6; Lk 12,33; vgl. Lk 12,34; 17,37.

[14] Formen von εἴωθα begegnen im NT sonst nur noch Mt 27,15; Mk 10,1; Lk 4,16, an der letzteren Stelle wie Apg 17,2: κατὰ τὸ εἰωθός mit Dativ.

[15] διαλέγομαι „sich unterreden" bezieht sich auch sonst auf lehrhafte Vorträge bzw. Disputationen: 18,4; 19,8.9; 20,9; 24,25, mit folgendem personalem Dativ auch 17,17; 18,19; 20,7, mit πρός τινα 24,12. Subjekt von διαλέγομαι ist in der Apg nur Paulus! – ἐπί mit Akkusativ im zeitlichen Sinn (V2: ἐπὶ σάββατα τρία) begegnet häufiger bei Lukas: z.B. Lk 4,25; 10,35; Apg 3,1; 4,5; 13,31; 16,18; 19,18.10.34; 27,20.

[16] Vgl. 8,35 (ἀπό); 18,28 (διά mit Gen.).

[17] Zu διανοίγω vgl. Lk 24,32.45.

[18] πάσχω im Sinne des Todes-Leidens wie Lk 22,15; 24,26.46; Apg 1,3; 3,18. Vgl. dazu oben I 193 A.36.

stehen[19]" mußte (ἔδει[20]). In einem zweiten Argumentationsgang wird dargetan, daß Jesus, der den Tod erlitten *hat* und auferstanden *ist*, folglich der (verheißene) Christus/Messias sein muß, eben der Jesus, den Paulus verkündigt[21].

V4 verzeichnet den Erfolg des Paulus in der Synagoge. Er ist nicht besonders groß: Einige[22] von den Juden lassen sich überzeugen; sie schließen sich Paulus und Silas an[23] (V4a). Auf seiten der σεβόμενοι Ἕλληνες[24] hingegen, die gleichfalls den Synagogengottesdienst besuchen, bekehrt sich eine „große Menge". Zu ihr gehören nicht wenige Frauen aus vornehmen Kreisen (V4b)[25]. Demgemäß denkt der Leser an eine heidenchristliche Majorität in der Thessalonichergemeinde. In ihr haben wieder Frauen aus der Prominenz einen beachtlichen Platz (vgl. auch die Angaben über Beröa, V12). Diese Darstellung kann der historischen Situation entsprechen; sie dient hier der Vorbereitung des Folgenden (VV5–9).

V5 17,5–9 wird nun erzählt, was „die Juden", d.h. die nicht zum Christusglauben gekommene Mehrheit der Juden von Thessalonich, aus Eifersucht (ζηλώσαντες) gegen Paulus und seine Begleiter unternehmen. Sie gewinnen[26] einige Herumtreiber[27], zetteln eine Ansammlung von Menschen an (ὀχλοποιήσαντες[28]) und bringen die Stadt in Aufruhr[29] (V5a). Man zieht zum Haus eines gewissen Jason[30], weil man die Missionare dort

---

[19] ἀναστῆναι ἐκ νεκρῶν wie 10,41; Lk 24,46.

[20] Siehe dazu oben I 237 A.21.

[21] Zum christologischen Argumentationsschema vgl. oben A.7. – καταγγέλλω bezieht sich vornehmlich auf die christliche Verkündigung und ist Vorzugswort der Apg: 4,2; 13,5.38; 15,36; 16,17.21; 17,13.23; 26,23. Vgl. indessen auch den paulinischen Gebrauch: 1 Kor 2,1; 9,14; 11,26; Phil 1,17.18; vgl. Kol 1,28. – Phil 1,17f und Kol 1,28 ist (ὁ) Χριστός Gegenstand der Verkündigung, Apg 17,3 hingegen (ὁ) Ἰησοῦς. Vgl. den Sprachgebrauch Apg 4,2; 5,42; 8,5.35; 9,20; 11,20; 17,18; 18,25.28; 19,13; 28,23.31.

[22] Das partitive ἐξ αὐτῶν bezieht sich offensichtlich auf „die Juden" (V1), von denen „einige" zum Christusglauben kommen; vgl. πρὸς αὐτούς und αὐτοῖς in V2.

[23] προσεκληρώθησαν ist „theologisches" Passiv; wörtlich: „sie wurden (von Gott) zugeteilt", d.h. Paulus und Silas als Anhänger geschenkt.

[24] Es sind „gottesfürchtige Heiden" gemeint; vgl. oben Nr. 24 A. 45.

[25] γυναικῶν τε τῶν πρώτων bezieht sich nicht auf „Frauen der Ersten" (so die LA von D; s.o. A.f), sondern auf „Frauen ersten Ranges"; vgl. ZERWICK, Biblical Greek Nr. 192.

[26] προσλαμβάνομαι „beiseite nehmen, mit sich nehmen" wie Mk 8,32 par Mt 16,22; Apg 18,26. Das Verbum bedeutet 27,33.36 „zu sich nehmen" (von Speisen) und 28,2 „(in die Hausgemeinschaft) aufnehmen".

[27] ἄνδρες ἀγοραῖοι ... πονηροί. οἱ ἀγοραῖοι „das Marktgesindel (o.ä.)". An der Stelle 19,38 sind αἱ ἀγοραῖοι (ἡμέραι) „die Gerichtstage"; vgl. JosAnt XIV 245.

[28] Das Verbum ist Hapaxlegomenon im NT und auch sonst nicht nachweisbar; siehe BAUER Wb s.v.

[29] θορυβέω steht im NT nur Mt 9,23; Mk 5,39; Apg 17,5; 20,10. Siehe G. SCHNEIDER, θόρυβος κτλ., in: EWNT II 380–382.

[30] Ἰάσων/Jason ist als Name im hellenistischen Judentum verbreitet. Er ersetzt bisweilen als echt-griechischer Name den Namen Ἰησοῦς; BLASS/DEBR § 53,2d. Neben Apg 17,5.6.7.9 wird auch Röm 16,21 ein Träger des Namens erwähnt; vgl. ferner Apg 21,16 ℵ gig u.a.

vermutet. Sie sollen dem Volk[31] vorgeführt werden. Wahrscheinlich ist vorausgesetzt, daß Paulus mit seinen Begleitern bei (dem Juden) Jason Quartier bezogen hatte[32].

VV6–7 Da man die Missionare nicht bei Jason findet, schleppt man diesen und einige Christen, deren man habhaft werden kann, vor die Politarchen[33] (V6a). Sie werden dort verklagt, die „Unruhestifter" aufgenommen zu haben[34] (VV6b.7a). Von Paulus und seinen Begleitern wird behauptet, sie seien Leute, die „den Erdkreis in Aufruhr versetzen wollen"[35]. Ein weiterer Anklagepunkt lautet, die Christen[36] handelten gegen kaiserliche Anordnungen[37] und bezeichneten Jesus als „einen anderen König" (V7b)[38]. Die Anklagepunkte sind von Lukas „auf den apologetischen Zweck hin formuliert"[39]. Die Doppelung der Vorwürfe hat in der Anklage der Juden gegen Jesus (vor Pilatus) ihre Entsprechung[40].

VV8–9 Mit ihren Anschuldigungen erreicht es die Gruppe der Juden, das Volk und die Politarchen in Erregung zu versetzen. Sie wußte, was man der heidnischen Stadtbevölkerung und dem Magistrat vorreden muß, um sie gegen Paulus und die Christen einzunehmen (V8). Da man die Missionare nicht greifen kann (vgl. V10), nimmt man von Jason und den anderen Christen[41] eine Kaution[42], ehe sie freigelassen werden (V9).

---

[31] (προσάγω) εἰς τὸν δῆμον (vgl. Herodian I 5,1): Die Politarchen (V6a) repräsentieren den Demos, d.h. die Volksversammlung. δῆμος bezeichnet auch 19,30.33 die Volksversammlung. Oder ist δῆμος 18,5 einfach gleich ὄχλος (so HAENCHEN, CONZELMANN)?

[32] Vgl. V7a. Siehe auch HAENCHEN: Der Gastgeber der Missionare, bei dem sich offensichtlich die Christen versammeln, ist als Christ vorgestellt.

[33] οἱ πολιτάρχαι (VV6.8) hießen, besonders in Mazedonien, die nicht-römischen Magistratsbeamten einer Stadt; vgl. E. DE WITT BURTON, The Politarchs, in: AJTh 2 (1898) 598–632.

[34] ὑποδέχομαι bezeichnet die gastliche Aufnahme auch Lk 10,38; 19,6; Jak 2,25.

[35] οἱ τὴν οἰκουμένην ἀναστατώσαντες. Zu οἰκουμένη s.o. Nr. 26 A.18. ἀναστατόω „beunruhigen" begegnet im NT ferner 21,38; Gal 5,12.

[36] οὗτοι πάντες erweitert den Kreis der von der Anklage Betroffenen: alle Christen!

[37] τὰ δόγματα Καίσαρος. Vgl. Lk 2,1; siehe auch JosBell I 393; ferner JUDGE, Decrees of Caesar (1971). – Καῖσαρ wird von Lukas ohne Artikel verwendet: Lk 2,1; 3,1; 20,22.24.25; 23,2; Apg 17,7; 25,8.10.11.12.21; 26,32; 27,24; 28,19. Siehe A. WEISER, Καῖσαρ, in: EWNT II 579–581.

[38] Indirekt wird der Kaiser als βασιλεύς bezeichnet; vgl. Appian, Bell. civ. II 86 § 362; Herodian II 4,4; JosBell III 351 u.ö.; 1Tim 2,2; 1Petr 2,13.17; Apk 17,9; 2Clem 37,3. Doch liegt der Nachdruck auf dem Gedanken der Konkurrenz des βασιλεύς Jesus mit dem Kaiser; vgl. Lk 23,2–4; Joh 19,12.15.

[39] CONZELMANN.

[40] Zu Lk 23,2 siehe G. SCHNEIDER. Die Passion Jesu nach den drei älteren Evangelien (München 1973) 91f.

[41] Personenname + οἱ λοιποί begegnet im NT auch 2,37; vgl. Lk 24,10; Phil 4,3.

[42] λαμβάνω τὸ ἱκανόν (παρά τινος) entspricht dem lateinischen *satis accipere* (vgl. OGIS 484,50; 629,100f): „eine Kaution nehmen".

V 10 Natürlich droht den Missionaren nun die Festnahme durch den Magistrat von Thessalonich. So müssen die christlichen „Brüder“ schnell handeln. Noch in der Nacht[43] schicken sie Paulus und Silas – Timotheus wird, wohl als untergeordneter ὑπηρέτης (vgl. 13, 5 von Markus), nicht genannt – nach Boröa[44] (V 10 a). Auch dort finden die Missionare eine jüdische Synagoge[45]. Unverzüglich beginnen sie dort nach ihrer Ankunft[46] mit der Missionspredigt (V 10 b).

VV 11–12 beschreiben den Missionserfolg in Beröa. Er stellt sich reichlicher ein als in Thessalonich; denn die hiesigen Juden sind „freundlicher, edler gesinnt“[47] als die der großen Stadt Thessalonich (V 11 a). Sie nehmen „das Wort“ mit aller Bereitwilligkeit[48] auf und erforschen täglich die (heiligen) Schriften, „ob sich dies so verhalte“[49]. Gemeint ist (vgl. VV 2–4), ob Jesus der Messias ist, wie Paulus behauptet[50] (V 11 b.c). Neben vielen Juden, die zum Glauben kommen[51], bekehrt sich auch eine beträchtliche Zahl[52] von vornehmen[53] heidnischen Frauen, auch von Männern aus dem Heidentum (V 12). Hierbei ist (wie V 4) an σεβόμενοι gedacht, die am Sabbat in die Synagoge gingen.

V 13 Die Eifersucht der Juden von Thessalonich[54] (vgl. V 5) reicht bis Be-

---

[43] διὰ νυκτός „des Nachts, bei Nacht“ wie 5, 19; 16, 9. Hingegen bedeutet die Wendung 23, 31 „die Nacht über“; vgl. Lk 5, 5.

[44] Zu Beröa s. o. A. 2. Die Stadt lag damals etwa 75 km südwestlich von Thessalonich. Heute ist die Entfernung wegen der Verkürzung des Thermaischen Meerbusens (durch Anschwemmungen der Flüsse) bedeutend geringer. Vgl. HAENCHEN zu 17, 10.

[45] Zur Formulierung s. o. A. 13.

[46] παραγενόμενοι ... ἀπῄεσαν. Zu παραγίνομαι s. o. Nr. 34 A. 36. ἄπειμι bedeutet ursprünglich „weggehen“, dann aber auch einfach „gehen, kommen“ (vgl. JosAnt XIV 289). Man darf also nicht (wie etwa JACQUIER) folgern, ἄπειμι deute an, daß die Synagoge von Beröa außerhalb der Stadt lag. Das Verbum kommt im NT sonst nicht vor; siehe indessen die gleiche Bedeutung (wie Apg 17, 10): 1 Clem 54, 2. ἀπῄεσαν ist Imperfekt; siehe ZERWICK, Biblical Greek Nr. 133.

[47] Der Komparativ εὐγενέστεροι bezeichnet hier nicht den vornehmeren Stand, sondern die freundlichere, edlere Gesinnung! Vgl. JosAnt XII 255; NESTLE, Act 17, 11 (1914).

[48] προθυμία „Eifer, Geneigtheit, Bereitschaft“. Der Ausdruck μετὰ πάσης προθυμίας ist auch bei Philo und Fl. Josephus bezeugt, ferner inschriftlich; s. BAUER Wb s. v.

[49] εἰ ἔχοι ταῦτα οὕτως „ob diese (Dinge) sich so verhielten“. Zum klassischen Gebrauch des Optativs in einer indirekten Frage siehe ZERWICK, Biblical Greek Nr. 346.

[50] Vgl. KREMER, Einführung in die Problematik (1979) 14 f, der die Frage stellt, „ob die Aussage über das Erforschen der Schriften hier nicht die Stelle der in den Reden dargebotenen Schriftauslegung einnimmt“ (15).

[51] πολλοὶ ... ἐξ αὐτῶν (V 12 a) kontrastierend zu καί τινες ἐξ αὐτῶν V 4 a.

[52] οὐκ ὀλίγοι (V 12 b) entsprechend οὐκ ὀλίγαι V 4 b. Zu dieser Litotes s. o. Nr. 27 A. 67.

[53] τῶν εὐσχημόνων bezieht sich nur auf die (heidnischen: Ἑλληνίδες, d. h. hier: „gottesfürchtigen“) Frauen; vgl. 13, 50 (und Lk 8, 3), dazu oben Nr. 31 A. 41.

[54] οἱ ἀπὸ τῆς Θεσσαλονίκης Ἰουδαῖοι. ἀπό dient hier zur Bezeichnung der Ortszugehörigkeit; siehe BAUER Wb s. v. IV 1 b, der als weitere ntl. Beispiele anführt: Mt 4, 25; 21, 11; Lk 9, 38; Joh 1, 44; Apg 2, 5; 6, 9; 10, 23; Hebr 13, 24.

röa. Als sie erfahren, daß Paulus „das Wort Gottes“ auch in Beröa verkündigt (V 13 a), ziehen sie in diese Stadt und wiegeln die Volksmenge auf[55] (V 13 b).

VV 14–15 Da die Lage für Paulus – nach V 13 offenbar nur für ihn als dem Haupt-Prediger – bedrohlich wird, schicken die Neu-Christen von Beröa („die Brüder“) ihn weg: Er soll ans Meer gehen[56] (V 14 a). Silas und Timotheus bleiben[57] hingegen in der Stadt (V 14 b). Sie werden Paulus erst in Korinth (18, 5) wieder sehen. Begleiter[58] bringen Paulus bis nach Athen, wahrscheinlich (vgl. V 14 a) auf dem Seeweg (V 15 a). Für Silas und Timotheus erhalten sie die Weisung, so schnell wie möglich[59] wieder zu Paulus zu stoßen. Dann reisen sie (von Athen nach Beröa) zurück[60]. Paulus wartet in Athen auf seine missionarischen Mitarbeiter (V 16), umsonst. Er ist in Athen alleingelassen.

41. AUFENTHALT IN ATHEN UND AREOPAGREDE: 17, 16–34

LITERATUR: *A. Zur gesamten Perikope* (bes. zur Rahmenerzählung der Rede): E. CURTIUS, Paulus in Athen, in: SABerlin 43 (1893) 925–938. – WACHSMUTH/THALHEIM, Ἄρειος πάγος in: PAULY/WISSOWA II/1 (1895) 627–633. – A. DAKIN, St. Paul's Success at Athens, in: The Interpreter 8 (1911/12) 422–427. – B. KEIL, Beiträge zur Geschichte des Areopags (Leipzig 1920). – P. GRAINDOR, Athènes sous Auguste (Kairo 1927). – DERS., Athènes de Tibère à Trajan (Kairo 1931). – BORNHÄUSER, Studien (1934) 136–147. – A. J. FESTUGIÈRE, Saint Paul à Athènes et la premiére Épître aux Corinthiens, in: La vie intellectuelle N. S. 34 (1935) 357–369. – M. DIBELIUS, Paulus in Athen (erstm. 1939), in: ders., Aufsätze 71–75. – PH.-H. MENOUD, Jésus et Anastasie, in: RThPh 32 (1944) 141–145 [zu 17, 18]. – DIBELIUS, Historiker (1948) 114f. – I. TH. HILL, The Ancient City of Athens (London 1953; Neudruck Chicago 1969) 16–19. 28–31.44f [Areopag]. – CADBURY, Book of Acts (1955) 49–53. – GÄRTNER, Areopagus Speech (1955), bes. 45–65. – J. G. GRIFFITHS, Was Damaris an Egyptian?, in: BZ 8 (1964) 293–295 [zu 17, 34]. – P. SCHUBERT, The Place of the Areopagus Speech in the Composition of Acts, in: Transitions in Biblical Scholarship, ed. by J. C. Rylaarsdam (Chicago/London 1968) 235–261. – R. E. WYCHERLEY, St. Paul at Athens, in: JThSt 19 (1968) 619–621. – T. D. BARNES, An Apostle on Trial, in: JThSt 20 (1969) 407–419. – G. T. MONTAGUE, Paul and Athens, in: Bible Today 49 (1970) 14–23. – O'NEILL, Theology of Acts (²1970) 166–171. – W. G. MORRICE, Where Did Paul Speak in Athens – on Mars' Hill or Before the Court of the Areopagus? (Acts 17, 19), in: ET 83 (1971/72) 377f. – C. J. HEMER, Paul at Athens: A Topographical Note, in: NTS 20 (1973/74) 341–350. – M. A. ROBINSON, ΣΠΕΡΜΟΛΟ-

---

[55] σαλεύοντες καὶ ταράσσοντες. σαλεύω im eigentlichen Sinn: Lk 6, 38.48; 7, 24; 21, 26; Apg 4, 31; 16, 26, im übertragenen Sinn außer Apg 17, 13 auch 2, 25. Zu ταράσσω s. o. Nr. 35 A. 111.

[56] ἕως ἐπὶ τὴν θάλασσαν. Vgl. ἕως πρός Lk 24, 50. Vgl. BLASS/DEBR §§ 453, 4 Anm. 7; 455, 2.3.

[57] ὑπομένω im Sinne von „zurückbleiben“ (während ein anderer fortgeht) auch Lk 2, 43.

[58] οἱ καθιστάνοντες „die Begleiter“; vgl. BAUERWb s. v. καθίστημι/καθιστάνω 1.

[59] ὡς τάχιστα stammt aus der Literatursprache: BLASS/DEBR §§ 60, 2; 244, 1; 453, 4.

[60] ἐξῄεσαν ist Imperfekt von ἔξειμι (vgl. ἄπειμι V 10): „sie zogen aus, sie reisten ab“. Das Verbum steht im NT sonst nur noch 13, 42; 20, 7; 27, 43; vgl. 20, 4 D.

ΓΟΣ: Did Paul Preach from Jesus' Parables?, in: Bibl 56 (1975) 231–240 [zu 17,18]. – F. F. Bruce, Paul and the Athenians, in: ET 88 (1976/77) 8–12. – K. G. Steck, Apostelgeschichte 17,16–34, in: Göttinger Predigtmeditationen 30 (1975/76) 213–220. – Elliger, Paulus in Griechenland (1978) 117–199. – Miesner, Missionary Journeys Narrative (1978). – G. Schneider, Ἄρειος πάγος κτλ., in: EWNT I 361 f (1979). – T. L. Wilkinson, Acts 17. The Gospel Related to Paganism. Contemporary Relevance, in: Vox Reformata 35 (1980) 1–14. – J. Calloud, Paul devant l'Aréopage d'Athènes. Actes 17,16–34, in: RechScR 69 (1981) 209–248.

B. Zur Areopagrede 17,22–31 (zu einzelnen Versen und Motiven siehe weiter unten): A. Harnack, Ist die Rede des Paulus in Athen ein ursprünglicher Bestandteil der Apostelgeschichte? (TU 39, Heft 1) (Leipzig 1913) [1–46]. – Norden, Agnostos Theos (1913) 1–140. – R. Reitzenstein, Die Areopagrede des Paulus, in: Neue Jahrbücher für das klass. Altertum 31 (1913) 393–422. – H. J. Cladder, Paulus auf dem Areopag, in: Stimmen aus Maria Laach 87 (1913/14) 112–114. – M. Dibelius, Paulus auf dem Areopag (erstm. 1939), in: ders., Aufsätze 29–70; dazu die Rezensionen von H. J. Cadbury in: JBL 59 (1940) 70f, und Nock, Rezension: M. Dibelius, Aufsätze (1953) 504–506. – W. Schmid, Die Rede des Apostels Paulus vor den Philosophen und Areopagiten in Athen, in: Philologus 95 (1942/43) 79–120. – R. Bultmann, Anknüpfung und Widerspruch, in: ThZ 2 (1946) 401–418. – G. Schrenk, Urchristliche Missionspredigt im 1. Jahrhundert (erstm. 1948), in: ders., Studien zu Paulus (AThANT 26) (Zürich 1954) 131–148. – P. P. Parente, St. Paul's Address before the Areopagus, in: CBQ 11 (1949) 144–150. – M. Pohlenz, Paulus und die Stoa, in: ZNW 42 (1949) 69–104. – Lackmann, Vom Geheimnis der Schöpfung (1952; s.o. Nr. 33). – W. Eltester, Gott und die Natur in der Areopagrede, in: Neutestamentliche Studien für R. Bultmann (BhZNW 21) (Berlin 1954) 202–227. – Gärtner, Areopagus Speech (1955); dazu J. Dupont, Le discours devant l'Aréopage et la révélation naturelle (erstm. 1955), in: ders., Études 157–160. – H. Hommel, Neue Forschungen zur Areopagrede Acta 17, in: ZNW 46 (1955) 145–178. – W. Nauck, Die Tradition und Komposition der Areopagrede, in: ZThK 53 (1956) 11–52. – W. Eltester, Schöpfungsoffenbarung und natürliche Theologie im frühen Christentum, in: NTS 3 (1956/57) 93–114. – Ders., Areopagrede, in: RGG I (1957) 589f. – F. Mussner, Einige Parallelen aus den Qumrântexten zur Areopagrede, in: BZ 1 (1957) 125–130. – N. B. Stonehouse, Paul before the Areopagus and Other New Testament Studies (London/Grand Rapids 1957) 1–40. – H. Conzelmann, Die Rede des Paulus auf dem Areopag, in: Gymnasium Helveticum 12 (1958) 18–32. – H. P. Owen, The Scope of Natural Revelation in Romans I and Acts XVII, in: NTS 5 (1958/59) 133–143. – F. Mussner, Anknüpfung und Kerygma in der Areopagrede (erstm. 1958), in: ders., Praesentia Salutis (Düsseldorf 1967) 235–243. – Bihler, Die Stephanusgeschichte (1963; s.o. Nr. 15 A) 170–175. – Wilckens, Missionsreden ([2]1963) 86–91. – J.-Ch. Lebram, Der Aufbau der Areopagrede, in: ZNW 55 (1964) 221–243. – É. des Places, De oratione S. Pauli ad Areopagum (Rom 1964; [2]1970). – H. Conzelmann, The Address of Paul on the Areopagus, in: Keck/Martyn (Hrsg.), Studies (1966) 217–230. – H. U. Minke, Die Schöpfung in der frühchristlichen Verkündigung nach dem Ersten Clemensbrief und der Areopagrede. Diss. Hamburg (1966). – G. Schneider, Urchristliche Gottesverkündigung in hellenistischer Umwelt, in: BZ 13 (1969) 59–75. – K. O. Gangel, Paul's Areopagus Speech, in: Bibliotheca Sacra 127 (1970) 308–312. – E. Fudge, Paul's Apostolic Self-Consciousness at Athens, in: Journal of the Evang. Theol. Soc. 14 (1971) 193–198. – A.-M. Dubarle, Le discours à l'Arèopage (Actes 17,22–31) et son arrière-plan biblique, in: RScPhTh 57 (1973) 576–610. – Wilson, Gentiles (1973) 196–218. – C. K. Barrett, Paul's Speech on the Areopagus, in: New Testament Christianity for Africa and the World (Festschr. für H. Sawyerr) (London 1974) 69–77. – Kliesch, Das heilsgeschichtliche Credo (1975) 170–174. – L. Legrand, The Areopagus Speech. Its Theological Kerygma and its Missionary Significance, in: La notion biblique de Dieu, ed. J. Coppens (BiblEThL 41) (Gembloux 1976) 337–350. – B. E. Shields, The Areopagus Sermon and Romans 1,18ff: A Study in Creation Theology, in: Restoration Quarterly 20 (1977) 23–40. – P. Auffret, Essai sur la structure littéraire du discours d'Athènes (Ac XVII.23–31), in: NT 20 (1978) 185–202. – J. DUPONT, Le discours à l'Aréopage (Ac 17,22–31), lieu de rencontre entre christianisme et hellénisme, in: Bibl 60 (1979) 530–546. – V. GATTI, Il discorso di Paolo ad Atene (Parma 1979). – BOVON, Dieu de Luc (1981). – J. DUPONT, La rencontre entre christianisme et hellénisme dans le discours à l'Aréopage (Actes 17,22–31), in: Fede e cultura alla luce della Bibbia. Atti della Sessione plenaria 1979 della Pontificia Commissione Biblica (Leumann 1981) 261–286. – G. SCHNEIDER, Anknüpfung, Kontinuität und Widerspruch in der Areopagrede Apg 17,22–31, in: Kontinuität und Einheit (Festschr. für F. Mußner) (Freiburg 1981) 173–178.

Zu einzelnen Versen und Motiven: Zu V22b: H. A. MOELLERING, *Deisidaimonia,* a Footnote to Acts 17,22, in: Concordia Theol. Monthly 38 (1963) 466–471. – É. DES PLACES, „Quasi superstitiosiores" (Act 17,22), in: Studiorum Paulinorum Congressus... 1961 (AnBibl 17/18) (Rom 1963) II 183–191. – F. STAUDINGER, δεισιδαιμονία (κτλ.), in: EWNT I 675–678 (1979) (Lit.). – *Zu V23:* A. WIKENHAUSER, Ignoto Deo, in: Oberrhein. Pastoralblatt 14 (1912) 193–200. – O. JESSEN, Ἄγνωστοι θεοί, in: PAULY/WISSOWA Suppl I (1903) 28–30. – P. CORSSEN, Der Altar des unbekannten Gottes, in: ZNW 14 (1913) 309–323. – F. C. BURKITT, Agnostos Theos. in: JThSt 15 (1913/14) 445–464. – TH. BIRT, Ἄγνωστοι θεοί und die Areopagrede des Apostels Paulus, in: Rhein. Museum 69 (1914) 342–392. – O. WEINREICH, De dis ignotis quaestiones selectae, in: ARW 18 (1915) 1–52. – DEISSMANN, Paulus (1925) 226–229. – WIKENHAUSER, Die Apostelgeschichte und ihr Geschichtswert (1921) 370–390. – K. LAKE, The Unknown God, in: Beginnings V (1933) 240–246. – W. GÖBER, Theoi agnostoi, in: PAULY/WISSOWA Suppl V (1934) 1988–1994. – É. DES PLACES, „Au Dieu inconnu" (Act 17,23), in: Bibl 40 (1959) 793–799. – H. KOSMALA, Agnostos Theos (erstm. 1963), in: ders., Studies, Essays and Reviews I (Leiden 1978) 5–7. – H. KÜLLING, Zur Bedeutung des Agnostos Theos, in: ThZ 36 (1980) 65–83. – *Zu VV24–28:* LEBRAM, Zwei Bemerkungen (1965). – *Zu V24:* É. DES PLACES, „Des temples faits de main d'homme" (Actes des Apôtres 17,24), in: Bibl 42 (1961) 217–223. – F. GÓMEZ, „Dios... no habita en templos manufactos" (Hch 17,24), in: Cultura Biblica 26 (1969) 139–156. – *Zu V25:* É. DES PLACES, Act 17,25, in: Bibl 46 (1965) 219–222. – *Zu V26:* ELTESTER, Schöpfungsoffenbarung (1956 / 57; s. o.). – R. LAPOINTE, Que sont les *kairoi* d'Act 17,26?, in: Église et Théol. 3 (1972) 323–338. – V. GATTI, Il senso dell' espressione ὁρίσας προστεταγμένους καιρούς (Act. 17,26b) nel contesto del discorso all'Areopago. Diss. Gregoriana (Rom 1977). – *Zu V27:* T. C. GILMOUR, „Groping" and „Boiling". Two Vivid Expressions in the Acts of the Apostles, in: Prudentia 9 (1977) 27–34. – *Zu V28a:* H. HOMMEL, Platonisches bei Lukas. Zu Act 17,28a (Leben – Bewegung – Sein), in: ZNW 48 (1957) 193–200. – P. COURCELLE, Un vers d'Épiménide dans le „Discours sur l'Aréopage", in: Revue des études grecques 76 (1963) 404–413. – P. COLACLIDES, Acts 17,28a and Bacchae 506, in: VigCh 27 (1973) 161–164. – R. RENEHAN, Acts 17,28, in: Greek, Roman and Byzantine Studies 20 (1979) 347–353. – *Zu V28b:* K. LAKE, „Your Own Poets", in: Beginnings V (1933) 246–251. – D. A. FRØVIG, Das Aratoszitat der Areopagrede des Paulus, in: SyOsl 15/16 (1936) 44–56. – M. ZERWICK, Sicut et quidam vestrorum poetarum dixerunt: „Ipsius enim et genus sumus" (Act 17,28), in: VD 20 (1940) 307–321. – É. DES PLACES, „Ipsius enim et genus sumus" (Act 17,28), in: Bibl 43 (1962) 388–395. – W. LUDWIG, Aratos, in: PAULY/WISSOWA Suppl X (1965) 26–39, bes. 30–38 (zu den Phainomena). – A. VAN DE BUNT-VAN DEN HOEK, Aristobulos, Acts, Theophilos, Clement. Making Use of Aratus' Phainomena, in: Bijdragen 41 (1980) 290–299. – *Zu V29:* WIKENHAUSER, Die Apostelgeschichte und ihr Geschichtswert (1921) 391–393. – *Zu VV30–31:* RESE, Motive (1969) 118f. – É. DES PLACES, Actes 17,30–31, in: Bibl 52 (1971) 526–534. – A. J. MATTILL, JR., Luke and the Last Things (Dillsboro, N.C., 1979) 41–54.

16 Während Paulus in Athen auf sie wartete, erfaßte ihn heftiger Zorn, da er sah, wie die Stadt voll von Götzenbildern war. 17 Er redete nun in der Synagoge mit den Juden und Gottesfürchtigen, und [a]*auf dem Markt jeden Tag mit denen, die er gerade antraf*[b]. *18 Einige von den epikureischen und stoischen Philosophen diskutierten mit ihm, und manche sagten: Was will denn dieser Schwätzer? Andere aber: Er scheint ein Verkündiger fremder Gottheiten zu sein.* [c]*Er verkündigte nämlich das Evangelium von Jesus und von der Auferstehung*[c]. *19* [d]*Und sie nahmen ihn mit, führten ihn zum Areopag*[d] *und fragten: Können wir erfahren, was das für eine neue Lehre ist, die du vorträgst*[e]*? 20 Du bringst uns recht befremdliche Dinge zu Gehör. So wollen wir nun erfahren, worum es sich handelt. 21 Alle Athener und die Fremden, die sich dort aufhielten, taten nichts lieber, als die letzten Neuigkeiten zu erzählen oder zu hören.*

22 Da trat Paulus in die Mitte des Areopags und sprach: Ihr Männer von Athen, nach allem, was ich sehe, seid ihr besonders fromme Menschen. 23 Denn als ich umherging und mir eure Heiligtümer ansah[f]*, fand ich auch einen Altar mit der Aufschrift „Einem unbekannten Gott". Was*[g] *ihr nun, ohne es zu kennen, verehrt, das*[h] *verkündige ich euch: 24 Gott, der die Welt geschaffen hat und alles, was darin ist, er, der Herr über Himmel und Erde, wohnt nicht in Tempeln, die von Menschenhand gemacht sind. 25 Er läßt sich auch nicht von Menschen bedienen, als ob er etwas brauche, da er doch (selbst) allen Leben, Atem und alles gibt. 26 Er hat aus einem (einzigen Menschen)*[i] *das ganze Menschengeschlecht geschaffen, damit es die ganze Erde bewohne. Er hat für sie bestimmte Zeiten* [k]*und die Grenzen*[k] *ihrer Wohnsitze festgesetzt, 27*[l]*damit sie Gott suchen*[l]*, ob sie ihn*[m] *ertasten und finden könnten; er ist ja keinem von uns fern. 28 Denn in ihm leben wir, bewegen wir uns und sind wir*[n]*, wie auch*

---

[a] D 614 pc sy h.mg sa schalten vor ἐν τῇ ἀγορᾷ den Dativ τοῖς ein („*mit denen* auf dem Markt").

[b] Statt παρατυγχάνοντας („die sich zufällig aufhalten") liest D* den Aorist παρατυχόντας.

[c] V 18d (c – c) fehlt in D gig.

[d] Der Anfang von V 19 (d – d) lautet nach D (614 pc sy h**): „Nach einigen Tagen nahmen sie ihn mit, führten ihn zum Areopag".

[e] Statt λαλουμένη (διδαχή) lesen D sy p καταγγελλομένη (vgl. καταγγελεύς V 18, καταγγέλλω V 23).

[f] Statt ἀναθεωρῶν liest D* διϊστορῶν („aufmerksam besichtigend").

[g] Statt des neutrischen ὅ lesen ℵ c A c E Ψ Koine sy ὅν („Der, den ...").

[h] Entsprechend A. g lesen die gleichen Textzeugen τοῦτον statt τοῦτο.

[i] Hinter ἐξ ἑνός fügen D E Koine gig sy an: αἵματος. Damit wird die *Bluts*verwandtschaft aller Menschen hervorgehoben (wahrscheinlich sekundäre Erweiterung; vgl. METZGER TC 456). Die kürzere LA bieten P74 ℵ A B 33. 81. 323. 1175. 1739 pc vg cop.

[k] Statt der drei Wörter (k – k) lesen D* Ir lat κατὰ ὁροθεσίαν „entsprechend der Grenze".

[l] Der Anfang von V 27 lautet nach E Koine „damit sie den Herrn suchen", nach D (gig) Ir lat: μάλιστα ζητεῖν τὸ θεῖόν ἐστιν. Letzteres bedarf der Korrektur. Entweder muß ὅ statt τό gelesen werden, oder ἐστιν ist zu tilgen; siehe METZGER TC 457.

[m] Statt αὐτόν lesen D* (gig) Ir lat αὐτό, entsprechend der neutrischen Konstruktion am Versanfang (s. A. l).

einige von euren Dichtern gesagt haben: Von seinem Geschlecht sind auch wir. 29 Da wir also Gottes Geschlecht sind, dürfen wir nicht meinen, das Göttliche sei gleich Gold oder Silber oder Stein, einem Gebilde menschlicher Kunst und Erfindung. 30 Über die Zeiten der Unwissenheit nun hat Gott hinweggesehen; jetzt befiehlt er den Menschen, daß alle überall umkehren. 31 Denn er hat einen Tag festgesetzt, an dem[o] *er den Erdkreis in Gerechtigkeit richten wird, durch einen Mann*[p]*, den er (dazu) bestimmt und vor allen Menschen dadurch ausgewiesen hat, daß er ihn von den Toten auferweckte.*
32 Als sie von Auferstehung der Toten hörten, spotteten die einen, andere aber sagten: Darüber wollen wir dich ein andermal hören. 33 So ging Paulus aus ihre Mitte hinweg. 34 Einige Männer aber schlossen sich ihm an und wurden gläubig, unter ihnen auch Dionysius, ein Mitglied des Areopags, [q]*und eine Frau namens Damaris*[q] *und noch andere mit ihnen.*

Der Athen-Aufenthalt des Paulus mit der berühmten Areopagrede stellt einen Höhepunkt der Apostelgeschichte dar. Paulus ist hier, in der Metropole des griechischen Geisteslebens, mit der griechischen Bildung und Philosophie konfrontiert. Die Rahmenerzählung der Areopagrede ist mit der Rede selbst (VV 22–31) eng verknüpft, mit den VV 16–21 einerseits und VV 32–34 andererseits. Rahmenhandlung und Rede gehen auf den Verfasser der Apostelgeschichte zurück, der in der Erzählung verbreitete „athenische" Motive zusammenstellte[1] und in der Rede gleichfalls mit seiner „Motivtechnik" arbeitete[2]. Die Abhängigkeit von Traditionen dürfte sich

---

[n] D (gig) Ir^{lat} fügen an: τὸ καθ' ἡμέραν („jeden Tag", vgl. Lk 11,3; 19,47; Apg 17,11). Im gleichen Vers lassen diese Textzeugen ποιητῶν weg; vgl. METZGER TC 458: Paulus zitiert keine Dichter!

[o] Die Wörter ἐν ᾗ μέλλει fehlen D Ir^{lat} Speculum. Dann heißt es: „... einen Tag festgesetzt, zu richten ..."

[p] Statt ἐν ἀνδρί lesen D Ir^{lat} ἀνδρὶ Ἰησοῦ, um den „Mann" Gottes zu identifizieren: „durch den Mann *Jesus*".

[q] Nach Ἀρεοπαγίτης und anstelle der Angabe q – q liest D εὐσχήμων (bezogen auf den Areopagiten); von Damaris ist hier keine Rede! E liest (statt q – q): „und eine *angesehene* (τιμία, vgl. 5,34) Frau namens Damaris". Vgl. METZGER TC 459 f.

[1] HAENCHEN, Apg 507, nennt folgende Motive, „die damals jeder halbwegs Gebildete als spezifisch athenisch kannte: die vielen Tempel und Götterbilder, die besondere Frömmigkeit der Athener, ihre philosophischen Schulen, der Areopag (Hügel und Gericht!), die sokratischen Gespräche auf dem Markt, die Einführung neuer Götter, die athenische Neugier. Lukas hat diese Motive in solcher Dichte aufeinanderfolgen lassen, daß der Eindruck athenischen Lebens und Geistes den Leser gefangennimmt."

[2] Die Rede ist nicht Abbreviatur einer wirklich gehaltenen Rede. Zu den „Motiven" der Rede siehe z.B. DIBELIUS, Paulus auf dem Areopag (1939); SCHMID, Die Rede (1942/43); ELTESTER, Gott und die Natur (1954); GÄRTNER, Areopagus Speech (1955); NAUCK, Tradition und Komposition (1956); MUSSNER, Anknüpfung und Kerygma (1958).

aber nicht nur auf überlieferte Motive verschiedener Provenienz erstrekken.

M. Dibelius rechnete die Verse 17 und 34 der Rahmenerzählung zum Itinerar[3]. H. Hommel schrieb dem Itinerar 17,16–18 sowie 17,34 zu[4]. H. Conzelmann gibt die Itinerarhypothese ganz auf und meint: „Stil und Inhalt (Mangel an konkretem Stoff) weisen aber eher darauf, daß der Verfasser das bekannte Periegesenmotiv (Norden 50f) frei verwendet."[5] Traditionell ist indessen auf jeden Fall die Nachricht, daß Paulus in Athen gewesen ist: 1 Thess 3,1. Auch die Namen von Gliedern der athenischen Christengemeinde (Apg 17,34) gehören wohl zu einer von Lukas ausgeschöpften Überlieferung. Was die Rede betrifft, ist sie ihrer Struktur, ihrem Hauptinhalt und ihren Einzelmotiven nach – trotz lukanischer Verfasserschaft! – traditionsgebunden[6]. Sie hängt nicht nur von jüdischer Missions-Theologie ab, sondern geht auf einen christlichen Typus der Missionspredigt vor Heiden zurück[7].

Aufbau und Gliederung der Gesamterzählung werden dadurch bestimmt, daß die Rede des Paulus die Mitte darstellt. Die Schilderung Athens[8] und der Athener „ist offenbar im *Vorblick auf die Rede* abgefaßt"[9]. *V16a* knüpft insofern an V15 an, als von Paulus gesagt wird, er habe in Athen auf seine Begleiter gewartet. Paulus ist also allein in Athen! Und er ist zornerfüllt wegen der Götzendienerei in der Stadt *(V16b)*. Er redet in der Synagoge zu Juden und Gottesfürchtigen, auf der Agora zu den dort anwesenden Heiden *(V17)*. Unter den Hörern sind auch Epiku-

---

[3] Dibelius, a.a.O. 68: 17,17 beschreibt „schlicht und zusammenfassend die Tätigkeit des Paulus in Athen", 17,34 schildert „die Geringfügigkeit des Erfolges" und nennt die Namen der zwei Bekehrten. Dibelius, a.a.O. 69, vermutet, daß auch 17,19.20 dem Itinerar entstammen könnten.

[4] Hommel, Neue Forschungen (1955) 174.

[5] Conzelmann zu 17,16–34, mit Hinweis auf Norden, Agnostos Theos (1913) 50f.

[6] Siehe Schneider, Gottesverkündigung (1969); vgl. Wilckens, Missionsreden ([2]1963) 86–91.100. Vgl. auch oben I 98f.

[7] Wilckens, a.a.O. 100: „Bei der Komposition der Reden in 14 und 17 hat Lukas nachweislich ein traditionelles Schema heidenchristlicher Missionspredigt benutzt ..."

[8] Ἀθῆναι/Athen wird in der Apg nur im Zusammenhang mit unserer Perikope erwähnt: 17,15.16; 18,1, im NT ferner 1 Thess 3,1 (gleichfalls vom Aufenthalt des Paulus). Das Adjektiv Ἀθηναῖος kommt (pluralisch) nur Apg 17,21.22 vor. Athen, die Hauptstadt von Attika, gehörte zur römischen Provinz Achaia. Noch im ersten christlichen Jahrhundert genoß die Stadt hohes kulturelles Ansehen, sie war die klassische Hochschulstadt. Doch kann das Athen, das Paulus besuchte, als Provinzstadt bezeichnet werden (mit etwa 5000 Bürgern). – Zur Geschichte des antiken Athen, zur Topographie und zum Aufenthalt des Paulus siehe die im Lit.-Verz. (Nr. 41 A) genannten Arbeiten von Curtius (1893), Graindor (1927), ders. (1931), Festugière (1935), Dibelius (1939), Hill (1953), Wycherley (1968), Montague (1970), Bruce (1976) und Elliger (1978). Weitere Lit.: W. Judeich, Topographie von Athen (München [1905] [2]1931); Kirsten/Kraiker, Griechenlandkunde (1957) 40–101; W. Zschietzschmann, Athenai, in: KlPauly I 686–701; E. Meyer/J. Seibert, Athen, in: LAW 372–381; Conzelmann, Apg 104f; W. Zschietzschmann, Athenai, in: Pauly/Wissowa Suppl. XIII (1973) 56–140; H. Volkmann, Athenai, in: KlPauly V 1578–1582.

[9] Dibelius, Paulus auf dem Areopag 61.

reer und stoische Philosophen, die den Verdacht äußern, Paulus verkündige „fremde Gottheiten“ *(V 18)*. Sie veranlassen ihn, sich vor dem Areopag[10] näher über seine „Lehre“ zu äußern *(VV 19f)*. *V 21* begründet das Ansinnen der Philosophen mit der Neugier der Athener.

So ist die *Areopagrede* angebahnt. Sie beginnt mit der Anknüpfung an die Altarinschrift vom „Unbekannten Gott“ und kündigt an, der Redner werde „das, was“ die Athener, „ohne es zu kennen“, verehren, zum Gegenstand seiner Verkündigung (nicht „Lehre“!) machen *(VV 22f)*. Die Rede macht mit dem wahren Gott der Bibel bekannt *(VV 24–29)*. Zugleich kritisiert sie (dreifach) heidnische Religiosität: die Tempel (V 24), den Opferdienst (V 25) und die Götterbilder (V 29). Am Ende kehrt das Motiv der „Unwissenheit“ wieder: Gott sieht über die Zeiten der (heidnischen) ἄγνοια hinweg und ruft universal zur Umkehr auf *(V 30)*; der (indirekte) Ruf zur Metanoia am Schluß der Rede wird durch den Hinweis auf den Auferstandenen und das kommende Gericht dringlich gemacht *(V 31)*.

Paulus wird von den Hörern unterbrochen, als diese von der „Totenauferstehung“ hören *(V 32)*. Die Rede hat kompositorisch zwar ihr Ende erreicht; aber die Rahmenerzählung verdeutlicht, daß jetzt die christologische Verkündigung folgen müßte. Die Hörer sollten sich näher über den Auferweckten informieren. Doch die heidnischen Hörer weichen aus; ihnen bedeutet das Auferstehungskerygma ein Skandalon. Paulus verläßt die Szene *(V 33)*. Der Missionserfolg ist nicht gerade beachtlich: Einige Athener, unter ihnen allerdings ein Areopag-Mitglied, ferner eine Frau namens Damaris kommen zum Christusglauben *(V 34)*.

Noch die Akademiebehandlung von M. Dibelius „Paulus auf dem Areopag“ (1939) stand teilweise im Zeichen der Fragestellung, ob die Areopagrede von Paulus gehalten worden sein könne[11]. E. Norden hatte dies bestritten. Er hielt die Rede für das Werk eines Unbekannten aus dem 2. Jahrhundert. Dieser habe das Hauptmotiv, die Inschrift vom „Unbekannten Gott“, einer Predigt entnommen, die der heidnische Wanderprediger und Wundertäter Apollonius von Tyana um das Jahr 50 in Athen gehalten hat[12]. Mit dieser These rückte die Areopagrede in den Vordergrund des Interesses. Die Diskussion[13] brachte neben vielen Einzelergebnissen die Zurückweisung der Hauptthese Nordens. Dibelius konnte vor dem zweiten Weltkrieg feststellen: „Die etwas künstliche Konstruktion einer literarischen Abhängigkeit bei Norden hat sich im allgemeinen nicht durchgesetzt.“[14]

---

[10] Ἄρειος πάγος/Areopag kommt im NT nur Apg 17,19.22 vor. Ἀρεοπαγίτης bezeichnet 17,34 ein Mitglied des Areopags, wodurch der Eindruck verstärkt wird, Lukas halte den Areopag für ein *Kollegium* (und nicht für den *Ares-Hügel* zu Füßen der Akropolis, nach dem die bekannte Gerichtsbehörde benannt war). Zur Geschichte des Areopags siehe die im Lit.-Verz. (Nr. 41 A) genannten Beiträge von Wachsmuth/Thalheim (1895), Keil (1920), Hill (1953), Schubert (1968), Morrice (1972) und Schneider (1979).

[11] Dibelius, a.a.O. 54–59. [12] Norden, Agnostos Theos (1913) 37–55.

[13] Vgl. vor allem die im Lit.-Verz. (Nr. 41 B) genannten Arbeiten von Harnack (1913), Reitzenstein (1913), Cladder (1913/14), ferner Corssen, Der Altar des unbekannten Gottes (1913); Birt, Ἄγνωστοι θεοί (1914).

[14] Dibelius, Paulus auf dem Areopag 40.

Die Untersuchungen litten bis auf Dibelius darunter, daß man entweder eine historische oder eine literarische These im Auge hatte. Man wollte entweder beweisen, daß Paulus diese Rede wirklich gehalten habe (oder gehalten haben könne)[15]. Oder man erklärte Apg 17,22–31 als Einlage, als Werk eines Redaktors[16]. Dibelius ließ die Rede durch sich selbst, durch ihre Motivgruppen sprechen. Er hielt sie für „eine hellenistische Rede von der wahren Gotteserkenntnis“[17], die wegen ihres philosophisch-rationalen Charakters „ein Fremdling im Neuen Testament“ sei[18]. Ihre Theologie sei der des Paulus „schlechterdings fremd“[19]. Lukas habe sie „als Beispiel einer vorbildlichen Heidenpredigt geschaffen und sie nach Athen verlegt“[20]. W. Schmid widersprach Dibelius: Lukas habe ihm noch erreichbare „Trümmer“ einer von Paulus gehaltenen Rede zusammengestellt[21]; sie sei nicht „Muster christlicher Verkündigung an heidnische Zuhörer“[22]. B. Gärtner meinte zeigen zu können, daß die Rede ganz und gar auf dem Boden des biblisch-jüdischen Monotheismus steht, der auch Grundlage der christlichen Heidenmission war[23]. Während Dibelius die biblische Komponente der Areopagrede unterschätzte, haben Schmid und Gärtner die paulinische Herkunft nicht „retten“ können[24]. Im Anschluß an W. Nauck[25] verweist E. Haenchen auf die Entsprechungen zwischen der Areopagrede und „der milden Richtung jüdisch-hellenistischer Missionspropaganda“; Paulus selbst (vgl. Röm 1,19–32) vertrete demgegenüber „die strengere Haltung innerhalb der jüdischen Mission“[26]. Haenchen sagt aber nicht mit der nötigen Deutlichkeit, daß die Areopagrede einer *christlichen* Predigttradition entspricht. Er meint, daß Lukas erst durch eine neue Situation der christlichen Heidenmission – man konnte „nicht mehr mit dem Schriftbeweis für die Messianität und Auferstehung Jesu beginnen“[27], weil die Heiden nicht mehr aus der synagogalen Gasthörerschaft kamen! – zu einer neuen Weise der Missionspredigt gelangt sei[28]. Er habe mit Apg 14,15–17 und 17,22–31 „eine Art Programm für die Mission“ dargestellt[29].

---

[15] Vgl. Dibelius, a.a.O. 29. Für diese Richtung nennt er Curtius, Paulus in Athen (1893); Harnack, Rede des Paulus (1913); Wikenhauser, Die Apostelgeschichte und ihr Geschichtswert (1921) 390–394, und Meyer, Ursprung III (1923) 89–108.

[16] Vgl. die These von Norden, Agnostos Theos (1913) 3–83; ferner Loisy, Actes (1920) 660–684.

[17] Dibelius, Paulus auf dem Areopag 54.

[18] Dibelius, a.a.O. 55; vgl. 65: „im ganzen Neuen Testament ein Fremdkörper“.

[19] Dibelius, a.a.O. 65. [20] Dibelius, a.a.O. 67.

[21] Schmid, Die Rede (1942/43) 114. [22] Schmid, a.a.O. 116.

[23] Gärtner, Areopagus Speech (1955). Die Monographie von Gärtner bedeutet ein Korrektiv gegenüber den Autoren, die den stoischen Charakter der Rede betonten, besonders gegenüber Dibelius, Paulus auf dem Areopag 59, und Pohlenz, Paulus und die Stoa (1949) 88f.

[24] Vgl. Haenchen, Apg 508.

[25] Nauck, Tradition und Komposition (1956).

[26] Haenchen, Apg 508. Die mildere, tolerante Richtung werde etwa durch Aristobul repräsentiert, die strengere durch die Sibyllinischen Fragmente. Siehe Nauck, a.a.O. 32–35.

[27] Haenchen, Apg 509.

[28] Ebd. Haenchen schreibt: „Darum hat Lukas zwar in den an Juden gerichteten Reden der Apg den urchristlichen Schriftbeweis entfaltet ... Aber er hat auch, zunächst in der Lystraepisode (14,15–17) und dann in der Areopagrede, eine neue Weise der Missionspredigt dargestellt, welche der veränderten Lage begegnete.“

[29] Haenchen, a.a.O. 509. Er zitiert in diesem Zusammenhang Dibelius, Die Reden (1949) 142: „So predigt man – und so soll man predigen!“

Im Hinblick auf die kontroverstheologische Problematik der in der Areopagrede implizierten *theologia naturalis*, besser: *Schöpfungstheologie*, sind folgende Erkenntnisse bedenkenswert und wahrscheinlich auch förderlich: 1) In der Areopagrede herrscht ein biblisch-christlicher Grundgedanke vor, der mit stoischen „Begleitmotiven" verbunden ist[30]. 2) Unter dem Gesichtspunkt „Anknüpfung und Widerspruch"[31] ist zu beachten, daß die Anknüpfung an hellenisch-stoische Motive der missionarischen Anbahnung der Glaubensbereitschaft dient, jedoch nicht den Christusglauben „andemonstrieren" will. Der dreifache Widerspruch bestimmt wesentlich die Struktur der Rede[32]; er richtet sich allerdings weniger gegen die „Philosophie" als gegen heidnische Volksfrömmigkeit[33]. Die Rede will zudem keine erschöpfende Zusammenfassung der christlichen Verkündigung sein, sondern hat „propädeutische" Funktion, insofern sie das Christuskerygma vorbereitet[34].

V16 Am Anfang des Athen-Berichts wird eine Angabe gemacht, die für das Verständnis des Ganzen von Bedeutung ist: Athen ist voll von Götzendienerei[35]. Dies wird jedoch nicht einfach vom Erzähler konstatiert, sondern als Erfahrung dem Paulus zugeschrieben, der sich, auf seine Begleiter wartend (vgl. V 15), in der Stadt umsah[36]. Über den Götzendienst der Athener „wurde sein Geist zum Zorn gereizt"[37].

VV17–18 Paulus beginnt seine missionarische Arbeit offenbar wieder am Sabbat in der Synagoge. Das Gespräch (διελέγετο, vgl. 17,2) mit Juden und „Gottesfürchtigen" wird vom Erzähler neben die „Straßenmission" gestellt: Auf dem Markt[38] spricht Paulus Tag für Tag[39] zu den Leuten, die

---

30 So schon NORDEN, Agnostos Theos 3–30. Im Anschluß an ihn auch NAUCK, Tradition und Komposition 31; CONZELMANN, Apg 112. Die Formulierung lautet hier: jüdisch-christliches *Grundmotiv*, stoische *Begleitmotive*.

31 Vgl. den Titel der Arbeiten von BULTMANN (1946), MUSSNER (1958) und SCHNEIDER (1981).

32 Siehe z. B. DUPONT, Le discours (1979) 542–546; SCHNEIDER, Anknüpfung, Kontinuität und Widerspruch (1981) 178.

33 Vgl. SCHNEIDER, Gottesverkündigung (1969) 69–72.

34 Siehe die „Unterbrechung" der Rede an dem Punkt, wo die Frage nach Jesus gestellt und behandelt werden soll.

35 Die Stadt ist κατείδωλος „voller Götterbilder". Das Verbum ist vorchristlich nicht bezeugt und Hapaxlegomenon im NT. Vgl. WYCHERLEY, St. Paul at Athens (1968). Von den mannigfachen Götterbildern der Athener spricht Livius XLV 27,11; vgl. auch Pausanias I 17,1.

36 θεωρέω steht auch sonst bei Lukas häufig mit Akk.-Objekt und Partizip: Lk 10,18; 24,39; Apg 7,56; 8,13; 10,11; 28,6. Vgl. oben I 474 A.21.

37 παροξύνω „anreizen, anfeuern" (passivisch: „aufgebracht werden") steht im NT sonst nur noch 1 Kor 13,5 (von der Liebe: οὐ παροξύνεται).

38 Zu ἀγορά siehe oben Nr. 39 A.49. Die Agora ist der Schauplatz des öffentlichen Lebens schlechthin.

39 κατὰ πᾶσαν ἡμέραν (distributives κατά wie Lk 2,41; 16,19; 22,53; Apg 2,46.47; 3,2; 16,5; 19,9) „an jedem Tag", so auch JosAnt VI 49. Der Ausdruck impliziert hier, daß die Synagogenpredigt nur am Sabbat stattfinden konnte.

sich dort gerade einfinden[40], also vornehmlich zur heidnischen Bevölkerung (V 17). Auch einige Philosophen aus den (der Öffentlichkeit am besten bekannten) Gruppen der Epikureer[41] und Stoiker[42] diskutieren[43] mit Paulus. Manche ordnen Paulus den vielen Wanderpredigern der Zeit zu und nennen ihn spöttisch einen „Schwätzer“[44]. Andere äußern den Verdacht, Paulus wolle „fremde Götter“ einführen[45] – was man Sokrates vorgeworfen hatte[46] –, weil sie die Stichworte der paulinischen Predigt („Jesus“, „Auferstehung“) für die Namen eines Götterpaares halten (V 18)[47].

VV 19–20 Die Angaben von V 18 haben bereits den Eindruck vermittelt, daß die Philosophen und die Athener ein kritisch-fragendes Interesse an der „Lehre“ des Paulus bekunden. V 21 wird zusätzlich an ihre Neugier erinnern. Die Leute[48] nehmen Paulus mit[49] und führen ihn zum Areopag[50] (V 19a). Die Formulierung ἐπὶ τὸν Ἄ. π. ἤγαγον läßt eher an den Areshügel denken als an den gleichnamigen Gerichtshof[51]. Paulus soll dort seine neue Lehre erläuternd darlegen (V 19b). Dies deutet eher auf den berühmten Gerichtshof hin, der u. a. auch in Religionsangelegenheiten zuständig

---

[40] οἱ παρατυγχάνοντες sind „die zufällig Anwesenden“; vgl. Polybius X 15, 4. Die Erzählung will an die sokratische Anknüpfungsmethode erinnern!

[41] Ἐπικούρειος ist der Epikureer. Hier ist der Name wohl adjektivisch gebraucht und auf φιλόσοφος bezogen.

[42] Στοϊκός (zur Schreibweise s. Blass/Debr § 35, 1; ferner EWNT III s. v. Στοϊκός und Στωϊκός) ist hier Adjektiv: „stoisch“, bezogen auf φιλόσοφος.

[43] συμβάλλω steht hier transitiv im Sinne von „sich unterreden“, so auch 4, 15. Siehe oben I 350 A.71.

[44] σπερμολόγος ist eigentlich der, „der Samenkörner aufliest“, die „Saatkrähe“. Auf Menschen bezogen, auch Demosthenes 18, 127; Dionysius Halic., Ant. Rom. XIX 5, 3; Philo, Leg. Gaj. 203. Vgl. Norden, Agnostos Theos 333. – Das Stichwort σπ. weist nicht darauf hin, daß Paulus Jesu Gleichnisse (vom Sämann) verwendet hätte; gegen Robinson, ΣΠΕΡΜΟΛΟΓΟΣ (1975).

[45] Der Vorwurf wird indirekt erhoben. Da vom Anschein (δοκεῖ) gesprochen ist, kann dieser im folgenden geprüft werden. Paulus wird als καταγγελεύς (vgl. καταγγέλλω V 23) verstanden, der ξένα δαιμόνια („fremde/ausländische Gottheiten“) einführen will; vgl. V 20: ξενίζοντα … εἰσφέρεις, V 19 καινὴ … διδαχή.

[46] So hatte man einst Sokrates verklagt: Xenophon, Mem. I 1, 1; vgl. Schneider, Anknüpfung, Kontinuität und Widerspruch 175.

[47] Vgl. Menoud, Jésus et Anastasie (1944).

[48] Oder sind nur die Philosophen gemeint? Vgl. indessen auch V 21, ferner Dibelius, Paulus auf dem Areopag 62: „die Athener“.

[49] ἐπιλαμβάνομαι enthält hier nicht den Aspekt des Gewaltsamen. Das Verbum steht mit Genitiv der Person auch 21, 30.33, mit Genitiv der Sache 23, 19.

[50] Siehe dazu oben A.10.

[51] Auf den Areshügel am Fuße der Akropolis wird Ἄ. π. bezogen von Dibelius, Paulus auf dem Areopag 62–64, Haenchen (zu V 19) und Morrice, Where Did Paul Speak (1972). ἐπὶ κτλ. kann allerdings auch auf eine Behörde bezogen sein („*vor* den Areopag“), vgl. 9, 21; 16, 19; 18, 12.

war[52], zur Zeit des Paulus aber in der „Königshalle" zu tagen pflegte[53]. Die Anfrage an Paulus wird nicht als Anklage formuliert. V20a behauptet ja nicht, Paulus führe fremde Gottheiten ein, sondern er lasse ξενίζοντα zu Ohren der Athener kommen. So wollen sie kennenlernen (γνῶναι), was das Befremdliche ist, von dem Paulus redet[54].

V21 Der Erzähler erläutert seinen Lesern, daß alle Athener sowie die in Athen weilenden Fremden[55] nichts lieber taten[56], als etwas Neues[57] zu erzählen oder sich erzählen zu lassen[58]. Die Neugier der Athener ist nahezu sprichwörtlich gewesen[59]. Mit der Erläuterung über die Neugier der Athener deutet die Erzählung zugleich an, daß Paulus vor dem Areopag nicht eigentlich verhört wird. Die Areopagrede ist nicht die Antwort eines Angeklagten!

V22a leitet die Rede unmittelbar ein. Paulus steht[60] – wie ein griechischer Redner – in der Mitte[61] des Areopags, d.h. mitten in der Versammlung der Areopagiten.

V22b Mit der Anrede „Ihr Männer von Athen"[62] verbindet Paulus einleitend eine *captatio benevolentiae*: Er hat – bei seinem Rundgang durch die Stadt (vgl. V16) – selbst gesehen, wie religiös[63] die Stadtbewohner sind.

---

[52] Vgl. THALHEIM, Ἄρειος πάγος (1895) 629–633; KEIL, Geschichte des Areopags (1920).

[53] Die Stoa Basileios lag an der Agora; KIRSTEN/KRAIKER, Griechenlandkunde 62f. Daß eine Behörde gemeint ist, legt auch die Erwähnung des Areopagiten Dionysius V34 nahe. Der Acta-Verfasser entscheidet freilich nicht die (historisch gesehen: notwendige) Frage, ob der Hügel oder die Behörde gemeint ist, weil für ihn der Areopag als literarischer Topos bedeutsam ist: Paulus hat – so will Lukas sagen – vor dem bekannten athenischen Gerichtshof, der in Sachen der Religion und Lehre zuständig gewesen sein soll, seine Botschaft dargelegt. Man ist nicht gegen ihn eingeschritten!

[54] Mit γνῶναι ist der Erkenntnis-Drang der Fragenden und der „aufklärende" Zweck der folgenden Rede angedeutet; vgl. ἄγνωστος und ἀγνοέω V 23, ἄγνοια V 30. Siehe CONZELMANN zu V 19.

[55] Zu οἱ ἐπιδημοῦντες ξένοι vgl. 2,10; ferner 18,27 v.l.

[56] εἰς οὐδὲν ἕτερον εὐκαιρέω „zu nichts anderem Zeit haben". Vgl. εὐκαιρία Lk 22,6.

[57] τι καινότερον „etwas Neues"; vgl. BLASS/DEBR § 244,2; RADERMACHER, Grammatik 70; auch NORDEN, Agnostos Theos 333–335.

[58] ἢ λέγειν – ἢ ἀκούειν ist „erlesenes Griechisch, gerade auch für das Attische charakteristisch" (NORDEN, a.a.O. 335).

[59] Siehe Demosthenes 4,10. CONZELMANN verweist auf Thucydides, Hist. III 38,4ff; Aristophanes, Equ. 1260ff.

[60] σταθεὶς (δέ) vom Redner wie 2,14; 27,21.

[61] ἐν μέσῳ mit Genitiv (nach σταθείς auch 27,21), sonst noch Lk 2,46; 8,7; 10,3; 21,21; 22,27.55; 24,36; Apg 1,15; 2,22.

[62] Zur Form der Anrede ἄνδρες Ἀθηναῖοι siehe oben I 267 A.24.

[63] κατὰ πάντα ὡς δεισιδαιμονέστεροι „in jeder Hinsicht gottesfürchtig". Der Komparativ von δεισιδαίμων hat die Bedeutung des elativen Superlativs („sehr fromm"). Das Adjektiv δ. kann wie das Substantiv δεισιδαιμονία (das 25,19 im objektiven Sinn „Religion" steht) auch in üblem Sinn gebraucht werden, hat hier jedoch positive (oder minde-

Das, was Paulus in Zorn versetzte (V 16 b), die vielen Götterbilder und Heiligtümer (V 23 a), läßt ihn hier wohlwollend, aber doch vielleicht auch zweideutig, von der δεισιδαιμονία der Bewohner sprechen.

V 23 Paulus erwähnt seinen Gang durch Athen. Er habe die Heiligtümer besichtigt[64] und dabei auch einen Altar mit der Aufschrift[65] „Einem unbekannten Gott" gefunden[66]. Ob es einen solchen Altar in Athen wirklich gab, läßt sich kaum erhärten. Wohl gab es Weiheinschriften in pluralischer Form[67]. Sie sollten verhindern, daß „unbekannte Gottheiten" ihren Zorn an den Menschen ausließen, weil diese ihnen keine Verehrung zollten. Für den Redner der Areopagrede kommt jedoch nur eine singularische Form der Dedikation in Frage[68]. Er verkündet den Athenern den Einen Gott der Bibel. Die Rede geht freilich nicht von der Ansicht aus, die heidnischen Athener hätten diesen personalen wahren Gott schon „unwissend verehrt", sondern sie formuliert in V 23 b bedeutungsvoll neutrisch: „*Was* ihr nun unwissend verehrt, *dies* (τοῦτο) verkündige ich euch (nun)." Damit ist angezeigt, daß es sich nicht nur um Unkenntnis der Person oder des Namens des Einen Gottes handelte, sondern um eine (freilich ahnungsvolle) Unkenntnis bezüglich des „Göttlichen" (vgl. V 29 τὸ θεῖον) im allgemeinen. Der Anspruch des Redners geht dahin, die Hörer über den Unbekannten Gott aufzuklären, ihnen den Schöpfergott der Bibel bekanntzumachen.

VV 24–25 Der erste Satz des Corpus der Rede (VV 24–29) nennt am Anfang gewichtig den Gott, den der Redner verkündigend bekanntmachen

---

stens schillernde, vgl. Vg: *quasi superstitiosiores*) Bedeutung wie z. B. Xenophon, Cyrop. III 3, 58; Aristoteles, Pol. V 11, 1315 a. Von der Frömmigkeit der Athener sprechen auch Fl. Josephus, Contra Ap. II 130, und Pausanias I 17, 1; vgl. auch oben A.35. Siehe neuerdings Staudinger, δεισιδαιμονία (1979).

[64] ἀναθεωρέω „wieder und wieder ansehen, genau ansehen, besichtigen". τὰ σεβάσματα ὑμῶν sind die Gegenstände der athenischen Verehrung, „die Heiligtümer". Vgl. hingegen das vorwurfsvolle ἐσεβάσθησαν … τῇ κτίσει Röm 1, 25.

[65] βωμὸς ἐν ᾧ ἐπεγέγραπτο. ἐπιγράφω bezieht sich auch Mk 15, 26 auf eine Inschrift; vgl. ἐπιγραφή Mk 12, 16 par Mt 22, 20/Lk 20, 24; Mk 12, 26 par Lk 23, 38.

[66] Ob es tatsächlich Altarinschriften dieser Art gegeben hat, ist zweifelhaft; vgl. Haenchen, Apg 500 f mit Anm. 6. Birt, Ἄγνωστοι θεοί (1914), wollte aus Diogenes Laert. I 110 („namenlose Altäre" in Athen) schließen, daß es die Inschrift im Singular gab; siehe dazu kritisch Conzelmann.

[67] Die pluralische Form bezeugt Pausanias I 1, 4 (an der Straße von Athen nach Phaleron: „Dort ist auch ein Tempel der Athena Skiras und etwas weiter einer des Zeus und Altäre der Unbekannten Götter." Vgl. V 14, 8 von Olympia: „ein Altar der Unbekannten Götter"). Siehe ferner (über Athen!) Philostratus, Vita Apollonii VI 3, 5; Tertullian, Marc. I 9. Vgl. dazu Wikenhauser, Die Apostelgeschichte und ihr Geschichtswert 369–390; Gärtner, Areopagus Speech 242–247.

[68] Schon Hieronymus, Comm. in Tit. I 12 (PL 26, 607) behauptete, der Redner (Paulus) habe eine pluralische Inschrift (*diis ignotis et peregrinis*) abgewandelt. Zu dem möglichen „biblischen" Hintergrund (Jes 45, 15) siehe Schneider, Anknüpfung, Kontinuität und Widerspruch 176.

will, den Schöpfergott der Bibel. Er hat den Kosmos[69] und alles, was sich in der Welt befindet[70], geschaffen[71] (V 24 a). Von diesem Gott werden zwei negative Aussagen gemacht, d. h. in bezug auf ihn werden zwei Ansichten bestritten: οὗτος ... οὐκ ... κατοικεῖ (V 24 b) οὐδὲ ... θεραπεύεται (V 25 a). Die Bestreitungen beziehen sich auf die Tempel und den Gottesdienst. Dabei werden Tempel und Gottesdienst nicht schlechthin verworfen, sondern – im Konsens mit stoischen Gedanken – nur unter einem bestimmten Aspekt. Dies machen auch die Begründungen der Negationen deutlich, die partizipial (und chiastisch) beigegeben werden: οὗτος ... ὑπάρχων κύριος (V 24 b), αὐτὸς διδοὺς ... τὰ πάντα (V 25 b). Es wird im ersten Ansatz bestritten, daß Gott in Tempeln „wohnt"[72], die von Menschenhand gemacht sind[73]. Er läßt sich nicht von Menschen eine Wohnung „machen" und so gewissermaßen in Dienst nehmen. Denn er hat – umgekehrt – selbst den ganzen Kosmos „gemacht", als Wohnung für die Geschöpfe. Er ist „Herr" des Himmels und der Erde; er hat den Himmel zum „Thron" und die Erde als „Schemel" seiner Füße (7,49 f = Jes 66,1 f). Der zweite Punkt der Kritik richtet sich gegen einen Gottesdienst[74], der von menschlicher Hand in der Meinung geleistet wird, als bedürfe Gott menschlicher Gaben. Der Topos von der Bedürfnislosigkeit Gottes entspricht stoischem Denken[75]. Er wird vom Redner gegen den Opferkult ins Spiel gebracht. Lukas wendet sich z. B. nicht gegen das Gebet[76]. Daß „Gaben" für Gott gemeint sind, zeigt die Begründung: Es ist nicht so, daß Gott etwas brauche, vielmehr gibt er selbst „allen (Lebewesen) Leben und Atem und alles (sonstige)"[77]; vgl. Gen 1,26–29.

---

[69] Die Verwendung von κόσμος (statt, wie V 24 b, des biblischen „Himmel und Erde") für das „Weltall" entspricht philosophischem Gebrauch. Von Gott als dem Schöpfer des Kosmos sprechen u. a. Epiktet, Diss. IV 7,6; Weish 9,9; 2 Makk 7,23; 4 Makk 5,25; vgl. auch 1 Clem 19,2; Barn 21,5.

[70] Die Formulierung schließt sich an Jes 42,5 LXX an; vgl. HAENCHEN („in freier Abwandlung"). Auch der Schöpfungsbericht der Priesterschrift (Gen 1,1–31) und Ex 20,11 sind Vorstellungshintergrund. Siehe ferner oben I 357 A.26 (zu 4,24).

[71] Zu ὁ ποιήσας siehe oben I 357 A.24.

[72] Zu κατοικέω siehe oben I 454 A.59; 467 f (zu 7,48). Zur Tempelkritik im Griechentum siehe DES PLACES, „Des temples ..." (1961); CONZELMANN (zu V 24).

[73] χειροποίητος wird im Judentum sonst auf die Götzen der Heiden bezogen. Auf Tempel wenden es an: Philo, Mos. II 88; Apg 7,48. Vgl. oben I 467 A.204.

[74] θεραπεύω (vgl. oben I 382 f. A.39) bezieht sich im NT nur hier auf Gottes-Dienst! Anders im Griechentum (Hesiod, Herodot, Inschriften) und im hellenistischen Judentum (LXX, Arist 256; Philo, De spec. leg. II 167; Fl. Josephus); siehe BAUER Wb s. v.

[75] Vgl. DIBELIUS, Paulus auf dem Areopag 42–45. Die bekannteste Formulierung des Gedankens findet sich bei Euripides, Herc. fur. 1345 f: δεῖται γὰρ ὁ θεός, εἴπερ ἔστ' ὀρθῶς θεός, οὐδενός. Siehe auch Seneca, Ep. 95,47. – προσδέομαι mit Genitiv der Sache wird auf Gott bezogen (und zwar verneinend): Plato, Tim. 34 d; Aristoteles, Ethica Eud. 1244 b; Philo, De op. mundi 13.46; Diog 3,5.

[76] Vgl. Lk 19,45 f, dazu SCHNEIDER, Evangelium nach Lukas II 391–393. Siehe auch Apg 2,46 f; 3,1.

[77] Zu dem Wortspiel ζωή – πνοή vgl. Gen 2,7 LXX; Jes 42,5 LXX; 2 Makk 7,23.

VV26–27 Die beiden Verse stellen einen einzigen Satz dar, der vom Schöpferhandeln Gottes an der Menschheit spricht. Nach ὁ ποιήσας V24a wird mit ἐποίησεν wieder von Gottes Schöpferhandeln gesprochen, und zwar jetzt von der Erschaffung des „ganzen Menschengeschlechts“[78], das ἐξ ἑνός entstand (d.h. aus Adam[79]). Von ἐποίησεν ist der finale Infinitiv κατοικεῖν abhängig: Das Menschengeschlecht wohnt, entsprechend dem Willen des Schöpfers, „auf dem ganzen Angesicht der Erde“[80]. Mit dem Partizipialsatz V26b (ὁρίσας κτλ.) wird das begleitende Handeln[81] Gottes bei der Erschaffung der Menschheit beschrieben: Gott hat die Zeit und den Raum eingeteilt und geordnet; auch das war Schöpfungstat[82]. Bei den καιροί ist nicht ohne weiteres, wie 14,17, an „Jahreszeiten“ zu denken[83]. Die ὁροθεσίαι[84] der menschlichen Wohnsitze grenzen wohl nicht nur die bewohnbaren Zonen der Erde ab. Es können auch Grenzen zwischen Völkern[85] gemeint sein[86]. V27 setzt mit einem weiteren finalen Infinitiv ein: ζητεῖν τὸν θεόν. Die Menschen sollen (nach Gottes Schöpferwillen) ihren Schöpfergott „suchen“[87]. Fraglich bleibt, ob ζητεῖν κτλ. dem κατοικεῖν nebengeordnet oder ihm untergeordnet und von ὁρίσας κτλ. abhängig ist. Im ersten Fall steht der Absicht des Schöpfers, daß sich die Menschheit auf der ganzen Erde ausbreitet, die andere gegenüber, daß dieses „überall“ (V30) verbreitete Menschengeschlecht den Schöpfer

---

[78] πᾶν ἔθνος (ohne Artikel) würde in der klassischen Sprache „jedes Volk“ bedeuten (und somit dem biblischen Bild von der Abstammung aller Völker und von Gott als dem Herrn der Geschichte entsprechen; vgl. Gen 5,1–32; 10,1–32); doch hat πᾶς ohne Artikel in der Koine bisweilen die gleiche Bedeutung wie das πᾶς ὁ. Somit legt sich für πᾶν ἔθνος die Bedeutung „das ganze Volk (der Menschen)“ nahe. ZERWICK, Biblical Greek Nr. 190f. In diesem Fall wäre der stoische Gedanke vom (einheitlichen) Menschengeschlecht angedeutet; vgl. DIBELIUS, Paulus auf dem Areopag 30f; HAENCHEN und CONZELMANN. Die letztere Deutung ist wegen der Wendung „auf der ganzen Erdoberfläche“ als nahezu gesichert anzusehen.

[79] Vgl. Gen 1,28; Lk 3,23–38; siehe CONZELMANN.

[80] Zu dieser Wendung vgl. Lk 21,35; Barn 11,7. Vorbilder für diese Wendung mit πρόσωπον sind u.a. Gen 2,6; 7,23; 11,4.8 LXX.

[81] Das Partizip des Aorist ὁρίσας bezeichnet die begleitende Aktion; vgl. ZERWICK, Biblical Greek Nr. 264f.

[82] Vgl. Gen 1,1 – 2,4; 8,22; Ps 73, 16f LXX.

[83] 14,17 verdeutlicht durch das Adjektiv καρποφόροι. Siehe hingegen HAENCHEN, der (mit Dibelius und Eltester, gegen Gärtner) behauptet: „... der Leser weiß aus 14,17, daß damit die Jahreszeiten gemeint sind“. GÄRTNER, Areopagus Speech 147–151, deutet καιροί auf Geschichtsepochen.

[84] ὁροθεσία „Grenzziehung, feste Grenze“ wird von DIBELIUS, a.a.O. 38, auf „begrenzte Zonen zum Siedeln“ bezogen, von ELTESTER, Gott und die Natur (1954) 212 Anm. 14; 214–219, auf Flüsse/Gebirge bzw. die Abgrenzung, hinter die Gott bei der Schöpfung die Urflut bannte.

[85] So deutet POHLENZ, Paulus und die Stoa 86.

[86] Dies träfe vor allem dann zu, wenn πᾶν ἔθνος mit „jedes Volk“ zu übersetzen wäre (vgl. oben A.78). Doch meint die Areopagrede nicht den Gottesbeweis (der Stoa) „aus dem Konsens aller Völker“; vgl. indessen POHLENZ, a.a.O. 87f.

[87] ζητέω hat Gott zum Gegenstand; vgl. Weish 1,1; 13,6; Philo, De spec. leg. I 36. Siehe auch Röm 10,20 (Jes 65,1 LXX).

sucht (V27a). Die Bewegungen der beiden Vorgänge sind gegenläufig. Die Suche nach Gott verspricht deshalb Erfolg, weil Gott jedem einzelnen Menschen ganz nahe ist[88] (V27b). Trotzdem bleibt der Erfolg offen, er muß nicht eintreten[89].

Verbindet man ζητεῖν enger mit der göttlichen Festsetzung (ὁρίσας) von „Zeiten" und „Grenzen", so ergibt sich die Frage, inwiefern die Zeiten und Grenzen der Suche nach Gott dienlich sein können. Dann legt sich die Deutung nahe, daß von der „Ordnung" in der Welt auf Gott geschlossen werden solle[90], etwa im Sinne von 14,16f. Doch diese Deutung „paßt nicht zum Tenor des Kontextes, der durch πᾶν, πάντα bestimmt ist"[91]. Und der Universalität des Horizontes entspricht auch die Aussage über die Nähe Gottes zu jedem einzelnen Menschen[92], die es dem Redner erlaubt, sich mit den Hörern durch ἡμεῖς zusammenzuschließen (auch in den VV28f).

V28 Während V27b die (natürliche) Möglichkeit der Menschheit, Gott zu finden, mit dessen Nähe zum Menschen begründete[93], erläutert nun V28, inwiefern Gott „jedem einzelnen von uns" nahe ist[94]. Er ist den Menschen nahe, da „wir in ihm leben, uns bewegen und sind" (V28a). Die triadische pantheistische Formel ist sonst nicht belegt, aber auch kaum erst von Lukas geschaffen; „er hätte von sich aus keine solche Immanenz des Menschen in Gott behauptet, wie sie der Wortlaut des Textes aussagt"[95]. Es wird sich um eine stoische Formulierung handeln. Die Nähe zu Gott ist nicht räumlich verstanden, sondern, wie das V28c angefügte Aratos-Zitat andeutet, auf die Gottverwandtschaft des Menschen bezogen (vgl. Lk 3,23–28). Lukas kann ἐν αὐτῷ instrumental verstanden haben[96]: *Durch* Gott haben wir Leben (vgl. V25b διδοὺς πᾶσι ζωήν), Bewegung und Sein. Für diese „Gottes-Nähe" fügt der Redner ein Zitat griechischer Dich-

[88] Die Litotes οὐ μακράν findet sich auch Mk 12,34; Lk 7,6; JosAnt VIII 108. Bezogen auf die Nähe Gottes: Dio Chrysostomus 11(12),28 (zitiert bei Conzelmann). Vgl. auch Seneca, Ep. 41,1: „prope est a te deus, tecum est, intus est".

[89] εἰ ἄρα γε ψηλαφήσειαν αὐτὸν καὶ εὕροιεν (V 27a) drückt die zweifelhafte Erwartung des Suchenden aus (vgl. Zerwick, Biblical Greek Nr. 403), der als Blinder (vgl. Jes 59,10 LXX) vorgestellt ist: Das Ertasten geht dem Finden voraus! ψηλαφάω verwendet Lukas auch Lk 24,39; vgl. Norden, Agnostos Theos 14–18.

[90] Vgl. Dibelius, Paulus auf dem Areopag 35.

[91] Conzelmann (zu V 26).

[92] εἷς ἕκαστος steht hier mit ἡμῶν, sonst mit einem anderen partitiven Genitiv: Lk 4,40; 16,5; Apg 2,3; 21,26.

[93] Vgl. καί γε „da ja auch"; Blass/Debr § 439,2.

[94] ἐν αὐτῷ γάρ: „*Denn* in ihm ..."

[95] Haenchen. Sie stammt nicht von Epimenides, wie Bruce, Acts (NIC) 359, vermutet, der folglich von zwei Dichterzitaten in V 28 spricht. Vgl. auch Conzelmann. Hommel, Platonisches (1957) zeigt, daß der Gedanke auf Plato zurückgeht.

[96] Vgl. 17,31 ἐν ἀνδρί; auch 4,30. Siehe BauerWb s.v. ἐν III 1b.

tung[97] an: „Wir sind sogar von seinem Geschlecht!“[98] Im Gedicht des Aratos wird Zeus als der physische Stammvater der Menschheit verstanden. Lukas bezieht die „Abstammung“ jedoch, wie Lk 3,38 zeigt, auf die Erschaffung der Menschheit durch Gott (vgl. auch Apg 17,26a).

V29 zieht die praktische Folgerung aus den VV27f und bietet das dritte Veto des Redners gegen die heidnische Praxis der Religion. Er wendet sich gegen die Darstellung des „Göttlichen“[99] in Bildern, die von Menschen gemacht[100] und ersonnen[101] sind. Allenfalls ist der „lebendige“ und „bewegliche“ Mensch (V28a), der von Gott stammt[102], „Bild Gottes“[103]. Keinesfalls kann das Göttliche einem Gebilde aus Gold, Silber oder Stein gleichen[104]. In diesem Punkt trifft sich die Kritik mit der der stoischen Philosophie. Der Redner kann auf Zustimmung hoffen. So ist der Boden bereitet für die Botschaft, die Gott selbst im jetzigen Augenblick ergehen läßt (V30).

Die dreifache Kritik am heidnischen Gottes*dienst*, die zugleich Kritik am Gottes*begriff* der Heiden ist (VV24–29), nimmt die griechische Philosophie zum Bundesgenossen der biblischen Kritik am Heidentum. Offenbar geht Lukas davon aus, daß die (stoische) Philosophie zur Zurückweisung des heidnischen Volksglaubens an die Götter dienlich ist. Er beansprucht sie jedoch nicht positiv zum Erweis der Wahrheit der christlichen Botschaft. Von V30 an kann die Rede nicht mehr auf stoische Anschauungen zurückgreifen. Und an diesem Punkt melden denn auch die (vor allem philosophischen) Zuhörer Widerspruch gegen das Kerygma des Redners an.

---

[97] καθ' ὑμᾶς (ποιηταί) steht hellenistisch für das Possessivpronomen. Der Redner deutet an, daß es bei den Dichtern mehrere Belege für den Gedanken gibt, wenn er auch nur einen zitiert.

[98] Aratus, Phaenomena 5. Der Stoiker Aratos von Soloi lebte in der ersten Hälfte des dritten Jahrhunderts v. Chr. Das Zitat wurde schon von dem Juden Aristobul (Fragment 4, abgedruckt bei Conzelmann, Apg 165) verwendet, und zwar nicht in seinem ursprünglichen pantheistischen Sinn, sondern im Hinblick auf die Allgegenwart und Weltregierung des Schöpfers; siehe Conzelmann, Die Rede des Paulus (1958) 26.

[99] τὸ θεῖον kehrt zu der neutrischen Formulierung am Anfang der Rede (V 23b) zurück. Das substantivische θεῖον kommt im NT sonst nicht vor, wohl jedoch bei Philo und Fl. Josephus. Im Griechentum ist es geläufig, fehlt aber in LXX; siehe BauerWb s. v. 1b.

[100] χάραγμα τέχνης καὶ ἐνθυμήσεως ἀνθρώπου. Vgl. die Begründung der Tempelkritik (V 24) und der Opferkritik (V 25).

[101] ἐνθύμησις steht im NT noch Mt 9,4; 12,25; Hebr 4,12. Es hat fast immer die Konnotation des widergöttlich Bösen und Törichten.

[102] Die Folgerung (οὖν) geht von der (beiderseits) unbestrittenen Tatsache aus, daß *wir* (Menschen) „Gottes Geschlecht sind“.

[103] Wahrscheinlich steht dieser biblische Topos im Hintergrund der Aussage; vgl. Gen 1,26f; 5,1.

[104] Vgl. Weish 13,10 – 14,2; 15,7–17, wo indessen die Kritik schärfer ist als in der Areopagrede; vgl. Dibelius, Paulus auf dem Areopag 52f.

VV 30–31 Der Redner kommt zum Schluß, indem er bekanntgibt, daß Gott bereit ist, „die Zeiten der Unwissenheit (hinsichtlich des Gottes der Bibel)“ zu übersehen, über sie (nachsichtig) hinwegzusehen[105]. Denn jetzt[106] ergeht von Gott aus an alle Menschen, wo immer sie wohnen[107], die Aufforderung zur Metanoia[108] (V30). Der Ruf zur Umkehr ergeht indirekt und schonend; er scheint vornehmlich auf das Um-*Denken* gerichtet zu sein. Die Umkehr-Forderung wird dadurch eindringlich gemacht, daß gesagt wird, Gott habe den Tag schon festgesetzt[109], an dem er „den Erdkreis in Gerechtigkeit richten“[110] werde, und zwar durch einen Mann, den er dazu bestellt hat[111] (V31a). Der kommende Richter Gottes (vgl. 10,42) über alle Menschen ist *Jesus* (vgl. V18), dessen Name freilich hier (noch) nicht genannt wird. Das Missionskerygma vor Heiden fügte die christologische Botschaft auch sonst im Rahmen der Eschata ein[112]. Gott hat seinen kommenden Weltenrichter dadurch vor aller Welt beglaubigt[113], daß er ihn von den Toten erweckte[114] (V31b).

V32 Die Rede des Paulus wird von den Hörern unterbrochen, als sie das Stichwort von der Totenauferstehung hören (vgl. V31 Ende). Nach der Intention des Redners sollten sie an diesem Punkt nach dem Namen des Mannes fragen, den Gott durch die Auferweckung von den Toten zu seinem Weltenrichter bestimmt hat; dann hätte hier das Christus-Kerygma eingesetzt. Die Hörer sind in ihrer Reaktion gespalten: Einige spotten[115]

---

[105] ὑπεροράω ist ntl. Hapaxlegomenon. Es findet sich jedoch in der LXX, bei Philo und Fl. Josephus.
[106] Zu τὰ νῦν „die Gegenwart betreffend“ siehe oben I 402 A.151.
[107] πανταχοῦ („überall“, also auch in Athen!) steht bei Lukas auch Lk 9,6; Apg 24,3; 28,22.
[108] Der Akkusativ πάντας und der Infinitiv μετανοεῖν sind von παραγγέλλει (א* und B lesen ἀπ-αγγέλλει) abhängig. Zu παραγγέλλω vgl. oben I 351 A.81.
[109] καθότι ἔστησεν ἡμέραν. καθότι steht im hellenistischen Griechisch gelegentlich für διότι „denn“. Zu ἵστημι ἡμέραν vgl. Apg 12,21; 28,23.
[110] Es handelt sich also um das Weltgericht Gottes. Lukas betont die Gewißheit seines Eintreffens (μέλλει), läßt aber den Zeitpunkt offen. Gott ist selber der Richter, Jesus (nur) sein bevollmächtigter Vertreter. ἐν δικαιοσύνῃ gehört der von Lukas übernommenen formelhaften Wendung an: Ps 95,13 LXX (vgl. auch Ps 71,2 LXX; Sir 45,26; Apk 19,11).
[111] ᾧ ist attractio relativi. ὁρίζω (vgl. schon V 26b) ist Vorzugsvokabel des Lukas. Abgesehen von Apg 11,29 ist stets Gott Subjekt: Lk 22,22 diff Mk; Apg 2,23; 10,42; 17,26.31. Das Verbum spricht vom Heilsplan Gottes (Apg 10,42 gleichfalls von Jesus als dem „von Gott bestimmten Richter“). Vgl. G. Schneider, ὁρίζω, in: EWNT II.
[112] Vgl. 1 Thess 1,9f (Jesus, der Auferweckte aus den Toten, „wird uns erretten aus dem kommenden Zorn“); siehe Schneider, Gottesverkündigung (1969) 64–66.71f.
[113] πίστιν παρέχω „eine Zusicherung/Bürgschaft gewähren“; Conzelmann: „den Beweis erbringen“. Vgl. JosAnt II 218; Polybius II 52,4.
[114] ἀναστήσας αὐτὸν ἐκ νεκρῶν. Vgl. das auf Jesu Auferweckung bezogene transitive ἀνίστημι 2,24.32; 3,26(?); 13,33.34 (13,34 mit ἐκ νεκρῶν). Siehe oben Nr. 30 A.97.
[115] χλευάζω ist ntl. Hapaxlegomenon; vgl. auch 2,13 (t.r.). Sind mit den Spöttern die Epikureer gemeint? Vgl. Haenchen.

(weil eine leibliche Auferstehung dem dualistischen Menschenbild der Griechen widerspricht), andere (die Stoiker?) sagen höflich, aber doch letztlich ablehnend: „Wir wollen dich über diesen Gegenstand[116] (lieber) ein anderes Mal[117] hören."

V33 So geht Paulus aus ihrer Mitte[118] – d.h. aus der Mitte der Versammlung von Areopagmitgliedern, Philosophen und anderen Athenern (vgl. VV 18–22a) – weg. Er kam hier nicht an sein Ziel. Natürlich will der Erzähler mit dieser Angabe nicht die Methode des Paulus kritisieren. Er möchte vielmehr Kritik an den athenischen Hörern üben. Bei der „Griechen"-Mission ist das Auferstehungskerygma der Christen das größte Hindernis[119].

V34 berichtet dann, daß wenigstens einige Männer sich Paulus anschlossen und (nach weiterer Belehrung) zum Glauben kamen[120] (V34a). Namentlich werden das Areopagmitglied Dionysius[121] und eine Frau namens Damaris[122] genannt (V34b). Die Schlußwendung „und noch andere mit ihnen" klingt nach V34a überflüssig. Sie meint vielleicht, daß die ἕτεροι[123] durch Vermittlung der beiden namentlich genannten Personen gläubig wurden[124].

42. PAULUS IN KORINTH: 18, 1–17

Literatur: R. Schumacher, Aquila und Priszilla, in: ThGl 12 (1920) 86–99 [zu 18,1–3]. – M. Goguel, La vision de Paul à Corinthe et sa comparution devant Gallion. Une conjecture sur la place originale d'Actes 18,9–11, in: RHPhR 12 (1932) 321–333. – Cadbury, Dust and Garments (1933; s.o. Nr. 31) [zu 18,6]. – W. Gutbrod, Zur Predigt des Paulus in Korinth. Nach Apg 18, in: EvTh 3 (1936) 379–384. – E. Dinkler, Das Bema zu Korinth. Archäologische, lexikographische, rechtsgeschichtliche und ikonographische Be-

---

[116] περὶ τούτου (wie Lk 24,4) bezieht sich auf den Gegenstand ἀνάστασις. Das modale Futur ἀκουσόμεθα bedeutet: „wir möchten hören". Siehe Zerwick, Biblical Greek Nr. 279.

[117] πάλιν steht bei Lukas relativ selten: Lk 6,43; 13,20; 23,20; Apg 10,15; 11,10; 17,32; 18,21; 27,28.

[118] ἐκ μέσου αὐτῶν (so auch 23,10) entspricht der Angabe in V 22: ἐν μέσῳ τοῦ 'Αρείου πάγου.

[119] Vgl. die Belege, die Conzelmann (zu V 32) anführt.

[120] Zu κολληθέντες αὐτῷ ἐπίστευσαν siehe oben I 380 A.16.

[121] Διονύσιος ist Mitglied des Areopags (dazu oben A.10). Er urteilt also positiv über Paulus (anders als die Philosophen?, vgl. V 32)! Zur späteren Tradition, die sich an den Namen Dionysius heftete, siehe H. C. Graef, Dionysios Areopagites, in: LThK III 402f.

[122] Der Name Δάμαρις wurde von Hugo Grotius durch den Namen „Damalis" ersetzt; so auch h. – Johannes Chrysostomus, De sac. IV 7, sah in Damaris die Ehefrau des Dionysius.

[123] ἕτεροι σὺν αὐτοῖς. Lukas liebt solche Anfügungen: Lk 8, 3; 24, 33.

[124] Vielleicht sind die Familien der beiden gemeint. Jedenfalls kommt es in Athen nicht zur Gründung einer größeren Gemeinde.

merkungen zu Apg 18,12-17 (erstm. 1941), in: ders., Signum crucis (Tübingen 1967) 118-133. – L. P. PHERIGO, Paul and the Corinthian Church, in: JBL 68 (1949) 341-350. – E. J. GOODSPEED, Gaius Titius Justus, in: JBL 69 (1950) 382 f [zu 18,7]. – W. MICHAELIS, σκηνοποιός, in: ThWNT VII (1964) 394-396 [zu 18,3]. – R. SILVA, „Eran, pues, de oficio, fabricantes de tiendas" (Act 18,3), in: EstBibl 24 (1965) 123-134. – H. CONZELMANN, Der erste Brief an die Korinther (MeyerK 5[11]) (Göttingen 1969) 25-31. – O'NEILL, Theology of Acts ([2]1970) 118-120. – SUHL, Paulus und seine Briefe (1975) 119-129. 324-327. – C. L. THOMPSON, Corinth, in: IDB Suppl. Vol. (1976) 179 f. – ELLIGER, Paulus in Griechenland (1978) 200-251. – R. F. HOCK, Paul's Tentmaking and the Problem of His Social Class, in: JBL 97 (1978) 555-564. – DERS., The Workshop as a Social Setting for Paul's Missionary Preaching, in: CBQ 41 (1979) 438-450. – DERS., The Social Context of Paul's Ministry. Tentmaking and Apostleship (Philadelphia 1980).

Zu 18,11.12 (Gallio und die Chronologie des Paulus) siehe oben I 131 mit A. 48, ferner: H. LIETZMANN, Ein neuer Fund zur Chronologie des Paulus, in: ZWTh 53 (1911) 345-354. – W. REES, Gallio the Proconsul of Achaia (Acts 18,12-17), in: Scripture 4 (1949/51) 11-20. – BARRETT, Umwelt (1959) 58-60. – K. HAACKER, Die Gallio-Episode (1972; s.o. Nr. 22 A. 8). – C. J. HEMER, Observations on Pauline Chronology, in: Pauline Studies (Festschr. für F. F. Bruce) (Exeter 1980) 3-18, bes. 6-9.

1 Danach verließ er[a] Athen und ging nach Korinth. 2 Dort fand er einen aus Pontus stammenden Juden mit Namen Aquila, der vor kurzem aus Italien gekommen war, und dessen Frau Priszilla. Klaudius[b] hatte nämlich angeordnet, daß alle Juden Rom verlassen müßten. [c]Diesen beiden schloß er sich an, 3 und weil sie das gleiche Handwerk betrieben, blieb er bei ihnen und arbeitete dort; [d]sie waren Lederhandwerker von Beruf[d]. 4 [e]Er lehrte an jedem Sabbat in der Synagoge und suchte Juden und Griechen zu überzeugen.[e] 5 Als aber Silas und Timotheus aus Mazedonien eingetroffen waren, widmete sich Paulus ganz [f]der Verkündigung des Wortes[f] und bezeugte den Juden, daß Jesus der Christus sei. 6 [g]Als sie sich jedoch dagegen auflehnten [h]und Lästerungen ausstießen[h], schüttelte er seine Kleider aus und sprach zu ihnen: Euer Blut komme über euer Haupt! Ich bin (daran) unschuldig. Von jetzt an[i] werde ich zu den

---

[a] A E Ψ Koine sy[h] bo[ms] nennen hier (sekundär) den Namen ὁ Παῦλος.

[b] Κλαύδιον fehlt in B, was wegen der Konstruktion διὰ τὸ διατεταχέναι grammatisch kaum statthaft ist.

[c] D schaltet ein: „Sie hatten sich in Achaia niedergelassen". Nach D([c]) heißt es anschließend: „*Paulus* schloß sich *ihm* (Aquila) an." Vgl. auch die vorausgehende Einschaltung in h (sy[h.mg]): *Paulus autem agnitus est Aquilae.*

[d] Der Versteil 3b (d – d) fehlt in D gig.

[e] V 4 (e – e) lautet in D([c]) h (gig sy[h.mg]): „Er ging in die Synagoge und lehrte jeden Sabbat, und einsetzend (ἐντιθείς) den Namen des Herrn Jesus suchte er nicht nur Juden, sondern auch Griechen zu überzeugen." Vgl. METZGERTC 460 f.

[f] Statt λόγῳ – bezogen auf die Wort-*Verkündigung* – lesen Koine sy[h.mg] πνεύματι (Paulus wurde „vom Geist gedrängt" o. ä.). Vgl. METZGERTC 462.

[g] Am Anfang von V 6 schalten D h (sy[h.mg]) ein: „Als man viel geredet hatte und die Schriften ausgelegt waren".

[h] καὶ βλασφημούντων fehlt in P[74].

[i] Statt ἀπὸ τοῦ νῦν lesen D*[vid] h: ἀφ' ὑμῶν νῦν „von euch nun".

Heiden gehen. 7 [k]Und er siedelte von dort über[k] in das Haus eines Gottesfürchtigen mit Namen Titius[l] Justus, dessen Haus an die Synagoge grenzte.

8 Krispus aber, der Synagogenvorsteher, kam mit seinem ganzen Haus zum Glauben an den Herrn; und viele Korinther, die es hörten, wurden gläubig[m] und ließen sich taufen[n]. 9 Aber der Herr sprach in der Nacht durch ein Gesicht zu Paulus: Fürchte dich nicht! Rede nur, schweige nicht! 10 Denn ich bin mit dir, niemand wird dich antasten, um dir Böses zuzufügen. Viel Volk nämlich gehört mir in dieser Stadt. 11 So blieb er ein Jahr und sechs Monate und lehrte [o]bei ihnen[o] das Wort Gottes.

12 Als aber Gallio Prokonsul von Achaia war, traten die Juden einmütig [p]gegen Paulus auf[p], brachten ihn vor den Richterstuhl 13 [q]und sagten: Dieser verführt die Leute zu einer Gottesverehrung, die gegen das Gesetz verstößt. 14 Als Paulus etwas erwidern wollte, sagte Gallio zu den Juden: Läge hier ein Vergehen oder Verbrechen vor, ihr [r]Juden, so würde ich eure Klage ordnungsgemäß behandeln. 15 Wenn es sich aber um Streitfragen über Lehre und Namen und das bei euch geltende Gesetz handelt, dann seht selber zu! Über diese Dinge will ich nicht Richter sein. 16 Und er wies sie vom Richterstuhl weg[s]. 17 Da ergriffen alle[t] den Synagogenvorsteher Sosthenes und verprügelten ihn vor dem Richterstuhl. Gallio aber kümmerte sich um all das nicht.

Vom Aufenthalt des Paulus in Korinth[1], der 1½ Jahre dauerte (V 11), wird in drei kurzen Abschnitten erzählt. Der erste Teilabschnitt *(18, 1–7)* endet

---

[k] D* vid h lesen hier (k – k): „Er siedelte von Aquila über ...“, dazu Conzelmann.

[l] Statt Τιτίου lesen ℵ E 36 al sy p cop das geläufigere Τίτου. Nach A B² d Ψ Koine heißt der Mann statt *Titius Justus* (so B* D² sy h) nur *Justus*.

[m] 614 sy h** fügen an: „durch den Namen des Herrn Jesus Christus“.

[n] D (h) fügt an: „glaubend an Gott durch den Namen unseres Herrn Jesus Christus“.

[o] Statt ἐν αὐτοῖς liest D: αὐτούς („er lehrte sie“).

[p] D h (sy h** sa) erweitern hier (p – p): „... auf, besprachen sich untereinander gegen Paulus, legten Hand an (ihn) und“.

[q] Am Anfang von V 13 (vor λέγοντες) haben D h die Einschaltung: καταβοῶντες καί („schrien und“).

[r] Vor Ἰουδαῖοι schalten D h vg ἄνδρες ein.

[s] Statt ἀπήλασεν (Aorist von ἀπελαύνω) lesen D* h ἀπέλυσεν „er entließ (sie)“.

[t] Nach πάντες schalten D E Ψ 0120 Koine gig h sy sa οἱ Ἕλληνες ein. Die Textzeugen 36. 453 pc lesen „alle Juden“, was kaum den Sinn des kürzeren Textes trifft.

[1] Κόρινθος/Korinth wird außer Apg 18,1 und 19,1 auch sonst erwähnt: 1 Kor 1,2; 2 Kor 1,1.23; 2 Tim 4,20. Außerdem kommt Κορίνθιος („Korinther“) 2mal im Plural vor: Apg 18,8; 2 Kor 6,11.– Die alte (dorische Gründung, 9. Jh.) und wichtige Hafenstadt am Isthmus von Korinth verdankte ihren Reichtum der Lage an zwei Meeren: Etwa 2 km von der Stadt lag am Golf von Korinth der Hafen Lechaion, im Osten (etwa 10 km entfernt) am Saronischen Golf der Hafen Kenchreä (Κεγχρεαί: Apg 18,18; Röm 16,1). Korinth war nach seiner Zerstörung durch die Römer 146 v. Chr. als römische Kolonie

mit einer entschiedenen Wendung des Paulus zu den Heiden (V6c). Der zweite Abschnitt *(VV8–11)* hat seinen Höhepunkt in der Christusvision des Paulus, die als Grund für den verhältnismäßig langen Aufenthalt in Korinth angesehen wird. Den Höhepunkt der Gesamterzählung stellen die *VV12–17* dar: die Gallio-Episode[2], in der der römische Prokonsul es ablehnt, gegen Paulus einzuschreiten. Paulus braucht also die Stadt nicht zu verlassen; er bleibt noch etliche Tage (vgl. V18a). So entsteht der Eindruck, daß die Gallio-Episode sich gegen Ende des Korinth-Aufenthalts ereignete.

Daß Lukas für seine Darstellung von Quellen abhängig ist, sollte man nicht bestreiten[3], auch wenn die Gesamtkomposition von ihm stammt. Wenn die Acta von den unerfreulichen Ereignissen und Verhältnissen in der Gemeinde von Korinth[4] schweigen, so ist zu beachten, daß diese erst nach dem Weggang des Paulus eintraten. Anlaß zu Rekonstruktionsversuchen der lukanischen Quelle oder zur Annahme einer Überarbeitung boten meist Unebenheiten der Darstellung zu Beginn des Abschnitts. In V2 unterbrechen die vier Wörter „und Priszilla, seine Frau“ den Zusammenhang des übrigen Satzes[5]. V4 paßt nicht gut zu V5; beide Verse können als Dubletten aufgefaßt werden[6]. Kann man nicht überhaupt die VV4–6 als sekundären Zusatz ausscheiden[7]?

Gegenüber solchen Versuchen bemerkt E. Haenchen: „Alle diese Forscher haben sich die lukanische Kompositionsarbeit so gedacht, daß Lukas zwischen die unverändert übernommenen Sätze seiner Vorlage Einschübe macht, gelegentlich auch etwas fortläßt oder umstellt. Dabei hat man übersehen, daß Lukas keineswegs so mechanisch gearbeitet hat. Er hat in Wirklichkeit unsern Abschnitt in einer sehr sorgfältig abgewogenen Steigerung aufgebaut.“[8] Haenchen unterscheidet folgende kleinere Ein-

---

neugegründet worden. Seit 27 v. Chr. war es Sitz des Statthalters der Provinz Achaia (seit 44 n. Chr. senatorische Provinz). Die „Stadt der Aphrodite“ war wegen ihrer Laster berüchtigt. – Lit.: A. W. Byvanck/Th. Lenschau, Korinthos, in: Pauly/Wissowa Suppl. IV (1924) 991–1036; Corinth. Results of Excavations, hrsg. von der American School of Classical Studies at Athens, bisher 27 Bde. (Cambridge, Mass., bzw. Princeton 1929–1975); F. J. de Waele, Korinthos, in: Pauly/Wissowa Suppl. VI (1935) 182–199; R. L. Scranton, Corinth (Princeton 1951); Kirsten/Kraiker, Griechenlandkunde (1957) 214–222; E. Meyer, Korinthos, in: KlPauly III (1969) 301–305. Vgl. ferner die im Lit.-Verz. (Nr. 42) genannten Titel von Conzelmann (1969), Thompson (1976) und Elliger (1978).

[2] Zur Datierung der Amtszeit Gallios und zur Chronologie der Paulus-Vita siehe oben I 130f. Für den ersten Aufenthalt des Paulus in Korinth kommen die Jahre 50/51 (oder auch noch 52 und 53) in Betracht; vgl. auch oben I 133.

[3] So Haenchen, Apg 515, der sich gegen Loisy wendet.

[4] Vgl. 1 Kor 1,10 (Spaltungen); 3,3 (Eifersucht und Zank); 5,1–13 (Blutschande und Unzucht); 11,17–22 (Mißbräuche beim Herrenmahl).

[5] Preuschen, Apg 111, hält die Wörter für einen Einschub.

[6] Vgl. Preuschen, Apg 111: Die Wirksamkeit des Paulus scheine „erst nach Ankunft des Timotheus und Silas begonnen zu haben“. Siehe auch Loisy, Actes 691f.

[7] So Wellhausen, Kritische Analyse (1914) 36.

[8] Haenchen, Apg 516.

heiten: einen ruhigen Anfang (VV 1–4); eine erste Steigerung mit der Ankunft der Gefährten (VV 5–7); die Bekehrung des Synagogenvorstehers Krispus, die eine Bekehrungswelle auslöst, und die Christophanie vor Paulus, die ihn zu unerschrockenem weiteren Wirken auffordert (VV 8–11); die Gallio-Episode als „Höhepunkt des Ganzen" (VV 12–17)[9].

Wahrscheinlich darf man in den Angaben über Aquila und Priszilla, die aus einem Itinerar stammen dürften, historisch zuverlässige Nachrichten sehen (vgl. 1 Kor 16, 19). Auch die Ausweitung der missionarischen Aktivität des Paulus nach dem Eintreffen der Gefährten aus Mazedonien (VV 5.7) läßt sich von den Paulusbriefen her als zutreffend bestätigen[10]. Für die Datierung des Korinth-Aufenthalts bildet neben der Gallio-Episode auch die Notiz über das Judendekret des Klaudius[11] (V 2) einen Anhaltspunkt.

V 1 Paulus verläßt Athen und kommt nach Korinth, der reichen und berüchtigten Handelsstadt, dem Sitz des Prokonsuls von Achaia[12]. μετὰ ταῦτα[13] ist konventionell und will wohl sagen, daß Paulus sich in Athen nicht mehr lang aufhielt. Der Weg von Athen nach Korinth führt über Eleusis und Megara. Die Entfernung beträgt rund 60 km.

VV 2–3 Ehe V 4 von der Missionspredigt des Paulus berichtet, vermerkt der Bericht, wo er in Korinth Unterkunft und Arbeit fand: Paulus fand in der großen Stadt einen Juden-(-Christen) namens Aquila, der aus Pontus am Schwarzen Meer stammte[14]. Er war erst kürzlich von Italien[15] nach

[9] Ebd. Zu beachten sind die erzählerischen Ruhepunkte am Ende der genannten Teilstücke: VV 4.7.11.17(18 a).

[10] Vgl. Haenchen, Apg 517: Silas und Timotheus haben eine beachtliche Geldspende mitgebracht, und so konnte Paulus auf die Handarbeit zum Broterwerb verzichten; vgl. 2 Kor 11, 8 f: „Andere Gemeinden habe ich ausgeplündert, indem ich (von ihnen) Sold nahm zum Dienst an euch. Und als ich bei euch war und Mangel litt, bin ich niemand zur Last gefallen; denn meinen Mangel glichen die Brüder aus, die aus Mazedonien kamen ..."

[11] Vgl. dazu oben I 130 f. Die Vertreibung von Juden aus Rom auf Veranlassung des Klaudius ist wohl auf 49 n. Chr. zu datieren.

[12] Siehe oben A. 1.

[13] Vgl. 7, 7; 13, 20; 15, 16; Lk 5, 27 diff Mk; 10, 1; 12, 4 diff Mt; 17, 8; 18, 4.

[14] Ἀκύλας/Aquila wird 18, 2.18.26 zusammen mit seiner Frau Πρίσκιλλα genannt. Paulus nennt die beiden – für die Frau verwendet er die Namensform Πρίσκα – Röm 16, 3 und 1 Kor 16, 19 (siehe ferner 2 Tim 4, 19). Die (drei) lateinischen Namen sind inschriftlich und literarisch außerhalb des NT häufig belegt (*Aquila, Prisca, Priscilla*). Aquila stammte aus Pontus (Ποντικὸς τῷ γένει).

[15] προσφάτως „neuerdings, jüngst". Vgl. MartPol 4, 1: προσφάτως ἐληλυθὼς ἀπὸ τῆς Φρυγίας. – Ἰταλία/Italien wird auch 27, 1.6 (von der Seereise „nach Italien") und Hebr 13, 24 genannt. Ῥώμη/Rom steht im NT vor allem in der Apg: 18, 2; 19, 21; 23, 11; 28, 14.16, ferner Röm 1, 7.15; 2 Tim 1, 17; 1 Petr 5, 13 v. l.

Korinth gekommen, zusammen mit seiner Frau Priszilla[16]; denn Klaudius hatte verfügt, daß – so wird übertreibend gesagt – „alle Juden" Rom verlassen müßten[17]. Paulus ging zu dem Ehepaar[18]; es ist vorausgesetzt, daß es schon in Italien (Rom) gläubig geworden war[19]. Von Beruf waren Aquila und Priszilla Lederhandwerker[20] wie Paulus[21]. Paulus bezog bei ihnen Quartier. Der Erzähler meint gewiß, daß er in ihrem Handwerksbetrieb arbeitete und zugleich bei ihnen wohnen konnte.

V4 Während Paulus die Woche über handwerklich arbeitete, predigte er jeden Sabbat[22] in der Synagoge[23]. Er suchte Juden und (gottesfürchtige) Heiden von der Wahrheit seiner Botschaft (vgl. V5) zu überzeugen[24]. Über einen Missionserfolg ist bis dahin noch nichts gesagt.

V5 Auch im folgenden Abschnitt des Berichtes (VV5–7) ist noch kein Erfolg zu vermelden. Im Gegenteil: Die intensivere Predigttätigkeit nach der Ankunft von Silas und Timotheus führt nur zum Widerstand der korinthischen Juden (V6). Silas und Timotheus kommen von Mazedonien (herab[25]) nach Korinth. Laut 17,14 waren sie in Beröa zurückgeblieben, von Paulus aber laut 17,16 schon in Athen erwartet worden. Nach ihrer

---

[16] Priszilla (Priska) wird an den meisten Stellen des NT (s.o. A.14) vor ihrem Mann genannt, worin sich vielleicht ihre größere Bedeutung für die Christenheit ausdrückt: 18,18.26; Röm 16,3; 2 Tim 4,19. Siehe A. Weiser, Ἀκύλας κτλ., in: EWNT I 134f (s. v. 1).

[17] Siehe dazu Conzelmann, Heiden – Juden – Christen (1981) 29: „Eine durchgreifende Maßnahme [des Klaudius gegen die römischen Juden] steht fest, nicht aber die Einzelheiten ... Es handelt sich ... nicht um eine Austreibung *aller* Juden. Die Existenz der jüdischen Gemeinde wird nicht unterbrochen." Als Quellen kommen vor allem Sueton, Claudius 25, und Dio Cassius, Hist. Rom. LX 6, in Betracht.

[18] εὑρὼν ... προσῆλθεν αὐτοῖς (V2) geht dem καὶ ... ἔμενεν παρ' αὐτοῖς (V3) voraus. Vgl. Haenchen: „Paulus erkundigte sich in der fremden Stadt nach einem ... Meister, bei dem er sein Handwerk ausüben konnte, und fand dabei den Aquila."

[19] Zwar bezeichnet 1 Kor 16,15 „das Haus des Stephanas" als den „Erstling Achaias". Doch ist dies durchaus mit Apg 18,2f zu vereinbaren, wenn Aquila und Priszilla schon als Christen nach Korinth gekommen waren.

[20] σκηνοποιός (wörtlich: Zelt-Macher) ist nicht der „Weber", sondern bezieht sich auf einen lederverarbeitenden Beruf; vgl. BauerWb s.v. 2; Haenchen; die Arbeiten von Silva und Hock (Nr. 42).

[21] ὁμότεχνος „dieselbe τέχνη ausübend"; vgl. σκηνοποιοὶ τῇ τέχνῃ V3b. Bemerkungen über den handwerklichen Broterwerb des Paulus finden sich auch in seinen Briefen: 1 Kor 4,12; 9,1–18; 2 Kor 11,7; 1 Thess 2,9.

[22] κατὰ πᾶν σάββατον wie 13,27; 15,21. Es ist also an eine Zeit von mehreren Wochen zu denken.

[23] Es ist an *die* (einzige) Synagoge der Stadt gedacht. Für Korinth ist eine Synagoge inschriftlich bezeugt; siehe Conzelmann.

[24] ἔπειθεν (Imperfekt). πείθω mit Akkusativ der Person steht auch 28,23 in diesem Sinn; vgl. ferner 19,8 (ohne Akk.); 19,26 (im Vorwurf gegen Paulus).

[25] κατῆλθον bezieht sich auf die Ankunft vom Gebirge in der Stadt mit zwei Häfen; vgl. κατέρχομαι Lk 9,37; Apg 12,19; 13,4; 19,1; ferner καταβαίνω 14,25.

Ankunft – sie brachten wohl eine Geldspende mit (2 Kor 11,8f) – widmete sich Paulus ganz der Wortverkündigung[26]. Er wurde – so muß sich der Leser, der ja 2 Kor 11,8f nicht kennt, die Sache vorstellen – von den beiden Gefährten unterstützt. Immer noch ist von der Predigt vor Juden (in der Synagoge) die Rede. Ihnen bezeugte[27] Paulus, daß Jesus der Messias ist[28].

VV6–7 Die Juden der Stadt formierten jedoch Widerstand[29] gegen die Verkündigung des Paulus und lästerten[30]. Daraufhin schüttelte dieser seine Kleider aus und sagte, diesen Gestus durch das Wort unterstreichend: „Euer Blut über euer Haupt[31]! Ich bin (daran) unschuldig[32]" (V6b). Und er fügte hinzu (V6c): „Von jetzt an[33] werde ich zu den Heiden gehen." Diese grundsätzliche Absage an die Juden begegnete ähnlich schon 13,46. Doch „sie schließt nicht aus, sondern ein, daß Paulus am nächsten Ort wieder in die Synagoge geht (V19)"[34]. Paulus ging „von dort" (aus der Synagoge[35]) weg und zog in das Haus eines Gottesfürchtigen namens Titius Justus[36], das an die Synagoge angrenzte[37]. Der Prediger wechselte also den Ort seiner Lehrtätigkeit[38].

V8 Nun wird zum erstenmal von einer Konversion gesprochen. Der Synagogenvorsteher Krispus[39] kommt „mit seinem ganzen Haus" zum Glau-

---

[26] συνέχομαι τῷ λόγῳ „vom Wort ganz beansprucht werden"; vgl. Herodian I 17,9; Diogenes Laert. VII 185; Weish 17,19.

[27] Zu διαμαρτύρομαι siehe oben I 223 A.9; 225; 227.

[28] Zu dieser Argumentation vor Juden vgl. 9,22; 17,3; 18,28.

[29] ἀντιτάσσομαι „sich auflehnen" steht hier absolut. Ein sachlicher oder personaler Dativ ist zu ergänzen.

[30] Widerspruch und Lästerung gehen auch 13,45 der grundsätzlichen Absage an die Juden (V 46) voraus.

[31] Es handelt sich um eine (prophetische) Zeichenhandlung! Zu αἷμα ἐπὶ κτλ. vgl. Mt 23,35; 27,25; Apg 5,28.

[32] Zu καθαρὸς ἐγώ vgl. 20,26: „Ich bin unschuldig am Blut aller." Die letztere Stelle zeigt auch, daß man nicht mit Wikenhauser übersetzen kann: „Mit reinem Gewissen werde ich von jetzt an zu den Heiden gehen."

[33] ἀπὸ τοῦ νῦν ist Lieblingswendung des Lukas: Lk 1,48; 5,10; 12,52; 22,18; 22,69; Apg 18,6; im NT sonst nur noch 2 Kor 5,16.

[34] Conzelmann. Vgl. oben Nr. 31 zu 13,46.

[35] μεταβὰς ἐκεῖθεν bezieht sich auf das Weggehen aus der *Synagoge* in ein anderes Lehrlokal, nicht auf einen Wechsel des Quartiers, wie auch Haenchen zugibt. Dennoch deutet er zugleich auf einen Wechsel der Wohnung (vgl. auch die Textvariante von D h; siehe oben A. k) von Aquila zu Titius Justus.

[36] Τίτιος Ἰοῦστος kommt sonst im NT nicht vor. Zu Versuchen, ihn mit anderweitig genannten Personen zu identifizieren, siehe Haenchen. Ob er zur Zeit, als Paulus zu ihm zog, (schon) Christ war, bleibt offen.

[37] συνομορέω (mit Dat.) „angrenzen" findet sich sonst nur bei byzantinischen Schriftstellern.

[38] Wikenhauser; vgl. Conzelmann: „darum ist auch betont, daß der neue Raum neben der Synagoge lag".

[39] Κρίσπος wird auch 1 Kor 1,14 genannt: Er wurde in Korinth zusammen mit Gaius von Paulus getauft (vgl. auch 2 Tim 4,10 v.l.), so auch Stephanas und sein Haus (1 Kor

ben (V8a) – wider Erwarten. Außerdem werden viele Korinther gläubig und lassen sich taufen, als sie von der Bekehrung des Krispus Kunde erhalten (V8b). ἀκούοντες kann sich nur auf die Angaben von V8a beziehen, nicht auf die Predigt des Paulus[40]. Handelt es sich um Juden oder Heiden? Das erste ist wegen V6 nicht gerade wahrscheinlich. Aber auch das zweite ist kaum vorstellbar: Heiden sollen einem Juden nacheifern? Wahrscheinlich hat Lukas „Gottesfürchtige" im Sinn, auf die die Konversion des Vorstehers Eindruck machte[41].

VV9–10 Nach der Erfolgsbilanz des V8 überrascht die von Christus selbst[42] gegebene Ermunterung für Paulus, er solle in Korinth weitermachen. Doch zeigt V10a, daß nun erst recht mit jüdischer Agitation gegen Paulus zu rechnen ist. Und angesichts dieser bedrohlichen Aussicht, die sich nach dem Folgenden (VV12–17) als zutreffend erweist, wird Paulus Mut zugesprochen. In der Nacht hat Paulus eine Vision, in der Christus ihn ermutigt, ohne Furcht weiterhin zu reden und nicht zu schweigen[43]. Der Kyrios sichert Paulus seinen Beistand zu[44], so daß niemand ihm Böses zufügen kann[45]. Der Beistand soll im Hinblick darauf gegeben werden, daß der Kyrios „in dieser Stadt" für sich „viel Volk" erwartet[46]. Die Vision erklärt im Kontext die (auffallende) Dauer des paulinischen Korinth-Aufenthalts (vgl. V11). Vielleicht hebt sie aber auch „die Bedeutung der korinthischen Gemeinde" zur Zeit des Lukas hervor[47].

V11 Paulus bleibt[48] (auf die Vision hin) ein Jahr und sechs Monate in Korinth. Er lehrt dort[49] „das Wort Gottes"[50]. Ein längerer Aufenthalt des Paulus wird nur noch von Ephesus berichtet (19,8–10).

1,15). ἀρχισυνάγωγος wie Apg 13,15; 14,2 D; 18,17; Lk 8,49; 13,14. In einer Synagoge gab es bisweilen wohl nicht nur *einen* Vorsteher (vgl. Apg 13,15); vgl. Schürer, Geschichte des jüdischen Volkes II 512. Neben (oder nach der Konversion des) Krispus fungierte in Korinth auch Sosthenes (18,17).

[40] Conzelmann übersetzt hingegen: „viele Korinther, die ihn hörten"; so auch Wikenhauser und die Einheitsübersetzung der Heiligen Schrift (1979). Falls dies gemeint wäre, würde Lukas wohl (wie Lk 2,47; Apg 18,26) αὐτοῦ hinzugefügt haben.

[41] Haenchen. Vgl. Lk 8,50; 14,15; 18,22; Apg 2,37; 5,21; 7,12; 14,14 u.ö.

[42] ὁ κύριος ist 18,8.9 auf Christus zu beziehen.

[43] λαλέω und σιωπάω stehen auch Lk 1,20 einander gegenüber.

[44] ἐγώ εἰμι μετὰ σοῦ. Vgl. 7,9; 10,38; 11,21 von *Gottes* Beistand. Vom Beistand *Christi* spricht auch Mt 28,20.

[45] ἐπιτίθεμαι (Med.) heißt hier wohl „nachstellen, angreifen". Zum folgenden substantivierten Infinitiv des Zweckes vgl. Gen 43,18 LXX.

[46] λαός ἐστί μοι πολύς „ich habe viel Volk". Vgl. dazu Lohfink, Sammlung Israels 59–61.

[47] Conzelmann, mit Hinweis auf 1 Clem.

[48] Instransitives καθίζω bedeutet hier „sich niederlassen, sich aufhalten"; so auch Lk 24,49, sonst nicht im NT.

[49] διδάσκων kennzeichnet Paulus wohl nicht nur als Missionar, sondern auch als „innerkirchlichen" Lehrer. διδάσκω wird auf Paulus bezogen: 11,26; 15,35; 18,11; 20,20; 21,21.28; 28,31. – ἐν αὐτοῖς bezieht sich auf die Bewohner der Stadt, „unter denen" Paulus lehrte.

[50] Zu ὁ λόγος τοῦ θεοῦ siehe oben I 420 A. k; 491 A.71.

VV 12–13 Mit V 12 setzt die Episode vor Gallio[51] ein (VV 12–17), der Höhepunkt des Gesamtabschnitts. Die genitivische Zeit- und Situationsangabe liest sich nach V 11, als sei mit Gallio als Prokonsul eine neue Lage entstanden. Doch greift der absolute Genitiv nur eine Episode aus der Zeit des Paulus-Aufenthalts heraus. Es entsteht der Eindruck (vgl. V 18 a), daß sie am Ende der 1½ Jahre spielt. Die Juden der Stadt erheben sich einmütig gegen Paulus und führen ihn vor den Richterstuhl des Prokonsuls[52] (V 12). Dort erheben sie Anklage gegen Paulus, er verführe[53] die Leute zu einer Gottesverehrung, die gegen das Gesetz[54] verstößt. Gallio soll für die Sache interessiert werden und einen Verstoß gegen das staatliche Gesetz vermuten. Doch der Richter hält die Sache für einen Gegenstand, der das *jüdische* Gesetz betrifft (V 15).

VV 14–15 Paulus war bereit, sich zu verteidigen. Als er den Mund zur Apologie öffnen wollte, erteilte bereits Gallio den Juden eine Abfuhr. Die Worte des Prokonsuls sind – wie die Anklage der Juden – in direkter Rede formuliert (VV 14 b.15) und durch εἰ μέν und εἰ δέ gegliedert. εἰ (μέν) mit Indikativ des Imperfekt faßt den Irrealis ins Auge, das Gegenteil der Wirklichkeit[55], εἰ (δέ) mit Indikativ des Präsens hingegen die als wirklich gedachte Bedingung[56]. Falls es sich um ein Vergehen (ἀδίκημα[57]) oder ein Verbrechen (ῥᾳδιούργημα πονηρόν[58]) handelte, würde Gallio es ordnungsgemäß[59] behandeln[60], d. h. die Klage annehmen. Die Anrede ὦ Ἰου-

---

[51] Γαλλίων/Gallio, Prokonsul von Achaia (51/52 n. Chr.), war der ältere Bruder des Philosophen Seneca. Er wird im NT Apg 18, 12.14.17 erwähnt. Vgl. DEISSMANN, Paulus (1925) 203–225; B. REICKE, Γαλλίων, in: EWNT I 562. REICKE datiert die in der Apg geschilderte Episode auf 52 n. Chr.; vgl. auch oben I 131. – ἀνθύπατος ist der Prokonsul an der Spitze einer senatorischen Provinz, z. B. Sergius Paulus auf Zypern (13, 7) und Gallio in Achaia (18, 12); vgl. 19, 38. Siehe auch oben Nr. 29 A.5. – Ἀχαΐα/Achaia als römische Provinz umfaßte Attika, Böotien und die Peloponnes. Der Name wird außer Apg 18, 12.27; 19, 21 (neben Mazedonien) auch bei Paulus erwähnt: 2 Kor 1, 1; 11, 10; 1 Thess 1, 7.8. An anderen Stellen ist das Land bzw. die dort wohnende Christenheit gemeint: Röm 15, 26; 1 Kor 16, 15; 2 Kor 9, 2. Vgl. B. REICKE, Ἀχαΐα, in: EWNT I 447 f (Lit.).

[52] κατεφίσταμαι (mit Dat.) „sich erheben“ ist Hapaxlegomenon. Das βῆμα auf der Agora von Korinth (vgl. VV 12.16.17) wurde ausgegraben; vgl. KIRSTEN/KRAIKER, Griechenlandkunde 220. βῆμα bezieht sich auch 25, 6.10.17 auf den „Richterstuhl“.

[53] ἀναπείθω mit folgendem Akkusativ und Infinitiv ist auch bei Philo und Fl. Josephus bezeugt; siehe BAUERWb s. v. Vgl. auch πείθω Apg 19, 26.

[54] παρὰ τὸν νόμον bezieht sich nach der Intention der Ankläger wohl nicht auf das mosaische, sondern auf das römische Gesetz; vgl. 16, 21 und 17, 7. Siehe indessen auch 18, 15. CONZELMANN vermutet, Lukas lasse „die Juden bewußt zweideutig formulieren“; – „sie wollten Gallio auf plumpe Manier hinters Licht führen. Aber ein tüchtiger römischer Beamter fällt auf so etwas nicht herein.“

[55] Dabei steht ἄν in der Apodosis. Vgl. BLASS/DEBR § 360 (mit Anm. 1).

[56] Siehe BLASS/DEBR § 372; vgl. Apg 5, 39.

[57] ἀδίκημα begegnet im NT auch 24, 20 und Apk 18, 5.

[58] Der Ausdruck kann „schlimmes Bubenstück“ bedeuten, doch auch eine ernstere Bedeutung haben.

[59] κατὰ λόγον „mit Fug und Recht, vernünftigerweise“ begegnet bei Plato und Polybius, ferner JosAnt XIII 195.

[60] ἀνέχομαί τινος im juristischen Sinn: „eine Klage zulassen“; BAUERWb s. v. ἀνέχω.

δαῖοι entspricht klassischem Gebrauch und hat keine besondere Emphase[61]. Wenn es aber, was Gallio annimmt, um Streitfragen (ζητήματα[62]) geht, die Lehre, Namen[63] oder das jüdische[64] Gesetz angehen, dann sollen die Kläger selbst zusehen (V 15 a). Über solche Angelegenheiten will der römische Beamte nicht als Richter fungieren. Gallio handelt so, wie Lukas wünscht, daß römische Behörden sich gegenüber den Christen verhalten.

V 16 Der Prokonsul schickt die Juden folglich weg (wörtlich: „er vertrieb sie“[65]). Er entläßt sie von seinem Richterstuhl. Damit demonstriert er im Sinne des Lukas das „sachgemäße Desinteresse der Behörde am Christentum“[66].

V 17 Die Episode findet mit einer derb-burlesken Szene ihren Abschluß. Die anwesende Bevölkerung von Korinth ergreift den Synagogenvorsteher Sosthenes[67], der wohl die Kläger angeführt hatte[68], und verprügelt ihn vor dem Richterstuhl des Gallio. Doch der Prokonsul kümmert sich nicht im geringsten darum[69]. So fällt „der Schlag auf den Schläger zurück“[70].

43. RÜCKREISE NACH ANTIOCHIA: 18,18–22

LITERATUR: W. MICHAELIS, Kenchreä, in: ZNW 25 (1926) 144–154 [zu 18,18]. – E. BARNIKOL, Apostelgeschichte 18,18, in: Theol. Jahrbücher 1 (1933) 96. – KENCHREAI, Eastern Port of Corinth. Results of Investigations by The University of Chicago and Indiana University ..., bisher 5 Bde. (Leiden 1976–1981).

18 Paulus aber blieb noch eine Reihe von Tagen (in Korinth); dann nahm er von den Brüdern Abschied und fuhr zusammen mit Priszilla und Aquila weg nach Syrien. In Kenchreä hatte er sich aufgrund eines Gelüb-

---

[61] Vgl. ZERWICK, Biblical Greek Nr. 35.

[62] Zu ζήτημα siehe oben Nr. 35 A.32.

[63] Mit ὀνόματα sind wohl „Personen“ oder „Begriffe“ gemeint; CONZELMANN.

[64] Zu καθ' ὑμᾶς als Ersatz für das Possessivum s. o. Nr. 41 A. 97 (zu 17,28). Siehe auch 24,22; Eph 1,15.

[65] ἀπελαύνω „forttreiben, wegjagen“ ist ntl. Hapaxlegomenon.

[66] CONZELMANN, der auch mit Recht hervorhebt, daß es Lukas nicht darum geht, für das Christentum anerkannte Privilegien des Judentums zu reklamieren (vgl. den unzutreffenden Begriff *religio licita)*.

[67] Vgl. oben A.39. Σωσθένης /Sosthenes kommt als Name auch 1 Kor 1,1 vor („der Bruder S.“), ferner in der Subscriptio des 1 Kor. Wenngleich hier vorausgesetzt ist, daß dieser Sosthenes den Korinthern bekannt ist, darf man ihn doch nicht einfach mit dem Synagogenvorsteher gleichsetzen.

[68] Vgl. HAENCHEN: „Wortführer der abgewiesenen Delegation“.

[69] οὐδὲν τούτων ... ἔμελεν. μέλει (τινί) begegnet bei Lukas sonst nur noch Lk 10,40. – τύπτω „schlagen“ wird von Lukas besonders häufig verwendet (9 von 13 Vorkommen im NT): Lk 6,29 diff Mt; 12,45 par Mt; 18,13 (die Brust); 23,48 diff Mk (die Brust); Apg 18,17; 21,32 (den Paulus); 23,2.3 b (den Paulus); 23,2 a (den Hohenpriester; Subjekt ist Gott).

[70] Vgl. CONZELMANN.

des[a] *den Kopf kahlscheren lassen. 19 Sie gelangten*[b] *nach Ephesus.* [c]*Dort trennte er sich von den beiden; er selbst ging in die Synagoge und redete zu den Juden. 20 Sie baten ihn, noch für längere Zeit*[d] *zu bleiben, aber er willigte nicht ein, 21 sondern verabschiedete sich und sagte:* [e]*Ich werde, so Gott will, wieder zu euch zurückkehren. So segelte er von Ephesus ab, 22* [f]*landete in Cäsarea, zog hinauf (nach Jerusalem) und begrüßte dort die Gemeinde. Dann ging er hinab nach Antiochia.*

18,18–22 berichtet, wie Paulus von Korinth nach dem Ausgangspunkt seiner Missionsreise (vgl. 15,35.36), nach Antiochia zurückgekehrt ist. Neben der Aufzählung von Reisestationen (Kenchreä, Ephesus, Cäsarea, Antiochia) scheinen dem Erzähler folgende Angaben wichtig zu sein: Priszilla und Aquila begleiten Paulus bis Ephesus (VV18f); Paulus hatte ein Gelübde (V18) abgelegt; in Ephesus kann er (wegen des Gelübdes?) nicht länger bleiben (VV20f); von Cäsarea aus macht er einen Kurzbesuch in Jerusalem: er „begrüßt" die dortige Gemeinde (V22).

Wenn man beachtet, daß letztlich auch V23 noch zu dem Reisebericht der VV18–22 gehört, wird deutlich, daß die sogenannte „dritte Missionsreise" mit der „zweiten" engstens verbunden ist[1]. Denn 18,23 sieht Paulus schon wieder auf dem Weg nach Ephesus, das er mit 19,1 erreicht. In diesem Zusammenhang ist auch hervorzuheben, daß Paulus laut 18,23 zwar χρόνον τινά in Antiochia verbrachte, aber dort keine Rechenschaft ablegte, wie es nach der „ersten" Reise geschah (14,27f). Die Berichterstattung der Acta nimmt damit wohl Rücksicht auf die Folgen des „antiochenischen Konflikts".

Das Itinerar, das dem Bericht zugrunde liegen dürfte, hat vielleicht die näheren Angaben über die Zwischenstation Ephesus noch nicht gekannt[2]. So könnten die VV19b–21a von Lukas eingeschoben worden sein, um Paulus als den *ersten* christlichen Prediger in der Weltstadt Ephesus erscheinen zu lassen[3]. Die Notiz über das Gelübde des Paulus (V18) kann im

---

[a] Statt εὐχήν liest D* προσευχήν. Der Ausdruck ἔχω προσευχήν ist ungewöhnlich.
[b] P74 Ψ 0120 Koine lat sy h lesen den (auf Paulus bezogenen) Singular κατήντησεν. D h haben das singularische καταντήσας.
[c] D (614 h sy h**) fügt ein: „Und am nächsten Sabbat". Vgl. Metzger TC 465.
[d] D E Koine w sy sa ms bo fügen ein: „bei ihnen".
[e] D(*) Ψ Koine gig w sy schalten ein: „Ich muß unter allen Umständen zum kommenden Fest (D: Festtag) nach Jerusalem reisen."
[f] V 22 beginnt in 614 (sy p.h.mg): „Aquila ließ er in Ephesus (vgl. V 19a). Er aber stach in See und landete ..."
[1] Vgl. Conzelmann (zu V 18): „Der Übergang von der ‚zweiten' zur ‚dritten' ‚Missionsreise' ist nur schwach markiert und bedeutet keinen sachlichen Einschnitt mehr."
[2] Vgl. Wendt, Apg (1913) 268 Anm. 1, der daran denkt, daß VV 19b–21a (von [αὐτὸς δὲ] εἰσελθὼν bis τοῦ θεοῦ θέλοντος) sekundär eingeschoben sind.
[3] Vgl. Haenchen, Apg 525, der bemerkt: „In Wirklichkeit bestand, als Paulus wirklich nach Ephesus kam – das zeigt 18,26 – in Ephesus schon eine judenchristliche Gemeinde, welche aber noch in synagogaler Gemeinschaft mit den anderen Juden lebte."

Zusammenhang mit dem Jerusalembesuch stehen, den V 22 (ἀναβὰς κτλ.) voraussetzt[4]. Wenn man auch vom historischen Standpunkt aus mit E. Haenchen die Notiz über diese Jerusalemreise für unzutreffend halten kann[5], so ist sie doch wahrscheinlich bereits im Itinerar vermerkt gewesen, das der Acta-Verfasser verwenden konnte.

V 18 Die Angabe, daß Paulus noch eine gewisse Zeit in Korinth blieb, deutet nach 18,12–17 an, daß er aus der Gallio-Episode als Sieger hervorging, jedenfalls in der Stadt bleiben konnte. In Korinth gibt es inzwischen eine Gemeinde, und Paulus verabschiedet sich[6] von den „Brüdern", um nach Syrien zu reisen. Damit ist das eigentliche Ziel der (Rück-)Reise, Antiochia, ins Auge gefaßt. Mit Paulus (und Silas und Timotheus) reist das Ehepaar Priszilla und Aquila, das offenbar seinen Handwerksbetrieb von Korinth nach Ephesus verlegen wollte (V 19 a). Möglicherweise nahm das Ehepaar Paulus mit und finanzierte ihm die Seereise. Die Reise geht von Kenchreä[7] aus. Dort ließ Paulus das Haupthaar scheren, „weil er ein Gelübde hatte"[8]. Der Erzähler denkt möglicherweise, daß mit dem Scheren der Haare die Gelübdeleistung beendet[9] und das Haar in Jerusalem (vgl. V 22) zu opfern sei[10]. Doch entspricht die Erzählung nicht den Regeln für ein Nasiräatsgelübde[11].

---

[4] Daß mit ἀναβὰς κτλ. ein Besuch Jerusalems gemeint ist, zeigen Haenchen, Apg 525 f, und Conzelmann, zu V 22. Siehe unten A. 18.

[5] Haenchen, Apg 526. Vgl. Conzelmann, zu V 22, der die Frage, ob diese Jerusalemreise (zwischen Apostelkonzil und Überbringung der Kollekte) historisch wahrscheinlich ist, so beantwortet: „Das Quellenstück, das in 21,18 ff. durchschimmert, weiß nichts von ihr, und der Befund in den Briefen des Paulus (I II Cor Gal Röm) schließt sie geradezu aus. Andererseits kann unsere Stelle nicht als Dublette zu Kap 15 erklärt werden ..."

[6] ἀποτάσσομαι „Abschied nehmen" wird mit Dativ der Person konstruiert, so auch Lk 9,61; 2 Kor 2,13. Das Verbum steht Apg 18,21; 21,15 D absolut.

[7] Κεγχρεαί/Kenchreä, einer der beiden Häfen von Korinth (s. o. Nr. 42 A. 1), wird neben 18,18 im NT auch Röm 16,1 und in der *subscriptio* des Röm (424 pc) erwähnt (an beiden Stellen ist von Phöbe, einem weiblichen Diakon in K., die Rede). – Vgl. Michaelis, Kenchreä (1926); K. Ziegler, Kenchreai (2), in: KlPauly III (1969) 182; KENCHREAI (1976 ff).

[8] εἶχεν γὰρ εὐχήν. εὐχή ist bei Lukas nur in der Bedeutung „Gelübde" bezeugt: Apg 18,18; 21,23.

[9] Vgl. Haenchen, Apg 524, der vermutet, nach Ansicht des Lukas habe Paulus vor Beginn der (zweiten) Missionsreise das Gelübde abgelegt und sich nach glücklichem Verlauf der Reise in Kenchreä das Haar scheren lassen. Das Scheren des Haupthaares erfolgte nicht bei Beginn des Gelübdes, sondern bei dessen Beendigung; vgl. Num 6,1–21; Billerbeck II 747–751.

[10] Ein Nasiräat konnte nur im Tempel von Jerusalem beendet werden. Wer im Ausland ein Nasiräat übernommen hatte, mußte wenigstens 30 Tage, d. h. die Mindestdauer eines Nasiräats, in Jerusalem bleiben; danach wurde das geopferte Haar verbrannt und das vorgeschriebene Sündopfer dargebracht (Billerbeck II 749–751).

[11] Haenchen, a. a. O. (524): „Obwohl Lukas hier in 18,18 dasselbe Wort εὐχή wie in 21,23 verwendet (wo er vom Nasiräat spricht), kann es sich also hier [18,18] nicht um ein Nasiräatsgelübde gehandelt haben." Zu den Regeln des Nasiräats siehe Billerbeck II

V 19 Da die Reise zunächst nach Ephesus führt und das Ehepaar dort[12] von Paulus zurückgelassen wurde[13], muß Ephesus wohl als Etappenziel der Syrienreise gelten. Man zog die küstennahe Route vor, auch wenn sie einen Umweg – hier: an den Kykladen vorbei nach Ephesus – bedeutete. Paulus selbst betrat (nach seiner Gewohnheit) die Synagoge der Stadt und redete[14] mit den Juden. Es handelt sich nur um einen kurzen Besuch (V 20).

VV 20–21 Ein Missionserfolg wird nicht notiert, wohl aber, daß die ephesinischen Juden Paulus zum längeren Bleiben[15] aufforderten. Paulus will (oder kann), vielleicht wegen des Gelübdes, dem Wunsch nicht entsprechen, sichert aber zu, daß er – „so Gott will"[16] – wiederkommen wird. Darauf verläßt er Ephesus[17].

V 22 Er geht – obgleich Syrien/Antiochia sein Ziel ist – im palästinischen Cäsarea an Land und zieht von dort hinauf[18] nach Jerusalem. Dort „begrüßt er" die Gemeinde[19], was wohl bedeuten soll, daß der Aufenthalt

---

80–88.747–751; 755–761; H. SALMANOWITSCH, Das Nasiräat nach Bibel und Talmud. Diss. Gießen (1931); H. GREEVEN, εὔχομαι κτλ., in: ThWNT II 774–782.799–808, näherhin 775f; C. SCHEDL, Nasiräer, in: LThK VII 796f.

[12] Ἔφεσος/Ephesus liegt etwa auf der gleichen geographischen Breite wie Korinth. Es wird außer 18,19.21 auch 18,24; 19,1.17.26; 20,16.17 erwähnt, im NT ferner 1 Kor 15,32; 16,8; Eph 1,1; 1 Tim 1,3; 2 Tim 1,18; 4,12; Apk 1,11; 2,1. Vgl. die Literatur zu Nr. 44 und Nr. 44 A.1. – Ἐφέσιος („Bewohner von Ephesus") kommt im NT meist pluralisch vor: Apg 19,28.34.35; 18,27 v.l. Nur 21,29 steht der Singular: „der Ephesier Trophimus". αὐτοῦ als Ortsadverb ist lukanisches Vorzugswort: Lk 9,27 diff Mk; Apg 18,19; 21,4; sonstiges NT: Mt 26,36.

[13] Die Erzählung berichtet aus der Perspektive des Paulus, der die Hauptperson ist. Aquila und Priszilla werden 18, 26 wieder erwähnt: in Ephesus. Um das Ehepaar bildete sich eine christliche Hausgemeinde. Paulus übermittelt 1 Kor 16,19 von ihr Grüße an die Korinther-Gemeinde.

[14] διαλέγομαι ist für die „gesprächshafte" Rede des Paulus in der Synagoge der stehende Ausdruck: 17,2.17; 18,4.19; 19,8. Vgl. oben Nr. 40 A.15.

[15] Zu ἐπὶ πλείονα χρόνον (μεῖναι) vgl. Lk 18,4 (ἐμὶ χρόνον).

[16] τοῦ θεοῦ θέλοντος „so Gott will" ist auch JosAnt VII 373 und (ähnlich) in Papyri bezeugt; vgl. MOULTON/MILLIGAN s.v. θέλω. Sachliche Parallelen stehen 1 Kor 4,19; Jak 4,15.

[17] ἀνάγομαι (vom Schiff: „auslaufen" [auf die hohe See], so auch 13,13; 16,11; 20,3.13; 21,1.2; 27,2.4.12.21; 28,10.11; Lk 8,22) hat seine Entsprechung in κατέρχομαι („landen") V 22a (vgl. 21,3; 27,5).

[18] Das absolute ἀναβάς kann nur auf den Weg nach Jerusalem bezogen sein, wenngleich Lukas sonst das Ziel benennt: 11,2; 21,12.15; 24,11; 25,1.9. Vgl. indessen auch Joh 7,8.10. Siehe BAUERWb s.v. ἀναβαίνω 1aα (Hinweis auf LXX); HAENCHEN, Apg 522.526; CONZELMANN: „Eine Landung in Cäsarea ist nur sinnvoll, wenn Paulus Jerusalem besuchen will. ἀναβάς deutet das an. Darauf weist ja auch das Gelübde."

[19] ἀσπασάμενος steht sonst bei Lukas mit Akkusativ der Person. Die Apg kennt von ἀσπάζομαι nur diese Partizip-Form: 18,22; 20,1; 21,19; ferner (pluralisch) 21,7; 25,13. Auf *Paulus,* der eine christliche Ortsgemeinde begrüßt (vgl. die Paulus-Briefe mit ihren Grußlisten), beziehen sich Apg 18,22 (Jerusalem); 20,1 (Ephesus); 21,7 (Ptolemaïs; im Wir-Bericht); 21,19 (Jerusalem).

kurz war (zur Beendigung des Gelübdes?). Nach der Lesart von D (zu V21[20]) besuchte Paulus die Heilige Stadt wegen eines Festes[21]. Von Jerusalem aus reiste er (auf dem Landweg) nach Antiochia, dem Ausgangspunkt seiner Reise. Von den Begleitern Silas und Timotheus ist (seit 18,5) keine Rede mehr. Wahrscheinlich ist Timotheus in Ephesus geblieben[22]. Silas kann mit Paulus nach Jerusalem gereist sein; denn er gehörte der dortigen Gemeinde an (15,22.27).

B. Die dritte Missionsreise des Paulus. Sein Weg nach Jerusalem (18,23 – 21,14)

Die „dritte Missionsreise" ist von der „zweiten" (15,36 – 18,22) kaum abgehoben. Sie geht zwar wie die früheren Reisen von Antiochia aus. Aber ihr geht nur ein relativ kurzer Aufenthalt des Paulus in der syrischen Metropole voraus (18,23). Eine Rückkehr des Paulus nach Ephesus war schon 18,20f angekündigt. Damit erklärt sich auch, daß die Reise von Antiochia nach Ephesus im Grunde nur zwei Verse des Reiseberichts beansprucht (18,23; 19,1). So steht Ephesus von 18,24 bis 19,40 im Vordergrund der Erzählung (vgl. auch 20,17–38): das Wirken des Apollos, die Johannesjünger, das Wirken des Paulus, der Aufstand gegen ihn (und schließlich der Abschied von den Ältesten der ephesinischen Gemeinde). Paulus hält sich mehr als zwei Jahre (19,10) in der wichtigsten Stadt der Provinz Asia auf.

Von Ephesus wollte Paulus Mazedonien und Achaia besuchen, dann nach *Jerusalem* reisen und schließlich „auch Rom sehen" (19,21). Der Leser erhält mit dieser Notiz einen Hinweis auf den weiteren Weg. Paulus besucht wieder Mazedonien (20,1) und Achaia (20,2f). Die Rückreise geht diesmal nicht mit einem Schiff von Korinth (Kenchreä) aus, sondern zunächst auf dem Landweg über Mazedonien (20,3). Von Philippi (Neapolis) fährt Paulus nach Troas (20,6–12). Von der (südlich von Troas gelegenen) Hafenstadt Assos aus geht die Seereise über Mytilene und Samos nach Milet (20,13–15). Einen Aufenthalt in Ephesus vermeidet Paulus, weil er Pfingsten in *Jerusalem* sein will (20,16). In Milet verabschiedet er sich von den ephesinischen Presbytern (20,17–38). In seiner Abschiedsrede wird zum dritten Mal *Jerusalem* als Ziel der Rückreise genannt (20,22). Der heilige Geist bezeugt Paulus, daß ihn dort „Fesseln und Drangsale" erwarten (20,23).

---

[20] Siehe oben A. e. Die Textzeugen D Ψ Koine usw. haben also ἀναβάς in V 22 auf den Weg nach Jerusalem bezogen.

[21] Wahrscheinlich haben bei dieser Begründung der Jerusalemreise 19,21 und 20,16 (Pfingstfest) Pate gestanden. Zahn, Apg 663, meint, das bevorstehende Fest könne nur das Passa gewesen sein, „wozu auch das ποιεῖν vorzüglich paßt".

[22] Timotheus wird 19,22 wieder genannt. Er wird von Paulus mit Erastus nach Mazedonien geschickt – von Ephesus aus.

Von Milet geht die Seereise in Küstennähe nach Patara und von dort direkt nach Tyrus (21,1–3). Hier warnen nun auch die Christen den Paulus vor der Reise nach *Jerusalem* (21,4). Die Fahrt geht weiter nach Ptolemais und Cäsarea (21,7f). Hier wird durch einen Propheten vorausgesagt, daß Paulus in *Jerusalem* gefesselt und an die Heiden ausgeliefert werde (21,11). Die Christen bitten Paulus, er möchte nicht nach *Jerusalem* gehen (21,12). Doch er erklärt, daß er sogar zu sterben bereit sei (21,13). Und so geht Paulus mit seinen Begleitern nach Jerusalem (21,15). Er läßt den „Willen des Herrn" (21,14) geschehen (vgl. Lk 22,42).

44. PAULUS IN GALATIEN UND PHRYGIEN. APOLLOS IN EPHESUS: 18,23–28

LITERATUR: R. SCHUMACHER, Der Alexandriner Apollos (Kempten 1916). – G. A. BARTON, Some Influence of Apollos in the New Testament, in: JBL 43 (1924) 207–223. – E. BUONAIUTI, Paolo ed Apollo, in: Ricerche religiose 1 (1925) 14–34. – H. PREISKER, Apollos und die Johannesjünger in Act 18,24 – 19,6, in: ZNW 30 (1931) 301–304. – LAKE, Paul's Route (1933; s. o. Nr. 38). – E. KÄSEMANN, Die Johannesjünger in Ephesus (erstm. 1952), in: ders., Exegetische Versuche und Besinnungen I 158–168. – E. SCHWEIZER, Die Bekehrung des Apollos, Apg 18,24–26, in: EvTh 15 (1955) 247–254. – G. D. KILPATRICK, Apollos – Apelles, in: JBL 89 (1970) 77. – MUSSNER, Galaterbrief (1974) 5 [zu 18,23]. – F. F. BRUCE, Apollos in the New Testament, in: Ekklesiastikos Pharos 57 (1975) 354–365. – F. PEREIRA, Paul's Ephesian Ministry (Acts 18,23 – 20,1). A Redaction-Critical Study. Diss. Bibelinstitut (Rom 1975; Teildruck Rom 1977). – L. HERMANN, Apollos, in: RScR 50 (1976) 330–336. – A. M. HUNTER, Apollos the Alexandrian, in: Biblical Studies (Festschr. für W. Barclay) (London 1976) 147–156. – H. MERKEL, Ἀπολλῶς, in: EWNT I 328f (1979). – OLLROG, Paulus und seine Mitarbeiter (1979), bes. 37–41.215–219 [Apollos].

Zu Ephesus: SCHULTZE, Städte und Landschaften II/2 (1926) 86–120. – F. V. FILSON, Ephesus and the New Testament, in: The Biblical Archaeologist 8 (1945) 73–80. – J. KEIL, Ephesos. Ein Führer durch die Ruinenstätte und ihre Geschichte (Wien [4]1957). – F. MILTNER, Ephesos. Stadt der Artemis und des Johannes (Wien 1958). – E. MEYER, Ephesos, in: LAW (1965) 821f. – W. ZSCHIETZSCHMANN, Ephesos, in: KlPauly II (1967) 293–296. – O. F. A. MEINARDUS, St. Paul in Ephesus and the Cities of Galatia and Cyprus (Athen 1973). – D. BOYD, Ephesus, in: IDB Suppl. Vol. (1976) 269–271. – YAMAUCHI, Archaeology (1980) 79–114.

23 Nachdem er (dort) einige Zeit zugebracht hatte, zog er weiter, durchwanderte zuerst das galatische Land, dann Phrygien, und stärkte[a] *alle Jünger.*
24 Ein Jude mit Namen Apollos[b]*, aus Alexandria stammend, redekun-*

[a] Statt ἐπιστηρίζων (D E Ψ 0120 Koine) lesen P[74] ℵ A B 33. 1891 pc das Simplex στηρίζων (vgl. Lk 22,32).

[b] Statt Ἀπολλῶς lesen ℵ* 36. 453. 1175 pc bo Ἀπελλῆς (so auch 19,1), D hingegen Ἀπολλώνιος (wovon Apollos die abgekürzte Form ist). KILPATRICK, Apollos – Apelles (1970) 77, hält Apelles für die ursprüngliche LA. Man habe Apg 18,24 und 19,1 an 1 Kor (1,12 u. ö.: Apollos) angeglichen.

dig und bewandert in den (heiligen) Schriften, kam nach Ephesus. 25 [c]*Er war unterwiesen im Weg*[c] *des Herrn, sprach mit glühendem Geist und trug die Lehre über Jesus*[d] *genau vor, obschon er nur die Taufe des Johannes kannte. 26 Er begann, freimütig in der Synagoge aufzutreten. Als ihn* [e]*Priszilla und Aquila*[e] *hörten, nahmen sie ihn mit und legten ihm den Weg Gottes*[f] *noch genauer dar. 27* [g]*Als er nach Achaia gehen wollte, bestärkten (ihn) die Brüder und schrieben den Jüngern, sie möchten ihn (freundlich) aufnehmen*[g]. [h]*Nach seiner Ankunft wurde er den Gläubigen durch die Gnade eine große Hilfe.*[h] *28 Denn mit Nachdruck widerlegte er öffentlich die Juden, indem er*[i] *aus den Schriften nachwies, daß Jesus der Christus sei.*

Mit einer Reisenotiz, die an 16,6 erinnert, wird 18,23 von der Rückreise des Paulus nach Ephesus[1] berichtet. Er verbrachte keine lange Zeit in Antiochia, sondern löste bald sein in Ephesus gegebenes Versprechen (18,21) ein. Bevor jedoch 19,1 seine Ankunft in Ephesus vermeldet, wird vom Wirken des Apollos[2] in Ephesus erzählt *(VV 24–28)*. Dem Erzählstück liegt als Grundbestand eine selbständige Episode zugrunde[3]. Sie paßt schlecht zur lukanischen Erzählabsicht, „da sie von vorpaulinischem Christentum

[c] Der Anfang von V 25 (c – c) lautet in D (gig): „Er war in seiner Heimat im Wort (ἐν τῇ πατρίδι τὸν λόγον)".

[d] Der Koine-Text liest περὶ τοῦ κυρίου („über den Herrn"), wahrscheinlich an das vorausgehende τοῦ κυρίου angleichend.

[e] D Ψ 0120 Koine gig sy sa[mss] stellen um: „Aquila und Priszilla".

[f] D gig lassen τοῦ θεοῦ weg. Einige Minuskeln (323. 1739 al) lesen „das Wort des Herrn" (statt: „den Weg Gottes").

[g] V 27 a (g – g) lautet in D (sy[h.mg]): „In Ephesus hielten sich einige Korinther auf. Und als sie ihn (sc. den Apollos/Apollonius) hörten, baten sie ihn, mit ihnen in ihre Heimat zu reisen. Als er zustimmte, schrieben die Epheser den Jüngern in Korinth, sie möchten den Mann aufnehmen." Siehe dazu METZGERTC 467 f.

[h] V 27 b (h – h) lautet nach P[38 vid] D: „Als er sich in Achaia aufhielt, bedeutete er in den Gemeinden eine große Hilfe."

[i] P[38] D 614 schalten ein: διαλεγόμενος (καί): „er diskutierte (und ... nachwies)". Vgl. 18,4.19; 19,8.9.

[1] Ἔφεσος /Ephesus war die bedeutendste Stadt der Provinz Asia mit Sitz des römischen Statthalters (römisch seit 133 v. Chr.). Es war vor allem durch den Kult der Artemis berühmt und gehörte zu den großen Weltstädten der damaligen Zeit (Stadtmauer von 9 km Länge). Die Stadt lag im Altertum unmittelbar am Meer. – Zum Vorkommen von Ephesus im NT siehe oben Nr. 43 A.12; vgl. das Lit.-Verz. (Nr. 44).

[2] Ἀπολλῶς/Apollos wird außer Apg 18,24; 19,1 auch im 1 Kor (1,12; 3,4.5.6.22; 4,6; 16,12) und Tit 3,13 erwähnt. 1 Kor 3,6 deutet an, daß Apollos in Korinth auf dem Wirken des Paulus aufbaute.

[3] Siehe KÄSEMANN, Johannesjünger (1952); SCHWEIZER, Bekehrung des Apollos (1955). Während KÄSEMANN vermutet, Lukas habe den Alexandriner Apollos von sich aus zu einem „Halbchristen" degradiert, nimmt SCHWEIZER an, daß Apollos als nicht-christlicher Jude in der Synagoge erfolgreich wirkte und von Aquila und Priszilla zum Christusglauben bekehrt wurde; „Weg des Herrn" (V 25) habe sich ursprünglich auf synagogale Unterweisung bezogen, dazu kritisch CONZELMANN.

in Ephesus handelt"[4]. Apollos spricht korrekt über Jesus, kennt aber die *christliche* Taufe noch nicht. Er wird von Priszilla und Aquila genauer belehrt. Bevor Paulus nach Ephesus kommt, ist Apollos nach Achaia (19,1: Korinth) übergesiedelt. Der Zusammenhang macht deutlich, daß Apollos erst durch die Begegnung mit dem „paulinischen" Christentum (der Mitarbeiter und Begleiter des Paulus, vgl. 18,2f.18f) ein rechter christlicher Verkündiger wurde (vgl. VV 27f).

V23 Nach einiger Zeit[5] zog Paulus wieder aus[6]. Er besuchte auf der Durchreise (διερχόμενος) nacheinander[7] „das galatische Land und Phrygien"[8]. Damit wird an 16,6 erinnert, wo allerdings die Landschaften in umgekehrter Reihenfolge genannt sind. Seit der „zweiten" Reise des Paulus gab es dort Christen[9]. Nun wird erzählt, daß ihr Gründer sie allesamt (im Glauben) bestärkte[10].

VV24–25 Zwischen dem ersten kurzen Besuch des Paulus in Ephesus und seinem zweiten Aufenthalt datiert der weitere Kontext die Ankunft des alexandrinischen[11] Juden[12] Apollos in der Stadt. Er wird dem Leser vorgestellt als δυνατὸς ὤν[13] „in den (biblischen) Schriften"[14]. Man hat wohl an einen Mann aus dem gebildeten Judentum von Alexandria zu denken, dem auch Philo angehörte. Apollos muß freilich nicht direkt aus Alexandria, er kann aus der Synagoge einer anderen Stadt (vgl. 6,9) gekommen sein. V25 fügt hinzu, er sei unterwiesen gewesen im „Weg des Herrn"[15]. Das kann sich im heutigen Text nur auf eine christliche Unterweisung beziehen, die er zuvor erhalten hatte. Er ist aber noch nicht getauft, da er

---

[4] Conzelmann (zu VV 24–28), mit Hinweis auf V 19 (Paulus predigte *vor* Apollos in Ephesus!).

[5] χρόνον ποιέω wie 15,33: „eine Zeitlang verweilen".

[6] Zum absoluten ἐξέρχομαι vgl. Nr. 37 A.15.

[7] καθεξῆς zeigt an, daß die beiden Landschaften nicht als Einheit begriffen sind.

[8] Gal 4,13 setzt wahrscheinlich eine zweimalige Anwesenheit des Paulus bei den Galatern voraus; vgl. oben Nr. 38 A.16.

[9] V 23 spricht von μαθηταί. Siehe dazu oben Nr. 21 A.26; I 422 A.14.

[10] Zu ἐπιστηρίζω siehe oben Nr. 34 A.11; Nr. 36 A.26.

[11] Ἀλεξανδρεὺς τῷ γένει. Zur Konstruktion vgl. 4,36; 18,2. 6,9 erwähnte eine „Synagoge der Alexandriner" in Jerusalem; vgl. oben I 431 A. e; 435 A.19. Vgl. auch das Adjektiv Ἀλεξανδρῖνος Apg 27,6; 28,11.

[12] Ἰουδαῖος (V 24a) schließt nicht aus, daß es sich um einen Juden-*Christen* handelt; vgl. 18,2.

[13] δυνατὸς ἐν wie Lk 24,19; Apg 7,22 (sonst nicht im NT). λόγιος kann sowohl „beredt" als auch „gebildet" bedeuten; BauerWb s.v.

[14] αἱ γραφαί steht in diesem Sinn ferner Lk 24,27.32.45; 17,2.11; 18,28.

[15] Zu κατηχουμένος τὴν ὁδὸν τοῦ κυρίου vgl. Lk 1,4 (κατηχέω mit περί, so auch sonst bei Lukas: Apg 21,21.24). Der Akkusativ des Gegenstands steht auch Gal 6,6 (τὸν λόγον). Vgl. G. Schneider, κατηχέω, in: EWNT II 673–675. Der „Weg des Herrn" ist nach dem Kontext (V 25b) der von *Gott* durch Jesus erschlossene Weg, sein Heilshandeln; vgl. V 26. Siehe auch J. A. Fitzmyer, κύριος κτλ., in: EWNT II 811–820, näherhin 815, mit Hinweis auf Apg 13,10; vgl. W. Michaelis in: ThWNT V 94f.

„nur die Taufe des Johannes" kennt. Allerdings redet und lehrt er „mit glühendem Geist" und „genau"[16] τὰ περὶ τοῦ Ἰησοῦ[17]. Die letztere Wendung dürfte sich etwa auf die „synoptische" Jesusüberlieferung beziehen (vgl. Lk 1,4). Apollos war also gewissermaßen jüdischer „Jesusanhänger", aber noch nicht Christ.

V26 Nun wird von seinem öffentlichen Auftreten in der Synagoge berichtet[18] (V26a). Priszilla und Aquila hören ihn[19] dort reden. Sie besuchen als Christen noch den jüdischen Gottesdienst. Der Auszug der Christen aus der jüdischen Ortsgemeinde ist noch nicht erfolgt (siehe hingegen 19,9). Das Ehepaar nimmt Apollos mit[20] und legt ihm „den Weg (Gottes)"[21] genauer[22] dar[23]. Priszilla und Aquila werden missionarisch tätig.

V27 Es fällt auf, daß Apollos, sobald er von den beiden Christen genauer über „den Weg Gottes" orientiert ist, offenbar nicht mehr in Ephesus predigt, sondern nach Achaia (Korinth) gehen möchte. Hatten Priszilla und Aquila ihn dazu bewogen? Jedenfalls unterstützen[24] die (christlichen) „Brüder" – solche gibt es also vor der Ankunft des Paulus! – seine Absicht. Sie schreiben den „Jüngern" in Achaia (Korinth) einen Empfehlungsbrief: Sie möchten ihn freundlich aufnehmen. 2 Kor 3,1 spielt auf christliche Empfehlungsbriefe an. In Korinth wird Apollos den „Gläubiggewordenen" eine große Hilfe[25]. Die Schlußwendung „durch die Gnade (Gottes)" – sie fehlt in D – ist wohl nicht auf πεπιστευκόσιν zu beziehen[26], sondern auf συνεβάλετο πολύ[27]. Der Beitrag des Apollos in Korinth wird im folgenden Vers näher beschrieben.

---

[16] ζέων τῷ πνεύματι wörtlich: „glühend/brennend in bezug auf den Geist". – ἀκριβῶς wie Lk 1,3. Vgl. ἀκριβέστερον Apg 18,26; 23,20, ferner (mit folgendem τὰ περί) 23,15 und 24,22.

[17] Vgl. τὰ περί mit Angabe des Verkündigungs- oder Lehrgegenstands: Mk 5,27 (über Jesus); Lk 24,19.27 (über Jesus); Apg 1,3 und 19,8 (über das Reich Gottes); 23,11 (über Jesus); 24,22 (über den „Weg"); 28,31 (über den Herrn Jesus Christus).

[18] ἤρξατο παρρησιάζεσθαι „er begann, mutig zu reden/aufzutreten". Vgl. 19,8 (Auftreten des Paulus in der Synagoge).

[19] ἀκούσαντες αὐτοῦ. Siehe dazu oben Nr. 42 A.40 (zu 18,8).

[20] προσλαμβάνομαι kann heißen: „beiseite nehmen", aber auch „in seine (Haus-)Gemeinschaft aufnehmen" (Röm 14,1; 15,7a). Vgl. oben Nr. 40 A.26.

[21] ἡ ὁδός steht in D gig absolut, wahrscheinlich, weil man an V 25 angleichen wollte, wo man „Weg des Herrn" auf den Weg *Jesu* bezog. Die meisten Textzeugen fügen indessen τοῦ θεοῦ an; vgl. oben A. f. Siehe auch oben A.15.

[22] Zum Komparativ von ἀκριβῶς siehe oben A.16.

[23] ἐκτίθεμαι (Med.) „darlegen, erklären" wie 11,4; 28,23.

[24] Das Medium προτρέπομαι „ermuntern, antreiben" steht nur hier im NT, und zwar absolut wie JosAnt V 171; VII 262.

[25] συμβάλλομαι τινί „jemandem förderlich sein"; vgl. Weish 5,8; JosAnt XII 312.

[26] So z.B. Preuschen und C. S. C. Williams.

[27] Vgl. Loisy, Wikenhauser, Conzelmann. Haenchen übersetzt: „durch seine (besondere) Gnade(ngabe)" (vgl. 6,8).

V28 Mit Nachdruck[28] widerlegte er die Juden, in aller Öffentlichkeit[29]. Er zeigte mit Hilfe der Schriften auf[30], daß Jesus der Messias ist. Dazu war er von seiner Bildung her (V24) besonders befähigt.

45. PAULUS IN EPHESUS UND DIE DORTIGEN JOHANNESJÜNGER: 19, 1–7

LITERATUR: Folgende Titel aus Nr. 44: PREISKER, Apollos und die Johannesjünger (1931). – KÄSEMANN, Johannesjünger (1952). – PEREIRA, Ephesian Ministry (1975). – Ferner: W. MICHAELIS, Die sog. Johannes-Jünger in Ephesus, in: NKZ 38 (1927) 717–736. – KLEIN, Die zwölf Apostel (1961) 176–178. – W. GRUNDMANN, Paulus in Ephesus, in: Helikon 4 (1964) 46–82. – SCHILLE, Kollegialmission (1967) 186f. – J. K. PARRATT, The Rebaptism of the Ephesian Disciples, in: ET 79 (1967/68) 182f. – W. WINK, John the Baptist in the Gospel Tradition (SNTSMS 7) (Cambridge 1968) 84–86. – DUNN, Baptism (1970) 83–89. – HAENCHEN, Die Einzelgeschichte und der Zyklus (1972) 203f. – WILKINSON, Baptism (1973) 16–20. – CH. B. KAISER, The „Rebaptism" of the Ephesian Twelve: Exegetical Study on Acts 19:1–7, in: The Reformed Review 31 (1977/78) 57–61. – BÖCHER, Lukas und Johannes der Täufer (1979). – COPPENS, L'imposition des mains (1979) 423–427. – CHEVALLIER, Pentecôtes (1981), bes. 309.

1 [a]Es begab sich aber, während sich Apollos in Korinth aufhielt, daß Paulus das Hochland durchwanderte und nach Ephesus hinabkam[b] und (dort) einige Jünger fand. 2 Und er fragte sie: Habt ihr, als ihr gläubig wurdet, den heiligen Geist empfangen? Sie antworteten ihm: Wir haben noch nicht einmal gehört, daß es einen heiligen Geist gibt[c]. 3 Und er fragte: Auf was seid ihr denn getauft worden? Sie aber sagten: Auf die Taufe des Johannes. 4 Da sprach Paulus: Johannes hat (nur) eine Taufe der Buße vollzogen und das Volk gelehrt, sie sollten an den glauben, der nach ihm komme: an Jesus[d]. 5 Als sie das hörten, ließen sie sich auf den

---

[28] εὐτόνως „kräftig, stark, energisch" wie Lk 23, 10.

[29] διακατελέγχομαι „gänzlich widerlegen". Das Adverb δημοσίᾳ (auch 16, 37; 20, 20) bedeutet „in aller Öffentlichkeit". Nach dem Bruch der korinthischen Gemeinde mit der Synagoge (18, 6) ist wohl an außer-synogogale Lehrvorträge in der Öffentlichkeit gedacht.

[30] ἐπιδείκνυμι (διά mit Genitiv) „erweisen, beweisen". Vgl. Fl. Josephus Contra Ap. II 1: διὰ τοῦ βιβλίου.

[a] Der Anfang von V 1 lautet in P[38 vid] D sy[h.mg]: „Als Paulus gemäß eigenem Beschluß nach Jerusalem reisen wollte, sprach der Geist zu ihm, er solle nach Asia zurückkehren. Als er das Hochland durchwandert hatte, kommt er nach Ephesus ..." Die LA unterstreicht, daß Paulus sich vom heiligen Geist lenken ließ.

[b] Statt κατελθεῖν lesen B Koine lat ἐλθεῖν; vgl. auch D: ἔρχεται. Siehe indessen Nr. 42 A.25.

[c] Statt ἔστιν lesen P[38.41] D* sy[h.mg] sa: λαμβάνουσίν τινες. Die LA beseitigt den anstößigen Zweifel an der *Existenz* des heiligen Geistes.

[d] Anstelle des einfachen „Jesus" haben Koine „Christus Jesus", D „Christus", andere (Ψ sy[p] u. a.) „Jesus Christus".

Namen des Herrn Jesus[e] *taufen. 6 Und nachdem ihnen Paulus die*[f] *Hände aufgelegt hatte, kam*[g] *der heilige Geist auf sie herab, und sie redeten in Zungen und weissagten. 7 Insgesamt waren es etwa zwölf Männer.*

19,1–6 geht davon aus, daß Paulus, als er nach Ephesus kam, nicht mit Apollos zusammentraf (V1). Er fand in Ephesus – neben Aquila und Priszilla (18,26) – „Jünger", die noch nicht einmal vom heiligen Geist gehört, geschweige denn, ihn empfangen hatten (19,2.6). Man fragt sich, warum das christliche Ehepaar nicht auch sie – wie im Fall des Apollos (18,26b) – „eines Besseren belehrt" hat[1]. Die Johannesjünger stehen auf demselben unzulänglichen Wissensstand wie Apollos: Sie kennen nur die Johannestaufe (18,25; 19,3). Paulus belehrt sie (V4) über Jesus und die Taufe auf seinen Namen. Daraufhin empfangen sie die „christliche" Taufe und – durch Handauflegung des Paulus – den „heiligen Geist" (VV5f). Die Geistesgabe äußert sich – wie am ersten christlichen Pfingstfest (2,4.17; vgl. 10,44–48) – im Zungenreden und in prophetischer Rede. Die Täuferjünger werden von Lukas als Noch-nicht-Christen dargestellt; „sein Idealbild der Apostelzeit hatte keinen Raum für Sekten und Spaltungen"[2].

V1 Die Verknüpfung mit der vorausgehenden Perikope (Apollos in Ephesus) ist redaktionell[3]. Bei den „höhergelegenen Gebieten" ist nach 18,23 besonders an Galatien und Phrygien gedacht. Die Johannesjünger zu Ephesus werden als μαθηταί bezeichnet; sie sind somit von Lukas als Christen qualifiziert.

V2 Paulus stellt den „Jüngern" – vom Kontext her: unmotiviert – die Frage, ob sie, als sie zum Glauben kamen, den „heiligen Geist" empfangen

[e] An „des Herrn Jesus" fügen D 614 sy^{h**} an: „Christus zur Vergebung der Sünden"; s. METZGERTC 469.

[f] Vor χεῖρας fehlt der Artikel in P^{74} ℵ A B D al; er wird gesetzt in E Ψ Koine.

[g] $P^{38\,vid}$ D (vg^{mss}) lesen „dramatischer": εὐθέως ἐπέπεσεν. Vgl. 10,44; 11,15; 8,39 A al.

[1] HAENCHEN, Apg 533.

[2] HAENCHEN, a.a.O. 534. CONZELMANN (zu 19,1–7) bemerkt, die Geschichte von den Johannesjüngern könne „an jedem beliebigen Ort (und je näher bei Palästina desto besser) spielen". Vielleicht habe erst Lukas sie nach Ephesus verlegt. Indessen gibt er selbst zu bedenken, „ob Lk die Szene angesichts seiner Tendenz, Paulus als Initiator erscheinen zu lassen, hierher verlegt hätte". Gegen KÄSEMANN, Johannesjünger (1952), wendet CONZELMANN ein: „Ursprünglich wird hier der Anschluß von Täuferjüngern erzählt gewesen sein; denn es ist zu bezweifeln, daß es das hier gezeichnete, geist-lose ‚Christentum' je irgendwo gab."

[3] Zu der Einleitungswendung ἐγένετο δέ vgl. 4,5; 5,7; 8,1.8; 9,19.32.37.43; 10,10; 11,26; 14,1; 15,39; 16,16; 19,23; 22,6.17; 23,9; 28,8.17. Mit folgendem Infinitiv auch 4,5; 9,43; 11,26.

hätten. Die Angesprochenen antworten, offenbar völlig überrascht, sie hätten nicht einmal gehört, daß es den heiligen Geist „gibt“[4].

V3 Paulus stellt den Johannesjüngern eine zweite Frage. Er will wissen, „auf was“ sie getauft worden seien. Sie antworten: „Auf die Taufe des Johannes.“ Der merkwürdige Ausdruck ergibt sich daraus, daß Lukas „gerade *nicht* von einer Taufe auf dessen *Namen* reden will“[5].

V4 Daraufhin belehrt Paulus über das Verhältnis der Johannestaufe zu Jesus. Johannes taufte (nur) mit einer „Buß-Taufe“[6]. Er machte das Volk auf den aufmerksam, der nach ihm[7] kommen sollte[8], nämlich auf Jesus. An ihn sollten seine Täuflinge glauben[9]. Wer also Johannes und seine Taufe anerkennt – wie die ephesinischen Johannesanhänger –, der muß auch – gewissermaßen im Gehorsam zu Johannes – an Jesus glauben!

VV5–6 Als die Johannesjünger die aufklärenden Worte des Paulus vernommen hatten, ließen sie sich taufen[10] „auf den Namen des Herrn Jesus“[11]. Dabei legte ihnen Paulus die Hände auf; damit kam der heilige Geist auf sie herab[12]. Das zeigte sich darin, daß sie (ekstatisch) „in Zungen redeten“[13] und „prophezeiten“[14]. Zungenreden und Prophetie werden nicht miteinander identifiziert[15], sondern als zwei sichtbare Wirkungen des Geistes angesehen. Die Verbindung von Taufe und Handauflegung als Ritus der Geistmitteilung war offenbar in den Gemeinden üblich, die Lukas kannte[16] (vgl. 8,14–17).

---

[4] Der „westliche“ Text nahm Anstoß an der Bezweiflung der Existenz des heiligen Geistes; s.o. A. c.

[5] Conzelmann. Vgl. Käsemann, Johannesjünger 159.

[6] βάπτισμα μετανοίας wie Mk 1,4; Lk 3,3; Apg 13,24. βαπτίζω βάπτισμα wie Mk 10,38.39; Lk 7,29; 12,50.

[7] Zu μετ᾽ αὐτόν vgl. 13,25.

[8] Zu εἰς τὸν ἐρχόμενον vgl. Lk 7,19.20. πιστεύω εἰς wie Apg 10,43; 14,23; vgl. Mt 18,6; Mk 9,42; Joh 1,12; 2,11 u.ö.; Röm 10,14; Gal 2,16; Phil 1,29; 1 Petr 1,8; 1 Joh 4,1 u.ö.

[9] ἵνα πιστεύσωσιν schließt an „an den Kommenden“ an und wird durch „an Jesus“ präzisiert.

[10] βαπτίζομαι im Sinne von „sich taufen lassen“ wie Lk 3,7.12.21; Apg 2,38; 16,33; 18,8.

[11] εἰς τὸ ὄνομα wie 8,16; vgl. 1 Kor 1,13.15; Mt 28,19. Vgl. dazu L. Hartman, ὄνομα 3.d, in: EWNT II 1275–1277.

[12] ἔρχομαι ἐπί vom heiligen Geist wie Mt 3,16. Siehe indessen auch Lk 3,22; Apg 1,8; 10,44; 11,15. Der Geistempfang im Zusammenhang mit der Taufe auf den Namen Jesu macht die christliche Taufe aus. Sonst handelt es sich nicht um eine „Wiedertaufe“ der Johannesjünger. Vgl. Kaiser, The „Rebaptism“ (1977) 60f.

[13] λαλέω γλώσσαις wie 2,4; 10,46; 1 Kor 12,30; 13,1; 14,5 u.ö.

[14] Die prophetische Rede bzw. das Weissagen (προφητεύω) ist in der Apg stets Wirkung des heiligen Geistes: 2,17.18; 19,6; 21,9; vgl. Lk 1,67.

[15] Gegen Loisy und Conzelmann.

[16] Vgl. Coppens, L'imposition des mains 423–427. Haenchen setzt voraus, daß mit der Handauflegung die Taufzeremonie abgeschlossen wurde.

V 7 Die abschließende Notiz gibt die Zahl der Johannesjünger mit ὡσεὶ δώδεκα[17] an. An eine symbolische Bedeutung der Zwölfzahl dürfte kaum gedacht sein[18].

46. PREDIGT DES PAULUS UND WUNDERTATEN: 19,8–20

LITERATUR: A. DEISSMANN, Ephesia Grammata, in: Abhandlungen zur semitischen Religionskunde und Sprachwissenschaft (Festschr. für W. W. Graf von Baudissin) (Gießen 1918) 121–124. – WIKENHAUSER, Die Apostelgeschichte und ihr Geschichtswert (1921) 367–369. – B. M. METZGER, St. Paul and the Magicians, in: Princeton Seminary Bull. 38 /1 (1944) 27–30. – SCHILLE, Anfänge der Kirche (1966) 79–82. – KLEIN, Der Synkretismus (1967) 50–61.77–80. – O'NEILL, Theology of Acts (²1970) 74f. – KODELL, The Word of God grew (1974) [zu 19,20]. – R. E. OSTER JR., A Historical Commentary on the Missionary Success Stories in Acts 19:11–40. Diss. Princeton Theol. Seminary (1974). – B. A. MASTIN, Scaeva the Chief Priest, in: JThSt 27 (1976) 405–412. – E. SCHÜSSLER-FIORENZA, Miracles, Mission and Apologetics. An Introduction, in: dies. (Hrsg.), Aspects of Religious Propaganda in Judaism and Early Christianity (Notre Dame/London 1976) 1–25. – B. A. MASTIN, A Note on Acts 19,14, in: Bibl 59 (1978) 97–99.

8 Er ging in die Synagoge und trat drei Monate hindurch [a]freimütig auf, indem er vom Reich Gottes redete und (die Leute davon) zu überzeugen suchte. 9 Da aber einige verstockt und ungehorsam waren, indem sie den (neuen) Weg vor der Menge[b] schmähten, trennte er sich von ihnen, sonderte die Jünger ab und redete täglich im Lehrsaal des Tyrannus[c]. 10 Dies geschah zwei Jahre lang, so daß[d] alle Bewohner von Asia das Wort des Herrn hörten, sowohl Juden als auch Griechen. 11 Auch ungewöhnliche Wunder tat Gott durch die Hände des Paulus. 12 Sogar Schweiß- oder Lendentücher nahm man ihm vom Leibe weg und legte sie den Kranken auf; da wichen die Krankheiten von ihnen, und die bösen Geister fuhren aus.

13 Auch einige von den umherziehenden jüdischen Beschwörern unternahmen es, über den von bösen Geistern Besessenen den Namen des Herrn Jesus anzurufen, indem sie sagten: Ich beschwöre[e] euch bei dem

---

[17] Zahlenangaben mit ὡσεί finden sich häufig bei Lukas: Lk 3,23; 9,14.28; 22,59; 23,44; Apg 1,15; 2,41; 10,3; im übrigen NT nur noch Mt 14,21.

[18] Vgl. HAENCHEN: „Lukas hat nur eine kleine runde Zahl angegeben, wie es die Geschichte erforderte ..." T. HOLTZ, δώδεκα, in: EWNT I 874–880, urteilt: „ob irgendeine historische Erinnerung dahinter steht, ist unerkennbar (eine Anlehnung an die Zwölf-Zahl der Jesus-Jünger ist kaum wahrscheinlich)" (876).

[a] D sy h.mg fügen ein: „mit großer Kraft".

[b] D (E) sy p.h** lesen: „Menge der Heiden".

[c] Der „westliche" Text (D gig w sy h**) fügt an: „von der fünften bis zur zehnten Stunde". Möglicherweise eine tradierte Information, die jedoch, hätte sie im ursprünglichen Text gestanden, kaum getilgt worden wäre; METZGERTC 470.

[d] Statt ὥστε lesen D* (e sy p): ἕως (πάντες ...).

[e] Statt der 1. Person Singular liest Koine: „Wir beschwören". Doch denkt der ursprüngliche Text nicht an eine „kollegiale" Beschwörungsaktion.

Jesus, den Paulus predigt. 14 [f]Das taten sieben Söhne eines gewissen Skevas, eines jüdischen Oberpriesters[f]. 15 Aber der böse Geist antwortete ihnen: Jesus kenne ich, und auch Paulus ist mir bekannt. Wer aber seid ihr? 16 Und der Mensch, in dem der böse Geist war, stürzte sich auf sie, überwältigte sie alle[g] und setzte ihnen so zu, daß sie nackt und zerschunden aus dem Haus fliehen mußten.
17 Das wurde allen kund, die in Ephesus wohnten, Juden und Griechen; und Furcht befiel sie alle, und der Name des Herrn Jesus wurde hoch gepriesen. 18 Viele, die gläubig geworden waren, kamen und bekannten offen, was sie (früher) getan hatten. 19 Viele von denen, die Zauberei getrieben hatten, trugen die (Zauber-)Bücher zusammen und verbrannten sie vor aller Augen. Man berechnete ihren Wert und kam auf 50000 Silberdrachmen. 20 [h]So wuchs das Wort des Herrn mit Macht und wurde stark[h].

Der Abschnitt 19,8–20 umfaßt drei Unterabschnitte, von denen die beiden äußeren (VV 8–12.17–20) den *Summarien* nahestehen, der mittlere jedoch (VV 13–16) eine *Episode* erzählt: Die Söhne des Skevas.

VV 8–10 berichten von den ersten drei Monaten, in denen Paulus zu Ephesus wirkte: in der Synagoge. Dann zog er in den Lehrsaal des Tyrannus, wo er *täglich* lehren konnte, zwei Jahre lang. Auf diese Weise erreichte er nahezu ganz Asia mit seiner Botschaft. Die folgenden *VV 11f* sprechen von Wundern, die Paulus tat, und von der Wirkung, die auf die Bevölkerung ausging. Die Notiz über das Ausfahren böser Geister (V 12b) leitet zu der folgenden Episode über.

VV 13–16 erzählen von jüdischen Wander-Exorzisten, die „den Namen des Herrn Jesus" verwendeten. Von den Söhnen des jüdischen Oberpriesters Skevas wird berichtet, daß sie von einem „bösen Geist" nicht respektiert wurden. Die Frage des Dämonen „Wer aber seid ihr?" unterstreicht, daß der Name Jesu, den die Exorzisten verwenden, nicht magisch wirkt. Der böse Geist veranlaßt den Besessenen, sich auf die Skevas-Söhne zu stürzen und sie schmählich zu vertreiben.

VV 17–20 berichten zunächst von der Wirkung der vorausgehenden Episode auf die Stadtbewohner: Diese preisen „den Namen des Herrn Jesus".

---

[f] V 14 lautet in D (ähnlich P[38] sy[h.mg]): „In diesem Zusammenhang wollten auch (sieben) Söhne eines gewissen Priesters namens Skevas dasselbe tun – sie hatten die Gewohnheit, solche zu beschwören. Und sie kamen zu dem Besessenen und begannen, den Namen anzurufen, indem sie sprachen: Wir befehlen dir durch Jesus, den Paulus predigt, auszufahren." Vgl. METZGERTC 470f.

[g] Statt ἀμφοτέρων lesen (Ψ) Koine (erleichternd): αὐτῶν. Vgl. METZGERTC 471f.

[h] V 20 lautet in D: „So wurde es (sc. das Wort?) mit Macht stark, und der Glaube an Gott wuchs und mehrte sich." Der Ausdruck πίστις τοῦ θεοῦ ist un-lukanisch. Das absolute ἐνίσχυσεν (D) setzt möglicherweise das Subjekt ὁ λόγος des ursprünglichen Textes voraus.

Die Gläubiggewordenen sagen sich von ihrer Vergangenheit, insbesondere von Zauberpraktiken los. So kann das Wort des Herrn Fortschritte machen.

Quellen der Darstellung sind im wesentlichen einzelne Nachrichten über Zeit und Örtlichkeiten[1], aber auch überlieferte Episoden wie die von den jüdischen Exorzisten[2] und die von der Verbrennung der Zauberbücher[3]. Die burleske Szene mit der Überwältigung der Skevas-Söhne hat eine formale Parallele in 18,12-17; die Verbrennung der Zauberbücher gerade in Ephesus knüpft an die bekannten Ἐφέσια γράμματα an[4] und vermittelt insofern, ähnlich wie es in der Athendarstellung (17,16-21) geschieht, „Lokalkolorit".

Die drei Abschnitte gehören nicht nur erzählerisch zusammen, sondern auch unter dem sachlichen Aspekt, daß der Acta-Verfasser hier eine „Abgrenzung gegen die Magie" vornimmt[5]. Wahrscheinlich darf man noch spezifischer urteilen: Das eigentliche Thema der Erzählung von den Skevas-Söhnen ist „die widerrechtliche Aneignung christlicher Gehalte durch konkurrierende Religion"[6]. Diese Auffassung wurde von G. Klein vertreten, der Lukas hier mit dem Problem des Synkretismus konfrontiert sieht: „Es löst sich für Lukas in der Einsicht, daß die Berechtigung zum Gebrauch christlicher Verkündigungselemente sich danach bemißt, ob er sich im Rahmen der kirchlichen Tradition bewegt, als deren legitimer Vertreter hier Paulus erscheint, oder abseits davon."[7]

V8 Entsprechend dem üblichen Anknüpfungsschema der Apostelgeschichte wird von der Predigt des Paulus in der Synagoge berichtet. Daß diese Notiz nicht am Anfang des Ephesus-Aufenthalts steht, hängt wohl damit zusammen, daß sie mit dem Ortswechsel (V9) verbunden werden sollte. V9 ist in V10 sachlich fortgeführt, indem der Zeitraum von zwei Jahren angegeben wird. Die Verse 8-10 (11-12) beziehen sich also summarienartig auf eine längere Zeit des Wirkens und verbinden so die Episode von den Johannesjüngern (VV1-7) mit der von den Söhnen des Skevas

---

1 CONZELMANN zu 19,18ff. Vgl. HAENCHEN, Apg 536.

2 CONZELMANN, zu VV 13-16, bemerkt: „Legende mit burlesker Grundlage." Er fragt: „Ist eine profane Anekdote übernommen oder liegt eine volkstümliche christliche Eigenbildung vor?"

3 Von Bücherverbrennungen berichten Livius XXXIX 16,8; XL 29; Sueton, Augustus 31 (Orakelbücher); Diogenes Laert. IX 52.

4 Siehe dazu DEISSMANN, Ephesia Grammata (1918); KUHNERT, Ἐφέσια γράμματα, in: PAULY/WISSOWA V 2771-2773. Letzterer bemerkt, die bekannte Erzählung der Apg bestätige nur „Selbstverständliches" (2772), nämlich ein blühendes Zauberwesen in Ephesus. Zum antiken Zauberwesen vgl. K. PREISENDANZ, Papyri Graecae Magicae, 2 Bde. (Stuttgart ²1973/74); K. PREISENDANZ/H. LE BONNIEC, Zauber, in: LAW 3303-3306; C. ZINTZEN, Zauberei/Zauber, in: KlPauly V 1460-1472.

5 CONZELMANN zu VV 13-16.

6 KLEIN, Der Synkretismus (1967) 59.

7 Ebd. KLEIN sieht das Synkretismusproblem neben 19,11-20 auch an anderen Stellen der Apg angesprochen: 8,6-24 (dazu a.a.O. 67-77); 13,6-12 (dazu a.a.O. 61-67).

(VV13.14–16). Am Anfang des „Summariums“ wird angegeben, daß Paulus drei Monate lang[8], d.h. relativ kurz, in der Synagoge auftrat. Er sprach also in dieser Zeit (vor allem) zu Juden, und zwar am Sabbat. Zum Inhalt der Predigt sind 8,12; 28,23.31 zu vergleichen.

VV9–10 Es kommt dazu, daß von den Synagogenbesuchern „einige“ – τινές besagt nicht, daß es nur wenige waren – sich verstockt[9] und ungehorsam (gegenüber dem Wort Gottes) verhielten. Sie schmähten[10] den „Weg“[11] vor versammelter Gemeinde (V9a). Da trennte sich Paulus „von ihnen“, d.h. von der Synagoge, und sonderte die „Jünger“, d.h. die christlich gewordenen Juden, ab[12] (V9b). Er bezog fortan den Lehrsaal[13] des Tyrannus, wo er jeden Tag lehren konnte (V9c). Die Absage an die Juden ist wie 18,6f mit einem Auszug aus der Synagoge verbunden. Ob Tyrannus der Besitzer (Stifter?) des Saales war oder der Lehrer, der dort seinen Stammplatz hatte, bleibt offen. Der „westliche“ Text gibt an, daß Paulus von 11 bis 16 Uhr dort lehren konnte[14]. Damit ist wohl gemeint: zu einer Zeit, da der Saal (wegen der Mittagshitze) nicht mehr benutzt wurde[15]. V10 notiert, daß Paulus zwei Jahre lang im Saal des Tyrannus lehrte[16]. Die tägliche Lehrtätigkeit und die lange Dauer des Wirkens ermöglichten, daß – so wird übertreibend gesagt – „alle Bewohner der (Provinz) Asia“ das Wort des Herrn hörten, und zwar Juden wie Griechen (Heiden). Das „lukanische“ Bild von der Missionierung des „Landes“ vom städtischen Vorort aus[17] stellt sich wieder ein. Es dürfte der Wirklichkeit entsprechen. Denn die Gemeinden von Kolossä, Laodizea und Hierapolis sind von Ephesus aus gegründet worden.

---

[8] Die Zeitangabe ἐπί mit Akkusativ (von der zeitlichen Erstreckung) begegnet in Verbindung mit einem Zahlwort z.B. auch Lk 4,25; Apg 17,2; 19,10.34

[9] Das Passiv von σκληρύνω bedeutet „hart werden, sich verstocken“; vgl. Sir 30,12; Hebr 3,13.

[10] κακολογέω kommt sonst bei Lukas nicht vor. Vgl. indessen Mk 7,10; 9,39 mit personalem Akkusativ.

[11] ἡ ὁδός steht hier absolut wie 9,2; 19,23; 22,4; 24,14.22. Es bezeichnet die (neue) religiöse Lehre und Lebensweise im umfassenden Sinn. Vgl. oben Nr. 21 A.29.

[12] ἀφορίζω begegnet auch Lk 6,22: „Selig seid ihr, wenn euch *die Menschen* hassen und wenn sie euch ausschließen (ἀφορίσωσιν) und schmähen ... um des Menschensohnes willen!“ In Ephesus soll *Paulus* „die Jünger“ von der Synagoge getrennt haben!

[13] σχολή ist der Ort der Lehre, die „Schule“; ntl. Hapaxlegomenon.

[14] Siehe oben A. c.

[15] Siehe WIKENHAUSER. Oder ist gemeint, daß Paulus am Vormittag sein Handwerk ausübte? Vgl. HAENCHEN und CONZELMANN, die auf eine entsprechende Notiz des Ambrosiaster verweisen.

[16] Laut 20,31 war Paulus drei Jahre in Ephesus. Innerhalb dieser Zeit ist er wohl zu einem (kurzen) Besuch in Korinth gewesen; vgl. KÜMMEL, Einleitung 248f.

[17] Vgl. CONZELMANN: „Wieder wird die Christianisierung einer ganzen *Landschaft* angezeigt.“ Zu vergleichen ist Apg 5,16; 8,5–14; 11,26.

VV11–12 leiten zu der Exorzistengeschichte (VV13–16) über (besonders V12b). Gott wirkt durch die Hände des Paulus ungewöhnliche[18] Machttaten (vgl. 5,12.15). Man legte den Kranken Schweißtücher und Lendentücher[19] auf, die man Paulus „von der Haut wegnahm“[20], und sie wurden geheilt. Durch die Hände des Paulus wirkte also Gott, ja, er tat es sogar durch Tücher, die mit Paulus in Berührung gekommen waren. Gott vertrieb durch Paulus Krankheiten und böse Geister. Paulus ist der von Gott autorisierte und damit erfolgreiche „Exorzist“, im Gegensatz zu den jüdischen Exorzisten!

V13 schließt sich adversativ an V12b an. Dem Exorzisten Paulus werden wandernde jüdische Exorzisten gegenübergestellt, die es unternahmen, über den Besessenen „den Namen des Herrn Jesus“ anzurufen. Ihre Beschwörungsformel lautete: „Ich beschwöre euch bei Jesus[21], den Paulus verkündigt.“ Über Erfolg oder Mißerfolg dieser Wander-Exorzisten ist zunächst nichts gesagt. Doch zeigt die folgende Episode, daß auch die Skevas-Söhne zu ihnen gehörten und daß die Beschwörer scheiterten. Jüdische Exorzisten waren im ersten Jahrhundert keine Seltenheit (Mt 12,27 par Lk 11,19[22]). Justin läßt erkennen, daß dies noch im zweiten Jahrhundert so war[23]. In griechischen (und koptischen) Zauberbüchern werden des öfteren alttestamentliche Namen, besonders der Gottesname, als Zauber- oder Beschwörungsformel genannt[24]. Jesus duldete laut Lk 9,49f (vgl. Mk 9,38f) einen fremden jüdischen Beschwörer, der mit seinem Namen Beschwörungen vornahm. V13b deutet an, daß die jüdischen Exorzisten, indem sie den Jesus-Namen ausriefen, Paulus nachahmten, wahrscheinlich, weil sie seine „ungewöhnlichen Wunder“ (V11) sahen.

---

[18] Die Litotes οὐ τὰς τυχούσας (vgl. 28,2) ist hellenistisch; vgl. BAUERWb s.v. τυγχάνω 2d.

[19] σουδάρια und σιμικίνθια (vom lateinischen *sudarium* bzw. *semicinctium*). σουδάρια dürfte sich auf Kopftücher beziehen. Wahrscheinlich ist σιμικίνθιον ein Tuch, das man bei der Arbeit um die Lenden band (Schurz). Möglich ist indessen auch, daß ein Tuch gemeint ist, das man in der Hand hielt, um sich den Schweiß abzuwischen (Taschentuch).

[20] Daß dies gewaltsam geschah, ist nicht gesagt; vgl. HAENCHEN, Apg 539.

[21] ὁρκίζω ὑμᾶς τὸν Ἰησοῦν. Der doppelte Akkusativ nach ὁρκίζω („jemanden bei ...“) ist auch sonst bezeugt: Mk 5,7; 1 Thess 5,27 t.r.

[22] Vgl. auch JosAnt VIII 45–49. Siehe SCHÜRER, Geschichte des jüdischen Volkes III 409f.

[23] Siehe JustDial 85. Vgl. weiterhin IrenHaer II 6,2.

[24] Neben dem Gottesnamen Jahwe begegnet auch einige Male der Name Jesus. Vgl. den großen Pariser Zauberpapyrus ZP 3019, wo die Beschwörung lautet: „Ich beschwöre dich bei dem Gott der Hebräer, Jesus ...“ Siehe PREISENDANZ, Papyri (siehe oben A. 4) Nr. 4 (Pariser Papyrus).

VV 14–15 Auch sieben Söhne eines jüdischen „Hohenpriesters"[25] namens Skevas[26] gebrauchten den Jesus-Namen bei ihrem exorzistischen Tun. Die Söhne des Skevas, der – in Jerusalem – Priester war, standen offenbar als Angehörige einer priesterlichen Familie in besonderem Ansehen[27]. Doch der böse Geist – die Episode greift einen Einzelfall als Exempel heraus – antwortete ihnen (auf die Beschwörungsworte): „Jesus kenne ich zwar, und Paulus ist mir bekannt; ihr aber, wer seid ihr?" Der Dämon hat Wissen über Jesus und Respekt vor Paulus[28]. Aber die Skevas-Söhne erkennt er nicht an. Ihrem Wort wird er nicht gehorchen.

V 16 Der Besessene stürzt sich auf die Skevas-Söhne und überwältigt sie[29]. Er setzt ihnen so zu, daß sie nackt und zerschunden[30] aus dem Haus fliehen müssen, wo sie den Exorzismus vornehmen wollten.

V 17 ist eine redaktionelle Bildung (vgl. 1, 19; 4, 16; 9, 42). Juden und Griechen (Heiden) in Ephesus erfahren von dem Fiasko der jüdischen Exorzisten. Sie werden von Furcht befallen[31] und preisen den Namen des Herrn Jesus[32].

VV 18–19 Die Niederlage der magisch operierenden jüdischen Exorzisten führt dazu, daß viele Gläubige (Christen) (zu Paulus) kommen und ihre πράξεις[33] offen bekennen[34]. Nach dem Kontext ist nicht an eine „Beichte" gedacht, sondern an ein öffentliches Sich-Lossagen von aller Zauberei. Möglicherweise denkt der Erzähler an Praktiken, die die ephesinischen

---

[25] ἀρχιερεύς meint hier nicht einen (ehemals) regierenden Hohenpriester, sondern einen Mann aus der Gruppe der ἀρχιερεῖς (vgl. Apg 9, 14); siehe auch oben A. f. Es ist nicht an einen Juden gedacht, der als Renegat einem heidnischen Kult diente; vgl. Mastin, Scaeva (1976) 406, der sich gegen B. E. Taylor, Acts XIX.14, in: ET 57(1945/46)222, wendet. Daß Skevas in Ephesus sein Amt ausgeübt habe, sagt die Apg nicht.

[26] Σκευᾶς ist als Name eines regierenden Hohenpriesters nicht bezeugt. Der Name entspricht dem lateinischen *Scaeva*.

[27] So Mastin, a. a. O. 411.

[28] γινώσκω wird auf Jesus bezogen, ἐπίσταμαι auf Paulus. Der Dämon *erkennt* Jesus, er hat Paulus *kennengelernt*. Zum „christologischen" Wissen der Dämonen vgl. Lk 4, 41; 8, 28. – ἐπίσταμαι ist Vorzugsvokabel der Apg und bedeutet hier stets „wissen, kennen, bekannt sein (mit)": 10, 28; 15, 7; 18, 25; 19, 15.25; 20, 18; 22, 19; 24, 10; 26, 26.

[29] κατακυριεύσας ἀμφοτέρων. ἀμφότεροι steht hier im Sinne von „alle", wie sonst bisweilen in der Koine; vgl. BauerWb s. v. 2. Siehe auch Apg 23, 8.

[30] Ein Partizip von τραυματίζω steht auch Lk 20, 12 diff Mk.

[31] Vgl. Lk 1, 12 φόβος ἐπέπεσεν ἐπ᾽ αὐτόν.

[32] Das passivische „und verherrlicht wurde (ἐμεγαλύνετο) der Name ..." hat eine Parallele in Phil 1, 20.

[33] πρᾶξις „böse Tat, Schandtat" wie Lk 23, 51. Vielleicht ist indessen näherhin die Zauberhandlung gemeint, wie der Kontext andeutet; vgl. BauerWb s. v. 4 b; Wikenhauser.

[34] ἐξομολογούμενοι καὶ ἀναγγέλλοντες. Das Medium von ἐξομολογέω bedeutet „eingestehen"; vgl. Mk 1, 5; Mt 3, 6; Jak 5, 16. ἀναγγέλλω bezeichnet die Mitteilung an andere.

[35] In diesem Fall hätten sich die Gläubigen von „synkretistischer" Religiosität distanziert!

Christen noch nach ihrer Taufe beibehielten[35]. Soweit sie Zauberei getrieben hatten[36], brachten sie ihre Zauberbücher[37] an einen Platz zusammen und verbrannten sie öffentlich. Der Wert belief sich auf 50000 Silberdrachmen[38]. Mit dieser Notiz wird der Erfolg gleichsam bemessen.

V 20 kann auch übersetzt werden: „So wuchs und erstarkte das Wort gemäß der Kraft des Herrn." Doch ist κατὰ κράτος eine verbreitete adverbiale Wendung und bedeutet „kräftig"[39]. Die summarische „Wachstumsnotiz" ist lukanischer Abschluß[40] (vgl. 6,7; 12,24).

47. AUFSTAND DES DEMETRIUS GEGEN PAULUS: 19,21–40

LITERATUR: A. BLUDAU, Der Aufstand des Silberschmieds Demetrius (Apg. 19,23–40), in: Der Katholik 33 (1906) 81–91.201–213.258–272. – L. ROSS TAYLOR, Artemis of Ephesus, in: Beginnings V (1933) 251–256. – DIES., The Asiarchs, in: Beginnings V (1933) 256–262. – E. LICHTENECKER, Das Kultbild der Artemis von Ephesus. Diss. Tübingen (1952). – G. S. DUNCAN, Paul's Ministry in Asia – the Last Phase, in: NTS 3 (1956/57) 211–218. – F. SOKOLOWSKI, A New Testimony on the Cult of Artemis of Ephesus, in: HThR 58 (1965) 427–431. – J. R. RICHARDS, Romans and I Corinthians, in: NTS 13 (1966/67) 14–30, näherhin 25f [zu 19,21f]. – NAVONE, Journey Theme (1972) 618f. – PLÜMACHER, Lukas (1972) 98–100. – WIATER, Komposition als Mittel der Interpretation (1972) 224–245 [zu 19,21f). – R. FLEISCHER, Artemis von Ephesus und verwandte Kultstatuen aus Anatolien und Syrien (Leiden 1973). – OSTER, Historical Commentary (1974; s.o. Nr. 46). – WIATER, Wege zur Apostelgeschichte (1974) 73–83. – RADL, Paulus und Jesus (1975) 103–126 [zu 19,21]. – R. OSTER, The Ephesian Artemis as an Opponent of Early Christianity, in: JAC 19 (1976) 24–44. – S. E. JOHNSON, The Apostle Paul and the Riot in Ephesus, in: Lexington Theol. Quarterly 14 (1979) 79–88. – B. SCHWANK, Ἄρτεμις, in: EWNT I 381 (1979). – PLÜMACHER, Rezension: H. Köster, Einführung in das NT (1981) 8–13.

21 Nach diesen Ereignissen nahm sich Paulus im Geiste vor, über Mazedonien und Achaia nach Jerusalem zu reisen. Er sagte: Wenn ich dort gewesen bin, muß ich auch Rom sehen. 22 Er sandte zwei seiner Gehilfen, Timotheus und Erastus, nach Mazedonien voraus; er selbst hielt sich noch eine Zeitlang in Asia auf.

23 Um jene Zeit aber entstand ein nicht geringer Aufruhr wegen des (neuen) Weges. 24 Ein Mann mit Namen Demetrius, ein Silberschmied, verfertigte silberne[a] Tempel der Artemis und verschaffte den Kunsthandwerkern nicht geringen Erwerb. 25 Diese und die dabei beschäftigten Ar-

---

[36] τὰ περίεργα πράσσω „Zauberei betreiben"; vgl. BAUERWb s.v. περίεργος 2; Patristic Greek Lexicon s.v. 6.

[37] Hier einfach αἱ βίβλοι genannt; siehe indessen oben A. 4. Von μαγικοὶ βίβλοι spricht auch Ps.-Phocylides 149; vgl. dazu P. W. VAN DER HORST, Pseudo-Phocylides und das Neue Testament, in: ZNW 69(1978)187–202, näherhin 196.

[38] Der Wert der Bücher wird von WIKENHAUSER auf „etwa 35 000 Goldmark" (von HAENCHEN auf 36 000) berechnet.

[39] Siehe CONZELMANN; ferner BAUERWb s.v. κράτος 1.

[40] Vgl. KODELL, The Word of God grew (1974).

[a] ἀργυροῦς fehlt in ℵ E 36. 323. 614 al.

beiter versammelte er und sagte: Männer[b], *ihr wißt, daß von diesem Gewerbe unser Wohlstand kommt. 26 Nun seht und hört ihr, daß dieser Paulus nicht bloß in Ephesus, sondern fast in ganz Asia viele Leute verführt und aufgehetzt hat, indem er behauptet, die mit Händen gemachten Götter seien keine Götter. 27 Aber es besteht nicht nur Gefahr, daß unser Geschäft in Verruf kommt, sondern auch, daß das Heiligtum der großen Göttin Artemis für nichts geachtet wird. Künftig wird sie, die ganz Asia und der Erdkreis verehrt, ihre Hoheit verlieren. 28 Als sie das hörten, wurden sie wütend*[c] *und schrien: Groß ist die Artemis von Ephesus! 29* [d]*Und die Stadt geriet in Aufruhr*[d], *alle stürmten ins Theater, und sie schleppten die Mazedonier Gaius und Aristarch, Reisegefährten des Paulus, mit sich.*

30 Als aber Paulus unter das Volk gehen wollte, hielten ihn die Jünger zurück. 31 Auch einige hohe Beamte von Asia, die ihm freundlich gesinnt waren, schickten zu ihm und ließen ihm raten, sich nicht ins Theater zu begeben.

32 Dort schrien die einen dies, die andern das; denn die Versammlung war in Verwirrung, und die meisten wußten nicht, weshalb man überhaupt zusammengekommen war. 33 Die Juden schickten Alexander (zur Rednerbühne) nach vorn; und aus der Menge gab man ihm noch Hinweise[e]. *Alexander gab mit der Hand ein Zeichen und wollte vor dem Volk eine Verteidigungsrede halten. 34 Als sie jedoch bemerkten, daß er ein Jude war, erhoben sie alle miteinander die Stimme und schrien etwa zwei Stunden lang:* [f]*Groß ist die Artemis von Ephesus*[f]*! 35 Da brachte der Stadtschreiber die Menge zum Schweigen*[g] *und sagte: Männer von Ephesus! Wo gibt es denn einen Menschen, der nicht wüßte, daß die Stadt der Epheser die Tempelhüterin der Großen Artemis und ihres vom Himmel gefallenen Bildes ist? 36 Dies ist unbestreitbar; ihr müßt also Ruhe bewahren und nichts Übereiltes tun. 37 Ihr habt diese Männer hergeschleppt, die weder Tempelräuber sind noch unsere Göttin lästern. 38 Wenn also Demetrius und seine Zunftgenossen gegen jemand einen Anspruch haben, so gibt es dafür Gerichtstage und Prokonsuln; dort mögen sie einander verklagen! 39 Wenn ihr aber noch etwas anderes*[h] *be-*

---

[b] In V 25 lesen (statt ἐργάτας εἶπεν· ἄνδρες) D sa: „Handwerker und sprach zu ihnen: ἄνδρες συντεχνῖται ...“ Vgl. METZGERTC 472.

[c] An πλήρεις θυμοῦ fügen D sy h.mg an: δραμόντες εἰς τὸ ἄμφοδον „und liefen auf die Straße“; vgl. METZGERTC 472.

[d] Der Anfang von V 29 (d – d) lautet in D* (gig sy p): „Und es wurde die ganze Stadt vor Scham in Aufruhr versetzt ...“

[e] Statt συνεβίβασαν (P74 ℵ A B E al) lesen D c Ψ Koine al προεβίβασαν („sie schoben ihn nach vorn“), D* lat κατεβίβασαν („sie schickten ihn hinunter“).

[f] Der Ruf (f – f) wird in B wiederholt.

[g] Statt καταστείλας lesen D E Ψ 614 pc κατασείσας („er winkte“); vgl. 12, 17; 13, 16.

[h] Vor περαιτέρω fügen ℵ A D Ψ Koine al (gegen P74 B al) erläuternd ein: περὶ ἑτέρων.

gehrt, so wird das in der gesetzmäßigen Volksversammlung geklärt werden. 40 Sonst stehen wir in Gefahr, des Aufruhrs angeklagt zu werden wegen der heutigen Vorfälle, weil kein Grund vorliegt, mit dem wir diesen Volksauflauf rechtfertigen könnten. Nach diesen Worten löste er die Versammlung auf.

Die *VV21f* finden in 20,1–6 ihre sachliche Fortsetzung; sie gehören dem Bericht über die Reiseroute des Paulus an. Die Formulierung stammt in hohem Maß von Lukas[1]. Dadurch, daß der Plan des Paulus über seine Jerusalemreise[2] *vor* dem Aufstand des Demetrius (VV23–40) vorgestellt wird, „erscheint das Folgende bereits im Lichte des Aufbruches, dh im Sinne des Lk: die Pläne des Paulus sind nicht durch den Tumult des Demetrius durchkreuzt worden."[3] Von der Kollekte für Jerusalem, die den tatsächlichen Anlaß der Reise darstellte, sagt der Acta-Bericht (hier) nichts[4].

Die Geschichte vom Tumult des Silberschmieds Demetrius *(VV23–40)*, die starkes Lokalkolorit aufweist[5], spielt die wirklichen Vorgänge in Ephesus zweifellos herunter. Laut 2 Kor 1,8–11 wurde Paulus aus Todesgefahr errettet. Gegen E. Haenchen[6] ist mit H. Conzelmann zu vermuten, daß Lukas mit seinem Bericht im Episodenstil eine überlieferte Geschichte übernommen und ausgebaut hat[7]. Für diese Auffassung läßt sich „das Intermezzo" mit Alexander (VV33f) anführen[8], das für Lukas keine Bedeutung haben dürfte.

---

[1] Siehe z. B. die mit δεῖ verbundene Theologie des Planes Gottes; vgl. 23,11; 27,24. Vgl. Radl, Paulus und Jesus 103: „Es gibt wenig Stellen in der Apg, die so deutlich redaktionellen Charakter tragen wie 19,21."

[2] Zum tatsächlichen Anlaß und den Umständen, die „viel komplizierter" waren (Conzelmann), sind die Korintherbriefe zu vergleichen: 1 Kor 16,5–12; 2 Kor 1,8–11.15f. Zu Apg 19,22 (Entsendung von Timotheus) siehe 1 Kor 4,17; 16,10. Die Apg übergeht die Rückkehr des Timotheus und die zweimalige Sendung des Titus: 2 Kor 2,12f; 7,6f; 8,16–23. Vgl. Ollrog, Paulus und seine Mitarbeiter 22f.

[3] Conzelmann zu V 21.

[4] Siehe indessen Apg 24,17.

[5] Siehe Cadbury, Book of Acts (1955) 5f.13.41–43 u.ö. Vgl. auch Plümacher, Rezension: H. Köster, Einführung in das NT (1981) 9, der auf die in der zweiten Hälfte des 1. Jh.s und im 2. Jh. verbreiteten städtischen Unruhen verweist, die sich „in Theatertumulten, Zusammenrottungen, Straßenschlachten und ... noch Schlimmerem" entluden.

[6] Haenchen, Apg 554: „Man wußte nur noch, daß ein großer θόρυβος der Abreise des Paulus von Ephesus vorausgegangen war." Lukas wollte den Aufruhr „anschaulisch vor den Lesern entwickeln". „Dafür war gar nicht soviel Material nötig." Haenchen denkt an die bekannten ephesinischen Gegebenheiten: Artemiskult, Asiarchen; Erinnerung an einen Demetrius. Vgl. auch Dibelius, Paulus in der Apostelgeschichte (1951) 178 Anm. 2: Apg 19,23–40 gehöre „nicht zu den Paulusnachrichten". Auch Plümacher, Lukas 98–100, scheint die Erzählung ganz dem dramatischen Episodenstil des Acta-Verfassers zuzuschreiben.

[7] Conzelmann zu VV 23–40: Lukas gestaltet „wohl Szenerien, erfindet aber nicht Geschichten".

[8] Conzelmann, a.a.O. Vgl. auch Haenchen, Apg 553: „Was soll eigentlich dieses ganze jüdische Intermezzo, das weder einen vernünftigen Anlaß noch einen sinnvollen

VV21–22 Mit ὡς δὲ ἐπληρώθη ταῦτα setzt – entsprechend dem Beginn des lukanischen „Reiseberichts“ Lk 9,51[9] – die Reise des Paulus nach Jerusalem ein. Sie erfolgte nicht, weil Paulus aus Ephesus vertrieben worden wäre, sondern auf seinen eigenen Entschluß hin[10]. Hinter dem Programm des Paulus steht freilich der Plan Gottes[11], den Paulus kennt: Er soll und wird „Rom sehen“[12]. Die Reise nach Jerusalem soll über Mazedonien und Achaia führen (vgl. 20,1–3). Daher schickt Paulus zwei seiner Mitarbeiter nach Mazedonien voraus. Die führende Rolle des Paulus wird dadurch hervorgehoben, daß Timotheus und Erastus[13] als Diener des Paulus[14] bezeichnet werden. V22b gibt an, daß Paulus selbst noch eine Zeitlang in Asia (Ephesus) blieb[15]. Damit ist der zeitliche Rahmen für den Demetrius-Aufstand gegeben.

VV23–26 Gegen Ende des Paulus-Aufenthalts in Ephesus entstand ein τάραχος οὐκ ὀλίγος[16] wegen „des Weges“, d.h. wegen der Lehre und dem Verhalten der Christen (V23). Ein Silberschmied namens Demetrius fühlte sich in seinem Geschäft geschädigt, weil sein Produkt, silberne

---

Schluß hat?“ Haenchen verweist (a.a.O. 554) auf 1 Tim 1,20 und 2 Tim 4,14, wonach ein (Jude?) Alexander als Gegner des Paulus eine Rolle gespielt habe. Doch tritt laut Apg 19,33f Alexander gerade nicht als Gegner des Paulus auf. Siehe auch Conzelmann, a.a.O.

[9] Vgl. Lk 9,51: „Es geschah aber, als sich die Tage seiner Hinaufnahme zu vollenden begannen, da richtete er sein Antlitz fest darauf, nach Jerusalem zu reisen.“ V 52a sagt (entsprechend Apg 19,22a): „Und er sandte Boten vor sich her ...“

[10] ἔθετο ... ἐν τῷ πνεύματι („er nahm sich vor“) ... πορεύεσθαι εἰς entspricht Lk 9,51: τὸ πρόσωπον ἐστήρισεν τοῦ πορεύεσθαι εἰς. Zu der Wendung τίθεμαι ἐν vgl. Lk 1,66 (τῇ καρδίᾳ „sich zu Herzen nehmen“); Apg 5,4 (desgleichen, im Sinne von „sich vornehmen“).

[11] Auch das teilweise auf die „Passion“ des Paulus bezogene δεῖ (9,16; 23,11; 27,24) hat in dem auf den Weg und die Passion Jesu bezogenen δεῖ seine Analogie (Lk 9,22; 13,33; 17,25; 22,37; 24,7.26; Apg 17,3).

[12] Genaugenommen steht nur das Ῥώμην ἰδεῖν unter der Notwendigkeit des gottverfügten δεῖ. Das Ziel des Weges wird 23,11 weiter verdeutlicht: Paulus soll in Rom „Zeugnis ablegen“ (δεῖ ... μαρτυρῆσαι). Nur 9,16 ist das παθεῖν von δεῖ abhängig!

[13] δύο τῶν διακονούντων αὐτῷ. Wahrscheinlich ist an Assistenten des Paulus gedacht wie 13,5 (Markus als ὑπηρέτης); vgl. auch unten Nr. 48 zu 20,5. Siehe auch H. J. Cadbury, Erastus of Corinth, in: JBL 50(1931)42–58.

[14] Timotheus befand sich laut 18,5 bei Paulus in Korinth. Wahrscheinlich ist 18,18f vorausgesetzt, daß er mit Paulus nach Ephesus reiste und dort blieb. Laut 1 Kor 4,17; 16,10 war er über Mazedonien nach Korinth gegangen, aber mit schlechten Nachrichten zurückgekehrt. – Ein gewisser Erastus wird Röm 16,23 als „Verwalter (Schatzmeister) der Stadt“ (Korinth) bezeichnet. Zahn identifiziert ihn mit dem Erastus von Apg 19,22.

[15] Vgl. Haenchen: „Lukas meint mit Ἀσία wahrscheinlich nur Ephesus.“ Zahn hingegen dachte daran, daß Paulus auch andere Städte der Provinz besuchte.

[16] Was hier mit τάραχος (vgl. 12,18) bezeichnet ist (vgl. 17,8 ταράσσω), wird V 29 mit σύγχυσις, V 40 mit συστροφή (so auch 23,12) und 20,1 mit θόρυβος beschrieben; vgl. 19,40: στάσις als möglicher Anklagepunkt.

Tempel der Artemis[17], sich nicht mehr wie bisher verkaufen ließ. Demetrius verschaffte mit seinem Devotionaliengeschäft den Kunsthandwerkern der Stadt erheblichen Gewinn. Sie waren also mit betroffen von dem Rückgang der Konjunktur. So kann Demetrius sie und ihre Arbeiter für ein Vorgehen gegen die Christen mobilisieren (VV 24.25 a). Er redet sie in einer Versammlung an und macht ihnen klar, daß der Wohlstand aller an der Herstellung der Devotionalien Beteiligten von diesem Gewerbe stamme (V 25 b). Und nun müßten sie erleben, daß in Ephesus und nahezu der ganzen Provinz „dieser Paulus" eine beträchtliche Anzahl von Leuten „verführt"[18], indem er behauptet, daß es keine handgemachten Götter gibt[19] (V 26).

VV 27–28 Er fügt dem „geschäftlichen" Aspekt noch den „religiösen" hinzu. Es bestehe nicht nur Gefahr für das Geschäft[20]. Vielmehr werde sogar das Heiligtum der Artemis in Mißkredit gebracht[21]. Künftig werde ihre Hoheit[22] geschmälert[23], wo doch ganz Asia „und der Erdkreis"[24] sie verehren (V 27). Auch die Zunftgenossen sprechen in ihrer wütenden Reaktion[25] nicht von Geschäftsschädigung, sondern erheben „religiösen" Protest. Sie rufen die Akklamation: „Groß die Artemis der Epheser!"[26]

---

[17] ἀργυροκόπος, ποιῶν ναοὺς ἀργυροῦς Ἀρτέμιδος. Silberne Tempel sind bislang nicht gefunden worden, wohl aber Tempelchen aus Terracotta, die wohl als Reiseandenken, Weihegeschenk oder Amulett dienten. Außerdem fand man silberne Artemisstatuetten. Wikenhauser, Apg 226, meint: „Die silbernen Artemistempelchen waren wohl nicht Miniaturbilder des großen, prächtigen Artemistempels, sondern Nachbildungen des Kultbildes, hineingestellt in eine Nische oder architektonische Umrahmung, welche etwa die Frontansicht des Tempels wiedergab." Wie das Bild der ephesinischen Artemis aussah, zeigen Abbildungen von Großstatuen bei Miltner, Ephesos 41.102 f.

[18] μετέστησεν ἱκανὸν ὄχλον. μεθίστημι hat hier die Bedeutung „zum Abfall bewegen, verführen"; vgl. Xenophon, Hell. II 2,5.

[19] Als Behauptung des Paulus wird wörtlich zitiert: „Es sind nicht Götter die von Händen gemachten (Götterbilder)." Vgl. 17,29. Die Behauptung richtet sich gegen heidnischen Volksglauben.

[20] „Unser Geschäft steht in Gefahr, εἰς ἀπελεγμὸν ἐλθεῖν." Der Ausdruck ist wohl Latinismus: *in redargutionem venire* (vgl. d vg).

[21] εἰς οὐθὲν λογίζομαι „für nichts geachtet werden" wie Jes 40,17 LXX; Weish 3,17; 9,6.

[22] ἡ μεγαλειότης αὐτῆς „ihre Hoheit/Majestät". Vgl. Lk 9,43 (Gottes); 2 Petr 1,16 (Christi).

[23] καθαιρέομαι (mit Genitiv) „verlustig gehen". Vgl. Blass/Debr § 180,1 Anm. 2.

[24] καὶ ἡ οἰκουμένη. Die weite Verbreitung des Artemiskults ist gut bezeugt (für 32 Orte archäologisch nachgewiesen). Vgl. Fleischer, Artemis (1973). Siehe auch Haenchen und Conzelmann.

[25] Zu γενόμενοι πλήρεις θυμοῦ vgl. Lk 4,28.

[26] Der akklamatorische Ruf wird hier zur Protestparole. Er wird V 34 von der Menge aufgegriffen – gegen den Juden Alexander! Zur Form der Akklamation siehe E. Peterson, ΈΙΣ ΘΕΟΣ (Göttingen 1926) 196–215; Haenchen; Conzelmann.

V29 Offenbar aufgrund des Rufes der versammelten Handwerkerzunft (vgl. V25 a) kommt es nun zu einem Aufruhr[27] in der Stadt. Die Leute stürmen in das Theater[28] und schleppen[29] dabei zwei Reisegefährten des Paulus mit: Gaius und Aristarch aus Mazedonien[30]. Warum sie nicht gleich Paulus ergreifen und ins Theater bringen, bleibt unklar. Man darf aber daraus nicht ableiten, daß dieser Zug der Erzählung vom Verfasser der Acta stamme, und schließen: „Lukas durfte den Apostel nicht auftreten lassen, denn Paulus hätte entweder die Epheser bekehren müssen – und das konnte Lukas beim besten Willen nicht berichten – oder er hätte die Dinge sagen müssen, die aus dem Mund des Kanzlers [VV37f] viel überzeugender klingen."[31]

VV30–31 Ehe vom Verlauf der Großversammlung im Theater berichtet wird, sagt die Erzählung, was mit Paulus geschah: Er wollte unter das Volk gehen (um die Gefährten freizubekommen?), doch die „Jünger", seine Mitchristen, ließen das nicht zu (V30). Paulus war also mutig, die Christen waren um ihn besorgt. Sogar einige der „Asiarchen"[32] ließen ihn durch Boten bitten, sich doch nicht ins Theater zu begeben. Sie waren ihm freundlich gesinnt (V31). Über die Funktion der Asiarchen besteht keine gesicherte Auskunft[33]. Wahrscheinlich war ihr Amt eher repräsentativ als administrativ[34]. Ihre Stellung schloß kultische Pflichten ein; in Ephesus stand ein Heiligtum des Augustus und der Roma[35]. Wenn also die Asiarchen ebenso wie die Christen Paulus vor dem Pöbel im Theater schützen

---

27 σύγχυσις ist ntl. Hapaxlegomenon. Vgl. indessen συγχύννω 2,6; 9,22; 21,31.

28 Das Theater von Ephesus faßte etwa 24000 Menschen (drei Ränge mit je 22 Sitzstufen; siehe Miltner, Ephesos 30–32. Unter Kaiser Klaudius begann ein Umbau des Theaters, der erst unter Trajan zum Abschluß kam.

29 συναρπάζω „gewaltsam ergreifen, packen" wie 6,12; 27,15; Lk 8,29, sonst nicht im NT.

30 Γάϊος wird hier (zusammen mit Aristarch) als Mazedonier bezeichnet, stammte aber laut 20,4 aus Derbe. Oder sollten zwei verschiedene Träger des (verbreiteten) Namens gemeint sein?, vgl. BauerWb s.v. 1.2. Haenchen, Apg 66, hält es für möglich, daß nur Aristarch als „Mazedonier" bezeichnet war und der Plural Μακεδόνας durch Dittographie (es folgt συνεκδήμους) entstanden ist. Ἀρίσταρχος aus Thessalonich wird auch 20,4 erwähnt (als Begleiter des Paulus auf der Jerusalemreise), ferner 27,2 (auf der Romreise). Phlm 24 nennt ihn συνεργός des Paulus (vgl. Kol 4,10).

31 So Haenchen, Apg 555.

32 Ἀσιάρχης kommt im NT sonst nicht vor. MartPol 12,2 setzt den Titel deutlich dem ἀρχιερεὺς Ἀσίας gleich. Doch dürfte der Plural Apg 19,31 anders verstanden sein.

33 BauerWb s.v. deutet auf Abgeordnete des κοινὸν Ἀσίας, das in Ephesus zusammentrat (so auch Bauernfeind). Vgl. Haenchen: „Zur Zeit des Paulus wird es jedes Jahr 3–4 Asiarchen gegeben haben, die jeweils aus den vornehmsten und reichsten Familien stammten." Siehe auch Ross Taylor, The Asiarchs (1933); Magie, Roman Rule I 449f; II 1298ff; A. Mannzmann, Ἀσιάρχης, in: KlPauly I 637.

34 Conzelmann.

35 Siehe Miltner, Ephesos 38f. Das Heiligtum befand sich innerhalb des Tempelbezirks der Artemis. Unter Kaiser Domitian schritt man zum Bau eines Kaisertempels.

wollten, hatten sie im Namen des Staatskultes – so will der Erzähler sagen – mindestens keine Bedenken gegen Paulus und seine Botschaft[36].

V32 Der Erzähler kehrt zu den Vorgängen im Theater zurück. Dort herrschen Geschrei und Verwirrung. Die meisten Anwesenden wissen nicht einmal, weswegen man sich versammelte. Von Demetrius ist hier keine Rede mehr, auch nicht von seinen Zunftgenossen. Erst V38 geht der Stadtschreiber auf ihr Anliegen ein.

VV33–34 Die – erstaunlicherweise anwesenden – Juden schicken Alexander[37] nach vorn. Aus der Menge gibt man ihm noch Hinweise (V34a). Alexander ist Jude. Er gibt mit der Hand ein Zeichen (und bittet so um Ruhe); denn er will vor der Volksversammlung[38] eine Verteidigungsrede halten[39] (V34b). Als die Menge ihn als Juden erkennt, rufen alle wie aus einem Mund[40] die Artemis-Akklamation (vgl. schon V28), und zwar zwei Stunden lang[41]. Die Menge hindert den Juden am Reden. Der Leser erkennt, wie unbeliebt die Juden in der Stadt sind. Vorausgesetzt ist natürlich nicht, daß Alexander Paulus oder seine Gefährten verteidigen wollte, sondern, daß er sich von den Christen distanzieren und die Juden der Stadt verteidigen wollte. Er befürchtete antijüdische Ausschreitungen der Stadtbevölkerung[42].

VV35–36 Nun verschafft sich der Stadtschreiber[43] Ruhe. Er beruhigt die erregte Menge auch mit einem Argument, das besagt, man könne schließlich den hohen Bekanntheitsgrad von Ephesus als der Tempelhüterin[44] der

---

[36] Vgl. HAENCHEN, Apg 555: „Wenn diese hochangesehenen Männer aus den ersten Familien des Landes, Männer, welche die besten Verbindungen mit der römischen Regierung hatten, sich derartig für ihn einsetzten, dann war das das allerbeste Entlastungszeugnis für Paulus und das Christentum, das sich überhaupt denken läßt."

[37] Ἀλέξανδρος war als Name bei Juden beliebt; vgl. andere jüdische Träger des Namens im NT: Mk 15,21; Apg 4,6.

[38] Der δῆμος ist hier nicht (wie 12,22) die „Volksmenge", sondern die „Volksversammlung" zur Erledigung öffentlicher Angelegenheiten (so auch 17,5; 19,30); vgl. 19,32.40 ἡ ἐκκλησία.

[39] Absolutes ἀπολογέομαι steht hier mit Dativ des Forums. Das Verbum kommt ferner vor: Lk 12,11; 21,14; Apg 24,10; 25,8; 26,1.2.24. Es begegnet im NT sonst nur noch Röm 2,15; 2 Kor 12,19. Vgl. auch ἀπολογία Apg 22,1; 25,16.

[40] φωνὴ ἐγένετο μία ἐκ πάντων ... κραζόντων. φωνὴ γίνεται kommt auch 2,6; 7,31; 10,13 vor.

[41] ὡς ἐπὶ ὥρας δύο. Zu ὡς bei Zahlen s. o. Nr. 30 A.42; zu ἐπί mit Akk. s. o. Nr. 40 A.15.

[42] So WIKENHAUSER. Vgl. CONZELMANN, der diese Deutung jedoch mit einem Fragezeichen versieht.

[43] ὁ γραμματεύς ist „der Stadtschreiber/Kanzler". Für die städtische Verfassung galt in Kleinasien als Regel, daß der „Schreiber" mit den στρατηγοί den Vorstand der Bürgerschaft bildete. Vgl. A. W. GOMME, Grammateis, in: Oxford Classical Dictionary (1970) 476.

[44] νεωκόρος „Tempelhüter" war z. B. Titel von Städten, die einen Bundestempel des Kaiserkults besaßen und besonders pflegten. Der Titel ist auch CIG 2972 auf den Artemiskult bezogen. Vgl. CONZELMANN.

Großen Artemis und ihres vom Himmel gefallenen[45] Bildes nicht so schnell zerstören[46] (V 35). Darum müsse die Versammlung Ruhe bewahren[47] und dürfe sich nicht zu übereilten Schritten[48] hinreißen lassen (V 36).

VV 37–40b Der Stadtschreiber stellt die Unschuld der beiden Gefährten des Paulus fest, die weder Tempelraub begangen[49] noch die Stadtgöttin gelästert haben (V 37). Sie zu entlassen, schlägt er jedoch nicht vor. Er wendet sich vielmehr der Sache des Silberschmieds Demetrius und seiner Zunftgenossen zu. Wenn sie gegen jemand einen Anspruch[50] hätten, sollten sie ihn bei den Instanzen vorbringen, die für solche Angelegenheiten zuständig sind: vor Gerichtstagen (ἀγοραῖοι) und Prokonsuln (ἀνθύπατοι)[51]. Dort möge man einander verklagen[52] (V 38). Weitere Angelegenheiten oder Begehren sollten in der „gesetzmäßigen Volksversammlung"[53] geklärt werden[54] (V 39). Der Verweis an die Zuständigen entspricht der apologetischen Intention des Lukas. An den Schluß seiner Rede setzt der Stadtschreiber eine versteckte Drohung: Die Epheser laufen sonst Gefahr[55], im Hinblick auf die heutigen Vorfälle[56] wegen Aufruhr angeklagt zu werden (V 40a). Und es gäbe dann keine Entschuldigung, mit der man den Volksauflauf rechtfertigen könnte (V 40b).

V 40c Die Rede verfehlt insofern ihren Zweck nicht, als es dem Redner (nach der Drohung V 40a.b) gelingt, die Versammlung aufzulösen. Damit ist indirekt gesagt, daß Gaius und Aristarch freikamen (vgl. 20,4). „Der antichristliche Tumult ist ruhmlos zusammengebrochen, und wieder einmal hat das Christentum triumphiert."[57]

---

[45] διοπετής „vom Himmel gefallen". Bei Euripides, Iph. Taur. 87f.1384f wird der Gedanke auf das Bild der taurischen Artemis bezogen.

[46] Dies ist der Sinn der Frage nach dem Urteil von Haenchen. Wikenhauser deutet: „Da die Stadt die Tempelhüterin der Artemis ist, wie jedermann weiß, liegt die Sorge für ihre Ehre in guten Händen."

[47] Wörtlich: „Es ist notwendig, ὑμᾶς κατεσταλμένους ὑπάρχειν". καταστέλλω „beruhigen" begegnete schon am Anfang von V 35.

[48] προπετής, ές „vorschnell" begegnet im NT nur noch 2 Tim 3,4. Vgl. indessen JosAnt XV 82: προπετές τι ποιῆσαι.

[49] ἱερόσυλος ist der „Tempelräuber", hier vielleicht nur der Mann, der sich ohne Ehrfurcht gegenüber dem Tempel verhält.

[50] (πρός τινα) λόγος hier in der Bedeutung „(Streit-)Sache"; vgl. 8,21; 15,6.

[51] Der Plural ist in beiden Fällen generisch; Haenchen.

[52] ἐγκαλέω „anklagen" (hier mit Dativ) steht auch: 19,40; 23,28.29; 26,2.7; im NT sonst nur noch Röm 8,33.

[53] ἡ ἔννομος ἐκκλησία im Gegensatz zu der spontanen ἐκκλησία im Theater (VV 32.40).

[54] ἐπιλύω heißt hier „(einen Streitfall) lösen/klären".

[55] κινδυνεύω mit folgendem Infinitiv (auch V 27) „Gefahr laufen". Vgl. Lk 8,23; 1 Kor 15,30.

[56] περὶ τῆς σήμερον (ergänze: ἡμέρας). Nicht auszuschließen ist, daß das voranstehende στάσεως zu ergänzen ist („angeklagt zu werden wegen des heutigen Aufruhrs").

[57] Plümacher, Lukas 99.

48. REISE DURCH MAZEDONIEN NACH ACHAIA UND ZURÜCK NACH TROAS: 20,1–6

LITERATUR: DEISSMANN, Lukios – Lukas (1921) [zu 20,4f]. – CH. H. BUCK, The Collection for the Saints, in: HThR 43 (1950) 1–29. – H. CONZELMANN, Miszelle zu Act 20,4f. in: ZNW 45 (1954) 266. – GEORGI, Geschichte der Kollekte (1965) 87–90. – SCHILLE, Kollegialmission (1967) 102–104. – H. S. SONGER, Paul's Mission to Jerusalem: Acts 20–28, in: Review and Expositor 71 (1974) 499–510. – OLLROG, Paulus und seine Mitarbeiter (1979) 52–58 [zu 20,4]. – J. WANKE, Ἑλλάς, in: EWNT I (1980) 1061 [zu 20,2].

1 Nachdem der Tumult sich gelegt hatte, rief Paulus die Jünger zusammen[a] *und sprach ihnen Mut zu. Dann nahm er Abschied und ging weg, um nach Mazedonien zu reisen. 2 Als er jene Gegenden durchzogen und sie (die dortigen „Jünger") eindringlich ermuntert hatte, kam er nach Griechenland. 3 Dort blieb er drei Monate. Als er sich nach Syrien einschiffen wollte, planten die Juden einen Anschlag auf ihn. So entschloß er sich*[b]*, durch Mazedonien zurückzureisen. 4 Dabei begleiteten ihn*[c] *Sopater*[d]*, der Sohn des Pyrrhus, aus Beröa, Aristarch und Sekundus aus Thessalonich, ferner Gaius aus Derbe*[e] *und Timotheus sowie Tychikus und Trophimus aus Asia*[f]*. 5 Diese reisten voraus und warteten auf uns in Troas. 6 Wir dagegen segelten nach den Tagen der Ungesäuerten Brote von Philippi ab und kamen in fünf Tagen*[g] *zu ihnen nach Troas, wo wir uns sieben Tage aufhielten.*

20,1–6 bietet Reisenotizen. Sie werden 20,13–16 (und 21,1–14) fortgesetzt. Zwischen diese Reisenotizen sind Episoden eingeschoben: die Totenerweckung in Troas (20,7–12) und die Abschiedsrede in Milet (20,17–38). Für das Teilstück 20,1–6 zeigt die Liste der Personen (V 4) an, „daß Lk altes Material besitzt"[1]. Die Ereignisse sind gegenüber den Informationen der Korintherbriefe[2] vereinfacht dargestellt. Auffallend ist, daß bei der

---

[a] Statt μεταπεμψάμενος lesen A D Ψ Koine latt sy προσκαλεσάμενος.

[b] D (gig) sy$^{h.mg}$ sprechen von einer Intervention des πνεῦμα.

[c] A (D) E Ψ Koine al fügen an: „bis nach Asia".

[d] Einige Textzeugen (104 gig vg^{s} al) lesen hier den Namen Σωσίπατρος (vgl. Röm 16,21).

[e] D* (gig) lesen statt Δερβαῖος die Herkunftsbezeichnung Δουβ(έ)ριος. Siehe dazu oben I 167 A.83; 168 A.85; METZGERTC 475f.

[f] Statt Ἀσιανοί lesen D sa Ἐφέσιοι.

[g] P^{74} ℵ E 33 lesen ἀπὸ ἡμερῶν πέντε (statt ἄχρι ἡ. π.).

[1] CONZELMANN zu 20,1.

[2] Siehe 1 Kor 16,1–9 (Plan der Reise über Mazedonien nach Korinth); 2 Kor 2,12f (Reise von Troas nach Mazedonien); 7,5–7 (Ankunft des Titus bei Paulus in Mazedonien). Zu der Frage, warum die Apg Titus niemals erwähnt, siehe WIKENHAUSER, Die Apostelgeschichte und ihr Geschichtswert (1921) 256f; OLLROG, Paulus und seine Mitarbeiter (1979) 37. WIKENHAUSER meint, es sei fraglich, ob Titus bei Antritt der Jerusalemreise (Apg 20,4) noch bei Paulus war bzw. mit ihm nach Jerusalem gereist ist (257). OLLROG will das merkwürdige Schweigen der Apg über Titus damit erklären, daß Lukas

Reise nach Mazedonien (VV 1 f) ein Aufenthalt in Troas keine Erwähnung findet, obgleich dort eine Christengemeinde existierte. Aber die Hinreise (durch Mazedonien) nach „Griechenland" (= Achaia) wird ohnehin nur kursorisch erwähnt (V 2). Obwohl V 3 den Ort des dreimonatigen Aufenthalts nicht nennt, ist Korinth gemeint (vgl. 18, 1–17). Vom V 5 an ist (bis V 15) wieder in der „Wir"-Form berichtet. Der Berichterstatter reist – so denkt der Leser – mit Paulus zusammen von Philippi nach Troas.

V 1 Als sich der Tumult[3] gelegt hatte, den die ephesinischen Silberschmiede verursacht hatten (19, 23–40), ließ Paulus die Christen der Stadt zusammenkommen und sprach ihnen Mut zu[4]. Er verabschiedete sich von der Gemeinde und machte sich auf die Reise nach Mazedonien. So hatte er es laut 19, 21 geplant. Die Erzählung macht deutlich, daß Paulus Ephesus nicht fluchtartig verließ.

VV 2–3 Auch der weitere Weg entspricht dem Vorhaben des Paulus. Durch Mazedonien[5] kommt er nach „Griechenland"[6]. Auch unterwegs ermuntert bzw. ermahnt er die Christen[7] eindringlich[8] (V 2). In Achaia, vornehmlich in Korinth[9], verbringt er drei Monate[10]. Ursprünglich wollte er von dort auf dem Seeweg nach Syrien bzw. Jerusalem (vgl. 19, 21; Röm 15, 25) reisen[11]. Doch bereiteten die Juden einen Anschlag gegen ihn vor[12]. Vielleicht ist gemeint, daß man ihn auf einem Pilgerschiff umbringen

„die Bedeutung der Kollekte der paulinischen Gemeinden für Jerusalem" nicht mehr kannte oder die Kollekte bewußt überging. Da aber Titus mit der Kollekte für Jerusalem eng verbunden war, habe er in der Darstellung der Apg keinen Platz finden können.

[3] Zur Terminologie siehe oben Nr. 47 A.16. – θόρυβος kommt neben 20, 1 auch 21, 34 und 24, 18 vor. Vgl. G. Schneider, θόρυβος κτλ., in: EWNT II 380–382.

[4] παρακαλέσας (so auch V 2) bedeutet „er ermahnte", hat aber auch die Nuance „er ermunterte"; vgl. Haenchen; ferner oben Nr. 39 A.85.

[5] Darauf bezieht sich τὰ μέρη ἐκεῖνα V 2.

[6] ἡ Ἑλλάς steht wie bei Pausanias VII 16 volkstümlich für „Achaia"; vgl. 19, 21. Siehe Wanke, Ἑλλάς.

[7] αὐτούς bezieht sich auf die „Jünger" in Mazedonien; vgl. μαθηταί V 1.

[8] λόγῳ πολλῷ heißt nicht „wortreich" oder „in langer Rede" (vgl. BauerWb s. v. λόγος 1 aβ), sondern eher „in much discourse" und bei vielen Gelegenheiten; siehe Zerwick/Grosvenor, Analysis z. St.

[9] Von Korinth aus schrieb Paulus den Römerbrief; vgl. Kümmel, Einleitung 272. Der Aufenthalt ist wohl auf 55/56 n. Chr. zu datieren.

[10] ποιήσας τε μῆνας τρεῖς ist eine hellenistische Wendung; sie begegnet ähnlich auch 15, 33; 18, 23; 2 Kor 11, 25; Jak 4, 13.

[11] V 3 besagt, daß sich Paulus nach Syrien „einschiffen" wollte (μέλλων ἀνάγεσθαι εἰς ...). Zu ἀνάγομαι vgl. oben Nr. 43 A.17.

[12] Der Genitivus absolutus besagt wörtlich: „als ein Anschlag (ἐπιβουλή) gegen ihn (αὐτῷ) entstand von seiten der Juden". Zu ἐπιβουλή siehe oben Nr. 22 A.32. Laut Röm 15, 30–32 hatte Paulus Befürchtungen im Hinblick auf seine Begegnung mit den Juden „in Judäa".

wollte[13]. So entschloß sich[14] Paulus, den Landweg zu wählen und über Mazedonien zurückzureisen[15] (V 3).

V 4 Paulus wird bei seiner Rückreise von sieben Männern begleitet[16]. Dabei handelte es sich in Wirklichkeit jedoch nicht bloß um ein ehrenvolles Geleit für Paulus, sondern diese Männer waren zum Teil mit der Kollekte ihrer Ortsgemeinde nach Korinth gekommen[17]. Sie waren Kollektenvertreter, Abgeordnete, die die Kollekte überbringen sollten. Paulus wollte ja zunächst von Korinth aus direkt nach Jerusalem reisen[18]. Die Namen der sieben Leute sind nach ihrem Herkunftsort oder -gebiet angeordnet. Am Anfang steht Sopater aus Beröa[19]. Dann folgen zwei Thessalonicher: Aristarch und Sekundus[20]. Die beiden nächsten stammen aus Lykaonien: Gaius aus Derbe[21] und Timotheus aus Lystra. Am Schluß werden Tychikus[22] und Trophimus aus Asia[23] genannt. Da Lukas die Kollekte für Jerusalem erst später und am Rande erwähnt (24,17), „hat man einfach den Eindruck eines repräsentativen Geleites“[24].

---

[13] So RAMSAY, Paul the Traveller 287: Die Intention des Paulus muß gewesen sein, ein Pilgerschiff zu bekommen, das Juden aus Achaia und Asia zum Passafest nach Jerusalem brachte. Siehe auch HAENCHEN, Apg 559.

[14] ἐγένετο γνώμης „er kam zu dem Entschluß“ (mit folgendem Infinitiv) ist gewähltes Griechisch; vgl. Plutarch, Phoc. 23,4; Dio Cassius, Hist.Rom. LXI 14; JosBell VI 287.

[15] τοῦ ὑποστρέφειν. Paulus kehrt (jedenfalls zunächst) dahin zurück, woher er gekommen war: nach Mazedonien.

[16] συνείπετο αὐτῷ „in seinem Gefolge befand sich“ (Imperfekt des medialen Deponens συνέπομαι); vgl. TestJud 3,10; JosAnt XIII 21.

[17] Siehe Röm 15,26f; vgl. HAENCHEN und CONZELMANN. Allerdings ist fraglich, ob auch Gaius und Timotheus Kollektenvertreter waren; vgl. LÜDEMANN, Paulus I 117 Anm. 142.

[18] Vgl. Röm 15,25: „Jetzt aber reise ich nach Jerusalem im Dienst für die Heiligen.“

[19] Σώπατρος Πύρρου „Sopater, (Sohn) des Pyrrhus“, ist vielleicht mit Sosipater Röm 16,21 identisch. In diesem Fall wäre er *Juden*christ.

[20] Zu Ἀρίσταρχος siehe oben Nr. 47 A.30. – Σεκοῦνδος wird sonst nicht erwähnt. Der Name ist Transkription des lateinischen *Secundus*.

[21] Statt Δερβαῖος „aus Derbe“ lesen D (gig) (siehe oben A. e) „aus Doberos“, womit eine Stadt in Mazedonien (südwestlich von Philippi) gemeint ist (vgl. die Angabe von 19,29 zu Gaius). Aber die Namen unserer Liste sind sorgfältig unter geographischem Aspekt angeordnet: So steht neben dem Mann aus Derbe (zu dieser Stadt siehe oben Nr. 32 A.39) Timotheus (zu seiner Person s.o. Nr. 37 A.1), der aus Lystra, der Nachbarstadt (vgl. 14,6), stammt (vgl. 16,1).

[22] Τύχικος stammt wohl, wie Trophimus (s. die folgende A.), aus Ephesus. Er ist auch Kol 4,7 und Eph 6,21 gemeint. Siehe ferner 2 Tim 4,12; Tit 3,12. Vgl. OLLROG, Paulus und seine Mitarbeiter 49f.60f.

[23] Τρόφιμος wird auch 21,29 erwähnt: Er stammte aus Ephesus, war Heidenchrist und wurde in Jerusalem schuldlos der Anlaß zur Verhaftung des Paulus. Statt Ἀσιανοί lesen in 20,4 D sa – richtig interpretierend – Ἐφέσιοι. Trophimus wird auch 2 Tim 4,20 genannt („Paulus“ habe ihn in Milet zurückgelassen).

[24] CONZELMANN. Vgl. HAENCHEN, Apg 558: „das Gefolge ..., das einem so erfolgreichen Missionar wie Paulus zukommt“.

V 5 Die meisten Erklärer beziehen οὗτοι, das Subjekt des Satzes, auf die beiden Paulusbegleiter aus Asia[25]. Die beiden sind dann vielleicht deswegen nach Troas vorausgereist[26], weil sie, aus Asia stammend, die Möglichkeiten für eine Schiffsreise von Troas aus erkunden sollten[27]. Jedenfalls deutet ἡμᾶς an, daß nicht alle sieben Paulusgefährten als Vorkommando verstanden sind[28].

V 6 Paulus reiste mit seinen Begleitern „nach den Tagen der Ungesäuerten (Brote)"[29] von Philippi (Neapolis) aus mit dem Schiff nach Troas, wo sie mit Tychikus und Trophimus zusammentrafen[30]. Ob die Angabe „nach den Tagen der ἄζυμα" bloß die Zeit notieren will[31] oder bedeutet, daß Paulus in Philippi das jüdische Passafest beging[32], ist nicht sicher zu entscheiden. Die Seereise nach Troas dauerte diesmal fünf Tage[33], während bei einer früheren Überfahrt (16, 11) für diese Entfernung nur zwei Tage benötigt wurden. Doch hat der Zeitunterschied nichts Auffälliges an sich; „es kommt ja einfach auf die Windverhältnisse an"[34]. In Troas blieb[35] die gesamte Reisegruppe sieben Tage. Mit dieser Zeitangabe ist Raum gegeben für die folgende Episode.

---

[25] Vgl. Haenchen, Conzelmann. Wikenhauser meint hingegen, daß „die sieben in 20, 4 genannten Begleiter des Paulus nach Troas ... vorausreisten", freilich von Philippi aus; ähnlich Beyer.

[26] προσελθόντες ist zwar am besten bezeugt. P[74] B[2] D al latt lesen προελθόντες, was den Sinn besser trifft; vgl. Conzelmann, Miszelle (1954); MetzgerTC 476 f.

[27] Haenchen: „Nur Tychikos und Trophimos, die sich mit dem kleinasiatischen Schiffswesen am besten auskannten, wurden vorausgesandt; alle andern gingen mit Paulus nach Philippi."

[28] Mit diesem ἡμᾶς beginnt der „Wir"-Bericht. Der vorausgehende „Wir"-Bericht endete in Philippi: 16, 16 f.

[29] Datierungen nach dem jüdischen Kalender finden sich auch 27, 9; 1 Kor 16, 8. Der Ausdruck „die Tage der Ungesäuerten" steht auch Apg 12, 3; vgl. Mk 14, 12; Lk 22, 1.7.

[30] καὶ ἤλθομεν πρὸς αὐτοὺς εἰς κτλ. Die Wendung ἤλθομεν εἰς κτλ. ist bezeichnend für den „Wir"-Bericht: 20, 6.14.15; 21, 1.8.

[31] So z. B. Bauernfeind, Stählin und Conzelmann. Die Zeitangabe steht im Zusammenhang mit V 16; Paulus will Pfingsten in Jerusalem sein.

[32] So Zahn und Wikenhauser. Marshall meint: „It is probable that he was celebrating the Christian Passower, i.e. Easter, with the church at Philippi (1 Cor. 5, 7 f) ..." Demgegenüber ist zu beachten, daß Apg 20, 6 (wie 12, 3) allenfalls die Vermutung erlaubt, daß die „Tage der Ungesäuerten" für die Christen „noch von Bedeutung gewesen sind", wie H. Schürmann, Die Anfänge christlicher Osterfeier (1951), in: ders., Ursprung und Gestalt (Düsseldorf 1970) 199–209, näherhin 201, formuliert.

[33] ἄχρι ἡμερῶν πέντε. Dieser Gebrauch von ἄχρι (im Sinne von „binnen") ist singulär. Vgl. auch oben A. g.

[34] Conzelmann; vgl. Bruce (NIC); Marshall.

[35] Zu διατρίβω siehe oben Nr. 32 A.17.

49. PAULUS ERWECKT EINEN TOTEN: 20,7–12

LITERATUR: DIBELIUS, Stilkritisches (1923) 22f. – J. E. ROBERTS, The Story of Eutychus, in: The Expositor (Series 8) 26 (1923) 376–382. – K. BORNHÄUSER, Wann feierten die ersten Christen das Abendmahl?, in: NKZ 35 (1924) 147–159. – H. RIESENFELD, Sabbat et Jour du Seigneur, in: New Testament Essays. Studies in Memory of T. W. Manson (Manchester 1959) 210–218. – W. RORDORF, Der Sonntag (Zürich 1962) 193–199. – CADBURY, Litotes in Acts (1972) 61f [zu 20,12]. – WANKE, Beobachtungen (1973) 19–24. – R. STAATS, Die Sonntagnachtgottesdienste der christlichen Frühzeit, in: ZNW 66 (1975) 242–263, bes. 247f. – W. RORDORF, Sonntagnachtgottesdienste der christlichen Frühzeit?, in: ZNW 68 (1977) 138–141. – B. TRÉMEL, A propos d'Actes 20,7–12: Puissance du thaumaturge ou du témoin?, in: RThPh 112 (1980) 359–369.

7 Als wir uns nun am ersten Tag der Woche versammelt hatten, um das Brot zu brechen, redete Paulus zu ihnen, weil er am folgenden Tage abreisen wollte; und er dehnte seine Rede bis Mitternacht aus. 8 Es brannten viele Lampen in dem Obergemach, in dem wir versammelt waren. 9 Und ein junger Mann mit Namen Eutychus, der [a]*in der Fensteröffnung saß, wurde von tiefem Schlaf überwältigt*[a]*, als Paulus immer weiter redete. Er fiel im Schlaf*[b] *vom dritten Stockwerk hinunter und wurde tot geborgen. 10 Da lief Paulus hinab, warf sich über ihn, umfaßte ihn und sagte: Beunruhigt euch nicht, denn seine Seele ist in ihm! 11 Dann ging er wieder hinauf, brach das Brot und aß; und er redete noch lange bis zum Anbruch des Tages, und dann zog er hinweg. 12* [c]*Sie führten aber den jungen Mann*[c] *lebend (von dort weg); und sie wurden nicht wenig ermutigt.*

Die Episode 20,7–12 ist in den Reisebericht eingeschoben. Sie spielt in Troas. Obgleich der Reisebericht voraussetzt, daß beim Besuch des Paulus in der dortigen Christengemeinde auch seine sieben Begleiter anwesend waren (20,4–6), ist von diesen in der Eutychus-Geschichte selbst (VV 9–12) keine Rede. Freilich läßt das „Wir" in den VV 7f erkennen, daß an die Paulusbegleiter gedacht ist. Erst V 13 wird das „Wir" wieder aufgenommen.

Die Episode handelt von der Erweckung eines Toten durch Paulus[1]. Aber sie ist, obgleich Paulus im Vordergrund der Erzählung steht, nicht

[a] D liest (a – a) τῇ θυρίδι, κατεχόμενος ὕπνῳ βαρεῖ.
[b] Die Worte κατενεχθεὶς ἀπὸ τοῦ ὕπνου fehlen in 1891 pc p.
[c] Der Anfang von V 12 lautet in D: ἀσπαζομένων δὲ αὐτῶν ἤγαγεν τὸν νεανίσκον ... „Als man sich verabschiedete, führte er (Paulus) den Jüngling ..." Vgl. METZGERTC 477.
[1] Dies ist dem Kontext nach gemeint. V 10b („Seine ψυχή ist in ihm") ist nicht als Diagnose verstanden, die der Meinung der Leute widerspricht (vgl. V 9c: „und er wurde als Toter [nicht: wie tot] aufgehoben"). Vielmehr war der junge Mann tot, und V 10b ist nach seiner Erweckung zum Leben gesprochen. BEYER, Apg 123, und BAUERNFEIND, Apg 236, bezweifeln, daß eine Totenerweckung gemeint ist. Siehe dagegen HAENCHEN, Apg 561: „der Christ erkannte die Übereinstimmung mit Elias und Elisa und damit das Wunder".

primär am „Wundertäter" Paulus interessiert[2]. M. Dibelius vertrat die Auffassung, daß Christen „eine geläufige Anekdote auf Paulus übertragen" hätten, die Lukas dann in seinen Zusammenhang einfügte. „Es handelt sich also ursprünglich um eine profane Anekdote, wahrscheinlich mit einem Unterton von Komik. Obwohl das Gemach hell erleuchtet war, schlief der Jüngling ein; die Länge der Rede war daran schuld! Der Redner aber machte gut, was er angerichtet."[3] Dibelius führte – wohl zu Recht – den größten Teil von V 7 und den ganzen V 11 auf die Hand des Lukas zurück[4]. In dieser Beurteilung folgt ihm im wesentlichen H. Conzelmann[5]. VV 7.11 erzählen vom „Brotbrechen" des Paulus in der Gemeindeversammlung. Somit hätte Lukas der profanen Anekdote gewissermaßen einen christlichen Aufputz[6] gegeben.

Wenn man auch die Entstehung des Textstückes in dieser Weise verstehen darf, kann man doch nicht der Beurteilung folgen, Lukas habe „mit der Rahmung der Geschichte ein wenig Christentum an sie herangebracht"[7]. Auch die Beurteilung des Textes als paulinisches Gegenstück zur Auferweckung der Tabita durch Petrus (9,36–42) ist unzulänglich[8].

Ohne einer symbolischen oder gar allegorischen Deutung der Perikope das Wort reden zu wollen, kann man mit B. Trémel sagen, daß eine tiefere Bedeutung des Erzählten vorliegt, die man erkennen kann, wenn man nicht nur die Diachronie des Textes berücksichtigt. Er beobachtet, daß die Episode im engeren Sinn durch die VV 7 und 11 von Formelementen gerahmt wird, die je drei gleiche Elemente enthalten: das „Brotbrechen", die Wortverkündigung des Paulus (bis Mitternacht bzw. bis zum Tagesanbruch) und die Abreise des Paulus[9]. Diese – nach Dibelius sekundären Elemente – schließen die eigentliche Episode ein: Sie berichtet vom Sturz und von der Auferweckung des jungen Eutychus. Die Erzählung ist von einer doppelten Gegenläufigkeit bestimmt: einer Bewegung vom Obergemach nach unten (vgl. die Präposition κατά in den VV 9.10) und wieder nach oben (VV 11.12), ferner vom Raum des Lichtes (V 8) in die Nacht hinaus und wieder in diesen Raum zurück (VV 11.12). Der Sturz erfolgt in den

---

[2] Siehe Trémel, A propos (1980) 369, der sich gegen Haenchen, Apg 562, wendet. Dort schreibt Haenchen, die Besprechung der Perikope zusammenfassend: Lukas „zeichnet hier noch einmal ... die Wunderkraft des von seinem Werk scheidenden Apostels, der nun unaufhaltsam der Erniedrigung seiner Gefangenschaft entgegeneilt".

[3] Dibelius, Stilkritisches (1923) 23.

[4] Dibelius, a.a.O. 22 mit Anm. 4.

[5] Conzelmann zu VV 7–12. Haenchen, zu V 7, urteilt zurückhaltender.

[6] Dibelius, a.a.O. 22 Anm. 4, spricht von einer „christlichen Verbrämung", die vielleicht schon vor-lukanisch sei. Conzelmann, a.a.O.: „In der ursprünglichen Fassung fehlt die liturgische Verbrämung."

[7] So Dibelius, a.a.O. 23. Der „unerbauliche Stil" der Geschichte (ohne VV 7.11) gehe keinesfalls auf Lukas zurück.

[8] Zur Problematik der „Tübinger" Ansicht, die Apg stelle den Petrusgeschichten entsprechende Paulusgeschichten gegenüber, speziell Wundergeschichten, siehe Neirynck, Miracle Stories (1979) 172–182; vgl. auch oben I 304–308.

[9] Trémel, A propos (1980) 361.

Tod hinein, weil der Kontakt des Eutychus mit dem „Wort“, das Paulus spricht, und mit dem „Licht“, das in dem Obergemach hell macht[10], durch sein Einschlafen abreißt. Der Ort des Lichtes, der Raum, in dem die Gemeinde das Wort hört, ist der Raum des Lebens, und der Raum, wo das Wort nicht vernommen wird, ist der der Finsternis[11]. So ist die Angabe über das Einschlafen des jungen Mannes während der Predigt des Paulus[12] keine „Komik“! Daß die Episode beim Abschied (vgl. 20,29) des Paulus von der Gemeinde spielt (V 11 ἐξῆλθεν), ist wesentlich. Es wird deutlich, daß die Gemeinde dennoch Trost empfängt (V 12), da ihr das „Wort“ der Christuszeugen geblieben ist.

V 7 Am ersten Tag der Woche[13], am Sonntag, versammelte sich die Gemeinde der Christen von Troas zum „Brotbrechen“[14]. Dabei redete Paulus „zu ihnen“. Dem ἡμεῖς der Gruppe um Paulus steht, was den Empfang der Wortverkündigung angeht, das αὐτοί der Ortsgemeinde gegenüber. Paulus wollte am folgenden Tag weiterreisen[15]. Er dehnte seine Rede bis Mitternacht aus[16]. Umstritten ist, ob an einen „Vorabendgottesdienst“ gedacht ist oder an einen solchen am Sonntagabend[17]. Da V 7 vom Acta-Ver-

---

[10] TRÉMEL, a.a.O. 361f.

[11] TRÉMEL, a.a.O. 362: Der Bericht erwähnt zwar nicht die „Finsternis draußen“. Aber der Raum, in den der Eingeschlafene stürzt, ist der Raum außerhalb der Gemeindeversammlung und der Raum des Todes. TRÉMEL verweist in diesem Zusammenhang (362 Anm. 10) auf Röm 13,11f und Eph 5,8–14.

[12] Der absolute Genitiv in V 9b hat keine kausale Bedeutung. Es darf also nicht psychologisch gedeutet werden, als sei Eutychus *wegen* der ausgedehnten Predigt eingeschlafen; TRÉMEL, a.a.O. 362f.

[13] (ἡ) μία (τῶν) σαββάτων bezieht sich auf den „ersten Tag (ἡμέρα) der Woche“: Mk 16,2 par Mt 28,1/Lk 24,1; Joh 20,1.19; Apg 20,7; 1 Kor 16,2 t.r.

[14] κλάω (τὸν) ἄρτον (so auch 2,46; 20,11; 27,35) bzw. κλάσις τοῦ ἄρτου (so 2,42; Lk 24,35) fehlt in der Profangräzität, ist aber in LXX bezeugt. Im christlichen Sprachgebrauch bezeichnet der Ausdruck das „eucharistische“ Brotbrechen. Apg 2,46 deutet vielleicht an, daß das Brotbrechen schon vom Sättigungsmahl getrennt ist. 27,35 läßt Paulus gemäß jüdischer Mahlsitte handeln; Lukas spielt jedoch auf das eucharistische Mahl an (vgl. Lk 24,35). Siehe vor allem J. WANKE, κλάω κτλ., in: EWNT II 729–732; ferner oben I 285 A. 11.

[15] Dem μέλλων ἐξιέναι (V 7) entspricht am Ende der Perikope ἐξῆλθεν (V 8). Die Situation ist also vom Abschied des Paulus geprägt.

[16] παρατείνω ist ntl. Hapaxlegomenon. Der Ausdruck π. τὸν λόγον „die Rede in die Länge ziehen“ ist jedoch bei Aristoteles bezeugt: Poet. 17,5, 14,55b. Lukas denkt dabei wohl an die unermüdliche Predigt des Paulus wie 20,2 (λόγῳ πολλῷ); 20,11 (ἐφ' ἱκανόν); 20,20f.31.

[17] WIKENHAUSER: „Die Feier beginnt zu Anfang des Sonntags, der nach jüdischer Rechnung am Samstag Abend anfängt.“ BRUCE (NIC) behauptet mit der gleichen Sicherheit das Gegenteil: „On Sunday evening, not Saturday evening; Luke is not using the Jewish reckoning from sunset to sunset ...“ Er begründet das u.a. mit dem Ausdruck „break of day“ in V 11. Aber αὐγή bezeichnet die Morgenröte und besagt auch in der Übersetzung „Tagesanbruch“ nicht, daß von diesem Zeitpunkt an der Tag „gerechnet“ wird. In jüngster Zeit ist RORDORF, Der Sonntag (1962), und Sonntagnachtgottesdienste (1977), dafür eingetreten, daß die Gottesdienste in der Nacht vom Sonntag auf den Montag stattfan-

fasser stammt, spiegelt die Angabe nicht einen Sonntagsgottesdienst zur Zeit des Paulus wider, sondern den Brauch in der Umwelt des Lukas[18]. Mit dem „Brotbrechen" ist die Wortverkündigung verbunden (vgl. auch V 11 und Lk 24, 25–27.30.35).

VV 8–9 In dem Obergemach[19], in dem sich die Gemeinde versammelte[20], brannten viele Lampen. Diese werden kaum erwähnt, um das Einschlafen des Eutychus zu erklären[21], sondern eher, um den Kontrast oben – unten durch den von Licht und Finsternis zu ergänzen[22]. Ein junger Mann namens Eutychus, der in der Fensteröffnung saß[23], fiel während der ausgedehnten[24] Predigt des Paulus in tiefen Schlaf[25] und stürzte (infolgedessen[26]) vom dritten Stockwerk nach unten (κάτω) (in den Hof oder auf die Straße). Man hob ihn tot auf[27].

---

den, während Staats, Sonntagnachtgottesdienste (1975), den Beginn der Feier am Samstagabend ansetzt. Vgl. neuerdings auch W. Rordorf, Ursprung und Bedeutung der Sonntagsfeier im frühen Christentum, in: Liturg. Jahrbuch 31 (1981) 145–158. – Wenn man Lk 23, 54–56 und 24, 1 vergleicht, hat man den Eindruck, daß Lukas zwar den jüdischen Tagesbeginn (mit dem Aufleuchten der Sterne, vgl. 23, 54) kennt, aber trotzdem die darauffolgenden Abendstunden noch nicht zum neuen Tag rechnet (vgl. 23, 56 a im Unterschied von V 56 b: Die Frauen verrichten noch Arbeit nach dem „Aufleuchten" des Sabbats, und trotzdem ruhen sie am Sabbat, der offenbar doch erst um Mitternacht beginnt).

[18] Auch 1 Kor 16, 2 wird (neben Apk 1, 10) häufig als Zeugnis für die urchristliche Sonntagsfeier beansprucht. Riesenfeld, Sabbat (1959), meint, der Sonntag sei zunächst deshalb als Versammlungstag der Christen gewählt worden, weil die Judenchristen am Sabbat den Synagogengottesdienst besucht hätten. Der Bezug auf die Auferstehung Christi sei hinzugekommen. Für Lukas jedenfalls ist der Bezug der Sonntagsfeier zum Ostermorgen deutlich, wie Lk 24, 1 („Am ersten Tag der Woche ...") anzeigt; vgl. oben A. 13.

[19] ὑπερῷον wie 1, 13; 9, 37.39. Apg 1, 13 f ist das „Obergemach" Ort des Gebets der versammelten Urgemeinde, 9, 37.39–41 Ort der Totenauferweckung.

[20] οὗ ἦμεν συνηγμένοι greift auf den Genitivus absolutus συνηγμένων ἡμῶν V 7 zurück.

[21] Gegen Wikenhauser, der meint: „Offenbar haben die vielen Lampen, die in dem Versammlungsraum brannten, die Luft dunstig und heiß gemacht und das Einschlafen des Jünglings herbeigeführt." Ähnlich schon Zahn, Apg 707. Andere Erklärer (vgl. etwa Bauernfeind, Apg 236; Haenchen) meinen, die Angabe wolle dem Vorwurf begegnen, daß die Christen im Dunkeln Unzucht trieben. Doch fragt Conzelmann: „Aber darf man diese [Vorwürfe] schon für die Zeit des Lk voraussetzen?" Der D-Text hat λαμπάδες beseitigt und ὑπολαμπάδες („kleine Fenster") geschrieben. Vgl. BauerWb s. v. ὑπολαμπάς.

[22] Vgl. Trémel, A propos (1980) 262. Conzelmann meint: „trotz der hellen Beleuchtung schläft der Bursche ein".

[23] θυρίς „Fenster" kommt im NT sonst nur noch 2 Kor 11, 33 vor.

[24] ἐπὶ πλεῖον steht hier im zeitlichen Sinn („lange"), 4, 17 im örtlichen Sinn („weiterhin"). 24, 4 bedeutet es: „länger".

[25] καταφερόμενος ὕπνῳ βαθεῖ „von tiefem Schlaf überwältigt" (V 9 b). βαθύς bezieht das hellenistische Judentum gern auf den Schlaf. Lukas denkt wohl an die Dimension der Tiefe. Es fällt auf, daß Komposita mit κατά dominieren: κατενεχθεὶς ἀπὸ τοῦ ὕπνου (V 9 c). Vgl. auch κάτω V 9 c und καταβάς V 10 a.

[26] ἀπὸ τοῦ ὕπνου. ἀπό beim Passiv ersetzt hier das übliche ὑπό, so bei Lukas auch Lk 8, 43 b; Apg 2, 22; 4, 36.

[27] ἤρθη νεκρός bedeutet nicht, daß man den jungen Mann bloß für tot hielt. Siehe Conzelmann; vgl. oben A. 1.

V 10 Paulus steigt nach dem Todessturz des jungen Mannes zu ihm hinab, wirft sich über ihn[28] und umfaßt ihn. Der Leser wird sich dabei an die Totenerweckung durch Elija (1 Kön 17,21) und Elischa (2 Kön 4,34f) erinnern[29]. Paulus redet die Anwesenden an: Sie sollen sich nicht aufregen[30]; denn die Seele[31] des Mannes sei in ihm. Wahrscheinlich ist vorausgesetzt, daß der Tote schon zum Leben erweckt wurde. Die Aussage des Paulus konstatiert die Rückkehr des Lebens.

V 11 Darauf begibt sich Paulus wieder in das Obergemach und bricht das Brot (mit der Gemeinde). Da V 7a κλάσαι ἄρτον als Zweck der Gemeindeversammlung angegeben hatte, will V 11 sagen, daß man nun das Brotbrechen vollzog. Ihm ging also die Predigt des Paulus voraus (V 7b). Auf das (eucharistische) Brotbrechen folgte das Essen (des Brotes)[32]. Es ist also nicht von einem nächtlichen Sättigungsmahl die Rede[33]. Nach dem Essen redete[34] Paulus noch bis zum frühen Morgen. Dann zog er weg. Der Abschied des Paulus von der Gemeinde bestimmt von Anfang an (V 7) die Szene.

V 12 Daß die „Demonstration" der erfolgten Totenerweckung erst jetzt erzählt wird, hängt wohl mit der Tatsache zusammen, daß V 11 in den Zusammenhang eingeschoben wurde. Wohin man Eutychus führte, wird nicht gesagt[35]. Daß die Gemeinde aus dem Geschehen Trost und Ermutigung[36] erfährt, ist – nach οὕτως ἐξῆλθεν V 11 – nicht nur auf das Wunder

---

[28] ἐπέπεσεν αὐτῷ. In diesem Sinn steht ἐπιπίπτω auch Lk 15,20 und Apg 20,37 (jemand um den Hals „fallen", nach dem Vorbild von Gen 45,14; Tob 11,9.13).

[29] 3 Kg 17,21 läßt die Angabe weg, daß sich der Prophet über den Verstorbenen warf. Dafür heißt es: ἐνεφύσησεν τῷ παιδαρίῳ τρίς.

[30] Vgl. Mk 5,39 (τί θορυβεῖσθε καὶ κλαίετε; Lk 8,52 hat dafür den Imperativ μὴ κλαίετε) in der Erzählung von der Totenerweckung im Haus des Jairus. Auf die Frage Jesu folgt hier die Feststellung: „Das Kind ist nicht gestorben, sondern es schläft" (Mk 5,39; vgl. Lk 8,52).

[31] 3 Kg 17,21 ist von der Rückkehr der ψυχή (εἰς αὐτόν) die Rede. ψυχή bezeichnet zugleich das „Leben"; vgl. Lk 12,20.22.23; Apg 2,27; 15,26; 20,24; 27,10.22.

[32] Das absolute καὶ γευσάμενος steht parallel zu καὶ κλάσας τὸν ἄρτον. So ist das Objekt des „Essens" aus dem Kontext zu erschließen: das Brot. Absolutes γεύομαι steht auch 10,10. Sonst hat das Verbum Genitiv-Objekte: Lk 14,24 (Mahl); Apg 23,14 (οὐδενός).

[33] Vgl. Haenchen, Apg 562: „die Gemeinde hat doch nicht mit ihrer Abendmahlzeit bis nach Mitternacht gewartet!"

[34] ὁμιλέω „reden, anreden" steht hier absolut (wie Lk 24,15). Vgl. Apg 24,26 mit Dativ des Angeredeten, Lk 24,14 mit πρός τινα. Nur Apg 20,11 bezeichnet das Verbum die Predigt. ἐφ' ἱκανόν „ausgiebig" kommt im NT sonst nicht vor; es bezieht sich meist auf die Zeit. Vgl. BauerWb s.v. ἱκανός 1c Ende.

[35] V 12a war vielleicht der ursprüngliche Schluß der Episode. Der D-Text hat die Unklarheit beseitigen wollen; s.o. A. c.

[36] παρεκλήθησαν οὐ μετρίως. Die Litotes (am Schluß der Erzählung!) bedeutet „nicht mäßig, beträchtlich, in hohem Maß"; sie ist außerbiblisch bezeugt, auch bei Fl. Josephus.

zu beziehen. Der Trost liegt auch darin, daß Paulus „auf diese Weise“[37] Abschied nahm.

50. REISE VON TROAS NACH MILET: 20, 13–16

LITERATUR: WIKENHAUSER, Die Apostelgeschichte und ihr Geschichtswert (1921) 236–238 [zu 20, 16]. – SCHULTZE, Städte und Landschaften II/2 (1926) 168–184 [zu 20, 15 Milet]. – DIBELIUS, Historiker (1948) 110. – DERS., Die Apostelgeschichte im Rahmen der urchristlichen Literaturgeschichte (1951) 167. – GEORGI, Geschichte der Kollekte (1965) 87f. – G. KLEINER, Alt-Milet (Wiesbaden 1966). – K. ZIEGLER/W. ZSCHIETZSCHMANN, Miletos 2, in: KlPauly III (1969) 1295–1298. – G. KLEINER, Das römische Milet (Wiesbaden 1970). – D. BOYD, Miletus, in: IDB Suppl. Vol. (1976) 597f. – YAMAUCHI, Archaeology (1980) 115–127 [zu Milet].

13 Wir gingen voraus[a] auf das Schiff und fuhren nach Assos, um dort den Paulus an Bord zu nehmen; denn so hatte er es angeordnet, weil er selbst zu Fuß gehen wollte. 14 Als er aber in Assos mit uns zusammentraf, nahmen wir ihn an Bord und erreichten Mitylene. 15 Von dort fuhren wir ab und kamen am nächsten Tag auf die Höhe von Chios. Am folgenden Tag[b] legten wir in Samos an, [c]am darauffolgenden kamen wir nach Milet. 16 Denn Paulus hatte beschlossen, an Ephesus vorbeizufahren, [d]um nicht in Asia zuviel Zeit zu verlieren[d]. Denn er hatte es eilig, weil er, wenn möglich, am Pfingstfest in Jerusalem sein wollte.

20, 13–16 ist Reisebericht. V 13 erzählt in der „Wir“-Form von der Reise nach Assos. Die Angabe, daß Paulus selbst den Fußweg wählte, scheint auf Überlieferung zu beruhen. VV 14f berichten – gleichfalls in der 1. Person des Plural – über die Route Assos – Mitylene – Chios – Samos – Milet. Es handelt sich um ein Stationenverzeichnis. H. Conzelmann hält es für eine „Konstruktion“ des Acta-Verfassers; nur dann sei verständlich, „daß die Route zunächst bis Milet durchgezogen wird“[1]. V 16 gibt (zu 20, 17–38

---

[37] οὕτως faßt (wie 27, 17) die Partizipialkonstruktion zusammen („und so ...“) und bezeichnet vielleicht lediglich die zeitliche Folge; vgl. BLASS/DEBR § 425, 6; MAYSERGr II/3, 73f.

[a] Statt προελθόντες lesen A B* E Koine προσελθόντες und D gig sy[p] κατελθόντες. Vgl. METZGERTC 477f.

[b] Statt ἑτέρᾳ lesen B 36. 453. 1175. 1241 pc bo[pt] ἑσπέρᾳ.

[c] D (Ψ) Koine gig sy sa fügen ein: „und nachdem wir in Trogyllion geblieben waren, (kamen wir ...)“. Der Ortsname Trogyllion bezeichnet ein Vorgebirge und eine Stadt südwestlich von Ephesus, Samos gegenüber. Vgl. METZGERTC 478.

[d] V 16b lautet in D (gig) vg: „damit er in Asia keinerlei Aufenthalt (κατάσχεσις) erführe“.

[1] CONZELMANN, zu VV 14f. Vgl. dazu die kritische Stellungnahme von LÜDEMANN, Paulus I 54–57. DIBELIUS, Historiker (1948) 110, meinte: „Daß Lukas eine solche Quelle benutzte, geht daraus hervor, daß er auch belanglose Reisestationen nennt, von denen ei-

überleitend) an, warum Paulus nicht nach Ephesus reiste: Er wollte Pfingsten in Jerusalem sein und sich nicht in der Epheser-Gemeinde aufhalten lassen[2]. Der Reisebericht wird 21, 1 fortgesetzt. Wenn man den Korinthaufenthalt 20, 3 auf 55/56 n. Chr. datiert[3], fand die Reise von Troas nach Jerusalem im Frühjahr 56 statt[4].

V 13 Der Reisebericht nimmt das „Wir" wieder auf, das zuletzt 20, 7f vorkam. Jedoch umfaßt ἡμεῖς zunächst nur die Reisebegleiter des Paulus: Sie gingen voraus und schifften sich nach Assos[5] ein. Dort sollten sie[6] Paulus an Bord nehmen. Er hatte es so angeordnet, da er selbst zu Fuß nach Assos wandern wollte[7]. Die Entfernung beträgt etwa 35 km. Über den Grund der getrennten Reise kann man allenfalls Vermutungen anstellen[8].

VV 14–15 In Assos traf Paulus mit den Begleitern zusammen[9], ging an Bord und fuhr mit. Zunächst erreichte man Mitylene, die Hauptstadt der Insel Lesbos[10] (V 14). Von dort ging die Reise an Chios vorbei[11] nach Samos[12] und schließlich nach Milet[13]. Spätestens nach dem Passieren von Samos muß die Entscheidung gefallen sein, nicht in Ephesus anzulegen (vgl. V 16). Doch ist wohl vorausgesetzt, daß das Schiff von vornherein Milet ansteuerte.

---

gentlich nichts weiter zu erzählen ist. Beweisend dafür ist ein Satz wie dieser … [es folgt die Zitation von 20, 13f]. Der Inhalt dieses Satzes ist weder legendar erfunden noch anekdotisch überliefert, er versteht sich nur als Angabe, die aus einem Stationenverzeichnis, einem *Itinerar* übernommen ist."

[2] Zur Plausibilität dieser Begründung siehe unten zu V 16.

[3] Vgl. oben Nr. 48 A. 9.

[4] Siehe HAHN, Verständnis der Mission (1963) 79, der die Reise auf 56 n. Chr. datiert.

[5] Ἄσσος/Assos liegt in Mysien, gehörte aber zur römischen Provinz Asia. Die Stadt wird nur 20, 13.14 genannt. Vgl. A. M. MANSEL, Assos, in: KlPauly I 1542–1544; YAMAUCHI, Archaeology (1980) 21–29.

[6] μέλλοντες bezieht sich auf den Reiseplan; vgl. die Partizipien von μέλλω 20, 3.7.13b. Siehe auch 23, 15; 26, 2; 27, 30.

[7] πεζεύω „zu Lande reisen" steht im allgemeinen im Gegensatz zur Seefahrt. Hier kann auch die Bedeutung „zu Fuß reisen" vorliegen (wie JosAnt XIII 208; Sib IV 78).

[8] Man denkt etwa, daß die Seefahrt zwischen Troas und Assos besonders beschwerlich war, weil häufig der stürmische Nordostwind weht; vgl. HAENCHEN.

[9] συμβάλλω (intransitiv) „zusammentreffen" steht im feindlichen Sinn Lk 14, 31.

[10] Μιτυλήνη (ältere Schreibweise: Μυτιλήνη) liegt an der Ostküste der Insel. Vgl. E. MEYER, Mytilene, in: KlPauly III 1544–1546.

[11] ἄντικρυς Χίου. Das Adverb ἄ. wird als uneigentliche Präposition verwendet: „gegenüber von"; vgl. 3 Makk 5, 16, Philo und Fl. Josephus.

[12] Die Insel Σάμος/Samos liegt dem Vorgebirge Mykale gegenüber, nicht weit von Ephesus. JosAnt XVI 23.62 zeigen, daß Samos Anlegeplatz der Schiffe vom Hellespont nach Syrien war.

[13] Μίλητος/Milet liegt am Latmischen Meerbusen, gegenüber der Mündung des Mäander. Die alte Hauptstadt Ioniens hatte eine jüdische Gemeinde. Außer Apg 20, 15.17 wird M. im NT noch 2 Tim 4, 20 erwähnt: Trophimus blieb hier krank liegen. – Vgl. die einschlägigen Titel im Lit.-Verz.

V 16 begründet die für den Leser auffallende Tatsache, daß Paulus nicht Ephesus besuchte: Er hatte es so beschlossen[14], weil er in Asia keine Zeit verlieren wollte[15], um Pfingsten in Jerusalem zu sein. Er hatte es insofern eilig[16]. Es mag sein, daß Paulus tatsächlich Ephesus mied, weil er dort mit knapper Not lebend entkommen war[17]. Wenn die Apostelgeschichte angibt, er habe wegen Zeitnot die Hauptstadt von Asia gemieden (V 16) und von Milet aus nach den „Ältesten" der Epheser-Gemeinde geschickt (V 17), so läßt sich einwenden: „Bis die Epheser hier waren, dauerte es mindestens 5 Tage ... Samos wäre ein günstigerer Treffpunkt gewesen."[18] Man muß zwar mindestens mit einem fünftägigen Aufenthalt in Milet rechnen[19]; doch setzt der Erzähler wohl voraus, Paulus habe die Route des Schiffes angeordnet (vgl. V 16a) und somit auch den Zeitplan des Schiffes bestimmt (vgl. V 38; 21, 1). Die Angabe, daß Paulus möglichst[20] Pfingsten[21] in Jerusalem sein wollte, wird beim Bericht über die Ankunft (21, 17) nicht mehr berücksichtigt.

51. ABSCHIEDSREDE DES PAULUS VOR DEN ÄLTESTEN VON EPHESUS: 20, 17–38

LITERATUR: H. SCHULZE, Die Unterlagen für die Abschiedsrede zu Milet in Apg. 20, 18–38, in: ThStKr 73 (1900) 119–125. – A. BLUDAU, Die Abschiedsrede des Apostels Paulus zu Milet (Apg. 20, 17–38), in: Der Kath. Seelsorger 16 (1904) 1–10.51–55. 99–103. – DIBELIUS, Die Reden (1949) 133–136. – J. MUNCK, Discours d'Adieu dans le Nouveau Testament, in: Aux sources de la tradition chrétienne (Festschr. für M. Goguel) (Neuchâtel/Paris 1950) 155–170. – J. DUPONT, Le discours de Milet. Testament pastoral de Saint Paul (Actes 20, 18–36) (Lectio Divina 32) (Paris 1962). – H. SCHÜRMANN, Das Testament des Paulus für die Kirche (Apg 20, 18–35) (erstm. 1962), in: ders., Untersuchungen (1968) 310–340. – ROLOFF, Apostolat – Verkündigung – Kirche (1965) 227–231. – J. DUPONT, Paulus an die Seelsorger. Das Vermächtnis von Milet (Apg 20, 18–36) (Düsseldorf 1966). – CH. EXUM/CH. TALBERT, The Structure of Paul's Speech to the Ephesian Elders (Acts 20, 18–35), in: CBQ 29 (1967) 233–236. – PLÜMACHER, Lukas (1972) 48–50. – O. KNOCH, Die „Testamente" des Petrus und Paulus (SBS 62) (Stuttgart 1973) 32–43. – H.-J. MICHEL, Die Abschiedsrede des Paulus an die Kirche Apg 20, 17–38. Mo-

---

[14] κεκρίκει (Plusquamperfekt) γὰρ ὁ Παῦλος κτλ. – κρίνω im Sinn von „sich entscheiden für, beschließen" steht auch an anderen Stellen der Apg (mit Infinitiv: 3, 13; 25, 25; 27, 1; mit Akk. und Inf.: 21, 25).

[15] χρονοτριβέω „Zeit versäumen/verlieren" ist ntl. Hapaxlegomenon.

[16] σπεύδω „sich beeilen" steht in der Apg auch 22, 18; ferner bei Lukas: Lk 2, 16; 19, 5.6.

[17] Siehe 2 Kor 1, 8–11. Vgl. HAENCHEN; CONZELMANN.

[18] So CONZELMANN, der die Entfernung Milet – Ephesus mit ca. 50 km Luftlinie angibt; der Landweg war bedeutend länger: etwa 70 km. Siehe T. LOHMANN, Milet, in: BHH II 1216f mit Karte.

[19] Siehe indessen WIKENHAUSER, der an einen „kurzen Aufenthalt (2–3 Tage)" des Schiffes in Milet denkt.

[20] εἰ (δυνατὸν εἴη) drückt eine unbestimmte Erwartung aus; vgl. ZERWICK, Biblical Greek Nr. 403.

[21] ἡ ἡμέρα τῆς πεντηκοστῆς „der Pfingsttag" wie 2, 1. Der Ausdruck setzt voraus, daß das Pfingstfest ἡ πεντηκοστή heißt; vgl. 1 Kor 16, 8. – τὴν ἡμέραν τῆς π. ist Akkusativ der Zeit und bezeichnet den Zeitpunkt (vgl. auch 10, 30); vgl. BLASS/DEBR § 161, 3.

tivgeschichte und theologische Bedeutung (StANT 35) (München 1973). – ROBERTS, Ekklesia in Acts (1973) 83–91. – STOLLE, Zeuge (1973) 68–72. – RADL, Paulus und Jesus (1975) 127–168. – TH. L. BUDESHEIM, Paul's *Abschiedsrede* in the Acts of the Apostles, in: HThR 69 (1976) 9–30. – E. CORTÈS, Los discursos de Adiós de Gen 49 a Jn 13–17 (Col. San Paciano 23) (Barcelona 1976). – CH. K. BARRETT, Paul's Address to the Ephesian Elders, in: God's Christ and His People (Festschr. für N. A. Dahl) (Oslo 1977) 107–121. – A. CASALEGNO, Il discorso di Mileto (Atti 20,17–38), in: RivB 25 (1977) 29–58. – DÖMER, Heil Gottes (1978) 189–202. – F. BOVON, Le Saint-Esprit, l'Église et les relations humaines selon Actes 20,36 – 21,16, in: Kremer (Hrsg.), Les Actes (1979) 339–358. – J. LAMBRECHT, Paul's Farewell-Address at Miletus (Acts 20,17–38), in: Kremer (Hrsg.), Les Actes (1979) 307–337. – PRAST, Presbyter und Evangelium (1979). – TH. BAUMEISTER, Die Anfänge der Theologie des Martyriums (Münster 1980) 133–137. – J. DUPONT, Il testamento pastorale di san Paolo. Il discorso di Mileto (Atti 20,18–36) (La parola di Dio 21) (Rom [2]1980). – F. ZEILINGER, Lukas, Anwalt des Paulus. Überlegungen zur Abschiedsrede von Milet Apg 20,18–35, in: Bibel und Liturgie 54 (1981) 167–172.

Zu einzelnen Versen. Zu V 19: H. ROSMAN, „In omni humilitate". Act 20,19, in: VD 21 (1941) 272–280. 311–320. – *Zu V 22:* STOLLE, Zeuge (1973) 33f. – *Zu V 24:* E. BARNIKOL, Der Lauf des Paulus, in: Theol. Jahrbücher 6 (Halle 1938) 101–128. – *Zu V 28:* R. SCHNACKENBURG, Episkopos und Hirtenamt. Zu Apg 20,28 (erstm. 1949), in: ders., Schriften zum NT (1971) 247–267. – LOHFINK, Sammlung Israels (1975) 89–92. – BARRETT, Theologia Crucis (1979). – *Zu V 29:* G. W. H. LAMPE, Grievous Wolves" (Acts 20,29), in: Christ and Spirit in the New Testament (Festschr. für C. F. D. Moule) (Cambridge 1973) 253–268. – G. MENESTRINA, ἄφιξις, in: Bibbia e Oriente 20 (1978) 50. – *Zu V 32:* RICHARD, Old Testament in Acts (1980) 337f. – *Zu VV 33–35:* W. PRATSCHER, Der Verzicht des Paulus auf finanziellen Unterhalt durch seine Gemeinden ..., in: NTS 25 (1978/79) 284–298. – *Zu V 35:* H. SCHÜRMANN, „Es tut not, der Worte des Herrn Jesus zu gedenken", in: Katechet. Blätter 79 (1954) 254–261. – K.-H. RENGSTORF, „Geben ist seliger denn Nehmen". Bemerkungen zu dem außerevangelischen Herrenwort Apg 20,35, in: Die Leibhaftigkeit des Wortes (Festschr. für A. Köberle) (Hamburg 1958) 23–33. – J. JEREMIAS, Unbekannte Jesusworte (Güterloh [4]1965) 37.

17 Von Milet aus schickte er nach Ephesus und ließ die Ältesten der Gemeinde zu sich rufen. 18 Als sie bei ihm eingetroffen waren[a]*, sprach er zu ihnen: Ihr wißt, wie ich vom ersten Tag an, seit ich Asia betreten habe,* [b]*die ganze Zeit in eurer Mitte war*[b] *19 und wie ich dem Herrn in aller Demut diente unter Tränen und Prüfungen, die ich durch die Anschläge der Juden erlitten habe, 20 wie ich nichts von dem, was heilsam ist, verschwiegen habe. Ich habe es auch verkündigt und euch öffentlich und von Haus zu Haus gelehrt. 21 Ich habe vor Juden und Griechen für die Umkehr zu Gott und für den Glauben an unsern Herrn Jesus Christus Zeugnis abgelegt. 22 Und seht, jetzt ziehe ich, gebunden im Geist, nach Jerusalem, und ich weiß nicht, was mir dort begegnen wird. 23 Nur das bezeugt mir der heilige Geist* [c]*von Stadt zu Stadt*[c]*, daß Fesseln und Drangsale* [d]*auf mich*

[a] Statt μετεκαλέσατο liest D μετεπέμψατο.

[b] Der Schluß von V 18 (b – b) lautet in D: ὡς τριετίαν ἢ καὶ πλεῖον ποταπῶς μεθ' ὑμῶν ἦν [ἤμην?] παντὸς χρόνου „etwa drei Jahre oder sogar länger bei euch war die ganze Zeit", vgl. V 31.

[c] D gig sy lesen erweiternd κατὰ πᾶσαν πόλιν.

[d] Statt με μένουσιν lesen P^{41} (D 614 gig vg^{cl} sy^{h**}) sa: „auf dich warten in Jerusalem".

warten[d]. *24 Aber ich achte mein Leben nicht der Rede wert, wenn ich nur meinen Lauf vollende*[e] *und den Dienst*[f] *erfülle, den ich von dem Herrn Jesus empfangen habe:* [g]*das Evangelium von der Gnade Gottes zu bezeugen. 25 Und seht, jetzt weiß ich, daß ihr mein Angesicht nicht mehr sehen werdet, ihr alle, zu denen ich gekommen bin und denen ich das Reich*[h] *gepredigt habe. 26 Deswegen bezeuge ich euch am heutigen Tag: Ich bin rein vom Blute aller. 27 Denn ich habe mich der Pflicht nicht entzogen, euch den ganzen Ratschluß Gottes zu verkündigen. 28 Gebt acht auf euch und auf die ganze Herde, in der euch der heilige Geist zu Vorstehern bestellt hat, daß ihr die Kirche Gottes*[i] *weidet, die er*[k] *erworben hat durch das Blut seines eigenen*[l] *(Sohnes). 29 Ich weiß, daß nach meinem Weggang reißende Wölfe bei euch eindringen werden, die die Herde nicht schonen. 30 Und selbst aus eurer eigenen Mitte werden Männer auftreten, die verkehrte Dinge reden, um die Jünger in ihre Gefolgschaft zu ziehen*[m]. *31 Seid also wachsam, und denkt daran, daß ich drei Jahre lang Tag und Nacht nicht aufgehört habe, unter Tränen jeden einzelnen*[n] *zu ermahnen. 32 Und jetzt vertraue ich euch Gott*[o] *und dem Wort seiner Gnade an, das die Kraft hat, aufzubauen und das Erbe unter allen Geheiligten zu verleihen. 33 Silber oder Gold oder Kleider habe ich von niemand begehrt; 34 ihr wißt selbst, daß für meinen Unterhalt und den meiner Begleiter diese Hände hier gearbeitet haben. 35 In allem habe ich euch gezeigt, daß man sich auf diese Weise abmühen und sich der Schwachen annehmen soll, in Erinnerung an die Worte des Herrn Jesus, der selbst gesagt hat:* [p]*Geben ist seliger als nehmen*[p].
36 Und als er dies gesagt hatte, kniete er nieder und betete mit ihnen allen. 37 Und alle brachen in lautes Weinen aus, sie fielen Paulus um den Hals und küßten ihn; 38 am meisten schmerzte sie das Wort, das er gesagt hatte, daß sie sein Angesicht nicht mehr sehen würden. Dann gaben sie ihm das Geleit zum Schiff.

---

[e] Statt τελειῶσαι bezeugen ℵ B pc vg τελειώσω.
[f] D gig vg[cl] fügen an: τοῦ λόγου.
[g] P[41vid] D gig sa[mss] schalten ein: „Juden und Griechen"; vgl. V 21.
[h] D gig sa lesen τὴν βασιλείαν τοῦ (κυρίου gig) Ἰησοῦ, E Koine vg bo[pt] τ. β. τ. θεοῦ. Vgl. METZGERTC 479.
[i] Statt θεοῦ (so u.a. ℵ B 614 vg sy) lesen P[74] A C* D E Ψ 33. 36 al κυρίου. C[3] Koine bezeugen: κυρίου καὶ (τοῦ) θεοῦ (auf Christus bezogen); vgl. A. l. Siehe METZGERTC 480 f.
[k] Hinter περιεποιήσατο fügen D Ir[lat] ἑαυτῷ ein.
[l] Statt αἵματος τοῦ ἰδίου (P[74] ℵ A B C D E al) liest Koine: ἰδίου αἵματος „(durch) sein eigenes Blut". Siehe METZGERTC 481 f.
[m] Statt τοῦ ἀποσπᾶν liest D τοῦ ἀποστρέφειν.
[n] D E al latt sy fügen ὑμῶν an.
[o] Statt θεῷ lesen B 326 pc gig sa[ms] bo κυρίῳ.
[p] V 35 c (p – p) lautet in sy[p]: „Selig ist der Gebende mehr als der Empfangende." D* beginnt den Satz mit μακάριος (!) statt mit μακάριον.

Die Abschiedsrede des Paulus vor den ephesinischen Presbytern (20, 17–38) ist im Sinne des Acta-Verfassers an die Kirche insgesamt gerichtet. Sie gilt ihm als das „pastorale Testament“[1] des Paulus bzw. als dessen „Testament für die Kirche“[2]. Die Rede des Paulus in Milet stellt gegenüber den bisherigen Reden einen neuen Typus dar[3]. Sie ist eine „Abschiedsrede“[4] und zudem die einzige Acta-Rede, die Paulus vor Christen hält.

Die Materialien, die Lukas zur Verfügung standen, waren gering. Außer der Nachricht vom Zusammentreffen mit den ephesinischen „Ältesten“[5] wird Lukas für die im ganzen von ihm selbst geschaffene Rede verschiedene Topoi der paulinischen Überlieferung benutzt haben[6]. Die Perikope dient dem „historischen“ Zweck im Rahmen der Gesamtdarstellung: „sie markiert den endgültigen Abschluß der Mission des Paulus“[7].

Die Gliederung der Rede erfolgt am besten nach inhaltlichen und nicht nach formalen Gesichtspunkten[8]: Rückblick (VV 18–21), Vorblick (VV 22–27), Vermächtnis (VV 28–31) und Segenswunsch (VV 32–35)[9]. Jeder der vier Abschnitte enthält Hinweise auf die Person bzw. das Schicksal des Paulus. Es ist bei dieser Einteilung möglich, zwei Hälften zu unterscheiden, deren erste von Paulus und seinem Verhalten spricht (VV 18–27) und deren zweite direkte Paränese bietet (VV 28–35)[10].

---

[1] Siehe Dupont, Le discours de Milet. Testament pastoral de Saint Paul (1962); ders., Paulus an die Seelsorger. Das Vermächtnis von Milet (1966); ders., Il testamento pastorale di san Paolo (1980).

[2] Vgl. Schürmann, Das Testament des Paulus für die Kirche (1962). Schon Dibelius, Die Reden (1949) 135, bezeichnete den Abschnitt 20, 28–31 als „Testament des Apostels“.

[3] Siehe Dibelius, Die Reden 133–136.

[4] Siehe Munck, Discours d'Adieu (1950); Michel, Abschiedsrede (1973); Budesheim, Abschiedsrede (1976); Cortès, Los discursos de Adiós (1976); Lambrecht, Farewell-Address (1979). – In diesem Zusammenhang ist darauf zu verweisen, daß Lukas auch Jesus eine regelrechte Abschiedsrede an die Seinen halten läßt: Lk 22, 21–38. Siehe dazu X. Léon-Dufour, Das letzte Mahl Jesu und die testamentarische Tradition nach Lk 22, in: ZKTh 103(1981)33–55.

[5] Siehe Conzelmann zu VV 17–38, der diese Nachricht für das einzige „Material“ des Lukas hält.

[6] Man beachte die gehäuften Hinweise auf das Corpus Paulinum (besonders aus 1 Thess, Röm und 2 Kor) am äußeren Rand der Ausgaben von Nestle (NTG[25] und NTG). Siehe auch die A. 1 genannten Arbeiten von Dupont, die die Miletrede freilich von den Paulusbriefen her auszulegen versuchen.

[7] Conzelmann, a. a. O.

[8] Mit Dibelius, Die Reden 135; Conzelmann, a. a. O.; vgl. Dupont, Il testamento 53. Haenchen, Apg 570, sieht in den Formelementen καὶ νῦν ἰδού (VV 22.25) und καὶ τὰ νῦν (V 32) Gliederungssignale. Prast, Presbyter und Evangelium (1979) 42–50, bietet eine dreifache Gliederung: 20, 18b–24.25–32.33–35 (Blick auf Paulus; Blick auf die Zeit der Kirche nach Paulus; Blick zurück auf Paulus).

[9] So Conzelmann, a. a. O., im Anschluß an Dibelius, Die Reden 135.

[10] Vgl. Michel, Abschiedsrede 27; Dupont, Il testamento 53.

V 17 Von Milet aus schickte Paulus (einen Boten[11]) nach Ephesus und ließ die „Ältesten" der Ortsgemeinde zu sich kommen. Der Grund, warum er nicht selbst nach Ephesus gehen wollte, war V 16 genannt worden. Daß es in Ephesus Gemeinde-Älteste gab, muß der Leser nach Analogie von 14,23 erschließen: Paulus hatte sie eingesetzt. Sie stellen die auf Paulus folgende Generation von Gemeindeleitern dar[12]. Dies ist das Bild, das der Acta-Verfasser entwirft. Die Presbyterverfassung entspricht nicht der vorausgesetzten geschichtlichen Situation in den paulinischen Gemeinden.

VV 18–19 Als die ephesinischen Presbyter bei Paulus in Milet angekommen waren[13], richtete er an sie die folgende Paränese[14]. Es fällt auf, daß sowohl die Redeeinführung (εἶπεν αὐτοῖς) als auch die Anrede (ὑμεῖς ἐπίστασθε) schlicht gehalten ist (V 18a.b). Vielleicht will Lukas damit den vertrauten Umgang des Paulus mit den Presbytern signalisieren. Es handelt sich um eine „interne" Ansprache. Paulus erinnert die Ältesten daran, wie er von Anfang an in ihrer Mitte „dem Herrn diente"[15], in aller Demut[16], unter Tränen und Prüfungen[17]. Es wird das Bild des verfolgten Paulus in Erinnerung gerufen. Er hatte vor allem von seiten der Juden Anschläge erfahren[18].

VV 20–21 Von ἐπίστασθε (V 18b) hängt nicht nur πῶς ἐγενόμην κτλ. (VV 18b–19) ab, sondern auch ὡς κτλ. (VV 20–21). Der gesamte Passus bis V 21 „erinnert" an das Wirken des Paulus in Ephesus und blickt insofern zurück. Paulus hat nichts verschwiegen, was zum Heil dient[19]. Er hat den Ephesern alles verkündigt und sie öffentlich[20] und von Haus zu Haus[21] alles notwendige gelehrt (V 20). Diese Aussage will klarmachen, daß „apo-

[11] Auf πέμπω folgt normalerweise ein personaler Akkusativ (Lk 7,6; 16,24.27; 20,11; Apg 10,5). Doch kann dieser auch fehlen: Lk 7,19; Apg 10,32.33; 15,22; 19,31; 23,30.

[12] Vgl. die christlichen πρεσβύτεροι in Jerusalem 11,30; 15,2.4.6.22.23; 16,4; 21,18. Siehe dazu oben Nr. 26 A. 34. Von πρεσβύτεροι τῆς ἐκκλησίας spricht außer Apg 20,17 auch Jak 5,14. Vgl. Apg 14,23: κατ' ἐκκλησίαν, Tit 1,5: κατὰ πόλιν.

[13] Zur Entfernung Milet – Ephesus siehe HAENCHEN; vgl. auch oben Nr. 50 A. 18.

[14] Es geht nicht an, nur den zweiten Teil der Rede (VV 28–35) als Paränese anzusehen.

[15] Zu δουλεύων τῷ κυρίῳ vgl. die Selbstbezeichnung des Paulus als δοῦλος Christi: Röm 1,1; Gal 1,10; Phil 1,1. In der gesamten Rede ist mit ὁ κύριος *Jesus Christus* gemeint: 20,19.21.24.35.

[16] ταπεινοφροσύνη begegnet im NT vor allem in den Paulusbriefen: Phil 2,3; Kol 2,18.23; 3,12. „In aller Demut" steht auch Eph 4,2.

[17] μετὰ ... δακρύων (so auch V 31, vgl. 2 Kor 2,4; 2 Tim 1,4) καὶ πειρασμῶν. πειρασμός kommt in der Apg sonst nicht vor; siehe jedoch Lk 22,28; 1 Kor 10,13.

[18] Zu den ἐπιβουλαί von seiten der Juden siehe 9,24 (in Damaskus); 20,3 (in Korinth); 23,30 (in Jerusalem).

[19] τὰ συμφέροντα „das, was nützlich ist" ist u.a. bei Plato, Diodorus Sic., Appian, Philo und Fl. Josephus bezeugt. Mediales ὑποστέλλομαι „(etwas feige) verschweigen" kommt in dieser Bedeutung sonst nicht im NT vor. Vgl. indessen 20,27 („sich scheuen").

[20] Zu δημοσίᾳ siehe oben Nr. 44 A. 29.

[21] κατ' οἴκους „in den einzelnen Häusern"; vgl. 2,46; 5,42.

kryphe" Theologumena, die von Falschlehrern vorgebracht werden, nicht authentisch sein können. V 21 lehnt sich an Formeln an, die (wie 1 Thess 1,9f) die Bekehrung der Heiden beschreiben: Paulus hat „Juden wie Heiden die Umkehr zu Gott und den Glauben an unsern Herrn Jesus" verkündigt[22] (vgl. 14,15; 16,31; 26,18).

VV 22–24 Mit καὶ νῦν ἰδού[23] beginnt der „Vorblick" auf das Schicksal des Paulus (VV 22–27). Ein erstes „Und nun seht!" leitet die Aussage ein, Paulus gehe „gebunden im Geist"[24] nach Jerusalem (V 22a), ohne zu wissen, was ihm dort begegnen wird[25] (V 22b). Das spätere „Und nun seht!" (V 25) spricht von dem, was Paulus sehr wohl weiß: Die Epheser werden Paulus nicht mehr sehen. Beide Ansagen gehören der Sache nach zusammen. Obgleich Paulus nicht weiß, was ihm in Jerusalem zustoßen wird, bezeugt ihm der heilige Geist von Stadt zu Stadt[26], daß ihn am Ziel der Reise „Fesseln und Drangsale"[27] erwarten (V 23). Doch Paulus achtet sein Leben „nicht der Rede wert"[28]. Er will nur[29] seinen Lauf vollenden[30], d.h. den Dienst[31], den er vom Herrn Jesus empfangen hat: Er will „das Evangelium von der Gnade Gottes"[32] bezeugen (V 24).

[22] διαμαρτύρομαι mit Akkusativobjekt wie 20,24; 23,11; 28,23. Das Verbum steht ferner 2,40 und 8,25 absolut; vgl. auch 10,42 mit folgendem ὅτι; 18,5 mit Infinitiv; 20,23 mit folgendem λέγων.

[23] Die Einleitungswendung steht auch V 25; ferner 13,11.

[24] δεδεμένος τῷ πνεύματι „gebunden durch den Geist". Vielleicht steht der Dativ für einen Akkusativ der Beziehung; vgl. ZERWICK, Biblical Greek Nr. 53. δέω „fesseln" wird fortan fast stereotyp auf die Fesselung des Paulus bezogen: 21,11.13.33; 22,29; 24,27. Gleiches gilt für δέσμιος: 23,18; 25,14; 28,17. Dieses „Paulusbild" stellt die Überlieferung bewußt heraus. Vgl. auch Kol 4,3; Eph 3,1; 4,1; 2 Tim 1,8; 2,9.

[25] συναντάω „begegnen" steht hier im übertragenen Sinn; an anderen Stellen im eigentlichen Sinn: Lk 9,37; 22,10; Apg 10,25.

[26] κατὰ πόλιν. Vgl. vorausgehende Angaben über jüdische Feindseligkeiten gegen Paulus: 19,9; 20,3. Doch ist gemeint, daß Paulus durch Propheten weiß, was auf ihn zukommt (21,4.10–13); s. HAENCHEN und CONZELMANN.

[27] δεσμὰ καὶ θλίψεις. Der Plural δεσμά (von δεσμός) kommt im NT nur bei Lukas vor: Lk 8,29; Apg 16,26; 20,23. θλίψεις steht auch Apg 7,10; 11,19; 14,22; vgl. oben Nr. 34 A. 15.

[28] οὐδενὸς λόγου ποιοῦμαι τὴν ψυχὴν τιμίαν ἐμαυτῷ „keines Wortes wert halte ich mein Leben". ἐμαυτοῦ (bzw. dessen Dat. oder Akk.) steht in der Apg: 20,24; 24,10; 26,2.9.

[29] ὡς τελειῶσαι. ὡς mit dem finalen Infinitiv hat hier den begrenzten Sinn: „wenn ich nur vollende". Zum Verbum vgl. Lk 13,32 (in bezug auf Jesus).

[30] Vom δρόμος des Paulus spricht auch 2 Tim 4,7 (τὸν δρόμον τετέλεκα). Vgl. auch Apg 13,25 (vom „Lauf" des Johannes).

[31] διακονίαν κτλ. expliziert, was mit δρόμον μου gemeint ist. Von der διακονία des Paulus spricht auch 21,19; dazu unten Nr. 53 A. 13.

[32] Vgl. die Analogie „Wort seiner Gnade" Apg 14,3; 20,32. Nach HAENCHEN will Lukas mit V 24b „ein spezifisch paulinisches Stichwort erklingen lassen".

V 25 Die Epheser werden Paulus nicht mehr persönlich sehen. Aber er hat ihnen[33] „das Reich“[34] verkündigt. Damit kennen sie „den ganzen Ratschluß Gottes“ (vgl. V 27).

VV 26–27 Paulus hat den Adressaten der Rede den Ratschluß Gottes nicht feige verschwiegen[35] (V 27). Somit kann er ihnen, da er noch unter ihnen weilt[36], bezeugen[37], daß ihn keine Schuld trifft „am Blute aller“[38] (V 26). Falls einer der Christen scheitert – infolge der Irrlehrer, die nach dem Weggang des Paulus kommen werden (vgl. VV 29f) –, liegt dies nicht an Paulus[39]. Denn er hat die Gemeinde vollständig unterrichtet und ihr gesagt, was Gott beschlossen hat. ἀναγγεῖλαι bezieht sich (wie in V 20) auf die öffentliche und unverkürzte Verkündigung: Für (gnostische) Geheimlehren, die man auf Paulus zurückführen möchte, gibt es also keinen Raum[40].

V 28 Nun wendet sich die Rede imperativisch an die Ältesten. Mit προσέχετε κτλ. werden sie als „Hirten“ der Gemeinde angeredet. Das Bild von den Hirten und der Herde bestimmt den ganzen Redeteil bis V 30, ehe V 31 mit einem weiteren Imperativ (διὸ γρηγορεῖτε) die Mahnung zusammenfaßt. Die Presbyter sollen auf sich und die gesamte Herde[41] achthaben[42]. Denn sie sind vom heiligen Geist eingesetzt als ἐπίσκοποι, d.h. als verantwortliche Aufseher[43]. Das Wort ist hier nicht eigentlich als „Amtsbezeichnung“ verwendet, sondern es bleibt wesentlich im Rahmen der Vorstellung vom Hirten, der auf die Herde achtgibt, wie der auf ἐπισκόπους folgende finale Infinitiv anzeigt: Die Presbyter haben „die Kirche Gottes“ zu weiden[44]. Die hohe Verantwortung bei dieser Aufgabe wird durch den

---

[33] ἐν οἷς διῆλθον „bei denen ich durchkam, zu denen ich kam“. Vgl. Sir 39,4; 1 Makk 3,8.
[34] κηρύσσων τὴν βασιλείαν (τοῦ θεοῦ) wie Lk 8,1; 9,2; Apg 28,31.
[35] Zu ὑποστέλλομαι siehe oben A. 19.
[36] Diesen Sinn wird „am heutigen Tag“ V 26 haben.
[37] μαρτύρομαι steht bei Lukas nur noch Apg 26,22, jeweils im Munde des Paulus; vgl. Gal 5,3; 1 Thess 2,12; Eph 4,17.
[38] Zu der Wendung „unschuldig am Blute (aller)“ siehe Sus (Theod.) 46.
[39] Conzelmann: „Paulus ist unschuldig, wenn jemand jetzt, nach seiner treuen Missionsarbeit, des ewigen Lebens verlustig geht.“
[40] Vgl. Conzelmann: „Der Gegensatz ist die gnostische Esoterik, wo nur die Eingeweihten das Ganze erfahren.“
[41] ποίμνιον (20,28.29) wird auch sonst auf die christliche Gemeinde bezogen (wie im AT auf das Volk Israel: z.B. Jer 13,17 LXX): 1 Petr 5,2.3; 1 Clem 44,3; 54,2; 57,2. – Lk 12,32 bezeichnet π. die Jüngergemeinde Jesu.
[42] προσέχω mit personalem Dativ wie Lk 12,1; 17,3; 21,34; Apg 5,35; vgl. Lk 20,46.
[43] ἐπίσκοπος kommt im lukanischen Werk sonst nicht vor (vgl. indessen Apg 1,20: ἐπισκοπή). Phil 1,1 bezeugt ἐπίσκοποι neben διάκονοι in Philippi. Erst die Pastoralbriefe reden singularisch vom ἐ.: 1 Tim 3,2; Tit 1,7. Wahrscheinlich spiegelt die Verwendung von ἐπίσκοποι durch Lukas die „Verfassung“ der ihm bekannten Gemeinden wider, in denen der „paulinische“ Typus (Episkopen und Diakone) mit der Ältestenverfassung (vgl. dazu oben Nr. 26 A. 34) verschmolzen war; Conzelmann. Siehe auch Schnackenburg, Episkopos und Hirtenamt (1949); J. Rohde, ἐπίσκοπος, in: EWNT II 89–91.
[44] ποιμαίνω wird im NT auch sonst auf „Gemeindeleitung“ bezogen: Joh 21,16; 1 Petr 5,2. 1 Petr 2,25 nennt Christus zugleich ποιμήν und ἐπίσκοπος.

abschließenden Relativsatz deutlich gemacht: Gott hat sich die ἐκκλησία erworben[45] „durch das Blut seines eigenen (Sohnes)". Die Textzeugen, die „Kirche des *Herrn*" und zugleich „durch sein eigenes Blut" lesen, beziehen den „Erwerb" der Kirche auf eine Handlung Christi[46]. Der substantivische Genitiv τοῦ ἰδίου ist die schwierigere und ursprüngliche Lesart[47]. Lukas greift mit der Formulierung in V 28d eine traditionelle Aussage auf. Er bezieht sie auf die universale Kirche, die als *Gottes* Werk und Eigentum[48] gekennzeichnet wird. Vielleicht war es Lukas bewußt, daß er mit ἐκκλησία τοῦ θεοῦ einen „paulinischen" Begriff verwendete[49]. Dies wäre zumal dann zu vermuten, wenn der Acta-Verfasser mit diesem Begriff ein ursprünglich in der Formulierung enthaltenes λαός ersetzt hätte[50].

VV 29–30 Paulus sagt – aus prophetischem Wissen[51] – voraus, daß nach seinem Weggang[52] „reißende Wölfe"[53] in die Gemeinde eindringen werden, die die Herde nicht schonen[54] (V 29). Neben dieser auf „von außen" kommende Irrlehrer bezogenen Ankündigung wird – nun ohne Bild – vorausgesagt, daß sich auch in der Gemeinde selbst[55] Männer erheben werden, die durch ihre „verkehrte" Lehre[56] die Jünger (d.h. die Christen) abspenstig machen[57] und in ihre Gefolgschaft ziehen[58] werden (V 30).

---

[45] περιποιέομαι kommt im NT nur noch Lk 17,33; 1 Tim 3,13 vor. Vgl. indessen 1 Petr 2,9: λαὸς εἰς περιποίησιν.

[46] *Beide* Varianten finden sich in vielen Koine-Handschriften, bei Athanasius, Didymus, Joh. Chrysostomus und Theophylakt, ferner in vielen Lektionarien. Vgl. oben A. i und l.

[47] Das absolute ὁ ἴδιος entspricht ähnlichen christologischen Substantiven wie ὁ ἀγαπητός oder ὁ μονογενής. Siehe Conzelmann.

[48] Zu der theozentrischen Auffassung des Lukas über die Entstehung der Kirche siehe Lohfink, Sammlung Israels 85–92. Conzelmann und Lohfink rechnen damit, daß die traditionelle Formulierung vom Handeln *Christi* sprach.

[49] Die Wendung ist bei Paulus bezeugt: 1 Kor 1,2; 10,32; 15,9; 2 Kor 1,1; Gal 1,13; 1 Thess 2,14. Sie ist indessen vor-paulinisch; vgl. H. Merklein, Die Ekklesia Gottes. Der Kirchenbegriff bei Paulus und in Jerusalem, in: BZ 23(1979)48–70.

[50] Damit rechnet Lohfink, a.a.O. 90f (mit Hinweisen auf Jes 43,21 LXX; 1 Petr 2,9 und vor allem Tit 2,14).

[51] Vgl. VV 23–25; ferner oben A. 26.

[52] ἄφιξις bedeutet normalerweise „Ankunft", kann aber auch „Abreise" heißen; vgl. BauerWb s.v.; Menestrina, ἄφιξις (1978).

[53] λύκοι βαρεῖς „wilde Wölfe". λύκοι steht im übertragenen Sinn (so schon bei Homer, LXX) auch Mt 7,15. Vgl. G. Bornkamm, λύκος, in: ThWNT IV 309–313.

[54] φείδομαι „schonen" wird mit Genitiv konstruiert, so auch 1 Kor 7,28; 2 Kor 1,23. Negiert steht φ. auch Röm 8,32; 11,21 a.b; 2 Petr 2,4.5, absolut 2 Kor 13,2.

[55] καὶ ἐξ ὑμῶν αὐτῶν: Die zweite Gruppe kommt aus den eigenen Reihen der Gemeinde, während die „Wölfe" εἰς ὑμᾶς eindringen (V 29).

[56] Sie werden διεστραμμένα („verkehrtes Zeug") reden. Vgl. Mt 17,17; Lk 9,41; Phil 2,15.

[57] ἀποσπάω „abspenstig machen". Das Passiv begegnet 21,1 im Sinne von „sich losreißen" (vgl. Lk 22,41).

[58] ὀπίσω αὐτῶν begegnet auch in der Warnung Lk 21,8 (vgl. Apg 5,37). Der Ausdruck erinnert an die Jesus-Nachfolge; vgl. Lk 9,23; 14,27.

V 31 Darum gilt es, wachsam zu sein[59]. Die Aufforderung an die Ältesten (als Aufseher und Hirten) wird mit der Erinnerung[60] an das dreijährige Wirken des Paulus (in Ephesus) begründet. Paulus hat sich in dieser Zeit Tag und Nacht[61] um jeden einzelnen bemüht[62]. Er hat ohne Unterlaß und sogar unter Tränen[63] die Gemeindeglieder ermahnt[64]. In der vorausgesagten Bedrohung der Gemeinde sollen sich die Ältesten als Hirten gerade um den einzelnen Gefährdeten bemühen.

V 32 Der Redner empfiehlt nun seine Adressaten[65] „Gott und dem Wort seiner Gnade"[66]. Er vermacht ihnen den λόγος nicht wie einen verfügbaren Besitz, sondern empfiehlt sie dem Wort Gottes als einer geheimnisvollen Macht. Es vermag „aufzubauen" (bezogen auf Gemeinde[67]) und das Erbe unter allen Geheiligten[68] zu verleihen (bezogen auf das himmlische Erbe). Das durch Paulus vermittelte Wort der Botschaft bleibt der Gemeinde auch über dessen Tod hinaus (vgl. 20,7.11 f). Aber es steht nicht zur „Verfügung" der Presbyter, sondern es ist Gottes „Instrument" zur Auferbauung der Kirche und zum Heil ihrer Glieder.

VV 33–34 Die beiden Verse erinnern an die handwerkliche Arbeit des Paulus, der von den Gemeinden weder Silber noch Gold oder Kleidung begehrte. Einerseits gehören solche Beteuerungen zur „Form" der Ab-

---

[59] διὸ (Konjunktion der folgernden Verknüpfung) γρηγορεῖτε. Vgl. die Wachsamkeitsparänese Lk 12,37.39; 1 Kor 16,13; 1 Thess 5,6.10.

[60] μνημονεύω bezieht sich auch Kol 4,18 und 2 Thess 2,5 auf Paulus. Bei Lukas wird es Lk 17,32 auf eine biblische Erzählung (die Frau des Lot) und Apg 20,35 auf die Worte Jesu bezogen.

[61] νύκτα καὶ ἡμέραν steht auch 26,7, ferner Mk 4,27; Lk 2,37. Vgl. Blass/Debr § 161,2 mit Anm. 4.

[62] εἷς ἕκαστος wie 2,3.6; 17,27; 21,19.26.

[63] μετὰ δακρύων (so auch V 19) steht im NT ferner: Mk 9,24 v.l.; Hebr 5,7; 12,17; vgl. 2 Kor 2,4 (mit διά).

[64] νουθετέω „ermahnen, warnen" mit Akkusativ der Person wie (Weish 11,10) Röm 15,14; 1 Kor 4,14; 1 Thess 5,12.14; Kol 1,28; 3,16; 2 Thess 3,15. Vgl. J. Behm, νουθετέω, νουθεσία, in: ThWNT IV 1013–1016.

[65] καὶ τὰ νῦν παρατίθεμαι ὑμᾶς. Der Redner „übergibt" seine zurückbleibenden Hörer an Gott. Vgl. oben Nr. 34 A. 24.

[66] Vgl. oben V 24 „das Evangelium von der Gnade Gottes"; s. A. 32.

[67] Zu οἰκοδομέω vgl. 9,31 (von der ἐκκλησία). An anderen Stellen wird ἐποικοδομέω auf den „Tempel Gottes" (1 Kor 3,10–17) bzw. οἰκοδομή auf den „Leib Christi" (Eph 4,16) angewendet. Haenchen und Conzelmann beziehen τῷ δυναμένῳ auf Gott bzw. den Herrn. Indessen ist mit dem Dativ der λόγος gemeint; vgl. Röm 1,16; 1 Thess 2,13. Dieser ist freilich Gottes „Instrument" beim Heilswerk; so Zerwick/Grosvenor, Analysis z. St.; vgl. J. Pfammatter, οἰκοδομή κτλ. 4. a, in: EWNT II 1215 (Gott *und* sein Wort).

[68] Bei ἐν τοῖς ἡγιασμένοις handelt es sich nach Wikenhauser um eine Anspielung auf Dtn 33,3 LXX; dort sind freilich die Israeliten die „Geheiligten". Vgl. auch Apg 26,18; Kol 1,12; Hebr 10,14; dazu Richard, Old Testament in Acts (1980) 337 f.

schiedsrede[69]. Andererseits gestalten sie Angaben des „historischen" Paulus (vgl. 1 Thess 2,9; 4,11; 1 Kor 4,12; 9,15) „zum zeitlosen Vorbild"[70]. αὐτοὶ γινώσκετε κτλ. (V 34) ruft die Hörer zu Zeugen auf.

V 35 faßt den Gedanken der Uneigennützigkeit des Paulus generalisierend zusammen: „In allem"[71] hat Paulus den Adressaten gezeigt, daß man sich auf diese Weise „der Schwachen annehmen"[72] soll. Außer dem Vorbild des Paulus wird noch ein entsprechendes Herren-Wort angeführt, um die Forderung (δεῖ ἀντιλαμβάνεσθαι) zu begründen. Das Logion ist sprichtwortartig[73], erhält aber durch μακάριον den Charakter einer Seligpreisung. μᾶλλον ist echter Komparativ[74]. Lukas wird das Herrenwort im Lichte von Lk 6,30f gelesen haben.

V 36 Zum Schluß der Abschiedsrede kniet Paulus nieder[75] und betet[76] mit allen Anwesenden, also mit den Presbytern.

VV 37–38 Alle Anwesenden weinen[77], fallen Paulus um den Hals und küssen ihn[78]. Am meisten[79] schmerzt sie[80] das Wort, daß sie ihn nicht mehr sehen würden (V 38a; vgl. V 25). Dann geleiten sie[81] Paulus zum Schiff[82].

---

69 Vgl. die Abschiedsrede Samuels 1 Sam 12,3: „Zeuget wider mich vor dem Herrn und seinem Gesalbten: Wessen Rind oder wessen Esel habe ich genommen?" KURICHIANIL, Speeches (1980), betont mit Recht die Parallelen zu 1 Sam 12,1–25.

70 CONZELMANN.

71 πάντα heißt hier nicht „alles", sondern (adverbial) „in jeder Hinsicht"; CONZELMANN. ὑπέδειξα erinnert hier an das Beispiel des Paulus; vgl. Joh 13,15.

72 Die ἀσθενοῦντες sind nach dem Kontext wohl (vornehmlich) als sozial „Schwache" verstanden, als Bedürftige; siehe BAUERWb s.v. ἀσθενέω 3; MOULTON/MILLIGAN s.v.; PRAST, Presbyter und Evangelium 153.

73 JEREMIAS, Unbekannte Jesusworte 37: „wahrscheinlich ein aus der griechisch-römischen Welt stammendes Sprichwort, das Jesus in den Mund gelegt worden ist". Vgl. auch HAENCHEN und CONZELMANN.

74 CONZELMANN: „μᾶλλον ist nicht semitisierend exklusiv zu fassen (Geben ist selig, Nehmen nicht)." μᾶλλον ἤ steht in der Apg auch 4,19; 5,29; 27,11.

75 Die Wendung θεὶς τὰ γόνατα ist spezifisch lukanisch; siehe 9,40; 21,5; Lk 22,41. Sie bezeichnet die flehentliche Gebetshaltung.

76 Absolutes προσεύχομαι steht häufig im lukanischen Werk; siehe oben Nr. 21 A. 56.

77 ἱκανὸς κλαυθμὸς ἐγένετο „sie hoben lautes Weinen an"; das Substantiv steht bei Lukas sonst nur noch Lk 13,28 (par Mt).

78 Vgl. folgende biblische Begrüßungs-Szenen: Gen 33,4 LXX; 45,14f LXX; Tob 7,6. Siehe auch Lk 15,20. καταφιλέω findet sich bei Lukas Lk 7,38.45; 15,20; Apg 20,37.

79 μάλιστα „zumeist, ganz besonders" findet sich auch 25,26 und 26,3; es steht häufig in den Pastoralbriefen (5mal).

80 ὀδυνάομαι „Schmerz empfinden" kommt im NT nur bei Lukas vor: Lk 2,48; 16,24.25; Apg 20,38.

81 προπέμπω „geleiten" steht auch 21,5. Den Sinn „zur Reise ausstatten" hat das Verbum 15,3 und bei Paulus (vgl. Röm 15,24; 1 Kor 16,6.11; 2 Kor 1,16).

82 τὸ πλοῖον begegnet in der Apg von 20,13.38 an: 21,2.3.6; ferner 14mal von 27,2 bis 28,11. Mit dem Substantiv ist das größere, seetüchtige Schiff gemeint. Allerdings kann es auch ein „Boot" bezeichnen: Lk 5,2.3.7.11; 8,22.37.

Wenn Lukas am Schluß der Milet-Szene noch einmal auf die Endgültigkeit des Abschieds hinweist (VV 25.38a), so tut er das nur, weil er „eine Widerlegung durch die Ereignisse" ausschloß; d.h. er wußte, daß der Apostel schon getötet war[83].

52. WEITERREISE NACH CÄSAREA UND AUFENTHALT BEI PHILIPPUS: 21,1–14

LITERATUR: P. CORSSEN, Die Töchter des Philippus, in: ZNW 2 (1901) 289–299. – SCHILLE, Kollegialmission (1967) 39–42 [zu 21,8]. – H. PATSCH, Die Prophetie des Agabus, in: ThZ 28(1972)228–232. – STOLLE, Zeuge (1973) 72–74. – U. B. MÜLLER, Prophetie und Predigt im Neuen Testament (StNT 10) (Gütersloh 1975) 130–140 [zu 21,4]. – RADL, Paulus und Jesus (1975) 133–168. – BOVON, Le Saint-Esprit (1979; s.o. Nr. 51). – HENGEL, Geschichtsschreibung (1979) 68f [zu 21,8f].

1 [a]Als wir uns von ihnen getrennt hatten und abgefahren waren[a], kamen wir in gerader Fahrt nach Kos, tags darauf nach Rhodos und von dort nach Patara[b]. 2 Hier fanden wir ein Schiff, das nach Phönizien fuhr; wir gingen an Bord und fuhren ab. 3 Als wir Zypern sichteten, ließen wir es zur Linken liegen, fuhren nach Syrien und landeten[c] in Tyrus; denn dort sollte das Schiff seine Ladung löschen. 4 Als wir die Jünger ausfindig gemacht hatten, blieben wir sieben Tage bei ihnen. Sie sagten dem Paulus durch den Geist, er solle nicht nach Jerusalem hinaufziehen.

5 Als die Tage unseres Aufenthalts zu Ende waren, brachen wir zur Weiterreise auf, und alle, auch Frauen und Kinder, geleiteten uns bis vor die Stadt. Wir knieten am Strand nieder, beteten 6 und nahmen voneinander Abschied. Dann gingen wir an Bord; jene aber kehrten nach Hause zurück.

7 Wir aber gelangten auf dem letzten Teil der Seefahrt von Tyrus nach Ptolemaïs. Wir begrüßten die Brüder und blieben einen Tag bei ihnen. 8 Am folgenden Tag [d]zogen wir fort und kamen[d] nach Cäsarea. Wir gingen in das Haus des Evangelisten Philippus, der einer von den Sieben war, und blieben bei ihm. 9 Er hatte vier Töchter, prophetisch begabte Jungfrauen.

---

[83] DIBELIUS, Die Reden 136 mit A. 1.

[a] Der Anfang von V 1 (a – a) lautet in D* sa: „Und wir gingen an Bord und fuhren ab; als wir uns von ihnen getrennt hatten".

[b] Hinter „Patara" fügen P[41vid] D (gig vg[mss] sa) an: „und Myra". Vgl. 27,5. Siehe HAENCHEN, Apg 66.

[c] Statt κατήλθομεν lesen C Ψ Koine κατήχθημεν (vgl. 27,3; 28,12).

[d] Statt ἐξελθόντες ἤλθομεν liest der textus receptus (Koine): „zogen die um Paulus fort und kamen". Vgl. METZGERTC 482f.

10 Wir blieben mehrere Tage dort. Da kam von Judäa ein Prophet herab mit Namen Agabus 11 und besuchte uns. Er nahm den Gürtel des Paulus, band sich Füße und Hände und sprach: So spricht der heilige Geist: Den Mann, dem dieser Gürtel gehört, werden die Juden in Jerusalem ebenso fesseln und in die Hände der Heiden ausliefern. 12 Als wir das hörten, redeten wir ihm[e] *zusammen mit den Einheimischen zu, nicht nach Jerusalem hinaufzuziehen. 13* [f]*Doch Paulus antwortete*[f]*: Warum weint ihr und macht mir das Herz schwer*[g]*? Ich bin bereit, mich in Jerusalem nicht nur fesseln zu lassen, sondern sogar zu sterben für den Namen des Herrn Jesus. 14 Da er sich nicht überreden ließ, gaben wir nach und sagten*[h]*: Der Wille des Herrn geschehe!*

21,1–14 berichtet über die Reise des Paulus und seiner Begleiter[1] von Milet bis Cäsarea. Als Zwischenstationen des „Wir"-Berichts werden Kos, Rhodos und Patara (V 1), ferner Tyrus (V 3) und Ptolemaïs (V 7) genannt. In Patara (V 2) und wohl auch in Tyrus (V 7) wurde das Schiff gewechselt.

Wenn man davon ausgeht, daß Lukas hier ein Itinerar benutzte, so stellt sich die Frage, welche Begebenheiten schon in diesem erzählt und welche erst vom Acta-Verfasser eingefügt wurden. Daß V 4b mit der Notiz über eine prophetische Warnung in Tyrus erst von Lukas stamme, wurde verschiedentlich vermutet[2]. Doch kann auch das gesamte Stück 21,4b–6 lukanischer Herkunft sein (vgl. 20,36–38). Was über den kurzen Aufenthalt in Ptolemaïs berichtet wird (V 7b), läßt im Grunde nur erkennen, daß es dort eine christliche Gemeinde gab (vgl. 11,19).

Am ausführlichsten ist der Bericht über den Aufenthalt in Cäsarea (VV 8–14). Die Angaben über den Evangelisten Philippus und seine „prophetischen" Töchter (VV 8f) boten wohl den Anlaß, die Episode mit der Prophetie des Agabus (VV 10–14) einzufügen[3]. Sie bildet den Höhepunkt des ganzen Abschnitts und mündet in das Pauluswort, das dessen Todesbereitschaft herausstellt. Der Schlußsatz (V 14) hebt hervor, daß sich auch die Begleiter des Paulus (und die Christen von Cäsarea; vgl. V 12) dem Willen Gottes unterwerfen. Damit wird das im folgenden berichtete Schicksal des

---

[e] D gig nennen hier den Namen des Paulus.

[f] Die Einleitungswendung (f – f) lautet in D (gig): „Paulus aber sprach zu uns".

[g] Statt συνθρύπτοντες lesen D* gig p Tert[pt] θορυβοῦντες.

[h] D fügt an: πρὸς ἀλλήλους.

[1] Der „Wir"-Bericht, der mit 20,17–38 unterbrochen war, wird 21,1 wieder aufgenommen. Er reicht über 21,1–14 hinaus bis zur Ankunft in Jerusalam (21,15–18).

[2] Vgl. Preuschen; Loisy; Haenchen, Apg 577.579; Radl, Paulus und Jesus 135f.

[3] Siehe Haenchen, Apg 579: Die Agabus-Geschichte stammt „nicht aus dem Itinerar", sondern „gründet in einer andern, mündlichen Überlieferung". Lukas habe den „Wir"-Stil auf die Agabus-Episode übertragen (vgl. VV 11a.12.14a). Ein wichtiges Indiz dafür, daß die Agabus-Episode selbständig überliefert wurde, ist die Einführung des Propheten, der (trotz 11,28) wie ein Unbekannter vorgestellt wird; vgl. Conzelmann.

Paulus noch einmal deutlich als den Absichten Gottes entsprechend gekennzeichnet. Die Prophetie über die „Auslieferung“ des von den Juden gefesselten Paulus „in die Hände von Heiden“ stellt das Schicksal des Paulus neben die Passion Jesu[4].

Nach 20,7–12 (Troas) und 20,17–38 (Milet) bietet unser Abschnitt nun zwei weitere Abschiedsszenen: VV 5f (Tyrus) und VV 10–14 (Cäsarea). Paulus nimmt endgültig Abschied von den Ortskirchen.

V 1 Paulus und seine Begleiter gehen in Milet an Bord des Schiffes und segeln in gerader Fahrt[5] nach der Insel Kos, die seit dem 4. Jh. v. Chr. ein berühmtes Asklepios-Heiligtum besaß. Am folgenden Tag[6] geht die Fahrt nach Rhodos und von dort nach Patara an der Südwestküste von Lykien. Einige „westliche“ Textzeugen lassen die Seereise bis Myra gehen[7]. Wahrscheinlich gleichen sie damit an 27,5 an, vielleicht auch an die Erzählung der Acta Pauli et Theclae, die einen Aufenthalt des Paulus in Myra voraussetzt[8].

VV 2–3 In Patara findet die Reisegesellschaft ein Schiff, das nach Phönizien[9] fährt. Sie geht an Bord und fährt ab[10] (V 2). Als Zypern in Sicht kommt, läßt das Schiff die Insel zur Linken liegen, um direkten Kurs auf Syrien zu nehmen[11] (V 3a). Das Schiff legt in Tyrus[12] an, weil es dort [13] seine Ladung löschen soll (V 3b).

---

[4] Vgl. Lk 9,44; 18,32; 24,7.20. Siehe Haenchen, a.a.O.: „Hier erfährt der Leser, wie er den kommenden Prozeß des Paulus verstehen soll. Es ist wieder alles so zugegangen wie in der Leidensgeschichte Jesu ... Im Falle des Paulus ist das freilich ... nur *cum grano salis* wahr: die Juden haben Paulus höchst persönlich totschlagen wollen, und die Römer haben sein Leben gerettet. Das wird auch Lukas selbst an späterer Stelle zugeben.“ Vgl. ferner Radl, a.a.O. 139f.145–147.

[5] εὐθυδρομέω wie 16,11; vgl. oben Nr. 39 A. 22.

[6] Zu τῇ δὲ ἑξῆς ist ἡμέρᾳ zu ergänzen. Das Adverb ἑξῆς kommt im NT nur bei Lukas vor: Lk 7,11; 9,37; Apg 21,1; 25,17; 27,18, und zwar jeweils im temporalen Sinn; siehe G. Schneider in: EWNT II s.v. (16f).

[7] Siehe oben A. b.

[8] ActPlThecl 40; vgl. MetzgerTC 482; NADÜ II 229f.

[9] Zu Phönizien gehören die Häfen Tyrus (V 3) und Ptolemaïs (V 7). Daß es zu dieser Zeit in Phönizien Christen gab, läßt 11,19 den Leser zumindest vermuten. Vgl. oben Nr. 25 A. 13.

[10] ἀνάγομαι wie V 1: „auslaufen, auf die hohe See fahren“. Siehe oben Nr. 43 A. 17.

[11] πλέω „zur See fahren, segeln“ steht mit Angabe des Ziels 21,3; 27,2.6, absolut 27,24 und Lk 8,23; vgl. Apk 18,17.

[12] Τύρος/Tyrus erwähnt die Apg nur 21,3.7; vgl. indessen auch Lk 6,17 und 10,13.14, wo die phönizische Stadt zusammen mit Sidon genannt ist. Tyrus erhielt 64 v. Chr. durch Pompejus die Bestätigung seiner Autonomie. Vgl. H. P. Rüger, Tyrus, in: BHH III 2035f; W. Röllig, Tyros, in: KlPauly V 1027–1029; ferner unten A. 17.

[13] Das Ortsadverb ἐκεῖσε „dorthin“ steht im NT nur Apg 21,3 und (im Sinne von „dort“) 22,5. – ἀποφορτίζομαι τὸν γόμον ist technischer Ausdruck der Schiffersprache: „die Ladung ausladen/löschen“; vgl. Dionysius Halic., Ant. Rom. III 44.

V 4 Den Aufenthalt in Tyrus benutzt Paulus zum Besuch bei den dortigen „Jüngern". Die Reisegruppe hält sich bei der Christengemeinde eine Woche auf. Dabei warnen die Christen den Paulus „durch den Geist"[14], er solle nicht nach Jerusalem gehen[15]. Wenn hier auch keine direkte Reaktion des Paulus erwähnt ist, zeigen doch die VV 5f, daß er auf die Warnung nicht einging. Die Erzählung meint auch nicht, daß „der Geist" die Reise verboten habe, sondern, daß er das kundtat, was Paulus in Jerusalem erwarten sollte.

VV 5–6 Nach dem siebentägigen Aufenthalt verließ Paulus mit seinen Begleitern unter dem Geleit aller tyrischen Gemeindeglieder – samt Frauen und Kindern[16] – die Stadt[17], um an Bord des (oder: eines neuen) Schiffes zu gehen. Vor der Stadt knieten alle am Strand[18] nieder, um zu beten. Der Abschied von der Gemeinde entspricht dem Bericht von 20,36–38. Die Schlußwendung V 6b ist „lukanisch"[19].

V 7 Die „Wir"-Gruppe gelangt nun auf der letzten Teilstrecke der Schiffsreise[20] nach Ptolemaïs[21], dem alten Akko. Auch hier werden die Christen (diesmal „Brüder" genannt; vgl. V 4: „Jünger") begrüßt. Die Gruppe hält sich nur einen Tag bei der Ortsgemeinde auf.

VV 8–9 Am folgenden Tag[22] gehen[23] Paulus und seine Genossen nach Cäsarea. Der Landweg von Ptolemaïs nach Cäsarea beträgt etwa 55 km. Es ist nicht völlig auszuschließen, daß auch hier an den Seeweg gedacht ist[24].

---

[14] Mit διὰ τοῦ πνεύματος ist die prophetische Eingebung gemeint: vgl. 1,2; 4,25; 11,28. Siehe auch 20,23; 21,11.

[15] ἐπιβαίνω bedeutet hier wohl (wie 20,18; 25,1) „hingehen, betreten". Es ist jedoch nicht auszuschließen, daß (wie 21,2; 27,2) mit „an Bord gehen, sich einschiffen" zu übersetzen ist (vgl. Thucydides, Hist. VII 62,2).

[16] Lukas nennt neben Männern häufig auch „Frauen": Apg 1,14; 5,14; 8,3.12; 9,2; 17,12; 22,4.

[17] ἔξω τῆς πόλεως wie 7,58; 14,19; Lk 4,29. Das antike Tyrus hatte zwei Häfen, den „sidonischen" im Norden und den „ägyptischen" im Süden.

[18] αἰγιαλός bedeutet „Strand", so auch 27,39.40.

[19] Zu dem lukanischen Vorzugswort ὑποστρέφω siehe oben Nr. 27 A. 97. τὰ ἴδια begegnet bei den Synoptikern nur Lk 18,28 diff Mk 10,28.

[20] τὸν πλοῦν διανύω heißt „die Fahrt vollenden" (siehe Achilles Tat. V 17,1). ὁ πλοῦς „die Seefahrt, die Seereise" kommt im NT nur Apg 21,7; 27,9.10 vor.

[21] Πτολεμαΐς/Ptolemaïs ist die südlichste der phönizischen Hafenstädte. Als Handelsplatz wird die Stadt Akka/Akko bereits in den Amarnabriefen erwähnt. Ptolemaios II. (285–246) verlieh der Stadt seinen Namen. Auch nach dem Ausbau von Cäsarea in römischer Zeit blieb Ptolemaïs ein wichtiger Hafenplatz. Siehe Schürer, Geschichte des jüdischen Volkes II 141–148; M. S. Enslin, Ptolemais, in: BHH III 1530; H. G. Kippenberg, Ptolemais 8, in: KlPauly IV 1234.

[22] Zu τῇ δὲ ἐπαύριον vgl. oben Nr. 24 A. 68.

[23] ἐξελθόντες ἤλθομεν εἰς. Normalerweise bezieht sich ἐξέρχομαι auf den Landweg; siehe indessen auch 16,10.

[24] So deutet Bruce, Acts (NIC) 423. Vgl. Haenchen: „Vielleicht wurde doch ein Schiff benutzt?"

In Cäsarea besucht die Reisegruppe den „Evangelisten“[25] Philippus. Er ist wohl als Gründer der Christengemeinde dieser Stadt anzusehen (vgl. 8,40). Philippus war laut 6,5 einer der „Sieben“; daran erinnert der Erzähler jetzt (V 8). V 9 erwähnt, daß Philippus vier prophetisch begabte[26] Töchter[27] hatte. Das Stichwort προφητεύουσαι leitet zur folgenden Episode über. Es ist im Zusammenhang mit V 4b und der Agabus-Prophetie (V 11) zu lesen: „Von Stadt zu Stadt“ (20,23) bekundet der Geist, welches Schicksal Paulus in Jerusalem erwartet.

VV 10–11 Die Reisegruppe um Paulus hielt sich mehrere Tage in Cäsarea bei Philippus auf (V 10, vgl. V 8). In dieser Zeit kam der Prophet Agabus von Judäa „herab“ nach Cäsarea. Obgleich 11,27f diesen Jerusalemer Propheten schon im Bericht über die antiochenische Gemeinde erwähnt hatte, wird er hier, der Quelle folgend, wie ein Unbekannter eingeführt[28]. Agabus[29] kam zu der im Haus des Philippus versammelten Reisegruppe, nahm Paulus den Gürtel ab, band sich damit Füße und Hände – eine prophetische Zeichenhandlung (vgl. Jes 20,2; Jer 13,1–11) – und sagte (sein Tun interpretierend): „So spricht der heilige Geist.“ Als Wort des heiligen Geistes wird dann die Fesselung des Paulus durch die Jerusalemer Juden vorausgesagt, ebenso die Übergabe des Paulus an die Heiden. Die Prophetie ist kein eigentliches Prodigium. Sie läßt im übrigen die Entscheidung des Betroffenen offen[30]. Aber Paulus sieht in der Prophetie den Willen Gottes bekundet und unterwirft sich diesem (V 13) trotz der Warnung der Mitchristen (V 12).

V 12 Als die anwesenden Paulusbegleiter die Prophetie des Agabus vernommen haben, warnen sie Paulus, zusammen mit den Einheimischen[31]. Sie legen ihm nahe, nicht nach Jerusalem „hinaufzugehen“. Sie wissen um die Lebensgefahr und wollen sie abwenden.

---

[25] Die Bezeichnung εὐαγγελιστής ist für das lukanische Werk singulär (sonstiges NT nur Eph 4,11 neben „Propheten“ und 2 Tim 4,5). Sie ist im Anschluß an 8,4f.35.40 im Sinne von „Verkündiger des Evangeliums“ zu deuten.

[26] Das absolute προφητεύω bezeichnet bei Lukas vor allem die prophetische (d.h. weissagende) Rede: Lk 1,67; Apg 2,17.18; 19,6; 21,9; vgl. oben Nr. 26 A. 14; Nr. 45 A. 14.

[27] παρθένοι sind Mädchen im heiratsfähigen Alter (wie Mt 25,1.7.11); vgl. J. A. Fitzmyer, παρθένος 2, in: EWNT III.

[28] Vgl. „von Judäa ein Prophet namens Agabus“.

[29] Siehe oben Nr. 26 A. 15.

[30] Vgl. Conzelmann: „Es entspricht den allgemeinen Anschauungen von Weissagungen und Prodigien, daß diese in Erfüllung gehen, aber nicht den Entschluß des Menschen ausschließen. Paulus ‚muß‘ ziehen; aber er bejaht sein Schicksal frei.“

[31] οἱ ἐντόπιοι „die Ortseingesessenen“. Der Ausdruck ist ntl. Hapaxlegomenon; vgl. Moulton/Milligan s.v. ἐντόπιος.

V 13 Doch Paulus beugt sich dem Ratschluß Gottes: Das Weinen der Christen macht ihm nur das Herz schwer[32]. Er ist bereit[33], sich in Jerusalem nicht nur fesseln zu lassen, sondern sogar zu sterben „für den Namen des Herrn Jesus“[34].

V 14 Da sich Paulus den („wohlmeinenden“) Ratschlägen der Mitchristen nicht beugt[35], kommen die Begleiter zur Ruhe[36] in dem Gedanken, man müsse „den Willen des Herrn“ respektieren und geschehen lassen[37]. Das Schlußwort ist nicht Ausdruck von Resignation, sondern es bejaht den erkannten Willen Gottes[38].

C. Gefangennahme des Paulus in Jerusalem (21, 15 – 23, 35)

Die Texteinheit 21, 15 – 23, 35 spielt in *Jerusalem*. 21, 15 berichtet von der Reise des Paulus in die Heilige Stadt; dort wird er – nach einem gegen ihn gerichteten jüdischen Tumult – von einem römischen Oberst in Haft genommen (21, 33) und schließlich von Jerusalem nach Cäsarea überstellt (23, 31–35), damit seine Angelegenheit vor dem Statthalter verhandelt werden kann. Die einzelnen Szenen haben ihren „Ort“ näherhin im *Tempelbereich* (21,27 – 22,23), in der römischen *Kaserne* der Burg Antonia (22,24–30; 23,10–31) und vor dem jüdischen *Synedrium* (22,30 – 23,10).

Das Vorgehen gegen Paulus geht von den Juden aus. Weil sie ihn bei den Judenchristen verdächtigen, er fordere Juden auf, das Gesetz zu ignorieren (21, 21), schlägt Jakobus ihm vor, sich an einem Gelübde zu beteiligen, um so seine Gesetzestreue zu bekunden (21, 21–26). Beim Besuch im Tempel hetzen Juden aus Asia das Volk gegen Paulus auf; sie behaupten, er habe einen Heiden in den verbotenen Tempelbereich mitgenommen (21, 27–30). Da rettet ihm der römische Offizier das Leben, indem er ihn festnimmt (21, 31–36). Der Römer erlaubt ihm, sich vor der Volksmenge

---

[32] συνθρύπτω (τὴν καρδίαν) „(das Herz) brechen/erweichen“; vgl. BAUERWb s. v.; HAENCHEN. Siehe auch oben A. g.

[33] ἑτοίμως ἔχω „bereit sein“ mit folgendem Infinitiv wie 2 Kor 12, 14; 1 Petr 4, 5. Vgl. die Bereitschaft des Petrus, mit Jesus sogar in den Tod zu gehen, Lk 22, 33; siehe W. RADL, ἕτοιμος κτλ. 3, in: EWNT II 171.

[34] ὑπὲρ τοῦ ὀνόματος κτλ. wie 9, 16, dort vom Leiden-Müssen des Paulus. Vgl. auch 5, 41 (Schmach erleiden) und 15, 26 (Einsatz des Lebens). Siehe oben Nr. 35 A. 117.

[35] μὴ πειθομένου δὲ αὐτοῦ „da er sich nicht überreden ließ“. Das Passiv von πείθω steht in diesem Sinn auch 17, 4; Lk 16, 31. Vgl. Apg 26, 26: „ich kann nicht glauben“.

[36] ἡσυχάζω „ruhig sein, sich still verhalten“ wie 11, 18; 22, 2 D; Lk 14, 4. Vom Einhalten der Sabbatruhe Lk 23, 56.

[37] Vgl. Mt 6, 10; 26, 42. Diese „Bitte“ fehlt im lukanischen Vater-unser (vgl. indessen Lk 11, 2 v.l.). Unsere Stelle zeigt neben der „Erweiterung“ des Gebets bei Mt, daß die Wendung „Dein Wille (τὸ θέλημα) geschehe!“ als solche nicht erst vom Endredaktor stammt. Siehe neben Apg 21, 14 auch Lk 22, 42; MartPol 7, 1.

[38] Vgl. CONZELMANN. HAENCHEN hingegen: „Die Gefährten des Paulus ergeben sich in das Unabänderliche, und der Leser weiß: Nun muß das Unheil kommen.“

auf dem Tempelvorhof zu verteidigen (21,37 – 22,21). Nach dieser Verteidigungsrede beschützt der Oberst Paulus erneut vor den Juden, die ihn umbringen wollen; er bringt ihn in die nahegelegene Kaserne (22,22–24; vgl. 23,10). Hier erfährt er, daß Paulus das römische Bürgerrecht besitzt (22,25–29). Er veranlaßt, daß Paulus vor das Synedrium gestellt wird (22,30 – 23,10). In der folgenden Nacht hat Paulus eine Christuserscheinung. Der Herr spricht ihm Mut zu: Wie er in Jerusalem für ihn Zeugnis abgelegt hat, soll und wird er es auch in Rom tun (23,11). Eine neue Zusammenrottung der Juden hat das Ziel, Paulus dem römischen Gewahrsam zu entreißen und umzubringen (23,12–22). Doch der Oberst erhält Kunde von diesem geplanten Anschlag und läßt Paulus bei Nacht unter militärischem Schutz nach Cäsarea bringen (23,23–35).

Die Gesamtkomposition 21,15 – 23,35 weist über sich selbst hinaus auf die Anklage gegen Paulus vor dem römischen Statthalter (23,30.35) und auf den Weg des Paulus bis nach Rom (23,11). Lukas hatte schon in der Agabus-Episode das Schicksal des Paulus zu der Passion Jesu in Beziehung gesetzt (21,11; vgl. auch 19,21). Das gleiche geschieht auch 23,30.35, wenn gesagt wird, daß die jüdischen Kläger Gelegenheit haben werden, ihre Anklage gegen Paulus vor dem römischen Statthalter vorzubringen (vgl. 24,1–9 mit Lk 23,2–5). Die „Tendenz" dieser Darstellung ist, die Zuständigkeit römischer Behörden in Streitfragen der Religion zu verneinen und zugleich die „politische Ungefährlichkeit" der christlichen Botschaft von römischen Behörden bestätigt zu sehen (vgl. Apg 23,29). Der übergeordnete Gedanke wird 23,11 von Christus selbst ausgesprochen: Paulus hat in Jerusalem für die Sache Jesu Zeugnis abgelegt, und er soll es auch vor den römischen Statthaltern (24,1 – 26,32) sowie in der Kaiserstadt selbst tun (27,1 – 28,30; vgl. διαμαρτυρόμενος 28,23). Damit wird sich die Prophetie Jesu Lk 21,12f (diff Mk) an Paulus erfüllen. Die Apologie vor jüdischen und heidnisch-römischen Behörden gibt dem Jesusjünger die Gelegenheit, das Christuszeugnis weiterzubringen.

53. PAULUS IN JERUSALEM. BETEILIGUNG AN EINEM GELÜBDE: 21,15–26

LITERATUR: WIKENHAUSER, Die Apostelgeschichte und ihr Geschichtswert (1921) 215–223 [zu 21,25]. – M. BLACK, A Palestinian Syriac Palimpsest Leaf of Acts 21,14–26, in: BJRL 23 (1939)201–214. – H. FRHR. V. CAMPENHAUSEN, Die Nachfolge des Jakobus, in: ZKG 63(1950/51)133–144. – BULTMANN, Quellen (1959) 416f [zu 21,25]. – G. JASPER, Der Rat des Jakobus, in: Judaica 19(1963)147–162. – A. ISAKSSON, Marriage and Ministry in the New Temple (Lund 1965) 189–196 [zu 21,23–27]. – G. RINALDI, Giacomo, Paolo e i Giudei (Atti 21,17–26), in: RivB 14(1966)407–423. – STOLLE, Zeuge (1973) 74–80.261f. – R. J. KEPPLE, The Hope of Israel, the Resurrection of the Dead, and Jesus: A Study of Their Relationship in Acts with Particular Regard to the Understanding of Paul's Trial Defense, in: Journ. of the Evang. Theol. Society 20(1977)231–241. – BACHMANN, Jerusalem und der Tempel (1980) 315–332. – G. LÜDEMANN, Zum Antipaulinismus im frühen Christentum, in: EvTh 40(1980)437–455, bes. 445–448 [zu 21,18–21].

15 Nach diesen Tagen bereiteten wir uns zur Reise vor und zogen nach Jerusalem hinauf. 16 Auch einige Jünger aus Cäsarea begleiteten uns und brachten uns zu einem gewissen Mnason[a] *aus Zypern, einem Jünger aus der Anfangszeit, bei dem wir wohnen sollten. 17 Als wir dann in Jerusalem ankamen, empfingen uns die Brüder mit Freude.*
18 Am folgenden Tag ging Paulus mit uns zu Jakobus; [b]*auch alle Ältesten fanden sich ein. 19 Nachdem er sie begrüßt hatte, berichtete er im einzelnen, was*[b] *Gott unter den Heiden durch seinen Dienst getan hatte. 20 Sie aber priesen Gott*[c]*, als sie es hörten, und sagten zu ihm: Du siehst, Bruder, wie viele Tausende unter den Juden*[d] *gläubig geworden sind, und sie alle sind Eiferer für das Gesetz. 21 Nun hat man ihnen von dir erzählt*[e]*: Du lehrst alle Juden, die unter den Heiden leben, den Abfall von Mose und forderst sie auf, ihre Kinder nicht zu beschneiden und sich nicht an die Bräuche zu halten. 22 Was nun? Sicher*[f] *werden sie hören, daß du gekommen bist. 23 Tu also, was wir dir sagen! Bei uns sind vier Männer, die ein Gelübde auf sich genommen haben. 24 Nimm sie mit, und weihe dich zusammen mit ihnen; trag die Kosten für sie, damit sie das Haar scheren lassen können. Dann werden alle erkennen, daß an dem, was man über dich erzählt hat, nichts ist, sondern daß auch du das Gesetz genau beachtest. 25 Was aber die gläubiggewordenen Heiden betrifft*[g]*, haben wir ja beschlossen und angeordnet, daß sie sich hüten sollten vor Götzenopferfleisch, Blut, Ersticktem*[h] *und Unzucht.*
26 Da nahm Paulus die Männer mit, ging[i] *am folgenden Tag, nachdem er sich geweiht hatte, mit ihnen in den Tempel und meldete das Ende der Weihetage an, bis*[k] *für jeden von ihnen das Opfer dargebracht war.*

Die Ankunft des Paulus in Jerusalem (21,15–18) gehört noch dem „Wir"-Bericht an. Trotzdem spielen die Begleiter des Paulus in dem gesamten Jerusalem-Bericht kaum eine Rolle. Einzig 21,29 erwähnt Trophimus aus Ephesus, der laut 20,4 mit Paulus nach Jerusalem gereist war. Obwohl Lu-

---

[a] Statt „Mnason" lesen ℵ gig vg^{mss} bo^{pt} „Jason".
[b] VV 18b–19a (b – b) lauten in D (sa): „Es waren aber bei ihm die Ältesten versammelt; er begrüßte sie und legte im einzelnen dar, wie ..."
[c] Statt θεόν lesen D Ψ Koine gig vg^{mss} sy^{h} sa κύριον.
[d] Statt „unter den Juden" lesen D gig p sy^{p} sa „in Judäa"; vgl. METZGERTC 484.
[e] Statt κατεχήθησαν lesen D* 104 gig κατήχησαν „sie haben berichtet".
[f] Hinter πάντως fügen P^{74} ℵ A (D) E (Ψ Koine) ein: δεῖ συνελθεῖν πλῆθος· (ἀκούσονται γάρ ...). Die Erweiterung setzt die Notwendigkeit einer Vollversammlung voraus; vgl. METZGERTC 484.
[g] D gig sa schalten ein: „haben sie (die Judenchristen) dir (gegen dich) nichts zu sagen; (wir haben nämlich ...)".
[h] καὶ πνικτόν fehlt in D gig. Vgl. dazu oben Exk. 12.
[i] Statt εἰσῄει (Imperfekt statt Aorist, so auch V 18) liest D εἰσῆλθεν.
[k] Statt ἕως οὗ („bis") liest D ὅπως („damit").

kas den eigentlichen Zweck der Reise, die Überbringung der Kollekte, kennt (24, 17), stellt er ihn nicht in den Vordergrund. Der Bericht betont, daß Jakobus, die Ältesten und die Gemeinde (21, 17 f) Paulus freudig begrüßten und die Anschuldigungen von seiten der Juden zurückwiesen (VV 21–24). Die Angabe, daß Jakobus den Heidenmissionar Paulus über das „Aposteldekret" unterrichtete (V 25), kann zwar als Indiz für eine Überlieferung verstanden werden, die diese Klauseln noch nicht mit dem „Apostelkonzil" verband[1] (gegen 15, 20.29). Doch setzt Lukas voraus, daß Paulus das „Aposteldekret" längst kannte. Paulus demonstriert, indem er die Kosten für das Gelübde der vier Männer übernimmt und sich damit an dieser Frömmigkeitsleistung beteiligt, daß er das Gesetz beobachtet (V 24); die Anschuldigungen gegen ihn (V 21) sind also falsch[2].

Die Erwähnung des Herrenbruders Jakobus (und der Ältesten) entspricht der historischen Situation. Petrus und die Zwölf sind – wenigstens in Jerusalem – inzwischen von der Bühne abgetreten. Die Leitung der Urgemeinde ist an Jakobus übergegangen[3]. Die „nachapostolische" Epoche hat hier begonnen, und auch Paulus wird bald seinen Lauf vollenden.

VV 15–16 Nach den Tagen[4] des Aufenthalts in Cäsarea rüstete sich die Reisegruppe um Paulus zum Aufbruch[5] und reiste nach Jerusalem (V 15). Zu den bisherigen Paulus-Begleitern kommen Christen („Jünger") aus Cäsarea. Von einem Fest, das man in Jerusalem feiern möchte (vgl. 20, 16), ist keine Rede mehr. Die Christen aus Cäsarea bringen die „Wir"-Gruppe zu einem Mann aus Zypern namens Mnason. Dort sollte die Gruppe um Paulus wohnen[6]. Mnason wird als Jünger der Frühzeit[7] bezeichnet (V 16).

---

[1] Vgl. indessen CONZELMANN zu V 25: „Andere erklären, das Dekret werde dem Paulus als etwas Neues mitgeteilt. Hier erscheine also eine Quelle, welche es nicht mit dem Apostelkonzil verbunden habe. Aber die Fassung läßt sich auch als redaktionell verstehen: Der Wortlaut ist nicht auf Paulus, sondern auf den Leser berechnet."

[2] HAENCHEN, Apg 587, vermutet, daß die Kirchenleitung in Jerusalem sich scheute, die Kollekte des Paulus anzunehmen, weil sie sich so mit der (gesetzeskritischen) Position des Heidenapostels solidarisch erklärt und damit „die letzte Möglichkeit einer Mission in Israel" behindert hätte. Um den Bruch „mit der paulinischen Missionskirche wie den mit dem palästinensischen Judentum" zu vermeiden, habe man Paulus nahegelegt, „die relativ erheblichen Kosten der Auslösung von 4 armen Nasiräern zu übernehmen", um dann die Kollekte anzunehmen. Vgl. dazu CONZELMANN: „Damit ist zu viel herausgelesen. Schon die Vorlage des Lk zeichnete offenbar kein geschichtstreues Bild des Paulus, sondern ein im Sinn von 16, 3 tendenziöses." Demgegenüber ist wieder einzuwenden, daß weder 16, 3 noch 21, 26 ungeschichtlich-tendenziös sein müssen; siehe oben Nr. 37 A. 18.19.

[3] Vgl. v. CAMPENHAUSEN, Die Nachfolge des Jakobus (1950/51); RINALDI, Giacomo (1966); PESCH, Simon-Petrus (1980) 70.96.104.

[4] Zur Einleitungswendung vgl. 9, 19; 20, 6; 24, 1.24; 25, 1; 28, 17.

[5] ἐπισκευάζομαι „sich rüsten", wie JosBell I 297.

[6] Zur Grammatik von V 16 siehe CONZELMANN. Das Passiv von ξενίζω bedeutet „beherbergt werden, als Gast wohnen"; vgl. 10, 6.18.32.

[7] Zu ἀρχαῖος μαθητής vgl. eine Inschrift aus Magnesia (1. Jh. n. Chr.) mit dem Ausdruck ἀρχαῖος μύστης (MOULTON/MILLIGAN s. v. ἀρχαῖος).

Wahrscheinlich war er wie Barnabas[8] früh zur Urgemeinde gestoßen; vielleicht gehörte er zu den „Hellenisten" wie die Stephanusgruppe.

V 17 ist zwar hart zwischen den Versen 16 und 18 eingefügt[9], bildet indessen mit VV 15f eine Einheit: Erst mit V 18 beginnt die erste „Episode" in Jerusalem. Bei der Ankunft des Paulus und seiner Reisegefährten werden diese von den (judenchristlichen) „Brüdern" freundlich aufgenommen[10].

VV 18–19 Schon am folgenden Tag macht Paulus (mit der „Wir"-Gruppe) einen Besuch bei Jakobus. Dabei trifft er auch mit „allen Ältesten" zusammen (V 18). Die Gruppe der Jerusalemer πρεσβύτεροι wurde schon 11,30 und beim Apostelkonzil (15,2) erwähnt. Sie war laut 15,23 Mitabsender des Aposteldekrets. Paulus legt der Jerusalemer Kirchenleitung – ähnlich wie laut 15,4 auf dem Apostelkonzil – den Erfolg seiner Heidenmission dar[11]. Die Formulierung von V 19 stellt heraus, daß Gott selbst[12] „durch den Dienst"[13] des Paulus unter den Heiden die Erfolge bewirkte und so für Paulus eintrat.

VV 20–21 Die Leitung der Gemeinde preist Gott, als sie den Bericht des Paulus vernommen hat. Sie weist ihrerseits Paulus (den sie als „Bruder" anredet) auf die Myriaden[14] von Judenchristen[15] hin, die „Eiferer für das Gesetz"[16] (geblieben) sind (V 20). Auf sie gelte es Rücksicht zu nehmen: Man habe sie (fälschlich) unterrichtet, daß Paulus alle Juden in der Diaspora[17] den Abfall[18] von Mose lehre, daß er sie auffordere, ihre Kinder nicht mehr zu beschneiden[19] und nicht mehr nach dem Gesetz zu leben[20].

---

[8] Vgl. oben I 367f (zu 4,36f).

[9] Siehe Conzelmann, der auf den „schlechten" Genitivus absolutus verweist; vgl. Blass/Debr § 423,2 mit Anm. 8.

[10] ἀσμένως „gerne" wird auch bei Philo und Fl. Josephus mit „aufnehmen" verbunden; siehe BauerWb s.v.

[11] Zu ἐξηγέομαι siehe oben Nr. 24 A. 66. Wenn hier gesagt ist, daß Paulus „im einzelnen" berichtete, ist wohl im Sinne des Acta-Verfassers an einen Bericht über die Mission des Paulus auf der „zweiten" und „dritten Missionsreise" (15,36 – 21,14) zu denken.

[12] Zu ὧν ἐποίησεν ὁ θεός vgl. 15,4.12, dort mit folgendem μετ' αὐτῶν bzw. δι' αὐτῶν.

[13] Von der διακονία des Paulus sprach schon 20,24. Das Stichwort bezeichnet auch bei Paulus selbst den apostolischen Dienst: Röm 11,13; 2 Kor 3,8.9; 4,1; 5,18; 6,3.

[14] μυριάδες (τῶν πεπιστευκότων), eigentlich „Zehntausende" (vgl. 19,19), hier jedoch eher im Sinne einer ungeheuer großen Zahl (wie Lk 12,1).

[15] Die Formulierung „Gläubig-gewordene unter (ἐν) den Juden", die vom „westlichen" Text vermieden wird (s.o. A. d), sieht die Judenchristen noch „innerhalb" des Judentums stehend.

[16] ζηλωτής mit Genitiv der Sache, hier: des νόμος (vgl. 2 Makk 4,2; Philo, De spec. leg. II 253; JosAnt XII 271). Siehe auch Gal 1,14.

[17] κατὰ τὰ ἔθνη πάντας meint „alle unter die Heiden (zerstreuten Juden)".

[18] ἀποστασία bezeichnet den „Abfall" im religiösen Sinn (vgl. 1 Makk 2,15 u.ö. LXX).

[19] Conzelmann: „Der Leser der Act weiß, daß die Vorwürfe falsch sind. Paulus hat das Gesetz immer eingehalten; er hat Timotheus beschnitten."

[20] τοῖς ἔθεσιν περιπατεῖν „nach den Gesetzen wandeln". τὰ ἔθη bezieht Lukas auch Apg 6,14; 26,3; 28,17 auf Vorschriften der Tora. Vgl. oben I 439 A. 51.

V 22 Die Frage τί οὖν ἐστιν; leitet die Folgerung der Jerusalemer Gemeindeleitung ein: Was ist zu tun angesichts der Tatsache, daß die Judenchristen in Jerusalem (und Judäa) sicher[21] vom Aufenthalt des Paulus in der Heiligen Stadt erfahren werden? (V 17 bezog sich also nicht auf alle „Brüder"!).

VV 23–24 Unter den Christen in Jerusalem haben vier Männer ein (Nasiräats-)Gelübde[22] auf sich genommen[23]. Daher bietet sich für Paulus die Gelegenheit, sich anzuschließen (V 23). Paulus soll – so schlägt man ihm vor – diese Männer zu sich nehmen und sich „mit ihnen weihen"[24]; er soll die Kosten für die Auslösung übernehmen, damit sie sich das Haupthaar scheren lassen können (V 24a). Auf diese Weise würden dann alle erkennen, daß sie über die Einstellung des Paulus zum Gesetz falsch unterrichtet wurden und daß auch Paulus selbst sehr wohl unter Beachtung des Gesetzes wandelt[25] (V 24b). Der Vorschlag der Ältesten entspricht dem lukanischen Kirchenverständnis[26]. Wenn man jüdische Vorschriften über Gelübde zum Vergleich heranzieht, macht der Bericht Schwierigkeiten: Mit εὐχή kann ein Nasiräatsgelübde gemeint sein[27]; dazu paßt das Scheren des Haupthaares. Nicht nur das Gelübde selbst wird als gutes Werk angesehen, auch die Übernahme der Kosten für die Auslösung gilt als verdienstlich[28]. Da aber ein Nasiräat wenigstens dreißig Tage dauert, kann Paulus sich nicht selbst an ihm beteiligen; er tritt offensichtlich nur in den letzten sieben Tagen (vgl. V 27) in die „Heiligung" mit ein. Möglicherweise denkt der Erzähler an die siebentägige Reinigung von levitischer Unreinheit (Num 19,12 ἁγνίζομαι). Hat Lukas Num 19,12 mit Num 6,4 (Nasiräat) kombiniert?[29] Vielleicht dachte er, daß Paulus sich „reinigen/heiligen" mußte, da er aus dem (heidnischen) Ausland kam[30].

---

[21] πάντως im Sinne von „sicherlich, gewiß" begegnet auch 28,4; Lk 4,23.
[22] εὐχὴν ἔχω wie 18,18; vgl. dazu oben Nr. 43 mit Anmerkungen 8–11.
[23] Zu ἐφ' ἑαυτῶν vgl. Num 6,7; 30,7 LXX.
[24] ἁγνίσθητι σὺν αὐτοῖς „heilige dich mit ihnen!" hat seine Entsprechung in V 26: σὺν αὐτοῖς ἁγνισθείς. Siehe auch ἁγνισμός V 26. Vgl. H. Balz, ἁγνός κτλ., in: EWNT I 52–54, näherhin 53f.
[25] Zu στοιχέω ... φυλάσσων τὸν νόμον vgl. 7,53; Gal 6,13; ferner Lk 11,28; Apg 16,4.
[26] Conzelmann: „Kontinuität von Israel – Judenchristentum – Heidenchristentum (durch das Aposteldekret)".
[27] Vgl. oben Nr. 43 A. 11.
[28] Conzelmann mit Hinweis auf JosAnt XIX 294.
[29] Diese Frage stellt Conzelmann.
[30] Haenchen, Apg 584 Anm. 1 (585f) meint, die Vorlage des Lukas könne von einer solchen „Reinigung" des Paulus erzählt haben, er habe sich mit Reinigungswasser „reinigen" müssen, um an der Auslösung der Nasiräer teilnehmen zu können.

V 25 Die Bezugnahme auf das Aposteldekret[31] wirkt wie ein Einsprengsel in den Sachzusammenhang, der erst mit V 26 wieder aufgenommen wird. Es handelt sich wohl nicht um einen Bestandteil der Vorlage, sondern um lukanische Redaktion[32]. Der Hinweis auf den (angeblichen) Beschluß des Apostelkonzils ist hier durchaus sinnvoll. Da das Dekret die Heidenchristen betrifft[33], wird dem in den VV 19–21 gegebenen Doppelaspekt Heidenchristen – Judenchristen weiter Rechnung getragen. Die Ältesten (mit Jakobus) *erinnern* somit an ihren Beschluß und den Brief an die Heidenchristen hinsichtlich der vier Enthaltungsgebote[34].

V 26 Paulus geht auf den Vorschlag der Ältesten ein. Er nimmt die vier Nasiräer zu sich (παραλαμβάνω wie V 24a), „heiligt sich mit ihnen" noch am folgenden Tag (vgl. gleichfalls V 24a), geht in den Tempel und zeigt die „Erfüllung der Tage der Heiligung" an. Die Angabe ἕως οὗ κτλ. („bis für jeden von ihnen das [vorgeschriebene] Opfer dargebracht war") scheint zu meinen: „Das Nasiräat ist abgeschlossen, wenn für jeden das Opfer dargebracht ist."[35] V 27 zeigt, daß διαγγέλλων[36] im Sinne einer Ankündigung bzw. Anzeige zu verstehen ist; die ἐκπλήρωσις tritt nach sieben Tagen ein. Von sieben/acht Tagen spricht Num 6,9f. Doch bezieht sich diese Frist nicht auf die normale Beendigung des Nasiräats, die Num 6,13–21 regelt.

54. JÜDISCHER TUMULT GEGEN PAULUS. INHAFTIERUNG: 21,27–36

LITERATUR: E. NESTLE, Zu Apostelgeschichte 21,36, in: Neues Korrespondenzblatt f. d. Gelehrten- und Realschulen Württembergs 11(1904)413f. – H. J. CADBURY, Roman Law and the Trial of Paul, in: Beginnings V(1933)297–338 [zu 21,27 – 28,31]. – HAENCHEN, Apostelgeschichte als Quelle (1966) 333f. – V. R. L. FRY, The Warning Inscriptions from the Herodian Temple. Diss. Southern Baptist Theol. Seminary Kentucky (1974) [zu 21,28f]. – RADL, Paulus und Jesus (1975) 169–221 [zu 21,27 – 26,32]. – S. LÉGASSE, L'apologétique a l'égard de Rome dans le procès de Paul, Actes 21,27 – 26,32, in: RechScR 69(1981) 249–255.

---

[31] Siehe dazu oben Nr. 35 und Exk. 12.

[32] So CONZELMANN; vgl. auch HAENCHEN, der betont, daß die Worte der Unterrichtung des Lesers dienen (analog zu 1,18f). Anders STROBEL, Aposteldekret 94 (s.o. Exk. 12 A. 1).

[33] περὶ δὲ τῶν πεπιστευκότων ἐθνῶν steht auch in der Formulierung V 20 gegenüber: „viele Tausende πεπιστευκότες unter den Juden".

[34] ἐπεστείλαμεν erinnert an den „Brief" (mit dem Dekret) an die Heidenchristen (siehe 15,20). ἐπιστέλλω „brieflich mitteilen" kommt in der Apg nur 15,20 und 21,25 vor. Zu der dreiteiligen Fassung des Dekrets in D (s.o. A. h) siehe oben Exk. 12.

[35] HAENCHEN.

[36] διαγγέλλω „bekanntmachen" steht auch Lk 9,60; im NT sonst nur noch Röm 9,17.

27 [a]Als die sieben Tage zu Ende gingen[a], brachten die Juden aus Asia, die ihn im Tempel sahen, das ganze Volk in Aufruhr, ergriffen ihn 28 und schrien: Israeliten, kommt zu Hilfe! Das ist der Mensch, der in aller Welt Lehren verbreitet, die sich gegen das Volk und das Gesetz und diese Stätte richten. Er hat sogar Griechen in den Tempel geführt und diese heilige Stätte entweiht. 29 Sie hatten nämlich kurz zuvor Trophimus aus Ephesus mit ihm zusammen in der Stadt gesehen und meinten, Paulus habe ihn in den Tempel geführt. 30 Da geriet die ganze Stadt in Aufregung, und das Volk lief zusammen. Sie ergriffen Paulus und zerrten ihn aus dem Tempel, und sofort wurden die Tore geschlossen.
31 Schon wollten sie ihn umbringen, da kam Meldung hinauf zum Oberst der Kohorte: Ganz Jerusalem ist in Aufruhr. 32 Er nahm sogleich Soldaten und Hauptleute mit sich und eilte zu ihnen hinunter. Als sie den Oberst und die Soldaten sahen, hörten sie auf, Paulus zu schlagen. 33 Da trat der Oberst hinzu, ließ ihn verhaften und befahl, ihn mit zwei Ketten zu fesseln. Er erkundigte sich, wer er sei und was er getan habe. 34 In der Menge nun riefen die einen dies, die andern das. Da er bei dem Lärm nichts Sicheres ermitteln konnte, befahl er, ihn in die Kaserne zu führen[b]. 35 Als er (Paulus) an die Freitreppe kam, begab es sich, daß er von den Soldaten getragen werden mußte wegen des Andrangs der Menge. 36 Denn die Volksmenge[c] lief hinterher und [d]schrie: Weg mit ihm![d]

Der Abschnitt 21,27–36 erzählt, wie Paulus im Tempelareal verhaftet wird. Juden aus Asia erregen einen Tumult gegen Paulus, indem sie ihn verdächtigen, er lehre „alle überall gegen das Volk und das Gesetz und gegen diese Stätte“ (V 28b), er habe sogar Heiden in den Tempel geführt und ihn somit entweiht (VV 27–29). Die ganze Stadt gerät in Aufruhr, und man zerrt Paulus aus dem Tempel (V 30). Als „der Oberst der (römischen) Kohorte“ vom Tumult in der Stadt hört, eilt er mit einer Truppe ins Zentrum der Unruhen (VV 31f) und läßt Paulus festnehmen; er erkundigt sich nach der Person des Gefangenen (V 33). In dem Lärm kann er nichts Genaues erfahren; so läßt er ihn in die Kaserne bringen (VV 34f). Die Volksmenge fordert den Tod des Paulus (V 36): Der Ruf αἶρε αὐτόν entspricht der Forderung der Juden vor Pilatus, er solle Jesus töten (Lk 23,18 diff Mk).

Nach E. Haenchen hat Lukas diesem „nüchternen Bericht“ von sich aus „einige Lichter aufgesetzt“[1]: Er lasse die Juden das ganze Sündenregister des Paulus aufzählen (V 28b), steigere den Tumult auf dem Tempelplatz

[a] Der Anfang von V 27 (a – a) lautet in D gig (sy[p]): „Als der siebente Tag zu Ende ging“.
[b] Statt ἄγεσθαι liest P[74] ἀνάγεσθαι. Vgl. V 32: κατέδραμεν.
[c] Statt τὸ πλῆθος τοῦ λαοῦ lesen 614 pc sy[h] τὸ πλ. τοῦ ὄχλου. D gig haben nur τὸ πλ. mit folgendem Partizip κρᾶζον.
[d] D schließt an κρᾶζον (vgl. A. c) an: ἀναιρεῖσθαι αὐτόν.
[1] Haenchen, Apg 591.

zu einem Aufruhr der ganzen Stadt (VV 30a.31). Auch die Hervorhebung der Rolle des Obersten scheint Haenchen Lukas zuzuweisen[2]. Daß Paulus getragen werden mußte (V 35b), soll nach Haenchen in der ursprünglichen Erzählung angedeutet haben, daß er „nach dem Lynchversuch der Menge nicht mehr imstande war, die Stufen selbst zu ersteigen". Das aber habe Lukas nicht berichten können, weil bei ihm „Paulus sofort von eben dieser Treppe aus eine Rede halten" sollte[3]. Es ist jedoch fraglich, ob die genannten Punkte ein hinreichendes Indiz für die Scheidung von Tradition und Redaktion darstellen[4].

V 27 Als sich Paulus am Ende der Reinigungsfrist[5] im Tempel befand, sahen ihn Juden, die aus Asia (Ephesus) stammten. Sie brachten die Menge auf dem Tempelplatz in Aufruhr[6] und ergriffen den Paulus[7].

VV 28–29 Dabei riefen sie laut alle anwesenden Israeliten zu Hilfe[8] und beschuldigten Paulus der Tempelschändung. Die Ankage V 28b setzt voraus, daß man über die Lehre des Paulus in Jerusalem unterrichtet ist (freilich unzutreffend) und die ephesinischen Juden nun den bisher unerkannt gebliebenen Angeschuldigten identifizieren (οὗτός ἐστιν κτλ.). In die Formulierung der Anschuldigung, die an 6,13 erinnert, „ist die gesamte Prozeßthematik ... hereingebracht"[9]. Der Leser weiß aus dem vorausgehenden Abschnitt, daß der Vorwurf nicht mit der Wirklichkeit übereinstimmt. Freilich unterstellt der Bericht, daß die Ankläger einem Irrtum erlagen, als sie behaupteten, Paulus habe „Hellenen" (= Heiden) in den Tempel geführt (V 28c). Sie hatten nämlich zuvor den Heidenchristen Trophimus, ihren Landsmann[10], zusammen mit Paulus in der Stadt gesehen und glaub-

---

[2] Vgl. ebd.: „Kein Wunder, daß dieser persönlich an der Spitze seiner Soldaten und Offiziere herbeieilt und persönlich die Verhaftung vornimmt; wir werden im nächsten Abschnitt sehen, wie unentbehrlich die Leitung des Ganzen durch den Tribunen selbst für den Fortgang der lukanischen Erzählung ist."

[3] Haenchen, a.a.O. (591).

[4] Haenchen, a.a.O. 591f, möchte auch das Motiv von der Fesselung des Paulus (V 33a: mit zwei Ketten; vgl. 12,6) auf das Konto des Acta-Verfassers setzen: Die Erwähnung der beiden Ketten erwecke „im Leser das Gefühl, daß Paulus von diesem Augenblick an ein Gefangener ist". Doch ist die Festnahme schon mit ἐπελάβετο αὐτοῦ angegeben! – Nach Roloff, Apg 316, gehört 21,27–36 zu einem zusammenhängenden „Bericht über die Haft des Paulus in Jerusalem und Cäsarea", der sich in 22,24–29; 23,12 – 24,23.26f; 25,1–12 fortsetzt. Nach Roloff handelt es sich um einen „Prozeßbericht" (a.a.O. 330). Doch stellen sich angesichts einer solchen Hypothese mancherlei form- und traditionsgeschichtliche Fragen.

[5] Zur Einleitungswendung V 27 vgl. 7,23; 9,23. Sie knüpft an 21,24.26 an: Paulus befindet sich zur Auslösung des Nasiräats im Tempel; vgl. oben Nr. 53 zu 21,26.

[6] συνέχεον, Imperfekt von συγχέω; vgl. oben Nr. 22 A. 21.

[7] ἐπιβάλλω τὰς χεῖρας (ἐπί τινα) wie 4,3; 5,18; 12,1; Lk 20,19; 21,12.

[8] βοηθεῖτε „zu Hilfe!"; vgl. 16,9: βοήθησον ἡμῖν.

[9] Conzelmann. Zu vergleichen ist auch 21,21.

[10] Vgl. 20,4, wo Trophimus und Tychikus als Ἀσιανοί bezeichnet werden.

ten, daß er als Begleiter des Paulus auch den Tempel betreten habe (V 29)[11].

V 30 Die Erzählung geht davon aus, daß der laute „Hilferuf" der Juden (V 28 a) in der Stadt zu hören war. So geriet „die ganze Stadt" in Bewegung. Das Volk lief zusammen[12] (zum Tempel hin). Man ergriff[13] Paulus und schleppte ihn aus dem Tempel. Die Tore wurden geschlossen. Wahrscheinlich ist gemeint: die Tore zwischen dem eigentlichen ἱερόν und dem Vorhof der Heiden[14]. Tumult, Tätlichkeiten und Blutvergießen sollten vom Tempel ferngehalten werden[15].

VV 31–32 Die Erzählung erreicht ihre Peripetie in dem Augenblick, da von der Tötungsabsicht der Juden die Rede ist. In diesem Augenblick erreicht den römischen Oberst die Meldung[16], daß sich ganz Jerusalem in Aufruhr befindet (V 31). Sogleich[17] eilt er mit Soldaten und Hauptleuten „hinunter zu ihnen"[18] (V 32 a), d. h., er begibt sich auf den (äußeren) Tempelplatz. Als die Juden den Oberst und die Soldaten kommen sehen, hören sie auf, Paulus zu schlagen[19] (V 32 b); sie haben offenbar Angst vor den Römern.

V 33 Der Oberst tritt an Paulus heran, nimmt ihn fest (ἐπιλαμβάνομαι mit Genitiv wie V 30) und läßt ihn mit Ketten fesseln (V 33 a). Damit steht vor dem Leser fortan das Bild eines mit zwei Ketten gefesselten Paulus. Von einer Lösung dieser Fesselung (vgl. 12, 6: an zwei Soldaten; siehe auch die Prophetie 21, 11) wird später (22, 30: ἔλυσεν αὐτόν[20]) berichtet. Der Oberst

---

[11] Von den Inschriften, die Nichtjuden den Zutritt zu den inneren Tempelhöfen verboten, sind zwei Exemplare aufgefunden worden (OGIS 598; vgl. GALLING, Textbuch Nr. 52; PFOHL, Inschriften Nr. 135). Das Betreten des inneren Tempelbezirks war Heiden unter Androhung der Todesstrafe verboten; siehe CONZELMANN.

[12] ἐγένετο συνδρομὴ τοῦ λαοῦ „es entstand ein Volksauflauf"; vgl. Polybius I 67, 2; Jdt 10, 18.

[13] ἐπιλαμβάνομαι mit Genitiv der Person („ergreifen, anpacken, fassen") wie 17, 19; 21, 33.

[14] Vgl. LOISY, JACQUIER, HAENCHEN; ferner JEREMIAS, Jerusalem ([3]1962) 236–238. Zur lukanischen Vorstellung vom Tempel siehe oben I 303.

[15] HAENCHEN, Apg 589 f, im Anschluß an WELLHAUSEN, Kritische Analyse (1914) 46.

[16] ὁ χιλίαρχος (τῆς σπείρης) ist der *tribunus cohortis,* der Oberst an der Spitze einer Kohorte (von ca. 1000 Mann); vgl. A. R. NEUMANN, Tribunus 4, in: KlPauly V 947 f; K. KRAFT, Zur Rekrutierung von Alen und Kohorten (Bern 1951) 82.98. Der Oberst wird ferner erwähnt: 21, 32.33.37; 22, 24.26.27.28.29; 23, 10.15.17.18.19.22; 24, 22. – 23, 26 und 24, 22 (24, 7 v. l.) nennen den Namen des χιλίαρχος: Klaudius Lysias. – ἀνέβη φάσις mit personalem Dativ: „die Nachricht/Meldung kam hinauf (auf die Antonia)".

[17] ἐξαυτῆς „sofort" wie 10, 33; 11, 11; 23, 30 (Vorzugswort der Apg).

[18] Der Oberst eilt mit seinen Soldaten von der Burg Antonia „hinunter" auf den Tempelplatz. Zum Tempel führten (vgl. V 35) zwei Treppen; siehe JosBell V 238–247.

[19] Zu τύπτω siehe oben Nr. 42 A. 69.

[20] Offensichtlich wird Paulus nur für die Vorführung im Hohen Rat „gelöst". Er bleibt Gefangener (δέσμιος 23, 18; 25, 14; 28, 17).

erkundigt sich nach der Person des Inhaftierten und nach der Straftat, die man ihm vorwirft[21].

V 34 Aus der Menge rief (als Antwort) jeder etwas anderes[22]. So konnte der Oberst nichts Zuverlässiges erfahren[23]; er ordnete an (ἐκέλευσεν mit folgendem Infinitiv wie V 33[24]), Paulus in die Kaserne[25] zu führen.

VV 35–36 Als Paulus zu der Treppe[26] (nach der Burg Antonia) kam, mußten die Soldaten ihn tragen. Denn die Menge drängte heran[27]. Die Masse des Volkes folgte mit dem Ruf: „Weg mit ihm!“[28] Die Juden fordern wie einst bei Jesus (Lk 23,18), der Römer solle Paulus töten.

55. VERTEIDIGUNGSREDE DES PAULUS VOR DEM VOLK: 21,37 – 22,21

Literatur: R. Harris, Did St. Paul Quote Euripides?, in: ET 31 (1919/20) 36f [zu 21,39]. – H. W. Fulford, St. Paul and Euripides, in: ET 31(1919/20)331 [zu 21,39]. – Wikenhauser, Die Apostelgeschichte und ihr Geschichtswert (1921) 160–164.188–193. – M. S. Enslin, Paul and Gamaliel, in: The Journal of Religion 7(1927)360–375. – A. Vitti, Notae in Act. 22,3; 26,4–5, in: VD 11(1931)331–334. – A. Beel, Educatio s. Pauli, in: Coll. Brugenses 36(1936)218–223. – Dibelius, Die Reden (1949) 136–139. – J. Guillet, Thème de la marche au désert dans l'Ancien et le Nouveau Testament, in: RechScR 36(1949)161–181 [zu 21,38]. – W. C. van Unnik, Tarsus of Jeruzalem, de stad van Paulus' jeugd, in: Mededeelingen der Koninkl. Ned. Ak. van Wetenschappen, Afd. Letterkunde, N.R. 15, Nr. 5 (Amsterdam 1952) 141–189; engl. Übersetzung: Tarsus or Jerusalem. The City of Paul's Youth, in: ders., Sparsa collecta I (1973) 259–320. – Ders., Once again: Tarsus or Jerusalem (erstm. 1954), in: Sparsa collecta I 321–327. – J. Schwartz, A propos du statut personnel de l'apôtre Paul, in: RHPhR 37(1957)91–96. – J. M. Grintz, Hebrew as the Spoken and Written Language in the Last Days of the Second Temple, in: JBL 79(1960)32–47 [zu 21,40]. – Brox, Zeuge (1961) 59f.61–66 [zu 22,20]. – O. Soffritti, Stefano, testimone del Signore, in: RivB 29(1962)182–188. – Jer-

---

[21] ἐπυνθάνετο τίς εἴη (nicht Paulus, sondern die Menge wird befragt) καὶ τί ἐστιν πεποιηκώς: Der Oberst setzt voraus, *daß* Paulus etwas getan hat!

[22] Zu ἄλλοι δὲ ἄλλο τι ἐπεφώνουν vgl. 19,32 (beim Tumult in Ephesus); ferner Xenophon, Anab. II 1,15.

[23] τὸ ἀσφαλές „das Zuverlässige (die Wahrheit)“; so auch 22,30. – ἀσφαλής steht adjektivisch auch 25,26 (ἀσφαλές τι). Vgl. G. Schneider, ἀσφαλὴς κτλ., in: EWNT I 423f.

[24] Zu κελεύω siehe oben I 350 A. 72; 507 A. 86. Innerhalb Apg 21 – 25 steht κελεύω 11mal: vom Oberst 21,33.34; 22,24.30; 23,10, vom Hohenpriester 23,3, von Felix 23,35, von Festus 25,6.17.21.23.

[25] παρεμβολή im Sinne von „Kaserne“ steht im NT nur Apg 21,34.37; 22,24; 23,10.16.32, jeweils bezogen auf die Burg Antonia in Jerusalem; vgl. indessen auch 28,16 v.l.

[26] Der Plural von ἀναβαθμός („Stufe“) bedeutet „Treppe“; siehe auch 21,40: „stehend auf der Treppe“. Vgl. oben A. 18.

[27] διὰ τὴν βίαν τοῦ ὄχλου „wegen der Gewalt der (herandrängenden) Menge“. βία bezeichnet 27,41 die Gewalt der Meereswellen. Vgl. ferner 24,7 v.l.

[28] αἶρε αὐτόν, vgl. 22,22; Lk 23,18. – αἴρω im Sinne von „beseitigen, fortschaffen“ steht ferner Apg 8,33b. Vgl. auch Lk 6,29; 11,22; 19,21f.

VELL, Paulus (1968). – SCHUBERT, Final Cycle of Speeches (1968). – O. BETZ, Die Vision des Paulus im Tempel von Jerusalem. Apg 22,17–21 als Beitrag zur Deutung des Damaskuserlebnisses, in: Verborum Veritas (Festschr. für G. Stählin) (Wuppertal 1970) 113–123. – BURCHARD, Zeuge (1970) 31–39.161–168. – K. HAACKER, War Paulus Hillelit? (1972; s.o. Exk. 11 A. 13). – LÖNING, Saulustradition (1973) 163–176. – STOLLE, Zeuge (1973) 103–115.168–170.172–177. – E. F. HARRISON, Acts 22,3 – A Test Case for Luke's Reliability, in: New Dimensions in NT Study, ed. by R. N. Longenecker/M. C. Tenney (Grand Rapids 1974) 251–260. – BUDESHEIM, Paul's *Abschiedsrede* (1976; s.o. Nr. 51). – M. HENGEL, Die Zeloten (Leiden [2]1976)47–54.255–261.387–412 [zu 21,38]. – MULLINS, Commission Forms (1976). – SABUGAL, Análisis exegético (1976; s.o. Nr. 21) 87–101. – KILPATRICK, Eclecticism and Atticism (1977; s.o. Nr. 27) [zu 22,18]. – Weitere Literatur siehe oben zu Nr. 21.

37 Als man Paulus in die Kaserne bringen wollte, sagte er zu dem Oberst: Darf ich ein Wort mit dir reden? Er antwortete: Du verstehst Griechisch? 38 Dann bist du also nicht der Ägypter, der vor einiger Zeit die viertausend Sikarier aufgewiegelt[a] *und in die Wüste hinausgeführt hat? 39 Da sagte Paulus: Ich bin ein Jude* [b]*aus Tarsus in Kilikien, Bürger einer nicht unbedeutenden Stadt*[b]*. Ich bitte dich, gestatte mir, zum Volk zu sprechen. 40 Als er es erlaubte, stellte sich Paulus auf die Freitreppe und gab dem Volk mit der Hand ein Zeichen. Alles wurde still, und er redete sie in hebräischer*[c] *Sprache an und sagte:*
22,1 Brüder und Väter! Hört meine Verteidigung, die ich jetzt an euch richte! 2 Als sie hörten, daß er in hebräischer Sprache zu ihnen redete, verhielten sie sich noch ruhiger. Und er sprach: 3 Ich bin ein Jude, geboren in Tarsus in Kilikien, hier in dieser Stadt erzogen, zu Füßen Gamaliels genau nach dem Gesetz der Väter ausgebildet, ein Eiferer für Gott[d]*, wie ihr alle es heute seid. 4 Und ich habe den (neuen) Weg bis auf den Tod verfolgt, habe Männer und Frauen gefesselt und in die Gefängnisse eingeliefert. 5 Das bezeugen mir der Hohepriester*[e] *und der ganze Rat der Ältesten. Und nachdem ich von ihnen überdies Briefe* [f]*an die Brüder*[f] *erhalten hatte, zog ich nach Damaskus, um dort ebenfalls die Anhänger zu fesseln und zur Bestrafung nach Jerusalem zu bringen. 6* [g]*Doch als ich unterwegs war und in die Nähe von Damaskus kam, geschah es, daß mich um die Mittagszeit plötzlich vom Himmel her ein helles Licht umstrahlte. 7 Ich stürzte*[g] *zu Boden und hörte eine Stimme, die zu mir*

---

[a] Statt ἀναστατώσας liest E ἐξαναστατώσας.
[b] Statt Ταρσεὺς bis πολίτης (b – b) liest D (in Anlehnung an 22,3): „in Tarsus in Kilikien geboren".
[c] P[74] A lesen ἰδίᾳ statt Ἑβραΐδι. Vgl. 2,6.
[d] Statt τοῦ θεοῦ lesen 88 vg τοῦ νόμου und sy[h**] „der Überlieferungen der Väter" (vgl. Gal 1,14). Andere (Ψ 614 al) lassen τ. θ. ersatzlos weg. Siehe METZGERTC 485.
[e] 614 pc sy[h**] fügen den Namen Ἁνανίας an. Vgl. 23,2; 24,1.
[f] D liest παρὰ τῶν ἀδελφῶν.
[g] V 6 und der Anfang von V 7 (g – g) lauten in D: „Als ich mich mittags Damaskus näherte, umstrahlte mich plötzlich ein auffallendes Licht vom Himmel, und ich stürzte".

sprach: Saul, Saul, was verfolgst du mich?[h] *8 Ich antwortete: Wer bist du, Herr? Und er sprach zu mir: Ich bin Jesus der Nazoräer, den du verfolgst. 9 Meine Begleiter sahen zwar das Licht*[i]*, die Stimme dessen aber, der zu mir redete, hörten sie nicht. 10 Ich sagte: Was soll ich tun, Herr? Da sprach der Herr zu mir: Steh auf, und geh nach Damaskus, dort wird dir alles gesagt werden, was du nach Gottes Willen tun sollst. 11 Da ich aber vom Glanz jenes Lichtes geblendet war, wurde ich von meinen Begleitern an der Hand geführt und gelangte (so) nach Damaskus.*
12 Ein gewisser Hananias, ein frommer[k] *und gesetzestreuer Mann, der bei allen Juden dort*[l] *in gutem Ruf stand, 13 kam zu mir, trat vor mich und sagte: Bruder Saul, du sollst wieder sehen! Und im gleichen Augenblick konnte ich ihn*[m] *sehen*[n]*. 14 Er sagte: Der Gott unserer Väter hat dich dazu erwählt, seinen Willen zu erkennen, den Gerechten zu sehen und ein Wort aus seinem Munde zu hören; 15 denn du sollst für ihn allen Menschen gegenüber Zeuge sein von dem, was du gesehen und gehört hast. 16 Was zögerst du noch? Steh auf, laß dich taufen und deine Sünden abwaschen, und rufe seinen Namen an!*
17 Als ich (später) nach Jerusalem zurückgekehrt war und im Tempel betete, geschah es, daß ich in eine Verzückung geriet. 18 Und ich sah[o] *ihn, wie er zu mir sprach: Beeile dich, verlasse sofort Jerusalem; denn sie werden von dir ein Zeugnis über mich nicht annehmen! 19 Da sagte ich: Herr, sie wissen doch, daß ich deine Gläubigen gefangensetzen und in den Synagogen auspeitschen ließ. 20 Auch als das Blut deines Zeugen*[p] *Stephanus vergossen wurde, stand ich dabei; ich stimmte zu*[q] *und hielt Wache bei den Kleidern derer, die ihn töteten. 21 Aber er sprach zu mir: Brich auf, denn ich will dich zu den Heiden hinaus in die Ferne senden*[r]*!*

21,37 – 22,21 ist insofern eine Texteinheit, als 21,37–40 der Einleitung der Paulusrede vor dem Volk (22,1–21) dient. *21,37f* ist lukanisch-redaktio-

[h] E gig vg^{mss} sy$^{h.mg}$ schalten hier (Angleichung an 26,14) ein: „Hart ist es für dich, gegen den Stachel auszuschlagen."
[i] D E Ψ Koine gig sy^{h} sa fügen an: καὶ ἔμφοβοι ἐγένοντο. Vgl. METZGERTC 486.
[k] εὐλαβής wird von P[74] A vg weggelassen.
[l] P[41] Ψ Koine vg^{mss} sy^{h} sa fügen nach κατοικούντων an: ἐν (τῇ) Δαμάσκῳ. Vgl. METZGERTC 486.
[m] εἰς αὐτόν fehlt in P[41] pc d sa.
[n] Statt ἀνέβλεψα lesen P[74] A ἔβλεψα.
[o] Statt des von ἐγένετο (V 17) abhängigen καὶ ἰδεῖν (Anfang von V 18) lesen ℵ 36. 453 pc d cop εἶδον.
[p] Statt μάρτυρος lesen L 614 al sy^{h} πρωτομάρτυρος.
[q] Ψ Koine sy$^{(p)}$ fügen an: „seiner Ermordung".
[r] Statt ἐξαποστελῶ liest D das Präsens, B hat ἀποστελῶ.

nell[1] und bereitet die (erste) Auskunft des Paulus über seine Person vor (vgl. 21,33 b). Paulus informiert den Oberst zunächst, daß er (Diaspora-) Jude sei (also berechtigt, den Tempel zu betreten). Daß er römisches Bürgerrecht besitzt, wird – zur Steigerung der Erzählung – erst nach der Rede vor dem Volk gesagt (22,22–29). Paulus bittet den Oberst, „zum Volk" sprechen zu dürfen, und der Römer gewährt die Bitte *(21,39f)*.

Die Rede des Paulus *(22,1–21)* ist „Apologie"[2]; sie wird am Rande des Tempelplatzes[3] in „hebräischer Sprache"[4] gehalten. Als Verfasser der Rede hat Lukas zu gelten. Das Stilmittel der Rede-Unterbrechung (V 22) findet Anwendung, nachdem der Redner sagen konnte, was der Acta-Verfasser ihn hier sagen lassen wollte[5]. Am Anfang steht ein autobiographischer Rückblick (VV 3–21), der auf die Situation hin formuliert ist: „Paulus muß sich als Juden darstellen und muß zugleich seinen (der Menge bekannten, 21,28f.) Umgang mit Nichtjuden erklären."[6] Die Apologie rekapituliert das „Damaskuserlebnis" des Christenverfolgers (VV 3–11), erzählt von der Berufung zum „Zeugen" vor allen Menschen (VV 12–16) und von der Christusvision im Jerusalemer Tempel, bei der Paulus mit der Heidenmission beauftragt wurde (VV 17–21).

VV 37–38 Als man Paulus in die Kaserne auf der Burg Antonia bringen will, spricht er den Oberst an (V 37 a). Höflich bittet er, mit dem hohen Offizier sprechen zu dürfen[7] (V 37 b). Der Oberst wundert sich, daß Paulus griechisch spricht[8] (V 37 c). Er hatte ihn für jenen Ägypter gehalten, der ei-

---

[1] Conzelmann: „Die Szene 37f. ist rein redaktionell; sie enthält keinen konkreten Stoff. Sie soll den ersten Kontakt mit dem römischen Kommandanten herstellen."

[2] 22,1: ἀπολογία. Auch die beiden weiteren großen Reden des Prozeßberichts werden ausdrücklich so bestimmt: 24,10 (ἀπολογοῦμαι, *vor Felix*); 26,1 (ἀπελογεῖτο, *vor Agrippa;* vgl. auch 26,2.24). 25,16 läßt deutlich werden: „Es ist bei den Römern nicht Brauch, einen Menschen preiszugeben, bevor der Angeklagte die Kläger persönlich vor sich habe und Gelegenheit zur Apologie hinsichtlich der Anschuldigung erhalte." Laut 25,8 verteidigte sich Paulus *vor Festus* in Anwesenheit der jüdischen Kläger. Vgl. auch Stolle, Zeuge 237–241.

[3] Siehe 21,40: Paulus steht auf der Treppe, die den Tempelplatz und die Burg Antonia verbindet. Damit ist eine Analogie zur „Tempelrede" des Petrus 3,12–26 gegeben: Auch diese ist πρὸς τὸν λαόν gerichtet (3,12; vgl. 21,39).

[4] τῇ Ἑβραΐδι διαλέκτῳ (21,40; 22,2; 26,14) bezieht sich auf das Aramäische; vgl. Joh 5,2; JosAnt XVIII 228. Siehe auch EWNT I 894 (s.v. Ἑβραΐς).

[5] Vgl. Dibelius, Die Reden (1949) 137–139.

[6] Conzelmann zu 22,3. Er fügt hinzu: „Daß dadurch seine Treue gegen das Gesetz nicht beeinträchtigt wurde, läßt ihn Lk nicht mehr darlegen, aus Gründen der Komposition."

[7] εἰ ἔξεστίν μοι εἰπεῖν τι πρὸς σέ; Zur Form der direkten Frage vgl. 22,25; Lk 6,9 diff Mk.

[8] Ἑλληνιστὶ γινώσκω „Griechisch verstehen". Die verwunderte Frage geht davon aus, daß der Oberst Paulus für einen Ägypter hielt (V 38) und daß Ägypter kein Griechisch sprechen können (!).

nen Aufstand von Sikariern[9] angezettelt und 4000 Anhänger in die Wüste geführt hatte. Diese Information erhält der Leser aus der Gegenfrage des Oberst (V 38), die das Gespräch mit Paulus insofern erlaubt, als Paulus nun antworten muß.

V 39 Paulus erhält durch die Frage des Oberst Gelegenheit, sich als Jude[10] vorzustellen, näherhin als Jude aus der Diaspora: als Bürger[11] von Tarsus, „einer nicht unbedeutenden Stadt“[12]. Dann richtet er an den Kommandanten die Bitte, „zum Volk“ sprechen zu dürfen[13].

V 40 Der Offizier gewährt Paulus die Bitte, und so steht dieser nun als Redner auf den Stufen, die zur Burg führen. Er blickt in die Richtung des Tempels und gibt mit der Hand[14] das Zeichen um Ruhe. Die gleiche Rednergeste erwähnten schon 12,17; 13,16 (vgl. auch 26,1). Es entsteht ein tiefes Schweigen[15]. Paulus spricht „in hebräischer Sprache“[16], was die Hörer zu noch größerer Stille veranlaßt (22,2).

22,1 Paulus redet den λαός (21,39.40; ebenso wie Stephanus: 7,2a) an: ἄνδρες ἀδελφοὶ καὶ πατέρες[17], ἀκούσατε. Allerdings fügt er präzisierend

---

[9] σικάριος ist lateinisches Lehnwort (von *sica* „Dolch“). Es ist mehrfach bei Fl. Josephus belegt. Über die antirömische Aufstandsgruppe der Sikarier handelt in neuerer Sicht: HENGEL, Die Zeloten (²1976; siehe Lit.-Verz. zu Nr. 55). Zum Motiv des Marsches in die Wüste siehe GUILLET, Thème (1949). – Über den aufständischen Ägypter berichtet auch JosBell II 261–263; Ant XX 169–172. Siehe dazu näherhin HAENCHEN, Apg 594f; CONZELMANN 133(164f); P. W. BARNETT, The Jewish Sign Prophets – A. D. 40–70. Their Intentions and Origin, in: NTS 27(1980/81)679–697.

[10] Paulus ist ἄνθρωπος 'Ιουδαῖος. Zur Form des Ausdrucks vgl. 16,37 (Römer); 22,25 (Römer; vgl. V 26); Mt 27,32 (Kyrenäer).

[11] Zu Ταρσεὺς τῆς Κιλικίας siehe oben Nr. 21 A. 57. Paulus ist πολίτης seiner Heimatstadt, d.h. er besitzt deren Bürgerrecht. Paulus ist laut 22,27 auch römischer Bürger. Doppelbürgerschaften waren seit der Kaiserzeit möglich; vgl. CADBURY, Book of Acts 81f; CONZELMANN.

[12] Die Litotes οὐκ ἄσημος πόλις findet sich z.B. auch bei Euripides, Ion. 8; Strabo, Geogr. VIII 6,15; vgl. WETTSTEIN, Novum Testamentum Graecum II 608.

[13] ἐπίτρεψον (V 39c) hat in ἐπιτρέψαντος δὲ αὐτοῦ V 40a seine Entsprechung. ἐπιτρέπω steht ferner 26,1; 27,3; 28,16; Lk 8,32 bis; 9,59.61.

[14] κατασείω τῇ χειρί wie 12,17; 13,16. Der Ausdruck ist bei Historikern bezeugt (Xenophon, Polybius, Appian, Fl. Josephus); s. BAUERWb s.v. κατασείω 2; vgl. oben Nr. 30 A. 30.

[15] πολλὴ σιγή „tiefe Stille“. Das Substantiv steht im NT sonst nur noch Apk 8,1. Vgl. indessen σιγάω im gleichen sachlichen Zusammenhang Apg 12,17; 15,12.13.

[16] προσφωνέω ist Vorzugsvokabel des Lukas (6 von 7 Vorkommen im NT): Apg 21,40; 22,2; Lk 6,13; 7,32; 13,12; 23,20. Das Verbum bedeutet im allgemeinen „anreden“, nur Lk 6,13; 13,12 liegt – in Verbindung mit einem personalen Akkusativ – die Bedeutung „herbeirufen“ vor (vgl. auch Apg 11,2 D). Mit „Hebräisch“ ist das Aramäische gemeint; siehe oben A. 4.

[17] Wahrscheinlich signalisiert die Anrede „Väter“, daß sich unter den Hörern Mitglieder des Synedriums befinden (WIKENHAUSER); vgl. 7,2a; BAUERWb s.v. πατήρ 2b. Bedenken äußert HAENCHEN; er verweist auf die Anrede an die Synedristen 23,1.

an, die Hörer möchten seiner an sie gerichteten, folgenden[18] „Apologie" zuhören. Der Gefangene Paulus „verteidigt" fortan seine Sache vor dem Judentum und vor römischen Instanzen[19].

V 2 Eine parenthetische Notiz unterbricht die Rede; sie knüpft an 21,40b an: Als die Hörer vernahmen, daß Paulus sie auf „Hebräisch", also in ihrer Muttersprache[20] anredete, wurden sie noch stiller[21]. καὶ φησίν[22] am Ende des Verses leitet zur Rede zurück.

V 3 Der biographische Rückblick der Rede beginnt mit Angaben über die jüdische Herkunft des Paulus (V 3) und betont in diesem Zusammenhang, daß er – im Auftrag des Hohen Rates – die Christen verfolgte (VV 4f). Paulus ist Jude[23], geboren in Tarsus[24]. Soweit hatte er zuvor auch den Oberst unterrichtet (21,39). Wenn Paulus jetzt vor dem jüdischen Volk sein Jude-Sein betont, so nicht deshalb, weil er in der Öffentlichkeit für einen Heiden gehalten worden wäre, sondern, um sein wahres Judentum herauszustellen. Paulus wurde „aufgezogen in dieser Stadt", d.h. nach normalem Sprachgebrauch und entsprechend dem hier verwendeten biographischen Schema: Er ist in Jerusalem aufgewachsen[25]. Seine „Erziehung" erhielt er von dem berühmten Gamaliel[26], „entsprechend der Strenge des väterlichen Gesetzes"[27]. Er wurde (infolgedessen) zu einem Eiferer für die Sache Gottes[28]. Der Acta-Verfasser geht davon aus, daß die Familie des Paulus nach Jerusalem übersiedelte (vgl. 26,4). Die Schlußwendung von V 3 („wie

---

[18] νυνί steht im NT – abgesehen von Apg 22,1; 24,13 und Hebr 8,6; 9,26 – nur im Corpus Paulinum. Unsere Stelle ist der einzige Beleg im NT für adjektivische Verwendung; siehe W. Radl in: EWNT II s.v.

[19] ἀπολογία 22,1; 25,16; ἀπολογέομαι 24,10; 25,8; 26,1.2.24. – Als formelle Ankläger erscheinen Repräsentanten des Judentums: κατηγορέω 22,30; 24,2.8.13.19; 25,5.11.16; κατήγορος 23,30.35; 25,16.18. Umgekehrt betont 28,19, daß Paulus sein jüdisches Volk nicht „anklagt".

[20] Vgl. oben A. 4.

[21] Wörtlich: „sie gewährten noch mehr Ruhe"; vgl. JosAnt V 235. – ἡσυχία im Sinne von „Schweigen" wie 1 Tim 2,11f; IgnEph 19,1; vgl. Apg 21,40 D.

[22] καὶ φησίν im NT nur: Joh 18,29; Apg 8,36; 10,31; 22,2; 23,18; 25,24.

[23] ἀνὴρ Ἰουδαῖος wie 10,28; vgl. 21,39 „ein jüdischer *Mensch*".

[24] Siehe dazu oben Nr. 21 A. 57.

[25] Zum Schema γεγεννημένος – ἀνατεθραμμένος – πεπαιδευμένος, das auch 7,20–22 vorliegt, siehe oben I 459 mit Anm. 124. Vgl. die Arbeiten von van Unnik (im Lit.-Verz. zu Nr. 55).

[26] Gamaliel war schon 5,34 erwähnt worden. Siehe dazu oben I 398. Gamaliel (I.) war Hillelit. Zur Auswirkung der Schule Hillels in den Paulusbriefen siehe Jeremias, Paulus als Hillelit (1969); vgl. oben Exk. 11 A. 13.

[27] Zu πατρῷος νόμος vgl. Gal 1,14; „Eiferer für die Überlieferungen meiner Väter". Siehe auch Apg 28,17: τὰ ἔθη τὰ πατρῷα, ferner 24,14: ὁ πατρῷος θεός.

[28] ζηλωτὴς ὑπάρχων wörtlich wie Gal 1,14. Während Paulus damit den Genitiv τῶν πατρικῶν μου παραδόσεων verbindet, steht Apg 22,3 τοῦ θεοῦ. Dennoch verwendet Lukas hier eine Paulustradition. Zur Vereinbarkeit des „Eifers" mit der Gamalieltradition siehe Haacker, War Paulus Hillelit? (oben Exk. 11 A. 13).

ihr alle es heute seid") zeigt, daß Paulus den jüdischen Aufruhr gegen seine Person auf Mißverständnisse zurückführen möchte. Die Rede hat den Sinn, die Hörer zu der Einsicht zu bringen, daß sie in ihrem Eifer dennoch nicht *für* Gott, sondern *gegen* ihn handeln[29].

VV 4–5 „Der lukanische Paulus verwirft nicht wie der historische seinen Eifer für das Gesetz (Phil 3,4ff.), sondern nur die falschen Konsequenzen, die er daraus einst zog."[30] Paulus zog aus seiner Erziehung im Gesetz und seinem Eifer für Gott die Konsequenz, „diesen Weg"[31] zu verfolgen, und zwar bis zum Tode[32] seiner Anhänger. Die Verfolgung der Jesusanhänger bestand darin, daß Paulus sie „fesselte und in Gefängnisse einlieferte, Männer und Frauen" (V 4). Daß sich dies so verhielt, kann der Hohepriester samt dem Synedrium[33] bezeugen (V 5a). Der Hohe Rat selbst autorisierte Paulus mit „Briefen"[34] „an die (jüdischen) Brüder in (den Synagogen von) Damaskus". So ausgestattet (vgl. 9,2), machte sich der Verfolger auf den Weg, um auch von Damaskus die Christen gefesselt nach Jerusalem zu bringen[35]. Dort sollten sie ihrer Strafe zugeführt werden[36].

VV 6–11 Der Bericht über das Damaskuserlebnis (VV 6–11) rekapituliert in der Ich-Form die Erzählung von 9,3–9. Entsprechend wiederholen die folgenden VV 12–16, was 9,10–19a berichtet worden war (vgl. den Kommentar oben Nr. 21). Es hat gewiß seine Bedeutung, daß die „Berufung" des Paulus – diese wird hier eher betont als seine „Bekehrung"[37] – vor dem *jüdischen Volk* und später (26,12–18) noch einmal vor dem *König Agrippa* erzählt wird, auch dort (vgl. 26,1f) zur Verteidigung des Paulus gegen jüdische Anschuldigungen. Die Zeitangabe „um die Mittagszeit" (V 6) fehlt 9,3. Die sachliche Abweichung des V 9 von 9,7[38] läßt sich vielleicht als schriftstellerische Unachtsamkeit erklären[39]. Es muß jedoch kein Widerspruch vorliegen[40].

---

[29] Vgl. die Überlegung Gamaliels 5,38f (dazu oben I 402f mit A. 162).

[30] CONZELMANN. Doch ist zu beachten, daß Lukas nicht vom „Eifer für das *Gesetz*" spricht; s.o. A. 28.

[31] Zu ὁδός siehe oben Nr. 46 A. 11.

[32] ἄχρι θανάτου bedeutet: bis aufs Blut.

[33] „Der Hohepriester und das ganze πρεσβυτέριον"; vgl. Mk 14,53.55; 15,1; Apg 22,30. Das Synedrium wird nur noch Lk 22,66 als πρεσβυτέριον bezeichnet.

[34] Die ἐπιστολαί sind offenbar als Haftbefehle an die Synagogen verstanden; siehe 9,2.

[35] ἄξων (δεδεμένους). Das futurische Partizip (von ἄγω) steht hier final, entsprechend auch 8,27; 24,11.17; vgl. ZERWICK, Biblical Greek Nr. 282.

[36] τιμωρέω „bestrafen" kommt im NT nur Apg 22,5 und 26,11 (Paulus als Subjekt!) vor.

[37] Siehe oben Nr. 21 mit Anmerkungen 14.15.21.22.

[38] Laut 9,7 hörten die Begleiter des Paulus zwar die himmlische Stimme, sahen aber niemand. 22,9 bestreitet, daß sie die Stimme hörten!

[39] Vgl. oben Nr. 21 A. 1.

[40] Siehe den Kommentar zu 9,7.

VV 12–16 entsprechen dem Bericht von 9,10–19a. Hananias, ein gesetzestreuer und bei den Juden von Damaskus gut beleumundeter Mann, trat zu dem geblendeten Paulus hinzu und ließ ihn durch ein Befehlswort wieder sehend werden (VV 12f, vgl. 9,10–18a). Daß Hananias Christ war (9,10: μαθητής), wird hier nicht (mehr) erwähnt. Auch wird übergangen, daß Hananias eine Christophanie hatte, in der ihm die Erwählung des Paulus mitgeteilt wurde (9,10b–16)[41]. Statt dessen teilte laut VV 14f Hananias mit, *Gott*[42] habe Paulus erwählt: Er solle den Willen Gottes erkennen, „den Gerechten"[43] sehen und dessen Stimme vernehmen[44]. Paulus werde „Zeuge für ihn" sein[45] bei allen Menschen. Damit ist die im folgenden erzählte Tempelvision in Jerusalem (VV 17–21) vorbereitet, in der Paulus zur Heidenmission ausgesandt wird. Hananias forderte schließlich Paulus zum Taufempfang auf (V 16, vgl. 9,18b).

VV 17–18 Mit V 17 beginnt der Bericht über die Tempelvision des Paulus (VV 17–21), der eine Art Traditionsvariante zum vor-lukanischen „Damaskuserlebnis" darstellen dürfte[46]. Daß Lukas ihn noch nicht im Kapitel 9 bringen konnte, hängt damit zusammen, daß Petrus als Initiator der Heidenmission gelten sollte[47]. 22,17–21 trifft sich mit 10,1 – 11,18 darin, daß hier Paulus (wie dort Petrus) durch göttliche Intervention und eigentlich wider Willen zum Heidenmissionar berufen wird[48]. Der Rückverweis auf Stephanus (V 20) ist in das Traditionsstück eingefügt. Die „Tempelrede" des Paulus zeigt, daß er an diesem heilsgeschichtlich bedeutsamen Ort zur Heidenmission berufen wurde[49]; so hat sich ihm der Wille Gottes (vgl. V 14) erschlossen.

Das einleitende ἐγένετο δέ μοι ὑποστρέψαντι κτλ.[50] setzt voraus, daß

---

[41] Paulus berichtet eben nur, was er *selbst* erlebte!

[42] Vor Juden sagt Paulus (Hananias): „Der Gott unserer Väter (vgl. 3,13; 5,30) hat dich erwählt, seinen Willen zu erkennen." Die „Theozentrik" des Berichts kommt auch V 3 zum Ausdruck: „Eiferer für Gott".

[43] ὁ δίκαιος wie 3,14; 7,52 auf Jesus bezogen; siehe oben I 319.

[44] Paulus wird Christus *sehen* und die Stimme des „Gerechten" ἐκ τοῦ στόματος αὐτοῦ (vgl. Lk 22,71) *hören*. Damit ist vorbereitet, daß V 15 vom μάρτυς αὐτῷ und V 18 von der μαρτυρία περὶ ἐμοῦ sprechen können. Das Zeugnis beruht laut V 15 auf eigenem Sehen und Hören.

[45] μάρτυς αὐτῷ hebt die Zeugenschaft des Paulus vielleicht von der der zwölf Apostel ab. Bei diesen steht μάρτυς mit *Genitiv* der Person (1,8 u.ö.); vgl. oben I 224.

[46] Vgl. Conzelmann. Er vermutet einen „Traditionskomplex, der Paulus biographisch mit Jerusalem verknüpft": 22,3; 23,16. Betz, Vision des Paulus (1970), rechnet nicht mit einem Traditionsstück, sondern mit freier Gestaltung (im Anschluß an Jes 6).

[47] Siehe Haenchen, Apg 603. In Kap. 9 wird nur dem Hananias geoffenbart, daß Paulus den Christusnamen auch zu den Heiden bringen werde (9,15).

[48] Haenchen, a.a.O. 602f: Paulus sträubt sich: „er hängt mit seinem Herzen ... an seiner Missionsarbeit in Jerusalem. An eine Heidenmission denkt er nicht von ferne."

[49] Conzelmann spricht von der „Bindung der Autorität des Paulus an diesen heilsgeschichtlichen Ort".

[50] Ähnlich die unklassische Konstruktion Lk 3,21 (diff Mk); vgl. Blass/Debr §§ 278; 423,3 Anm. 9.

Paulus bald von Damaskus nach Jerusalem zurückkehrte. Der bekehrte und getaufte Paulus suchte in Jerusalem den Tempel auf, hatte also nicht mit seinem Judentum gebrochen. Im Tempel hatte er beim Gebet[51] eine Vision[52]. Von ἐγένετο ist sowohl γενέσθαι με als auch ἰδεῖν αὐτόν abhängig. In der Vision erschien „der Gerechte" (vgl. V 14), d.h. der himmlische Jesus, und sprach zu Paulus. Die Doppelung „Sehen – Hören" (so schon VV 14.15) steht im Dienste des Zeugenbegriffs. Das Auftragswort Jesu (V 18b) lautet, Paulus solle eilends Jerusalem verlassen, weil man hier sein Zeugnis über Jesus nicht akzeptieren werde[53]. Eine ganz andere Begründung als 9,29f, wo von einem jüdischen Anschlag gegen Paulus berichtet wurde!

VV 19–20 Der von Christus Angesprochene machte einen Einwand; dieses Motiv ist formgeschichtlich vorgegeben[54]. Paulus verwies auf seine Verfolgertätigkeit, von der man in Jerusalem wußte. Er begründete so, warum seine Zeugenschaft besonders eindrucksvoll sein könnte: „Das Zeugnis eines ‚Bekehrten' gilt als besonders überzeugend – bis heute."[55] Paulus hatte die Christus-Gläubigen in Haft gebracht und in den Synagogen auspeitschen lassen (V 19). Er war dabei, als das Blut des Christus-Zeugen[56] Stephanus vergossen wurde; damals hatte er der Ermordung zugestimmt[57] und die Kleider der Mörder bewacht[58] (V 20).

V 21 Doch der himmlische Christus wies Paulus auf einen anderen Weg. Er sandte[59] Paulus von Jerusalem weg „zu den Heiden in die Ferne"[60]. Paulus ist also auch nach Lukas ein von Christus selbst „Gesandter"; er ist Heiden-Apostel! Die Apologie des Redners ging zwar nicht direkt auf den Vorwurf von 21,28 ein (vgl. indessen 24,18f); aber sie zeigte auf, daß Paulus in seinem „Eifer für Gott" von Gott selbst auf den Weg zu den Heiden gewiesen wurde.

---

[51] προσευχομένου μου. Lukas liebt es, (himmlische) Interventionen als Antwort auf das Gebet darzustellen; vgl. Lk 3,21; 9,29; 22,41; Apg 9,40; 10,9–11; 10,30; 11,5; 16,25f; 28,8.

[52] ἔκστασις bezieht sich 10,10 und 11,5 auf die Vision des Petrus. 22,17 bedeutet γίνομαι ἐν ἐκστάσει „in Verzückung geraten"; vgl. 10,10: „eine ἔ. kam über ihn".

[53] παραδέχομαι wie 16,21 mit sachlichem Objekt; vgl. oben Nr. 35 A. 35. Zu μαρτυρία siehe oben A. 44.

[54] Vgl. MULLINS, Commission Forms (1976) 606.608f.

[55] CONZELMANN; vgl. WIKENHAUSER.

[56] μάρτυς bezeichnet hier zwar nicht im technischen (martyrologischen) Sinn Stephanus als Blutzeugen. Doch befindet sich das Wort – vgl. αἷμα im Kontext – hier auf dem Weg zu einer solchen Bedeutung; vgl. WIKENHAUSER; BROX, Zeuge 59–66; HAENCHEN; CONZELMANN; ferner J. BEUTLER, μάρτυς 4, in: EWNT II.

[57] συνευδοκέω „zustimmen, billigen" wie 8,1; Lk 11,48; vgl. oben I 478 A. 61.

[58] Zur Bewachung der Kleider bei der Steinigung siehe oben I 477 (zu 7,58b).

[59] ἐξαποστέλλω wie 11,22; 12,11; 13,26; Lk 24,49 u.ö.; vgl. oben I 456 A. 89.

[60] εἰς τὰ ἔθνη μακράν. Eine „verhüllte" Anspielung auf die Heidenmission war durch εἰς μακράν schon 2,39 geboten worden; siehe oben I 278 A. 137.

56. PAULUS BERUFT SICH AUF SEIN RÖMISCHES BÜRGERRECHT: 22,22–29

LITERATUR: TH. MOMMSEN, Die Rechtsverhältnisse des Apostels Paulus, in: ZNW 2 (1901) 81–96. – J. M. NAP, Handelingen 22,25, in: Nieuw theol. tijdschrift 16 (1927) 246–258. – CADBURY, Dust and Garments (1933; s.o. Nr. 31) bes. 275–277 [zu 22,22 f]. – A. N. SHERWIN-WHITE, The Roman Citizenship (Oxford 1939). – H. ROSIN, Civis Romanus sum, in: Ned. theol. tijdschr. 3(1948/49)16–27. – A. N. SHERWIN-WHITE, The Early Persecutions and Roman Law Again, in: JThSt 3(1952)199–213. – CADBURY, Book of Acts (1955) 71 f. – E. BREWER, Roman Citizenship and Its Bearing on the Book of Acts, in: Restoration Quarterly 4(1960)205–219. – BURCHARD, Zeuge (1970) 37–39. – A. N. SHERWIN-WHITE, Citizenship, Roman, in: Oxford Classical Dictionary (1970) 243 f. – REESE, Paul's Exercise (1975).

22 Bis zu diesem Wort hörten sie ihm zu, dann erhoben sie ihre Stimme: Weg mit dem da von der Erde! Er darf nicht am Leben bleiben. 23 Sie lärmten, zerrissen ihre Kleider und warfen Staub in die Luft[a]*. 24 Da befahl der Oberst, ihn in die Kaserne zu führen, und ordnete an, ihn unter Geißelschlägen zu verhören. Auf diese Weise wollte er herausfinden, aus welchem Grund sie ein solches Geschrei gegen ihn erhoben. 25 Als sie ihn aber für die (Geißelung mit den) Riemen vornübergestreckt hatten, sagte Paulus zu dem Hauptmann, der dabeistand: Ist es euch erlaubt, einen Römer, noch dazu ohne Gerichtsurteil, zu geißeln?*
26 Als der Hauptmann das[b] *hörte, ging er zum Oberst, machte Meldung und sagte:* [c]*Was hast du vor? Dieser Mann ist ein Römer. 27* [d]*Da kam der Oberst herbei (zu Paulus) und fragte ihn*[d]*: Sag mir, bist du ein Römer? Er antwortete: Ja. 28 Da erwiderte der Oberst: Ich habe für dieses Bürgerrecht ein Vermögen gezahlt. Paulus sagte: Ich bin sogar (als Römer) geboren. 29 Sofort ließen die, die ihn (unter Geißelhieben) verhören sollten, von ihm ab. Und der Oberst erschrak, als er erfuhr, daß es ein Römer war, den er hatte fesseln lassen*[e]*.*

Mit *V 22* wird die Verteidigungsrede des Paulus (22,1–21) „unterbrochen“. Als der Redner die Berufung zur Heidenmission erwähnt, läßt ihn das jüdische Auditorium nicht weiterreden[1]. Die Menge wiederholt die Forderung, Paulus aus dem Weg zu räumen (vgl. 21,36). Bei dem auf die Apologie des Paulus folgenden Tumult *(V 23)* läßt der Oberst Paulus – wie

[a] Statt ἀέρα lesen D gig sy^{p} οὐρανόν.
[b] D gig vg^{mss} erläutern: „daß er sich als Römer bezeichnete“. Vgl. METZGERTC 487.
[c] D Koine gig p sa schalten ein: ὅρα.
[d] V 27 a (d – d) lautet in D (sa): „Da (τότε) kam der Oberst herbei und befragte (ἐπηρώτησεν) ihn.“
[e] 614 sy^{h**} sa fügen an: „und sofort ließ er ihn frei (ἔλυσεν αὐτόν, vgl. V 30)“.
[1] Zu diesem lukanischen Stilmittel siehe DIBELIUS, Die Reden 138. CONZELMANN bemerkt zutreffend: „In Wirklichkeit ist die Rede vollständig.“

vorgesehen (21,34.37) – in die Kaserne bringen, um ihn zu verhören *(V 24)*. Als das „peinliche“ Verhör (unter Geißelhieben) beginnen soll, gibt sich Paulus als römischer Bürger zu erkennen *(V 25)*, was sogleich dem Oberst gemeldet wird *(V 26)*. Der folgende Dialog zwischen dem Kommandanten der Burg Antonia und dem gefangenen Paulus *(VV 27f)* unterstreicht, daß Paulus das Bürgerrecht Roms von Geburt aus besitzt. Daraufhin verzichtet man auf die Geißelung. Der Römer bekommt es mit der Angst zu tun *(V 29)*.

Die dramatische Episode, nach der der Lauf der Dinge nicht weniger als dreimal eine Wende nimmt (VV 22.24.25f), geht im wesentlichen auf den Acta-Verfasser zurück. Das gleiche gilt für die erzählerische Steigerung, mit der Paulus vorgeht: Zuerst (21,39) erwähnt er seine tarsische Herkunft, erst später (22,25) sein Römer-Sein[2], und schließlich (25,10f) appelliert er an den Kaiser. Die mit V 22 neu ausbrechende Wut der Menge „bestätigt das Wort des Herrn, die Juden würden das Zeugnis des Paulus nicht annehmen [22,18]“[3]. Zugleich gibt sie dem Oberst Gelegenheit, nun die Geißelung des Gefangenen anzordnen[4]. Lukas verwendet das Motiv, daß die römische Behörde über den Fall des Paulus Klarheit gewinnen will, auch sonst: 22,30; 23,28f; 24,22; 25,20.26f.

V 22 Bis zu „diesem Wort“ – bezogen auf den Befehl Jesu an Paulus, Jerusalem zu verlassen und zu den Heiden zu gehen (V 21) – hören die Juden der Apologie des Paulus zu. Doch auf das Stichwort von der Heidenmission, das der Sache nach die Paulusrede abschließt, erhebt die Menge ihre Stimme[5] und fordert erneut den Tod des Paulus. Der Ruf αἶρε ἀπὸ τῆς γῆς τὸν τοιοῦτον[6] nimmt die Forderung von 21,36 wieder auf: Die Apologie

[2] Ältere Ausleger wollten den späten Zeitpunkt der Berufung auf das römische Bürgerrecht eher psychologisch erklären. Bauernfeind, Apg 250 (zu 21,39) meint: „Paulus macht Angaben über seine Personalien ... Er unterläßt es, seine Bitte mit dem Hinweis auf sein römisches Bürgerrecht ... zu unterstützen; er appelliert eher an die menschliche Güte des Soldaten und trifft damit auch das Richtige.“ Zu 22,25 (a.a.O. 254) erwägt er: „Ob er [Paulus] auf den Gedanken kommen konnte, auch jetzt noch davon zu schweigen, etliche Geißelhiebe hinzunehmen und dadurch gegen seine Wächter den taktischen Vorteil zu gewinnen, der ihm in Philippi (16,36ff) zustatten kam? Derartige Erwägungen ... stünden in unerträglichem Gegensatz zu der Großzügigkeit, die der Chiliarch bewiesen hatte.“ – Bruce, Acts (NIC) 437, hält es für möglich, daß 21,39 mit der „nicht unbedeutenden Stadt“ Rom gemeint war; der Oberst habe die Angabe jedoch auf Tarsus bezogen!

[3] Haenchen, Apg 607.

[4] Die Anwendung der Folter war gegenüber Nicht-Bürgern und Sklaven vorgeschrieben; siehe Mommsen, Rechtsverhältnisse (1901) 88–91; Wikenhauser; Conzelmann.

[5] Die Redensart ἐπαίρω τὴν φωνήν (u.a. auch LXX) kommt im NT nur bei Lukas vor: Lk 11,27; Apg 2,14; 14,11; 22,22. Vgl. (mit αἴρω) Lk 17,13; Apg 4,24.

[6] ἀπὸ τῆς γῆς bedeutet hier (wie 8,33 [Jes 53,8]; Apk 14,3): aus der Mitte der Menschen.

hat nichts erreicht. Im Gegenteil: Die Juden behaupten, Paulus dürfe nicht weiter am Leben bleiben[7].

VV 23–24 Die Menge schreit[8], zerreißt die Kleider[9] und wirbelt Staub in die Luft[10] (V 23). Diese Motive demonstrieren die „wütende Empörung“[11] der Juden. Der Oberst rettet Paulus vor der Volkswut, indem er den Befehl erteilt, den Gefangenen in die Kaserne zu bringen und[12] ihn „unter Geißelhieben zu verhören“[13]. Mit dieser Folterung[14] sollte die Wahrheit über Paulus herauskommen. Wahrscheinlich ist vorausgesetzt, daß der Oberst die „hebräische“ Apologie vor dem Volk nicht verstand. Der Oberst will wissen, warum[15] die Menge in dieser Weise gegen Paulus anschreit[16] (V 24). Er wird in unerwarteter Weise die Wahrheit über den Gefangenen erfahren (siehe V 26).

V 25 Schon hatte man Paulus für die Geißelung vornübergestreckt[17], da eröffnete dieser dem dafür verantwortlichen Hundertschaftsführer[18], daß

---

[7] Das unpersönliche καθῆκει „es gebührt“ mit folgendem Akk. und Inf. steht hier (negiert und) im Imperfekt: Es sollte so sein, ist aber noch nicht erreicht; vgl. ZERWICK/GROSVENOR, Analysis z. St.; BLASS/DEBR § 358, 2.

[8] κραυγάζω „kreischen, brüllen“ wie Mt 12, 19; Joh 18, 40; 19, 6.12. Auf ausfahrende Dämonen bezogen: Lk 4, 41.

[9] ῥίπτω/ῥιπτέω kann „werfen, fortwerfen“ (so 27, 19.29; Lk 17, 2) oder „(jemand) zu Boden werfen“ (Lk 4, 35) bedeuten. Vom Abwerfen der ἱμάτια spricht auch Plato, Resp. V 474 a. CONZELMANN erwägt, ob nicht „das Schwenken der Kleider“ gemeint sei. PREUSCHEN denkt an die Vorbereitung zur Steinigung (vgl. Apg 7, 58).

[10] κονιορτός „Staub“ begegnet an anderen Stellen in der Wendung „den Staub von den Füßen schütteln“: 13, 51; Lk 9, 5; 10, 11. Zu Apg 22, 23 ist Herm v 4, 1, 5 b zu vergleichen: κονιορτὸν ἐγείρω „den Staub aufwirbeln lassen“; vgl. BAUERWb s. v.

[11] HAENCHEN; vgl. CADBURY, Dust and Garments 275–277, zu dessen Überlegungen sich HAENCHEN kritisch äußert.

[12] ἐκέλευσεν ... εἴπας κτλ.: Der Oberst wird bei der Geißelung nicht anwesend sein (vgl. VV 25–27). Das Partizip des Aorist 2 bezeichnet die begleitende Handlung.

[13] μάστιξιν ἀνετάζω „unter Anwendung der Folter verhören“ (PREUSCHEN: Amtssprache); das Verbum steht V 29 noch einmal.

[14] Vorgesehen beim Verhör eines Nicht-Römers, vgl. oben A. 4.

[15] δι' ἣν αἰτίαν wie Lk 8, 47 diff Mk; 2 Tim 1, 6.12; Tit 1, 13; Hebr 2, 11. Vgl. (διὰ ... αἰτίαν „aus dem Grund“) Apg 10, 21; 28, 20.

[16] ἐπιφωνέω mit personalem Dativ „laut rufen in Beziehung auf jemand“ begegnet auch Plutarch, Alex. 3, 6. Zu ἐπιφωνέω siehe oben Nr. 27 A. 85. Das Verbum steht auch Lk 23, 21 im feindlichen Sinn (Forderung nach Kreuzigung Jesu).

[17] προτείνω τοῖς ἱμᾶσιν. Das Verbum bedeutet „(jemand) ausstrecken“ und wird gebraucht für das Ausstrecken zur Geißelung. Der pluralische Dativ von ἱμάς kann instrumental („mit den Riemen“) oder final („für die Riemen“, d. h. für die Peitsche) verstanden sein; BAUERWb s. v. – WIKENHAUSER und HAENCHEN ziehen die zweite Bedeutung vor: οἱ ἱμάντες = *flagellum*.

[18] Die Form ἑκατόνταρχος wird außer 22, 25 mit Sicherheit nur noch 28, 16 v. l. bezeugt. Doch Lukas setzt sie mit ἑκατοντάρχης (siehe 22, 26 neben V 25) gleich (beides ist Übersetzung des lat. *centurio*). Innerhalb von Apg 21–28 wird die Bezeichnung singularisch (22, 25.26; 24, 23; 27, 1.6.11.31.43) sowie pluralisch (21, 32; 23, 17.23) verwendet. Siehe BAUERWb s. v.; F. G. UNTERGASSMAIR in: EWNT I s. v. (983 f).

er Römer sei (und daß somit die Geißelung nicht erlaubt ist[19]). Die Eröffnung erfolgt in einer geschickt formulierten Frage: seit wann es erlaubt sei, einen Römer[20], dazu noch ohne gerichtliche Entscheidung[21], zu geißeln.

VV 26–27 Als der Hauptmann hört, daß Paulus Römer ist, macht er sogleich dem Oberst Meldung. Er erwartet Anweisung, was zu tun sei[22] (V 26). Sofort geht der Oberst zu Paulus und vergewissert sich bei diesem selbst, ob er Römer[23] sei. Paulus bejaht die Frage so knapp wie möglich (V 27).

V 28 Der kurze Dialog zwischen dem Oberst und dem Gefangenen stellt heraus, daß Paulus das römische Bürgerrecht seit seiner Geburt besitzt[24], der Oberst es jedoch erst später (für eine hohe Geldsumme[25]) erworben hat. Da der Oberst Klaudius Lysias heißt (23,26), kann man vermuten, daß er das Bürgerrecht unter Kaiser Klaudius (41–54 n. Chr.) kaufte[26]. Das Bürgerrecht des Paulus ist dem des Chiliarchen überlegen[27].

V 29 Die Soldaten, die im Begriff waren, Paulus auszupeitschen[28], ließen sogleich von dem Gefangenen ab. Der Oberst brauchte gar keinen Befehl mehr zu erteilen! Er erschrak, als er erfuhr, daß der Gefangene Römer sei; denn er hatte ihn fesseln lassen (siehe 21,33)[29]. Die Auspeitschung konnte

---

[19] Nach römischem Recht durfte ein römischer Bürger nicht unter Anwendung der Folter verhört werden (siehe die *Lex Porcia* und die *Lex Iulia;* dazu HAENCHEN zu V 29). Er war auch „gegen die Auspeitschung als polizeiliche Maßnahme *(coercitio magistralis),* die ohne Untersuchung und Urteilsspruch erfolgte, geschützt" (WIKENHAUSER). Vgl. CONZELMANN, der auf Cicero, Verr. II, V 66 (170), verweist: „Facinus est vincire civem Romanum, scelus verberare, prope parricidium necare." Siehe ferner oben Nr. 39 A. 78.

[20] εἰ ἔξεστιν bei direkten Fragen (so z. B. auch 21,37) ist hellenistisch; vgl. BLASS/DEBR § 440,3. – ἄνθρωπος Ῥωμαῖος (vgl. oben Nr. 55 A. 10) ist auf das römische *Bürgerrecht* zu beziehen, wie VV 26–28 zeigen (V 28 πολιτεία). – μαστίζω „mit der Peitsche schlagen, auspeitschen" (V 25); vgl. μάστιξ „Geißel" (V 24).

[21] ἀκατάκριτος, wörtlich „un-verurteilt", bedeutet hier wohl „ohne geordnetes Prozeßverfahren"; BAUERWb s. v.; vgl. HAENCHEN: „zweideutig wie 16,37". Siehe auch oben Nr. 39 A. 79.

[22] Die Frage „Was wirst du tun?" deutet die Verantwortung des Obersten an.

[23] Substantivisches Ῥωμαῖος steht außer 21,26.27.29 auch 23,27; pluralisch 2,10; 16,21.38; 25,16; 28,17.

[24] Zu καὶ γεγέννημαι ist Ῥωμαῖος zu ergänzen: „sogar als Römer geboren". Vgl. Cicero, Fam. X 32,3: „Civis Romanus natus sum."

[25] πολλοῦ κεφαλαίου „für eine hohe Geldsumme" ist Genitivus pretii; vgl. BLASS/DEBR § 179,1.

[26] Siehe dazu WIKENHAUSER, der auf Dio Cassius, Hist. Rom. LX 17, verweist (Verkauf des Bürgerrechts um hohe Summen) und bemerkt: Neubürger nahmen „in der Regel den Familiennamen des regierenden Kaisers an".

[27] Zum höheren Ansehen des Altbürgers vgl. Ovid, Trist. IV 10,7f, zitiert bei CONZELMANN.

[28] ἀνετάζειν bezieht sich auf das „peinliche" Verhör; siehe oben A. 13.

[29] Vgl. dazu den Anfang des Cicero-Zitats oben A. 19.

gerade noch ausgesetzt werden. Man wundert sich, daß der Oberst nicht anordnet, die Fesseln (laut 21,33: Ketten) zu lösen (siehe indessen 22,30: ἔλυσεν αὐτόν, am nächsten Morgen)[30]. Möglicherweise war die einfache Fesselung als Teil der *custodia militaris* „mit den Rechten als römischer Bürger vereinbar (vgl. 27,1)“[31].

57. PAULUS VOR DEM SYNEDRIUM: 22,30 – 23,11

LITERATUR: BETHGE, Die Paulinischen Reden (1887) 206–225. – WIKENHAUSER, Die Apostelgeschichte und ihr Geschichtswert (1921) 296–298 [zu 23,6]. – A. M. POPE, Paul's Address before the Council at Jerusalem, in: The Expositor (Ser. 8) 25(1923)426–446. – K. MÖBIUS, Paulus vor dem Hohen Rat, in: Auf der Warte 30(1933)289f.301f. – T. W. MANSON, Sadducee and Pharisee – the Origin and Significance of the Names, in: BJRL 22(1938)144–159. – DIBELIUS, Paulus in der Apostelgeschichte (1951)179. – R. R. BREWER, The Meaning of πολιτεύεσθε in Philippians 1,27, in: JBL 73(1954)76–83 [zu 23,1]. – J. STELZENBERGER, Syneidesis im Neuen Testament (Paderborn 1961) 49f [zu 23,1]. – B. J. BAMBERGER, The Sadducees and the Belief in Angels, in: JBL 82(1963)433–435 [zu 23,8]. – HOLTZ, Untersuchungen (1968)127–130 [zu 23,5]. – BURCHARD, Zeuge (1970) 39 [zu 23,6]. – D. COX, Paul before the Sanhedrin: Acts 22,30 – 23,11, in: StBFrLA 21(1971)54–75. – A. A. TRITES, The Importance of Legal Scenes and Language in the Book of Acts, in: NT 16(1974)278–284. – MULLINS, Commision Forms (1976) [zu 23,11]. – S. T. LACHS, The Pharisees and Sadducees on Angels: A Reexamination of Acts XXIII.8, in: Gratz College Annual of Jewish Studies 6 (Philadelphia 1977) 35–42. – ZIESLER, Luke and the Pharisees (1979) [zu 23,6]. – G. G. STROUMSA, Le couple de l'Ange et de l'Esprit: Traditions juives et chrétiennes, in: RB 88 (1981) 42–61, bes. 57–61 [zu 23,8].

30 Weil er (der Oberst) genau wissen wollte, was ihm (dem Paulus) die Juden vorwarfen, ließ er ihm am nächsten Tag die Ketten abnehmen[a] *und befahl, die Hohenpriester und der ganze Hohe Rat sollten sich versammeln. Dann ließ er Paulus hinunterbringen und ihnen gegenüberstellen.*

23,1 Paulus schaute mit festem Blick auf den Hohen Rat und sagte: Brüder! Ich lebe mit völlig reinem Gewissen vor Gott bis zum heutigen Tag. 2 Der Hohepriester Hananias aber gebot denen, die bei ihm standen, ihn auf den Mund zu schlagen. 3 Da sagte Paulus zu ihm: Dich wird Gott schlagen, du übertünchte Wand! Du sitzt hier, um mich zu richten nach dem Gesetz, und wider das Gesetz befiehlst du, mich zu schlagen? 4 Die Umstehenden sagten: Den Hohenpriester Gottes schmähst du?

---

[30] Siehe die Textvarianten, die hier die „Lösung“ berichten; siehe oben A. e.

[31] WIKENHAUSER. Er meint (mit PREUSCHEN), das Erschrecken des Offiziers sei darin begründet, daß er die Fesselung, die einem Bürger gegenüber als Strafe zu betrachten war, „ohne Urteilsspruch“ verfügte.

[a] Hinter ἔλυσεν αὐτόν fügt der textus receptus (Koine) an: ἀπὸ τῶν δεσμῶν (vgl. Nr. 56 A. e).

5 Darauf antwortete Paulus: Ich wußte nicht, Brüder, daß er der Hohepriester ist. Es steht ja geschrieben: „Einem Fürsten deines Volkes sollst du nicht fluchen!" 6 Weil aber Paulus wußte, daß der eine Teil zu den Sadduzäern, der andere zu den Pharisäern gehörte, rief er vor dem Hohen Rat aus: Brüder, ich bin Pharisäer und ein Sohn von Pharisäern[b]*; wegen der Hoffnung und wegen der Auferstehung der Toten stehe ich*[c] *vor Gericht.*

7 Als er das sagte, brach ein Streit aus zwischen den Pharisäern und den Sadduzäern, und die Versammlung spaltete sich. 8 Die Sadduzäer behaupten nämlich, es gebe weder eine Auferstehung noch Engel noch Geister; die Pharisäer dagegen bekennen sich zu beidem. 9 Es erhob sich ein lautes Geschrei, und einige Schriftgelehrte von der Partei der Pharisäer standen auf und verfochten ihre Ansicht. Sie sagten: Wir finden an diesem Menschen nichts Schlimmes. Vielleicht hat doch ein Geist zu ihm geredet oder ein Engel[d]*. 10 Als nun der Streit heftiger wurde, befürchtete der Oberst, sie könnten Paulus zerreißen. Daher ließ er die Wachtruppe herabkommen, ihn aus ihrer Mitte reißen und in die Kaserne führen.*

11 In der folgenden Nacht aber trat der Herr zu ihm (Paulus) und sprach: Hab Mut[e]*! Denn wie du in Jerusalem meine Sache bezeugt hast, so sollst du auch in Rom Zeugnis ablegen.*

In dem Erzählstück 22,30 – 23,11 steht die Diskussion des Paulus vor dem Synedrium *(23,1b–6)* im Vordergrund. *22,30* bereitet die Situation, daß Paulus als Gefangener vor dem Hohen Rat reden kann, vor. Die Reaktion auf die Erwähnung der Totenauferstehung (23,6) führt zu einer Spaltung der Versammlung *(23,7–9);* der Oberst muß Paulus aus Sicherheitsgründen in die Kaserne zurückbringen *(V 10).* In der folgenden Nacht hat Paulus eine Christusvision, in der ihm zugesagt wird, er werde – wie in Jerusalem – auch in Rom „Zeugnis ablegen" *(V 11).* Die Szene vor dem Hohen Rat weist also über sich selbst hinaus.

Es gibt Anzeichen dafür, daß der Szene eine „Einzelanekdote" zugrunde liegt[1]. Im Zusammenhang des lukanischen Werkes dient die Szene einer „grundsätzlichen Verhältnisbestimmung zwischen Judentum und Christentum"[2]. Zugleich macht sie klar, daß die Streitfrage zwischen dem Judentum und dem von Paulus repräsentierten Christentum das römische

---

[b] Statt „Sohn von Pharisäern" lesen E Koine sy^h „Sohn eines Pharisäers".

[c] ἐγώ (P[74] ℵ A C E Ψ Koine vg bo) fehlt in B gig sa.

[d] Koine sa fügen die Aufforderung μὴ θεομαχῶμεν (vgl. 5,39) an. Damit wird die Protasis εἰ δὲ berücksichtigt.

[e] C[3] Koine h vg^mss fügen die Anrede Παῦλε an.

[1] Conzelmann, zu V 6, bemerkt, daß das Partizip Aorist (2) γνούς „in einer Einzelanekdote besser verständlich" ist „als in einem Geschichtszusammenhang, in dem Paulus als ehemaliger Vertrauensmann" des Hohen Rates (22,5: Präsens μαρτυρεῖ) erscheint.

[2] Conzelmann, a.a.O. Siehe auch Haenchen, Apg 614.

Recht nicht tangiert[3]. Unter den jüdsichen Religionsparteien stehen die Pharisäer dem Christentum insofern am nächsten, als sie mit den Christen den allgemeinen Auferstehungsglauben teilen[4]. Das (nach Lukas) „echte" Judentum könnte somit im christlichen Glauben zu seiner Erfüllung kommen.

Im Hinblick auf die historische Wahrscheinlichkeit des Erzählten muß vermerkt werden, daß 22,30 unwahrscheinlich ist: Der römische Oberst beruft eine Sitzung des Hohen Rates ein! Die Szene 23,3–5 ist „unvorstellbar": „Wie sollte Paulus den Vorsitzenden nicht erkannt haben!"[5] 23,11 ist lukanische Bildung[6]. Sie leitet dazu über, daß Paulus von Jerusalem nach Cäsarea überstellt und von dort schließlich nach Rom gebracht wird.

V 30 Am folgenden Tag[7], am Tag nach der Verhaftung des Paulus, wollte sich der Oberst darüber Klarheit verschaffen[8], was die Juden Paulus vorwarfen und wessen sie ihn anklagten[9]. Er befreite den Gefangenen von seinen Ketten[10] (vgl. 21,33). Dann erteilte er Befehl, daß „die Hohenpriester und das ganze Synedrium" zusammentreten sollten[11]. Er führte Paulus zu der Tagungsstätte[12] und führte ihn der Versammlung vor[13]. 23,28f zeigt, daß der Oberst im Synedrium schließlich die gewünschte Klarheit erhielt.

23,1 Paulus schaut mit festem Blick[14] auf das Synedrium und ergreift – ohne Aufforderung – das Wort. Er redet die Synedristen mit „Brüder"[15] an

---

[3] Conzelmann, a.a.O.; vgl. 18,15.
[4] Zu V 6 vgl. Lk 20,27–40.
[5] Conzelmann, zu V 3. Er meint: „Zugrunde liegt eine vage Nachricht, nicht ein geschichtstreuer Bericht." Vgl. ebd. zu VV 4f: „Die Reaktion ist unmöglich matt und die Auskunft des Paulus undenkbar. Eine ‚Erklärung' des Nichterkennens aus angeblicher Kurzsichtigkeit des Paulus ist komisch."
[6] Vgl. Haenchen, der auf ähnliche Visionen (18,9f; 27,23f) verweist und feststellt: „Tradition wird in diesen Versen nicht sichtbar."
[7] Zu τῇ δὲ ἐπαύριον (sc. ἡμέρᾳ) vgl. oben Nr. 24 A. 68; Nr. 33 A. 74.
[8] Zu γνῶναι τὸ ἀσφαλές vgl. oben Nr. 54 A. 23.
[9] Da „die Juden" als Kläger auftreten (siehe oben Nr. 55 A. 19, zu κατηγορέω), will der Oberst deren oberste Behörde heranziehen.
[10] ἔλυσεν αὐτόν bezieht sich wohl auf die „Lösung" von den 21,33 erwähnten Ketten; siehe die LA des Textus receptus, oben A. a. Vgl. auch Haenchen.
[11] Daß der römische Offizier eine Sitzung des Hohen Rates habe anordnen (22,30) und bei dieser anwesend sein (vgl. 23,10) können, ist historisch höchst unwahrscheinlich; mit Haenchen und Conzelmann, gegen Schürer, Geschichte des jüdischen Volkes II 262f.
[12] Über den Ort der Ratssitzungen gehen die Auskünfte des Fl. Josephus (Bell V 144; VI 354) und der Mischna (z.B. Sanh 11,2; Midd 5,4) auseinander; siehe Schürer, a.a.O. 263–265; Billerbeck I 997–1001. Der Weg von der Burg Antonia zum Tagungslokal ist in jedem Fall mit καταγαγών zutreffend beschrieben; vgl. 23,28: κατήγαγον.
[13] ἔστησεν εἰς αὐτούς. Transitives ἵστημι bezeichnet auch 5,27 die Vorführung vor dem Hohen Rat; vgl. auch 6,6 („vor die Apostel").
[14] ἀτενίσας „fest anblickend" zeigt: „Paulus hat vor den Richtern keine Angst" (Haenchen). Zu ἀτενίζω mit Dativ siehe oben Nr. 33 A. 16.
[15] Diese Anrede begegnet (von Judenchristen an Juden) auch 2,29; 13,26.38; 23,6; 28,17, ferner 7,2 und 22,1 zusammen mit „Väter".

und betont, daß er „mit völlig reinem Gewissen“[16] bis auf den heutigen Tag[17] vor Gott lebe[18]. Der Angeklagte beruft sich, ähnlich wie vor dem Volk (22,3), auf seinen Eifer für die Sache Gottes, der er auch als Heidenapostel dient (vgl. 22,14f; 24,16).

VV 2–3 Da gibt der Hohepriester Hananias[19] den anwesenden Dienern[20] die Anweisung, Paulus auf den Mund zu schlagen (V 2). Dies ist wohl nicht als Bestrafung dafür zu verstehen, daß Paulus von sich aus das Wort nahm, sondern eher als Strafe für den Inhalt seines Wortes[21]. Paulus sagt daraufhin zum Hohenpriester, den er als solchen offenbar nicht erkannt hat[22]: „Schlagen wird[23] dich Gott (selbst), du übertünchte Wand[24]“ (V 3a). Zur Begründung seiner „Weissagung“ sagt Paulus, der Betreffende sitze zu Gericht[25] „nach dem Gesetz“ und befehle doch, „gegen das Gesetz verstoßend“[26], Paulus zu schlagen (V 3b).

VV 4–5 Die Dabeistehenden machen Paulus den Vorwurf, er schmähe[27] „den Hohenpriester Gottes“[28] (V 4). Sie machen damit erst auf die besondere Würde des von Paulus beschimpften Mannes aufmerksam. Weil es

---

[16] συνείδησις wird auch sonst mit ἀγαθή verbunden: 1 Tim 1,5.19; 1 Petr 3,16.21; 1 Clem 41,1; Polyc 5,3; auch Herodian VI 3,4. Apg 24,16 bezeugt das Attribut ἀπρόσκοπος.

[17] Die Wendung „bis auf diesen Tag“ begegnet auch 2,29; 26,22.

[18] πολιτεύομαι bezieht sich auf den religiösen Lebenswandel. In diesem Sinn (vgl. schon 2.3.4 Makk; Philo; Fl. Josephus) steht das Verbum auch Phil 1,27 und häufiger 1 Clem.

[19] Ἀνανίας/Hananias war etwa 47–59 n.Chr. Hoherpriester. Er wurde zu Beginn des Jüdischen Krieges als Römerfreund von Zeloten ermordet. Die Apg erwähnt ihn auch 24,1 (Anwesenheit vor dem Statthalter Felix). Siehe A. Weiser, Ἀνανίας 3, in: EWNT I 206f (Lit.).

[20] οἱ παρεστῶτες (αὐτῷ) wird von Haenchen auf die anwesenden Diener gedeutet; es kann sich evtl. auch auf die Synedristen beziehen: 23,4.

[21] Haenchen bleibt hier unentschieden.

[22] Siehe V 5. Da Lukas stärker den kollegialen Charakter des Synedriums herausstellt – auch im Verhör Jesu tritt der Hohepriester (diff Mk) nicht hervor: Lk 22,66–71 –, muß auch V 3b („du sitzest zu Gericht“) nicht auf den *Vorsitz* im Rat bezogen sein (gegen Haenchen).

[23] τύπτειν σε μέλλει drückt die Gewißheit des Eintreffens aus. Die Strafe wird auf den Strafenden zurückfallen! Zu τύπτω siehe oben Nr. 42 A. 69.

[24] τοῖχε κεκονιαμένε. Es handelt sich offenbar um ein gängiges Schimpfwort (Preuschen). Vgl. auch Ez 13,10. Hat Lukas es „als biblischen Ausdruck“ (Haenchen) empfunden?

[25] V 3b muß nicht voraussetzen, daß der Redende den Hohenpriester schon als solchen erkannt hat. Siehe oben A. 22. – κάθῃ steht attizistisch für κάθησαι (siehe Blass/Debr § 100,1). – κρίνων weist auf eine richterliche Funktion der Synedristen hin.

[26] παρανομῶν (von παρανομέω „gesetzwidrig handeln“) ist als Gegensatz zu κατὰ τὸν νόμον zu lesen.

[27] λοιδορέω „beschimpfen, schmähen“ steht im NT auch Joh 9,28; 1 Kor 4,12; 1 Petr 2,23.

[28] Der Genitiv τοῦ θεοῦ hebt die unantastbare Würde des Amtes hervor. Vgl. das lukanische „der Christus *Gottes*“ Lk 9,20 und 23,35 (diff Mk).

sich um den Hohenpriester handelt, ist die von Paulus gebrauchte Fluchformel eine schlimme Schmähung[29]. Doch Paulus entschuldigt sich damit, daß er den betreffenden Synedristen nicht als den Hohenpriester erkannt habe[30]. Er räumt ein, daß er, genauso wie die Ratsmitglieder, den Standpunkt der „Schrift“[31] teilt, man dürfe einem Fürsten des Volkes nicht fluchen[32] (V 5). Im Sinn des Lukas erweist sich Paulus „wieder als Muster des Gehorsams gegen das Gesetz ..., und aus Gründen der Komposition darf es noch nicht zum Konflikt kommen“[33].

V 6 Durch eine neue Initiative des Paulus nimmt die Sache eine Wendung. Paulus weiß, daß sich im Synedrium zwei Parteien befinden, die der Sadduzäer und die der Pharisäer[34]. Und so stellt er sich ostentativ auf die eine Seite und provoziert damit einen Streit der beiden Gruppen. Paulus ruft aus, er sei „Pharisäer und Sohn von Pharisäern“[35]. Er stehe (als solcher) nun vor Gericht[36], weil er sich zur „Hoffnung“, d. h.[37] zur Erwartung einer Auferstehung der Toten[38], bekenne. Die Formulierung ist absichtlich so gewählt, damit sie zugleich auf die pharisäische Enderwartung und den christlichen Osterglauben[39] bezogen werden kann. Paulus behauptet denn auch, daß er Pharisäer *sei* (nicht: gewesen sei)! Dies ist mit Phil 3,5–11 kaum vereinbar, entspricht aber dem lukanischen Paulusbild (siehe 22,3).

VV 7–8 Das Stichwort von der Totenauferstehung führt dazu, daß ein Streit[40] zwischen den Pharisäern, die mit Paulus die Auferstehungshoffnung teilen, und den Sadduzäern entsteht. Die Versammlung spaltet sich[41]

---

[29] Daß die Aussage „Gott soll/wird dich schlagen!“ (V 3 a) als „Verwünschung“ (Haenchen) oder als „Fluchformel“ (Conzelmann) verstanden wurde (vgl. Dtn 28,22; Billerbeck II 766), legt auch das Zitat in V 5 nahe: οὐκ ἐρεῖς κακῶς.

[30] οὐκ ᾔδειν ... ὅτι κτλ. ist im Sinne des Lukas keine Notlüge!

[31] Mit γέγραπται wird auf Ex 22,27 LXX verwiesen, wo freilich in zahlreichen Handschriften der Plural ἄρχοντας steht; vgl. Holtz, Untersuchungen 127 Anm. 2.

[32] κακῶς εἰπεῖν mit Akkusativ „lästerlich reden gegen jemand/über jemand“; vgl. außer Ex 22,27 auch Jes 8,21 LXX.

[33] Conzelmann, unter Berufung auf Overbeck und Haenchen.

[34] Zu den beiden Gruppen siehe oben I 343 A. 10; 398 f. μέρος im Sinne von „Partei“ 23,6.9; vgl. JosBell I 143. Moulton/Milligan s. v. 2.

[35] Vgl. 26,5 ἔζησα Φαρισαῖος, Phil 3,5 κατὰ νόμον Φαρισαῖος.

[36] κρίνομαι περί τινος „ich werde vor Gericht gezogen wegen“ findet sich auch 25,20; vgl. mit ἐπί τινι 26,6.

[37] Das absolute ἐλπίς ist dominierend (vgl. 24,15; 26,6). καὶ ἀναστάσεως νεκρῶν ist erläuternd angefügt. Durch die Verwendung von καί wird ein doppelter Genitiv vermieden; vgl. Conzelmann: ἐλπίς und ἀνάστασις als Hendiadyoin. Siehe auch Zerwick/Grosvenor, Analysis z. St.

[38] Die Sadduzäer bestreiten, daß es eine ἀνάστασις gibt: Lk 20,27; Apg 23,8.

[39] Die Christen verkündigen „in Jesus“ die Auferstehung der Toten (4,2.33); vgl. auch 17,18; 24,21; 26,23.

[40] στάσις im Sinne von „Zwist, Streit“ wie 15,2; 23,10; 24,5.

[41] σχίζομαι „sich spalten“ steht im übertragenen Sinn wie 14,4; vgl. Diodorus Sic. XII 66,2: τοῦ πλήθους σχιζομένου.

(V 7). Daß die Sadduzäer eine künftige Auferstehung bestreiten, hatte Lukas seinen Lesern schon Lk 20,27 (par Mk) erklärt. Nun wird dies wiederholt und hinzugefügt, daß sie gleichfalls die Existenz von Engeln und Geistern leugnen[42], während die Pharisäer dies alles akzeptieren, sich dazu „bekennen“[43] (V 8).

VV 9–10 Es erhebt sich ein lautes Geschrei[44]. Einige von den pharisäischen Schriftgelehrten stehen auf und erklären heftig[45], daß sie nichts Schlimmes „an diesem Menschen“[46] finden. Sie rechnen damit, daß – vor Damaskus[47] – ein Geistwesen oder ein Engel zu ihm sprach[48] (V 9). Der Zwist zwischen den Gruppen steigert sich, so daß der (anwesende!) Oberst befürchten muß, Paulus könnte regelrecht zerrissen werden[49]. Er erteilt (durch einen Boten) Befehl, daß die Wachtruppe[50] herabkommt, um Paulus „aus ihrer Mitte“[51] zu reißen und in die Kaserne zurückzubringen (V 10). Der Leser kann erkennen, „daß sich die Juden über ihre eigene Religion nicht im klaren sind“[52]. Der Oberst sieht, daß Paulus wegen Streitfragen des jüdischen Gesetzes angeschuldigt wird, aber weder den Tod noch erst recht Fesseln verdient (23,29).

---

[42] Wörtlich: Sie sagen, „es gebe weder Auferstehung *noch* (einen) Engel *noch* (einen) Geist“ (μήτε ... μήτε wie 23,12.21; 27,20; Lk 9,3). Siehe dazu BAMBERGER, Sadducees (1963); LACHS, Pharisees and Sadducees (1977). Letzterer faßt „weder Engel noch Geist“ als Apposition zu ἀνάστασιν. Vgl. Lk 20,36: ἰσάγγελοι. STROUMSA, Le couple (1981) 59 f, möchte neuerdings die Doppelung „weder Engel noch Geist“ auf die eschatologische Rolle eines bestimmten Engels und Geistes bezogen wissen. – τὰ ἀμφότερα V 8 b bedeutet an sich: „beides“; diese Übersetzung kommt in Frage, wenn τὰ ἀ. nur auf ἄγγελον und πνεῦμα bezogen ist, aber auch, wenn „Engel/Geist“ als Einheit begriffen und neben „Auferstehung“ gestellt ist. Siehe indessen die folgende A. 43.

[43] ὁμολογοῦσιν τὰ ἀμφότερα ist wohl auf die *drei* genannten Kontroverspunkte zu beziehen. Vgl. CONZELMANN: „lockerer hellenistischer Sprachgebrauch“; vgl. 19,16 (dazu oben Nr. 46 A. 29). Dem Kontext sind alle *drei* Gegenstände wichtig: daß die Pharisäer an die Auferstehung glauben, daß sie Engel und Geistwesen für existent halten (vgl. V 9 c). Da Lukas den Grund für den theologischen Dissens mit den Sadduzäern nicht nennt (kennt?) – letztere erkennen die über die Tora hinausgehenden „Schriften“ und die Tradition nicht an –, erscheinen die Sadduzäer „als Skeptiker“ (CONZELMANN).

[44] κραυγὴ μεγάλη bedeutet hingegen Lk 1,42 das laute „Rufen“.

[45] διαμάχομαι „heftig disputieren, energisch bestreiten“, Hapaxlegomenon des NT (bezeugt z. B. bei Fl. Josephus).

[46] ὁ ἄνθρωπος οὗτος steht hier kaum mit verächtlichem Unterton (wie vielleicht Lk 23,14).

[47] Die Pharisäer erkennen offenbar an, „daß die Christuserscheinung vor Damaskus (22,7 ff.!) eine Wirklichkeit war: ein Geist oder Engel hat zu Paulus gesprochen“ (HAENCHEN).

[48] Zu dem mit εἰ eingeleiteten Nebensatz (vgl. BLASS/DEBR § 482,2) ist ein Hauptsatz sinngemäß zu ergänzen, etwa: „was kann man dann dagegen einwenden?“ Vgl. HAENCHEN. Siehe auch die LA von Koine sa; siehe oben A. d.

[49] Zu διασπάω „zerreißen“ vgl. BAUERWb s. v. mit Angabe von profan-griechischen Parallelen.

[50] στράτευμα bezeichnet 23,10.27 eine kleinere Soldatenabteilung.

[51] ἐκ μέσου αὐτῶν wie 17,33. Vgl. oben Nr. 41 A. 61.

[52] CONZELMANN zu V 9.

V 11 Die folgende Nacht hat Paulus eine Begegnung mit dem „Herrn“[53]. Der himmlische Christus steht vor ihm[54] und gibt ihm Zuversicht[55]: So wie er in Jerusalem von ihm Zeugnis abgelegt habe (διεμαρτύρω), müsse er (σε δεῖ[56]) auch in Rom[57] Zeugnis geben (μαρτυρῆσαι). Die von Gott verfügte Notwendigkeit, daß Paulus nach Rom gelangt, wird hier von Christus kundgetan. Zugleich handelt es sich um eine Verheißung: Sie gibt dem Leser die Gewißheit, „daß Paulus tatsächlich in Rom (vor dem Kaiser: 27,24!) Zeugnis abgelegt hat“[58].

58. VERSCHWÖRUNG GEGEN DAS LEBEN DES PAULUS. VERBRINGUNG NACH CÄSAREA: 23,12–35

LITERATUR: SCHÜRER, Geschichte des jüdischen Volkes I (1901) 571–579 [zu 23,24.26: Felix]. – WIKENHAUSER, Die Apostelgeschichte und ihr Geschichtswert (1921) 31–33.354–359 [zu 23,24.26: Felix]. – CADBURY, Roman Law (1933; s.o. Nr. 54) 306–312. – G. D. KILPATRICK, Acts 23,23: δεξιολάβοι, in: JThSt 14 (1963)393f. – J. SCHMID, Felix, in: LThK IV(1960)70. – EPP, Theological Tendency (1966) 151f [zu 23,29]. – L. I. LEVINE, Caesarea under Roman Rule (Studies in Judaism in Late Antiquity 7) (Leiden 1975). – F. F. BRUCE, The Full Name of the Procurator Felix, in: Journal for the Study of NT 1(1978)33–36. – A. WEISER, ἡγεμὼν κτλ., in EWNT II 277–279 (1980).

12 Als es nun Tag geworden war, rotteten sich die Juden zusammen und schworen einen heiligen Eid, weder zu essen noch zu trinken, bis sie Paulus getötet hätten. 13 [a]An dieser Verschwörung waren mehr als vierzig Männer beteiligt[a]. 14 Sie gingen zu den Hohenpriestern und den Ältesten und sagten: Wir haben uns mit einem heiligen Eid verschworen, nichts zu essen[b], bis wir Paulus getötet haben. 15 [c]Geht also jetzt [d]zusammen mit dem Hohen Rat[d] zum Oberst und bittet ihn, er möge ihn (Paulus) zu euch

[53] Vgl. 16,9 und 18,9 (nächtliches ὅραμα); 27,23 (Engel bei Nacht).

[54] Zu ἐπιστὰς αὐτῷ vgl. den Gebrauch von ἐφίστημι bei Engelserscheinungen (Lk 2,9; 24,4; Apg 12,7).

[55] Einleitendes θάρσει wie Mt 9,2.22; Mk 10,49 (pluralisch Mt 14,27; Mk 6,50) ist u.a. auch in LXX bezeugt: „Sei(d) guten Mutes!“ Siehe auch POKORNÝ, Romfahrt (1973; unten Nr. 65 A) 240f.

[56] Zu δεῖ siehe oben Nr. 47 A. 1.11.12.

[57] εἰς steht hellenistisch im Sinne von ἐν. Siehe BLASS/DEBR § 205: „häufig Apg“.

[58] HAENCHEN. Zur Zeugnisterminologie siehe oben Nr. 47 A. 12; Nr. 51 A. 22; ferner oben I 223.

[a] P^{48} h lesen als V 13 (a – a): „Es waren aber mehr als vierzig (Männer), die sich selbst verflucht hatten.“

[b] Hinter γεύσασθαι fügen P^{48} gig h an: τὸ σύνολον „überhaupt“.

[c] Der Anfang von V 15 lautet in h $sy^{h.mg}$ sa: „Nun also fordern wir euch auf, für uns folgendes zu tun: Laßt den Hohen Rat zusammentreten und informiert den Oberst, er möge ...“

[d] σὺν τῷ συνεδρίῳ fehlt in P^{48} gig.

herunterführen, als wolltet ihr seinen Fall genauer untersuchen! Wir halten uns bereit, ihn zu töten[e]*, noch bevor er hierher kommt.*
16 Als jedoch der Schwestersohn des Paulus von dem Anschlag hörte, kam er, ging in die Kaserne hinein und verständigte Paulus. 17 Paulus ließ einen der Hauptleute rufen und sagte: Führe diesen jungen Mann zum Oberst, denn er hat ihm etwas zu melden. 18 Der nahm ihn mit sich, führte ihn zum Oberst und sagte: Der Gefangene Paulus ließ mich zu sich rufen und bat mich, diesen jungen Mann zu dir zu führen, da er dir etwas mitzuteilen habe. 19 Da nahm ihn der Oberst bei der Hand, trat (mit ihm) beiseite und erkundigte sich: Was hast du mir zu melden? 20 Er antwortete: Die Juden haben verabredet, dich zu bitten, du mögest morgen den Paulus vor den Hohen Rat hinunterführen lassen. Angeblich wollen sie über ihn Genaueres erfahren. 21 Trau ihnen nicht! Denn mehr als vierzig Männer von ihnen lauern ihm auf. Sie haben sich verschworen, weder zu essen noch zu trinken, bis sie ihn getötet haben; schon jetzt stehen sie bereit und warten auf deine Ankündigung. 22 Der Oberst befahl dem jungen Mann: Verrate niemandem, daß du mir das angezeigt hast! Dann ließ er ihn gehen.
23 Er ließ zwei von den Hauptleuten zu sich rufen und gab ihnen den Befehl: Haltet von der dritten Stunde der Nacht an zweihundert Soldaten bereit, damit sie nach Cäsarea ziehen, außerdem siebzig[f] *Reiter und zweihundert Leichtbewaffnete*[g]*; 24 auch Tragtiere soll man bereitstellen, Paulus aufsitzen lassen*[h] *und sicher*[i] *zum Statthalter Felix bringen. 25* [k]*Und er schrieb einen Brief mit folgendem Inhalt:*

> *26 Klaudius Lysias wünscht dem erlauchten Statthalter Felix Heil. 27 Dieser Mann wurde von den Juden ergriffen und wäre beinahe von ihnen getötet worden; da habe ich mit der Wachtruppe eingegriffen und ihn befreit.* [l]*Ich hatte nämlich erfahren, daß er Römer ist*[l]*. 28 Und weil ich den Grund ermitteln wollte, weshalb sie ihn anschuldigen,* [m]*ließ ich ihn vor ihren Hohen Rat führen*[m]*. 29 Ich fand heraus,*

---

[e] 614 h sy[h.mg] fügen an: ἐὰν δέῃ καὶ ἀποθανεῖν. Die Verschwörer nehmen also den eigenen Tod in Kauf.
[f] 614. 1241. 2495 pc h sy[h.mg] sa lesen „hundertsiebzig".
[g] Statt δεξιολάβους lesen A 33 δεξιοβόλους.
[h] 614 h fügen ein: νυκτός.
[i] 614. 2147 h fügen ein: „nach Cäsarea".
[k] Vor V 25 hat der „westliche" Text (nicht völlig übereinstimmend; Rekonstruktion bei METZGERTC 488f) folgende Erweiterung (P[48] [614] 2147 pc gig [sy[h**]]): „Denn er fürchtete, daß die Juden ihn rauben und ermorden würden; dann würde man ihn nachher beschuldigen, er habe Geld genommen (um die Ermordung des Paulus zu gestatten)." Die Erweiterung hat den Zweck, das Verhalten des Obersten zu erklären.
[l] P[48vid] gig lesen am Ende von V 27 (l – l): „weil er rief und behauptete, er sei Römer".
[m] Der Schluß von V 28 (m – m) fehlt in B* 81. V 28 a schließt sich dann (als begründender Nebensatz) an den Hauptsatz V 27 an.

daß er wegen Streitfragen über ihr Gesetz [n] *angeschuldigt wird, daß aber keine Anklage gegen ihn vorliegt, auf die Tod oder Haft steht. 30 Da mir aber angezeigt wurde, daß ein Anschlag gegen den Mann geplant ist, schicke ich ihn sofort zu dir; auch habe ich die Kläger angewiesen, ihre Sache gegen ihn bei dir vorzubringen* [o].

31 Die Soldaten nun übernahmen Paulus, wie ihnen befohlen war, und brachten ihn während der Nacht bis Antipatris. 32 Am folgenden Tag aber ließen sie die Reiter mit ihm weiterziehen und kehrten in die Kaserne zurück. 33 Und als jene nach Cäsarea gekommen waren und dem Statthalter den Brief übergeben hatten, führten sie ihm auch Paulus vor. 34 [p] *Nachdem er (den Brief) gelesen und (Paulus) gefragt hatte, aus welcher Provinz er stamme, und nachdem er erfahren hatte, daß er aus Kilikien sei, 35 sagte er: Ich werde dich vernehmen, sobald* [p] *deine Ankläger eingetroffen sind. Dann befahl er, ihn im Prätorium des Herodes in Gewahrsam zu halten.*

23,12–35 erzählt, wie es dazu kam, daß Paulus von Jerusalem nach Cäsarea gebracht wurde. Die Erzählung hat anekdotischen Charakter und kann auf eine selbständige Anekdote zurückgehen[1], ähnlich wie 23,1–10[2]. Die Erzählung vom jüdischen Mordanschlag gegen Paulus, der durch die Maßnahmen des römischen Offiziers vereitelt wird, scheint eine vorausgehende Verhandlung im Synedrium nicht vorauszusetzen. Der Anschlag geht vielleicht ursprünglich von der Absicht aus, „die Untersuchung vor das Synedrium zu ziehen" (vgl. V 15)[3]. Doch müßte man bei dieser Annahme ἀκριβέστερον in V 15 auf das Konto des Lukas setzen[4].

23,12–15 stellt den Mordplan gegen Paulus vor. *VV 16–22* berichten von der Intervention eines Neffen des Paulus, der von dem Anschlag erfahren hatte und insgeheim den Oberst informierte. Daraufhin ergreift der Oberst Maßnahmen, um den Gefangenen – unter starkem militärischen Geleit – nach Cäsarea zu bringen *(VV 23–30)*. Zu diesen Maßnahmen gehört auch

---

[n] Am Ende von V 29 fügen 614. 2147 gig sy h.mg an: „des Mose und eines gewissen Jesus" (abhängig von νόμος). Siehe METZGER TC 489.

[o] ℵ E Ψ Koine vg cl sy fügen den Schlußgruß ἔρρωσο an. Andere Textzeugen haben (wie 15,29) den entsprechenden Plural (P 1241 pm).

[p] Die VV 34.35a lauten in 614. 2147 sy h.mg (p – p): „Nachdem er den Brief gelesen hatte, befragte er Paulus: Aus welcher Provinz stammst du? Er antwortete: Kilikier. Als er das erfahren hatte, sagte er: Ich werde dich hören, sobald ..." Die direkte Rede wirkt lebendiger als die indirekte des ursprünglichen Textes.

[1] CONZELMANN zu VV 12ff.

[2] Vgl. oben Nr. 57 A. 1.

[3] PREUSCHEN zu V 15.

[4] ἀκριβέστερον erklärt sich am besten als Weiterführung eines Berichts, der schon von einem vorausgehenden Verhör des Synedriums erzählt hatte. Zudem ist der Komparativ von ἀκριβῶς im NT nur Apg 18,26; 23,15.20; 24,22 bezeugt.

ein Brief an den Statthalter Felix (VV 25–30). Der Schlußabschnitt *(VV 31–35)* erzählt, wie Paulus im Schutze der Nacht aus Jerusalem gebracht und nach seiner Ankunft in Cäsarea dem Statthalter vorgeführt wurde. Da in dem Brief die VV 28f auf das vorausgehende Synedrialverhör bezogen sind und V 27 noch weiter auf die Acta-Darstellung zurückgreift, ist der Brief – falls die Anekdote als solche traditionell sein sollte – lukanischer Einschub[5]. In diesem Fall wären auch für die VV 33–35 redaktionelle Eingriffe anzunehmen[6].

VV 12–13 Bei Tagesbeginn[7] rotten sich „die Juden" zusammen zu einer Verschwörung[8]. Sie verpflichten sich eidlich[9], weder Speise noch Trank zu sich zu nehmen, bis sie Paulus umgebracht haben[10] (V 12). An diesem Komplott sind mehr als 40 Männer beteiligt (V 13).

VV 14–15 Die Verschwörer begeben sich zu den führenden Männern des Synedriums[11] und berichten von ihrem Plan[12] (V 14). Der Hohe Rat soll an dem Komplott beteiligt werden. Die Hohenpriester und Ältesten sollen mit dem Synedrium zum Oberst gehen und ihn veranlassen[13], Paulus (erneut) vor den Hohen Rat zu führen. Sie sollen vorgeben, man wolle dort die Sache des Paulus genauer[14] untersuchen[15]. Inzwischen würden sich die Verschwörer selbst bereithalten[16], um Paulus auf dem Weg zum Synedrium zu ermorden (V 15).

---

[5] Siehe Conzelmann zu V 25: „Der Brief ist redaktionell; er dient der Beleuchtung der Situation vom römischen Standpunkt (so wie Lk diesen versteht) aus: Die juristische Unschuld wird vom ersten römischen Funktionär, der sich mit der Sache befaßt hat, bestätigt."

[6] V 33: Übergabe des Briefes; V 34: Lektüre des Briefes; V 35: Warten auf die „Ankläger".

[7] Es handelt sich um den Tag nach der Vorführung des Paulus im Hohen Rat (23,1–10) und der nächtlichen Christuserscheinung vor Paulus (23,11).

[8] ποιέω συστροφήν „sich zusammenrotten" (vgl. 19,40). Die Bedeutung „sich verschwören" (vgl. Conzelmann) kommt erst durch den Kontext in den Blick. Vgl. V 13 συνωμοσία „Verschwörung".

[9] ἀναθεματίζω wird hier auf die *Selbst*verfluchung bezogen (ἑαυτούς, vgl. auch VV 14.21).

[10] Vgl. Billerbeck II 767.

[11] „Die Hohenpriester und die Ältesten" (vgl. 4,23; 24,1; 25,15) umfassen, wie V 15 zeigt, nicht den ganzen Hohen Rat; vgl. Lk 9,22; 20,1; Apg 4,5. Zu συνέδριον (22,30; 23,1.6.15.20.28; 24,30) siehe E. Lohse in: ThWNT VII 861f.868f.

[12] V 14b greift die Angaben von V 12 auf.

[13] ἐμφανίζω „deutlich machen, erklären" steht auch 23,22; 24,1; 25,2. An den beiden letzteren Stellen hat es die nähere Bedeutung „Anzeige erstatten".

[14] Siehe dazu oben A. 4.

[15] ὡς μέλλοντας διαγινώσκειν ἀκριβέστερον „als wollten sie durch genauere Untersuchung (seine Angelegenheit) zur Entscheidung bringen". διαγινώσκω (auch 24,22) ist juristischer Fachausdruck: „entscheiden"; vgl. BauerWb s.v.

[16] ἕτοιμοί ἐσμεν „wir sind bereit/entschlossen/gerüstet". Der Ausdruck begegnet auch 23,21; Lk 22,33.

VV 16–17 Ein Sohn der Schwester des Paulus erhält Kenntnis von dem Mordplan[17]. Er geht in die Kaserne und informiert seinen Onkel (V 16). Paulus läßt einen der Hauptleute kommen und trägt ihm auf, den jungen Mann zum Oberst zu führen: Er habe ihm etwas mitzuteilen[18] (V 17). Die Erzählung setzt voraus, daß Paulus vom Oberst Hilfe erwartet, vor dem Hauptmann jedoch die Nachricht vom jüdischen Mordplan geheimhalten möchte.

V 18 Der Hauptmann geleitet den Verwandten des Paulus zu seinem Vorgesetzten. Dort macht er Meldung: Der Gefangene Paulus habe veranlaßt, diesen jungen Mann zum Oberst zu bringen, um ihm eine Mitteilung zu machen.

V 19–21 Der Oberst nimmt den jungen Mann bei der Hand und läßt sich vertraulich[19] mitteilen, was der Mann zu melden hat (V 19). Der Neffe des Paulus berichtet – gut informiert – über den jüdischen Mordplan (V 20, vgl. VV 14f)[20]. Er warnt den Offizier: Er soll den Juden nicht trauen[21]. Sie lauerten mit mehr als 40 Mann dem Paulus auf und hätten sich sogar eidlich verpflichtet, ihn umzubringen (vgl. VV 12–15). Sie stünden bereit und warteten nur darauf[22], daß der Oberst einverstanden sei[23] und entsprechende Anordnungen erlasse (V 21).

V 22 Ehe der Oberst den jungen Mann entläßt, befiehlt er ihm, die Sache geheimzuhalten: Er dürfe niemandem „ausplaudern“[24], daß er dem Oberst die Sache angezeigt habe[25].

VV 23–25 Die Nachricht, die der Neffe des Paulus überbrachte, läßt den Oberst zur Vereitelung der jüdischen Mordpläne schreiten. Er läßt zwei Hauptleute kommen und erteilt ihnen Befehl: Sie sollen zu Beginn der

---

[17] ἐνέδρα ist der „Hinterhalt“, der geheime Anschlag (so auch 25,3). Vgl. das Verbum ἐνεδρεύω „auflauern“ 23,21; Lk 11,54. Beide Vokabeln finden sich im NT nur bei Lukas.

[18] ἀπαγγέλλω steht im näheren Kontext 23,16.17.19, ferner 22,26; 28,21. Vgl. BAUERWb s.v. 1.

[19] ἀναχωρήσας (pluralisch auch 26,31) κατ᾽ ἰδίαν ἐπυνθάνετο. – κατ᾽ ἰδίαν „für sich, privatim“ wie Lk 9,10; 10,23.

[20] ὡς μέλλον (vom Synedrium) entspricht dem V 15 vorausgehenden ὡς μέλλοντας (abhängig von ὑμᾶς).

[21] Das Passiv πείθομαι („glauben“ bzw. „sich überreden lassen“) steht mit personalem Dativ wie 5,36.37.39; 27,11.

[22] προσδέχομαι mit Akkusativ der Sache wie Lk 2,25.38; 23,51.

[23] ἐπαγγελία bedeutet hier „Zusage“; vgl. BAUERWb s.v. 1.

[24] ἐκλαλέω ist ntl. Hapaxlegomenon, jedoch u.a. bei Philo und Fl. Josephus bezeugt.

[25] ἐνεφάνισας. Die indirekte Rede geht hier in direkte über. V 24 kehrt die direkte Rede wieder zur indirekten zurück (παραστῆσαι).

Nacht[26] 200 Soldaten, 70 Reiter und 200 Leichtbewaffnete[27] bereitstellen für den Marsch nach Cäsarea (V 23), außerdem Tragtiere. Man solle Paulus aufsitzen lassen und sicher zum Statthalter Felix[28] in dessen Residenzstadt bringen[29] (V 24). Schließlich schreibt der Oberst selbst einen Brief an den Statthalter, der diesem den Fall des Gefangenen darlegt. Der ungewöhnliche Aufwand für das Begleitkommando ist „phantastisch"[30]; er soll die Bedeutung des Gefangenen sowie die Größe der Gefahr illustrieren[31]. Einführungen des Briefinhalts in der Form von V 25 sind auch im hellenistischen Judentum bezeugt[32].

V 26 enthält in knappster Form die wichtigen Formalien des Briefanfangs: Absender („Klaudius Lysias"[33]), Adressat („dem erlauchten Statthalter Felix"[34]) und Gruß („Heil!"[35]). Der Briefinhalt (VV 27–30) informiert über den Gefangenen, nennt aber nicht seinen Namen.

VV 27–28 Zunächst referiert der Oberst über die 21,31–34 geschilderten Ereignisse, die zur Verhaftung des Paulus führten. Jedoch stellt er die Sache so dar, daß Paulus von den Juden ergriffen[36] und von den Römern diesen entrissen wurde[37]. Als Grund für die „Befreiungstat" gibt er an, er habe erfahren, daß der in Bedrängnis Geratene römischer Bürger sei (V

---

26 Wörtlich: „von der dritten Stunde der Nacht an". Die 3. Nachtstunde: etwa drei Stunden nach Sonnenuntergang.

27 δεξιολάβος (abgeleitet von δεξιός und λαμβάνω) ist militärischer Fachausdruck und bezeichnet wohl einen „Leichtbewaffneten", einen „Schützen" oder „Schleuderer"; vgl. auch Kilpatrick, Acts 23,23 (1963): „spearmen from the local police".

28 Φῆλιξ/Felix wird als ἡγεμών bezeichnet (diese Amtsbezeichnung für den römischen Statthalter begegnet auch 23,26.33; 24,1.10; 26,30 und z. B. JosAnt XVIII 55). Zur Person des Felix, dessen Amtszeit wohl 52/53 n. Chr. begann und vielleicht bis 60/61 dauerte (vgl. oben I 131 f), siehe außer Conzelmann die im Lit.-Verz. genannten Arbeiten von Schürer, Wikenhauser, Schmid und Bruce. In die Amtszeit des Felix fiel die Verschärfung der Lage in Palästina, das Auftreten der Sikarier und Zeloten, die er mit Härte bekämpfte. Felix wird auch Apg 23,26; 24,3.22.24.25.27; 25,14 namentlich genannt.

29 διασῴζω „hindurchretten" ist Vorzugsvokabel am Ende der Apg: 23,24; 27,43.44; 28,1.4.

30 Conzelmann. Er meint, „die halbe Besatzung der Hauptstadt" werde aufgeboten.

31 Conzelmann. Ebd.: „Daß Aufwand und Heimlichkeit nicht zusammen passen, hat Lk nicht bemerkt."

32 Vgl. (περι)έχουσαι τὸν τρόπον τοῦτον 1 Makk 11,29; 15,2; JosAnt XI 215; mit Verwendung von τύπος: 3 Makk 3,30; Arist 34.

33 Hier erfährt man den vollen Namen des Oberst; vgl. oben Nr. 54 A. 16.

34 κράτιστος ist offizielle Wiedergabe des Titels *vir egregius*. Als Anrede an den römischen Statthalter von Judäa begegnet es Apg 23,26; 24,3; 26,25. Vgl. oben Nr. 35 A. 105.

35 χαίρειν wie 15,23. Vgl. den sekundär angefügten Schlußgruß oben A. o.

36 συλλαμβάνω im Sinne von „festnehmen, verhaften" wie Lk 22,54; Apg 1,16; 12,3.

37 ἐξειλάμην (statt ἐξειλόμην, vgl. Zerwick, Biblical Greek Nr. 489: Aorist 2 Med.). ἐξαιρέομαι bedeutet „entreißen, befreien"; vgl. 7,10.34; 12,11. In Wirklichkeit hat der Oberst Paulus in (Schutz-)Haft genommen und mit zwei Ketten fesseln lassen: 21,33. Daß Paulus römischer Bürger ist, hat er erst später erfahren (22,27) und ist darüber erschrocken (22,29).

27). Die vom tatsächlichen Verlauf abweichenden Angaben des Briefes sollen indessen kaum die Glaubwürdigkeit des Absenders diskreditieren. „Lukas gibt vielmehr bei dieser Rekapitulation dem Leser das Bild, das er behalten soll: den Gesamteindruck, daß der römische Staat das römische Bürgerrecht des Paulus von Anfang an respektiert hat.“[38] Dann wird berichtet, daß der Oberst Paulus zur Feststellung der αἰτία, die man ihm vorwarf[39], ins jüdische Synedrium führte (V 28).

VV 29–30 Im Hohen Rat konnte der Oberst erfahren, daß es um Streitfragen[40] des jüdischen Gesetzes[41] ging und nichts vorlag, was Tod oder Fesseln verdient[42] (V 29). Als der Oberst von dem Anschlag[43] gegen den Mann erfuhr, habe er ihn sogleich[44] zum Statthalter überstellt. Den jüdischen Klägern habe er Anweisung erteilt[45], ihre Sache gegen den römischen Bürger bei ihm (in Cäsarea) vorzubringen[46] (V 30).

VV 31–33 Wie befohlen[47], übernehmen die Soldaten den gefangenen Paulus und bringen ihn während der Nacht nach Antipatris (V 31), einer Stadt auf dem Weg nach Cäsarea, etwa 60 km von Jerusalem entfernt. Lukas hat von der Entfernung kaum eine zutreffende Vorstellung[48]. Am kommenden Tag kehrt die Infanterie nach Jerusalem zurück, während die Reiter bis Cäsarea weiterziehen (V 32). Man kommt mit Paulus in Cäsarea an[49], übergibt dem Statthalter den Brief des Lysias und überstellt Paulus dem Gewahrsam des Statthalters (V 33).

VV 34–35 Felix liest den Brief und fragt den Gefangenen, aus welcher Provinz[50] er komme. Er erfährt, daß Paulus aus Kilikien stammt (V 34),

---

[38] Haenchen.
[39] ἐγκαλέω τινί „jemand anklagen“ ist juristischer Fachterminus; siehe oben Nr. 47 A. 52.
[40] ζητήματα wie 18,15; 25,19; 26,3.
[41] νόμος (V 29) ist genauso wie συνέδριον (V 28) mit αὐτῶν als „jüdisch“ (vgl. V 27) gekennzeichnet.
[42] μηδὲν ἄξιον θανάτου ἢ δεσμῶν. Vgl. Lk 23,15.41; Apg 25,11.25.
[43] ἐπιβουλή „Anschlag“ wie 9,24; 20,3.19. Siehe oben Nr. 51 A. 18.
[44] ἐξαυτῆς „sofort“ wie 10,33; 11,11; 21,32.
[45] παραγγείλας ist wie ἔπεμψα Aorist des Briefstils: Natürlich konnte der Oberst den Juden erst Weisung erteilen, als Paulus Jerusalem verlassen hatte.
[46] Haenchen meint, diese Einzelheit sei für den Leser bestimmt, der nun wisse, „wie die Handlung weitergeht“.
[47] διατάσσω „anordnen, befehlen“ ist lukanisches Vorzugswort; vgl. besonders Lk 3,13; 17,9.10; Apg 20,13; 24,23.
[48] Vgl. Haenchen. Antipatris war eine Gründung Herodes' d. Gr. (nach seinem Vater benannt) an der Stelle des biblischen Afek. Vgl. JosBell I 417.
[49] Die Entfernung Antipatris – Cäsarea beträgt etwa 40 km.
[50] ἐπαρχεία „Provinz“ wie 25,1. Die Frage nach der Heimatprovinz entsprach der Prozeßordnung; vgl. Mommsen, Rechtsverhältnisse (1901, s.o. Nr. 56) 92; Sherwin-White, Roman Society (1963) 55ff; Conzelmann.

und gibt ihm den Bescheid, daß er ihn verhören werde[51], sobald auch seine Ankläger angekommen seien. Dann ordnet er an, Paulus im Prätorium des Herodes[52] in Gewahrsam zu halten.

D. Haft des Paulus in Cäsarea (24,1 – 26,32)

Die Kapitel 24 – 26 der Apostelgeschichte erzählen vom Aufenthalt des gefangenen Paulus am Amtssitz des römischen Statthalters in Cäsarea. Mit 27,1 f beginnt die Reise des Gefangenen nach Rom. Sie wird durch die Appellation des Paulus an den Kaiser (25,11 f; 26,32) notwendig. 23,23–35 hatte von der Verbringung des Paulus nach Cäsarea erzählt. Nach 23,35 erwartet der Leser, daß die jüdischen Ankläger des Paulus bald in Cäsarea auftreten werden.

24,1–9 berichtet vom Auftreten des Hohenpriesters, der Ältesten und eines eigens bestellten Anwalts gegen Paulus vor dem Statthalter Felix. Darauf antwortet Paulus in einer Apologie (VV 10–21). Der Statthalter vertagt die Angelegenheit; er will den Oberst hören, der Paulus in Jerusalem inhaftiert hatte (VV 22 f). Felix hört den Gefangenen noch einmal, zusammen mit seiner jüdischen Gemahlin Drusilla, trifft aber keine Entscheidung (VV 24–27). Als Felix in Porcius Festus einen Nachfolger erhält, erneuern die Juden ihre Anklage gegen Paulus; doch dieser legt Berufung an den Kaiser ein (25,1–12). Festus informiert den König Agrippa II. über seinen Gefangenen und gibt ihm Gelegenheit, Paulus selbst zu hören (VV 13–27). Paulus erhält so die Möglichkeit, auch vor Agrippa seine Sache zu verteidigen (26,1–23). Festus und Agrippa bilden sich das Urteil, der Gefangene habe weder Tod noch Haft verdient; er könnte freigelassen werden, wenn er nicht an den Kaiser appelliert hätte (VV 24–32). So unterstreicht der gesamte Abschnitt die „politische" Schuldlosigkeit des Paulus und des Christentums (vgl. 23,29; 24,22 f; 25,18 f.25; 26,31).

59. ANKLAGE VOR DEM STATTHALTER FELIX UND VERTEIDIGUNGSREDE DES PAULUS: 24,1–23

LITERATUR: EGER, Rechtgeschichtliches (1919)11–23. – E. SPRINGER, Der Prozeß des Apostels Paulus, in: Preußische Jahrbücher 218(1929)182–196. – ST. LÖSCH, Die Dankesrede des Tertullus: Apg 24,1–4, in: ThQ 112(1931)295–319. – V. M. SCRAMUZZA, The

[51] διακούω mit personalem Genitiv ist Terminus technicus der Gerichtssprache; siehe BAUERWb s.v.

[52] Wo das Prätorium in Cäsarea lag, ist nicht bekannt. πραιτώριον ist lateinisches Lehnwort und bezeichnet hier die Amtswohnung des kaiserlichen Statthalters, so auch Mk 15,16 par Mt 27,27; Joh 18,28.33; 19,9 (in Jerusalem). Siehe dazu J. GNILKA, Der Philipperbrief (HThK X/3) (Freiburg 1968) 57 f; G. SCHNEIDER, πραιτώριον, in: EWNT III.

Policy of the Early Roman Emperors towards Judaism, in: Beginnings V(1933)277-297. – DIBELIUS, Die Reden (1949) 146–148. – A. SIZOO, Die rede van Tertullus, in: Gereformeerd Theol. Tijdschr. 49(1949)65–72. – K. THIEME, Ur-Diakonie als Heilmittel des Ur-Schismas c) Paulinismus und Judentum, in: Freiburger Rundbrief 21/24(1954)13–21 [zu V 17]. – C. SAUMAGNE, S. Paul et Felix, procurateur de Judée, in: Mélanges A. Piganiol (Paris 1966) 1373–1386. – JERVELL, Paulus (1968). – STOLLE, Zeuge (1973), bes. 92–95. 115–124. – K. BERGER, Almosen für Israel. Zum historischen Kontext der paulinischen Kollekte, in: NTS 23(1976/77)180–204 [zu V 17]. – HENGEL, Geschichtsschreibung (1979) 99f [zu V 17]. – PATHRAPANKAL, Christianity as a „Way" (1979) [zu VV 14–16]. – LÉGASSE, L'apologétique (1981; s. o. Nr. 54.)

1 Nach fünf Tagen kam der Hohepriester Hananias mit einigen[a] Ältesten und dem Anwalt Tertullus herab (nach Cäsarea), und sie brachten beim Statthalter ihre Klage gegen Paulus vor. 2 Als dieser herbeigeholt worden war, fing Tertullus mit der Anklage an und sagte: Tiefen Frieden genießen wir durch dich, und durch deine Umsicht hat sich für dieses Volk vieles gebessert. 3 Das erkennen wir in jeder Hinsicht und allenthalben mit großer Dankbarkeit an, erlauchter Felix! 4 Um dich aber nicht weiter aufzuhalten[b], bitte ich dich, uns in deiner Milde kurz anzuhören. 5 Wir finden nämlich, daß dieser Mann eine Pest ist, ein Unruhestifter[c] bei allen[d] Juden auf dem Erdkreis und ein Vorkämpfer der Nazoräersekte. 6 Er hat sogar den Tempel zu entweihen versucht, und wir haben ihn festgenommen[e]. 8 Wenn du ihn verhörst, wirst du selbst alles ermitteln können, wessen wir ihn anklagen. 9 Und die Juden legten sich mit ins Zeug und behaupteten, daß sich dies so verhalte.

10 Auf einen Wink des Statthalters[f] erwiderte Paulus: Da ich dich seit vielen Jahren als Richter[g] für dieses Volk kenne, verteidige ich meine Sache voller Zuversicht. 11 Wie du feststellen kannst, sind erst zwölf Tage vergangen, seit ich nach Jerusalem hinaufgezogen bin, um (Gott) anzubeten. 12 Sie haben mich weder im Tempel noch in den Synagogen noch anderswo in der Stadt dabei angetroffen, daß ich mit jemand ein Streitgespräch geführt oder einen Volksauflauf erregt hätte. 13 Sie können dir das, weswegen sie mich jetzt anklagen, auch nicht beweisen. 14 Das aller-

---

[a] τινῶν wird von Koine sy[p] weggelassen: Hananias kam „mit den Ältesten".
[b] Statt ἐγκόπτω lesen P[74] A*[vid] al das Simplex κόπτω („ermüden"?).
[c] Statt κινοῦντα στάσεις lesen Koine sy sa: κ. στάσιν.
[d] πᾶσιν wird von P[74] weggelassen.
[e] Eine Reihe von „westlichen" Textzeugen (E Ψ 33. 323. 614 pm gig vg[cl] sy[(p)], siehe GNT z. St.) hat hier (gezählt als 24,6b.7.8a) folgende Erweiterung: „und gemäß unserem Gesetz wollten wir ihn vor Gericht stellen. 7 Doch da kam der Oberst Lysias und entriß ihn mit viel Gewalt unseren Händen 8 und befahl, daß seine Ankläger vor dir erscheinen sollen." Die Einschaltung zeigt, daß der Interpolator παρ' οὗ in V 8 auf den Oberst (nicht auf Paulus) bezog. Vgl. METZGERTC 490.
[f] Am Ende von V 10a hat sy[h.mg] die Erweiterung: „sich zu verteidigen, nahm er einen gottähnlichen Zustand an und sagte".
[g] E Ψ 323. 614 pm sy[h] fügen hinter κριτήν ein: δίκαιον.

dings bekenne ich dir: Dem Weg entsprechend, den sie eine Sekte nennen, diene ich dem Gott meiner Väter. Ich glaube an alles, was im Gesetz und [h]in den[h] Propheten geschrieben steht. 15 Dabei habe ich die Hoffnung auf[i] Gott, die auch diese hier haben, daß es eine Auferstehung der [k]Gerechten und Ungerechten geben wird. 16 Darum bemühe auch ich mich, allezeit vor Gott und den Menschen ein reines Gewissen zu haben. 17 Nach mehreren Jahren bin ich nun zu meinem Volk gekommen, um Spenden zu überbringen und zu opfern. 18 Als ich mich zu diesem Zweck im Tempel hatte weihen lassen, trafen mich – nicht mit einer Volksmenge und nicht bei einem Tumult – 19 einige Juden aus Asia; sie müßten vor dir erscheinen und Anklage erheben, wenn sie etwas gegen mich vorzubringen haben. 20 Oder diese hier sollen doch selbst sagen, welches Verbrechen sie[l] herausgefunden haben, als ich vor dem Hohen Rat stand, 21 es sei denn der eine Satz, den ich in ihrer Mitte ausgerufen habe: Wegen der Auferstehung der Toten stehe ich heute vor eurem Gericht.
22 [m]Felix aber vertagte den Fall[m], da er recht genau um die Glaubensrichtung wußte, und sagte: Sobald der Oberst Lysias herabkommt, werde ich eure Sache entscheiden. 23 Und er befahl dem Hauptmann, ihn (Paulus) weiter in Gewahrsam zu halten, jedoch in leichter Haft; niemand von den Seinen sollte gehindert werden, für ihn zu sorgen[n].

Im Mittelpunkt von 24,1–23 steht die Verteidigungsrede des Paulus vor dem Statthalter Felix (VV 10–21). Sie wird durch erzählende Stücke gerahmt: einerseits von der jüdischen Anklage (VV 1–9), andererseits von der Notiz über die Vertagung der Angelegenheit und die Hafterleichterung für den Gefangenen (VV 22f).

Die Rede des Paulus rekapituliert größtenteils, was der Leser aus dem Bericht der Acta schon kennt. Der Angeklagte berichtet von den Ereignissen seit seiner Ankunft in Jerusalem (VV 11f.17–21) und behauptet, daß man ihm keine Schuld nachweisen könne (V 13). Dann macht er auf die Übereinstimmung des neuen „Weges" mit dem jüdischen Glauben aufmerksam: auf den Auferstehungsglauben (VV 14–16.20f; vgl. 23,6–9). Paulus befindet sich, was den Glauben betrifft, im Einklang mit der Auferstehungshoffnung (der meisten) seiner Ankläger (VV 14f).

---

[h] ἐν τοῖς (h – h) fehlt in A Koine.
[i] Statt εἰς (τὸν θεόν) lesen ℵ C pc πρός (vgl. V 16).
[k] Vor δικαίων fügen E Ψ Koine sy verdeutlichend ein: νεκρῶν.
[l] Hinter εὗρον schalten C E Ψ Koine latt sy bo ein: ἐν ἐμοί. Die kürzere LA von P^{74} ℵ A B al ist vorzuziehen.
[m] Der Anfang von V 22 (m – m) lautet nach Koine sa (093^{vid}): „Als Felix das hörte, vertagte er den Fall".
[n] Hinter ὑπηρετεῖν fügen 093 Koine sa ἢ προσέρχεσθαι ein: Paulus konnte Besucher empfangen!

Während die ältere Forschung hinter 24, 1–23 einen Quellenbericht vermutete, den der Verfasser bearbeitet habe[1], traten H. H. Wendt[2], O. Bauernfeind[3] und M Dibelius[4] dafür ein, daß vor allem die Reden (des Tertullus und des Paulus) nach Form und Inhalt von Lukas stammen. Diesem Urteil schließen sich auch E. Haenchen[5] und H. Conzelmann[6] an. St. Lösch konnte zeigen, daß die Tertullusrede ein „Meisterstück von ... ausgesuchter rhetorischer Kleinkunst" darstellt[7]. Sie wirft dem Angeklagten Unruhestiftung *(seditio)* und versuchte Tempelschändung vor (VV 5.6). Die Anklage kann theoretisch durch Zeugen oder durch ein Geständnis verifiziert werden. Tertullus macht von beidem Gebrauch: Felix soll den Angeklagten verhören und möglichst ein Geständnis erreichen (V 8); die Mitglieder der Delegation treten als Zeugen auf (V 9)[8].

V 1 Nach fünf Tagen – gerechnet von der Ankunft des Paulus in Cäsarea – kommen (von Jerusalem) der Hohepriester Hananias[9] und einige Älteste, d. h. Mitglieder des Hohen Rates, zum Amtssitz des Statthalters. Sie bringen einen Anwalt[10] namens Tertullus[11] mit und machen bei dem Statthalter gegen Paulus eine Anzeige[12]. Sie gehen damit auf den Vorschlag von 23, 30 ein.

VV 2–3 Der Gefangene wird herbeigeholt, und der Anwalt beginnt mit seiner förmlichen Anklage vor Felix. Der Statthalter wird mit κράτιστε angeredet (vgl. 23, 6). Bevor der Anwalt der Kläger zur Sache kommt, lobt er den Statthalter mit einer *captatio benevolentiae*: Der Statthalter habe dem

---

[1] Siehe dazu Haenchen, Apg 628.

[2] Wendt, Apg[5] 321 f Anm. 1.

[3] Bauernfeind, Apg 262.

[4] Dibelius, Stilkritisches 14.

[5] Haenchen, Apg 628. Er vermutet, daß „eine jüdische Delegation mit dem Rechtsanwalt Tertullus sich in Cäsarea einstellte, aber mit einer Vertagung abfinden mußte". Lukas habe aus einer solchen Notiz – dank seiner schriftstellerischen Kunst – „eine derart farbige Geschichte werden lassen" (a. a. O. 631).

[6] Conzelmann, Apg 140–143.

[7] Lösch, Dankesrede des Tertullus (1931) 317.

[8] Vgl. Haenchen, a. a. O. 629.

[9] Hananias amtierte bis 59 n. Chr. Er wird auch 23, 2 (und 22, 5 v. l.) erwähnt. Vgl. oben Nr. 57 A. 19.

[10] ῥήτωρ bezeichnet den „Redner", speziell auch den „Sprecher" vor Gericht, den „Anwalt"; vgl. Moulton/Milligan s. v.

[11] Τέρτυλλος/Tertullus ist Deminutiv von Τέρτιος/Tertius. Daß Tertullus Nicht-Jude gewesen sei (vermutet von Wikenhauser), ergibt sich nicht aus V 9 (gegen Loisy, Actes 849; Haenchen zu V 9). Bruce, Acts (NIC) 463, meint, Tertullus sei wohl ein hellenistischer Jude gewesen.

[12] ἐμφανίζω τινὶ κατά τινος „bei jemand gegen jemand Anzeige erstatten"; vgl. oben Nr. 58 A. 13.

Volk „tiefen Frieden“[13] und „Reformen“[14] beschert, durch seine „Umsicht“[15] (V 2). „In jeder Hinsicht und allerorten“[16] werde das dankend anerkannt[17] (V 3). Das Lob ist weitgehend konventionell-höflich und trifft auf die Amtsführung des Felix nur eingeschränkt zu[18].

V 4 Mit einer rhetorischen Floskel[19] („damit ich dich nicht weiter aufhalte[20]“) kommt der Anwalt zur Sache. Er bittet Felix, die Klage der Juden[21] in seiner bekannten „Milde“[22] anzuhören.

VV 5–6 nennen die Vorwürfe gegen Paulus. Von εὑρόντες[23] sind abhängig λοιμὸν καὶ κινοῦντα στάσεις sowie πρωτοστάτην κτλ. (V 5). Mit einem selbständigen Relativsatz wird behauptet, Paulus habe den Versuch unternommen[24], den Tempel zu entweihen[25], und er sei (dabei) von den Juden festgenommen worden (V 6). Die negative Bewertung der Person des Angeklagten als einer Pest(-Beule)[26] hebt seine „ansteckende“ Wirkung hervor. Die erste konkrete Anklage betrifft das Wirken des Paulus in der gan-

---

[13] πολλῆς εἰρήνης τυγχάνοντες. Zur Voranstellung von πολλῆς siehe Lösch, Dankesrede des Tertullus 306f; Conzelmann.

[14] διόρθωμα „Reform“; vgl. Lösch, a.a.O. 307–312.

[15] διὰ τῆς σῆς προνοίας „durch deine Fürsorge/Umsicht“. Vgl. 2 Makk 4,6: „Er sah nämlich ein, daß es ohne die königliche πρόνοια unmöglich sei, den Frieden im öffentlichen Leben zu wahren ...“

[16] πάντῃ τε καὶ πανταχοῦ. Zu der rhetorisch beliebten Paronomasie siehe Blass/Debr § 488,1. Vgl. auch Apg 17,30; 21,28.

[17] ἀποδεχόμεθα ... μετὰ πάσης εὐχαριστίας. Das Verbum bedeutet hier: „wir akzeptieren, wir erkennen an“. εὐχαριστία „Dankbarkeit“ kommt im lukanischen Werk sonst nicht vor.

[18] Felix hat sich zwar durch die Bekämpfung des Bandenwesens Verdienste erworben (vgl. JosBell II 253–263; Ant XX 160f). Indessen urteilt Tacitus, Hist. V 9: „Antonius Felix per omnem saevitiam ac libidinem ius regium servili ingenio exercuit.“ JosAnt XX 182 berichtet, nach seiner Absetzung habe sich eine Abordnung von Juden aus Cäsarea bei Nero über Felix beschwert. Siehe auch Wikenhauser zu V 2.

[19] Siehe die Analogie bei Lukian, Bis accusatus 26: ἵνα μὴ μακρὰ παροιμιάζωμαι ..., ἄρξομαι τῆς κατηγορίας. Vgl. Haenchen. Siehe auch Apg 24,2: ἤρξατο κατηγορεῖν.

[20] ἐγκόπτω „hemmen, hindern“, mit Akkusativ auch Röm 15,22; Gal 5,7; 1 Thess 2,18; 1 Petr 3,7.

[21] Tertullus redet in der Wir-Form (ἡμῶν), und zwar als Sprecher der Juden; vgl. auch V 6 ἐκρατήσαμεν.

[22] τῇ σῇ ἐπιεικείᾳ „mit der dir eigenen Nachsicht/Milde“. Das Substantiv steht 2 Kor 10,1 neben πραΰτης.

[23] Um das εὑρίσκειν einer Anklage geht es auch Lk 6,7; 23,2; Apg 4,21; 13,28; 23,9.29; 24,20.

[24] πειράζω steht im Sinne von „versuchen, probieren“ auch 9,26; 16,7 (mit folgendem Infinitiv), sonst nicht im NT. Im Gegensatz zu 21,29 redet der Anwalt nur vom *Versuch* der Tempelschändung.

[25] βεβηλόω „entweihen, unrein machen“ wird wie Ez 28,18; 2 Makk 8,2 auf das Heiligtum bezogen. Vgl. Mt 12,5 in bezug auf den Sabbat.

[26] λοιμός, οῦ, ist die „Pest“ (vgl. 1 Makk 10,61; 15,21). Der Plural („Seuchen“) steht im NT noch Lk 21,11.

zen Welt[27], wo er angeblich bei allen Juden „Unruhen“ hervorruft[28]. Daß er Vorkämpfer der Nazoräer-Sekte[29] sei, ist wohl nicht als eigener Anklagepunkt verstanden[30], sondern gibt eher die Position des Paulus an, aus der heraus er handelt[31]. Der Versuch[32] der Tempelschändung wird als Tatsache behauptet, nicht wie das vorher Genannte als Objekt eines „Herausfindens“. Paulus sei gewissermaßen auf frischer Tat ertappt und verhaftet worden. Die „Rede“ setzt voraus, daß der Leser die vorausgegangene Erzählung (21,27–30) über die Verhaftung kennt. Auf Tempelschändung stand die Todesstrafe. Die römische Regierung ist in diesem Punkt dem religiösen Empfinden des Judentums so weit entgegengekommen, daß sie die Ausführung der entsprechenden Strafbestimmung sogar gegen römische Bürger gestattete, wie JosBell VI 124–128 zeigt.

V 8 παρ' οὗ bezieht sich auf den Angeklagten, den der Statthalter nach dem Vorschlag des Tertullus verhören möge[33], um sein Geständnis zu erreichen. Damit könnte – so hofft er – alles bestätigt werden, was die Juden (ἡμεῖς) gegen ihn als Anklage vorbringen. Das einleitende παρ' οὗ wird von der „westlichen“Einschaltung (VV 6b–8a)[34] auf den Oberst Lysias bezogen: *Er* möge von Felix als Zeuge gehört werden und könne alles bestätigen. Damit nimmt der „westliche“ Text die Ankündigung des Felix in V 22 vorweg, er wolle vor einer Entscheidung Lysias hören. Doch Lukas geht hier davon aus, daß Felix von Lysias selbst (vorläufig) informiert worden ist (siehe 23,26–30).

[27] Vgl. den Vorwurf der Juden 17,6: οἱ τὴν οἰκουμένην ἀναστατώσαντες. In Wirklichkeit sind es die Juden, die Aufruhr anzetteln: 17,5 u.ö.

[28] κινέω στάσεις „Unruhe/Aufruhr stiften“ mit folgendem Dativ der Person: „bei den (unter den/zum Schaden der) Juden“. Der Ausdruck soll vor Felix den Eindruck einer politischen *seditio* hervorrufen (Preuschen).

[29] πρωτοστάτης „Rädelsführer, Anführer“ findet sich z.B. bei Thucydides und Xenophon, ferner Ijob 15,24 LXX. αἵρεσις wird hier mit negativem Nebenton verwendet. Paulus selbst verwendet dafür ὁδός (V 14); vgl. oben Nr. 35 A. 38. Zu Ναζωραῖος siehe oben I 271 A. 64; ferner H. Kuhli, Ναζαρηνός, Ναζωραῖος, in: EWNT II 1117–1121 (Lit.).

[30] Gegen Bruce, Acts (NIC) 464–466.

[31] Vgl. Haenchen, Apg 629: „Paulus ist Vorkämpfer der Nazoräersekte, der überall bei den Diasporajuden Unruhen erregt und sich damit als eine ‚Pestbeule‘ der Gesellschaft erweist ...“

[32] Bruce, a.a.O. 466, meint: Die Kläger wußten, daß es nutzlos war zu behaupten, Paulus habe den Tempel geschändet. Dies hätte leicht widerlegt werden können. Die Anklage auf *versuchte* Schändung sei schwieriger zu beweisen oder zu widerlegen gewesen. Die Ausführung der Profanierung sei durch die Verhaftung vereitelt worden.

[33] παρ' οὗ setzt die Konstruktion mit dem Relativum ὅς in V 6 fort. Es bezieht sich in allen Fällen auf den Angeklagten. Zu ἀνακρίνω siehe oben I 346.

[34] Siehe oben A. e; dazu Haenchen, Apg 625 Anm. 2.3.

V 9 Die Juden, d.h. der Hohepriester und die Ältesten, legten sich mit ins Zeug[35] und behaupteten[36] (als Zeugen), daß es sich so verhalte[37], wie Tertullus behauptet hatte.

VV 10–13 Die Verteidigung des Paulus (VV 10–21) beginnt nach einem auffordernden Wink[38] des Statthalters (V 10a) ohne Anrede. Der Angeklagte wendet sich jedoch an den römischen Beamten und beginnt – wie Tertullus – mit einer *captatio benevolentiae* (V 10b), die freilich weniger schmeichelhaft ist: Paulus hält seine Apologie zuversichtlich[39], da er weiß, daß Felix „seit vielen Jahren Richter für dieses Volk (der Juden)“ ist[40]. Der Statthalter könne feststellen, daß Paulus erst vor zwölf Tagen in Jerusalem ankam, und zwar als Pilger[41] (V 11). Der Zeitraum von knapp zwei Wochen ließ gar keine Möglichkeit, einen Aufruhr anzuzetteln. Weder im Tempel noch in den Synagogen oder in der Stadt hat Paulus mit jemand eine Diskussion angefangen oder einen Auflauf[42] verursacht (V 12). Die Kläger können – so wendet der Angeklagte ein – ihre Anklage nicht beweisen[43] (V 13). Paulus beruft sich also auf den Rechtsgrundsatz, daß die Anklage, und nicht die Unschuld, bewiesen werden müsse.

VV 14–15 Paulus bekennt sich zu dem „Weg“, den seine Ankläger (diffamierend?) eine αἵρεσις, eine „Sekte“ nennen[44]. Gemäß dem (neuen) Weg der „Nazoräer“ dient Paulus dem „Gott der Väter“[45] (V 14a). Der „Gottes-Dienst“ des Angeklagten wird durch zwei Partizipialsätze erläutert, die zeigen sollen, daß das Christentum „die wahre Erfüllung des Judentums“ ist[46]: πιστεύων κτλ. (V 14b) und ἐλπίδα ἔχων κτλ. (V 15). Paulus glaubt an alles, was im Gesetz[47] und in den Propheten(-Schriften) geschrieben

---

35 συνεπιτίθεμαι „zusammen angreifen“; vgl. Dtn 32,27 LXX; JosAnt X 116.

36 φάσκω mit folgendem Akkusativ und Infinitiv wie 25,19.

37 ἔχω mit Adverb „sich verhalten“, unpersönlich mit οὕτως „es verhält sich so“: 7,1; 12,15; 17,11; 24,9.

38 νεύω τινί „jemandem durch Zunicken ein Zeichen geben“ wie Joh 13,24.

39 εὐθύμως ... ἀπολογοῦμαι. Das Adverb ist ntl. Hapaxlegomenon.

40 ἐκ πολλῶν ἐτῶν ist kaum biographisch zu deuten, sondern „eine Floskel“ (Conzelmann, mit einem Papyrus-Beleg).

41 Zu ἀνέβην προσκυνήσων vgl. 8,27. Das Futur-Partizip gibt den Zweck der Reise an; Zerwick, Biblical Greek Nr. 282. Die Frist von zwölf Tagen errechnet sich wohl aus der Addition der Angaben von 21,27 und 24,1.

42 ἐπίστασις „Andrang, Ansturm“; vgl. 2 Makk 6,3 A V.

43 παρίστημι (-ιστάνω) „bereitstellen“ bedeutet hier „beweisen, dartun“ (vgl. Epiktet, Diss. II 23,47; 26,4; ferner JosAnt IV 47).

44 Conzelmann: „Die verächtliche Bezeichnung αἵρεσις (5) wird durch ὁδός korrigiert.“

45 Der Ausdruck vom „väterlichen Gott“ ist nach Haenchen die heiden-griechische Übersetzung von „Gott der Väter“; vgl. auch BauerWb s.v. πατρῷος (Belege).

46 Conzelmann. Er spricht von einer grundsätzlichen Erklärung über das Wesen des Christentums.

47 κατὰ τὸν νόμον „durch das Gesetz hin“, d.h. „im Gesetz“. Haenchen meint hingegen, κατά ersetze hier den Genitiv.

steht[48]. Er teilt mit seinen Anklägern[49] die Hoffnung auf Gott[50], daß „eine Auferstehung von Gerechten und Ungerechten" stattfinden wird[51]. Von der Auferstehung Jesu spricht erst 25,19, und zwar indirekt. Als zentraler Inhalt des christlichen Glaubens werden somit – ganz theozentrisch – der Dienst gegenüber dem Gott der Väter und die Hoffnung auf Gott genannt. Der Glaube an die Schrift (Gesetz und Propheten) wird vorwiegend als Vertrauen in deren Verheißungen verstanden, unter denen hier – um die Gemeinsamkeit mit dem Judentum hervorzukehren – die christologische Komponente ausgeklammert und nur die noch ausstehende allgemeine Totenauferstehung betont wird[52]. Sie geht dem allgemeinen Gericht voraus (24,25)[53].

V 16 Darum[54] – im Hinblick auf die kommenden Eschata – gibt sich Paulus Mühe[55], vor Gott und den Menschen[56] „ein reines Gewissen" zu haben[57]. „Wegen des mit der Auferstehung verbundenen Gerichts bemüht sich Paulus, ein tadelloses (vgl. Phil 1,10) Gewissen zu haben."[58] διὰ παντός[59] steht betont am Ende und leitet zu VV 17f über, wo die Treue zum „Volk" und zum „Gott" seines Volkes demonstriert wird.

VV 17–19a Nach Jahren[60] ist Paulus wieder nach Jerusalem zu seinem Volk (εἰς τὸ ἔθνος μου) gekommen, um Almosen und Opfergaben zu überbringen[61] (V 17). Damit erwähnt Lukas endlich die Kollekte, die Paulus

---

[48] πιστεύων πᾶσι τοῖς … γεγραμμένοις. πιστεύω mit Dativ der Sache wie Lk 1,20 (Verheißung!). τὰ γεγραμμένα wie Apg 13,29; Lk 18,31; 21,22; 24,44. νόμος neben προφῆται: Lk 16,16; 24,44; Apg 13,15; 24,14; 28,23.
[49] V 15b: „(Hoffnung,) die auch diese hier haben".
[50] ἐλπὶς … εἰς (τὸν) θεόν wie 1 Petr 1,21.
[51] μέλλειν ἔσεσθαι stellt die Gewißheit des Eintreffens heraus; vgl. 11,28; 27,10.
[52] Vgl. Conzelmann, Mitte der Zeit 212.216.
[53] Siehe Schneider, Parusiegleichnisse 90.
[54] ἐν τούτῳ ist nicht mit ἀσκῶ zu verbinden („ich gebe mir darin Mühe"), sondern heißt „darum, aus diesem Grunde"; vgl. die analoge Konstruktion mit ἐν 7,29. Zerwick/Grosvenor, Analysis z.St.; so auch Haenchen und Conzelmann. Anders BauerWb s.v. ἀσκέω.
[55] ἀσκέω „Fleiß und Sorgfalt verwenden (auf etwas)", hier mit folgendem Infinitiv: „sich üben/sich gewöhnen, etwas zu tun".
[56] „Gegen Gott und die Menschen" ist eine verbreitete Wendung; vgl. Conzelmann, der u.a. auf Spr 3,4; Philo, De Abrah. 208; Lk 18,2.4 verweist.
[57] ἀπρόσκοπον συνείδησιν ἔχειν wörtlich: „ein untadeliges Gewissen (zu) haben". Das Adjektiv steht auch 1 Kor 10,32; Phil 1,10. Zu συνείδησις siehe oben Nr. 57 A. 16.
[58] Haenchen.
[59] διὰ παντός „immer, beständig" wie 2,25; 10,2; Lk 24,53.
[60] δι' ἐτῶν δὲ πλειόνων im klassischen Sinn: „nach etlichen Jahren". Haenchen übersetzt „nach vielen Jahren" und entdeckt dann, daß die Angabe sich nicht mit 18,22 vertrage.
[61] ποιήσων im finalen Sinn; vgl. oben A. 41. Der Ausdruck ἐλεημοσύνην (-ας) ποιέω ist geläufig; vgl. 9,36; 10,2; Mt 6,2f. – προσφορά „Opfergabe, Opfer" (wie 21,26) oder „Opferhandlung" (in Verbindung mit ποιέω: „eine Opferhandlung vornehmen lassen"; 1 Clem 40,4; BauerWb s.v. 1).

nach Jerusalem brachte[62]. Er tut es freilich „nur andeutend und ad hoc, um den Vorwurf der στάσις zu entkräften und die Solidarität des Paulus mit seinem Volk darzutun. Der Leser der Act kann die Anspielung kaum verstehen; man sieht, daß Lk mehr weiß, als er sagt."[63] Die erwähnten Opfergaben sind, wie ἐν αἷς[64] V 18 zeigt, die Opfer im Zusammenhang mit dem Gelübde (vgl. 21,26), das Paulus zunächst nicht im Sinn hatte. Als sich Paulus im Tempel befand und sich hatte weihen lassen, trafen ihn einige Juden aus Asia (V 19a). Es gab zuvor keinen Volksauflauf und keinen Tumult (V 18). Dazu kam es erst (siehe 21,27f) durch die Juden aus Asia. Paulus hat weder einen Tumult angezettelt noch den Tempel entweiht. Im Gegenteil: Er hat sich im Tempel weihen lassen!

VV 19b–21 Daraus, daß die Juden aus Asia, die als Zeugen auftreten könnten, nicht anwesend sind, zieht Paulus den Schluß, daß sie nicht aussagen konnten: „Sie müßten vor dir anwesend sein und anklagen, wenn sie etwas gegen mich hätten" (V 19b)[65]. In den VV 20f geht der Redner auf 23,1–10, die Szene vor dem Hohen Rat, ein. Er verweist auf die Jerusalemer Delegation: „Oder diese hier" sollen sagen, welches Unrecht sie fanden, als Paulus vor dem Synedrium stand (V 20), „es sei denn"[66] den einen Satz[67], den der Angeklagte in die Versammlung rief (vgl. 21,6): „Wegen der Totenauferstehung stehe ich heute vor eurem Gericht" (V 21). Das Bekenntnis zum Auferstehungsglauben, den Paulus mit den Pharisäern teilt, kann doch kein Verbrechen sein! Paulus unterstreicht abschließend noch einmal seine jüdische „Orthodoxie"[68].

VV 22–23 Nach der Verteidigungsrede des Paulus vertagt[69] der Statthalter die Angelegenheit. Seine Maßnahme wird damit erklärt, daß er sehr genau[70] „über den Weg", d.h. über das Christentum, orientiert war[71] (V 22a).

---

[62] Vgl. dazu oben Nr. 26 zu 11,29f; Nr. 48 zu 20,3f. Siehe auch die im Lit.-Verz. zu Nr. 59 notierten Arbeiten von Thieme (1954) und Berger (1976/77).

[63] Conzelmann; vgl. Haenchen. Beide verstehen εἰς τὸ ἔθνος μου als Angabe über den Empfänger der Kollekte („für mein Volk"). Die Wendung ist indessen mit παρεγενόμην zu verbinden; siehe 9,26; 13,14; 15,4.

[64] ἐν αἷς (sc. προσφοραῖς) „mit diesen (Opfern beschäftigt)".

[65] Haenchen. Der Optativ εἴ τι ἔχοιεν ist unklassisch (Blass/Debr § 385,2); er mindert die im Bedingungssatz liegende Möglichkeit.

[66] Das zweite ἤ (Anfang von V 21) bedeutet hier „außer", als stünde vor dem vorausgehenden ἀδίκημα ein ἄλλο. Vgl. Haenchen; Conzelmann; Zerwick/Grosvenor, Analysis z.St.; R. Peppermüller, ἤ, in: EWNT II 275–277, näherhin 277.

[67] Zu der Wendung περὶ μιᾶς ταύτης φωνῆς siehe Blass/Debr § 292,3.

[68] Vgl. Haenchen. Siehe auch die Apologie des Paulus vor dem Synedrium 23,1.6.

[69] ἀναβάλλομαι ist Terminus technicus der Rechtssprache: „vertagen" (vgl. JosAnt XIV 177). Der personale Akkusativ bezeichnet die Personen, denen die Vertagung mitgeteilt wird; vgl. BauerWb s.v.

[70] ἀκριβέστερον (vgl. 18,26; 23,15.20) bedeutet hier „genauestens".

[71] Woher Felix die genaue Kenntnis besaß, wird nicht gesagt. Vielleicht ist an Informationen durch seine jüdische Frau Drusilla (24,24) gedacht (vgl. Wikenhauser).

Vor den Anklägern sagt er, sobald der Oberst Lysias (von Jerusalem nach Cäsarea) komme, werde er in ihrer Angelegenheit[72] eine Entscheidung treffen[73] (V 22b). Zugleich gibt er dem Hauptmann die Anweisung, dem Gefangenen Hafterleichterung[74] zu gewähren. Den Christen[75] sollte der Zugang zu Paulus nicht verwehrt werden, wenn sie ihn versorgen wollten[76] (V 23). Die Vertagung der Sache gegen Paulus erfolgt – so will Lukas wohl sagen – wider besseres Wissens des Statthalters, der den Gefangenen eigentlich hätte freilassen müssen[77]. Er hat der jüdischen Abordnung gegenüber dazu offenbar nicht den Mut. 24,27 zeigt, daß Felix mit Rücksicht auf die Juden den Prozeß auf die lange Bank schob. Gegen eine Verschleppung des Prozesses gab es keine Rechtsmittel.

60. PAULUS VOR FELIX UND DRUSILLA: 24,24–27

LITERATUR: SCHÜRER, Geschichte des jüdischen Volkes I (1901) 579–583 [zu V 27: Festus]. – E. L. HICKS, Did St. Paul Write from Caesarea?, in: The Interpreter 6 (1909/10)241–253 [zu V 27]. – K. PIEPER, Einige Gedanken zu Act. 24,24f und 8,9ff., in: ThGl 2(1910)275–280. – K. LAKE, The Procuratorship of Porcius Festus, in: Beginnings V(1933)464–467. – SAUMAGNE, Paul et Felix (1966; s.o. Nr. 59). – STOLLE, Zeuge (1973) 45–49. – E. PLÜMACHER, Δρούσιλλα, in: EWNT I 857f (1979).

24 Nach einigen Tagen erschien Felix mit seiner Frau[a] Drusilla, einer Jüdin[b]; er ließ Paulus rufen und hörte ihn an, (was er) über den Glauben an Christus Jesus[c] (berichtete). 25 Als aber die Rede auf Gerechtigkeit, Enthaltsamkeit und das bevorstehende Gericht kam, erschrak Felix und sagte: Für diesmal kannst du gehen! Wenn ich Zeit finde, werde ich dich wieder rufen lassen. 26 Dabei hoffte er, von Paulus Geld zu erhalten[d]. Deshalb ließ er ihn auch öfter kommen und unterhielt sich mit ihm.

---

[72] τὰ καθ' ὑμᾶς. κατά ersetzt das Possessivpronomen; vgl. BAUERWb s.v. κατά II 7b. Siehe auch Apg 17,28; 18,15; 25,14.
[73] Zu διαγινώσκω „entscheiden“ siehe oben Nr. 58 A. 15.
[74] ἔχω ἄνεσιν „milde Haft haben“; vgl. JosAnt XVIII 235.
[75] οἱ ἴδιοι sind weder speziell Freunde oder Verwandte (gegen ZAHN, Apg 783), sondern die Mitchristen; siehe 4,23. Vgl. HAENCHEN.
[76] ὑπηρετεῖν αὐτῷ ist finaler Infinitiv. ὑπηρετέω mit Dativ der Person: „jemand behilflich sein“. Vgl. 20,34 mit Dativ der Sache.
[77] Vgl. LÉGASSE, L'apologétique (1981), der die „politische Apologetik“ der Acta gegenüber Rom nicht unterschätzt sehen möchte. Siehe dazu indessen auch oben I 143–145.
[a] ἰδίᾳ (vor γυναικί) wird weggelassen von C* 093 Koine.
[b] sy h.mg (bo ms) fügt hier an: „sie bat, Paulus sehen und das Wort hören zu dürfen; da er sie zufriedenstellen wollte“. Die Erweiterung will die Erwähnung Drusillas rechtfertigen und schreibt ihr eine aktive Rolle zu; vgl. unten A. e.
[c] Der Name „Jesus“ fehlt in den Textzeugen ℵ c A C vid H P 614 pm sy p sa ms. Vgl. METZGERTC 491.
[d] Koine bo fügen erläuternd hinzu: „damit er ihn freilasse“.

27 Nach zwei Jahren aber wurde Porcius Festus Nachfolger des Felix; [e]und weil Felix den Juden einen Gefallen erweisen wollte, ließ er Paulus in Haft zurück[e].

Die Szene 24,24–27 beruht schwerlich auf einer Quelle[1]. Für sie war nach H. Conzelmann „keinerlei konkretes Material erforderlich“[2]. Daß hochgestellte Kreise am Christentum Interesse zeigen, ist ein bei Lukas beliebtes Motiv. Die Episode erinnert zwar in einzelnen Zügen an die Vorgänge zwischen Herodes Antipas, Herodias und Johannes dem Täufer, wie sie Mk 6,17–20 berichtet[3]. Doch ist es fraglich, ob Lukas die Szene nach diesem Vorbild selbst gestaltet hat[4]. Eine überlieferte Nachricht, daß Paulus mit Felix und Drusilla konfrontiert war, sowie ein traditionelles „Bild“ vom Charakter des Felix[5] werden auf Lukas gekommen sein. V 25 bietet eine auf die Situation (Felix und Drusilla) hin formulierte, aber „nichtsdestoweniger typisch lukanische Zusammenfassung des Christentums“[6]. Jedoch ist zu beachten, daß V 25 nur auf den abschließenden Teil der paulinischen Predigt bezogen ist (siehe V 25).

V 24 Einige Tage[7] nach dem Auftreten der Jerusalemer Abordnung erschien Felix in Begleitung seiner jüdischen Frau[8] Drusilla[9] bei Paulus. πα-

[e] V 27 b (e – e) lautet in 614. 2147 sy h.mg: „den Paulus aber ließ er in Gewahrsam mit Rücksicht auf Drusilla“. Vgl. oben A. b.

[1] Siehe Haenchen, Apg 633, der die Forschung von Jüngst bis Harnack erwähnt. Haenchen selbst denkt an eine „Quelle“, der die Angabe über die διετία (V 27) entstammen könnte (a.a.O. 633.635).

[2] Conzelmann zu VV 24–27.

[3] Siehe Haenchen zu V 25, ferner a.a.O. 634.

[4] Conzelmann versieht die Vermutung Haenchens mit einem Fragezeichen. Vgl. auch R. Pesch, Das Markusevangelium I (HThK II/1) (Freiburg 1976) 340: „die Furcht vor dem Gottesmann, Propheten oder Philosophen, der sich am Hof des Fürsten oder in dessen Kerker befindet, ist ein verbreitetes Motiv (vgl. z.B. Apg 24,24–26)“. Siehe auch J. Gnilka, Das Martyrium Johannes' des Täufers (Mk 6,17–29), in: Orientierung an Jesus (Festschr. für J. Schmid) (Freiburg 1973) 78–92, näherhin 87 f; er verweist für das Motiv auf Sir 48,12.22; Jer 38,14 ff; Mk 13,9; Apg 25,23 ff.

[5] Vgl. die Ausführungen bei Tacitus und Fl. Josephus; siehe oben Nr. 59 A. 18. Zu beachten ist ferner die Skandalgeschichte, wie Felix dem König Azizos von Emesa dessen Ehefrau Drusilla entwand, um sie selbst zu heiraten; s. JosAnt XX 141–144. Vgl. weiterhin unten A. 9.

[6] Conzelmann zu V 25. Er notiert im übrigen, daß das Thema „Enthaltsamkeit“ in den apokryphen Acta zum stehenden Motiv wird, das sogar die Handlung bestimmen kann: ActPlThecl 5; Actus Petri cum Simone 33–35; ActJoh 84. Vgl. auch Preuschen; Haenchen.

[7] Zu μετὰ … ἡμέρας vgl. 15,36; 21,15; 24,1; 25,1.

[8] Wörtlich: „mit Drusilla, seiner eigenen Frau, die Jüdin war“. ἰδίᾳ ist allerdings unbetont; Haenchen.

[9] Δρούσιλλα/Drusilla war die jüngste der Töchter Agrippas I. Ihr (jüngerer) Bruder war Agrippa II., ihre ältere Schwester Berenike (vgl. 25,13). Sie war als Kind mit Antiochus Epiphanes von Kommagene verlobt (JosAnt XIX 354 f), heiratete jedoch etwa 53

ραγενόμενος bezieht sich auf den betreffenden Raum im „Prätorium" (23,35), in den Felix den Gefangenen rufen ließ[10]. Er hörte Paulus zu[11], der zu den Besuchern „über den Glauben an den Messias Jesus"[12] sprach. Die Koordination durch καί deutet an, daß Felix – vielleicht auf Betreiben seiner Frau[13] – den Gefangenen hören wollte. Zuvor war berichtet worden, daß Felix über das Christentum sehr gut unterrichtet war (24,22).

V 25 Als Paulus auf Gerechtigkeit und Enthaltsamkeit[14] zu sprechen kommt[15] und das kommende Gericht[16] erwähnt[17], erschrickt Felix und unterbricht die Predigt: „Für diesmal[18] kannst du gehen. Wenn ich Zeit finde[19], werde ich dich wieder rufen lassen[20]." Der Statthalter erschrickt, als die Botschaft den Punkt erreicht, an dem er und Drusilla sich am meisten selbst betroffen fühlen müssen. Anders hingegen die Einstellung des Paulus (als Repräsentanten des Christentums) im Blick auf die Eschata: 24,15f. Die „höfliche" Unterbrechung durch Felix hat in 17,32b ihre Parallele. Sie erfolgt nur formal: Der Redner hat alles gesagt, was Lukas ihn aussprechen lassen wollte.

V 26 Der Aufschub einer Entscheidung und die Wiederholung der Begegnung mit Paulus wird nun damit begründet, daß der Statthalter hoffte[21], von Paulus Geldgeschenke zu erhalten[22]. Der Erzähler denkt kaum daran,

---

n. Chr. Azizos von Emesa. Sie verließ ihren Mann, um Felix zu heiraten (JosAnt XX 141–144). Mit Felix hatte sie einen Sohn namens Agrippa. Vgl. Schürer, Geschichte des jüdischen Volkes I 555–577 (passim); Plümacher, Δρούσιλλα. Siehe auch oben A. 5.

[10] Vgl. Haenchen im Anschluß an Wendt. Zahn, Apg 784, rechnet damit, daß der Statthalter Cäsarea vorübergehend verlassen habe.

[11] ἤκουσεν αὐτοῦ soll ein wirkliches Interesse anzeigen; Haenchen. Die Konstruktion ἀκούω τινὸς περί τινος (schon Herodot VII 209) begegnet auch 17,32.

[12] ἡ πίστις εἰς Χριστὸν Ἰησοῦν o.ä. steht auch 20,21 (an unsern Herrn Jesus); 26,18 (an mich), im sonstigen NT nur Kol 2,5 (εἰς Χριστόν).

[13] Vgl. den Zusatz des „westlichen" Textes; oben A. b. Siehe auch Wikenhauser: „Den Anstoß dazu wird seine Gemahlin Drusilla gegeben haben. Als Jüdin war sie ja an diesen Fragen besonders interessiert ..."

[14] δικαιοσύνη neben ἐγκράτεια wie Arist 278. Im NT begegnet ἐγκράτεια „Enthaltsamkeit" auch im Tugendkatalog Gal 5,23, ferner 2 Petr 1,6. Vgl. auch ἐγκρατεύομαι 1 Kor 9,25 und ἐγκρατής Tit 1,8. Die drei Vokabeln sind in der nach-ntl. Literatur besonders häufig bezeugt; siehe Kraft, Clavis s. vocibus (127), ferner oben A. 6.

[15] Zu διαλέγομαι siehe oben Nr. 40 A. 15; Nr. 43 A. 14.

[16] τὸ κρίμα τὸ μέλλον ist singulär; vgl. indessen 17,3; 24,15.

[17] Ethik und Eschata sind nicht als Zusammenfassung der Christusbotschaft verstanden, sondern als deren Abrundung.

[18] τὸ νῦν ἔχον (auch LXX) „für jetzt"; BauerWb s.v. νῦν 3c.

[19] καιρὸν μεταλαμβάνω „Zeit finden"; vgl. Polybius II 16,15; JosAnt IV 10.

[20] μετακαλέομαι „holen lassen"; so auch 7,14; 10,32; 20,17; sonst nicht im NT. Vgl. oben I 457 A. 96.

[21] ἅμα καὶ ἐλπίζων. – ἅμα „zugleich, gleichzeitig" mit folgendem Partizip wie 27,40. ἐλπίζω mit folgendem ὅτι wie Lk 24,21 (mit folgendem Infinitiv Apg 26,7).

[22] χρήματα „Geld" wie 8,18.20. Der Singular bezieht sich 4,37 auf eine bestimmte Geldsumme.

daß Paulus die Kollektengelder noch bei sich hatte und Felix das wußte[23]. Er will vielmehr die Bestechlichkeit des Beamten illustrieren. Lukas zeigt also bei der Darstellung des Felix eine gewisse Gespaltenheit: Als Zeuge der Unschuld des Paulus muß er ihn „objektiv" und „interessiert" zeigen. Um aber zu erklären, warum Paulus dennoch nicht freikam, greift er auf das Bild eines bestechlichen Beamten zurück: „Der für Paulus und das Christentum eingenommene Felix ist verschwunden und durch den Felix des Tacitus und Josephus ersetzt ... Zu diesem paßt es, daß er bei seinem Weggang Paulus im Gefängnis läßt, um sich die Juden günstig zu stimmen."[24]

V 27 Als zwei Jahre um waren[25], erhielt Felix einen Nachfolger[26]: Porcius Festus[27] (V 27a). Doch Felix ließ Paulus nicht frei (obgleich die Hoffnung auf Bestechungsgelder zerronnen war): Um sich den Juden gefällig zu erweisen[28], ließ der Statthalter Paulus „gefangen"[29] zurück.

Daß Paulus während der Gefangenschaft in Cäsarea den Philipperbrief und den Brief an Philemon geschrieben habe[30], ist aus verschiedenen

---

[23] Mit HAENCHEN, gegen ZAHN, Apg 786.

[24] HAENCHEN, Apg 634.

[25] Nach dem Kontext bezieht sich διετίας δὲ πληρωθείσης auf die bisherige Gefangenschaft des Paulus in Cäsarea (mit WIKENHAUSER, HAENCHEN, CONZELMANN), nicht auf die Amtszeit des Felix. Vgl. oben I 131 f. – διετία steht auch 28,30 (in bezug auf die römische Gefangenschaft).

[26] διάδοχος (von διαδέχομαι „von einem Vorgänger bzw. früheren Besitzer übernehmen") ist der „Nachfolger". Auch JosAnt XX 182 nennt Porcius Festus den διάδοχος des Felix.

[27] Πόρκιος Φῆστος/Porcius Festus wird nur hier (24,27) mit dem Namen der *gens Porcia* genannt. Der Name Festus begegnet auch 25,1.4.9.12.13.14.22.23.24; 26,24.25.32. Weder der Beginn noch der Abschluß (Tod in Palästina: 62 n. Chr.?) seiner Statthalterschaft ist mit Sicherheit zu datieren. Vgl. SCHÜRER, Geschichte des jüdischen Volkes I 579–582; J. SCHMID, Festus, Porcius, in: LThK IV 101. Fl. Josephus weiß über ihn wenig zu berichten: Bell II 271 f; Ant XX 182–200. In der Zeit zwischen dem Tod des Festus und dem Eintreffen seines Nachfolgers Albinus ließ der Hohepriester Ananos den Herrenbruder Jakobus hinrichten (JosAnt XX 200).

[28] χάριτα καταθέσθαι. Der Akkusativ χάριτα (so auch Jud 4) steht hellenistisch für χάριν. κατατίθεμαι „gewähren" (mit χάριτα auch sonst belegt: BAUERWb s. v.): 25,9 steht das Verbum mit dem Objekt χάριν.

[29] δεδεμένον ist nach der Angabe von 24,23 im Sinne von leichter Haft zu interpretieren. Daß die *custodia libera* wieder in strengere Haft verwandelt worden sei (OVERBECK), sagt der Text nicht; vgl. HAENCHEN.

[30] So hinsichtlich des Phil schon H. E. G. PAULUS, Introductionis in Novum Testamentum capita selectiora (Jena 1799); ferner E. LOHMEYER, Der Brief an die Philipper (MeyerK 9/1) (Göttingen ³1954) 3 f; L. JOHNSON, The Pauline Letters from Caesarea, in: ET 68(1956/57)24–26. Vgl. auch KÜMMEL, Einleitung 288. – In bezug auf den Phlm wurde die These vertreten von E. LOHMEYER, Die Briefe an die Kolosser und an Philemon (MeyerK 9/2) (Göttingen ⁴1961) 171–173; M. DIBELIUS/H. GREEVEN, An die Kolosser, Epheser, an Philemon (HNT 12) (Tübingen 1953) 102.107. Vgl. auch KÜMMEL, Einleitung 305–307.

Gründen unwahrscheinlich[31]. Der Kolosserbrief geht kaum von der Fiktion aus, er sei von Cäsarea aus geschrieben[32].

61. PAULUS VOR FESTUS. BERUFUNG AN DEN KAISER: 25,1–12

LITERATUR: U. HOLZMEISTER, Der hl. Paulus vor dem Richterstuhle des Festus (AG 25,1–12), in: ZKTh 36(1912)489–511.742–783. – E. TÄUBLER, Relatio ad principem, in: Klio 17 (1920/21)98–101. – SPRINGER, Der Prozeß (1929; s.o. Nr. 59). – H. J. CADBURY, The Appeal to Caesar, in: Beginnings V(1933)312–319. – J. BLEICKEN, Senatsgericht und Kaisergericht. Eine Studie zur Entwicklung des Prozeßrechtes im frühen Prinzipat (AAGött phil.-hist. Klasse III/53) (Göttingen 1962). – J. COLIN, Une affaire de tapage nocturne devant l'empereur Auguste, in: Revue Belge de Phil. et d'Hist. 44 (1966)21–24 [zu V 12]. – A. SCHALIT, Zu AG 25, 9, in: Annual of the Swedish Theol. Inst. 6 (1967/68) 106–113. – KILPATRICK, Eclecticism and Atticism (1977; s.o. Nr. 27) [zu V 4]. – R. F. O'TOOLE, Lukes Notion of „Be Imitators of Me as I am of Christ" in Acts 25–26, in: BThB 8(1978)155–161.

1 Als Festus in der Provinz[a] angekommen war, zog er drei Tage später von Cäsarea nach Jerusalem hinauf. 2 Da erstatteten die Hohenpriester[b] und die Vornehmsten der Juden bei ihm Anzeige gegen Paulus. Sie ersuchten ihn, 3 gegen ihn (Paulus) vorzugehen, und baten ihn um den Gefallen, Paulus nach Jerusalem bringen zu lassen. Sie wollten ihn nämlich unterwegs aus einem Hinterhalt heraus ermorden. 4 Festus jedoch antwortete, Paulus bleibe in Cäsarea in Haft, und er selbst wolle in Kürze abreisen. 5 So mögen denn, sagte er, die bei euch Zuständigen mit hinabkommen, und wenn gegen den Mann[c] etwas vorliegt, gegen ihn Anklage erheben.

---

[31] Siehe etwa J. GNILKA, Der Philipperbrief (HThK X/3) (Freiburg 1968) 18–25; P. STUHLMACHER, Der Brief an Philemon (EKK) (Zürich/Neukirchen 1975) 21f. Vgl. auch SCHMID, Einleitung (1973) 477f (zu Phlm); 504–507 (zu Phil); SUHL, Paulus und seine Briefe (1975) 144–148 (zu Phil). Neuerdings urteilt SCHELKLE, Paulus (1981) 108: „Die Briefe an die Philipper und an Philemon setzen einen dauernden Verkehr zwischen den Adressaten und dem gefangenen Paulus voraus. War dieser bei den weiten Entfernungen zwischen Caesarea oder Rom einerseits und andererseits Philippi (und Kolossae ...) so leicht möglich?" „Heutige Exegese rechnet deshalb mit der Möglichkeit, daß der Philipperbrief und der Philemonbrief in einer ephesinischen Gefangenschaft des Paulus entstanden sind" (a.a.O. 108f).

[32] Vgl. E. LOHSE, Die Briefe an die Kolosser und an Philemon (MeyerK 9/2) (Göttingen 1968) 30f; E. SCHWEIZER, Der Brief an die Kolosser (EKK) (Zürich/Neukirchen 1976) 27f; J. GNILKA, Der Kolosserbrief (HThK X/1) (Freiburg 1980) 22f.

[a] Statt τῇ ἐπαρχείᾳ (ℵ[c] B C E Ψ Koine) lesen P[74] ℵ* A τῇ ἐπαρχ(ε)ίῳ (vom Adjektiv ἐπάρχειος, wobei χώρᾳ zu ergänzen ist). Vgl. BLASS/DEBR § 23.

[b] H P 049. 189. 326 pm bezeugen hier den Singular: „der Hohepriester".

[c] Statt ἄτοπον liest die Koine-Gruppe (anschließend an ἀνδρί) τούτῳ. Andere Textzeugen (Ψ 36. 453. 614 al sy[h] bo) haben τούτῳ ἄτοπον.

6 Er hielt sich nicht länger als acht oder zehn Tage bei ihnen auf, dann reiste er nach Cäsarea hinab. Am folgenden Tag setzte er sich auf den Richterstuhl und ließ Paulus vorführen. 7 Als er erschien, umringten ihn die Juden, die von Jerusalem herabgekommen waren, und brachten viele schwere Beschuldigungen vor, konnten[d] sie aber nicht beweisen. 8 Paulus sagte zu seiner Verteidigung: Weder gegen das Gesetz der Juden noch gegen den Tempel noch gegen den Kaiser habe ich mich vergangen. 9 Festus jedoch wollte den Juden eine Gunst erweisen und antwortete dem Paulus: Willst du nach Jerusalem hinaufgehen und dich dort[e] unter meinem Vorsitz dieser Sache wegen richten lassen? 10 Paulus sagte: Ich stehe vor dem Richterstuhl des Kaisers, und da muß ich gerichtet werden. Den Juden habe ich kein Unrecht getan[f], wie auch du sehr wohl weißt. 11 Bin ich wirklich im Unrecht und habe ich etwas Todeswürdiges begangen, so weigere ich mich nicht zu sterben. Ist aber ihre Anklage gegen mich unbegründet, so kann mich niemand ihnen ausliefern. Ich lege Berufung beim Kaiser ein! 12 Da besprach sich Festus mit seinen Ratgebern und antwortete: An den Kaiser hast du appelliert; zum Kaiser sollst du gehen.

25,1–3 berichtet, daß der neue Statthalter Festus nach seiner Ankunft in Palästina sogleich nach Jerusalem zog und daß dort die Repräsentanten des Judentums die Anklage gegen Paulus erneuerten, wobei sie den Wunsch äußerten, Festus möge in Jerusalem gegen Paulus verhandeln. V 3b erläutert, daß man Paulus unterwegs umbringen wollte, wie man es schon früher (23,12–15) geplant hatte. Festus jedoch lädt die Ankläger ein, nach Cäsarea zu kommen und ihre Klage dort vorzubringen *(VV 4f).* Der Statthalter hält sich mit Amtsgeschäften nicht lange in Jerusalem auf und läßt nach seinem Eintreffen in Cäsarea sogleich Paulus vorführen; auch die Juden aus Jerusalem sind bereits anwesend und bringen ihre Anklage vor *(VV 6–8).* Der Leser erwartet, daß die Sache des Paulus nun rasch entschieden wird[1]. Festus schlägt dem Angeklagten – nach V 4 überraschend – vor, daß in Jerusalem (freilich unter seinem Vorsitz) gegen ihn verhandelt werden könne *(V 9).* Paulus lehnt das ab, weil er eine Überstellung nach Jerusalem mit einer Preisgabe an die Juden gleichsetzt; er appelliert an den Kaiser *(VV 10f).* Festus genehmigt nach Konsultation seines Rates die Berufung und kündigt die Überstellung des Paulus nach Rom an *(V 12).*

---

[d] Statt des Imperfekts ἴσχυον lesen P[74] ℵ* den Aorist ἴσχυσαν.
[e] Vor ἐπ᾽ ἐμοῦ fügen 33 pc ein ἤ („oder") ein. Der Vorschlag geht in diesem Fall dahin, daß Paulus entweder (in Jerusalem) vor ein jüdisches Gericht *oder* vor den Statthalter gestellt werden soll.
[f] Statt ἠδίκησα (so A C E Ψ Koine) lesen ℵ B (81) ἠδίκηκα.
[1] HAENCHEN, Apg 639: „der neue Herr ist ein rascher und energischer Arbeiter. Er wird auch den verschleppten Prozeß des Paulus schnell zur Entscheidung bringen."

Die Erzählung enthält Probleme. E. Haenchen[2] faßt sie folgendermaßen zusammen: „Bei Lukas bleibt unverständlich: 1. warum nach Abschluß der Verhandlungen kein Urteil erfolgt, sondern eine Verlegung des Prozesses ins Auge gefaßt wird, 2. warum Paulus nicht einfach auf Fortführung des Prozesses in Cäsarea besteht, sondern an den Kaiser appelliert, 3. warum Festus einen des *crimen laesae maiestatis* verdächtigten Mann [siehe V 8] nicht selbst richten (oder nach Rom senden) will." Haenchen meint, diese „Widersprüche" lösten sich sofort auf, wenn man den Bericht „als eine spannungsgeladene Erzählung des Schriftstellers" verstehe; Lukas dürfte nur erfahren haben. „daß Paulus an den Kaiser appelliert hat"[3]. In der Tat wird man davon ausgehen dürfen, daß Lukas von der Appellation des Paulus an den Kaiser wußte. Diese Appellation muß jedoch nicht „gegen eine (schon gefallene oder zu erwartende) Entscheidung des Statthalters" erfolgt sein, wie Haenchen[4] annimmt. Vielmehr konnte die Berufung an den Kaiser in jedem Stadium des Prozesses erfolgen[5], natürlich auch nach einem ergangenen Urteilsspruch. Die Einzelheiten des Appellationsrechts der frühen Kaiserzeit sind auch heute[6] noch nicht völlig klar, und man muß sich davor hüten, sie aus dem lukanischen Bericht heraus klären zu wollen.

Was in der Darstellung des Lukas einer Erörterung bedarf, ist die Frage, warum Paulus in diesem Augenblick an den Kaiser appelliert (V 11 c), nachdem er doch nicht befürchten muß, den Juden „ausgeliefert" zu werden (V 11 b). Er geht auf den Vorschlag des Statthalters, in Jerusalem vor sein Gericht gestellt zu werden (V 9b), nicht ein (V 10). Lukas stellt sich die Sache offenbar so vor, daß Paulus eine weitere Verschleppung seines Prozesses befürchten mußte, da Festus nach der Verhandlung (VV 6–8) keinen Spruch fällte, sondern einen zusätzlichen Prozeßtermin in Jerusalem ansetzen wollte (V 9; vgl. 25, 20 f). Die Antwort des Paulus (V 10) lehnt eine Überstellung nach Jerusalem ab und verweist mit den Worten „da muß ich gerichtet werden" auf das notwendige römische Verfahren hin. Für Lukas ist das genannte Motiv für die Appellation des Paulus mit der Befürchtung verbunden, der Statthalter könne den Juden weiter entgegen-

---

[2] Haenchen, a. a. O. 641.

[3] Ebd. Haenchen fügt hinzu: „Das war dem dramatischen Erzähler hochwillkommen: es ergab eine packende Szene voller Spannung."

[4] Haenchen, a. a. O. 641.

[5] Siehe Conzelmann, Apg 145, der sich besonders auf die Abhandlung von Bleicken, Senatsgericht und Kaisergericht (1962), stützt: In der frühen Kaiserzeit wurde das Provokations- und Appellationsrecht aufgrund der tatsächlichen Machtstellung des Kaisers neuentwickelt. Wenn Paulus sich bei der Appellation nach dem Bericht 25, 10 f nicht auf sein römisches Bürgerrecht berief, so setzt Lukas doch voraus, daß er es tat; siehe Conzelmann, a. a. O. 144, mit Hinweis auf Bleicken (a. a. O. 178–182): „Der Leser weiß ja Bescheid. Für Lk jedenfalls ist das Bürger- und das Appellationsrecht verbunden."

[6] Vgl. die neueren Arbeiten von Bleicken, Senatsgericht und Kaisergericht (1962), und Sherwin-White, Roman Society (1963), bes. 63 ff. Siehe auch Oxford Classical Dictionary (1970), s. vocibus Appellatio (86 f), Law and Procedure. Roman III. (Criminal) (587–590) und Provocatio (892 f).

kommen und ihn schließlich ausliefern. Vielleicht betont der Angeklagte deshalb, er habe sich nicht gegen den „Kaiser" vergangen (V 8)[7], und sagt anschließend, er müsse vor dem Richterstuhl des Kaisers gerichtet werden (V 10a).

25,1–12 muß als ein wichtiger Angelpunkt im Verlauf des Paulusprozesses gelten, insofern nun entschieden ist, daß der Angeklagte nicht mehr den Juden vorgeführt wird. Traten diese laut 24,7 noch als Kläger auf, so ist mit der Appellation des Gefangenen an den Kaiser entschieden, daß er nach *Rom* gehen soll (V 12). Er geht nicht (mehr) nach *Jerusalem* (vgl. V 9). Wenn 26,1–29 noch eine Verteidigungsrede vor Agrippa II. bietet, so wird zuvor klargemacht, daß sie an dem Beschluß des Statthalters, Paulus nach Rom zu schicken (25,21.25), nichts mehr ändern wird. Sie dient nur der Information des Statthalters, der laut 25,26 sonst nicht wüßte, was er seinem kaiserlichen Herrn „schreiben" soll.

VV 1–2 Als Porcius Festus[8] in der Provinz ankam[9], d.h. in Cäsarea landete, ging er schon nach drei Tagen nach Jerusalem, wohl um den Repräsentanten des Judentums seine Sympathie zu bekunden (V 1). Bei diesem offiziellen Besuch erneuerten die Juden ihre Anklage[10] gegen Paulus (V 2). Der Leser weiß, worum es sich dabei handelte. Daß inzwischen ein neuer Hoherpriester sein Amt angetreten hatte[11], erwähnt der Bericht nicht. Er spricht nur von „den Hohenpriestern und den Ersten[12] der Juden".

V 3 Die Judenvertreter suchten von dem neuen Statthalter die Gunst zu erreichen[13], daß er Paulus nach Jerusalem überstelle. Sie hatten dabei den Hintergedanken (den Festus nicht kannte), den Gefangenen auf dem Transport aus einem Hinterhalt[14] zu ermorden.

[7] Obwohl bisher niemand dies formell als Anklage gegen Paulus vorbrachte, verteidigt sich Paulus V 8, er habe „nicht gegen den Kaiser gesündigt". Vgl. HAENCHEN, Apg 641: „Eine solche Anklage gehörte in das Ressort des Prokurators; er durfte sie auf keinen Fall aus der Hand geben." WIKENHAUSER zu V 8: „Der dritte Punkt ist neu, aber doch nur in formeller Hinsicht. Die Ankläger haben den Apostel auch politisch verdächtigt ... (vgl. 24,5)."

[8] Zu seiner Person siehe oben Nr. 60 A. 27. Möglicherweise ist der Amtsantritt auf 58 n.Chr. zu datieren.

[9] ἐπιβὰς τῇ ἐπαρχείᾳ „nachdem er die Provinz betreten hatte". Zu ἐπαρχεία siehe oben Nr. 58 A. 50

[10] ἐνεφάνισαν αὐτῷ κατὰ τοῦ Παύλου ist wie 24,1 konstruiert: „sie erstatteten bei ihm Anzeige gegen Paulus".

[11] Noch unter Felix war Ismael von Agrippa II. zum Hohenpriester ernannt worden: Jos Ant XX 179.

[12] οἱ πρῶτοι (vgl. 13,50: der Stadt) sind „die Vornehmsten, die Angesehensten". Möglicherweise sind die „Ältesten" (24,1; 25,15) gemeint. Vgl. auch Lk 19,47; Apg 28,17.

[13] αἰτούμενοι χάριν κατ' αὐτοῦ ὅπως „indem sie als Gunst gegen ihn erbaten, daß". Vgl. 24,27; 25,9, wo χάρις gleichfalls an die Bedeutung „(der) Gefallen" herankommt; siehe BAUERWb s.v. 3a.

[14] ἐνέδραν ποιέω wie Thucydides, Hist. III 90,2.

VV 4–5 Festus geht auf das Begehren der Juden nicht ein. Er begründet seine Entscheidung „pragmatisch": Paulus befinde sich in Cäsarea, und auch er selbst werde sich in Kürze[15] dorthin begeben (V 4). Die Zuständigen[16] der Judenschaft sollen also mit nach Cäsarea kommen. Falls „es an dem Mann etwas Unstatthaftes gibt"[17], möge man dort die Anklage vorbringen[18] (V 5).

V 6 Festus hält sich in Jerusalem nicht länger als acht oder zehn Tage auf, dann reist er nach Cäsarea und setzt sich schon am Tage nach der Ankunft auf den Richterstuhl[19], um gegen Paulus zu verhandeln. Er läßt ihn vorführen[20].

VV 7–8 Aus Jerusalem sind auch Repräsentanten der Juden zur Residenz des Statthalters gekommen (vgl. V 5). Sie „umringen" Paulus (bedrohlich) und bringen „viele und schwerwiegende Beschuldigungen"[21] gegen ihn vor, die sie freilich nicht beweisen können (V 7). Sie können die Beweislast nicht tragen! Paulus selbst bestreitet die Anklage (V 8). Seine Apologie ist hier dreifach gegliedert und grundsätzlich zusammengefaßt. Paulus hat sich weder gegen das *Gesetz* noch gegen den *Tempel* noch gegen den *Kaiser* vergangen[22]. Die beiden ersten Punkte betreffen die jüdische Religion, der dritte Gegenstand muß den römischen Staatsbeamten interessieren[23]. Der früher formulierte Vorwurf, Paulus habe bei den Juden Aufruhr gestiftet (vgl. 24,5), betrifft auch den „Kaiser"[24]. Dafür muß sich der Statthalter interessieren. Er kann die Sache nicht an das Synedrium abschieben!

V 9 Der Statthalter – noch neu in seinem Amt – will sich den Juden gefällig erweisen[25] und macht Paulus den Vorschlag, er könne „wegen dieser

---

[15] ἐν τάχει „unverzüglich, in Bälde" ist Vorzugsausdruck der Apg: 12,7; 22,18; 25,4; vgl. Lk 18,8.
[16] οἱ ἐν ὑμῖν δυνατοί „die bei euch Mächtigen/Angesehenen"; vgl. 1 Kor 1,26; Apk 6,15 t.r.
[17] εἴ τί ἐστιν ... ἄτοπον. ἄτοπος „unangebracht, nicht am Platze" steht 28,6 im Sinne von „ungewöhnlich", 25,5 und Lk 23,41 im Sinne von „unstatthaft".
[18] κατηγορέω mit Genitiv der Person wie Lk 6,7 par Mk; 11,54 t.r. (aus Mt 12,10 par); 23,2.10 (vgl. Mk 15,3); Apg 24,2.8.13; 25,5.11; 28,19.
[19] καθίσας ἐπὶ τοῦ βήματος: Er setzte sich (zur Eröffnung der Gerichtsverhandlung) auf den Richterstuhl; so auch 12,21 (βῆμα: Rednerbühne); 25,17; Joh 19,13; vgl. JosBell II 172; Ant XX 130. βῆμα bezieht sich auch Apg 18,12.16.17; 25,10 auf den Richterstuhl.
[20] ἄγω von der gerichtlichen Vorführung wie 6,12; 18,12; 25,17.23.
[21] Vgl. 24,5 f, wo die Anklagepunkte genannt sind. αἰτίωμα „Beschuldigung" ist ntl. Hapaxlegomenon.
[22] ἁμαρτάνω εἰς mit personalem Akkusativ wie Lk 17,4 (vgl. 15,18.21: τὸν οὐρανόν); Mt 18,21; 1 Kor 8,12 (bis). Mit sachlichem Akkusativ wie 1 Kor 6,18.
[23] Vgl. Lk 23,2: Die jüdischen Kläger gegen Jesus fügen an Χριστόν ein erläuterndes βασιλέα (εἶναι) an!
[24] Die Anklage richtet sich auf die Straftat *seditio;* vgl. 21,28; 24,5f.
[25] Zur Formulierung siehe oben Nr. 60 A. 28.

(Anschuldigungen)"[26] in Jerusalem „gerichtet werden", und zwar in seiner Gegenwart. ἐπ' ἐμοῦ muß nicht bedeuten „unter meinem Vorsitz"[27]. Es kann auch gemeint sein „in meiner (kontrollierenden) Gegenwart"[28]. Letzteres würde dem Modell von 23,1–10 entsprechen. Lukas will sagen: Menschliches Versagen führte dazu, daß Festus den Angeklagten nicht freisprach und entließ[29]. 25,20 begründet Festus den Vorschlag, in Jerusalem zu verhandeln, mit dem jüdisch-religiösen Gegenstand der Anklage.

VV 10–11 Paulus entgegnet, er stehe[30] vor dem Richterstuhl des Kaisers; dort müsse die Gerichtsverhandlung gegen ihn geführt werden (V 10a). Das Statthaltergericht ist das des Kaisers, in dessen Namen und Autorität der Statthalter urteilt[31]. Dieses Gericht hält Paulus für zuständig, nicht das Synedrium. In dem δεῖ läßt Lukas zugleich den Gedanken der von Gott verfügten Notwendigkeit anklingen, daß Paulus nach Rom gehen wird (19,21; 23,11). Der Plan Gottes beginnt sich zu erfüllen: Paulus wird auch in Rom Zeugnis ablegen. Der Angeklagte begründet seinen Standpunkt damit, daß er den Juden kein Unrecht zugefügt, d.h. gegen das jüdische Gesetz (und den Tempel, vgl. V 8) nicht verstoßen habe. Das wisse auch der Statthalter sehr wohl[32] (V 10b). V 11a gibt an, daß Paulus Recht und Gesetz grundsätzlich anerkennt[33] und gegebenenfalls bereit ist, ein Todesurteil zu akzeptieren[34]. Wenn aber die jüdische Anklage gegen ihn unbegründet sei[35], dürfe niemand ihn den Juden preisgeben[36] (V 11b). Mit die-

---

[26] περὶ τούτων bezieht sich näherhin auf die von Paulus genannten Punkte, die freilich die Anklage rekapitulieren.

[27] ἐπ' ἐμοῦ „vor mir" wird so verstanden von Haenchen, Conzelmann und Bruce (NIC). Vgl. 23,30 (*vor* dem Statthalter); 24,20 (*vor* dem Synedrium); 25,10 (*vor* dem kaiserlichen Tribunal). Siehe auch BauerWb s.v. κρίνω 4aα (Hinweis auf 24,21: „Gen. der richterlichen Instanz").

[28] Vgl. Wikenhauser. Er fragt: „Wollte er damit den Apostel dem jüdischen Gericht ausliefern, damit dieses über die Anklagen entscheide, die rein religiöser Natur waren?" Vor allem V 11b („ihnen ausliefern") spricht für die Bedeutung „in meiner Gegenwart".

[29] Conzelmann: „Nun muß Lk allerdings erklären, warum man Paulus auch diesmal nicht freiläßt: Weil der Beamte menschlich versagt. Diese Änderung in seinem Verhalten ist aus dem Zwang der apologetischen Tendenz des Lk konstruiert."

[30] ἑστώς εἰμι ἐπί mit lokalem Dativ. Vgl. 5,23; 21,40; 24,20.

[31] Wendt (^{5}1913), Haenchen und Conzelmann verweisen hierzu auf Ulpian, Digest. I 19,1: „quae acta gestaque sunt a procuratore Caesaris, sic ab eo comprobantur, atque si a Caesare ipso gesta sint."

[32] κάλλιον ἐπιγινώσκω „sehr gut wissen". Der Komparativ hat elativen Sinn. Vgl. Zerwick, Biblical Greek Nr. 148.150.

[33] Conzelmann: „Diese grundsätzliche Anerkennung von Recht und Gesetz ist ein Topos (es ist schon das Grundmotiv in Platons Apologie und Kriton)." Vgl. auch Fl. Josephus, Vita 141 (siehe A. 34).

[34] οὐ παραιτοῦμαι τὸ ἀποθανεῖν (παραιτέομαι mit Akkusativ der Sache). Vgl. Fl. Josephus, Vita 141: θανεῖν μέν, εἰ δίκαιόν ἐστιν, οὐ παραιτοῦμαι.

[35] εἰ δὲ οὐδέν ἐστιν „wenn es aber nichts (d.h. ungültig) ist". Der Ausdruck bezieht sich auch 21,24 auf einen Vorwurf gegen Paulus.

[36] χαρίζομαί τινι „jemandem schenken/preisgeben" wie 3,14. Siehe auch 25,16 (ohne Dativ).

ser Begründung appelliert[37] Paulus an den Kaiser (V 11 c), d.h. an das kaiserliche Gericht in Rom.

V 12 Festus bespricht sich mit seinem *consilium*[38], ob der Appellation stattgegeben werden könne[39]. Dann eröffnet er dem Angeklagten, daß die Berufung genehmigt sei. Er soll zum Kaiser gehen[40].

62. HERODES AGRIPPA II. WIRD VON FESTUS ÜBER PAULUS INFORMIERT: 25,13–22

LITERATUR: K. GARMS, Paulus vor Festus, Agrippa und Berenike, in: Die Christengemeinschaft 15(1938/39)261–264. – SHERWIN-WHITE, Early Persecutions (1952; s.o. Nr. 56) [zu VV 15f]. – A. WIFSTRAND, Apostelgeschichte 25,13, in: Eranos 54(1956)123–137. – J. DUPONT, Aequitas Romana. Notes sur Actes 25,16 (1961), in: ders., Études (1967) 527–552. – A. WEISER, Ἀγρίππας, in: EWNT I 55–57 (1978). – W. RADL, Βερνίκη, in: EWNT I 510 (1979).

13 Als einige Tage vergangen waren, kamen der König Agrippa und Berenike[a] *nach Cäsarea, um Festus ihre Aufwartung zu machen*[b]*. 14 Sie blieben mehrere Tage dort. Da trug Festus dem König den Fall des Paulus vor und sagte: Von Felix ist ein Mann als Gefangener zurückgelassen worden, 15 gegen den die Hohenpriester und die Ältesten der Juden, als ich in Jerusalem war, vorstellig wurden. Sie forderten seine Verurteilung, 16 ich aber antwortete ihnen, es sei bei den Römern nicht üblich, einen Menschen auszuliefern*[c]*, bevor nicht der Angeklagte den Klägern gegenübergestellt sei und Gelegenheit erhalten habe, sich gegen die Anschuldigungen zu verteidigen. 17 Als sie*[d] *dann zusammen hierher kamen, setzte ich mich gleich am nächsten Tag auf den Richterstuhl und befahl, den*

---

[37] Καίσαρα ἐπικαλέομαι ist juristischer Fachausdruck: „an den Kaiser appellieren", so auch 25,12; 26,32; 28,19; vgl. 25,21.25. Siehe Plutarch, Marcell. 2,7; Tib. Gracch. 16,1. Zugrunde liegt wohl der Begriff der *provocatio;* siehe dazu oben A. 5.6. Vgl. auch WIKENHAUSER.

[38] συμβούλιον bezeichnet den Rat als Körperschaft, näherhin das Kollegium der Gerichtsbeisitzer; vgl. BAUERWb s.v. 3 und die folgende A. 39.

[39] Vgl. WIKENHAUSER: „Da eine solche Berufung nicht in allen Fällen zulässig war, bespricht sich der Statthalter zuerst mit seinen Beisitzern *(assessores)* oder seinem Rat *(consilium),* der aus den höheren juristischen Beamten in seinem Gefolge bestand."

[40] ἐπὶ Καίσαρα. ἐπί mit Akkusativ (als juristischer Ausdruck) wie 9,21; 16,19; 18,12; Lk 12,11.58; 21,12; 23,1.

[a] Statt Βερνίκη schreiben 1175 pc sa (in korrekter Weise) Βερενίκη. C* hat wahrscheinlich die Form Βερηνίκη.

[b] Statt ἀσπασάμενοι lesen Ψ 36. 81 pm latt sy sa ἀσπασόμενοι. Die breite Bezeugung des Aorist spricht für Ursprünglichkeit; vgl. METZGERTC 492.

[c] Koine gig sy sa fügen erläuternd an: εἰς ἀπώλειαν.

[d] αὐτῶν fehlt in B pc, vielleicht die bessere LA; vgl. METZGERTC 492f.

Mann vorzuführen. 18 Als die Kläger auftraten, brachten sie keine Anklage wegen solcher Verbrechen vor, die ich vermutet hatte; 19 sie führten nur einige Streitfragen gegen ihn ins Feld, die ihre Religion und einen gewissen Jesus betreffen, der gestorben ist, von dem Paulus aber behauptet, er lebe. 20 Da ich nun bei der Untersuchung dieser Dinge ratlos war, fragte ich, ob er nach Jerusalem gehen wolle, um sich dort deswegen richten zu lassen. 21 Paulus jedoch legte Berufung ein; er wollte bis zur Entscheidung der kaiserlichen Majestät in Haft bleiben. Daher befahl ich, ihn in Haft zu halten, bis ich ihn zum Kaiser schicken kann. 22 Darauf [sagte[e]] Agrippa zu Festus: Ich würde den Menschen gern selbst hören. [f]Morgen, antwortete er, sollst du ihn hören.

Zur Beurteilung von 25,13–22 schreibt H. Conzelmann: „Auch diese Szene ist frei entworfen. Sie scheint überflüssig. Aber sie dient dazu, die Rechtslage vom römischen Standpunkt aus noch schärfer zu beleuchten und sie durch Ergänzung vom jüdischen aus (durch eine jüdische Autoritätsperson, die nicht zur Gesellschaft von Jerusaelm gehört) plastischer erscheinen zu lassen. Zugleich erfüllt sich 9,15.“[1]

Die Szene vor Festus und Agrippa[2] 25,13–22 muß indessen in ihrem Kontext gesehen werden, zu dem auch 25,23–27 (Paulus vor Agrippa) und 26,1–32 (Rede des Paulus) gehören. Zieht man dies in Betracht, so zeigt sich, daß das Erscheinen des Paulus vor Agrippa die Funktion hat, den Statthalter näher über den Angeklagten zu informieren und zwar – das erscheint wichtig –, damit er selbst dem Kaiser über ihn berichten kann (25,26f). Die drei genannten Abschnitte weisen mit der Erwähnung der Appellation an den Kaiser (25,21.25.32) über sich selbst hinaus. Daß Paulus gerade vor Agrippa seine Berufungsgeschichte wiederholt[3] (26,9–18),

---

[e] P[74] C E Ψ Koine u.a. fügen (gegen ℵ A B u.a.) ἔφη ein.

[f] Vor αὔριον schalten C E Ψ Koine sy[h] (verdeutlichend, vgl. oben A. e) ὁ δέ ein.

[1] Conzelmann zu 25,13.22. Vgl. Bauernfeind, Apg 266, der das „Privatgespräch“ für „rekonstruiert“ hält; die Rekonstruktion sei namentlich in V 19b „echt“ geraten. Siehe auch Haenchen, Apg 644–646.

[2] ’Αγρίππας/(Marcus Julius) Agrippa (II.) war der Sohn Agrippas I., den 12,1–25 „Herodes“ nennt (siehe oben Nr. 27 A. 8). Er war also der Bruder der Drusilla, der Frau des Statthalters Felix (siehe oben Nr. 60 A. 9). In Rom erzogen, regierte er von etwa 50–100 (92/3?) n.Chr. über ein Gebiet, das mehrfach vergrößert wurde. Er war unverheiratet. Seine Schwester Berenike (siehe unten A. 8), damals verwitwet, lebte am Hof Agrippas. Agrippa II. suchte trotz seiner unbedingten Ergebenheit gegen Rom auch mit dem Judentum Fühlung zu halten. Seine Sorge für das Judentum erstreckte sich auf äußere Dinge (dazu Schürer, a. unten a.O. 592). Agrippa wird im NT nur im vorliegenden Zusammenhang genannt: 25,13.22.23.24.26; 26,1.2.19.27.28.32. Siehe Schürer, Geschichte des jüdischen Volkes I 585–600; Weiser, ’Αγρίππας (1978).

[3] Neben dem Bericht des Erzählers 9,1–19a begegnete die Damaskusgeschichte auch 22,4–16, wo Paulus sie vor dem Hohen Rat selbst erzählt.

hängt mit der Ankündigung 9,15 zusammen[4]. Der Kontext läßt vermuten, daß die „Apologie" des Paulus als Christuszeugnis schon durch ein Schreiben des Festus den Kaiser in Rom erreicht[5]. Die drei Abschnitte 25,13–22.23–27 und 26,1–32 werden auch insofern als Einheit gesehen werden dürfen, als jeder von ihnen den Statthalter die Unschuld des Angeklagten hervorheben läßt (25,18.25.31)[6].

V 13 „Nach einigen Tagen"[7], also schon bald nach dem Amtsantritt des Festus, machte der König Agrippa (II.) zusammen mit seiner verwitweten Schwester Berenike[8], die an seinem Hof lebte, dem römischen Beamten seine Aufwartung: Sie kamen nach Cäsarea[9] und „begrüßten"[10] Festus.

VV 14–15 Beim Aufenthalt des Geschwisterpaares in Cäsarea nahm Festus die Gelegenheit wahr, dem König den Fall des Paulus[11] darzulegen (V 14a): Ein Gefangener sei noch aus der Amtszeit seines Vorgängers zurück-

---

[4] Apg 9,15 (ἐνώπιον ... βασιλέων) entspricht der Ankündigung Jesu Lk 21,12f; vgl. Stählin, Apg 305. Der Name Agrippa wird mit βασιλεύς verbunden: 25,13.14.24.26; 26,2.7.13.19.26.27.30. – 17,7 bringt βασιλεύς in Verbindung mit dem Kaiser; siehe dazu oben Nr. 40 A. 38.

[5] Siehe 25,26f – unmittelbar vor der Rede des Paulus.

[6] Dies ist eine Parallele zu der Unschuldsbeteuerung des Pilatus im Prozeß Jesu: Lk 23,4.14f.22. Zur Beteiligung des Königs vgl. Lk 23,15 (Urteil des Herodes Antipas) mit Apg 26,31 (Urteil Agrippas II.).

[7] Zu dem einleitenden ἡμερῶν δὲ διαγενομένων τινῶν vgl. 27,9 (ἱκανοῦ δὲ χρόνου διαγενομένου); ferner Mk 16,1.

[8] Zu Agrippa siehe oben A. 2. – Βερνίκη/Berenike war die Schwester Agrippas, in erster Ehe mit Herodes von Chalkis verheiratet, der 48 n. Chr. starb. Später (63 n. Chr.?) heiratete sie den König Polemon von Kilikien, verließ ihn aber bald wieder. Seit 75 n. Chr. in Rom lebend, war sie die Geliebte des Titus. Über die Beziehung zu ihrem Bruder gab es Klatschgeschichten (JosAnt XX 145; Juvenal, Satirae VI 156–160). Die Apg nennt Berenike 25,13.23; 26,30. Im Grunde hat sie mit der Handlung nichts zu tun; sie trägt nur zum Bild der großen Gesellschaft und zum bedeutsamen Rahmen bei; vgl. Haenchen, Apg 649; Radl, Βερνίκη. Siehe weiterhin Schürer, Geschichte des jüdischen Volkes I 589–597; Mireau, Bérénice (1951).

[9] Es ist vorausgesetzt, daß Agrippa von Jerusalem kam. Siehe dazu Schürer, a.a.O. I 591: „Wenn er in Jerusalem sich aufhielt, pflegte er den ehemaligen Palast der Hasmonäer zu bewohnen. Dieses an sich schon hochgelegene Gebäude liess er nun durch einen thurmartigen Aufbau noch bedeutend erhöhen, um von hier aus die Stadt und den Tempel überblicken und in müssigen Stunden die heiligen Handlungen im Tempel beobachten zu können ..." Vgl. die daraus resultierende Kontroverse mit der Priesterschaft: Jos Ant XX 189–196.

[10] κατήντησαν ... ἀσπασάμενοι. Die grammatisch korrekte Übersetzung des Partizip Aorist („nachdem sie begrüßt hatten") ist hier nicht möglich. Der Aorist muß die begleitende oder die nachfolgende Handlung beschreiben; vgl. Zerwick, Biblical Greek Nr. 264f. Siehe ferner Blass/Debr §§ 339,1; 418,1; Wifstrand, Apostelgeschichte 25,13 (1956); Conzelmann. Vgl. auch die den Aorist vermeidende LA oben A.b.

[11] τὰ κατὰ τὸν Παῦλον steht für „die Sache des Paulus". Zu κατά mit Akkusativ siehe oben Nr. 59 A. 72. Vgl. außerdem Blass/Debr § 224,1.

gelassen worden (V 14b). Die Hohenpriester und die Ältesten der Juden hätten ihn in Jerusalem auf diesen Mann hingewiesen und seine Verurteilung[12] gefordert (V 15).

VV 16–19 Festus berichtet weiter, daß er ihnen gegenüber den römischen Rechtsstandpunkt vertrat, einen Menschen nicht auszuliefern[13], ehe er seinen Anklägern gegenüberstand und Gelegenheit zur Verteidigung erhielt[14] (V 16). Das sagt Festus, obgleich er sich nicht an den Grundsatz gehalten hatte (siehe VV 9–11). Die Ankläger – so fährt Festus fort – hätten bei der Gegenüberstellung mit Paulus in Cäsarea (V 17) keine der Verbrechen vorgebracht, die er selbst vermutet hatte[15] (V 18), vielmehr nur Streitpunkte genannt, die die jüdische Religion[16] und einen gewissen Jesus[17] betreffen (V 19). Der Römer gibt (in seiner Diktion) zu erkennen, daß Jesu Tod und seine Auferstehung dabei genannt wurden[18]. Die apologetische Tendenz wird deutlich: Es geht nicht um „Anerkennung des Christentums durch den Staat", sondern um „Ausscheidung aus dem Gerichtsverfahren"[19].

VV 20–21 Zum Schluß seines Berichts sagt der Statthalter, daß ihn die Verhandlung gegen Paulus (VV 17–19) ratlos machte im Hinblick auf die (inner-jüdische) Untersuchung[20]. Deshalb habe er vorgeschlagen, Paulus solle sich in Jerusalem wegen dieser Dinge richten lassen (V 20). Damit wird an V 9 erinnert, ohne freilich zu sagen, daß sich Festus so den Juden gefällig erweisen wollte und daß die Anklage auch Vergehen gegen den Kaiser (vgl. V 8) implizierte. Festus sagt, daß Paulus jedoch an den Kaiser appellierte und (somit) in Haft bleiben wollte bis zur Entscheidung seiner

---

[12] Die Juden forderten die καταδίκη („Verurteilung") des Paulus. Das Wort ist Hapaxlegomenon im NT, aber u.a. bei Philo und Fl. Josephus bezeugt.
[13] χαρίζομαι wie V 11. Siehe die Ergänzung des Koine-Textes (εἰς ἀπώλειαν) oben A. c.
[14] Zu diesem römischen Grundsatz siehe CONZELMANN. Er verweist dazu auf Digestae im Corpus Iuris Civilis XLVIII 17,1; Appian, Bell. civ. III 54 § 222; Tacitus, Hist. I 6. Siehe auch die ausführliche Erörterung bei DUPONT, Aequitas Romana (1961) 541–550.
[15] Aus V 19 geht hervor, daß Festus den römischen Staat betreffende, „politische" Verbrechen vermutet hatte.
[16] ἡ ἰδία δεισιδαιμονία meint (im objektiven Sinn) „die eigene Religion". Vgl. F. STAUDINGER in: EWNT I s.v. δεισιδαιμονία 2. Siehe auch oben Nr. 41 A. 63.
[17] Das hatte 25,7f nicht erwähnt; siehe jedoch das Auferstehungsthema 23,6; 24,15.21. CONZELMANN erläutert: „Lk setzt voraus, daß immer schon an ihn [sc. Jesus] gedacht war, wo es um die Auferstehung ging; aber in Situationen wie 23,6 konnte er ihn nicht ausdrücklich nennen." Vgl. auch WIKENHAUSER.
[18] V 19: ζητήματα „um einen gewissen toten Jesus, von dem Paulus behauptet, daß er lebe".
[19] CONZELMANN zu VV 18f.
[20] ἀπορούμενος … τὴν περὶ τούτων (vgl. das doppelte περί in V 19) ζήτησιν („Untersuchung", auch als juristischer Terminus). ἀπορέομαι „in Ungewißheit/Verlegenheit sein" steht Lk 24,4 mit περί. Zum Akkusativobjekt Apg 25,20 vgl. BLASS/DEBR § 148,2 mit Anm. 4.

Majestät[21] (V 21a). So habe er Fortsetzung der Haft angeordnet, bis der Gefangene zum Kaiser geschickt[22] werden könne (V 21b).

V 22 Agrippa reagiert auf die Informationen des Statthalters, indem er sein Interesse an dem Gefangenen bekundet: „Ich würde den Menschen gern[23] selbst hören." Auf diesen Wunsch geht Festus ein. Bereits am folgenden Tag[24] soll die Begegnung stattfinden (25,23 - 26,32).

63. PAULUS VOR AGRIPPA: 25,23-27

LITERATUR: W. H. P. FAUNCE, Paul before Agrippa, in: The Biblical World 7 (1896) 86-93. - EHRHARDT, Acts of the Apostles (1969) 120f. - PLÜMACHER, Lukas (1972) 82-85 [zu 25,23 - 26,32]. - STOLLE, Zeuge (1973) 56f. - Siehe auch die Lit. zu Nr. 64.

23 So kamen am folgenden Tag Agrippa und Berenike mit großem Gepränge, und sie betraten mit den Obersten und den vornehmsten Männern der Stadt die Empfangshalle. Auf Befehl des Festus wurde Paulus vorgeführt. 24 Da sagte Festus: König Agrippa und all ihr Männer, die ihr hier bei uns seid! Da seht ihr den Mann, dessentwegen mich alle Juden in Jerusalem und auch hier bestürmt haben, indem sie riefen[a]*, er dürfe nicht länger am Leben bleiben. 25 Ich aber begriff, daß er nichts getan hat, was die Todesstrafe verdient. Da er jedoch selbst an die kaiserliche Majestät appelliert hat, habe ich beschlossen, ihn hinzuschicken. 26 Allerdings weiß ich meinem Herrn nichts Genaues über ihn zu schreiben. Darum habe ich ihn euch und vor allem dir, König Agrippa, vorfüh-*

---

[21] ὁ Σεβαστός „die Majestät", so auch 25,25. Es handelt sich um die griechische Wiedergabe des lateinischen *Augustus* als Bezeichnung des Kaisers; vgl. Pausanias III 11,4. Apg 27,1 erwähnt die σπεῖρα Σεβαστή „kaiserliche Kohorte" (Übersetzung von *cohors Augusta*). Vgl. H. DIECKMANN, Kaisernamen und Kaiserbezeichnung bei Lukas, in: ZKTh 43 (1919) 213-234; BAUERWb s.v. - Die διάγνωσις (Rechtssprache) der Majestät ist die kaiserlich-gerichtliche *cognitio* („Entscheidung"), d.h. das Urteil; vgl. JosBell II 17; ferner oben Nr. 58 A. 15.

[22] ἀναπέμπω „hinaufsenden", d.h. zu einer höheren bzw. der zuständigen Instanz: Plutarch, Marius 17,3; JosBell II 571. Das Verbum kommt in dieser Bedeutung im NT nur noch Lk 23,7 und Apg 27,1 v.l. vor. An anderen Stellen signalisiert die Präposition ein „zurück": Lk 23,11.15.

[23] ἐβουλόμην ... ἀκοῦσαι „ich möchte gerne hören". Das Imperfekt ersetzt in der Koine den potentialen Optativ (βουλοίμην ἄν); BLASS/DEBR § 359,2. Der klassische Optativ des Wunsches mit ἄν steht nur 26,29.

[24] αὔριον „morgen" ist Vorzugsvokabel des Lukas: 8 von insgesamt 14 ntl. Belegen, darunter Apg 4,3.5; 23,20; 25,22.

[a] Statt βοῶντες bezeugen C E Ψ Koine das Kompositum ἐπιβοῶντες („sie schrien laut auf"). Zu der Erweiterung des „westlichen" Textes nach ἐνθάδε (V 24) siehe METZGERTC 494.

ren lassen, um nach dem Verhör zu wissen[b], *was ich schreiben kann*[c]. *27 Denn es scheint mir unsinnig, einen Gefangenen zu schicken, ohne anzugeben, was man ihm vorwirft.*

Die Erzähleinheit 25,23-27 dient unmittelbar der Vorbereitung auf die Apologie des Paulus 26,1-29, nach deren „Unterbrechung" die Erzählung zu Ende geführt wird (26,30-32)[1]. In den beiden Rahmentexten der Rede fungieren die drei Personen Agrippa, Berenike und Festus; ihnen steht Paulus gegenüber. Die „Prunkszene" 25,23-27 ist frei entworfen[2]. Es handelt sich um ein „Quasi-Gerichtsverfahren"[3], das der Statthalter zwar in V 26 eine Untersuchung (ἀνάκρισις) nennt und in dem Paulus als Gefangener vorgeführt wird (V 23). Doch steht für den Statthalter schon fest, daß er unschuldig ist (V 25a). Da er an den Kaiser appellierte und somit nach Rom gebracht werden muß, soll die ἀνάκρισις nicht nur die Neugier des Agrippa befriedigen (vgl. V 22), sondern auch Material für das amtliche Schreiben des Festus an den Kaiser bereitstellen (VV 25b-27).

V 23 entfaltet das Szenarium. *VV 24-27* stellen eine einführende Ansprache des Festus dar, die sich an den König Agrippa richtet. Sie erwähnt die Forderung der Juden, Paulus zum Tode zu verurteilen (V 24c), und die Beurteilung des Falles durch den Statthalter, der ein entsprechendes Verschulden nicht feststellen kann (V 25a). Mit der Ankündigung einer Untersuchung des Falles endet die Ansprache (VV 26f). Der Zweck der ἀνάκρισις wird V 26 offiziell genannt, doch wird der König, der besonderes Interesse an dem Fall bekundet, nicht unerwähnt gelassen. 26,1a hebt die besondere Autorität des königlichen Gastes insofern hervor, als dieser dem Gefangenen das Wort erteilt (und von Paulus dann auch als einziger angeredet wird). Agrippa hat gewissermaßen den Ehrenvorsitz in der Versammlung.

V 23 Gemäß der Ankündigung des Statthalters Festus (V 22b) kommen am folgenden Tag Agrippa und Berenike „mit großem Gepränge[4]" zum Prätorium. Sie betreten den Audienzsaal[5]. In ihrer Begleitung befinden

---

[b] Statt σχῶ (ℵ B C Koine) lesen P[74] A E Ψ al ἔχω.

[c] Statt γράψω lesen E Koine γράψαι.

[1] Vgl. dazu oben Nr. 62.

[2] So CONZELMANN zu VV 23-27, allerdings mit der unbewiesenen Behauptung: „ohne historischen Kern". STÄHLIN, Apg 305, denkt an „eine Nachricht darüber ..., daß Paulus vor seinem Abtransport nach Rom einmal dem König Agrippa II. vorgeführt wurde".

[3] PLÜMACHER, Lukas 82, mit Hinweis auf STÄHLIN, Apg 305. Vgl. CONZELMANN, a.a.O.: „der Sinn ist ausschließlich vom literarischen Zweck her zu bestimmen: Paulus und damit das Christentum tritt an die große Öffentlichkeit; vgl. 9,15 mit 26,26."

[4] φαντασία „Pomp, Gepränge", hier mit μετά verbunden wie Diodorus Sic. XII 83,4; Vettius Valens 38,25f.

[5] Mit ἀκροατήριον ist das *auditorium* der Residenz gemeint, der „Audienzsaal"; siehe BAUERWb s.v.

sich Oberste[6] und Nobilitäten der Stadt[7]. Auf Befehl des Festus wird Paulus vorgeführt.

V 24 Die Ansprache des Festus eröffnet die Versammlung. Er redet den „König Agrippa" und alle (übrigen) Anwesenden[8] an (V 24a). Dann verweist er auf den vorgeführten Gefangenen und sagt, hier sehe man den berüchtigten Mann, dessentwegen ihn die gesamte Judenschaft bestürmt habe, in Jerusalem und in Cäsarea[9] (V 24b), und zwar mit der Forderung, er dürfe nicht länger am Leben bleiben[10] (V 24c).

V 25 Doch Festus konnte, wie er mitteilt, nicht feststellen[11], daß der Angeklagte etwas getan hätte, worauf die Todesstrafe[12] steht. Der Statthalter hätte Paulus also freilassen müssen, und er muß sagen, warum er das nicht tat. Das wirkliche Motiv nannte die Erzählung in V 9: Festus wollte sich den Juden gefällig erweisen. Hier behauptet er nun (indirekt), die Appellation des Paulus habe seine Freilassung verhindert (vgl. V 21). Der Statthalter genehmigt die Berufung an den Kaiser. Paulus wird nach Rom geschickt werden. Soweit geht der einleitende „Bericht" des Festus. Dann sagt er, was jetzt noch in der Sache zu geschehen hat, und zwar im Rahmen der erlauchten Versammlung.

VV 26–27 Wenn Festus nun für die gegenwärtige Veranstaltung eine Begründung abgibt, erscheint diese „konstruiert"[13]. Was er sagt, ist in sich widersprüchlich. Er mußte einen Bericht an den Kaiser liefern, und er hatte dazu hinreichend Material. „Der Widerspruch resultiert aus der Tendenz des Lk."[14] Festus behauptet, er habe über Paulus „nichts Genaues"[15], um dem „Herrn", das heißt dem Kaiser, schriftlich berichten zu können (V

---

[6] χιλίαρχοι (im Plural) „Oberste", d. h. höhere Offiziere (des Königs? Vgl. Mk 6,21). Wikenhauser meint, es handle sich um die Tribunen der fünf in Cäsarea liegenden Kohorten; Stählin denkt an die Spitzen der militärischen Behörden der Provinzialhauptstadt.

[7] ἄνδρες οἱ κατ' ἐξοχὴν τῆς πόλεως „die angesehensten Männer der Stadt (Cäsarea)"; siehe BauerWb s.v. ἐξοχή.

[8] συμπαρόντες ἡμῖν sind die „mit uns zusammen Anwesenden". Vgl. JosAnt X 239.

[9] Es ist auf 25,1–3.7.9 angespielt.

[10] Von dem Ruf der Juden (βοῶντες), der hier in indirekter Rede wiedergegeben ist (μὴ δεῖν αὐτὸν ζῆν μηκέτι), war nur in der Verhaftungserzählung berichtet worden (22,22 οὐ γὰρ καθῆκεν αὐτὸν ζῆν); vgl. 21,36.

[11] Das Medium καταλαμβάνομαι bedeutet: „erfassen, begreifen". Es begegnet auch 4,13; 10,34; Eph 3,18.

[12] μηδὲν ἄξιον θανάτου steht hier wie 23,29 im Urteil des Felix. Vgl. 25,11; 26,31; Lk 23,15.

[13] Siehe Conzelmann: „26 gibt den sehr künstlich konstruierten Grund dieser show."

[14] Conzelmann. Vor allem muß erklärt werden, wie es dazu kam, daß Paulus vor dem „König Agrippa" zu Wort kam. Es ist aber nicht auszuschließen, daß Lukas andeuten möchte, das Christuszeugnis vor Agrippa sei im Brief des Festus bis zum Kaiser vorgedrungen.

[15] ἀσφαλές τι „etwas Zuverlässiges". Vgl. τὸ ἀσφαλές 21,34; 22,30.

26a). Der Kaiser wird hier im Munde des Beamten mit ὁ κύριος bezeichnet, ähnlich wie V 25 mit ὁ Σεβαστός[16]. Die Vorführung des Gefangenen – speziell vor dem König – sei erfolgt, um eine Untersuchung[17] durchzuführen, nach deren Abschluß der Statthalter Material besitze, um nach Rom berichten zu können (V 26b). Die Ansprache schließt mit der Begründung, es erscheine dem Redner „ungereimt"[18], einen Gefangenen nach Rom zu schicken, ohne die gegen ihn sprechenden Gründe[19] anzugeben[20].

64. DIE REDE DES PAULUS VOR AGRIPPA: 26,1–32

LITERATUR: A. OEPKE, Probleme der vorchristlichen Zeit des Paulus, in: ThStKr 105 (1933) 387–424 [zu VV 9–12]. – A. FRIDRICHSEN, Acts 26,28, in: ConiNeot 3 (1939) 13–16. – J. E. HARRY, Ἐν ὀλίγῳ με πείθεις, in: AThR 28 (1946) 135f [zu V 28]. – DIBELIUS, Die Reden (1949) 148f.160–162. – JERVELL, Paulus (1968). – EHRHARDT, The Acts of the Apostles (1969) 121–123. – BURCHARD, Zeuge (1970) 109–118. – PLÜMACHER, Lukas (1972) 82–85. – LÖNING, Saulustradition (1973) 176–181. – B. NOACK, Si passibilis Christus (Acta 26,23), in: SvEA 37/38 (1972/73) 211–221. – STOLLE, Zeuge (1973) 124–136.168–182. – WILSON, Gentiles (1973) 161–170. – J. DUPONT, La portée christologique de l'évangélisation des nations d'après Luc 24,47, in: Neues Testament und Kirche (Festschr. für R. Schnackenburg) (Freiburg 1974) 125–143, bes. 138–143 [zu V 23]. – M. A. MOSCATO, The Interpretation of Acts 26,8: From Literary Character to Meaning. Diss. Marquette University (Wisconsin) (1975). – OBERMEIER, Gestalt des Paulus (1975) 111–117. – MULLINS, Commission Forms (1976) [zu VV 12–20]. – SABUGAL, Análisis exegético (1976; s.o. Nr. 21) 102–128. – P. HARLÉ, Un „Private-Joke" de Paul dans le livre des Actes (XXVI. 28–29), in: NTS 24 (1977/78) 527–533. – R. F. O'TOOLE, Acts 26. The Christological Climax of Paul's Defense (Ac 21,1 – 26,32) (AnBibl 78) (Rom 1978). – O'TOOLE, Be Imitators of Me (1978; s.o. Nr. 61) [zu V 29]. – C. J. A. HICKLING, The Portrait of Paul in Acts 26, in: Kremer (Hrsg.), Les Actes (1979) 499–503. – PRAST, Presbyter und Evangelium (1979) 284f [zu VV 22f]. – RICHARD, Old Testament in Acts (1980) 337f [zu V 18]. – LÉGASSE, L'apologétique (1981; s.o. Nr. 54).

1 Da sagte Agrippa zu Paulus: Du hast die Erlaubnis, in eigener Sache zu reden. Paulus[a] *erhob die Hand und sagte zu seiner Verteidigung:*

[16] Seit Klaudius werden die römischen Kaiser in wachsendem Ausmaß mit ὁ κύριος bezeichnet (siehe Pap. Oxyrh. 37,6 [49 n.Chr.]; vgl. MOULTON/MILLIGAN s.v. 4; W. FOERSTER in: ThWNT III 1053f). Ganz vereinzelt ist diese Bezeichnung jedoch schon früher bezeugt (OGIS 606,1). „Für das absolute ὁ κύριος scheint unsere Stelle der früheste bisher bekannte Beleg zu sein (Zeit Domitians!)" (CONZELMANN). Siehe auch J. A. FITZMYER, κύριος κτλ., in: EWNT II 811–820, näherhin 813. Zur Zeit unserer Szene war Nero römischer Kaiser.

[17] ἀνάκρισις „Befragung, Untersuchung, Verhör", besonders auch „Vorverhör"; vgl. BAUERWb s.v.; SCHNEIDER, Verleugnung (1969) 220. Siehe auch ἀνακρίνω Lk 23,14; Apg 4,9; 12,19; 24,8; 28,18.

[18] ἄλογον (γάρ μοι δοκεῖ): „(es scheint mir) sinnlos/absurd/unvernünftig".

[19] αἰτίαι sind hier die „Rechtsgründe"; vgl. MOULTON/MILLIGAN s.v. αἰτία.

[20] σημαίνω „bezeichnen/(im einzelnen) mitteilen"; vgl. Apk 1,1. σημᾶναι (Infinitiv Aorist) steht für σημῆναι, vgl. ZERWICK, Biblical Greek Nr. 492.

[a] sy h.mg fügt ein: „zuversichtlich und vom heiligen Geist ermutigt".

2 Ich schätze mich glücklich, König Agrippa, daß ich mich heute vor dir verteidigen darf wegen all der Dinge, die mir die Juden vorwerfen, 3 besonders, da du ein vorzüglicher Kenner aller jüdischen Satzungen und Streitfragen bist[b]*. Deshalb bitte ich, mich geduldig anzuhören.*

4 Das Leben, das ich seit meiner Jugend bei meinem Volk und in Jerusalem geführt habe, ist allen Juden von Anfang an bekannt. 5 Ich bin ihnen von früher her bekannt, und wenn sie wollen, können sie es bezeugen, daß ich nach der strengsten Richtung unserer Religion gelebt habe, nämlich als Pharisäer. 6 Und jetzt stehe ich vor Gericht wegen der Hoffnung auf die Verheißung, die von Gott an[c] *unsere Väter ergangen ist. 7 Unser Zwölfstämmevolk hofft, sie zu erlangen, und deshalb dient es Gott unablässig, bei Tag und Nacht. Dieser Hoffnung wegen, König, werde ich von den Juden angeklagt. 8 Warum haltet ihr es für unglaubhaft, daß Gott Tote auferweckt?*

9 Ich selbst meinte, ich müßte den Namen Jesu, des Nazoräers, heftig bekämpfen. 10 Das habe ich in Jerusalem auch getan: Ich ließ viele der Heiligen in die Gefängnisse sperren, nachdem ich von den Hohenpriestern die Vollmacht erhalten hatte; und wenn sie hingerichtet werden sollten, stimmte ich dafür. 11 Und in allen Synagogen habe ich oft versucht, sie durch Strafen zur Lästerung zu zwingen; in maßloser Wut habe ich sie sogar bis in Städte außerhalb (des Landes) verfolgt. 12 So zog ich auch mit der Vollmacht und Erlaubnis der Hohenpriester nach Damaskus. 13 Da sah ich unterwegs, König, mitten am Tag ein Licht, das mich und meine Begleiter vom Himmel her[d] *umstrahlte, heller als die Sonne. 14 Wir stürzten alle zu Boden*[e]*, und ich hörte eine Stimme in hebräischer Sprache zu mir sagen: Saul, Saul, warum verfolgst du mich? Es wird dir schwerfallen, gegen den Stachel auszuschlagen. 15 Ich antwortete: Wer bist du, Herr? Da sprach der Herr: Ich bin Jesus*[f]*, den du verfolgst. 16 Doch steh auf und stell dich auf deine Füße! Denn dazu bin ich dir erschienen, dich zum Diener und Zeugen dessen zu erwählen, was du gesehen hast und was ich dir (künftig) zeigen werde. 17 Ich will dich retten vor dem Volk und vor den Heiden, zu denen ich dich sende, 18 um ihnen*[g] *die Augen zu öffnen. Denn sie sollen sich von der Finsternis zum Licht und von der Macht des Satans zu Gott bekehren und sollen durch den Glauben an mich die Vergebung der Sünden und ein Erbteil unter den Geheiligten empfangen. 19 Daher, König Agrippa, habe ich mich der himmli-*

---

[b] Hinter ζητημάτων fügen (P⁷⁴) ℵ[c] A C al ein: ἐπιστάμενος.
[c] Statt εἰς lesen C Koine πρός.
[d] οὐρανόθεν fehlt in P⁷⁴.
[e] 614. 2147 pc fügen an: „aus Furcht; ich allein (hörte ...)“.
[f] 048. 6. 104. 614 pc fügen an: „der Nazoräer“; vgl. 22, 8.
[g] Statt αὐτῶν lesen E 096 vg[mss] τυφλῶν.

schen Erscheinung nicht widersetzt, 20 sondern zuerst denen in Damaskus und in Jerusalem, dann im ganzen Land Judäa und bei den Heiden verkündet, sie sollten umkehren, sich Gott zuwenden und der Umkehr entsprechend handeln. 21 Aus diesem Grund haben mich einige Juden im Tempel ergriffen und versucht, mich umzubringen. 22 Weil ich nun die Hilfe, die von Gott kommt, bis auf diesen Tag erfahren habe, stehe ich da als Zeuge für groß und klein und sage nichts anderes als das, was nach dem Wort des Propheten und des Mose geschehen soll: 23 daß der Christus leiden müsse und daß er, als erster von den Toten auferstanden, sowohl dem Volk als auch den Heiden ein Licht verkünden werde.
24 Als er dies zu seiner Verteidigung vorbrachte, rief Festus laut: Paulus, du bist verrückt! Das viele Studieren[h] *treibt dich zum Wahnsinn. 25 Paulus erwiderte: Ich bin nicht verrückt, erlauchter Festus; was ich sage, ist wahr und vernünftig. 26 Der König versteht sich auf diese Dinge; deshalb spreche ich auch freimütig zu ihm. Ich kann nämlich nicht glauben, daß ihm etwas davon entgangen ist; das alles hat sich ja nicht in irgendeinem Winkel zugetragen. 27 Glaubst du, König Agrippa, den Propheten? Ich weiß, du glaubst. 28 Agrippa aber (sagte) zu Paulus: Fast überredest du mich dazu, mich als Christ*[i] *auszugeben*[k]. *29 Paulus antwortete: Ich wünschte mir von Gott, daß früher oder später nicht nur du, sondern alle, die mich heute hören, das werden, was ich bin, freilich ohne diese Fesseln.*

30 [l]*Da erhoben sich*[l] *der König und der Statthalter, auch Berenike und alle, die bei ihnen saßen. 31 Sie zogen sich zurück, besprachen sich miteinander und sagten: Dieser Mensch tut nichts, worauf Tod oder Haft steht. 32* [m]*Und Agrippa sagte zu Festus: Dieser Mensch könnte freigelassen werden*[m], *wenn er nicht an den Kaiser appelliert hätte*[n].

26,1–32 stellt ohne Zweifel den Höhepunkt des Gesamtkomplexes dar, der die „Apologie“[1] des Paulus zur Sprache bringt. Die Rede vor Agrippa mündet in die dritte Feststellung der Schuldlosigkeit des Paulus ein (VV 30–32)[2]. Indem Paulus sich verteidigt, folgt er der Mahnung und Weissa-

---

[h] Hinter γράμματα fügt A an: ἐπίστασθαι.
[i] ℵ* liest Χρηστιανόν (Itazismus?); vgl. oben Nr. 25 A. k.
[k] Statt ποιῆσαι lesen E Ψ Koine latt sy γενέσθαι, wohl unter dem Einfluß von V 29. Siehe auch Harlé, Private Joke (1978) 527–529.
[l] Der Anfang von V 30 (l – l) lautet in der Koine-Gruppe (und 614 h sa): „Und als er dies gesagt hatte, erhoben sich“.
[m] Der Anfang von V 32 (m – m) lautet in P[74]: ἀπολελύσθαι ἐδύνατο. Diese Beurteilung wird nicht *Agrippa* in den Mund gelegt.
[n] 97 pc h w (sy[p. h. mg]) fügen an: „Und so kam der Statthalter zu dem Urteil, ihn zum Kaiser zu schicken“.
[1] Siehe V 1 b: ἀπελογεῖτο, was die gesamte Rede (bis V 23, siehe V 24) charakterisiert. Vgl. oben Nr. 55 A. 2.
[2] Siehe vorher 23,29 (Felix); 25,25 (Festus).

gung Jesu Lk 12,8–12; 21,12–19[3]. Die „Verteidigung“ des Paulus vor Agrippa stößt endlich zum eigentlichen Christus-Zeugnis vor[4]. Sie wird fast zu einer „Missionspredigt“, die das Zeugnis für die Auferstehung auf *Jesus* bezieht (Apg 26,6–8.22f).

Innerhalb von 26,1–32 sind die *VV 1.30–32* als Rahmenhandlung konzipiert: Agrippa erteilt dem Gefangenen das Wort, und nach der Rede stellt er zusammen mit dem Statthalter fest, daß Paulus unschuldig ist[5]. Die Rede des Paulus umfaßt zunächst einmal die „Apologie“ der *VV 2–23*[6]. Mit *V 24* beginnt ein Dialog: Festus unterbricht den Redner, als er auf die Auferstehung Jesu zu sprechen kommt[7]. Doch Paulus wendet ein, daß der König Agrippa davon mehr verstehe, und so spricht er weiter *(VV 25–27)*. Agrippa bekennt, er sei fast von der Wahrheit des Christentums überzeugt *(V 28)*. Paulus kann nur sagen, das sei sein sehnlicher Wunsch, und zwar für alle Hörer der Botschaft *(V 29)*.

V 1 leitet die Rede des Paulus ein. Agrippa erteilt dem Gefangenen das Wort. Es wird ihm gestattet[8], über sich selbst[9] zu sprechen (V 1a). Paulus beginnt seine Verteidigungsrede[10], indem er – nach Art eines Redners – die Hand erhebt[11] (V 1b).

VV 2–3 Paulus redet den „König Agrippa“ an und sagt, daß er sich glücklich schätzt[12], sich vor ihm verteidigen zu können hinsichtlich aller jüdischen Anklagen gegen ihn (V 2). Er macht dem König das Kompliment,

---

[3] Nach Auffassung des Lukas braucht Paulus nicht lange zu überlegen, was er zur „Verteidigung“ sagen soll; der heilige Geist „lehrt“ es ihn (Lk 12,11f). Die rechte „Verteidigung“ besteht im „Zeugnis“ für Christus (Lk 21,13f).

[4] O'Toole, Acts 26 (1978), spricht (schon im Untertitel seiner Arbeit) von der „Christological Climax“ in der Verteidigung des Paulus, die Apg 26 darstellt; siehe ferner ebd. 86–122.

[5] Vgl. oben A. 2. Man kann also eine Unschuldserklärung für Paulus von seiten der Statthalter Felix und Festus und des Königs Agrippa konstatieren; vgl. Lk 23,1–22.

[6] O'Toole, a.a.O. 30–35, schlägt für 26,2–23 folgende Gliederung vor: VV 2f *Captatio benevolentiae*; VV 4–8 „First Division (Panel)“; VV 9–23 „Second Division (Panel)“. In jedem der beiden „Panels“ (vgl. a.a.O. V: Tafeln eines Diptychon) spreche der Anfang über das Leben des Paulus (VV 4f und 9–21), während am Ende jeweils das Auferstehungsthema stehe (VV 6–8 und 22f).

[7] Das ist kennzeichnend für den „Heiden“ Festus; vgl. 17,32 (auch 25,19). Der an die Apologie sich anschließende Dialog erfolgt in den VV 24–26 zwischen Festus und Paulus, in den VV 27–29 zwischen Paulus und Agrippa.

[8] Zu ἐπιτρέπω „gestatten“ siehe oben Nr. 55 A. 13.

[9] Paulus redet zwar „über sich selbst“, kommt dabei aber am Ende auf Jesus Christus zu sprechen.

[10] Vgl. oben A. 1.

[11] ἐκτείνας τὴν χεῖρα als Gestus des Redners; siehe Quintilian IX 3,84ff; Apuleius, Metam. II 21. Hat Lukas übersehen (siehe Conzelmann), daß Paulus gefesselt ist (V 29)?

[12] ἥγημαι ἐμαυτὸν μακάριον. ἡγέομαι mit doppeltem Akkusativ. Das Perfekt hat präsentische Bedeutung wie z.B. Herodot I 126; Ijob 42,6.

hervorragender Kenner[13] jüdischer[14] Sitten[15] und Streitfragen zu sein (V 3a). Vor dem Experten zu reden, macht dem Angeklagten besondere Freude[16]. Paulus bittet den König, ihn geduldig anzuhören (V 3b).

VV 4–5 Mit μὲν οὖν beginnt ein erstes Referat über den Lebensweg des Paulus. Mit einem zweiten μὲν οὖν wird dieses Referat in V 9 fortgesetzt[17]. Paulus beginnt mit dem Hinweis darauf, daß alle Juden seine Lebensweise[18] in seinem Volk und in Jerusalem[19] kennen[20]. ἀπ' ἀρχῆς bezieht sich auf die βίωσις, die sich „von Jugend auf"[21] im jüdischen Volk vollzog (V 4). Die Juden kennen Paulus ἄνωθεν („von früher her"[22]). Und wenn sie wollen, können sie bezeugen, daß er „nach der strengsten Richtung"[23] der jüdischen Religion[24], nämlich als Pharisäer[25], lebte.

VV 6–8 Für die Gegenwart sagt Paulus, daß er nun vor Gericht steht[26] wegen der Hoffnung auf die (Erfüllung der) Verheißung, die Gott „unseren Vätern" (angeredet ist Agrippa) gab[27] (V 6). „Unser Zwölf-Stämme-Volk[28]" hoffe, sie[29] zu erlangen, und diene[30] (Gott) deshalb unablässig[31],

---

[13] μάλιστα γνώστην ὄντα σε „da du ein hervorragender Kenner bist". Das superlativische Adverb (vgl. oben Nr. 51 A. 79) steht hier wie ein Adjektiv.

[14] κατὰ 'Ιουδαίους umschreibt den Genitiv; vgl. W. Köhler, κατά, in: EWNT II 624–627 (näherhin 3.d).

[15] Mit den jüdischen ἔθη sind die gesetzlichen Satzungen gemeint; vgl. 6,4; 16,21; 21,21; 28,17. Siehe auch JosAnt XV 286.

[16] V 3a will dem Zusammenhang nach die Aussage von V 2 begründen.

[17] O'Toole, Acts 26 (1978) 30, erkennt in dem zweifachen μὲν οὖν ein Gliederungssignal.

[18] βίωσις „Lebensweise"; vgl. den Prolog zu Sir (14: ἡ ἔννομος βίωσις); ferner jüdische Inschriften, siehe Moulton/Milligan s.v.

[19] Paulus hat sich laut Apg 22,3 schon in der Jugend in Jerusalem aufgehalten; siehe oben Nr. 55 A. 25.

[20] ἴσασι ist klassisch (hellenistisch würde es οἴδασι heißen).

[21] ἐκ νεότητος wie Lk 18,21 (LXX-Ausdruck).

[22] προγινώσκοντές με ἄνωθεν „sie kennen mich von früher her"; vgl. JosBell VI 8.

[23] Der Pharisäismus ist die ἀκριβεστάτη αἵρεσις des Judentums: „die strengste Schule". Der Superlativ kann aber auch auf die größte „Genauigkeit" bezogen werden, mit der die Pharisäer die jüdische Religion ausüben.

[24] θρησκεία im Sinne von „Religion" (wie 4 Makk 5,7); vgl. W. Radl in: EWNT II s.v. 2.a.

[25] Daß Paulus Pharisäer *ist* (nicht nur *war*), sagt 23,6. Der Aorist ἔζησα ist „global"; siehe Zerwick, Biblical Greek Nr. 253.

[26] ἔστηκα κρινόμενος erinnert an 23,6: Paulus steht wegen der Auferstehungshoffnung vor Gericht. Vgl. auch 24,15.

[27] Wörtlich: „wegen der Hoffnung auf die an unsere Väter von Gott her ergangene Verheißung". ἐπαγγελία bezeichnet auch 2,39; 13,23.32 die Verheißung, die von Gott kommt. Vgl. O'Toole, a.a.O. 95–97.

[28] τὸ δωδεκάφυλον begegnet nicht in jüdischen Zeugnissen, wohl aber 1 Clem 55,6. Das entsprechende Adjektiv ist aber Sib II 171 bezeugt.

[29] εἰς ἥν (V 7) bezieht sich auf ἐπαγγελίας in V 6.

[30] λατρεύω bezieht sich auf den Dienst vor Gott (24,14; 27,23), besonders auf den „Gottesdienst" (z.B. 7,7; Lk 2,37). Wenn gesagt wird, das Volk hoffe λατρεῦον (Partizip Neutrum), so ist gemeint: Im Gottesdienst bezeugt es ständig diese Hoffnung (Preu-

Tag und Nacht[32] (V 7a). Doch wegen dieser Hoffnung werde Paulus nun von den Juden angeklagt[33] (V 7b). Mit der Rede von der Verheißung an die Väter ist sachlich vorbereitet, was VV 22f näherhin über die Verheißung von der Auferstehung der Toten sagen, die in Christus begonnen hat: V 8 fragt: „Warum gilt euch als unglaubwürdig[34], daß[35] Gott Tote auferweckt?" Die Rede wechselt zur 2. Person des Plurals über und deutet damit „die tatsächliche heutige Differenz von Christen und Juden an"[36].

V 9 Mit ἐγὼ μὲν οὖν leitet der Redner zum Rückblick auf seinen Lebensweg über; er knüpft an VV 4f an. Als Pharisäer hielt Paulus es für richtig, die Anhänger Jesu zu verfolgen (VV 9–11). Wie widersinnig sich das gegenwärtige Judentum verhält, wird durch das einstige Verhalten des Pharisäers Paulus demonstriert[37]. In dem folgenden „biographischen" Teil der Rede nimmt das sogenannte Damaskuserlebnis einen breiten Raum ein (VV 12–18). Die Funktion dieses Teils der Rede wird in V 19 deutlich: Vor Damaskus hat der Himmel an Paulus gehandelt, und Paulus hat sich „der himmlischen Erscheinung nicht widersetzt". Dem ἔδοξα[38] von V 9 entspricht in V 19 der Gehorsam des Bekehrten: Einst meinte Paulus, den Namen Jesu bekämpfen[39] zu müssen.

VV 10–11 Er verfolgte die „Heiligen"[40] in Jerusalem und in anderen Städten[41]. Er ließ mit der Vollmacht, die ihm die Hohenpriester gaben, viele Christen ins Gefängnis werfen. Wenn sie hingerichtet werden sollten, gab er seine Stimme dafür ab[42] (V 10). In allen Synagogen versuchte er, sie

---

SCHEN denkt an das 18-Bitten-Gebet, dessen 2. Benediktion Gott als den Erwecker der Toten preist). Vgl. H. BALZ, λατρεύω κτλ., in: EWNT II 848–852.

[31] ἐν ἐκτενείᾳ (vgl. Jdt 4,9) „beharrlich" (wie ἐκτενῶς 12,5; vgl. Lk 22,44, vom Gebet).

[32] νύκτα καὶ ἡμέραν (so auch 20,31) ist Akkusativ der zeitlichen Erstreckung: Lk 2,37 vom λατρεύειν der Hanna.

[33] Siehe oben A. 26.

[34] Vgl. BAUERWb s.v. ἄπιστος 1, mit Hinweis auf JosAnt XVIII 76.

[35] εἰ steht hier in der Funktion von ὅτι. Siehe ZERWICK, Biblical Greek Nr. 404. Vgl. HAENCHEN: „Faktisch spricht Paulus von der Auferweckung Jesu. Die Juden dürfen sie nicht als unglaubhaft beurteilen, da sie ja selbst an die (allgemeine) Totenauferstehung glauben."

[36] CONZELMANN. Er vermerkt: „Stil des Missionsappells".

[37] CONZELMANN.

[38] ἔδοξα ἐμαυτῷ entspricht dem unpersönlichen ἔδοξέν μοι; siehe BAUERWb s.v. δοκέω 2a.

[39] Zu πολλὰ ἐναντία πράσσω ist 28,17 zu vergleichen: οὐδὲν ἐναντίον ποιέω. ἐναντίος bezeichnet hier die Feindschaft; vgl. 1 Thess 2,15.

[40] οἱ ἅγιοι wie 9,13.32.41 bezogen auf die Christen; vgl. oben Nr. 21 A. 29.

[41] αἱ ἔξω πόλεις „die auswärtigen Städte" (V 11) muß sich nicht auf die „außerjüdischen" Städte (so BAUERWb s.v. ἔξω 1 a γ) beziehen.

[42] καταφέρω ψῆφον mit Genitiv der Person: „seine Stimme abgeben (gegen jemand)". ψῆφος ist das zur Abstimmung verwendete „Steinchen" (schwarz für Verurteilung, weiß für Freispruch).

durch Strafmaßnahmen zur Lästerung zu zwingen[43] (V 11 a). Seine maßlose Wut[44] trieb den Verfolger sogar „in die Städte außerhalb" (V 11 b). Damit ist die Brücke zu V 12 geschlagen, zur Reise nach Damaskus. Die VV 10f entsprechen im wesentlichen den Angaben von 9,1 f und 22,4f. Doch bedeuten sie im Vergleich mit diesen eine Steigerung[45].

VV 12–13 entsprechen den früheren Berichten 9,3 und 22,6. Das einleitende ἐν οἷς bedeutet soviel wie „zu dieser Zeit" (Lk 12,1) oder „unter diesen Umständen"[46]. Im Rahmen der zuvor genannten Verfolgung von Christen reiste Paulus mit Vollmacht und Erlaubnis der Hohenpriester nach Damaskus (V 12). Unterwegs sah er zur Mittagszeit[47] vom Himmel her ein Licht[48], das ihn und seine Begleiter[49] heller als die Sonne umstrahlte.

V 14 Alle stürzten zu Boden[50]. Paulus vernahm eine Stimme, die „in hebräischer Sprache"[51] zu ihm redete: „Saul, Saul, warum verfolgst du mich?" Gegenüber den bisherigen Berichten (9,4; 22,7) fügt sie ein gängiges Sprichwort[52] an: „Hart ist es für dich, gegen den Stachel auszuschlagen."[53] Das Sprichwort besagt im Kontext: „Paulus befindet sich völlig in der Gewalt Jesu."[54]

VV 15–16 Paulus fragt nach der Identität dessen, der zu ihm spricht; und dieser gibt sich als Jesus zu erkennen. In den Christen verfolgt Paulus

---

[43] ἠνάγκαζον βλασφημεῖν. Das Imperfekt kann *de conatu* oder iterativ verstanden sein. Nach dem Kontext legt sich ersteres nahe: „ich versuchte, sie ... zu zwingen"; ZERWICK/GROSVENOR, Analysis z. St. Anders CONZELMANN: „Imperfekt der Schilderung". Die „Lästerung" sollte hier in einer Verwerfung Christi bestehen; Paulus spricht von seinem heutigen Standpunkt aus. Vgl. Plinius, Ep. X 96,5: „maledicere Christo".

[44] περισσῶς ἐμμαινόμενος „über die Maßen wutentbrannt, überschäumend vor Wut". Vgl. das Simplex μαίνομαι „rasen, von Sinnen sein" 12,15; 26,24.25.

[45] Paulus erscheint als Kollegialrichter (Synedrium?); nach 9,2 und 22,5 geht er von Jerusalem direkt nach Damaskus (HAENCHEN). Zu den Erzählungen über die Paulusberufung, deren dritte bei den kritischen Forschern „besonders beliebt" war (dazu HAENCHEN, Apg 660), siehe im übrigen oben Nr. 21.

[46] οἷς ist wohl Neutrum. Vgl. BAUERWb s.v. ὅς I 11 c; HAENCHEN.

[47] ἡμέρας μέσης = περὶ μεσημβρίαν (22,6).

[48] Artikelloses φῶς ist das tragende Stichwort auch 9,3 und 22,6. Jedoch steigert 26,12 gegenüber 22,6, wo es als φῶς ἱκανόν bezeichnet wird.

[49] Das Licht umstrahlt auch die Mitreisenden; auch sie stürzen laut V 14 zu Boden.

[50] Laut 9,4 und 22,7 stürzte nur Paulus!

[51] Hier wird ausdrücklich erwähnt, daß die Stimme aramäisch redete. Dies geht aber schon aus der Namensform Σαούλ hervor; vgl. oben Nr. 21 A. 37; Nr. 55 A. 4.

[52] Daß hier nicht direkt Euripides, Bacch. 794f, literarisch benutzt oder gar zitiert wird, hat vor allem VÖGELI, Lukas und Euripides (1953) 436f, gezeigt. Siehe auch HAENCHEN und CONZELMANN. Siehe ferner H. BALZ, κέντρον, in: EWNT II 698.

[53] πρὸς κέντρα „gegen die Stacheln (= den Stachelstock)" kann ein widerspenstiges Tier nicht ankommen. Das Sprichwort steht auch 9,5 t.r.

[54] HAENCHEN. Den Sinn erläutern die Scholia zu Pindar: „Es nützt nichts, als Mensch dem Schicksal zu widerstreiten." Siehe HAENCHEN; CONZELMANN.

letztlich Jesus selbst (V 15; vgl. 9,5; 22,8). Dann gibt Jesus seinen Auftrag (V 16; vgl. 9,6; 22,10): Paulus soll sich erheben und auf die Füße stellen; denn dazu sei er erschienen, um ihn zu erwählen[55] zum Diener und Zeugen[56] dessen, was er sah und noch sehen wird[57].

VV 17–18 Der vom Himmel her redende Jesus sagt, er wolle Paulus retten[58] vor dem Volk und den Heiden[59] (V 17 a). εἰς οὕς (V 17 b) bezieht sich vornehmlich auf die (zuletzt genannten) Heidenvölker. Zu ihnen wird Paulus gesandt[60]. Die Sendung erfolgt – dies wird in der Sprache der Urchristenheit gesagt[61] –, um den Heiden die Augen zu öffnen[62], um sie aus der Finsternis zum Licht[63] und aus der Macht des Satans zu Gott[64] zu bekehren (V 18 a). So sollen sie Vergebung ihrer Sünden[65] und ein Erbteil unter den Geheiligten[66] erhalten – durch den Christusglauben[67] (V 18 b).

---

[55] Der Infinitiv προχειρίσασθαι (mit doppeltem Akkusativ) gibt den Zweck des ὤφθην an. προχειρίζομαι „für sich auswählen, bestimmen zu" begegnet auch 22,14, passivisch 3,20, selten in LXX, sonst nicht im NT.

[56] Das Nebeneinander von ὑπηρέτης und μάρτυς erinnert an Lk 1,2, wo von den („apostolischen") Augenzeugen gesagt wird, daß sie ὑπηρέται des Wortes wurden, aber auch an 1 Kor 4,1, wo Paulus von seinem Amt spricht.

[57] Der „Gegenstand" des Zeugnisses, zu dem Paulus berufen wird, und die „Sache", in deren Dienst er stehen soll, werden mit einem doppelten Genitiv ausgedrückt (vgl. 22,15): ὧν τε εἶδές [με, so B] und ὧν τε ὀφθήσομαί σοι. Die LA von B gleicht formal an den zweiten Ausdruck an und verdeutlicht daß εἶδες auf die Christophanie bezogen ist. Die zweite Wendung bezieht sich auf spätere Christusbegegnungen des Paulus, wie sie die Apg häufiger erwähnt: 16,9f; 18,9f; 22,17–21; 23,11. Insgesamt ist auch das Zeugnis des Paulus „Christus"-Zeugnis, was 26,22f unterstreichen wird.

[58] ἐξαιρέομαι „aus etwas herausreißen" wie 7,34; 23,27, hier mit ἔκ τινος wie 7,10; 12,11 („erretten *vor*").

[59] Vor Agrippa spricht Paulus vom λαός einerseits und den ἔθνη andererseits (so auch V 23); siehe indessen die Vermeidung von λαός vor Felix 24,10.17 und vor Agrippa 26,4; vor den römischen Juden gebraucht Paulus wiederum λαός (28,17).

[60] ἀποστέλλω (bzw. ἐξαποστέλλω 22,21) erinnert im Kontext (Christus – Paulus – Heiden) an den Begriff des „Apostels für die Heiden".

[61] Vgl. Kol 1,12–14; Eph 5,8; 1 Petr 2,9. CONZELMANN: „Erbauliche Gemeindesprache mit biblischem Einschlag, vgl Jes 42,7.16." Siehe auch R. DEICHGRÄBER, Gotteshymnus und Christushymnus in der frühen Christenheit (StUNT 5) (Göttingen 1967) 78–87.

[62] Wie schon V 16 wird auch V 18 (hier dreimal) der finale Infinitiv verwendet: Es ergibt sich die Reihung ἀποστέλλω σε ἀνοῖξαι ..., τοῦ ἐπιστρέψαι ..., τοῦ λαβεῖν ... (zur Verwendung des Artikels beim 2. und 3. Infinitiv siehe ZERWICK, Biblical Greek Nr. 385, der auf Lk 1,77.78f verweist). Die Infinitive sind subordiniert.

[63] Vgl. 1 Thess 5,4f; 2 Kor 4,6; Kol 1,13; Eph 5,8; 1 Petr 2,9; siehe auch Jes 42,7.16.

[64] Die Bekehrung der Heiden erfolgt ἐπὶ τὸν θεόν, vgl. 14,15; 15,19; 26,20. Siehe auch 1 Thess 1,9 (πρός); Kol 1,13 spricht von der „ἐξουσία der Finsternis", der wir entrissen wurden.

[65] ἄφεσις (τῶν) ἁμαρτιῶν im gleichen Zusammenhang wie Kol 1,14 (vgl. Eph 1,7). Nach Lk 24,47 führt die μετάνοια zur „Sündenvergebung" (vgl. 3,3; Apg 5,31), nach Apg 2,38 die Taufe. Siehe oben Nr. 30 A. 121. Von einem λαβεῖν der Sündenvergebung sprechen Apg 10,43; 26,18.

[66] κλῆρος ἐν τοῖς ἡγιασμένοις „Anteil unter den Heiligen" (vgl. Weish 5,5; Kol 1,12; dazu RICHARD, Old Testament in Acts 337) ist zwar grammatisch der „Sündenverge-

Ganz deutlich wird hier die Berufung des Paulus zum Heidenapostel mit der Christophanie vor Damaskus verbunden[68].

VV 19–20 Mit ὅθεν[69] und einer erneuten Anrede des Königs Agrippa wird der Damaskusbericht fortgesetzt. Der vorausgehende V 18 hatte im Gesamt der Rede eher die Funktion eines verhüllten missionarischen Appells. Paulus erwies sich „der himmlischen Erscheinung gegenüber" als gehorsam: In Damaskus und in Jerusalem zuerst[70], dann im ganzen Judenland[71] und bei den Heiden rief Paulus zur Umkehr[72] auf. Wieder ist vornehmlich an die Heidenmission gedacht, wie ἐπὶ τὸν θεόν zeigt[73]. Entsprechend Lk 3,8 (par Mt 3,8) werden Werke der Buße einbegriffen[74].

V 21 Nachdem V 20 das gesamte missionarische Wirken des Paulus im Rückblick als Umkehrpredigt gekennzeichnet hatte, kommt der Redner nun auf die Gegenwart zu sprechen: „Aus diesem Grund"[75] – wegen seiner Umkehrpredigt (bei den Heiden) – haben ihn Juden im Tempel festgenommen und wollten ihn umbringen[76]. Von der angeblichen Tempelschändung (21,28) ist keine Rede mehr; aber letztlich kam es ja wegen eines Heidenchristen zum Tumult (21,29). Auch das Eingreifen des römischen Offiziers (21,31–34) wird nicht erwähnt: Der Leser kennt die Einzelheiten, und die Rede steuert auf ihren christologischen Höhepunkt zu.

VV 22–23 Paulus betont, daß er die Hilfe[77] Gottes bis zum heutigen Tag erfahren habe und so als Zeuge „für klein und groß"[78] dastehe. Er sage

---

bung" koordiniert. Doch ist ein Kausalzusammenhang gemeint, wie der gesamte V 18 zeigt. κλῆρος kommt in der Bedeutung „durch Los Zugefallenes, Anteil" auch Apg 1,17; 8,21 vor.

[67] πίστει τῇ εἰς ἐμέ „durch den Glauben an mich". Zu πίστις εἰς Χριστόν (u.ä.) siehe oben Nr. 60 A. 12.

[68] Siehe oben A. 60. Das entspricht dem Selbstverständnis des Apostels, siehe Gal 1,15f.

[69] Zu Beginn des Satzes heißt ὅθεν hier: „daher, deshalb"; Blass/Debr § 451,6.

[70] πρῶτον bezieht sich auf das Wirken in Damaskus und in Jerusalem (vgl. 9,20.28f).

[71] Die Wendung πᾶσάν τε τὴν χώραν κτλ. paßt schlecht in den Zusammenhang des Satzes, der sonst Dativ-Formen hat. Zerwick/Grosvenor, Analysis z. St., denken an eine Glosse; vgl. Haenchen.

[72] μετανοεῖν καὶ ἐπιστρέφειν (vgl. 3,19). Das erste Verbum bezieht sich auf den Gesinnungswandel, das zweite auf die Lebensführung; vgl. den Ausdruck: ἔργα, die der μετάνοια entsprechen.

[73] Siehe oben A. 64.

[74] Lk 3,8 spricht (diff Mt) pluralisch von „Früchten", die der μετάνοια entsprechen.

[75] ἕνεκα mit Genitiv wie 19,32 und Lk 6,22.

[76] ἐπειρῶντο διαχειρίσασθαι „sie versuchten, mich zu ermorden". διαχειρίζομαι (vgl. 5,30) heißt an sich „Hand legen an"; die Bedeutung „umbringen" entspricht dem Koine-Gebrauch.

[77] ἐπικουρία „Hilfe" begegnet sonst nicht im NT. Von der „Hilfe" Gottes sprechen indessen auch Philo und Fl. Josephus.

[78] Vgl. 8,10 „vom kleinen bis zum großen". Die Wendung bezeichnet die Gesamtheit; siehe oben I 489 A. 54.

nichts anderes, als die Propheten und Mose über die Zukunft gesagt haben[79] (V 22). ὧν … μελλόντων γίνεσθαι meint die „künftigen Ereignisse", die von den Propheten verheißen wurden und – was Christus betrifft – schon eingetroffen sind: Er mußte leiden[80], er sollte „als erster aus der Totenauferstehung"[81] Licht verkündigen, und zwar dem jüdischen Volk und den Heiden (V 23). Das Zeugnis des Paulus (V 22 μαρτυρόμενος) steht sowohl in Kontinuität mit den Propheten als auch im Einklang mit der Verkündigung des auferstandenen Christus[82].

V 24 Die „Apologie" des Paulus wird durch Festus unterbrochen[83]. Es ist bezeichnend, daß der Römer beim Auferstehungsthema eingreift[84]. Mit V 24 beginnt ein doppelter Dialog: mit Festus VV 24–26, mit Agrippa VV 27–29. Den Übergang schafft V 26, wo Paulus über Agrippa spricht. Festus macht, sobald Paulus explizit[85] von der Totenauferstehung spricht (V 23), einen lauten Zwischenruf: Paulus wird für verrückt erklärt. Der heidnische Hörer kann die Auferstehungsbotschaft nicht fassen (vgl. 25,19) und meint, das viele Studieren[86] habe Paulus um den Verstand gebracht[87]. Das Unverständnis des Festus soll jedoch hier nicht primär die Schwierigkeiten des Heiden mit der christlichen Botschaft kennzeichnen, sondern eher die Unzuständigkeit des römischen Staates in diesen theologischen Fragen unterstreichen[88].

VV 25–26 Paulus wehrt sich gegen die Unterstellung, er sei von Sinnen[89]. Dabei entgegnet er dem Statthalter mit höflicher Anrede[90]: Er rede viel-

---

[79] Daß hier Mose an zweiter Stelle genannt wird, hängt wohl damit zusammen, daß er die künftige Totenauferstehung lediglich „angedeutet" hat (Lk 20,37 diff Mk 12,26). Siehe SCHNEIDER, Evangelium nach Lukas II 406f.

[80] Das doppelte εἰ in V 23 ist sachlich mit ὅτι gleichzusetzen (HAENCHEN); siehe schon V 8, dazu oben A. 35. παθητός „dem Leiden unterworfen". Lukas denkt an die notwendige Unterwerfung des Christus unter das Todesleiden: 3,18; 17,3. Vgl. NOACK, Si passibilis Christus (1972/73).

[81] Vgl. 1 Kor 15,20.22f. Siehe auch Apg 3,15: ἀρχηγὸς τῆς ζωῆς.

[82] Paulus ist „Licht der Heiden" (13,47) wie Jesus (Lk 2,32)!

[83] Die „Unterbrechung" ist Stilmittel; vgl. 4,1; 7,54.57; 17,32; 19,28; 22,22; dazu DIBELIUS, Die Reden 153.

[84] Siehe 17,32; 25,19: Die Totenauferstehung wird für unmöglich gehalten. – μαίνῃ „du bist verrückt" steht V 24 (und schon 12,15).

[85] 26,6f sprach von der „Hoffnung" Israels, redete also nur implizit von der Erwartung der Auferstehung.

[86] τὰ γράμματα bezeichnet hier nicht das Elementarwissen (Lesen und Schreiben), sondern die höhere Wissenschaft; vgl. Xenophon, Cyrop. I 2,6; Plato, Apol. 26d.

[87] εἰς μανίαν περιτρέπω „(vom normalen Zustand) in den Wahnsinn versetzen"; vgl. Lukian, Abdicatus 30. Der μανία steht die griechische Tugend der σωφροσύνη gegenüber; siehe D. ZELLER, σωφροσύνη κτλ., in: EWNT III (s.v. 2).

[88] Siehe HAENCHEN; CONZELMANN.

[89] οὐ μαίνομαι wendet sich gegen den Vorwurf μαίνῃ V 24. Siehe dazu O'TOOLE, Acts 26 (1978) 125–130.

[90] Zur Anrede mit κράτιστε siehe oben Nr. 58 A. 34.

mehr Worte der Wahrheit und Vernunft[91] (V 25). Der König, der ihn bisher offenbar aufmerksam anhörte, verstehe sich auf den Gegenstand[92]; daher rede Paulus vor ihm freimütig. Ihm könne nach der Überzeugung des Redners nichts von alledem[93] entgangen sein[94]. Denn „dies ist nicht in einem (verborgenen) Winkel[95] geschehen" (V 26). „Tod und Auferstehung Jesu und die weiteren Wunder sind in voller Öffentlichkeit geschehen."[96] Das ist die Vorstellung, die Lukas vom Christusereignis insgesamt hat und darlegt. Mit dieser Konzeption hängen nicht nur die Synchronismen Lk 2,1 und 3,1 f zusammen, sondern auch seine Erzählungen über die Himmelfahrt Jesu (Apg 1,9–11) und die Geistsendung an Pfingsten (2,1–12).

VV 27–28 Nachdem Paulus schon V 26 *über* Agrippa gesprochen hat, wendet er sich nun *an* ihn. Er fragt, ob er den Propheten glaube[97], und beantwortet – unwidersprochen – die Frage selbst: „Ich weiß, daß du (ihnen) glaubst" (V 27). Darauf wendet sich Agrippa an Paulus[98]: Es fehlt nicht viel[99], und du überredest[100] mich dazu, mich als Christen auszugeben[101] (V 28). Die Schlußbemerkung des Königs bezieht sich nicht nur auf die Frage des Paulus[102], sondern auch auf dessen gesamte „misssionarische" Apologie. Das Wort des Agrippa hat einen eigenartig ironischen Akzent[103]. Will

---

[91] Paulus redet ἀληθείας καὶ σωφροσύνης ῥήματα „wahre und vernünftige Worte", zeigt also das Gegenteil von μαίνεσθαι (vgl. Xenophon, Mem. I 1,16; Plato, Prot. 323b: σωφροσύνη im Gegensatz zu μανία).

[92] περὶ τούτων wie 25,9.20a.b; vgl. 26,2.7.

[93] τούτων ... οὐθέν „nichts davon". οὐθέν (= οὐδέν) steht im NT ferner Lk 23,14; Apg 15,9; 19,27; 1 Kor 13,2.

[94] λανθάνειν αὐτὸν ... οὐ πείθομαι „ich glaube nicht, daß ihm ... verborgen (entgangen) ist".

[95] ἐν γωνίᾳ ist eine beliebte griechische Wendung; siehe BAUERWb s.v. γωνία 2; O'TOOLE, a.a.O. 139f.

[96] HAENCHEN; er zitiert in diesem Zusammenhang JACQUIER, Actes 717; dieser nennt: Tod und Auferstehung Jesu, die apostolische Verkündigung. Vgl. schon Johannes Chrysostomus, Homil. in Acta Apost. LII 4.

[97] Die Frage knüpft an VV 22 f an. Gemeint sind die Weissagungen der Propheten. Mose wird hier nicht mehr genannt.

[98] Die Konstruktion ὁ δὲ + Name + πρός τινα (ohne ἔφη o. ä.) begegnet z. B. auch 5,9; 25,22; vgl. 2,38; 9,11; 19,2b.

[99] ἐν ὀλίγῳ „nächstens" wie JosAnt XVIII 145; siehe auch unten A. 107; ferner H. BALZ, ὀλίγος, in: EWNT II 1238–1240, näherhin 1240.

[100] με πείθεις „du überredest mich" (vgl. BAUERWb s.v. πείθω 1b).

[101] Χριστιανὸν ποιῆσαι heißt entweder (mit HAENCHEN und CONZELMANN): „einen Christen (zu) spielen" (vgl. 3 Kg 20,7) oder (mit HARLÉ, Private-Joke 532; vgl. BAUERWb s.v. πείθω 1b): „(aus mir) einen Christen (zu) machen" (vgl. Mt 23,25: „Proselyten machen"). Für die erste Bedeutung spricht, daß die Antwort des Paulus (V 29) mit γενέσθαι die „spielerische" Aussage des Königs ins Ernsthafte zu wenden scheint.

[102] Aber sie knüpft an sie an: Den Schritt, den Propheten zu glauben, vollzieht Agrippa mit, aber nicht den (eines Christen), an die Erfüllung prophetischer Weissagungen in Christus zu glauben.

[103] Vgl. dazu HARRY, 'Εν ὀλίγῳ (1946). HARLÉ, Private-Joke (1978), zeigt in bezug auf die VV 28f, daß sie spiegelbild-artig aufeinander bezogen sind (531f).

der König dem Redner sagen, „daß er sich einbilde, ihn im Handumdrehen zu einem Christen machen zu können“[104]? Oder bekennt Agrippa unter dem Eindruck der Argumentation, die das Christentum als legitime Fortsetzung des Judentums versteht, „daß Paulus ihn selber nächstens bekehren werde“[105]? Auf jeden Fall nimmt Paulus selbst die Aussage des Königs ernst, wie der folgende Vers deutlich macht.

V 29 Paulus entgegnet – und mit diesem Wort wird der gesamte Komplex der Verteidigungsreden des Paulus in ein „missionarisches“ Licht gerückt –, er habe den sehnlichen Wunsch vor Gott[106], daß nicht nur Agrippa, sondern alle Hörer seiner Worte früher oder später[107] Christen werden. Der Missionar Paulus, der nun Palästina verlassen wird, vertraut darauf, daß nach seinem Weggehen die Botschaft weiterwirkt, und zwar – wie er hofft – auch bei den Juden[108]. Paulus endet mit einem ähnlich ironischen Akzent wie Agrippa[109]: Er sagt nicht „*Christen* werden“, sondern „werden, *wie ich bin*“[110], und er fügt hinzu: „abgesehen von diesen Fesseln“[111]. So steht vor den Augen des Lesers weiterhin der *gefangene* Paulus. Und der Leser kann erkennen: Die Predigt des Paulus wirkt weiter, auch wenn er nicht mehr anwesend sein wird[112].

VV 30–32 Jetzt steht der König auf, zusammen mit ihm auch der Statthalter und die Schwester des Königs, ferner die übrigen Teilnehmer[113] der Prunkszene (V 30). Man zieht sich zurück[114] und unterhält sich dabei. Es herrscht Übereinstimmung: Der Gefangene hat nichts getan, was mit dem Tod oder überhaupt mit „Fesseln“ zu bestrafen wäre (V 31). Agrippa sagt

---

[104] So WIKENHAUSER. Er fügt hinzu: „Dieses Wort ist kaum im Ernst, sondern eher in einem gewissen Humor gesprochen.“

[105] So DIBELIUS, Die Reden 148. Er rechnet damit, daß Agrippa „mehr in anerkennender Phrase als in vollem Ernst“ spricht (ebd.).

[106] εὐξαίμην ἄν (potentialer Optativ) wird mit τῷ θεῷ verbunden: „ich möchte zu Gott beten“ bzw. „ich wünschte mir von Gott“. εὔχομαι τῷ θεῷ steht sonst nicht im NT (siehe indessen IgnRom 1,1).

[107] Mit ἐν ὀλίγῳ greift Paulus die Worte Agrippas (V 28b) auf. Zusammen mit ἐν μεγάλῳ bedeutet die Wendung „über kurz oder lang“; vgl. BLASS/DEBR § 195 Anm. 3.

[108] Mit „alle, die mich heute hören,“ sind außer Agrippa auch andere Juden gemeint; freilich sind auch Heiden einbegriffen.

[109] Vgl. HARLÉ, a.a.O. 531–533.

[110] Vielleicht steht hinter dieser Formulierung auch paulinische Tradition. Der Apostel fordert (z.B. 1 Kor 4,16; 11,1; Phil 3,17; 1 Thess 1,6) zur Nachahmung seiner selbst auf, freilich solchen gegenüber, die schon Christen sind.

[111] παρεκτὸς τῶν δεσμῶν τούτων. Die uneigentliche Präposition (mit Genitiv) kommt sonst bei Lukas nicht vor (vgl. indessen Mt 5,32).

[112] Vgl. dazu oben Nr. 49 (zu 20,7–12).

[113] οἱ συγκαθήμενοι αὐτοῖς signalisiert noch einmal den großen Rahmen der Veranstaltung (vgl. 25,23).

[114] ἀναχωρέω „sich zurückziehen, entweichen“ (so auch 18,1 D; 23,19). Nach dem Kontext ist ἀναχωρήσαντες auf Agrippa und Festus zu beziehen. Siehe PLÜMACHER, Lukas 83.

gegenüber dem Statthalter: Man könnte Paulus freilassen[115], wenn er nicht an den Kaiser appelliert hätte (V 32). So endet die Szene mit einer weiteren Unschuldserklärung für Paulus und der Erwartung der Romfahrt des Gefangenen.

E. Die Reise nach Rom (27, 1 – 28, 16)

Der Bericht über die Seereise des Paulus nach Rom stellt eine erzählerische Einheit dar, und zwar nicht nur deswegen, weil er als „Wir"-Bericht konzipiert ist (vgl. 27,1 und 28,16), sondern auch, weil er die Überstellung des gefangenen Paulus von Cäsarea nach Rom, der Residenz des Kaisers, berichtet (vgl. 25,12; 26,32).

Die Schiffsreise erfolgt in drei Etappen. Zuerst wird der Transport auf einem Schiff aus Adramyttium durchgeführt, das bis *Myra* in Lykien segelt (27,1–5). Mit einem alexandrinischen Schiff geht die Fahrt weiter bis zum Schiffbruch vor *Malta* (27,6–44). Auf Malta überwintert die Reisegesellschaft (28,1–10) und setzt dann die Reise auf einem anderen alexandrinischen Schiff bis Puteoli fort (28,11–13). Der Rest der Reise von Puteoli nach *Rom* wird zu Fuß zurückgelegt (28,14–16).

Paulus ist in dem gesamten Seefahrtbericht die Hauptperson. Er ergreift – als einziger – mehrfach das Wort: Angesichts der Herbststürme sagt er voraus, daß man sich bei Fortsetzung der Fahrt großen Gefahren aussetze (27,10). Der Seesturm bestätigt die Berechtigung der Warnung des Paulus; der Gefangene sagt voraus, daß dennoch nur das Schiff untergehen werde. Ein Engel Gottes hat ihm zugesagt, er werde vor den Kaiser treten, und alle Mitreisenden würden gerettet werden (27,21–26). Ein drittes Mal spricht Paulus, als er dem Hauptmann einen Rat gibt und die Mitreisenden zum Essen auffordert (27,31.33f). Auch hier macht er eine Voraussage über die Rettung der Passagiere (V 34).

Der Seefahrtbericht 27,1 – 28,16 erzählt von drei lebensgefährlichen Situationen für Paulus (und teilweise auch für seine Begleiter). Die erste Lebensgefahr bestand in dem *Seesturm,* der die Hoffnung auf Rettung zum Schwinden brachte (27,20). Bei dem *Schiffbruch* vor Malta wollten die Soldaten alle Gefangenen töten, damit sie nicht entkommen könnten (27,42). Schließlich droht Paulus der Tod durch den *Biß einer Schlange* (28,3–6).

Dem Thema „Lebensgefahr" entspricht das Thema „Rettung". Es wird durch die Häufung von Vokabeln des Stammes σῴζω deutlich: σῴζω 27,20.31; διασῴζω 27,43.44; 28,1.4; σωτηρία 27,34. Beim Schwinden der

[115] „Auf Freispruch folgt normalerweise Freilassung, und auch Pl könnte eigentlich freigelassen werden, läßt Lk den Agrippa zum Schluß der Szene betonen (V 32), nur äußerliche Gründe – die Appellation – verhindern das" (PLÜMACHER, Lukas 83).

Hoffnung auf Rettung aus der Seenot (27,20) ermuntert Paulus die Reisegefährten (V 22). Beim Schiffbruch gibt er die Anweisungen, die zur Rettung führen (VV 31.34). Schließlich werden alle ans Land gerettet (27,44; 28,1.4). Die heidnischen Bewohner von Malta wollen in Paulus einen Gott sehen (28,6); doch beruht die „rettende" und „heilende" Macht des Paulus in Wirklichkeit darauf, daß er Gott gehört und in seinem Dienst steht (27,23). Gott hat ihm „alle geschenkt", die mit ihm reisen (V 24). Und von Paulus heißt es im Bericht zweimal, daß er „Gott dankte" – die einzigen Vorkommen von εὐχαριστέω in der Apostelgeschichte (27,35; 28,15), die an das doppelte εὐχαριστήσας vor dem Weggang Jesu (Lk 22,17.19) erinnern. (Zur Quellenkritik des Romfahrtberichts siehe Nr. 65).

65. PAULUS REIST ZUR SEE BIS MYRA IN LYKIEN: 27,1–5

LITERATUR: *A. Über 27,1–5 hinausgehend* (Romreise des Paulus): J. SMITH, The Voyage and Shipwreck of St. Paul (1848; [4]1880; Neudruck Grand Rapids 1978). – J. BREUSING, Die Nautik der Alten (Bremen 1886). – H. BALMER, Die Romfahrt des Apostels Paulus und die Seefahrtskunde im römischen Kaiserzeitalter (Bern–Münchenbuchsee 1905). – CH. VOIGT, Die Romfahrt des Apostels Paulus, in: Hansa 53 (1916) 725–732. – WIKENHAUSER, Die Apostelgeschichte und ihr Geschichtswert (1921) 412–420. – L. DAVIES, St. Paul's Voyage to Rome (Swansea/London 1931). – F. BRANNIGAN, Nautisches über die Romfahrt des heiligen Paulus, in: ThGl 25 (1933) 170–186. – A. KÖSTER, Studien zur Geschichte des antiken Seewesens (Klio, Beiheft 31) (Leipzig 1934). – L. CASSON, The Isis and Her Voyage, in: Transactions and Proceedings of the American Philol. Ass. 81 (1950) 43–56. – DIBELIUS, Die Apostelgeschichte im Rahmen der urchristlichen Literaturgeschichte (1951) 172–174. – METZGER, Les routes ([2]1956) 54–58. – B. SCHWANK, „Und so kamen wir nach Rom" (Apg 28,14). Reisenotizen zu den letzten beiden Kapiteln der Apostelgeschichte, in: Erbe und Auftrag 36 (1960) 169–192. – HAENCHEN, Das „Wir" in der Apostelgeschichte (1961) 256–260. – J. CRETEN, Voyage de S. Paul à Rome (Jérusalem par Césarée à Rome en 61), in: Studiorum Paulinorum Congressus 1961, Bd. II (AnBibl 18) (Rom 1963) 193–196. – E. HAENCHEN, Acta 27, in: Zeit und Geschichte (Festschr. für R. Bultmann) (Tübingen 1964) 235–254. – C. TORR, Ancient Ships, ed. by A. J. Podlecki (Chicago 1964). – J. ROUGÉ, Recherches sur l'organisation du commerce maritime en méditerranée sous l'empire Romain (Paris 1966). – R. P. C. HANSON, The Journey of Paul and the Journey of Nikias. An Experiment in Comparative Historiography, in: StEv IV/1 (1968) 315–318. – P. POKORNÝ, Die Romfahrt des Paulus und der antike Roman, in: ZNW 64 (1973) 233–244. – RADL, Paulus und Jesus (1975) 222–251. – G. B. MILES/G. TROMPF, Luke and Antiphon: The Theology of Acts 27–28 in the Light of Pagan Beliefs about Divine Retribution, Pollution, and Shipwreck, in: HThR 69 (1976) 259–267. – KRATZ, Rettungswunder (1979) 320–350. – D. LADOUCEUR, Hellenistic Preconceptions of Shipwreck and Pollution as a Context for Acts 27–28, in: HThR 73 (1980) 435–449. – DOCKX, Luc (1981) 393–396.

B. Zu 27,1–5: W. GEORGI, Pauli Reisegefährten nach Rom, in: Lehre und Wehre (St. Louis, Mo.) 70 (1924) 186–194. – R. HARRIS, Adramyttium, in: The Contemporary Review 128 (1925) 194–202. – BRANNIGAN, Nautisches (1933; s.o. unter A) 174f. – J. ROUGÉ, Actes 27,1–10, in: VigCh 14 (1960) 193–203. – KRAFT, Sahidic Parchment Fragment (1975) [zu VV 4–13].

1 [a]Als unsere[b] Abfahrt nach Italien feststand[a], wurden Paulus und einige andere Gefangene einem Hauptmann der kaiserlichen Kohorte namens Julius übergeben. 2 Wir bestiegen ein Schiff aus Adramyttium, das die Orte längs der Küste von Asia anlaufen sollte, und fuhren ab; bei uns war Aristarch, der Mazedonier aus Thessalonich[c]. 3 Am anderen Tag liefen wir in Sidon ein; Julius behandelte Paulus wohlwollend und erlaubte ihm, zu seinen Freunden zu gehen und sich versorgen zu lassen. 4 Von dort fuhren wir weiter und umsegelten Zypern, weil wir Gegenwind hatten. 5 Wir fuhren durch das Meer längs der Küste von Kilikien und Pamphylien[d] und erreichten Myra in Lykien.

Der *Seefahrtbericht 27,1 – 28,16* ist in der „Wir"-Form gehalten. Im Vergleich mit den übrigen „Wir"-Berichten der Apostelgeschichte[1] wirkt er jedoch wie eine wirkliche Schilderung der Reise[2]. Außerdem läßt sich sagen, daß er „ein durchaus literarischer Text" ist[3]. M. Dibelius konnte zeigen, daß die Paulus-Stellen des Berichts als Einschübe in einen Reisebericht erscheinen[4]. E. Haenchen und H. Conzelmann sind ihm in dieser Auffassung gefolgt[5]. Es handelt sich dabei um die folgenden Stücke: 27,9–11.21–26.31.33–36, ferner um einen Teil von 27,43[6].

Betrachtet man den Reisebericht, wie er nach Ausscheidung der durch Lukas eingefügten Paulusstücke erscheint, so bleibt ein Seefahrtbericht in

---

[a] Der Anfang von V 1 (a – a) fehlt in h sy[p.h.mg], weil 26,32 schon berichtet hatte, daß Paulus zum Kaiser geschickt werden sollte; siehe oben Nr. 64 A. n.
[b] Statt ἡμᾶς lesen P 6. 326. 2495* pc τοὺς περὶ τὸν Παῦλον. Vgl. 13,13; 21,8 t.r.
[c] 614. 2495 pc sy[h] lesen: „aus Thessalonich Aristarch und Sekundus"; vgl. 20,4.
[d] 614. 2147 pc h vg[mss] sy[h**] fügen an δι' ἡμερῶν δεκαπέντε „fünfzehn Tage lang". Vgl. METZGERTC 497.
[1] Siehe dazu oben I 89–95.
[2] Vgl. CONZELMANN zu 27,1, der von „der einzigen Schilderung einer Reise im Buch" spricht.
[3] So DIBELIUS, Die Apostelgeschichte im Rahmen der urchristlichen Literaturgeschichte (1951) 174; vgl. schon NORDEN, Agnostos Theos 313f.323f.
[4] DIBELIUS, a.a.O. 173f. Er stellt (a.a.O. 173) fest: In den 54 Versen des Reiseberichts (27,1–44; 28,1.2; 28,7–14) behandeln „nur 18 Verse die Tätigkeit des Paulus". (Die Paulus-Stelle 28,3–6 zählt Dibelius nicht mit, gleichfalls nicht 28,15f.) Dann gibt er jedoch nur 15 Paulusverse an: 27,9–11.21–26.31.33–36.43. Die restlichen drei sind 27,1.3; 28,8.
[5] HAENCHEN, Apg 678–680; CONZELMANN, Apg (zu VV 9–11.21–26.31.33.42f). Siehe auch HAENCHEN, Acta 27 (1964). Nach HAENCHEN, Apg 680, geben gerade die eingeschobenen Paulusreden dem Bericht „den Charakter des Literarischen"; nicht schon ein „profanes" Modell tut dies. Auch ROLOFF, Apg 358, führt die Paulus-Szenen auf Lukas zurück, hält aber den übrigen (vor-lukanischen) Text für einen auf Aristarch (vgl. V 2) zurückgehenden Bericht, zu dem auch 28,1.11–13.14b.16b gehörten.
[6] Zur Begründung, daß die Worte βουλόμενος διασῶσαι τὸν Παῦλον 27,43 lukanischer Einschub sind, siehe DIBELIUS, a.a.O. 173. Außer den genannten Paulus-Stellen sind noch 27,1.3; 28,3–6.8.15f zu berücksichtigen; siehe oben A. 4.

der „Wir"-Form[7], der mit einem Schiffbruch endet, „eine literarische Komposition profaner Art"[8]. Wieweit der nicht auf Paulus bezogene Teil der Erzählungen vom Malta-Aufenthalt (28,1–10) und der anschließenden Fahrt nach Rom (28,11–16) diesem Bericht schon angehörte – in Frage kommen etwa die VV 1f.10 und 11–13.14b –, ist schwerer zu entscheiden. Die Paulus-Stücke 28,3–6.7–9 lassen vergessen, daß Paulus Gefangener ist und sich unter militärischer Bewachung befindet[9].

Der Gesamtbericht (einschließlich der Paulusstellen) zeigt Analogien zum antiken Mysterien-Roman[10]. Doch spricht man besser – falls überhaupt – von einer „polemischen" Analogie[11]. Neuerdings wurde der Gesamtbericht der Romreise mit Denkvoraussetzungen in Zusammenhang gebracht, die sich im Griechentum bezeugt finden und auf die Formel „divine retribution, pollution, and shipwreck" gebracht werden können[12]. In dieser Konzeption wird die Errettung vom Schiffbruch als Beweis für die Schuldlosigkeit des Geretteten angesehen; denn ein Verbrecher würde der göttlichen Vergeltung (vgl. δίκη Apg 28,5) nicht entgangen sein. In der Tat betont der Seefahrtbericht der Acta, daß alle um des Paulus willen gerettet wurden (28,24.44). Und zu der „apologetischen" Ausrichtung des Schlußteils der Apostelgeschichte paßt ein solcher Gedanke, der aufs neue die Unschuld des Paulus unterstreicht, vorzüglich. In der Tat ist der Bericht vornehmlich an der Person des Paulus und an *seiner* Rettung (27,43a) interessiert; die übrigen Menschen werden um des Paulus willen (V 24b) gerettet. Doch ist der Hauptgedanke nicht die „Unschuld" des Gefangenen, sondern, daß er – nach Gottes Plan – „vor den Kaiser hintreten" soll (V 24a).

Die erste Etappe der Romreise reicht von der Einschiffung des Paulus und anderer Gefangener *(27,1f)* bis zum Einlaufen des Schiffes im Hafen von Myra *(V 5)*. Dazwischen liegen die Angaben über einen Aufenthalt in Si-

---

[7] Siehe DIBELIUS, a.a.O. 174: „Das ‚Wir', das in solchen Reiseschilderungen keineswegs auffällt, ist also alles andere als das Anzeichen einer unliterarischen Reiseaufzeichnung aus dem Paulus-Kreise. Es ist in eine literarische Schilderung eingesetzt, um zu zeigen, daß der Verfasser bei der Reise dabei war." Vgl. CONZELMANN, Apg 156: „Die erste Person Plural ist in diesen Schilderungen stereotyp."

[8] DIBELIUS, a.a.O. 174.

[9] Siehe CONZELMANN zu 28,2.

[10] Siehe POKORNÝ, Romfahrt (1973), im Anschluß an die Arbeit von R. MERKELBACH, Roman und Mysterium in der Antike (München/Berlin 1962). POKORNÝ, a.a.O. 237: „Die unbestreitbaren Berührungspunkte der Romane mit den Mysterien sind m.E. vor allem dadurch entstanden, daß man im Roman versucht hat, die Grundprobleme und Krisen der menschlichen Existenz (Tod, Trennung der Liebenden, Beraubung, Angst vor den Göttern) durch den Hinweis auf die in den Mysterien gewonnenen Erlebnisse zu lösen."

[11] Vgl. POKORNÝ, a.a.O. 235f. Siehe auch RADL, Paulus und Jesus 224–251.

[12] MILES/TROMPF, Luke and Antiphon (1976), mit Hinweis auf Antiphon, De caed. Herod. 82f; LADOUCEUR, Hellenistic Preconceptions (1980), mit Hinweis auf Andocides, De myst. 137–139, u.a.m.

don *(V 3)* und die Fahrt an Zypern vorbei *(V 4)*. In diesem kurzen Reisebericht sind folgende Versteile eng mit der Person des Paulus verbunden: VV 1.2b.3b. Die übrigen Stücke können als ursprünglicher Anfang des Reiseberichts angesehen werden: VV 2a.3a.4.5.

V 1 Der Bericht beginnt mit einer Notiz über den Beschluß des Statthalters[13], daß Paulus und andere Gefangene[14] nach Italien abreisen sollten. Die Wendung ἀποπλεῖν ἡμᾶς kennzeichnet den Beginn eines „Wir"-Berichts. Wer die ἡμεῖς sind, wird nicht gesagt. V 2b läßt daran denken, daß Aristarch dazu gehört. Lukas stellt sich die Begleiter des Paulus wohl als eine Gruppe von Freunden vor, die ihm freiwillig folgen[15]. Jedenfalls sind Paulus und die übrigen Gefangenen, die dem Centurio Julius aus der kaiserlichen Kohorte[16] übergeben werden, nicht die einzigen Schiffspassagiere.

V 2 Die Passagiere gehen an Bord[17] eines Schiffes aus Adramyttium[18], das Häfen der Provinz Asia[19] anlaufen soll (V 2a). Zu den Mitreisenden gehört auch der von 20,4 her bekannte Mazedonier Aristarch[20] aus Thessalonich. Daß er als Mitreisender genannt ist, will der Acta-Verfasser wohl als Hinweis darauf verstanden wissen, wie er zu seinen Informationen über die Romreise gekommen ist[21].

V 3 Am folgenden Tag geht das Schiff in Sidon[22] an Land, wahrscheinlich, um zusätzliche Fracht aufzunehmen. Die Entfernung Cäsarea – Sidon beträgt etwa 70 Seemeilen. Der Centurio Julius erweist sich Paulus ge-

---

13 ἐκρίθη läßt das handelnde Subjekt offen (siehe indessen den „westlichen" Text zu 26,32: der Statthalter; vgl. oben Nr. 64 A. n), desgleichen παρεδίδουν („*man* übergab"). Gemeint ist die römische Behörde.

14 δεσμώτης „Gefangener" begegnet pluralisch auch 27,42.

15 Sie brauchten eine Sondergenehmigung des Statthalters; siehe LOISY, Actes 908.

16 *Augusta* (Σεβαστή) ist öfter Ehrentitel für Auxiliarkohorten. Vgl. OGIS 421; siehe auch CONZELMANN; ferner oben Nr. 62 A. 21. – Bei dem Hauptmann ist nur der Gentilname Ἰούλιος/Julius angegeben (so auch V 3).

17 ἐπιβαίνω mit Dativ πλοίῳ: „an Bord eines Schiffes gehen", wie Thucydides, Hist. VII 70,5. Siehe auch Apg 21,2 (absolut).

18 Ἀδραμυττηνός ist als Adjektiv von Ἀδραμύττειον/Adramyttium abgeleitet, einem guten Hafen am Ägäischen Meer in Mysien, südlich von Troas. Vgl. HARRIS, Adramyttium (1925); E. KIRSTEN, Adramyttion, in: KlPauly I 73f (Lit.).

19 Die κατὰ τὴν Ἀσίαν τόποι sind die Häfen entlang der Küste von Asia. κατά ersetzt hier den Genitiv wie 26,3; vgl. BAUERWb s.v. II 7c.

20 Siehe auch 19,29. Phlm 24 nennt ihn als Mitarbeiter des Paulus. Kol 4,10 setzt voraus, daß er sich mit Paulus in Gefangenschaft befand. Vielleicht stellt sich auch Lukas den Aristarch als Gefangenen vor: 27,1f.6.

21 Mit CONZELMANN.

22 Σιδών/Sidon, die alte phönizische Hafenstadt zwischen Berytos (Beirut) und Tyrus, wird im NT häufig zusammen mit Tyrus genannt (auch Lk 6,17; 10,13f; vgl. 4,26; Apg 12,20). Apg 27,3 setzt die Existenz einer Christengemeinde voraus (vgl. 11,19).

genüber als entgegenkommend[23] und erlaubt dem Gefangenen, seine Freunde aufzusuchen[24]. Der Gefangene kann sich so von den Glaubensgenossen versorgen lassen[25].

VV 4–5 Von Sidon fährt das Schiff an Zypern vorbei, und zwar östlich der Insel[26]; denn man hatte Gegenwind[27] (V 4). Dann geht die Route an der Küste von Kilikien und Pamphylien entlang[28] zu dem wichtigen Umschlagplatz Myra in Lykien[29]. Dort wechselt der Gefangenentransport das Schiff (siehe V 6)[30].

66. SEEREISE NACH ITALIEN. SCHIFFBRUCH BEI MALTA: 27, 6–44

Literatur (neben der Literatur zu Nr. 65 A): J. von Goerne, Der Schiffbruch des Apostels Paulus, vom seemännischen Standpunkt erläutert, in: NKZ 9(1898)352–375. – Balmer, Romfahrt (1905; s. o. Nr. 65 A) 296–423.465–475. – F. Zorell, Sprachliche Randnoten zum NT 1. Apg 27,44, in: BZ 9(1911)159 f. – W. Stammler, Des Apostels Paulus Schiffbruch in nautischer Beleuchtung, in: Forschungen und Fortschritte 7(1931)235 f. – H. J. Cadbury, Ὑποζώματα, in: Beginnings V(1933)345–354 [zu VV 16 f]. – K. Lake/H. J. Cadbury, The Winds: ebd. 338–344 [zu VV 12–14]. – B. Reicke, Die Mahlzeit mit Paulus auf den Wellen des Mittelmeers, Act. 27,33–38, in: ThZ 4(1948)401–410. – C. Lattey, The Harbour Phoenix, in: Scripture 4(1949–1951)144–146. – R. M. Ogilvie, Phoenix, in: JThSt 9(1958)308–314. – L. Casson, Ships and Seamenship in the Ancient World (Princeton 1971). – B. Schwank, „Wir umsegelten Kreta bei Salmone". Reisebe-

---

[23] φιλανθρώπως … χρησάμενος ἐπέτρεψεν „freundlich … behandelnd erlaubte er". Die Wendung „menschenfreundlich behandeln" ist im Hellenismus häufig belegt; siehe BauerWb s. v. φιλανθρώπως.

[24] Mit φίλοι bezeichnet die Erzählung die Mitchristen des Paulus (in der Sicht des Centurio?). Siehe auch oben Nr. 59 A. 75.

[25] ἐπιμελείας τυχεῖν „sich der Fürsorge zu erfreuen". τυγχάνω steht bei Lukas häufig: mit Genitiv der Sache auch 24, 2; 26, 22; Lk 20, 35.

[26] ὑποπλέω mit Akkusativ „daruntherhin segeln", d. h. „im Windschatten von … fahren"; englisch: „sail under the lee of". So auch 27, 7 (von der Insel Kreta).

[27] Die „Gegenwinde" sind die dort im Herbst herrschenden Nordwestwinde; Conzelmann. Die Getreideschiffe aus Ägypten fahren zur Westspitze von Zypern und von dort nach Myra.

[28] τὸ πέλαγος τὸ κατὰ τὴν κτλ. Vor Kilikien und Pamphylien wehen im Herbst die Winde häufig im rechten Winkel zur Küste (tags von der See, nachts vom Land); dazu kommt eine Westströmung. So wird die Fahrt nach Westen möglich. Siehe Breusing, Die Nautik 155 f; Balmer, Romfahrt 294; Brannigan, Nautisches 171.175.

[29] Μύρα/Myra, die wichtige Stadt an der Südküste von Lykien, wird im NT nur hier erwähnt (vgl. indessen Apg 21, 1 D); sie war Zwischenstation für Getreideschiffe von Alexandria nach Rom. Die Stadt selbst lag 3,5 km von der Küste entfernt, der zugehörige Hafenort war Andriake. Siehe G. Neumann, Myra, in: KlPauly III 1518 f; J. Borchhardt (Hrsg.), Myra. Eine Lykische Metropole in antiker und byzantinischer Zeit (Berlin 1975). – Auch Λυκία/Lykien wird im NT nur hier genannt; siehe dazu Schultze, Städte und Landschaften II/2 (1926) 188–209.

[30] Das Schiff sollte die Häfen der Provinz Asia anlaufen (V 2) und hatte wohl den Heimathafen Adramyttium als Ziel.

richt zu Apg 27,7–12, in: Erbe und Auftrag 48(1972)16–25. – WANKE, Beobachtungen (1973) 25–30 [zu V 35]. – J. D. CLARK, What Went Overboard First?, in: The Bible Translator 26(1975)144–146 [zu V 18]. – C. J. HEMER, Euraquilo and Melita, in: JThSt 26(1975)100–111. – MULLINS, Commission Forms (1976) [zu VV 21–26]. – G. MENESTRINA, Nota [ναῦς, V 41], in: Bibbia e Oriente 20 (1978) 134.

6 Dort fand der Hauptmann ein alexandrinisches Schiff, das nach Italien fuhr, und er brachte uns an Bord. 7 Viele Tage kamen wir nur langsam vorwärts, und mit Mühe erreichten wir die Höhe von Knidos. Da uns der Wind nicht herankommen ließ, umsegelten wir Kreta [a]*bei Salmone*[a]*, 8 fuhren unter großer Mühe an seiner Küste entlang und erreichten einen Ort namens Kaloi Limenes, in dessen Nähe die Stadt Lasäa*[b] *liegt.*
9 Da inzwischen längere Zeit vergangen und die Schiffahrt schon unsicher geworden war – sogar das Fasten war schon vorüber –, warnte Paulus 10 und sagte: Ihr Männer, ich sehe, daß die Fahrt mit Gefahr und großem Schaden verbunden sein wird, nicht nur für die Ladung und das Schiff, sondern auch für unser Leben. 11 Der Hauptmann jedoch glaubte dem Steuermann und dem Kapitän mehr als den Worten des Paulus. 12 Weil nun der Hafen zum Überwintern ungeeignet war, beschloß die Mehrheit weiterzufahren, um nach Möglichkeit Phönix zu erreichen, einen Hafen von Kreta, der nach Südwesten und Nordwesten offen ist; dort wollten sie überwintern. 13 Als ein leichter Südwind aufkam, meinten sie, ihr Vorhaben sei schon geglückt; sie lichteten den Anker und fuhren dicht an Kreta entlang.
14 Doch kurz darauf brach von der Insel herab ein Orkan los, Eurakylon[c] *genannt. 15 Das Schiff wurde mitgerissen, und weil es nicht mehr gegen den Wind gedreht werden konnte, gaben wir auf*[d] *und ließen uns treiben. 16 Während wir unter einer kleinen Insel namens Kauda*[e] *hinfuhren, konnten wir das Beiboot nur mit Mühe in die Gewalt bekommen. 17 Die Matrosen hoben es hoch, dann sicherten sie das Schiff, indem sie Taue darumspannten. Weil sie fürchteten, in die Syrte zu geraten, ließen sie den Treibanker*[f] *hinab und trieben so dahin. 18 Da wir vom Sturm*

[a] κατὰ Σαλμώνην fehlt in 614. 2147. 2495 pc (h).
[b] (א*) Ψ Koine lesen Λασαία, ähnlich (Itazismus?) B 33. 1175 al Λασέα bzw. 36. 81. 453. 945 pc Λασία. A sy h.mg sa bezeugen den Namen Αλασσα, lat *Thalassa*.
[c] Statt Εὐρακύλων (P⁷⁴ א A B* latt) lesen Ψ Koine sy εὐροκλύδων (vgl. BAUERWb s. v.: „wohl nur als Schreibfehler anzusehen"). Siehe auch GNT z. St.
[d] Nach ἐπιδόντες fügen einige „westliche" Zeugen an: τῷ πνέοντι (πλέοντι) καὶ συστείλαντες τὰ ἱστία („[gaben wir] dem Wind [nach] und zogen die Segel ein"). Siehe METZGERTC 497.
[e] Koine liest Κλαύδην statt Καῦδα (bzw. Ψ: Γαύδην). Vielleicht ist Kauda die lateinische, Klauda die alexandrinische Namensform; vgl. METZGERTC 498.
[f] Statt τὸ σκεῦος lesen 2495 pc s (sy p) τὰ ἱστία („die Segel herablassen"). χαλάω τὸ σκεῦος ist seemännischer Fachausdruck; vgl. V 30 χ. τὴν σκάφην.

hart bedrängt wurden, erleichterten sie am nächsten Tag das Schiff. 19 Und am dritten Tag warfen sie eigenhändig die Schiffsausrüstung über Bord[g]*. 20 Mehrere Tage hindurch zeigten sich weder Sonne noch Sterne, und der heftige Sturm hielt an. Schließlich schwand uns alle Hoffnung auf Rettung.*

21 Niemand wollte mehr essen; da trat Paulus mitten unter sie und sagte: Ihr Männer, man hätte auf mich hören und von Kreta nicht abfahren sollen, dann wären uns dieses Unglück und der Schaden erspart geblieben. 22 Doch jetzt ermahne ich euch, guten Mutes zu sein. Keiner von euch wird sein Leben verlieren; nur das Schiff wird untergehen. 23 Denn in dieser Nacht trat zu mir ein Engel des Gottes, dem ich gehöre und dem ich diene, 24 und sprach: Fürchte dich nicht, Paulus! Du mußt vor den Kaiser treten; und siehe, Gott hat dir alle geschenkt, die mit dir fahren. 25 Habt also Mut, Männer! Denn ich vertraue auf Gott, daß es so kommen wird, wie mir gesagt worden ist. 26 Wir müssen allerdings an einer Insel stranden.

27 Als wir schon die vierzehnte Nacht auf der Adria trieben, vermuteten die Matrosen um Mitternacht, daß sich ihnen Land nähere. 28 Sie warfen das Lot aus und maßen zwanzig Faden; kurz danach loteten sie nochmals und maßen fünfzehn Faden. 29 Weil sie fürchteten, wir könnten auf Klippen laufen[h]*, warfen sie vom Heck aus vier Anker und wünschten den Anbruch des Tages herbei. 30 Als jedoch die Matrosen unter dem Vorwand, sie wollten vom Bug aus Anker auswerfen, vom Schiff zu fliehen versuchten und das Beiboot ins Meer hinunterließen, 31 sagte Paulus zum Hauptmann und zu den Soldaten: Wenn sie nicht auf dem Schiff bleiben, könnt ihr nicht gerettet werden. 32 Da kappten die Soldaten die Taue des Bootes und ließen es forttreiben. 33 Bis in die Morgendämmerung hinein ermunterte Paulus alle, etwas zu essen, und sagte: Heute ist schon der vierzehnte Tag, daß ihr ausharrt, ohne auch nur die geringste Nahrung zu euch zu nehmen. 34 Deswegen rate ich euch, etwas zu euch zu nehmen; das ist gut für eure Rettung. Denn keinem von euch wird auch nur ein Haar von seinem Kopf verlorengehen*[i]*. 35 Nach diesen Worten nahm er Brot, dankte Gott vor den Augen aller, brach es und begann zu essen*[k]*. 36 Da faßten alle Mut und aßen ebenfalls. 37 Wir waren im ganzen 276 Menschen an Bord. 38 Nachdem sie sich satt gegessen hatten, warfen sie das Getreide ins Meer, um das Schiff zu erleichtern.*

---

[g] Hinter ἔρριψαν fügen 614. 2147 (pc) it vg^{mss} sy^{h**} sa an: εἰς τὴν θάλασσαν.

[h] κατὰ τραχεῖς τόπους „auf felsige Stellen" wird in P^{74} 104. 2495 pc durch κ. βραχεῖς τ. ersetzt („auf enge [?] Stellen").

[i] Statt ἀπολεῖται lesen Ψ Koine gig sy^{h} sa πεσεῖται, vielleicht beeinflußt von Mt 10,29 f (siehe indessen Lk 21,18: ἀπόληται).

[k] 614. 2147 pc sy^{h**} sa fügen an: „nachdem er auch uns abgegeben hatte".

39 Als es nun Tag wurde, war den Matrosen das Land unbekannt; sie entdeckten jedoch eine Bucht mit flachem Strand; auf ihn wollten sie, wenn möglich, das Schiff auflaufen lassen[l]*. 40 Sie machten die Anker los und ließen sie im Meer zurück. Zugleich lösten sie die Haltetaue der Steuerruder, hißten das Vordersegel und hielten mit dem Wind auf den Strand zu. 41 Als sie aber auf eine Sandbank gerieten, strandeten sie mit dem Schiff; der Bug bohrte sich ein und saß unbeweglich fest, das Heck aber drohte in der Brandung*[m] *auseinanderzubrechen. 42 Da beschlossen die Soldaten, die Gefangenen zu töten, damit keiner schwimmend entkommen könne. 43 Der Hauptmann aber wollte Paulus retten und hinderte sie an ihrem Vorhaben. Er befahl, daß zuerst alle, die schwimmen konnten, über Bord springen und an Land gehen sollten, 44 dann die übrigen, teils auf Planken, teils auf anderen Schiffstrümmern. Und so geschah es, daß alle ans Land gerettet wurden.*

Der Seefahrtbericht 27,6–44 setzt mit der Abfahrt von Myra ein und endet mit dem Schiffbruch des alexandrinischen Schiffes vor der Insel Malta. Alle Passagiere werden gerettet. In dem Bericht lassen sich folgende Abschnitte unterscheiden: die Fahrt von Myra bis Kaloi Limenes auf Kreta *(VV 6–8)*, die gefährliche Weiterfahrt an Kreta entlang *(VV 9–13)*, der Seesturm *(VV 14–20)*, die Ansprache des Paulus an die Mitreisenden und seine Voraussage, man werde an einer Insel stranden *(VV 21–26)*, die ermunternde Rede des Paulus angesichts der bevorstehenden Strandung *(VV 27–38)*, der Schiffbruch vor Malta und die Rettung aller Passagiere *(VV 39–44)*. In einen älteren Reisebericht sind folgende Paulus-Stücke eingefügt: VV 9–11.21–26.31.33–36 und Teile von V 43[1].

So steht Paulus im Mittelpunkt der Erzählung. „Kaum ist er der Auslieferung an die Juden entgangen, da droht auf der Fahrt nach Rom ein Sturm, ihn und das ganze Schiff zu vernichten. Paulus allein sieht die Gefahr voraus und warnt; um seinetwillen rettet Gott auch die Mitreisenden.“[2] Schon auf Kreta warnt Paulus vor der Weiterfahrt, da sie mit Lebensgefahr verbunden ist; doch Steuermann und Kapitän riskieren die Fahrt (VV 9–11). Als dann der Seesturm mehrere Tage getobt hat und alle die Hoffnung auf Rettung aufgegeben haben, spricht Paulus den Mitreisenden Mut zu: Man hätte auf ihn hören sollen; doch nun kündigt er an, was ihm ein Engel offenbarte. Das Schiff wird zwar stranden; doch alle kommen mit dem Leben davon (VV 21–26). Beim Schiffbruch vor Malta

[l] Statt ἐξῶσαι (von ἐξωθέω) lesen B* C pc ἐκσῶσαι (von ἐκσῴζω „in Sicherheit bringen“). Siehe METZGERTC 500.
[m] ὑπὸ τῆς βίας τῶν κυμάτων „von der Gewalt der Wogen“ lesen P[74] ℵ[c] C Koine sy. – τῶν κ. wird von ℵ* A B, τῆς β. von Ψ 2464 weggelassen; gig vg lesen *vi maris*.
[1] Siehe dazu oben Nr. 65 (mit Anmerkungen 4–6). In 27,43 gehen wohl nur die Worte „willens, Paulus zu retten“ auf Lukas zurück. Siehe DIBELIUS, Aufsätze 173.
[2] HAENCHEN, Apg 678.

gibt Paulus den entscheidenden Hinweis zur Rettung (V 31), als die Matrosen vom Schiff fliehen wollen. Wieder ermuntert er die Mitreisenden; er fordert sie auf, etwas zu essen (VV 33–36). Die Worte des gefangenen Paulus warnen vor der Lebensgefahr (V 10), sie gewähren und bestärken die Hoffnung auf Rettung (vgl. VV 20.31.34). Schließlich führen sie zur Rettung aller (V 44)[3].

V 6 In Myra findet der für den Gefangenentransport verantwortliche Hauptmann[4] ein alexandrinisches Schiff[5], das nach Italien[6] fahren soll. Es handelt sich um ein Getreideschiff, das wohl von Alexandria ausgelaufen ist: Beim späteren Schiffbruch wirft man das Getreide ins Meer (V 38). An der Zusammensetzung der Schiffsbesatzung hat der ältere Bericht kein Interesse; jedoch lassen die lukanischen Einschaltungen ein solches erkennen (siehe V 11)[7]. Die Gefangenen[8] werden vom Hauptmann auf dieses Schiff gebracht[9].

VV 7–8 Viele Tage[10] kommt das Schiff nur langsam voran[11]. Nur mit Mühe[12] erreicht es die Höhe von Knidos[13] (V 7 a). Der Wind läßt es nicht

---

[3] Die Terminologie der „Rettung“ tritt hervor: σῴζω 27,20.31; διασῴζω 27,43.44; 28,1.4; σωτηρία 27,34.

[4] Der ἑκατοντάρχης (namens Julius) spielt in dem Bericht nächst Paulus die Hauptrolle: 27,1.6.11.31.43 (vgl. 28,16 v.l.). Jedoch werden nicht alle Erwähnungen seiner Person redaktionell sein. Zum älteren Bericht gehören jedenfalls „Gefangene“ und ein „Hauptmann“ (siehe DIBELIUS, Aufsätze 173, zu 27,43): 27,6.43. Vgl. auch das Substantiv δεσμώτης, das im NT nur 27,1.42 begegnet.

[5] Ἀλεξανδρῖνος kommt im NT nur Apg 27,6; 28,11 vor, jeweils in Verbindung mit πλοῖον.

[6] Getreideschiffe von Alexandria nach Italien nahmen häufig die Route über Myra. Siehe BRANNIGAN, Nautisches (Nr. 65 A) 173 f, der bemerkt: „so kam es auch, daß man sich darauf verlassen konnte, immer einige dieser großen Alexandriner, die nach Italien wollten, in den kleinasiatischen Häfen, wie Knidos und Myra, zu finden“ (174). Vgl. auch CASSON, The Isis (1950; s. o. Nr. 65 A) 43–46; DERS., Reisen 176 f.183. Die Schwierigkeit, von Alexandria der afrikanischen Küste entlang nach Westen zu segeln, illustriert z. B. Synesius von Cyrene, Ep. 4; siehe dazu CASSON, Reisen 184–187.

[7] Siehe CONZELMANN zu V 11: „Nur an dieser Stelle werden Dienstgrade unterschieden (sonst ist nur allgemein von den ναῦται die Rede).“ Siehe ναῦται 27,27.30.

[8] In V 6 sind die ἡμεῖς offensichtlich mit den Gefangenen identisch: Der Hauptmann bringt „uns“ auf das Schiff; siehe die folgende A. 9.

[9] ἐμβιβάζω τινὰ εἰς πλοῖον „jemanden einschiffen“ ist ein seit Thucydides, Hist. I 53,1 (ἐμ- oder ἐσ-β.); Xenophon, Anab. V 3,1; 7,8, bezeugter Ausdruck; siehe PASSOWWb s. v. (I 885); LIDDELL/SCOTT s. v. 2.

[10] ἐν ἱκαναῖς ἡμέραις. Vgl. 9,23.43; 18,18. ἱκαναί bezeichnet die unbestimmte Zahl: „einige“ oder „viele“.

[11] βραδυπλοέω „wenig Fahrt machen“ ist bei Artemidor IV 30 und Anecdota Graeca 225,15 bezeugt.

[12] μόλις steht auch 27,8.16. Vgl. oben Nr. 33 A. 68.

[13] Κνίδος/Knidos ist Name einer Halbinsel und Stadt (mit zwei guten Häfen) an der karischen Küste. Siehe K. ZIEGLER, Knidos, in: KlPauly III 260. – γίνομαι κατά mit Akkusativ des Ortes „(einen Ort) erreichen“; vgl. Lk 10,32 v.l.

herankommen[14]. So fährt es in den Windschatten[15] von Kreta auf der Höhe von Salmone[16] (V 7b). Ursprünglich wollte man offenbar Kreta im Norden passieren. Doch die normale Route ging von Myra über Rhodos und dann *südlich* an Kreta vorbei. Mühsam kommt das Schiff im Süden an der Insel entlang voran und erreicht einen Ankerplatz[17] mit Namen Kaloi Limenes[18]. Er liegt nahe bei der Stadt Lasäa[19] (V 8). Vielleicht lagen Lasäa und Kaloi Limenes östlich von Kap Matala (Kap Lithinon); dort gibt es eine nach Osten offene Bucht, die heute als Kaloi Limenes gilt[20].

VV 9–11 Als einige Zeit vergangen und die Schiffahrt schon unsicher geworden ist[21] – das „Fasten“[22] ist schon vorüber –, warnt[23] Paulus die Verantwortlichen (V 9). Er macht darauf aufmerksam, daß die Weiterfahrt mit Gefahr und Schaden[24] verbunden sein werde, und zwar nicht nur für die Ladung und das Schiff, sondern auch für das Leben der Passagiere[25] (V 10). Jedoch glaubt der Hauptmann dem Steuermann[26] und dem Kapi-

---

[14] προσεῶντος (von προσεάω „herankommen lassen“). Subjekt ist hier τοῦ ἀνέμου.

[15] Zu ὑποπλέω siehe oben Nr. 65 A. 26.

[16] Κρήτη/Kreta wird außer Apg 27,7.12.13.21 im NT auch Tit 1,5 genannt. Vgl. auch Apg 2,11 und Tit 1,12 (Kreter). Σαλμώνη/Salmone (die Namensform variiert) ist das Vorgebirge an der Nordostküste Kretas (heute Kap Sideros); siehe E. Meyer, Sam(m)onion, in: KlPauly IV 1532f.

[17] τόπος steht für „Hafenplatz“ wie 27,2. Jedoch ist Kaloi Limenes kein eigentlicher Hafen gewesen; insofern ist das allgemeinere τόπος hier berechtigt. – παραλέγομαι ist Fachausdruck der Seeleute: „vorübersegeln“ (mit Akkusativ des Ortes); so auch 27,13.

[18] Καλοὶ λιμένες läßt sich mit „Gute Häfen“ übersetzen. Siehe Breusing, Die Nautik (Nr. 65 A) 158f; Balmer, Romfahrt 312–319. – λιμήν „Hafen“ kommt auch 27,12 a.b vor.

[19] Λασαία (Westcott/Hort: Λασέα)/Lasäa muß an der Südküste von Kreta lokalisiert werden. Vgl. auch E. Meyer, Lisos, in: KlPauly III 678f; ders., Lissen: ebd. 679. Zu den Namensformen siehe auch Haenchen.

[20] Conzelmann mit Hinweis auf die Tabula Peutingeriana, die einen Ort Lisia (?) bezeugt.

[21] ἐπισφαλής „unsicher, gefährlich“ (das Gegenteil von ἀ-σφαλής) ist ntl. Hapaxlegomenon.

[22] Mit ἡ νηστεία ist „das Fasten“ am jüdischen Versöhnungstag (fünf Tage vor dem Laubhüttenfest) gemeint (Philo, De spec. leg. II 193–203; JosAnt XIV 66; XVIII 94; Barn 7,4; siehe Billerbeck II 771f). Lukas datiert auch sonst nach dem jüdischen Kalender: 20,6. Im Judentum galt das Laubhüttenfest „als Beginn der für Seereisen ungeeigneten Jahreszeit“ (Billerbeck II 771).

[23] παραινέω „auffordern, ermahnen“ steht im NT nur Apg 27,9.22 (jeweils mit Paulus als Subjekt). Zum Imperfekt παρῄνει siehe Blass/Debr § 328,2 mit Anm. 3.

[24] μετὰ ὕβρεως καὶ πολλῆς ζημίας. Vgl. dieselben Stichworte in V 21. ὕβρις ist hier das von den Elementen zugefügte „Ungemach“; siehe BauerWb s.v. 3.

[25] Paulus sagt: für die ψυχαὶ ἡμῶν. ψυχή im Sinne von „Leben“ ferner V 22; außerdem 14,26; 20,24; 28,19 v.l.

[26] κυβερνήτης ist der „Steuermann“; vgl. Apk 18,17. Plutarch, Praec. ger. reip. 13 (807b): „Die Matrosen wählt aus der κυβερνήτης, und den κυβερνήτης der ναύκληρος.“

tän[27] des Schiffes mehr, die sich für eine Weiterfahrt aussprechen (V 11). Da nur V 11 unterschiedliche Grade bei der Schiffsbesatzung nennt, die genannten Personen aber später (gerade beim Schiffbruch) nicht mehr erwähnt werden, darf diese Stelle als Einschub gelten[28].

V 12 Nachdem V 11 den Eindruck erweckt, der Centurio habe die Entscheidung getroffen, gibt V 12 zu erkennen, daß die maßgeblichen Leute an Bord gegen Paulus Stellung bezogen. Die Mehrheit[29] beschließt[30], von Kaloi Limenes wieder in See zu stechen, weil dieser Platz zum Überwintern nicht geeignet[31] ist (V 12a). Man will nach Möglichkeit den kretischen Hafen Phönix[32] erreichen, der nach Südwesten und Nordwesten[33] offen ist (V 12b). Die Lage von Phönix ist heute nicht zuverlässig zu ermitteln[34].

V 13 Als leichter Südwind aufkommt[35], glauben die Verantwortlichen ihr Vorhaben[36] schon geglückt[37]. Bis Phönix ist es gewöhnlich wohl nur

---

[27] ναύκληρος kann an sich den „Schiffseigentümer, Reeder" bezeichnen. „Doch kann es sich auch um *d. Kapitän* handeln, insofern als der Führer eines Schiffes, das einem Staatstransport diente, als ναύκληρος bezeichnet wurde" (BauerWb s. v., mit Hinweis auf M. Rostovtzeff, in: Archiv f. Papyrusforschung 5[1913]298). Siehe auch Moulton/Milligan s. v.: „This word should be translated ‚captain' rather than ‚owner' ... in its only occurrence in the NT, Ac 27, 11 ..."

[28] Conzelmann. Er spricht jedoch (wie Haenchen) von „Kapitän" und „Schiffsherr" bzw. „Reeder".

[29] οἱ πλείονες bezog sich ursprünglich wohl auf die Mehrheit der gesamten Schiffsbesatzung oder aller Menschen an Bord (V 37: 276 Personen). Siehe Conzelmann: Aus V 12 erkennt man, wie der Einschub V 11 entstand; vgl. Haenchen, Apg 679.

[30] τίθεμαι βουλήν „beschließen" (wie Ri 19, 30; Ps 12, 3 LXX). Vgl. βουλὴ ἐγένετο „(der) Beschluß wurde gefaßt" Apg 27, 42.

[31] ἀνεύθετος („ungeeignet") ... πρὸς παραχειμασίαν. Kaloi Limenes war kein eigentlicher Hafen! παραχειμάζω „überwintern" wie 28, 11 (ferner 1 Kor 16, 6; Tit 3, 12).

[32] Φοῖνιξ/Phönix wird als „Hafen auf Kreta" bezeichnet (vgl. Strabo, Geogr. X 4, 3; Ptolemaeus III 17, 3). Er muß westlich von Lasäa gelegen haben; vgl. Balmer, Romfahrt 319–326; Zahn, Apg 824–827; Lattey, Harbour Phoenix; F. V. Filson, Phoenix, in: IDB III 805.

[33] Der Hafen ist βλέπων κατὰ λίβα καὶ κατὰ χῶρον, d. h. er „blickt nach Westen". Mit λίψ und χῶρος sind Winde aus der betreffenden Richtung gemeint; vgl. Lake/Cadbury, The Winds (1933) 338–344; Conzelmann.

[34] Phönix ist nicht mit Lutro (Loutron) zu identifizieren (gegen Balmer, Romfahrt 320, u. a.), sondern mit der Bucht von Phineka, in deren Namen Φοῖνιξ fortlebt (Haenchen). Wenn sie heute zum Ankern ungeeignet ist, so liegt dies an geographischen Veränderungen. Ogilvie, Phoenix (1958), konnte zeigen, daß sich der Boden inzwischen um etwa 5 m gehoben hat. Zur Diskussion siehe auch Conzelmann.

[35] Der absolute Genitiv enthält das Partizip des (inzeptiven) Aorist von ὑποπνέω „leicht blasen, leise wehen" und den Genitiv von νότος „Süd(west)wind": „Als eine leichte Brise aufkam".

[36] πρόθεσις „Vorsatz, Entschluß", hier: das, was man sich vorgenommen hatte („Ziel"); siehe auch 11, 23; 2 Tim 3, 10.

[37] κεκρατηκέναι (Infinitiv des Perfekt) „(schon) erreicht haben". Siehe BauerWb s. v. κρατέω 1 c.

eine Tagesfahrt. Sie lichten die Anker[38] und fahren nahe an Kreta entlang[39] (nach Westen hin).

VV 14–15 Es dauert nicht lange, da bricht von der Insel herab[40] ein Orkan los[41], den man Eurakylon[42] nennt (V 14). Das Schiff wird mitgerissen[43]; es kann nicht mehr gegen den Wind gedreht werden[44]. Man gibt auf[45] und läßt sich treiben[46] (V 15). Da das Schiff den Bug nicht mehr in den Wind bringen kann, muß es sich vor dem Wind treiben lassen[47].

VV 16–17 Das Schiff fährt unter einer kleinen Insel namens Kauda[48] hin[49]. Man kann das Beiboot[50] nur mit Mühe in die Gewalt bekommen (V 16). So heben es die Matrosen hoch; sie sichern das Schiff, indem sie es mit Tauen umspannen[51] (V 17a). Da sie fürchten, in die Syrte zu geraten[52], lassen sie den Treibanker[53] hinab und lassen sich treiben (V 17b).

---

[38] Absolutes αἴρω heißt hier: „die Anker lichten, auslaufen" (wie bei Thucydides, Philo und mehrfach Fl. Josephus).

[39] ἆσσον (Komparativ von ἄγχι „nahe") steht hier für den elativen Superlativ („nahe"); siehe ZERWICK, Biblical Greek Nr. 147. – παραλέγομαι wie V 8; siehe oben A. 17.

[40] κατ' αὐτῆς „von ihr herab" bezieht sich auf „Kreta" in V 13; dazu CONZELMANN (im Anschluß an HAENCHEN): „nämlich vom Idagebirge (nachdem Kap Matala umfahren ist)".

[41] ἔβαλεν ist intransitiv gebraucht: „er brach los". ἄνεμος τυφωνικός „Wirbelsturm, Orkan"; vgl. RADERMACHER, Grammatik 28f.

[42] Εὐρακύλων bezeichnet einen (Ost)Nordostwind. Das Wort ist aus εὖρος und *aquilo* zusammengesetzt. Vgl. auch CONZELMANN; HEMER, Euraquilo and Melita (1975) 101f.

[43] συναρπάζω „gewaltsam ergreifen" begegnet auch 6,12; 19,29; Lk 8,29.

[44] ἀντοφθαλμεῖν τῷ ἀνέμῳ wörtlich: „dem Sturm ins Angesicht sehen"; siehe auch BREUSING, Die Nautik (Nr. 65A) 167f.

[45] ἐπιδίδωμι im Sinne von „preisgeben", hier absolut: „wir gaben (uns dem Wind) preis (und ließen uns treiben)"; vgl. Lukian, Hermot. 28; BAUERWb s.v. 2.

[46] ἐφερόμεθα „wir ließen uns treiben"; ähnlich V 17: ἐφέροντο.

[47] CONZELMANN; vgl. VOIGT, Romfahrt (1916; s.o. Nr. 65A) 728.

[48] Καῦδα/Kauda, lateinisch *Gaudus* (ℵ Koine lesen Κλαῦδα), ist eine kleine Insel im Südwesten vor Kreta; siehe oben A. e. Die Insel heißt heute Gavdos.

[49] ὑποτρέχω τι „im Windschatten von ... laufen" ist seemännischer Fachausdruck.

[50] σκάφη ist 27,16.30.32 das „Beiboot" des Schiffes. Das Beiboot soll eingeholt werden, damit es nicht von den Wellen zerschlagen wird; CONZELMANN. Vgl. auch CASSON, Ships (1971) 248f.

[51] ὑποζώννυμι „von unten umbinden, untergürten" ist seemännischer Fachausdruck: das Schiff mit ὑποζώματα (V 17 sagt dafür: βοήθειαι) versehen, d.h. mit Tauen, die um den Schiffsrumpf herumliefen, um ihm bei schwerer See größere Festigkeit zu geben; siehe Polybius XXVII 3,3; BALMER, Romfahrt 160–164; R. HARTMANN, Hypozoma, in: PAULY/WISSOWA Suppl IV 776–782; BRANNIGAN, Nautisches (Nr. 65A) 182; CADBURY, Ὑποζώματα (1933); TORR, Ancient Ships (1964; s.o. Nr. 65A) 41–43; CONZELMANN.

[52] Σύρτις werden die gefährlichen (fliegenden) Sandbänke Tripolitaniens genannt. Hier ist wohl die Große Syrte (nach der Cyrenaica zu) gemeint. Die Gefährlichkeit der Σύρτεις erwähnt z.B. JosBell II 381.

[53] Mit σκεῦος „Geschirr, Gerät" ist hier wohl der Treibanker gemeint, der die Fahrt hemmen soll; vgl. BAUERWb s.v. 1a (Lit.). Zu anderen Deutungen siehe CONZELMANN.

VV 18–19 Vom Sturm hart bedrängt, macht die Besatzung am folgenden Tag das Schiff leichter[54] (V 18), wahrscheinlich, indem sie Ladung über Bord wirft[55]. Am dritten Tag schickt man sogar die Schiffsausrüstung[56] „eigenhändig"[57] über Bord[58] (V 19).

V 20 Mehrere Tage hindurch[59] kann man weder Sonne noch Sterne sehen. Die Orientierung ist unmöglich geworden. Der Sturm[60] läßt nicht nach. Da schwindet den Passagieren jede Hoffnung[61] auf Rettung[62]. Die absoluten Genitive V 20 a.b geben den Grund dafür an, daß die Hoffnung dahinschwand (V 20 c). Die Warnung des Paulus (V 10) erweist sich als berechtigt.

V 21 Mit diesem Vers beginnt eine weitere Einschaltung (VV 21–26), in der Paulus das Wort ergreift (VV 21 b–26). Als niemand mehr etwas essen will[63], steht Paulus „in ihrer Mitte" auf[64] und hält eine Rede, die mit der Anrede ὦ ἄνδρες[65] beginnt. Doch noch vor die Anrede wird das wichtige ἔδει μέν gestellt: Man hätte auf ihn hören und nicht von Kreta (Kaloi Limenes) auslaufen sollen; dann hätte man sich die gegenwärtige Misere erspart[66]. Paulus leitet damit über zu einer neuen Voraussage.

---

[54] ἐκβολὴν ποιέω bezeichnet in der Schiffersprache das Überbordwerfen der Ladung zum Zweck der Rettung des Schiffes beim Sturm (vgl. Aeschylus, Sept. 769; Aristoteles, Ethica Nicom. III 1,5, 1110 a; Lukian, De merc. cond. 1; Jon 1,5 LXX).

[55] Vgl. Breusing, Die Nautik (Nr. 65 A) 183–185. Siehe indessen Clark, What Went Overboard First? (1975) 145: „they tried to hoist the ship's heavy equipment overboard".

[56] ἡ σκευὴ τοῦ πλοίου „die (irgend entbehrliche) Ausrüstung des Schiffes", wahrscheinlich besonders das Takelgerät. Vgl. Voigt, Romfahrt (Nr. 65 A) 729; Haenchen; Casson, Reisen 182.

[57] αὐτόχειρ „eigenhändig" ist ntl. Hapaxlegomenon.

[58] ῥίπτω „werfen", d. h. „(vom Schiff, wie V 29) ins Meer werfen" wie Charito III 5,5; Achilles Tat. III 2,9. Siehe auch Lk 17,2 (vom Land aus).

[59] ἐπὶ πλείονας ἡμέρας. ἐπί mit Akkusativ von der zeitlichen Erstreckung wie 13,31; 16,18; 17,2; 19,8.10.34; Lk 4,25; 18,4 u. ö.

[60] χειμών „stürmisches Wetter, Unwetter" wie Mt 16,3; vgl. BauerWb s. v. 1.

[61] περιῃρεῖτο ἐλπὶς πᾶσα. Das passivische Imperfekt von περιαιρέω bedeutet: „es schwand/wurde weggenommen (mehr und mehr) (jede Hoffnung)". Haenchen versteht das Imperfekt hier „als Tempus der Erzählung".

[62] τοῦ σῴζεσθαι ἡμᾶς. τοῦ mit Akkusativ und Infinitiv ist abhängig von ἐλπίς: „Hoffnung, daß wir gerettet würden". Vgl. Blass/Debr § 400 (mit Anm. 2.3): τοῦ mit Infinitiv „gehört einer höheren Schicht der Koine an" (24mal Lk, 22mal Apg, sonstiges NT seltener).

[63] Der Genitivus absolutus besagt: Es herrschte πολλὴ ἀσιτία „große (allgemeine) Appetitlosigkeit", d. h. Seekrankheit. Siehe auch 27,33: ἄσιτος „nüchtern".

[64] σταθεὶς … ἐν μέσῳ αὐτῶν εἶπεν unterstreicht die feierliche Situation, in der der „Redner" das Wort ergreift; vgl. 2,14; 17,22. Haenchen: „im Pfeifen des Sturmes … konnte Paulus keine Ansprache halten wie auf dem Areopag".

[65] Das ὦ vor dem Vokativ steht bei Lukas relativ häufig: Lk 9,41 (par Mk); 24,25; Apg 1,1; 13,10; 18,14; 27,21 (übriges NT 11 Belege). In den meisten Fällen ist die Anrede mit ὦ mit einem Vorwurf verbunden (außer Apg 1,1).

[66] Das Imperfekt ἔδει bezeichnet einen Zustand, der existieren sollte, aber nicht existiert; siehe Zerwick, Biblical Greek Nr. 319. – Zu ὕβρις καὶ ζημία siehe oben A. 24. – κερδαίνω heißt sowohl „gewinnen" als auch „vermeiden, sich ersparen" (bei üblen Dingen).

V 22 Doch „jetzt“[67] ermahnt Paulus die Mitreisenden und die Besatzung, guten Mutes zu sein[68]. Ehe er das begründet und von der Engelserscheinung spricht (VV 23 f), sagt er voraus: Keiner von euch wird sein Leben verlieren[69]; nur das Schiff wird verlorengehen[70].

VV 23–24 Um seine Ermahnung zum εὐθυμεῖν (VV 22 a.25 a) zu stützen, berichtet Paulus von einer nächtlichen Engelserscheinung. Ein Engel des Gottes, dem Paulus „gehört“ und „dient“[71], trat vor ihn hin[72] (V 23) und forderte ihn auf, sich nicht zu fürchten[73]. Die Aufforderung wurde mit der Notwendigkeit begründet, daß Paulus vor den Kaiser treten müsse[74] (V 24 a). Paulus wird somit auch die Seenot überstehen, aber nicht nur er! Der Engel fügte hinzu[75]: Gott hat dir alle geschenkt[76], die mit dir reisen (V 24 b). Lukas legt die Rettung aller auf dem Schiff Befindlichen (V 44) so aus, daß sie um des Paulus willen erfolgte. Das Motiv der Rettung aus Seenot durch göttliche Intervention (Isis, Serapis, Dioskuren) ist in der Umwelt der Acta verbreitet gewesen[77]. Im Kontext von Apg 27–28 deutet die Errettung des Paulus zugleich an, daß er unschuldig ist[78].

VV 25–26 Aus der Zusicherung des Engels zieht Paulus die Folgerungen. Zunächst erneuert er den Aufruf, Mut zu fassen[79] (V 25 a). Er sagt den

---

[67] καὶ τὰ νῦν ist typisch lukanisch: 4,29; 5,38; 20,32; vgl. 17,30.

[68] εὐθυμέω „guten Mutes sein“ wird V 25 wieder aufgegriffen: διὸ εὐθυμεῖτε, ἄνδρες. Siehe auch V 36. Nach V 20 ist vor allem gemeint: „wieder Hoffnung schöpfen“.

[69] „Es wird keine ἀποβολὴ (Verlust) ψυχῆς geben ἐξ ὑμῶν (aus euren Reihen).“

[70] Die Konstruktion „außer dem Schiff“ ist Brachylogie, von ἀποβολή abhängig gedacht.

[71] Die eigenartige Wortstellung in V 23 ist typisch für Lukas; siehe HAENCHEN, Apg 90 f.674. Das gilt auch für καί nach dem Relativpronomen; siehe HAENCHEN, a. a. O. 146 Anm. 6: Es bleibt im Deutschen unübersetzt.

[72] παρέστη γάρ μοι. Intransitives παριστάνω τινί kommt auch 9,39 vor, im Sinne der Gerichtssprache auch 27,24.

[73] μὴ φοβοῦ ist hier nicht (konventionell) auf die Erscheinung bezogen, sondern auf die Lebensgefahr, in der sich Paulus befindet.

[74] Mit δεῖ (vgl. 19,21; 23,11; 25,10) wird die gott-verfügte Notwendigkeit ausgedrückt. Der Engel gibt (erneuert) also eine Verheißung bzw. eine prophetische Ankündigung.

[75] καὶ ἰδού unterstreicht das Wunderbare der folgenden Aussage; vgl. Lk 1,20.31.36; Apg 10,30.

[76] κεχάρισταί σοι ... πάντας κτλ. – χαρίζομαι „als Gunsterweis (Gnade) geben“ steht im NT (mit Gott als Subjekt) auch Lk 7,21; Röm 8,32; 1 Kor 2,12; Gal 3,18; Phil 1,29; 2,9; Eph 4,32. Das Perfekt drückt aus, daß die Wirkung der Gabe bleibt. Der Ausdruck setzt wohl das fürbittende Gebet des Paulus für die Mitreisenden voraus; WIKENHAUSER.

[77] Vgl. Lukian, Navig. 9 (abgedruckt bei CONZELMANN, Apg 161; siehe dazu CASSON, The Isis [1950; s. o. Nr. 65 A]); Epiktet, Diss. II 18,29; F. PFISTER in: PAULY/WISSOWA Suppl IV 295–297; SÖDER, Die apokryphen Apostelgeschichten 162–171.

[78] Vgl. oben Nr. 65 A. 12.

[79] Die Aufforderung διὸ εὐθυμεῖτε wird erst V 36 befolgt: εὔθυμοι δὲ γενόμενοι πάντες (nach dem „Brotbrechen“ des Paulus!). – διό „daher“ steht auch 20,31 vor einem Imperativ; ferner 10,29; 15,19; 24,26; 25,26; 26,3; 27,34; Lk 1,35; 7,7.

Mitreisenden, daß er Gott (vgl. V 23: seinem Gott!) glaube: Es werde so sein (geschehen), wie ihm (durch den Engel) gesagt wurde[80] (V 25 b). Dann zieht Paulus die Folgerung[81]: Wir müssen allerdings an einer Insel stranden[82] (V 26). Damit drückt er nicht eine „private Vermutung“ aus, sondern macht eine „prophetische Voraussage“[83]. Das Schiff wird auf eine Insel treffen. Da zwischen Nordafrika und Sizilien nur Malta als Insel in Frage kommt[84], ist die Ankündigung des Paulus als selbständige Weissagung zu verstehen, nicht bloß als Schlußfolgerung aus dem vom Engel Gesagten.

VV 27–29 Als das Schiff schon die vierzehnte Nacht[85] auf der Adria[86] treibt, vermuten die Matrosen[87] gegen Mitternacht Land in der Nähe[88] (V 27). Sie werfen das Lot[89] aus und stellen eine Tiefe von zwanzig Faden[90] fest; bald darauf[91] ergibt die Messung nur noch fünfzehn Faden (V 28). Da man befürchten muß, auf Klippen[92] aufzulaufen, werfen die Matrosen vom Heck[93] aus vier Anker[94] und wünschen im übrigen den Tagesanbruch herbei (V 29).

---

[80] Zu οὕτως ... καθ' ὃν τρόπον λελάληταί μοι vgl. 1, 11: οὕτως ... ὃν τρόπον. – οὕτως von der Verwirklichung von Verheißungen: 3, 18; 7, 8; 27, 44. – καθ' ὃν τρόπον steht auch 15, 11. – Sachliche Parallelen sind Lk 1, 45; 24, 25; Apg 26, 22. Die Entsprechung von Verheißung und Erfüllung wird so hervorgehoben; vgl. V 44: καὶ οὕτως ἐγένετο κτλ. Siehe auch Gen 1, 6.9.11.15.20.24: καὶ ἐγένετο οὕτως.

[81] WIKENHAUSER: „Daß das Schiff an einer Insel stranden wird, gehört nicht zur Weissagung des Engels, sondern wird von Paulus aus ihrem Inhalt (V. 22 b) erschlossen.“

[82] εἰς νῆσον ἐκπίπτω ist nautische Fachsprache: „auf eine Insel verschlagen werden“; siehe Euripides, Hel. 409; Thucydides, Hist. II 92, 3, u. a. m.). Vgl. 27, 17: auf die Syrte.

[83] HAENCHEN. Dies geht u. a. aus der Verwendung von δεῖ in V 26 hervor (vgl. V 24 a, dazu oben A. 74).

[84] HAENCHEN: Malta ist „die einzige, die in den 400 km Wasserwüste zwischen Tunesien und Sizilien liegt“.

[85] Die Zeitangabe schloß sich ursprünglich unmittelbar an V 20 an. Von Kauda bis Malta beträgt die Entfernung etwa 470 Seemeilen Luftlinie.

[86] ὁ 'Αδρίας ist „das Adriatische Meer“, zu dem man in der Antike auch das Meer zwischen Kreta und Sizilien rechnete; vgl. BAUERWb s. v.; CONZELMANN.

[87] ὑπονοέω „vermuten“; vgl. 13, 25; 25, 18. Man vermutet die Nähe einer Küste, weil man das Tosen einer Brandung hört (SMITH, Voyage and Shipwreck 121). – Zu ναῦται siehe oben A. 7.

[88] Wörtlich: „daß Land auf sie zukam“. Intransitiver Gebrauch von προσάγω „sich nähern“ ist im NT sonst nicht bezeugt.

[89] βολίσαντες εὗρον „sie warfen das Lot und fanden ...“ V 28 a.b. – βολίζω heißt: „das Senkblei (βολίς) werfen“.

[90] Einer ὀργυιά „Klafter, Faden“ entsprechen 6 Fuß bzw. 1,80 m. Siehe BAUERWb s. v.

[91] βραχὺ δὲ διαστήσαντες. – διΐστημι ist im NT nur bei Lukas bezeugt: Lk 22, 59 (von der Zeit); 24, 51 (räumlich).

[92] κατὰ τραχεῖς τόπους „auf rauhe/unebene Stellen“, d. h. auf Klippen. τραχύς steht auch Lk 3, 5 (Jes 40, 4: vom Weg).

[93] πρύμνα „Heck“ (27, 29.41). Die Anker müssen vom Heck ausgeworfen werden, weil man im Sturm das Schiff nicht wenden kann; CONZELMANN.

[94] ἄγκυρα „Anker“ (27, 29.30.40). V 29 ῥίψαντες ἀγκύρας „sie warfen Anker“; anders V 30, siehe unten A. 96.

VV 30–31 Im Schutze der Dunkelheit versuchen jedoch die Matrosen, aus dem Schiff zu fliehen. Sie lassen dazu das Beiboot (vgl. VV 16f) ins Meer hinab, und zwar unter dem Vorwand, auch vom Bug[95] aus Anker zu werfen[96] (V 30). Paulus wendet sich daraufhin an den Centurio und die Soldaten mit der Feststellung, daß man die Schiffsleute zur Rettung unbedingt benötige[97] (V 31). Die Intervention des Paulus ist lukanischer Einschub[98].

V 32 Dieser Vers gehört wieder dem vor-lukanischen Seefahrtbericht an. Die Soldaten kappen[99] die Taue[100] des Beibootes und verhindern so die Flucht der Matrosen. Das Boot treibt fort[101]. Die lukanische Einfügung des vorausgehenden Verses „macht Paulus zum Retter der Schiffsinsassen, der auch um Mitternacht seinen treuen Wächterdienst versieht"[102].

VV 33–34 Das folgende Stück (VV 33–36) scheint wieder durch den Actaverfasser eingeschaltet zu sein. Bis in die Morgendämmerung hinein[103] ermahnt Paulus die Mitreisenden, Nahrung zu sich zu nehmen[104]. Er sagt, daß sie nun schon den vierzehnten Tag ausharren[105], ohne etwas zu essen (V 33). Deshalb rate er ihnen zur Nahrungsaufnahme (V 34a), weil das für die Rettung[106] dienlich sei[107] (V 34b). Die fast Ausgehungerten sollen wie-

---

[95] πρῷρα „Bug" (27,30.41).

[96] ἀγκύρας ἐκτείνειν „die Anker ausbringen". Vor dem Bug müssen die Anker mit Hilfe eines Bootes „gespannt" werden, anders als am Heck (siehe V 29).

[97] Vgl. oben Anmerkungen 4 und 7. Zu der Frage, ob Paulus das Vorhaben der Matrosen mißdeutet habe, siehe HAENCHEN (zu V 30). Nach dem heutigen Text ist klar, daß Lukas von einem Vorwand (πρόφασις) der Matrosen spricht, den Paulus durchschaute (vgl. CONZELMANN zu V 31).

[98] Lukas unterstreicht wieder das Thema „Rettung". Die Matrosen (οὗτοι) dürfen das Schiff nicht verlassen, sonst können die Soldaten mit dem Centurio (ὑμεῖς) nicht gerettet werden. Inwiefern, zeigt das Folgende (VV 40f). Zum Motiv der Flucht einer Besatzung gibt es Parallelen: Achilles Tat. III 3; Petronius 102.

[99] ἀποκόπτω „abhauen", vom Abhauen der Taue auch Homer, Od. 10,127; Xenophon, Hell. I 6,21.

[100] τὰ σχοινία „die Taue"; vgl. oben A. 99. Siehe ferner TORR, Ancient Ships (1964; s.o. Nr. 65 A) 73f.

[101] ἐκπίπτω „hinfallen", als nautischer Ausdruck: „verschlagen werden, treiben" 27,17.26.29.32.

[102] HAENCHEN. Da er den Matrosen ehrliche Absicht unterstellt, meint er: „In Wirklichkeit hätte Paulus freilich das Schiff mit dieser Handlung gerade der Strandung ausgeliefert." Vgl. indessen oben A. 97.

[103] Wörtlich: „Bis zu dem (Zeitpunkt), da der Tag im Begriff stand anzubrechen". μέλλω γίνεσθαι wie Lk 21,7.36; Apg 26,22.

[104] μεταλαβεῖν τροφῆς (V 33a), so auch V 34a. Der Ausdruck begegnet im NT sonst nur noch Apg 2,46 (sonst z.B. JosBell II 143).

[105] προσδοκῶντες ἄσιτοι διατελεῖτε. Absolutes προσδοκάω wie 28,6b. Die finite Aussage lautet: „Ihr harrt nüchtern aus (in Erwartung)".

[106] ἄσιτοι wird durch μηθὲν προσλαβόμενοι erläutert. προσλαμβάνομαι bezieht sich wie 27,36 auf die Nahrungsaufnahme.

[107] ὑπάρχει πρός (mit Genitiv) steht hellenistisch für: „es ist für etwas (vorteilhaft)". σωτηρία „Heil, Rettung" hat einzig hier in der Apg die Bedeutung „Bewahrung vor dem

der zu Kräften kommen (vgl. 9,19 a); sie werden Kraft benötigen (27,43 f). Zum Schluß macht Paulus die Voraussage, keinem von ihnen werde auch nur ein Haar von seinem Haupt verlorengehen[108] (V 34 c). Die Zusage des Engels (V 24 b) gibt ihm diese Gewißheit.

VV 35–36 berichten, daß Paulus nach diesen Worten Brot nahm[109], Gott vor den Augen aller[110] Dank sagte[111], das Brot brach[112] und zu essen begann[113] (V 35). Die Formulierung erinnert an den Abendmahlsbericht und an die Brotwundererzählung[114] des Evangeliums, wird aber den Leser auch unabhängig davon auf die Eucharistiefeier seiner Gegenwart hingewiesen haben[115]. Indessen fällt auf, daß nur Paulus von dem „Brot" ißt. Als er zu essen beginnt, fassen die anderen Mut[116] und nehmen gleichfalls „Nahrung" zu sich[117] (V 36). Jedoch ist das kein gemeinsames Mahl; denn jeder ißt das, was er bei sich hat. Andererseits weist der Zusammenhang von Brotbrechen und Ermutigung/Freude auf die Gemeindemahlzeiten der Christen (2,46) hin.

Die Mahlzeit des Paulus auf den Wellen des Meeres, mitten im See-

---

Tod". Angesichts der übrigen Vorkommen von σωτηρία (4,12; 7,25; 13,26.47; 16,17) ist jedoch an eine auf „Heil" hin transparente „Rettung" gedacht.

[108] Vgl. Lk 21,18 (Voraussage Jesu), eingefügt in den Kontext der Vorlage (Mk 13,13.14). Siehe auch 1 Kg 14,45.

[109] λαβὼν ἄρτον wie Lk 22,19 (vgl. 24,30); 22,19 folgt: εὐχαριστήσας ἔκλασεν (und: ἔδωκεν αὐτοῖς, ähnlich 24,30).

[110] ἐνώπιον πάντων wie 19,19; Lk 14,10. Siehe auch Lk 24,43: Der Auferstandene ißt vor den Augen der Jünger.

[111] Mit εὐχαρίστησεν (τῷ θεῷ) ist Lk 22,19 (1 Kor 11,24) zu vergleichen (siehe A. 109). Siehe auch εὐχαριστήσας Apg 28,15. Vielleicht will Lukas an das übliche Dankopfer erinnern, das man nach glücklicher Landung darbrachte; vgl. Casson, Ships (1971) 182.

[112] κλάσας (bezogen auf ἄρτον) wie 20,11; Lk 14,30; andere Formen von κλάω werden auf ἄρτον bezogen: Lk 22,19; Apg 2,46; 20,7.

[113] ἤρξατο ἐσθίειν entspricht der Situation, in der Paulus mit seinem Beispiel vorangeht. Es ist kaum bloß an das Brotbrechen zur Eröffnung eines jüdischen Mahles gedacht (gegen Haenchen).

[114] Zum Abendmahlsbericht siehe oben Anmerkungen 109.111.112. Zu den Brotwundererzählungen vgl. Mk 6,41 par Lk 9,16, wo die Stichworte λαβών – εὐλόγησεν – κατέκλασεν aufeinander folgen. Mk 8,6 steht an zweiter Stelle εὐχαριστήσας und an dritter ἔκλασεν.

[115] Reicke, Mahlzeit (1948) 406: Der Erzähler will „die Gedanken der christlichen Leser zu der ihnen vertrauten Form des Abendmahles" leiten. Siehe auch Wanke, Beobachtungen (1973) 28: Dem „westlichen" Text waren die eucharistischen Anklänge zu gering; er fügte ἐπιδιδοὺς καὶ ἡμῖν an (siehe oben A. k).

[116] Mit εὔθυμοι δὲ γενόμενοι werden die Aufforderungen des Paulus (VV 22.25) erfüllt. Die Zuversicht kommt durch das Beispiel des Paulus.

[117] Das Stichwort τροφή scheint schon im älteren Reisebericht gestanden zu haben (V 38) und kann den äußeren Anlaß zu der lukanischen Erweiterung gegeben haben; vgl. Wanke, a.a.O. 28 f.

sturm, darf also nicht nach der Alternative „Eucharistie“[118] oder „einfache Brotmahlzeit“[119] beurteilt werden. Lukas las in dem Bericht, daß vor dem Schiffbruch noch eine Mahlzeit eingenommen wurde. Für ihn konnte nur Paulus den Rat dazu gegeben haben. „Nicht ohne Hintergründigkeit wird nun von dieser Mahlzeit so erzählt, daß der Leser an die Eucharistie erinnert werden konnte.“[120] Die Mahlzeit hat eine ähnliche Transparenz auf die Eucharistie hin, wie das Stichwort σωτηρία in V 34b auf die Bedeutung „Heil“ hin offen ist[121]. Der Christ weiß, daß das Herrenmahl als Ausdruck der „Hoffnung“ (vgl. V 20) dem „Heil“ dient (vgl. V 34b).

VV 37–38 Die Angabe über die Zahl der an Bord Befindlichen (V 37) schloß sich wohl ursprünglich an V 32 an. Die Zahl von 276 Menschen ist durchaus möglich[122]. Eine symbolische Bedeutung ist nicht zu erkennen. Die Notiz über die Nahrungsaufnahme[123] der Passagiere (V 38) schließt sich im jetzigen Zusammenhang an V 35 an: Als Paulus zu essen begann, folgten ihm die übrigen Passagiere. Nachdem man sich gestärkt hat, geht die Mannschaft an die Arbeit: Man erleichtert[124] das Schiff, indem man die Getreideladung ins Meer wirft[125].

V 39 Nun setzt die Erzählung vom Schiffbruch ein, die bis V 44 reicht. Daß man sich vor Malta befindet, wird hingegen erst 28,1 berichtet. Als es Tag wird[126], weiß man zwar nicht, vor welchem Land man sich befindet, doch kann man eine Bucht erkennen, die einen flachen Strand besitzt[127]. Auf ihn wollen die Matrosen nach Möglichkeit[128] das Schiff auflaufen lassen[129].

---

[118] So Reicke, Mahlzeit 406, und Menoud, Eucharistie (1953) 33–36. Stählin denkt an „ein irgendwie sakramentales Mahl ..., wenn auch vielleicht nicht ein eigentliches Herrenmahl“, das Paulus „in dieser äußersten Grenzsituation“ mit Leuten gehalten habe, „die größtenteils Heiden waren“.

[119] So die meisten Erklärer, z. B. Preuschen, Loisy, Zahn, Bauernfeind, Bruce (NIC), Wikenhauser, Haenchen und Conzelmann.

[120] Wanke, Beobachtungen 29. Er fügt hinzu: „Den Sinn der Mahlzeit damals und der Eucharistie für jede Zeit will V. 34b herausstellen.“

[121] Von einer „Präfiguration“ des Herrenmahles (so Reicke, a.a.O. 401) sollte man nicht sprechen: Marshall zu VV 35f.

[122] Conzelmann verweist dazu auf Fl. Josephus, Vita 15: Ein Schiff von Cäsarea nach Rom hatte 600 Menschen an Bord. Siehe auch Casson, Ships (1971) 172.

[123] κορέννυμαι mit Genitiv bedeutet: „sich sättigen an/mit“.

[124] κουφίζω „erleichtern“, z. B. das Schiff durch Auswerfen der Ladung: Polybius XX 5,11; Jon 1,5 LXX.

[125] σῖτος „Getreide“: Es handelt sich um ein alexandrinisches Getreideschiff; siehe oben A. 6. Vgl. auch VV 18f: Schon am dritten Tag hatte man das Schiff um Ausrüstungsgegenstände erleichtert. Nun wird es weiter erleichtert, damit es möglichst nahe an Land kommt.

[126] Vgl. die vorausgehenden Zeitangaben: V 27 Mitternacht, V 33 vor Tagesanbruch.

[127] αἰγιαλός „Strand“, hier: der für das Vorhaben geeignete flache Strand (VV 39.40).

[128] εἰ δύναιντο „womöglich“. Der Optativus obliquus nach εἰ wird im NT nur noch von Lukas gebraucht; Blass/Debr § 386,2.

[129] ἐξῶσαι ist Infinitiv Aorist von ἐξωθέω „ausstoßen“, als seemännischer Begriff: „(ein Schiff) auflaufen lassen“.

V 40 Man macht die Anker los, indem man die Ankertaue kappt[130], und läßt die Anker zurück (V 40 a). Zugleich werden die Haltetaue der Steuerruder[131] gelöst (V 40 b). Man hißt das Vordersegel[132] und hält mit dem Wind auf den Strand zu[133] (V 40 c). Das Schiff bekommt Fahrt und wird auf den Strand zu gesteuert.

V 41 Bei dieser Unternehmung gerät man jedoch auf eine Sandbank[134], und das Schiff strandet[135] (V 41 a). Der Bug bohrt sich ein und sitzt fest[136] (V 41 b); das Heck droht in der Brandung[137] auseinanderzubrechen[138] (V 41 c). Als Ort der Strandung gilt die Paulus-Bucht im Norden von Malta[139], die nach Nordosten offen ist. Näherhin denkt man an eine Sandbank in deren Einfahrt[140]. Andere vermuten, daß mit διθάλασσος die schmale Rinne („Kanal") zwischen der kleinen Insel Selmunett (Salmonetta) und Malta (im Norden der Bucht) zu gelten habe[141].

---

[130] περιαιρέω „auf beiden Seiten wegnehmen". περί deutet an: auf beiden Seiten befinden sich Anker. Haenchen: „Man läßt einfach die Ankertaue ins Meer gleiten."
[131] ζευκτηρίαι sind die „Haltetaue" zum Festbinden der „Steuerruder": πηδάλια. Das Schiff hat zwei „Steuerruder"; sie waren beim Ankern hochgebunden. Bei der Fahrt können die beiden Ruder von einem Mann geführt werden, weil sie durch ein Querholz gekuppelt sind. Siehe Casson, Ships (1971) 224–228; ders., Reisen 181 f. 184; ferner Torr, Ancient Ships (s. o. Nr. 65 A) 74–77.
[132] Der ἀρτέμων ist „das Vorsegel/Bramsegel". ἐπαίρω τὸν ἀρτέμωνα: „das Vorsegel vor den Wind holen". Vgl. Torr, a. a. O. 88.
[133] τῇ πνεούσῃ κατεῖχον: „mit Hilfe der Brise hielten sie"; siehe Zerwick/Grosvenor, Analysis z. St.
[134] τόπος διθάλασσος („Zwei-Meere-Stelle") ist wohl als Sandbank zu deuten, die vor und hinter sich tieferes Wasser hat, als „Außengrund" (Breusing, Die Nautik 202). Vgl. auch Balmer, Romfahrt 413–415 („Kanal", an dem sich zwei Meere treffen); Brannigan, Nautisches 186 („kleine Meerstraße"). – περιπίπτω „fallen unter, geraten" wie Lk 10,30 (dort mit Dativ).
[135] ἐπικέλλω ist Fachausdruck der Seemannssprache: „ans Land treiben, landen lassen". Der Akkusativ τὴν ναῦν (vgl. Homer, Od. 9,148. 546) scheint dabei konventionell zu sein. Sonst spricht der Bericht vom πλοῖον, siehe oben Nr. 51 A. 82. Einen Unterschied zwischen ναῦς „Kriegsschiff" und πλοῖον „Handelsschiff" (dazu Menestrina, Nota) kennt weder Lukas noch der vor-lukanische Bericht.
[136] Intransitives ἐρείδω heißt „herandrängen, heranstürzen", ἀσάλευτος (von σαλεύκω gebildet) „unbeweglich".
[137] Falls τῶν κυμάτων (siehe oben A. m) zu lesen ist, droht die Gefahr „von der Gewalt der Wogen". Aber auch ohne den Genitiv ist der Text sinnvoll: „von der Gewalt (des Auffahrens)"; siehe Haenchen.
[138] ἐλύετο. Das passivische Imperfekt drückt das drohende Geschehen aus: das Heck „begann zu zerbrechen / drohte auseinanderzubrechen". Siehe Zerwick, Biblical Greek Nr. 273.
[139] Zur Lage der Paulus-Bucht siehe die Kartenbeilage 8 des Kommentars von Haenchen, ferner die Karte in: BHH II 1133 f.
[140] Siehe Haenchen (im Anschluß an Breusing): Die St. Pauls Bank liegt heute 6 m unter Wasser, zur Zeit des Paulus jedoch betrug die Tiefe nur etwa 4 m. Vgl. oben A. 134 zu διθάλασσος.
[141] Balmer, Brannigan; siehe oben A. 134.

VV 42–44 In dieser Situation befürchten die Soldaten, die von ihnen zu bewachenden Gefangenen könnten sich schwimmend retten und entfliehen. So beschließen sie[142], die Häftlinge zu töten (V 42). Doch der Centurio hindert seine Untergebenen daran, ihr Vorhaben auszuführen[143]; denn er will Paulus retten[144] (V 43 a). Er erteilt den Befehl, daß zuerst die über Bord springen sollen, die schwimmen können (V 43 b); dann sollen die übrigen das Schiff verlassen und das Land zu erreichen suchen, teils auf Brettern[145], teils auf Schiffstrümmern[146] (V 44 a). Auf diese Weise geschah es[147], daß alle aufs Land gerettet wurden (V 44 b).

67. AUFENTHALT AUF MALTA: 28, 1–10

LITERATUR: BALMER, Romfahrt (1905; s. o. Nr. 65 A) 423–446. – V. PALUNKO, Melita nel naufragio di san Paolo e l'isola Meleda in Dalmazia (Spalato 1910). – WIKENHAUSER, Die Apostelgeschichte und ihr Geschichtswert (1921) 343–346 [zu V 7 ὁ πρῶτος]. – DIBELIUS, Stilkritisches (1923) 25. – A. BARB, Der Heilige und die Schlange, in: Mitteilungen der Anthropol. Ges. in Wien 82(1953)1–21. – CADBURY, Book of Acts (1955) 24 f. – A. ACWORTH, Where was St. Paul Shipwrecked? A Re-examination of the Evidence, in: JThSt 24(1973)190–193. – O. F. A. MEINARDUS, Melita Illyrica or Africana. An Examination of the Site of St. Paul's Shipwreck, in: Ostkirchl. Studien 23(1974)21–36. – HEMER, Euraquilo and Melita (1975; s. o. Nr. 66) [zu V 1]. – O. F. A. MEINARDUS, St. Paul Shipwrecked in Dalmatia, in: The Biblical Archaeologist 39 (1976) 145–147. – W. KIRCHSCHLÄGER, Fieberheilung in Apg 28 und Lk 4, in: Kremer (Hrsg.), Les Actes (1979) 509–521.

1 Als wir gerettet waren, erfuhren wir, daß die Insel Malta[a] heißt. 2 Die Einheimischen erwiesen uns ungewöhnliche Menschenfreundlichkeit; sie zündeten ein Feuer an und holten uns alle zu sich[b], weil es zu regnen begann und kalt wurde. 3 Als Paulus einen Haufen Reisig zusammenraffte und auf das Feuer legte, fuhr infolge der Hitze eine Viper heraus und biß

---

[142] Zu βουλὴ ἐγένετο siehe oben A. 30. HAENCHEN meint – ohne Anhalt am Text –, es sei das Gerücht aufgekommen, die Soldaten wollten die Gefangenen töten.

[143] ἐκώλυσεν αὐτοὺς τοῦ βουλήματος „er hinderte sie an ihrem Vorhaben"; d. h. er verbot die Tötung der Gefangenen.

[144] DIBELIUS, Aufsätze 173, hielt die vier Worte von βουλόμενος bis Παῦλον für lukanische Einschaltung; vgl. auch CONZELMANN.

[145] ἐπὶ σανίσιν „auf Brettern". Entweder sind Planken des Schiffes gemeint oder Bretter, mit denen die Getreideladung abgedeckt war; vgl. BAUERWb s. v. σανίς.

[146] ἐπί τινων τῶν ἀπὸ τοῦ πλοίου „auf Teilen, die vom Schiff stammten". Der Genitiv nach ἐπί ist auffallend (vgl. hingegen A. 145); vielleicht ist τινων als Genitiv von τινές zu verstehen (vgl. 12,1; 15,5); dann wäre der Kasuswechsel bei ἐπί verständlich (CONZELMANN): „auf den Schultern einiger vom Schiff", d. h. von Matrosen. Doch müßte dann das Wasser so seicht gewesen sein, daß sich ein Schwimmen erübrigte (HAENCHEN).

[147] Das Wort der Verheißung erfüllt sich; siehe oben A. 80. Die Übersetzung „So kam es" (Einheitsübersetzung) ist unzulänglich.

[a] Statt Μελίτη lesen B* lat sy^h bo Μελιτίνη (bzw. -τήνη), vielleicht Dittographie; vgl. METZGERTC 500.

[b] Statt προσελάβοντο lesen ℵ* Ψ 614. 2495 pc lat προσανελάμβανον „sie nahmen (uns alle) mit hinzu (an das Feuer heran)".

sich an seiner Hand fest. 4 Wie aber die Einheimischen das Tier an seiner Hand hängen sahen, sagten sie zueinander: Auf jeden Fall ist dieser Mensch ein Mörder; obgleich er aus dem Meer gerettet wurde, läßt ihn die (Göttin der) Rache nicht leben. 5 Er aber schleuderte[c] *das Tier ins Feuer und erlitt keinen Schaden. 6 Da erwarteten sie, er werde anschwellen oder plötzlich tot umfallen. Als sie aber eine Zeitlang gewartet hatten und sahen, daß ihm nichts Auffallendes widerfuhr, änderten sie ihre Meinung und sagten, er sei ein Gott.*

7 In der Umgebung jenes Ortes lagen Landgüter, die dem Ersten der Insel namens Publius gehörten; er nahm uns auf und beherbergte uns drei Tage lang freundlich. 8 Es begab sich aber, daß der Vater des Publius an Fieber und Ruhr krank daniederlag. Paulus ging zu ihm hinein, betete und heilte ihn, indem er ihm die Hände auflegte. 9 Nachdem dies geschehen war, kamen auch die anderen Kranken der Insel herbei und wurden geheilt. 10 Sie ließen uns viele Ehrungen zuteil werden, und als wir abfuhren, gaben sie uns mit, was wir brauchten.

28,1–10 berichtet über den Aufenthalt der Schiffbrüchigen auf der Insel Malta[1]. Sie müssen den Winter auf der Insel verbringen. Erst nach drei Monaten können sie die Fahrt nach Italien fortsetzen (28,11). Im Mittelpunkt der Erzählung steht Paulus. In zwei Episoden tritt er hervor: Der Biß einer Schlange kann ihm nicht schaden *(VV 3–6),* so daß ihn die Einheimischen für einen Gott halten. In der zweiten Szene ist Paulus als Wundertäter geschildert *(VV 7–9),* der den Vater des Publius sowie „die anderen Kranken der Insel" heilt. Der „Rahmen" der beiden genannten Stücke hebt die gastfreundliche Haltung der Inselbewohner hervor *(VV 2.10).* Und ganz zu Beginn wird der Name der Insel genannt *(V 1).*

Es ist nicht sicher auszumachen, ob der „Rahmen" (VV 1–2.10) zu dem

---

[c] ἀποτινάξας wird von A H L 048 pm durch ἀποτιναξάμενος ersetzt.

[1] Μελίτη (28,1) bezeichnet ohne Zweifel die Insel *Malta* südlich von Sizilien und nicht die etwa auf der Höhe von Dubrovnik (Ragusa) vor der dalmatischen Küste gelegene Adria-Insel *Mljet.* Daß die Adria-Insel für das Μελίτη von Apg. 28,1 gehalten wurde (Palunko, Melita [1910]; Acworth, Where was St. Paul Shipwrecked? [1973]; Meinardus, Melita Illyrica [1974]; ders., St. Paul [1976]; siehe dagegen Balmer, Romfahrt 447–462; Hemer, Euraquilo and Melita [1975]), dürfte u.a. mit der heutigen Abgrenzung der Adria zusammenhängen (siehe Apg 27,27, dazu oben Nr. 66 A. 86). Andererseits stellt der Kontext von Apg 27,1–44; 28,11–13 (siehe auch unten A. 28) sicher, daß Malta gemeint ist. Malta besaß viele Häfen. Von ihnen aus wurde ein lebhafter Handel betrieben. Im 2. Punischen Krieg wurde die Insel von den Römern erobert (218 v. Chr.). Sie wurde von Sizilien aus verwaltet, seit Augustus vielleicht unter einem eigenen kaiserlichen Procurator. Zum Ort des Schiffbruchs siehe oben Nr. 66 A. 139–141. Weitere Lit.: A. Mayr, Die Insel Malta im Altertum (München 1909); Zahn, Apg 841–844; J. Weiss, Melite 11 [Malta], in: Pauly/Wissowa XV/1, 543–547; Fluss, Melite 16 [Mljet]: ebd. 547f; H. Leclercq, Malte, in: DACL X/1, 1318–1342; E. Meyer, Melite 7, in: KlPauly III 1179.

vor-lukanischen Reisebericht gehörte, der hinter 27,1–44 liegt[2]. Er müßte in 28,11 seine Fortsetzung gefunden haben. Doch ist eine solche Annahme nicht erforderlich. Aus Überlieferung dürften die beiden Paulusepisoden (VV 3–6.7–9) stammen. Die erste ist mit Blick auf die „Barbaren" und ihre religiösen Vorstellungen konzipiert[3]. Zuerst halten sie Paulus für einen Mörder, den die Rachegöttin nicht entkommen läßt (V 5). Als Paulus wider Erwarten unversehrt bleibt, meinen sie, er müsse ein Gott sein (V 6). Für Lukas erfüllt sich an Paulus die Zusage Jesu: „Nichts wird euch schaden können" (Lk 10,19; vgl. Mk 16,18). Hinter der zweiten Szene steht eher eine Nachricht als eine Erzählung über die Heilung des an Ruhr Erkrankten (V 8). Die summarische Notiz über weitere Krankenheilungen (V 9) wird hingegen freie Bildung des Acta-Verfassers sein[4]. Es fällt auf, daß Paulus auf Malta nicht als Prediger tätig wird[5]. Dies mag damit zusammenhängen, daß er sich als Gefangener auf der Insel befindet. Gleichwohl läßt die Erzählung das Bild eines gefangenen Paulus gar nicht aufkommen[6]. So stehen sich in der Malta-Erzählung der Gottesmann Paulus und die heilungs- und heilsbedürftigen Malteser gegenüber. Der Leser erkennt, was gegenüber den Heiden in der Welt noch zu tun bleibt.

VV 1–2 Mit καὶ διασωθέντες wird an den Schluß des Berichts vom Schiffbruch (27,44b) angeknüpft: Als alle Mitfahrenden sich ans Land gerettet hatten, erfuhr man[7] den Namen der Insel: Malta[8] (V 1). Die Bewohner – hier βάρβαροι genannt[9] – erwiesen den Schiffbrüchigen ungewöhnli-

---

[2] Siehe dazu oben Nr. 65 mit Anmerkungen 4–6.

[3] Vgl. indessen HAENCHEN, Apg 684, der unter Berufung auf DIBELIUS, Aufsätze 180, schreibt: „daß die Geschichte ‚triumphierend' mit dem Satz schließt: ‚sie sagten, er sei ein Gott', ist ‚heidnisch empfunden, nicht christlich' ..., und bleibt erstaunlich."

[4] Vgl. KIRCHSCHLÄGER, Fieberheilung 509 Anm. 2: „Der allgemeine Bericht V 9 hat Ähnlichkeit mit den zusammenfassenden Notizen, die Lukas gerne an Wundererzählungen anfügt, z. B. Lk 4,40–41; 5,15–16 ..." Dennoch kommt KIRCHSCHLÄGER (a.a.O. 521) zu dem Ergebnis, die Paulusepisode (VV 8–9!) habe bereits in der Tradition vorgelegen.

[5] Siehe BAUERNFEIND, Apg 276.

[6] Vgl. HAENCHEN, Apg 684f; CONZELMANN zu V 2: „Daß Paulus Gefangener ist, ist vergessen. Die militärische Begleitung verschwindet ganz."

[7] ἐπέγνωμεν ὅτι, vgl. 22,29; Lk 7,37. Im folgenden bezeichnet das „Wir" die Christen um Paulus.

[8] Daß es sich um eine Insel handle, war bisher in der Erzählung nicht gesagt (siehe 27,27.39.43.44); aber Paulus hatte es vorausgesagt: 27,26. Zu Μελίτη/Malta siehe oben A. 1.

[9] οἱ βάρβαροι (28,2.4) bezeichnet die Bewohner der Insel, insofern sie Nicht-Griechen (mit fremder, vorwiegend punischer Sprache) sind. Der Ausdruck ist von Lukas nicht diskriminierend verstanden. Vgl. H. BALZ, βάρβαρος, in: EWNT I 473–475. Er meint, Lukas habe „sicher bewußt auf dem Hintergrund des urchristl. Kosmopolitismus so formuliert: Barbaren unterscheiden sich von Griechen nur durch die Sprache" (474). Vgl. auch Röm 1,14: Der apostolische Auftrag des Paulus gilt allen Völkern, „Griechen und Barbaren".

che[10] Menschenfreundlichkeit (V 2a): Sie zündeten Feuer an[11] und holten alle zu sich; denn es begann zu regnen[12] und wurde kalt[13] (V 2b). Während diese beiden Verse im „Wir"-Stil erzählen, ist die folgende Paulus-Episode (VV 3–6) ganz in der dritten Person erzählt[14].

V 3 Paulus sucht ein Bündel Reisig[15] zusammen, um es auf das Feuer zu legen. Da fährt infolge der Hitze eine Viper[16] aus dem Reisig[17] und beißt sich an seiner Hand fest[18].

VV 4–5 Die Einheimischen sehen die Schlange an der Hand des Paulus hängen und sagen zueinander, dieser Mann müsse jedenfalls ein Mörder sein[19]. Denn kaum sei er vor dem Ertrinken bewahrt worden[20], da zeige die Göttin der Rache[21], daß sie ihn nicht am Leben lassen will (V 4). Die Rettung beim Schiffbruch wird also zunächst so gedeutet, daß der Verbrecher seinem Schicksal noch einmal entgangen sei. Da jedoch der Schlangenbiß dem Paulus nicht schadet, müßten die Einheimischen dann eigentlich auf die Unschuld des Paulus schließen. Doch sie halten ihn sogar für einen Gott (vgl. V 6). Paulus schleudert die Viper ins Feuer und nimmt keinen Schaden[22] (V 5).

---

[10] Die Litotes οὐ (τὴν) τυχοῦσαν (φιλανθρωπίαν) ist im Hellenismus beliebt (BAUERWb s.v. τυγχάνω 2d); siehe auch 19,11; 1 Clem 14,2.

[11] ἅπτω πυράν (vgl. Herodot I 86; 2 Makk 10,36) „einen Haufen anzünden". πυρά ist ein „Haufen brennbarer Stoffe", 28,2.3; Lk 22,55 v.l.

[12] Das Partizip Perfekt des intransitiven ἐφίστημι bezeichnet hier den Beginn, das Einsetzen des Regens.

[13] τὸ ψῦχος „die Kälte". ZAHN, Apg 845: Es war „der frühe Morgen eines kalten Wintertages, etwa 3 Monate vor der Wiedereröffnung der Schiffahrt (V. 10)". Dagegen erhebt HAENCHEN Bedenken. BALMER, Romfahrt 426: „Wir brauchen ... keinen anderen Temperaturfall anzunehmen, als er stets bei einem heftigen Nordoststurm sich einstellt."

[14] Der „Wir"-Stil wird in den VV 7.10 wieder aufgenommen, also im „Rahmen" der folgenden Episode.

[15] φρυγάνων τι πλῆθος „ein Bündel Reisig", besonders zum Feueranzünden; vgl. Xenophon, Anab. IV 3,11; Jes 47,14 LXX.

[16] ἔχιδνα „Schlange, Viper" (vgl. Lk 3,7: auf Menschen übertragen).

[17] Die Schlange schnellt wohl aus dem Reisigbündel heraus, als Paulus ans Feuer kommt: ἀπὸ τῆς θέρμης ἐξελθοῦσα.

[18] καθάπτω (mit Genitiv) „ergreifen, fassen" ist ntl. Hapaxlegomenon. Vgl. BLASS/DEBR § 310,1 mit Anm. 1 (Aktiv statt Medium).

[19] φονεύς „Mörder"; vgl. 3,14; 7,52. – πάντως „jedenfalls, gewiß" wie 21,22; Lk 4,23.

[20] διασωθέντα κτλ. blickt auf 27,44; 28,1 zurück. In bezug auf Paulus steht διασῴζω ferner 23,24; 27,43.

[21] ἡ δίκη „die Strafe" meint hier die als strafende Gerechtigkeit personifizierte Göttin, eine griechische Konzeption, die hier den Bewohnern von Malta zugewiesen wird. Eine Parallele zu unserer Stelle (Schlangenbiß nach Strandung) bietet WETTSTEIN, Novum Testamentum Graecum II 651 (übersetzt bei HAENCHEN; Text und Übersetzung auch: Anthologia Graeca II [München 1957] VII Nr. 290).

[22] ἔπαθεν οὐδὲν κακόν „er erlitt nichts Schlimmes". πάσχω τι „etwas erleiden" steht ferner: 9,16; Lk 9,22; 13,2; 17,25, 24,26.

V 6 Nun meinen die Inselbewohner, der von der Schlange Gebissene müsse anschwellen oder direkt tot umfallen (V 6a). Sie warten eine Weile, müssen aber sehen[23], daß ihm nichts Besonderes[24] widerfährt. Da ändern sie ihre Meinung[25]; sie nennen Paulus, den sie für einen Mörder gehalten hatten, nun einen „Gott" (V 6b). Die Bewohner von Malta lassen eine ähnliche religiöse Denkweise erkennen wie die von Lystra (14,11–13). Lukas zeigt so, daß Wunder „mehrdeutig" sind[26]. Erst die christliche Verkündigung kann aufzeigen, wie sie auf Gott zu beziehen, also „theologisch" zu deuten sind (vgl. 14,15–17). Andererseits ist das Heidentum der βάρβαροι als „extrem" falsch urteilend dargestellt: Selbst unter der Voraussetzung, daß Paulus kein „Mörder" ist, müßte er nicht unverletzt bleiben; und wenn er keinen Schaden nimmt, beweist dies nicht, daß er ein „Gott" sei.

V 7 In der Umgebung[27] der Stelle, wo der Schiffbruch stattfand bzw. die Schiffbrüchigen freundlich aufgenommen wurden (im Freien?), befanden sich Güter des „Ersten"[28] der Insel, der den römischen Namen Publius[29] hatte (V 7a). Er nahm „uns" (die Gruppe um Paulus) auf und bewirtete uns freundlich[30], drei Tage lang (V 7b). Es ist offensichtlich an ein größeres Landhaus gedacht[31], in dem die Gruppe zu Gast sein darf. Wieder trifft Paulus mit „Prominenz" zusammen. Die knappe Erzählung V 7 dient als Einleitung zu V 8.

V 8 Der Vater des Publius liegt schwerkrank zu Bett. Er leidet an Fieber und Ruhr[32]. Paulus tritt bei ihm ein und betet[33]; er legt ihm die Hände auf

---

[23] θεωρέω ist Vorzugsvokabel der Apg (14 Vorkommen); siehe oben Nr. 41 A. 36. – προσδοκάω 28,6a.b wie 3,5; 10,24; 27,33; nur 28,6a mit Akkusativ und Infinitiv.

[24] μηδὲν ἄτοπον variiert οὐδὲν κακόν (V 5). Zu ἄτοπος siehe oben Nr. 61 A. 17.

[25] μεταβάλλομαι „seine Meinung ändern" steht hier absolut wie z. B. Plato, Gorg. 481 e; Xenophon, Hell. II 3,31; 4 Makk 6,18.

[26] Vgl. oben I 308–310 (Exkurs 7).

[27] Die Wendung τὰ περὶ τὸν τόπον ἐκεῖνον „die Umgebung jenes Ortes" ist ganz allgemein gehalten. Vgl. οἱ περί 13,13; Lk 22,49.

[28] ὁ πρῶτος τῆς νήσου ist als Titel für Malta auch sonst bezeugt: IG XIV 601 (πρῶτος Μελιταίων καὶ πάτρων); CIL X 7495 („municipi Melitensium primus omnium"). Die früheren Acta-Kommentare nahmen meist an, es handle sich um den obersten römischen Regierungsbeamten (Legat des Statthalters von Sizilien). Seit Mayr, Die Insel Malta (s. o. A. 1) 116, und Wikenhauser, Die Apostelgeschichte und ihr Geschichtswert 345f, denkt man an eine vor-römische Einrichtung (Wikenhauser, a.a.O. 345: „kein eigentliches Gemeindeamt, sondern vielmehr eine mit dem Patronat verwandte Ehrenstelle").

[29] Πόπλιος/Publius (28,7.8) ist römischer Vorname; vgl. Blass/Debr § 41,1.

[30] ἀναδεξάμενος ἡμᾶς … ἐξένισεν. – ἀναδέχομαι „(ins Haus) aufnehmen" (OGIS 339,20; 441,9) ist wohl von προσλαμβάνομαι „aufnehmen" (V 2) zu unterscheiden.

[31] Lokalkolorit? Vgl. Meyer, Melite (s. o. A. 1): „Im ganzen Alt[ertum] blieb M. rückständig, und die ant. Reste sind unbedeutend, vor allem Reste großer röm. Villen."

[32] Passivisches συνέχομαι mit Dativ: „leiden an" (vgl. Lk 4,38; Mt 4,24). – πυρετός „Fieber"; der Plural soll wohl Fieberanfälle andeuten. – δυσεντέριον „Ruhr, Durchfall" ist hellenistische Form für δυσεντερία (vgl. 28,8 t.r.).

[33] Zum absoluten προσευξάμενος siehe oben Nr. 21 A. 56.

und heilt ihn[34]. Im Zusammenhang der Malta-Erzählung macht das Gebet des Paulus u.a. deutlich, daß er kein „Gott" ist (vgl. V 6)[35].

V 9 Nach Art eines Summariums wird dann berichtet, daß nach der Heilung des vornehmen Kranken[36] auch die übrigen Kranken der Insel[37] zu Paulus kamen und geheilt wurden[38]. Wenn man den Vers als Abschluß der Heilungserzählung V 8 wertet, drückt er die erfolgreiche Wirkung des Wunders aus (vgl. Lk 5,15).

V 10 Die Geheilten erwiesen „uns" viele Ehrungen; sie zeigten sich nicht nur dem Wundertäter dankbar, sondern auch seinen Begleitern. Wieder wird deutlich, daß an die römischen Soldaten und die übrigen Mitreisenden nicht mehr gedacht ist. Als (nach drei Monaten[39]) die Abfahrt bevorstand[40], versorgte man[41] die Reisenden mit dem Nötigen[42].

68. WEITERFAHRT ÜBER PUTEOLI NACH ROM: 28,11–16

Literatur: Balmer, Romfahrt (1905; s.o. Nr. 65 A) 476–500. – H. J. Cadbury, Lexical Notes on Luke-Acts. III. Luke's Interest in Lodging, in: JBL 45(1926)305–322, bes. 319–322. – Bornhäuser, Studien (1934) 148–165 [zu VV 11–31]. – E. de Saint-Denis, Mare clausum, in: Revue des Études Latines 25(1947)196–214 [zu V 11]. – F. J. Dölger, „Dioskuroi". Das Reiseschiff des Apostels Paulus und seine Schutzgötter. Kult- und Kulturgeschichtliches zu Apg 28,11, in: Antike und Christentum 6(1950)276–285. – F. R. M. Hitchcock, The Trial of St. Paul and Apollonius. An Historical Parallel, in: Hermathena 75(1950)24–34 [zu VV 13.16]. – M. Adinolfi, S. Paolo a Pozzuoli (Atti 28,13b.14a), in: RivB 8(1960)206–224. – F. A. Mecham, „And So We Came to Rome", in: Australasian Cath. Record 50(1973)170–173. – Walaskay, *Kai houtōs* (1973).

---

[34] Zu ἐπιτίθημι τὰς χεῖρας siehe oben I 428f A. 70. – Krankenheilung durch Handauflegung erwähnen Apg 9,12. 17f; 28,8; Lk 4,40; 13,13; vgl. Apg 5,12; 14,3; 19,11.
[35] Siehe Kirchschläger, Fieberheilung 516. Für das NT einzigartig ist „die Kombination von Gebet und Handauflegung bei einer Heilung" (Kirchschläger, a.a.O. 514).
[36] Der absolute Genitiv τούτου δὲ γενομένου bezieht sich auf die Heilung V 8.
[37] οἱ ἔχοντες ἀσθενείας entspricht der Diktion des Summars Lk 5,15 (diff Mk 1,45); vgl. Lk 8,2.
[38] ἐθεραπεύοντο darf nicht quellenkritisch gegen ἰάσατο (V 8) ausgespielt werden; siehe Lk 5,15 diff Mk. Kirchschläger, a.a.O. 512, meint, Lukas habe dem allgemeinen ἐθεραπεύοντο „das spezifischere ἰάσατο gegenübergestellt".
[39] Vgl. V 11: „nach drei Monaten fuhren wir ab". ἀνήχθημεν korrespondiert mit ἀναγομένοις in V 10. Siehe oben Nr. 43 A. 17.
[40] Das präsentische Partizip von ἀνάγομαι steht für das Futur; siehe Zerwick, Biblical Greek Nr. 282f.
[41] ἐπιτίθεμαι τινί τι „jemandem etwas geben"; siehe BauerWb s.v. ἐπιτίθημι 2a. Subjekt von ἐπέθεντο sind – genaugenommen – die Geheilten; doch wird der Erzähler wieder an die Gesamtbevölkerung der Insel denken.
[42] τὰ πρὸς τὰς χρείας wörtlich: „die (Dinge) zum nötigen Gebrauch", d.h. „was wir brauchten"; vgl. 20,34 ταῖς χρείαις μου. Der Ausdruck τὰ πρὸς τ. χρ. begegnet auch Polybius I 52,7; Arist 11.258. τὰ πρός mit Substantiv (Lk 24,32; 19,42; Röm 15,17; Hebr 2,17; 2 Petr 1,3) ist Amtssprache; vgl. MayserGr II/2, 503f.

11 Drei Monate später fuhren wir mit einem alexandrinischen Schiff ab, das auf der Insel überwintert hatte und die Dioskuren als Schiffszeichen trug. 12 Wir liefen in Syrakus ein und blieben drei Tage. 13 Von dort liefen wir aus[a] *und erreichten Rhegium. Nach einem Tag setzte Südwind ein, und so kamen wir in zwei Tagen nach Puteoli. 14 Hier trafen wir Brüder; sie baten uns, sieben Tage bei*[b] *ihnen zu bleiben. Und so kamen wir nach Rom. 15 Von dort waren uns die Brüder, die von uns gehört hatten, bis Forum Appii und Tres Tabernae entgegengereist*[c]. *Als Paulus sie sah, dankte er Gott und faßte Mut. 16 Nach unserer Ankunft in Rom* [d]*erhielt Paulus die Erlaubnis*[d], *für sich allein zu wohnen*[e], *zusammen mit dem Soldaten, der ihn bewachte.*

Der Abschnitt 28,11–16 ist seinem Charakter nach ein „Reisebericht“ im „Wir“-Stil. Er nennt Stationen der Reise und macht zu ihnen kurze Notizen. Die Reise führt nach der Überwinterung von Malta nach Syrakus *(VV 11f)*. Von Syrakus über Rhegium nach Puteoli verläuft das letzte Stück der Seefahrt; in Puteoli findet die Reisegruppe um Paulus Christen vor und kann bei ihnen eine Woche bleiben *(VV 13.14a)*. Dann gelangt sie zu Fuß nach Rom *(V 14b)*. Doch (während des Aufenthalts in Puteoli) haben die römischen „Brüder“ von der Ankunft des Paulus gehört und gehen ihm bis Forum Appii und Tres Tabernae entgegen *(V 15)*. Als man in Rom ankommt, wird dem Paulus gestattet, für sich allein zu wohnen, freilich unter der Bewachung durch einen Soldaten *(V 16)*. Ganz zum Schluß wird der Leser wieder, wenn auch indirekt, auf den Zweck der Romreise hingewiesen: Paulus soll vor das kaiserliche Gericht gestellt werden.

E. Haenchen schreibt V 14a dem Acta-Verfasser zu[1]. Der siebentägige Aufenthalt in Puteoli (V 14a) ermöglicht den römischen Christen, von der Ankunft des Paulus Nachricht zu erhalten und ihm entgegenzugehen (V 15). Somit ist auch V 15 Einschaltung des Lukas[2]. Freilich sollte man besser von einer Anfügung reden; denn V 14b („und so kamen wir nach Rom“) wird der Schluß des vorgegebenen Reiseberichts sein[3]. Außer V 15

---

[a] Statt περιελόντες (ℵ* B Ψ sa) lesen P[74] ℵ[c] A 066 Koine lat sy erleichternd(?) περιελθόντες. Vgl. METZGERTC 500f.

[b] Statt παρ(ά) lesen Ψ Koine verdeutlichend ἐπ(ί).

[c] ἦλθαν wird von Ψ Koine durch ἐξῆλθαν ersetzt.

[d] Koine gig p sa lesen (d – d): „übergab der Hauptmann die Gefangenen dem Lagerkommandanten; Paulus aber erhielt die Erlaubnis“. Vgl. WIKENHAUSER, Die Apostelgeschichte und ihr Geschichtswert 358f.

[e] 614. 2147 pc it fügen erläuternd hinzu: „außerhalb der Kaserne“.

[1] HAENCHEN, Apg 687. Er meint: „Da Lukas von 27,43 ab den Hauptmann Julius konsequent ignoriert, ist ihm diese [mit V 14a gegebene] Verzögerung einzuführen nicht schwergefallen.“

[2] Siehe HAENCHEN, a.a.O. 687f.

[3] HAENCHEN, a.a.O. 688, indessen: „Mit V. 16a hat er [Lukas] dann seine Vorlage wieder erreicht.“

hat Lukas auch den V 16 angefügt, der schon wegen der nochmaligen Angabe über das Eintreffen in Rom wie ein Nachtrag wirkt[4]. V 16 kehrt gedanklich zum Beginn des gesamten Berichts (27, 1) zurück und erinnert an den Zweck, zu dem Paulus nach Rom geschickt wurde[5].

V 11 Nach drei Monaten – das heißt nach der Überwinterung auf Malta[6] – ging die „Wir"-Gruppe um Paulus an Bord eines alexandrinischen Schiffes[7], das in einem Hafen der Insel überwintert hatte. Das Schiff, das die Dioskuren als Schiffszeichen trug[8], lief aus[9] und hatte wohl von Anfang an das Ziel Puteoli.

VV 12–13 In Syrakus[10] auf Silizien macht das Schiff für drei Tage fest (V 12), um Ladung zu löschen bzw. aufzunehmen oder weil man auf günstigen Wind warten muß. Anschließend geht die Fahrt[11] nach Rhegium[12] (V 13 a). Da einen Tag später Südwind aufkommt, kann man in zwei Tagen Puteoli[13] erreichen (bei einer durchschnittlichen Geschwindigkeit von fünf Knoten).

---

[4] CONZELMANN hält hingegen V 14 b für „eine lukanische Vorwegnahme, um die Begegnung mit den Brüdern von Rom vorzubereiten".

[5] Vgl. die Addition der Koine-Gruppe und des „westlichen" Textes, die von der Übergabe der Gefangenen an den Lagerkommandanten berichtet; siehe oben A. d. Diese *Übergabe* entspricht der *Übernahme* der Gefangenen 27, 1.

[6] Die Schiffahrt wurde im Februar oder März eröffnet. Nach Plinius, Nat. Hist. II 122, begann die Schiffahrt am 7. Februar. Das *Navigium Isidis* (Frühlingsfest bei der Eröffnung der Seefahrt) war Anfang März; siehe NILSSON, Geschichte II 625 f. Vgl. auch DE SAINT-DENIS, Mare clausum (1947).

[7] Vgl. dazu oben Nr. 66 A. 5 und 6.

[8] Mit Διόσκουροι („Zeus-Söhne")/Dioskuren sind Kastor und Pollux (Polydeukes) gemeint. Sie sind hier als Gallionsfiguren und zugleich als Schutzpatrone des Schiffes verstanden (vgl. Epiktet, Diss. II 18, 29; Aelius Aristides 43, 25). Die Dioskuren galten als Schutzgötter der Schiffer, aber auch überhaupt als Helfer in Gefahr. παράσημος „bezeichnet (mit)" kann sich allerdings auch auf ein beiderseits am Bug aufgemaltes Bild beziehen, unter dem der Name des Abgebildeten stand; siehe DÖLGER, Dioskuroi (1950); TORR, Ancient Ships (1964; s. o. Nr. 65 A) 65–67.

[9] ἀνήχθημεν (ἐν πλοίῳ κτλ.). Dem entspricht καταχθέντες „landend, einlaufend (in)" V 12.

[10] Συράκουσαι/Syrakus (lat. *Syracusae*) an der Ostküste Siziliens blieb auch unter römischer Herrschaft die Hauptstadt der Insel. Siehe K. FABRICIUS, Das antike Syrakus (1932) (Neudruck Berlin 1963); H.-P. DRÖGEMÜLLER, Syrakusai, in: KlPauly V 460–469 (Lit.).

[11] περιελόντες ist Aorist 2 von περιαιρέω „wegnehmen" und müßte sich auf die Anker beziehen („die Anker lichten"); siehe oben Nr. 66 A. 130. Die LA περιελθόντες wird eine alte Konjektur sein (s. o. A. a); jedoch ergibt „im Bogen herumfahren" auf der Route Syrakus – Rhegium keinen Sinn. CONZELMANN möchte περιελθόντες mit PREUSCHEN auf die Küstenfahrt beziehen.

[12] Ῥήγιον/Rhegium (heute Reggio di Calabria), Stadt und Vorgebirge in Bruttium, gegenüber Sizilien, südlich der Straße von Messina. Siehe G. VALLET, Rhégion et Zankle (Paris 1958); G. RADKE, Rhegion, in: KlPauly IV 1392 f (Lit.).

[13] Ποτίολοι/Puteoli (heute Pozzuoli) im Norden des Golfs von Neapel war seinerzeit der Haupthafen für den Überseehandel Italiens. Später wurde es von dem durch Klau-

V 14 In Puteoli[14] findet die Reisegruppe „Brüder“. Die „Wir“-Gruppe und die „Brüder“ sind also Christen. Auf Bitten der Mitchristen bleibt man sieben Tage in der Hafenstadt (V 14a). Daß man „auf diese Weise“ nach Rom kam[15] (V 14b), heißt im jetzigen Kontext: Von Puteoli aus und zu Fuß. Die Ankunft in Rom (vgl. V 16a) wird vorweg erwähnt. Nachdem Rom nun einmal genannt ist, kann der von Lukas angefügte Komplex der VV 15.16 mit κἀκεῖθεν[16] einsetzen.

V 15 Die „Brüder“ in Rom hören bald τὰ περὶ ἡμῶν[17], was nach dem Kontext mindestens heißt: von der Ankunft des Paulus (und seiner Begleiter) in Puteoli. Sie wissen, daß er auf dem Weg nach Rom ist, und gehen ihm entgegen[18]. Als Orte der Begegnung werden die Stadt Forum Appii (43 Meilen vor Rom) und die Poststation Tres Tabernae (33 Meilen vor Rom) genannt[19] (V 15a). Die beiden Orte werden also aus der Perspektive der ἡμεῖς vorgeführt. Es kann nur gemeint sein, daß zwei Gruppen römischer Christen sich auf den Weg machten oder daß eine Art Vorhut schneller marschierte[20]. Daß es in Rom „Brüder“ gab, kann der Leser aus 18,2 erschließen[21]; von römischen Christen (nicht von einer „Gemeinde“) wird denn auch 28,15 ganz unvermittelt gesprochen, während V 14 über Puteoli sagt, man habe dort „Brüder gefunden“. V 15b fügt an[22], daß Paulus beim Anblick der römischen Christen Gott dankte[23] und Mut schöpfte[24]. Die römischen Christen werden in der weiteren Erzählung nicht mehr erwähnt. Vielleicht hängt dieser Befund mit der Absicht zusammen, Paulus „als den

---

dius ausgebauten Hafen Ostia an der Tibermündung überflügelt (Conzelmann). Siehe Ch. Dubois, Pouzzoles antique (Paris 1907); H. Leclercq, Pouzzoles et Cumes, in: DACL XIV/2, 1673–1687; Adinolfi, S. Paolo (1960); G. Radke, Puteoli, in: KlPauly IV 1244f (Lit.).

[14] οὗ εὑρόντες κτλ. leitet einen neuen Satz ein und klingt so, „als befänden sich die Reisenden auf freiem Fuß und machten die dortigen Christen ausfindig“ (Haenchen).

[15] Von Puteoli aus führt die Route zunächst auf der Via Campana bis Capua, dann auf der Via Appia nach Rom.

[16] Zu κἀκεῖθεν siehe oben Nr. 30 A. 49. Das Adverb ist Vorzugsvokabel der Apg (8 von 10 Stellen im NT).

[17] Zu dieser Wendung vgl. 23,11.15; 24,10; Lk 24,27; siehe auch oben Nr. 44 A. 17. Vgl. ferner Apg 9,38 als Sachparallele.

[18] κἀκεῖθεν … ἦλθαν εἰς ἀπάντησιν ἡμῖν „von dort … kamen uns zur Begrüßung entgegen“. Die Wendung εἰς ἀ. mit Dativ ist LXX-Stil; vgl. auch Polybius V 26,8f (von der feierlichen Einholung eines Königs); vgl. Bruce (NIC).

[19] Siehe Preuschen; Conzelmann. Für die Entfernung Puteoli – Rom brauchte ein rüstiger Fußgänger fünf Tage; vgl. Zahn, Apg 849 Anm. 13. Siehe auch E. Plümacher, Ἀππίου φόρον, in: EWNT I 354f.

[20] Wahrscheinlich hat Lukas kein detailliertes Bild vor Augen; er nennt die beiden bekanntesten Stationen der Via Appia zwischen Rom und Neapel (Haenchen).

[21] Aquila und Priszilla kamen aus Rom; siehe dazu oben Nr. 42 mit Anmerkungen 14–17.

[22] οὓς bezieht sich auf die ἀδελφοί (V 15a): Relativstil wie in dem „lukanischen“ V 14.

[23] εὐχαριστέω τῷ θεῷ wie 27,35; vgl. Lk 18,11; Joh 11,41; Röm 1,8; 7,25 u.ö.

[24] λαμβάνω θάρσος wie JosAnt IX 55; vgl. Apg 23,11: θάρσει in Verbindung mit der Zusage, nach Rom zu gelangen!

Bahnbrecher des Christentums“ erscheinen zu lassen[25]. Wenn Paulus jedoch angesichts römischer Christen Mut faßte, so stellt damit der Erzähler diesen Glaubensbrüdern ein gutes Zeugnis aus.

V 16 Der mit ὅτε δέ[26] eingeleitete Nebensatz (V 16a) greift auf die Angabe von V 14b zurück. Mit ihm endet der „Wir“-Bericht. V 16b spricht nur noch von Paulus. Als er zusammen mit seinen Begleitern in Rom ankam, wurde ihm gestattet[27], unter Bewachung durch einen Soldaten[28] für sich zu wohnen. Er braucht nicht in eine Kaserne, sondern kann „für sich allein“[29] eine Mietwohnung beziehen[30] (vgl. 28,30) und Besucher empfangen (vgl. 28,17.23.30). So leitet V 16 zur Schlußperikope der Apostelgeschichte über.

F. Paulus predigt ungehindert in Rom (28,17–31)

Der Schlußabschnitt der Apostelgeschichte 28,17–31 spielt in Rom, näherhin in dem Privatquartier, das Paulus laut 28,16 beziehen durfte. Die Kontrahenten des Gefangenen sind in den beiden ersten Unterabschnitten der Erzählung römische Juden; mit V 30 ändert sich der Kreis der Zuhörer des Paulus. Der Bericht umfaßt einen Zeitraum von vollen zwei Jahren (V 30); die erste Szene wird auf den dritten Tag nach der Ankunft des Paulus in Rom datiert (V 17).

Die *erste Szene* (VV 17–22) berichtet über eine Zusammenkunft der führenden Juden bei Paulus, und zwar gleich nach dessen Ankunft. Der Gefangene erklärt ihnen, warum er nach Rom gebracht wurde; die Juden zeigen Interesse für die „Ansichten“ des Paulus. So kommt es zu einem *weiteren Treffen* (VV 23–28), bei dem Paulus als Missionar über das Reich Gottes redet und die Hörer für Jesus zu gewinnen sucht. Die Reaktion der jüdischen Hörer ist gespalten; sie gehen von Paulus weg, nachdem er ihnen ein entscheidendes Wort gesagt hatte: Jes 6,9f habe sich an ihnen er-

---

[25] So CONZELMANN; vgl. HAENCHEN, Apg 688: Lukas „will Paulus in Rom das bis dahin unbekannte Evangelium verkünden lassen“.

[26] ὅτε δέ am Anfang eines Nebensatzes wie 8,12.39; 11,2; 12,6; 21,5.35; 27,39; Lk 15,30.

[27] Zu ἐπιτρέπω siehe oben Nr. 55 A. 13. Das Verbum steht mit folgendem Dativ und Infinitiv auch 21,39; 26,1 (passivisch wie 28,16); 27,3; Lk 8,32a; 9,59.61.

[28] Normalerweise bestand die Bewachung aus *zwei* Soldaten; vgl. CONZELMANN. Paulus war offenbar am Handgelenk an den Bewacher gekettet (vgl. 28,20); so BRUCE (NIC).

[29] μένειν καθ' ἑαυτόν „im eigenen Quartier (d.h. privat) wohnen“ (von der *custodia libera*). Der „westliche“ Text (s. o. A. e) erwähnt die παρεμβολή und meint damit wohl die Prätorianerkaserne vor der Porta Viminalis (CONZELMANN).

[30] 28,30: ἐν ἰδίῳ μισθώματι („in eigener Mietwohnung“); V 23: εἰς τὴν ξενίαν („in die Herberge“); siehe dazu CADBURY, Interest in Lodging (1926) 319–322. Es war dem Gefangenen möglich, seinen Geschäften nachzugehen; vgl. Ulpian, Digest. IV 6,10; CONZELMANN.

füllt; das Judentum bleibe verstockt. Darum gehe das Heil an die hör-willigen Heiden über. Den Höhepunkt des Abschnitts bildet diese Wiederholung der programmatischen Aussage über die Hinwendung zu den Heiden, die Paulus schon in Kleinasien (13,46) und in Griechenland (18,6) gemacht hatte. Hier nun trägt sie den Stempel des Endgültigen.

Der kurze *dritte Teilabschnitt* (VV 30-31) läßt offen, was nach den „vollen zwei Jahren" mit Paulus geschah. Die Botschaft vom „Reich" und die Lehre über „Jesus Christus" steht vor der Person des gefangenen Paulus und ihrem Schicksal im Vordergrund. Der Gefangene verkündet in der Hauptstadt des Imperiums die christliche Botschaft. Er tut es – darauf liegt der Nachdruck – „mit allem Freimut" (vgl. Phil 1,14: „ohne Furcht") und „ungehindert" (vgl. 2 Tim 2,9: „das Wort Gottes ist nicht gefesselt"). Der Leser der Acta soll erkennen: Auch Gefangenschaft und Tod des Paulus können den Siegeslauf (vgl. 2 Thess 3,1) des Christuszeugnisses nicht aufhalten.

Die Verheißung des auferstandenen Christus an die zwölf Apostel, sie würden seine Zeugen sein „bis ans Ende der Erde" (Apg 1,8), steht somit vor ihrer Erfüllung. Das Licht für die Heidenvölker, das Paulus nach dem Willen des Herrn sein sollte, leuchtet weiter „bis ans Ende der Erde" (13,47).

69. PAULUS UND DIE RÖMISCHEN JUDEN. UNGEHINDERTE CHRISTUSVERKÜNDIGUNG: 28,17-31

LITERATUR: RÜEGG, Die Lukasschriften und der Raumzwang (1896). – HARNACK, Zeitangaben (1907) 396-399 [zu VV 30f]. – F. PFISTER, Die zweimalige römische Gefangenschaft und die spanische Reise des Apostels Paulus und der Schluß der Apostelgeschichte, in: ZNW 14(1913)216-221. – EGER, Rechtsgeschichtliches (1919) 20-23. – WIKENHAUSER, Die Apostelgeschichte und ihr Geschichtswert (1921) 358-361. – J.-B. FREY, Le judaïsme à Rome aux premiers temps de l'Église, in: Bibl 12(1931)129-156. – BORNHÄUSER, Studien (1934) 148-165. – L. P. PHERIGO, Paul's Life after the Close of Acts, in: JBL 70(1951)277-284. – H. J. LEON, The Jews of Ancient Rome (Philadelphia 1960). – GNILKA, Verstockung Israels (1961), bes. 130-154. – F. F. BRUCE, St. Paul in Rome, in: BJRL 46(1963/64)326-345; 50(1967/68)262-279. – HOLTZ, Untersuchungen (1968) 33-37 [zu VV 26f]. – W. WIEFEL, Die jüdische Gemeinschaft im antiken Rom und die Anfänge des römischen Christentums, in: Judaica 26(1970)65-88. – WIATER, Komposition als Mittel der Interpretation (1972) 153-165. – A. STARIĆ, Atti 28,15-31. Valutazione teologica dell' arrivo e del soggiorno di Paolo a Roma. Diss. Gregoriana (Rom 1972/73). – G. DELLING, Das letzte Wort der Apostelgeschichte, in: NT 15(1973)193-204. – STOLLE, Zeuge (1973) 80-89. – WILSON, Gentiles (1973) 225-233 [zu VV 26-28]. – W. RADL, Paulus traditus. Jesus und sein Missionar im lukanischen Doppelwerk, in: Erbe und Auftrag 50(1974)163-167. – E. HANSACK, „Er lebte ... von seinem eigenen Einkommen" (Apg 28,30), in: BZ 19(1975)249-253. – RADL, Paulus und Jesus (1975) 252-265 [zu VV 17-19]. – F. SAUM, „Er lebte ... von seinem eigenen Einkommen" (Apg 28,30), in: BZ 20(1976)226-229. – E. HANSACK, Nochmals zu Apostelgeschichte 28,30, in: BZ 21(1977)118-121. – U. WILCKENS, Der Brief an die Römer I (EKK VI/1) (Zürich/Neukirchen 1978) 33-48. – J. DUPONT, La conclusion des Actes et son rapport à l'ensemble de l'ouvrage de Luc, in: Kremer (Hrsg.), Les Actes (1979) 359-404. – HAUSER, Strukturen der Abschlußerzählung (1979). – PRAST, Presbyter und Evangelium (1979) 328-334 [zu VV 28-31]. – PESCH, Simon-Petrus (1980) 109-134.

17 Es geschah aber nach drei Tagen, daß er (Paulus) die führenden Männer der Juden zusammenrufen ließ. Als sie versammelt waren, sagte er zu ihnen: Brüder, obwohl ich mich nicht gegen das Volk oder die Sitten der Väter vergangen habe, bin ich von Jerusalem aus als Gefangener in die Hände der Römer ausgeliefert worden. 18 Diese haben mich [a]*verhört und wollten mich freilassen, da nichts gegen mich vorlag, worauf der Tod steht. 19 Da jedoch die Juden Einspruch erhoben*[b]*, war ich gezwungen, Berufung beim Kaiser einzulegen, jedoch nicht, um mein Volk anzuklagen*[c]*. 20 Aus diesem Grund habe ich darum gebeten, euch sehen und sprechen zu dürfen; denn um der Hoffnung Israels willen trage ich diese Fesseln. 21 Darauf sagten sie zu ihm: Wir haben über dich weder Briefe aus Judäa erhalten noch ist einer von den Brüdern gekommen, der uns Belastendes über dich berichtet oder erzählt hätte. 22 Wir wünschen aber von dir zu hören, was für Ansichten du hast; denn von dieser Sekte ist uns bekannt, daß sie überall auf Widerspruch stößt.*

23 Sie vereinbarten mit ihm einen bestimmten Tag, an dem sie in noch größerer Zahl zu ihm in die Wohnung kamen. Vom Morgen bis in den Abend hinein erklärte und bezeugte er ihnen das Reich Gottes und versuchte, sie vom Gesetz des Mose[d] *und von den Propheten aus für Jesus zu gewinnen. 24 Einige ließen sich von dem überzeugen, was er sagte, andere blieben ungläubig. 25 Ohne sich einig geworden zu sein, brachen sie auf, nachdem Paulus (noch) das eine Wort gesagt hatte: Treffend hat der heilige Geist durch den Propheten Jesaja zu euren*[e] *Vätern geredet, 26 als er sagte:*

„Geh zu diesem Volk und sprich:
Hören sollt ihr, aber nicht verstehen,
sehen sollt ihr, aber nicht erkennen.
27 Denn das Herz dieses Volkes ist hart geworden,
mit ihren Ohren hören sie nur schwer,
und ihre Augen halten sie geschlossen,
damit sie mit ihren Augen nicht sehen
und mit ihren Ohren nicht hören,
damit sie mit ihrem Herzen nicht zur Einsicht kommen
und sich bekehren und ich sie heile.“ (Jes 6,9f)

---

[a] Vor ἀνακρίναντες schalten 614 pc sy^{h**} πολλά ein: „gründlich verhört“.

[b] 614. 2147 pc sy^{h**} fügen (im Anschluß an 22,22) an: „und riefen: Schaffe unseren Feind aus dem Weg!“

[c] 614. 2147 pc gig p vg^{mss} sy^{h**} fügen an: „sondern, um mein Leben vor dem Tod zu retten“.

[d] Μωΰσέως fehlt in P^{74}. So begegnet die gewohnte Wendung „das Gesetz und die Propheten“; vgl. 16,16; Apg 13,15.

[e] Statt ὑμῶν (P^{74} ℵ A B Ψ 049 al sy^{p}) lesen Koine gig vg ἡμῶν („zu unseren Vätern“), während sy^{h} das Pronomen überhaupt wegläßt.

28 Darum sollt ihr nun wissen: Den Heiden ist dieses Heil Gottes gesandt worden; sie werden hören![f]
30 Er blieb zwei volle Jahre in seiner Mietwohnung und empfing alle, die zu ihm kamen[g]. *31 Er verkündete das Reich Gottes und trug* [h]*die Lehre über den Herrn Jesus Christus*[h] *vor, mit allem Freimut und ungehindert*[i].

Der Schluß der Apostelgeschichte (28,17–31) hat von jeher die Forschung vor Probleme gestellt. Auch wenn man, wie wir es mit E. Haenchen[1] und H. Conzelmann[2] tun, davon ausgeht, daß Lukas den Märtyrertod des Paulus voraussetzt, bleiben Fragen. Doch zuvor sollen Antworten besprochen werden, die am Anfang des 20. Jahrhunderts versucht wurden; denn sie können auch für die heutige Fragestellung aufschlußreich sein[3].

A. Harnack[4] vertrat die Auffassung, die Acta seien verfaßt worden, ehe der Prozeß gegen Paulus seinen Abschluß fand. Diese Hypothese wird nicht nur durch die Tatsache widerlegt, daß das dritte Evangelium erst nach 70 n. Chr. abgefaßt wurde, sondern auch durch die Abschiedsrede des Paulus in Milet (Apg 20,18–35), die nur verständlich wird, wenn der Tod des Paulus bereits zurückliegt (vgl. VV 29–35)[5]. – F. Pfister[6] meinte, das Martyrium des Paulus sei ursprünglich sehr wohl von Lukas berichtet worden. Man habe später den Märtyrertod getilgt, um die Actus Vercellenses (Actus Petri cum Simone) anschließen zu können, die mit der Abreise des Paulus nach Spanien einsetzen. Doch muß man feststellen, daß Apg 28,17–31 in keiner Weise fragmentarisch wirkt[7]. – Th. Zahn[8] vertrat die These, Lukas habe einen dritten Band geplant; er beruft sich dafür auf das Proömium Apg 1,1; das vom

[f] Koine it vg^{cl} sy^{h**} fügen (als V 29) an: „Und als er das gesagt hatte, gingen die Juden weg und stritten noch lange miteinander." Die „westliche" Erweiterung wurde vom Koine-Text übernommen. Sie geht wohl auf die Absicht zurück, den Übergang von V 28 zu V 30 weniger abrupt erscheinen zu lassen.

[g] 614. 2147 pc (gig p) vg^{mss} sy^{h**} haben auch hier (s. o. A. b.c) eine Erweiterung: „Juden sowie Griechen".

[h] Die Worte „die Lehre über den Herrn Jesus Christus" (h – h) fehlen in p (siehe jedoch unten A. i).

[i] Am Schluß von V 31 fügen p vg^{mss} sy^{h} an: „indem er sagte: Dieser ist Christus Jesus, der Sohn Gottes, durch den die ganze Welt gerichtet werden wird". Hinter ἀκωλύτως fügen ein „Amen" an: Ψ 36. 453. 614 al sy^{h}.

[1] Haenchen, Apg 700.

[2] Conzelmann, Apg zu 28,30 f: „Der Hinweis auf die διετία setzt ... voraus, daß dieser Zustand zu Ende ging. Wie, darüber läßt die Abschiedsrede in Milet keinen Zweifel: Paulus wurde hingerichtet."

[3] Zu den Folgerungen, die aus dem vermeintlich abrupten Schluß der Acta gezogen wurden, siehe auch oben I 119 mit Anmerkungen 88–91; 143 mit A. 44.

[4] Harnack, Neue Untersuchungen (1911) 68 f.

[5] Vgl. indessen die Entscheidung der Päpstlichen Bibelkommission vom 12. 6. 1913; dazu oben I 179. Man gewinnt den Eindruck, daß sich die Bibelkommission implizit auf Harnack berief.

[6] Pfister, Gefangenschaft (1913).

[7] Conzelmann, Apg 160.

[8] Zahn, Das dritte Buch (1917; s. o. Nr. 1 B); vgl. ders., Apg I 16–18.

πρῶτος λόγος spricht. Doch ist im hellenistischen Griechisch πρῶτος im Sinne von πρότερος zu verstehen[9]. Außerdem verkennt Zahn „die planvolle Anlage des Gesamtwerkes" und seine „umfassende theologische Konzeption"[10]. – Auch O. Eger[11] konnte den Schlußabschnitt der Acta nicht zureichend erklären. Er trat dafür ein, daß nach zwei Jahren das Verfahren gegen Paulus eingestellt worden sei, weil bis dahin Kläger (d.h. die Synedristen) nicht auftraten. Aber bei einer *remissio* brauchte man offenbar keine Kläger[12].

Wir dürfen somit von folgenden Voraussetzungen ausgehen: Der Schluß der Acta (28,17–31) ist der ursprüngliche und geplante Schluß des lukanischen Werkes (gegen Pfister). Er ist nicht auf einen Fortsetzungsband hin angelegt (gegen Zahn). Daß in dem Schlußabschnitt der Apostelgeschichte der Tod des Paulus nicht erwähnt wird, läßt nicht auf eine Abfassung vor dem Abschluß des Prozesses gegen Paulus schließen (gegen Harnack). Apg 28,17–31 läßt auch nicht den Schluß zu, im Prozeß gegen Paulus sei schließlich das Verfahren eingestellt worden (gegen Eger). Endlich dürfen aus verschiedenen Gründen die nach-neutestamentlichen Angaben über ein weiteres Wirken des Paulus (nach seiner römischen Gefangenschaft) im Osten (Pastoralbriefe[13]) oder im Westen (Spanien[14]) nicht für die Auslegung von Apg 28,17–31 herangezogen werden, ganz abgesehen davon, daß sie historisch nicht glaubwürdig sind[15].

Für die Konzeption des Lukas geht der zweijährige Aufenthalt des gefangenen Paulus in Rom unmittelbar seinem Tod voraus[16]. Gerade darum aber erhebt sich die Frage, wie sich Lukas den ungünstigsten Ausgang des Prozesses gedacht haben wird. Dies ist deswegen keine theoretische Frage, weil ein Prozeß vor dem Kaisergericht, der mit einem Todesurteil endete,

[9] Siehe oben I 191 mit Anmerkungen 24.25.

[10] Conzelmann, Apg 160.

[11] Eger, Rechtsgeschichtliches (1919) 20–23. Auch Wikenhauser, Apg 290, rechnet mit dieser Hypothese.

[12] Siehe Plinius, Ep. X 96,4, und das zweite Edikt von Zyrene (siehe Conzelmann, Apg 167). Vgl. auch Haenchen, Apg 692f Anm. 2.

[13] Wenn man die Pastoralbriefe als authentisch-paulinische Zeugnisse wertet, ergibt sich, daß der Apostel (nach günstigem Ausgang des Prozesses) noch einmal im Osten (Ephesus, Kreta) wirkte; siehe dazu jedoch kritisch: N. Brox, Die Pastoralbriefe (RNT 7/2) (Regensburg 1969) 28–31.

[14] Eine Reise des Paulus nach Spanien (entsprechend dem Plan Röm 15,24.28!) erwähnen 1 Clem 5,7 und der Kanon Muratori, Zeilen 38f. Siehe dazu BauerWb s.v. Σπανία (Lit.); J. Schmid, Paulus I, in: LThK VIII 216–218; Brox, a.a.O. 29f; Pesch, Simon-Petrus 126f.

[15] Die Auskunft des Eusebius (HistEccl II 22, 2) über eine zweimalige römische Gefangenschaft des Paulus, deren letztere mit seinem Martyrium endete, beruht nach Brox, a.a.O. 31, offensichtlich „auf der notwendigen Konklusion aus der Annahme der Echtheit der [Pastoral-]Briefe und außerdem auf einer dazu stimmenden Interpretation von 2 Tim 4,16"; sie ist demnach „keine unabhängige Bestätigung" (vgl. HistEccl II 22,2–8).

[16] Hingegen kommt EusHistEccl II 22,7 (vgl. dazu oben A. 15) zu der Folgerung, daß Paulus nicht während jenes römischen Aufenthalts, den Lukas erwähnt, das Martyrium erlitten hat.

die ganze „politische Apologetik“ des Buches mit ihrem dreimaligen Urteil über die Unschuld des Paulus (23,29; 25,25; 26,31) entwerten oder gar ad absurdum führen könnte.

Zur Beantwortung dieser Frage macht Lukas seinen Lesern gewisse Andeutungen. Er verweist auf die Analogie des Todesschicksals Jesu und auf analoge Erfahrungen des Paulus mit einem römischen Statthalter. Über Jesus hatte der römische Statthalter dreimal öffentlich sein Urteil ausgesprochen, er sei unschuldig (Lk 23,4.14.22); und doch lieferte er ihn zur Kreuzigung aus (23,23–25). Ebenso handelte Porcius Festus gegen seine „objektive“ Überzeugung, wenn er Paulus nicht freiließ: Apg 25,25–27; 26,31 f[17]. Somit kann sich der Leser von Apg 28 vorstellen, daß es durch menschliches Versagen des Kaisergerichts, wahrscheinlich sogar durch das Wüten des verfemten Kaisers Nero, zur Hinrichtung des Paulus kam[18].

Wenn Lukas den Märtyrertod des Paulus nicht in seinen Bericht aufnahm, so hängt dies mit der Zielsetzung seines Werkes zusammen. Man kann deswegen nicht sagen: „Daß er ihn nicht erzählt hat ..., versteht sich eigentlich von selbst. Er sah es nicht als seine Aufgabe an, die Märtyrerfrömmigkeit zu beleben.“[19] Man muß schon auf die Thematik der Acta verweisen (vgl. Apg 1,8), die den Siegeslauf des Christuszeugnisses bzw. des Wortes Gottes aufzeigen will[20]. In diesem Sinn läßt Lukas den großen Missionar Paulus nun in Rom sein gewaltiges Werk vollenden. Die christliche *Botschaft* steht ganz im Vordergrund des Schlußabschnitts 28,23–31, nicht die Person des Paulus[21].

---

[17] Apg 25,9 nennt das Motiv des Festus: Er wollte sich den Juden gefällig zeigen; vgl. Pilatus in der Passionsgeschichte Jesu (Lk 23,24 f).

[18] Die älteste Überlieferung über das Martyrium (Enthauptung) des Paulus unter Nero zu Beginn der sechziger Jahre (63 n. Chr.?) spiegelt sich auch an anderen Stellen wider: 2 Tim 4,6–8; 1 Clem 5,4–7; ActPl (Acta Apostolorum apocrypha, ed. Lipsius/Bonnet I 104–117; NADÜ II 265–268). Vgl. dazu W. Schneemelcher in: NADÜ II 238.

[19] Haenchen, Apg 700. Er fügt an: „Der einzige Märtyrer, von dem er ausführlich spricht, ist Stephanus, der erste Märtyrer der christlichen Kirche. Ihn konnte Lukas nicht übergehen, und er brauchte es auch nicht, weil Stephanus ein Opfer der gottlosen Sadduzäer gewesen war.“ Conzelmann, Heiden – Juden – Christen (1981) 235 Anm. 92, bringt das Schweigen der Acta über den Tod des Paulus mit deren politischer Apologetik in Zusammenhang. Ähnlich schon J. Speigl, Der römische Staat und die Christen (Amsterdam 1970) 12. Roloff, Apg 289, sieht das Schweigen der Apg über den Märtyrertod des Paulus in der „inneren Situation der römischen Gemeinde“ begründet; vgl. ebd. 372 den Hinweis auf 1 Clem 5,2: Petrus und Paulus wurden „wegen Eifersucht und Neid“ verfolgt.

[20] Siehe z. B. Bornkamm, Paulus 118: Das Ende des Buches der Apg wird „verständlich, wenn man sich des in seinem Anfang ausgesprochenen Programms des lukanischen Geschichtswerkes erinnert, den Weg des Evangeliums von Jerusalem und Judäa über Samaria bis an die Enden der Erde zu schildern ...“

[21] Siehe die Zusammenfassungen 28,23.31 (Anfangs- und Schlußvers), ferner die durch ἀκούω bestimmte Verwendung des Jesaja-Zitats 28,26–28 (ἀκούω in allen drei Versen!). Vgl. Dupont, La conclusion 372–376.

V 17 Schon drei Tage[22] nach seiner Ankunft in Rom ruft Paulus – daß er gefangen ist (V 20b), scheint fast vergessen – „die Ersten“[23] der römischen Juden zusammen[24] (V 17a). Die Autorität des Paulus wird so hervorgehoben, daß man den Eindruck gewinnt, er habe die jüdische Prominenz einfach herbeizitieren können. Als die Juden bei ihm eintreffen, wendet er sich an sie (VV 17b–20). Er redet sie mit „Brüder“[25] an und erklärt ihnen, daß er nichts getan habe, was sich gegen[26] das Volk (ὁ λαός) und die Sitten der Väter[27] (d.h. das Gesetz) richtet. Trotzdem sei er von Jerusalem aus[28] „in die Hände der Römer“[29] ausgeliefert worden[30] (V 17b). Gegenüber der Darstellung von 21,31–33 ist diese Angabe überraschend, insofern dort gesagt war, daß die Römer Paulus vor der Lynchjustiz der Juden retteten. Die neue „Version“ gleicht das Schicksal des Paulus an die Passion Jesu an[31].

---

[22] ἐγένετο (δὲ μετὰ ἡμέρας τρεῖς) mit folgendem Akkusativ und Infinitiv wird von Lukas auch sonst als Einleitungswendung gebraucht (vgl. Blass/Debr § 408), z.B. Lk 3,21f; 6,1.6.12; 16,22; Apg 4,5; 9,3.32.37; 28,8.

[23] οἱ ὄντες τῶν Ἰουδαίων πρῶτοι. Da Paulus keine der römischen Synagogen aufsuchen kann, muß er sich über die πρῶτοι an die römische Judenschaft wenden; vgl. Lk 19,47 (οἱ πρῶτοι τοῦ λαοῦ neben den Hohenpriestern und Schriftgelehrten; diff Mk 11,18), ferner Apg 25,2 („die Hohenpriester und die Ersten der Juden“). Nach Wikenhauser, Apg 287, handelt es sich an unserer Stelle wohl um die Gerusiarchen, die Präsidenten der einzelnen jüdischen Synagogengemeinden.
Zur Organisation und Situation der römischen Judenschaft siehe die im Lit.-Verz. notierten Arbeiten von Frey (1931), Leon (1960), Wiefel (1970) und Wilckens (1978). Es gab in Rom zahlreiche Synagogen; doch existierte keine über die Einzelsynagoge hinausgehende organisatorische Spitze wie in Alexandria. Das Christentum wird durch judenchristliche Missionare nach Rom gekommen sein (vgl. die „Libertiner“ Apg 6,9). Das Edikt des Klaudius (49 n.Chr.; siehe dazu oben I 130f) setzt wahrscheinlich schon ein starkes Judenchristentum in Rom voraus. Zu den damals aus Rom vertriebenen Juden gehörten Aquila und Priszilla (Apg 18,2). Nach dem Tod des Klaudius konnten die Vertriebenen wieder zurückkehren, fanden aber wohl Christen vor, „die unabhängig von der Synagoge in Rom ihre Organisationsform gefunden haben ...“ (Wiefel, Die jüdische Gemeinschaft 79).

[24] Das Medium συγκαλέομαι „zu sich rufen, zusammenrufen“ ist Vorzugswort des Lukas: 10,24; 28,17; Lk 9,1; 23,13, sonst nicht im NT.

[25] ἄνδρες ἀδελφοί. Der Judenchrist redet die Juden als „Brüder“ an, so auch 2,29; 3,17; 7,2; 13,26.38; 22,1; 23,1.6.

[26] οὐδὲν ἐναντίον mit Dativ. Vgl. oben Nr. 64 A. 39.

[27] Mit τὰ ἔθη τὰ πατρῷα ist die Tora gemeint; vgl. 22,3: ὁ πατρῷος νόμος.

[28] Die Präposition ἐκ vor παρεδόθην führt neben dem Ort der Auslieferung zugleich auch den ein, der sie vollzog: die Bewohner von Jerusalem.

[29] Zu εἰς τὰς χεῖρας κτλ. vgl. 21,11; zur Auslieferung *Jesu* an die Römer siehe 3,13; Lk 9,44; 18,32; 24,7.

[30] παραδίδωμι wie an den A. 29 genannten Stellen. π. mit folgendem „in die Hände jemandes“ ist LXX-Ausdruck: Dtn 1,27; Jer 33,24; Jdt 6,10; 1 Makk 4,30 (auch passivisch).

[31] Siehe 3,13; Lk 9,44; 18,32; 24,7.

V 18 Die Römer[32] haben Paulus verhört[33] und wollten ihn freilassen[34], weil keine αἰτία gegen ihn vorlag, die ein Todesurteil gerechtfertigt hätte[35]. Paulus erklärt also den Juden, daß er von römischen Instanzen bereits für unschuldig befunden wurde. Nun muß er ihnen klarmachen, wieso er dennoch in Gefangenschaft gehalten und nach Rom gebracht worden ist (V 19).

V 19 Die Freilassung des Paulus wurde durch den Einspruch[36] der Juden vereitelt. Paulus war somit gezwungen[37], an den Kaiser zu appellieren (V 19a). Paulus betont, daß er mit der Appellation keine Anklage gegen sein Volk beabsichtigte[38], sondern – so will er wohl sagen – nur zu seiner eigenen Verteidigung handelte (V 19b). „Paulus verteidigt sich nur und bleibt seinem Volk gegenüber unverändert freundlich.“[39]

V 20 Um den erwähnten Sachverhalt darzulegen[40] hat Paulus die Vertreter der römischen Judenschaft zu sich gebeten[41] (V 20a). Sie sollen erkennen: „Um der Hoffnung Israels[42] willen[43] trage ich diese Fesseln.“ Damit lenkt der Schluß der Ansprache wieder zu der am Anfang vorausgesetzten Frage zurück, warum Paulus als Gefangener nach Rom gebracht wurde. Und den Juden wird gezeigt, daß er wegen der messianischen Hoffnung Israels seine Fesseln trägt[44]. Der *Leser* soll sich an frühere Aussagen erin-

---

32 οἵτινες steht statt οἵ, vgl. Blass/Debr § 293,2c; Haenchen, Apg 238 Anm. 5.

33 ἀνακρίνω mit Akkusativ „jemand verhören, gegen jemand eine Untersuchung durchführen“ wie 12,19. Siehe ferner oben Nr. 63 A. 17.

34 Zum Vorhaben der Freilassung (ἀπολύω) siehe 26,32. Vgl. indessen auch 25,11: Festus wollte Paulus den Juden „schenken“.

35 αἰτία θανάτου wie 13,28 (in bezug auf Jesus). αἰτία ἐν wie Joh 18,38; 19,4.6.

36 ἀντιλέγω „widersprechen“ wie 13,45; 28,22; vgl. Lk 20,27. – Die Angabe, daß ein Einspruch von jüdischer Seite die Appellation an den Kaiser veranlaßt habe, weicht von der Darstellung Apg 25,11 ab.

37 ἀναγκάζω steht in der Bedeutung „zwingen, nötigen“ auch 26,11.

38 Zu οὐχ ὡς ... ἔχων τι κατηγορεῖν (Negation beim Partizip) siehe Blass/Debr § 430,2, die weitere Beispiele aus Lk/Apg aufführen.

39 Haenchen. Er fügt an: „Daß er sich verzweifelt dagegen gewehrt hat, vom Synhedrion gerichtet zu werden, wird nicht erwähnt.“ Vgl. Johannes Chrysostomus, Homil. in Acta Apost. LV 1: Paulus hat Berufung eingelegt, „um der Gefahr zu entrinnen“.

40 Wörtlich: „Aus diesem Grunde (αἰτία) nun ...“ Zur Formulierung vgl. 10,21; 22,24; Lk 8,47.

41 Von παρεκάλεσα sind die finalen Infinitive ἰδεῖν und προσλαλῆσαι abhängig.

42 ἡ ἐλπὶς τοῦ Ἰσραήλ ist im Sinne von 23,6; 24,15; 26,6f zu verstehen. Näherhin ist die Auferstehungshoffnung gemeint, von der die Christen behaupten, sie habe sich an Jesus schon erfüllt.

43 Die uneigentliche Präposition ἕνεκεν (mit Genitiv) „wegen, um – willen“ steht in der Apg nur hier; vgl. indessen Lk 9,24; 18,29; 21,12.

44 Wörtlich: „bin ich von dieser Fessel (ἅλυσις = Handschellen) umgeben (περίκειμαι)“ bzw. „bin ich mit dieser Fessel angetan“; vgl. 4 Makk 12,3 (τὰ δεσμά). Siehe Zerwick/Grosvenor, Analysis z. St.

nern: 23,6; 24,15; 26,6f. Für die römischen *Juden* käme die abschließende Aussage V 20b unvermittelt[45].

V 21 Die Juden antworten[46], daß man weder brieflich aus Judäa[47] noch durch einen jüdischen Besucher[48] etwas Belastendes über Paulus vernommen habe[49]. Sie können Paulus also beruhigen, der offenbar bei seiner kurzen Apologie davon ausging, daß die römischen Juden über ihn falsch informiert seien.

V 22 Sie bitten Paulus ganz höflich[50], ihnen seine Meinung[51] mitzuteilen (V 22a). Die Bitte wird mit der Feststellung begründet, die römischen Juden hätten „über diese Sekte"[52], das heißt das von Paulus vertretene Christentum, (bisher nur) vernommen, daß man ihr (jüdischerseits) allerorten Widerspruch entgegenbringt[53] (V 22b). So bekunden die Juden ihr Interesse an der Botschaft des Paulus[54]. Der Erzähler hat damit die folgende Episode (VV 23–28) vorbereitet.

V 23 Die Vertreter der römischen Judenschaft machen mit Paulus einen Termin aus[55], bei dem er ihnen seine Auffassung darlegen soll (vgl. V 22). Damit ist Paulus Gelegenheit gegeben, vor ihnen als Missionar zu sprechen. Die Juden kommen in noch größerer Zahl[56] in die Mietwohnung[57]

---

[45] Vgl. dazu Haenchen, Apg 694f.

[46] Die Redeeinleitung nach der Form ὁ/οἱ δὲ πρὸς αὐτὸν εἶπεν/εἶπον (εἶπαν) ist bei Lukas beliebt: 12,15; Lk 10,26; vgl. (mit anderer Wortstellung) Lk 3,13; 4,43; 5,33; 10,26; 13,23; 20,25; 23,22. εἶπαν steht hellenistisch für εἶπον, vgl. Zerwick, Biblical Greek Nr. 489.

[47] Sie haben „keine Briefe über dich empfangen aus Judäa", d.h. man hat ihnen keine offizielle Mitteilung über Paulus gemacht.

[48] Auch kein (jüdischer) ἀδελφός, der zu Besuch in Rom weilte (παραγενόμενος), hat über Paulus „etwas Böses" berichtet (ἀπαγγέλλω und λαλέω sind zu unterscheiden im Sinne der offiziellen Mitteilung einerseits und der privaten Auskunft andererseits; siehe Loisy, Actes 934, mit der Unterscheidung „par ordre" – „de lui même").

[49] Substantivisches πονηρόν „Böses" wie Mt 5,11; Lk 6,45c; Röm 12,9; 1 Thess 5,22.

[50] ἀξιοῦμεν ... ἀκοῦσαι. – ἀξιόω „für wert/würdig erachten" (vgl. Lk 7,7), auch „verlangen" (vgl. Apg 15,38), heißt hier „bitten" (mit Haenchen; gegen BauerWb s.v. 2a, vgl. indessen s.v. 2b).

[51] ἃ φρονεῖς „was du meinst" wird durch den folgenden Satz (V 22b) präzisiert: Es geht um den Standpunkt (Glauben) der christlichen αἵρεσις.

[52] περὶ τῆς αἱρέσεως ταύτης verweist auf die „Sekte" der Nazoräer, von der z.B. 24,5.14 die Rede war. Die Juden scheinen hier von Christen in der Stadt Rom (vgl. 28,15) nichts zu wissen; vgl. Conzelmann.

[53] ἀντιλέγεται (V 22) erweitert und bestätigt, was Paulus selbst V 19a (über die Juden) gesagt hatte.

[54] Vgl. das Interesse der Athener, die die Areopagrede veranlassen: 17,19f.

[55] τάσσομαι ἡμέραν wie Polybius XVIII 19,1; JosAnt IX 136; 2 Makk 3,14; 14,21.

[56] πλείονες „(noch) mehrere, zu mehreren"; siehe BauerWb s.v. πολύς II 2 a β.

[57] ξενία ist hier nicht „Gastlichkeit", sondern bezeichnet die Wohnung, die Paulus in Rom bezogen hatte; vgl. 28,16.30. Siehe Conzelmann.

des Paulus, und er legt ihnen seine Botschaft dar. Sie hat zwei Hauptinhalte[58], die indessen nicht nebeneinander, sondern ineinanderliegen: Paulus bezeugt „das Reich Gottes“[59], und er sucht die Hörer von der Messianität Jesu zu überzeugen[60]. Paulus widmet sich seiner Aufgabe sehr intensiv: Er spricht bis zum Abend[61]. Der „christologische“ Argumentationsgang geht vom „Gesetz des Mose und den Propheten“ aus, das heißt: Paulus führt einen Weissagungsbeweis auf Grund der Schrift[62]. Das „Reich Gottes“ ist gewissermaßen der heilsgeschichtliche Rahmen des Christusereignisses. Freilich ist schon die Zeit der Basileia-Verkündigung heilsgeschichtliche Erfüllungszeit (vgl. Lk 16,16).

V 24 Die Reaktion der Hörer auf die Darlegung des Paulus ist gespalten. Einige lassen sich von dem Gesagten überzeugen (ἐπείθοντο); andere[63] aber schenken ihm keinen Glauben (ἠπίστουν[64]). Dabei ist im ersten Fall nicht an ein Gläubigwerden gedacht, nicht an eine „wirkliche Bekehrung“: „Theoretisch sind die Juden sich über die christliche Lehre nicht einig; aber dennoch entscheidet sich keine der beiden Gruppen praktisch für das Christentum.“[65]

---

[58] Von ἐξετίθετο (vgl. oben Nr. 44 A. 23) sind die koordinierten Partizipien διαμαρτυρόμενος und πείθων abhängig. Zum zweifachen Inhalt der Predigt vgl. auch 28,31.

[59] διαμαρτύρομαι bezeichnet die feierliche Bezeugung wie 20,21.24; 23,11; siehe oben Nr. 51 A. 22. Zur Verkündigung der βασιλεία τοῦ θεοῦ vgl. 1,3; 19,8; 20,25, wo die gesamte christliche Botschaft gemeint ist, und 8,12; 28,31, wo die Botschaft vom „Reich“ neben der Verkündigung über Jesus genannt wird. Haenchen meint, an den letzteren Stellen habe βασιλεία „jenseitige“ Bedeutung (unter Hinweis auf 14,22 und Lk 23,42); vgl. auch Conzelmann, Mitte der Zeit 95–100.104–111, der jedoch wohl richtiger von einem „zeitlosen Begriff des Reiches“ bei Lukas spricht (vgl. a.a.O. 95). Merk, Das Reich Gottes (1975) 206, vertritt die Ansicht, daß Apg 28,23 die Bezeugung des Gottesreichs mit dem Bemühen des Paulus, die Hörer für Jesus zu gewinnen, „ineinsgesetzt“ werde. Lohfink, Sammlung Israels (1975) 79 Anm. 204, erkennt aus Apg 1,3 und 28,(23)31, daß die Apg durch das Thema „Reich Gottes“ geradezu „gerahmt“ wird.

[60] Zu πείθω siehe oben Nr. 42 A. 24. Es ist an den Weissagungsbeweis gedacht!

[61] Die Wendung „vom morgen bis zum Abend“ stammt aus der LXX (3 Kg 22,35; vgl. Ex 18,13; Sir 18,26).

[62] Vgl. Lk 24,27.44; Apg 26,22.

[63] Zu οἱ μὲν ... οἱ δέ vgl. 14,4; 17,32. Alle drei Stellen handeln von dem geteilten Echo, das die christliche Botschaft findet.

[64] Das Imperfekt von ἀπιστέω „ungläubig bleiben, Glauben verweigern“ (vgl. Lk 24,11.41) ist hier dem vorausgehenden Imperfekt von πείθομαι „sich überzeugen lassen“ gegenübergestellt.

[65] Haenchen, mit Hinweis auf Loisy, Actes 937. Ähnlich Conzelmann: „der Akzent liegt nicht darauf, daß sich immerhin ein Teil bekehrt habe ... Die Szene ist gerade entworfen, um den Eindruck zu erwecken, daß es mit den Juden hoffnungslos steht. Anders als Paulus (Rm 9 – 11) blickt Lk nicht über die jetzige Verstockung hinaus auf eine künftige Bekehrung Israels.“

V 25 Die Juden sind sich untereinander nicht einig[66] und gehen auseinander[67] (V 25 a). Zuvor (und abschließend) hatte Paulus ihnen noch ein Wort[68] gesagt, das ihr Verhalten als Erfüllung einer Weissagung Jesajas deutet: Treffend[69] habe der heilige Geist[70] durch den Propheten Jesaja gesprochen[71] (V 25 b). Das ῥῆμα ἕν des Paulus umfaßt die Einführung des Zitats (καλῶς bis λέγων), das Zitat von Jes 6, 9 f (VV 26 f) und die Schlußfolgerung des Paulus (V 28). Jesaja hat zu den Vätern der gegenwärtigen Judengeneration[72] gesprochen; aber er sprach als inspirierter Prophet und kennzeichnete damit im voraus auch das sich verweigernde Verhalten der späteren Judenschaft. Paulus kann daraus die Folgerung ziehen, daß „dieses Heil Gottes zu den Heidenvölkern gesandt wurde" (V 28; vgl. 13, 46; 18, 6). „Jetzt ist ... die Zeit der heidenchristlichen Kirche angebrochen; diese hat das Erbe Israels angetreten."[73]

VV 26–27 Mit λέγων „indem er sagte"[74] wird der LXX-Text von Jes 6, 9 f eingeführt. Da die gleiche Stelle auch Mt 13, 14 f (vgl. ferner Mk 4, 12) herangezogen wird, kann man fragen, ob Lukas den Jesaja-Text aus einer Testimoniensammlung bezogen und am LXX-Text kontrolliert habe[75]. „Zwar war das Wort in der urchristlichen Gemeinde offenbar bekannt als Weissagung der Verstockung gegenüber der Predigt, aber nur Lukas stellt durch die Aufnahme von Zeile 1 und den Kontext einen Bezug auf die spezielle Predigt des Paulus her in Entsprechung zum ursprünglichen Sinn der Worte im Alten Testament, wo sie (freilich anders als hier) die Wirkung der Verkündigung des Jesaja festlegen."[76] Die Wendung „zu diesem

---

[66] ἀσύμφωνος „unharmonisch, uneinig" ist ntl. Hapaxlegomenon; vgl. indessen συμφωνέω 5, 9; 15, 15; Lk 5, 36. Zur Uneinigkeit der Juden ist Apg 23, 10 zu vergleichen.

[67] Das Medium ἀπολύομαι „weggehen" kommt im NT sonst nicht vor (vielleicht noch Hebr 13, 23, siehe BAUERWb s. v. 3). Das passivische ἀπολύομαι „verabschiedet werden, sich trennen, scheiden" begegnet Apg 4, 23; 15, 30.33.

[68] ῥῆμα ist hier auf den abschließenden Ausspruch des Paulus insgesamt bezogen, nicht auf das zitierte Prophetenwort allein!

[69] καλῶς mit Verben des Sprechens auch Lk 20, 39; Mk 12, 28, mit προφητεύω Mk 7, 6 par Mt 15, 7 (gleichfalls von Jesaja; dabei: περὶ ὑμῶν).

[70] Vgl. 1, 16; 4, 25 (dazu oben I 357); 11, 28; 21, 4: Der heilige Geist redet durch Propheten, bzw. Propheten reden διὰ τοῦ πνεύματος.

[71] διὰ τοῦ προφήτου wie 2, 16.

[72] Zu πρὸς τοὺς πατέρας ὑμων vgl. 3, 25; 7, 51 f; 13, 32 f; 26, 6.

[73] CONZELMANN zu VV 24 f.

[74] Falls λέγων sich auf πνεῦμα bezieht (vgl. 20, 23), ist das Maskulinum nicht korrekt; siehe dazu HAUSER, Strukturen der Abschlußerzählung 36. λέγων nach einem Verbum dicendi zur Einführung einer direkten Rede ist Hebraismus: z. B. 1, 6; 2, 40; 5, 22 f.27 f; 8, 26; 11, 4; 15, 13; 16, 15.17.28; 19, 28; 20, 23; 21, 40; 22, 26; 24, 2; 25, 14; 26, 31; 27, 9 f.33; Lk 12, 16 a; 18, 18 a; 20, 2. Siehe BLASS/DEBR § 420, 1–3.

[75] Vgl. die Überlegungen bei HOLTZ, Untersuchungen (1968) 35 f. Die genaue Übereinstimmung mit dem LXX-Text wird auch von GNILKA, Verstockung Israels (1961) 16, hervorgehoben. Das Fehlen von αὐτῶν nach dem ersten καὶ τοῖς ὠσίν (V 27; auch Mt 13, 15) kann auf einem so gearteten LXX-Text beruhen (HOLTZ, a. a. O. 34 f).

[76] HOLTZ, a. a. O. 35.

Volk“ ist im hebräischen Text und in der LXX zum Imperativ „sprich“ gezogen. Unser V 26 zieht sie zu πορεύθητι. Schon die LXX hatte die Imperative „verstocke, mache taub und blind!“ abgeschwächt und zu finiten Verben gemacht, „so daß die ganze Schuld auf das Volk fällt“[77]. μήποτε (V 27) kann in diesem Zusammenhang wohl nicht mit „ob nicht vielleicht“[78] wiedergegeben werden. Der Kontext der Prophetie „beschreibt hier nur die tatsächliche Verstockung und nicht deren mögliches Aufhören“[79].

Die Futura ἀκούσετε[80] und βλέψετε[81] (V 26) sind als prophetische Voraussage verstanden. Israel wird sich der Botschaft Gottes verschließen. Der Aorist Passiv ἐπαχύνθη[82] (ἡ καρδία) am Anfang von V 27 bezieht sich auf die Verstocktheit „dieses λαός“ von jeher, desgleichen die Aoristformen (βαρέως[83]) ἤκουσαν und ἐκάμμυσαν[84]. Der mit μήποτε eingeleitete Schlußsatz des Zitats kehrt am Ende wieder zu einem futurischen Verbum finitum zurück[85].

V 28 Feierlich tut Paulus den Juden kund[86], daß – wegen ihrer Verstocktheit – „dieses Heil Gottes“[87] zu den Heidenvölkern gesandt wurde[88]. Und er fügt – prophetisch vorausschauend – an: „Sie werden hören.“ Die Weigerung des Judentums führt dazu, daß das Heil den Heiden angeboten wird, zu ihnen übergeht (vgl. 13,46; 18,6) und von ihnen mit Freude angenommen wird (vgl. 13,48). Die Hinwendung zu den Heiden ist nun endgültig. Sie schließt nicht die Bekehrung einzelner Juden aus. Aber es wird

---

[77] HAENCHEN. In V 27 (Jes 6,10 LXX) heißt es: ἐπαχύνθη ... βαρέως ἤκουσαν ... ἐκάμμυσαν.
[78] Siehe dazu GNILKA, Verstockung Israels 48–50.
[79] HAENCHEN; vgl. GNILKA, a.a.O. 28.
[80] οὐ μὴ συνῆτε (emphatische Verneinung, Konjunktiv Aorist) hat gleichfalls futurischen Sinn; vgl. ZERWICK, Biblical Greek Nr. 444.
[81] Für οὐ μὴ ἴδητε (Konjunktiv Aorist) gilt, was oben A. 80 gesagt ist.
[82] παχύνω „fett machen“, passivisch „fett werden“, kommt im NT nur im Zitat von Jes 6,10 vor: Mt 13,15; Apg 28,27.
[83] Das Adverb βαρέως „schwerlich“ steht auch Mt 13,15 (Jes 6,10). β. ἀκούω heißt „schwerhörig sein“.
[84] καμμύω (καταμύω) „(die Augen) schließen“, d.h. „sich weigern, etwas wahrzunehmen“, auch Mt 13,15 (Jes 6,10).
[85] Das Futurum ἰάσομαι (αὐτούς) kann im Koine-Griechisch den Konjunktiv ersetzen, der in den vorausgehenden Formen begegnet (ἴδωσιν, ἀκούσωσιν, συνῶσιν καὶ ἐπιστρέψωσιν); Lukas greift die futurische Form in V 28 auf und will ἀκούσονται als Weissagung verstanden wissen: „die Heiden werden hören“.
[86] Eine Parallele zu γνωστὸν οὖν ἔστω ὑμῖν (ὅτι) kam schon 2,14; 4,10; 13,38 vor (Septuagintismus); vgl. HAUSER, Strukturen der Abschlußerzählung 39.
[87] τοῦτο τὸ σωτήριον τοῦ θεοῦ. Das Demonstrativum zeigt, daß an ἰάσομαι (V 27) im Jesaja-Zitat angeknüpft ist. Es geht um den von daher bekannten Willen Gottes, *Heil* zu schaffen und zu schenken. Dies übersieht HAUSER, a.a.O. 39f, der an einen Rückverweis auf 28,23b denkt. Eher könnte man auf alles verweisen, was das lukanische Werk über σῴζω, σωτήρ, σωτηρία κτλ. bisher gesagt hatte; vgl. oben I 334 A. 20.
[88] ἀπεστάλη (Aorist 2, Passiv): Die Sendung durch Gott ist längst erfolgt; vgl. HAUSER, a.a.O. 39: „im Sinne einer gefallenen Entscheidung, die nur zum Teil ausgeführt ist, zu verstehen“.

deutlich: Die Kirche der nachpaulinischen Zeit wird eine heidenchristliche Kirche sein. Die Hinwendung zu den Heiden wird letztlich aus der „Schrift" als dem Willen Gottes entsprechend „erwiesen"[89]. V 28 ist „Fazit in lukanischer Diktion"[90].

Der „westliche" Text (außerdem ein Teil der Koine-Gruppe) schiebt (als *V 29*) ein: „Und als er das gesagt hatte, gingen die Juden weg und stritten noch lange miteinander." Es handelt sich um eine sekundäre Einschaltung, die den Übergang zu V 30 erleichtern soll[91]. Die Wendung ἔχοντες συζήτησιν kommt bei Lukas sonst nicht vor[92].

VV 30–31 Nach dem ursprünglichen Acta-Text war schon V 25 a berichtet worden, daß die Juden weggingen. So konnten die bedeutsamen Worte des Paulus (VV 25 b–28) die Episode abschließen. Die VV 30 f beschließen nun das ganze Buch, indem sie zeigen, was in den zwei Jahren[93] der römischen Gefangenschaft des Paulus geschah. Paulus blieb[94] volle zwei Jahre in seiner eigenen Mietwohnung[95] (V 30 a). Dort konnte er alle empfangen[96], die zu ihm kommen wollten[97] (V 30 b). Wer so von der Zweijahresfrist spricht, weiß, daß sich dieser Zustand danach änderte[98]. Lukas weiß: zum Schlimmeren.

---

[89] CONZELMANN zu VV 24 f. – Daß Lukas „für die nicht an Jesus glaubenden Juden eine Zukunft in Gottes Heilsplan, eine Hoffnung auf den primär und speziell zu Israel gesandten Parusiechristus am Ende der Tage" sehe, behauptet – unter Berufung auf Apg 3,20 – zu Unrecht MÜLLER, Die jüdische Entscheidung 527.

[90] CONZELMANN. Zum καί vor ἀκούσονται siehe HAUSER, a. a. O. 40: Es „verstärkt sowohl das Pronomen als auch das nachfolgende Verb und verleiht diesen einen adversativen Sinn". Siehe auch DUPONT, La conclusion 373 f mit Anmerkungen 33–36.

[91] Siehe oben A. f.; vgl. auch GNT z. St.; METZGERTC 502. V 29 fehlt u. a. in P74 ℵ B E Ψ 048.

[92] Vgl. hingegen συζήτησις „Disput, Auseinandersetzung" im Textus receptus 15,2.7.

[93] διετία „Zeitraum von zwei Jahren" wie 24,27. Das Adjektiv ὅλη drückt aus, daß der Zeitraum voll beansprucht wurde; vgl. ὅλος bei anderen Zeitangaben: 11,26 (Jahr); Lk 5,5 (Nacht).

[94] ἐμμένω „bleiben in", hier mit ἐν in lokaler Bedeutung; im Sinne von „verharren bei" ferner 14,22 (Gal 3,10 und Hebr 8,9 in LXX-Zitaten).

[95] μίσθωμα (von μισθόομαι „für sich mieten") kann in aktivischer Bedeutung den „Mietzins" bezeichnen (z. B. Philo, De spec. leg. I 280) oder passivisch das „Gemietete", d. h. die „Mietwohnung". In unserem Zusammenhang kommt nur die passivische Bedeutung in Frage, weil μ. mit der Präposition ἐν erscheint. HANSACK, „Er lebte ..." (1975); Nochmals (1977), tritt für die Übersetzung „er lebte von seinem eigenen Einkommen" ein; siehe dagegen SAUM, „Er lebte ..." (1976). Im Sinne von „Mietwohnung" übersetzen WIKENHAUSER, HAENCHEN und CONZELMANN; siehe auch SPICQ, Notes II 566 f; HAUSER, Strukturen der Abschlußerzählung 153–157. BRUCE (NIC) macht auf die doppelte Bedeutung von μ. aufmerksam, meint jedoch, der Punkt habe praktisch nur geringe Bedeutung; siehe dagegen mit Recht HAUSER, a. a. O. 155.

[96] ἀποδέχομαι mit personalem Akkusativ: „jemand freundlich aufnehmen/willkommen heißen" wie 18,27; 21,17; Lk 8,40; 9,11.

[97] Einige „westliche" Textzeugen (s. o. A. g) erläutern πάντας durch „Juden und Griechen (Heiden)", was die entscheidenden Worte der VV 25 b–28 wohl entschärfen soll. Lukas denkt bei den Besuchern des Paulus offenbar an „Griechen"; vgl. HAENCHEN.

[98] CONZELMANN; siehe auch HAENCHEN: „wer so schreibt, weiß (1), daß dann eine Änderung eintrat, und (2), worin sie bestand".

Seinen (zahlreichen) Besuchern verkündigte[99] Paulus „das Reich Gottes", und er lehrte sie[100] „die den Herrn Jesus Christus betreffenden Dinge"[101] (V 30). Die christliche Botschaft wird wie zuvor in V 23 unter einem doppelten Aspekt beziehungsweise durch zwei große Themenkreise charakterisiert[102]. Doch liegt der Nachdruck des Berichts auf den beiden folgenden Umschreibungen, *wie* der Gefangene das tat: „mit allem Freimut"[103] und „ungehindert"[104]. Das erste drückt die Zuversicht und Furchtlosigkeit des Gefangenen aus, das zweite, daß man ihn von behördlicher Seite nicht behinderte[105]. Doch hat das letzte Wort der Apostelgeschichte im Sinne des Verfassers eine viel weiter tragende Bedeutung[106]: Das Wort der christlichen Botschaft läßt sich auch durch Fesseln (vgl. 2 Tim 2,9) nicht behindern; es nimmt seinen Lauf weiter (vgl. 2 Thess 3,1). Die „Heiden" werden es bereitwillig hören (vgl. Apg 28,28). Mit einem solchen Schluß[107] seines Werkes schenkt Lukas den christlichen Zeitgenossen und Lesern Mut und Vertrauen[108]. Sie wissen ja, daß selbst der Tod des großen Heidenmissionars die weitere Ausbreitung des „Wortes" nicht beeinträchtigte.

---

[99] Als Gegenstand von κηρύσσω begegnet „das Reich (Gottes)" auch 20,25; Lk 8,1; 9,2; siehe dazu HAUSER, Strukturen der Abschlußerzählung 136–138.

[100] διδάσκω (vgl. V 23 πείθω) soll wohl die argumentative Unterweisung kennzeichnen; vgl. HAUSER, a.a.O. 138–140.

[101] τὰ περὶ τοῦ κυρίου κτλ. Die Formulierung bezieht sich ungefähr auf den Stoff des dritten Evangeliums, vornehmlich aber auf Tod und Auferstehung Jesu: 18,25; 23,11; Lk 24,19.27. Vgl. auch Apg 28,23.

[102] Siehe dazu oben A. 59.

[103] Die präpositionale Wendung μετὰ (πάσης) παρρησίας kommt im NT nur Apg 2,29; 4,29.31; 28,31 vor. Besonders 4,29.31 zeigt, daß der Freimut zur Wortverkündigung von Gott selbst geschenkt wird (angesichts der *Bedrohung* der Christen); siehe HAUSER, a.a.O. 140–144. Vgl. auch das Vorzugswort der Apg παρρησιάζομαι, dazu oben Nr. 22 A. 49.

[104] Das Adverb ἀκωλύτως ist ntl. Hapaxlegomenon. Es ist auch sonst selten belegt; siehe DELLING, Das letzte Wort (1973) 196–201; HAUSER, a.a.O. 144–150.

[105] Trotzdem ist es unzutreffend, wenn CONZELMANN zu ἀκωλύτως bemerkt, der Schlußakzent sei „ein Appell an Rom". Vgl. auch HAENCHEN, Apg 694.700.

[106] Vgl. DELLING, a.a.O. 201–204: „Lukas spannt einen Bogen von der Zusage dieses Herrn – ‚ihr werdet meine Zeugen sein ... bis an den Saum der Erde' (1,8) – zu der Verkündigung des Paulus in Rom. Sie ist für Lukas gewiß nicht das Ende der Erfüllung jener Verheißung, sondern weist in die Zukunft" (204).

[107] Zur „Offenheit" des Acta-Schlusses vgl. SCHNEIDER, Zweck des lukanischen Doppelwerks (1977) 53.

[108] Mit der Predigt des Paulus in Rom ist das 1,8 aufgestellte Programm noch nicht voll erfüllt: „Rom ist nicht das Ende der Welt" (WIKENHAUSER, Apg 291). Die Lk 24,47 verheißene Metanoia-Predigt bei allen Völkern ist – wie das futurische ἀκούσονται Apg 28,28 zeigt – noch nicht zur vollen Erfüllung gekommen. Mit der Anwesenheit des Paulus in Rom ist das Endziel der Mission noch nicht erreicht; vgl. SCHNEIDER, Parusiegleichnisse 61; ferner oben I 142.

REGISTER

1. Griechische Wörter

2. Stellenregister antiker Autoren

Griechische, römische und jüdische Schriftsteller

Christliche Schriftsteller

3. Personen- und Ortsnamen

(zu Band I und II)

Dieses Register erstreckt sich auf alle Namen, die im Text der Apostelgeschichte (und in wichtigen Varianten) vorkommen. Im allgemeinen sind die Seiten genannt, wo zu dem betreffenden Namen nähere Angaben (auch über sonstige Vorkommen) stehen. Bei Namen, zu denen keine besonderen Informationen gegeben werden, sind in Klammern die Vorkommen innerhalb der Apostelgeschichte notiert.